Utilize este código QR para
se cadastrar de forma mais rápida:

Ou, se preferir, entre em:
www.richmond.com.br/ac/app/
e siga as instruções para obter o **app**.

CÓDIGO DE ACESSO:

A 00172 DICLANDK U 72408

Faça apenas um cadastro. Ele será válido para:

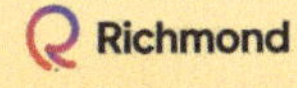

From trees to books, sustainability all the way

Da semente ao livro, sustentabilidade por todo o caminho

Planting forests

The wood used as raw material for our paper comes from planted forests, that is, it is not the result of deforestation. This practice generates thousands of jobs for farmers and helps to recover environmentally degraded areas.

Plantar florestas

A madeira que serve de matéria-prima para nosso papel vem de plantio renovável, ou seja, não é fruto de desmatamento. Essa prática gera milhares de empregos para agricultores e ajuda a recuperar áreas ambientais degradadas.

Making paper and printing books

The entire paper production chain, from pulp production to book binding, is certified, complying with international standards for sustainable processing and environmental best practices.

Fabricar papel e imprimir livros

Toda a cadeia produtiva do papel, desde a produção de celulose até a encadernação do livro, é certificada, cumprindo padrões internacionais de processamento sustentável e boas práticas ambientais.

Creating content

Our educational solutions are developed with life-long goals guided by editorial values, diverse viewpoints and socio-environmental responsibility.

Criar conteúdos

Os profissionais envolvidos na elaboração de nossas soluções educacionais buscam uma educação para a vida pautada por curadoria editorial, diversidade de olhares e responsabilidade socioambiental.

Developing life projects

Richmond educational solutions are an act of commitment to the future of younger generations, enabling partnerships between schools and families in their mission to educate!

Construir projetos de vida

Oferecer uma solução educacional Richmond é um ato de comprometimento com o futuro das novas gerações, possibilitando uma relação de parceria entre escolas e famílias na missão de educar!

Scan the QR code to learn more.
Access *https://mod.lk/rich_sus*

Fotografe o código QR e conheça melhor esse caminho.
Saiba mais em *https://mod.lk/rich_sus*

Arnon Hollaender
Vidal Varella

The LANDMARK Dictionary

para estudantes brasileiros de inglês

English – Portuguese
Portuguese – English

5ª edição

Richmond

Richmond

Direção: Sandra Possas
Edição executiva de inglês: Izaura Valverde
Gerência de produção: Christiane Borin
Edição executiva de conteúdos digitais: Adriana Pedro de Almeida
Coordenação de arte: Raquel Buim
Edição: Thelma Babaoka
Revisão: Amanda Lassak, Cris Gontow, Giuliana Gramani, Ilá Coimbra, Kandy Saraiva, Natasha Montanari, Rafael G. Spigel, Raura Ikeda, Roberta Risther, Sheila Saad, Thais Giammarco e Vivian Cristina
Projeto gráfico: Igor Aoki
Edição de arte: Igor Aoki
Diagramação: Select Editoração
Capa: Igor Aoki
Ilustrações: Moa
Cartografia: Anderson de Andrade Pimentel, Ericson Guilherme Luciano, Fernando José Ferreira
Iconografia: Yan Imagens
Tratamento de imagens: Arleth Rodrigues, Bureau São Paulo, Marina M. Buzzinaro, Wagner Lima
Pré-impressão: Alexandre Petreca, Everton L. de Oliveira Silva, Fabio N. Precendo, Hélio P. de Souza Filho, Marcio H. Kamoto, Rubens M. Rodrigues, Vitória Sousa
Impressão e acabamento: Gráfica Terrapack
Lote: 781.962
Cód.: 12094140

Elaboração de novos verbetes: Luciana Garcia

Dados Internacionais de Catalogação na Publicação (CIP)
(Câmara Brasileira do Livro, SP, Brasil)

Hollaender, Arnon
The Landmark dictionary: para estudantes brasileiros de inglês: English/Portuguese, Portuguese/English/Arnon Hollaender, Vidal Varella. – 5. ed. – São Paulo: Moderna, 2014.

1. Inglês - Dicionários - Português 2. Português - Dicionários - Inglês I. Varella, Vidal. II. Título.

14-03438 CDD-423.69
-469.32

Índices para catálogo sistemático:
1. Inglês-português : Dicionários 423.69
2. Português-inglês : Dicionários 469.32

ISBN 978-85-16-09414-0

RICHMOND

SANTILLANA EDUCAÇÃO LTDA.
Rua Padre Adelino, 758, 3º andar — Belenzinho
São Paulo — SP — Brasil — CEP 03303-904
www.richmond.com.br
2023
Impresso no Brasil

Sumário

Algumas palavras...

Você certamente já utilizou um dicionário. Embora sejam muito parecidos entre si, os dicionários podem trazer suas informações organizadas de diferentes maneiras, pois não existe uma forma única ou mais correta de apresentá-las. Certa familiaridade com cada uma dessas formas de organizar um dicionário torna-se necessária quando se deseja tirar o máximo proveito de uma consulta.

As orientações a seguir têm o propósito de facilitar essa consulta, tornando-a rápida e eficiente.

A estrutura deste dicionário

Inglês-português

Para encontrar uma palavra nesta seção, basta conhecer o alfabeto e sua ordem.

No canto superior de cada página aparecem as palavras-guias, para facilitar a localização do vocábulo desejado.

As entradas desta seção podem apresentar todas ou algumas das seguintes informações:

1. **A palavra –** recebe um destaque diferenciado e é apresentada, em geral, com letras minúsculas. Letras iniciais maiúsculas são empregadas somente quando a regra gramatical assim exige (nos adjetivos patronímicos, por exemplo). Quanto à ortografia, optou-se pela grafia norte-americana (por exemplo, *neighbor* em vez de *neighbour*, sua correspondente britânica). A forma britânica é disponibilizada entre parênteses, ao lado do vocábulo, se houver tal variação.
2. **A pronúncia –** aparece entre barras, na forma de símbolos fonéticos. A simbologia adotada foi a da International Phonetic Association (representando aqui a pronúncia da variante norte-americana do inglês).
   Os símbolos fonéticos remetem a sons específicos. Para utilizá-los corretamente, consulte o alfabeto fonético apresentado na página 10. Verifique a que sons os símbolos se referem em português e então aplique-os nas palavras em inglês.
   Lembre-se sempre, porém, de que os símbolos fonéticos, apesar de tentarem reproduzir o mais fielmente possível os

sons de determinada língua, não são exatos e correspondem a aproximações mais ou menos precisas.
O acento tônico é indicado pelo sinal ('), que precede a vogal da sílaba tônica.

3. **A categoria gramatical –** destacada em itálico, a classe gramatical da palavra aparece grafada de forma abreviada. Quando existirem diferentes categorias gramaticais para uma mesma palavra, elas serão separadas por um círculo (•).
A lista de abreviaturas da página 10 traz as categorias gramaticais básicas utilizadas para classificar as palavras apresentadas neste dicionário, bem como informações importantes para o correto entendimento dos verbetes.

4. **Formas derivadas –** as formas que oferecem certa dificuldade de grafia estão destacadas em negrito, itálico e em letras minúsculas. É o caso, por exemplo, dos verbos irregulares, cujas formas de passado (pretérito e particípio) aparecem indicadas entre parênteses. As demais formas derivadas, como as de plural irregular ou as palavras que, no plural, adquirem outros significados, também aparecem em destaque.

5. **A tradução –** são apresentados apenas os significados essenciais do vocábulo, seja por meio de uma palavra, de uma expressão ou de uma definição. Quando necessário, uma informação complementar aparece entre parênteses. Em alguns casos, ainda, há exemplos de uso do verbete em questão.

6. **A "família" –** palavras e expressões importantes relacionadas ao vocábulo que originou o verbete são destacadas em negrito e aparecem logo após a tradução, introduzidas por um losango (♦).
As palavras da "família" não trazem informações complementares como pronúncia, categoria gramatical, etc. Uma "família" pode apresentar palavras ou expressões de diferentes categorias gramaticais, bem como expressões idiomáticas e/ou provérbios.

7. **Sinônimos e/ou antônimos –** aparecem precedidos de um quadrado (▪) seguido da indicação *sin.* ou *ant.* em itálico.

8. **Indicador remissivo –** remete ao glossário temático ou a um apêndice específico relacionado à palavra, os quais têm como objetivo ampliar o vocabulário do estudante. É indicado pelo nome do apêndice e precedido de uma seta (→).

9. **Imagens –** fotos e ilustrações são utilizadas para exemplificar o uso de palavras e expressões em contextos reais de comunicação.

Apresentação dos verbetes na seção inglês-português

Português-inglês

Para encontrar uma palavra nesta seção, basta conhecer o alfabeto e sua ordem.

No canto superior de cada página aparecem as palavras-guias para facilitar a procura do vocábulo desejado.

As entradas desta seção podem apresentar todas ou algumas das seguintes informações:

1. **A palavra –** é destacada em negrito e apresentada, em geral, em letras minúsculas. Letras iniciais maiúsculas são empregadas somente quando a regra gramatical assim exigir. Nesta seção não é apresentada a separação silábica das palavras, sua transcrição fonética, nem sinônimos ou antônimos.

2. **A categoria gramatical –** quando as palavras se enquadram em mais de uma categoria gramatical, é utilizado um círculo (•) para separá-las.

3. **A versão –** são apresentados apenas os significados essenciais do verbete, seja por meio de outra palavra, expressão ou definição. Quando necessário, uma informação complementar aparece entre parênteses. Além disso, o plural e a forma reflexiva do verbete são destacados em negrito e itálico, sempre que couber essas informações.

4. **A "família" –** palavras e expressões importantes relacionadas ao vocábulo que originou o verbete, destacadas em negrito, aparecem logo após a versão e são introduzidas por um losango (♦). Uma "família" pode apresentar palavras ou expressões de diferentes categorias gramaticais, bem como expressões idiomáticas e/ou provérbios.

5. **Indicador remissivo –** remete ao glossário temático ou a um apêndice específico relacionado à palavra, os quais têm como objetivo ampliar o vocabulário do estudante. É indicado pelo nome do apêndice e precedido de uma seta (→).

6. **Imagens –** fotos e ilustrações são utilizadas para evidenciar as diferentes acepções de uma mesma palavra.

Glossário temático e Apêndices

No **Glossário temático** (página 337), com fotos coloridas, e nos **Apêndices** (página 649), as palavras da mesma categoria são agrupadas para facilitar a consulta e expandir o conhecimento do estudante.

Apresentação dos verbetes na seção português-inglês

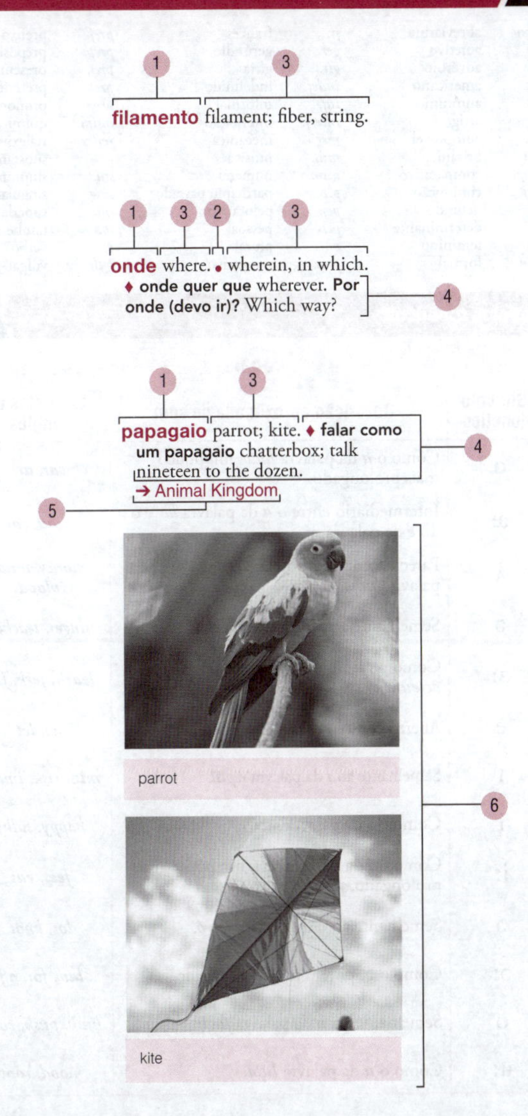

Lista das abreviaturas utilizadas neste dicionário

abrev.	abreviatura	*fr.*	francês	*pref.*	prefixo
adj.	adjetivo	*ger.*	gerúndio	*prep.*	preposição
adv.	advérbio	*gír.*	gíria	*pres.*	presente
Am.	americano	*indef.*	indefinido	*pret.*	pretérito
ant.	antônimo	*inf.*	informal	*pron.*	pronome
art.	artigo	*interj.*	interjeição	*quím.*	química
aut.	automóvel	*mec.*	mecânica	*reflex.*	reflexivo
Brit.	britânico	*mús.*	música	*s.*	substantivo
comp.	comparativo	*num.*	numeral	*sin.*	sinônimo
conj.	conjunção	*p.p.*	particípio passado	*sing.*	singular
def.	definido	*pej.*	pejorativo	*sup.*	superlativo
det.	determinante	*pess.*	pessoal	*tb.*	também
fem.	feminino	*pl.*	plural	*v.*	verbo
form.	formal	*poss.*	possessivo	*vulg.*	vulgar

Símbolos fonéticos

Vogais

Símbolo fonético	Descrição aproximada do som	Exemplos em inglês
ɑ	Como o ***a*** da palavra *lado*, um pouco mais prolongado.	*car, art*
æ	Intermediário entre o ***a*** da palavra *lar* e o do ***é*** da palavra *ré*.	*mad, cat*
ʌ	Parecido com o primeiro ***a*** da palavra *fama*.	*money, mud, blood*
ə	Semelhante ao ***a*** do nome *Teresa*.	*singer, teacher*
ɜː	Como o ditongo ***eu*** da palavra francesa *acteur*.	*learn, jerk, fur*
e	Aberto como o ***é*** da palavra *ré*.	*set, let*
ɪ	Semelhante ao ***i*** da palavra *réptil*.	*miss, risk, image*
i	Como o ***i*** da palavra *saci*.	*happy, sulky*
iː	Como o ***i*** da palavra *saci*, um pouco mais prolongado.	*feet, eat*
ɔ	Semelhante ao ***ó*** da palavra *forró*.	*lot, knot*
ɔː	Como o ɔ, porém mais prolongado.	*law, for, off*
ʊ	Semelhante ao ***u*** da palavra *fugir*.	*bush, push, cook*
uː	Como o ***u*** da palavra *luta*.	*mood, root*

Ditongos		
Símbolo fonético	**Descrição aproximada do som**	**Exemplos em inglês**
aɪ	Como o ***ai*** da palavra ***cai.***	*rice, die*
aʊ	Como o ***au*** da palavra *c**au**da.*	***cow**, ar**ou**nd, **ou**t*
eɪ	Como o ***ei*** da palavra *az**ei**te.*	*s**ay**, m**a**te*
oʊ	Como o ***ou*** da palavra *s**ou**.*	*v**o**te, P**o**pe*
ɔɪ	Como o ***ói*** da palavra *tram**oi**a.*	*t**oy**, s**oi**l*

Semivogais		
Símbolo fonético	**Descrição aproximada do som**	**Exemplos em inglês**
j	Como o ***i*** da palavra *ta**i**s.*	***y**es, **u**se*
w	Semelhante ao ***u*** da palavra *la**u**da.*	***w**all, **w**aist*

Consoantes		
Símbolo fonético	**Descrição aproximada do som**	**Exemplos em inglês**
g	Como símbolo fonético, tem sempre o valor de ***gue***.	***G**od, **g**et, **g**ive*
h	Aspirado, na maioria das vezes.	***h**ouse, **h**at*
k	Como o ***c*** da palavra ***c**obre.*	***c**ome, **c**atch*
r	a) Prolongado quando no início da palavra e seguido de vogal. b) Quase imperceptível quando no fim de uma sílaba ou seguido de outra consoante.	***r**ing, **r**ose* *ta**r**t, sma**r**t, ea**r***

Consoantes		
Símbolo fonético	**Descrição aproximada do som**	**Exemplos em inglês**
s	Semelhante ao ***s*** da palavra ***solteiro.***	***sand, sell***
z	Como o ***z*** da palavra ***zebra.***	***rise, useful***
ʒ	Como o ***j*** da palavra *su**j**o.*	***leisure, treasure***
dʒ	Semelhante ao ***dj*** da palavra ***adjetivo.***	***rage, courage***
ʃ	Semelhante ao ***ch*** da palavra ***chave.***	***sheep, shop***
ŋ	Semelhante ao ***ng*** da palavra ***ângulo***, porém o ***g*** quase não se ouve.	***song, thing***
ð	Como o do ***d*** do português falado em Portugal, que é pronunciado com a língua encostada nos dentes superiores (sonoro).	***there, those***
θ	Não tem correspondente em português. Assemelha-se ao ***ce*** da palavra *chan**ce***, pronunciado com a língua entre os dentes (surdo).	***think, thrill, path***

Observações:

As consoantes **b**, **d**, **f**, **l**, **m**, **n**, **p**, **t**, **v** não apresentam variação sonora em relação à língua portuguesa.

O sinal ' indica que a sílaba é a tônica.

O sinal **ː** depois de uma vogal indica que o som é mais longo.

Inglês

Português

A, a /eɪ, ə/ *s.* primeira letra do alfabeto inglês; lá, a sexta nota musical. ♦ **A-flat** lá bemol. **A major** lá maior. **A minor** lá menor. **A-sharp** lá sustenido.

a /eɪ, ə/ *art. indef.* (usa-se ***an*** /æn, ən/ antes de palavra começada por som de vogal) um, uma. ♦ **A Mrs. Jones came here.** Uma certa senhora Jones veio aqui. **half an hour** meia hora. **quite a wide street** uma rua bastante larga. **twice a day** duas vezes por dia. **two dollars a dozen** dois dólares a dúzia. **What a pity!** Que pena! **What a sad man!** Que homem triste!

AAA /eɪeɪ'eɪ/ (*abrev.* de *American Automobile Association*) Associação Automobilística Americana. → Abbreviations

abandon /əb'ændən/ *v.* abandonar.

abbess /'æbes/ *s.* abadessa, madre superiora.

abbey /'æbi/ *s.* abadia, mosteiro.

abbot /'æbət/ *s.* abade.

abbreviate /əbr'iːvieɪt/ *v.* abreviar.

abbreviation /ə'briːvi'eɪʃən/ *s.* abreviação, abreviatura.

ABC /eɪbiːs'iː/ (*abrev.* de *American Broadcasting Company*) Companhia de Teledifusão Americana. → Abbreviations

abdicate /'æbdɪkeɪt/ *v.* abdicar, renunciar. ♦ **abdicate every responsibility** renunciar a toda responsabilidade.

abdomen /'æbdəmən/ *s.* abdômen. → Human Body

abduct /æbd'ʌkt/ *v.* sequestrar.

abhor /əbh'ɔːr/ *v.* odiar. ▪ *sin.* detest, abominate. ▪ *ant.* love.

abhorrence /əbh'ɔːrəns/ *s.* aversão, repulsa.

abide /əb'aɪd/ *v.* (*pret.* e *p.p.* ***abided*** ou ***abode***) aguentar; conformar-se. → Irregular Verbs

ability /əb'ɪləti/ *s.* capacidade, habilidade.

ablaze /əbl'eɪz/ *adj.* flamejante; brilhante; em chamas. ♦ **set something ablaze** incendiar algo.

able /'eɪbəl/ *adj.* capaz, apto.

abnormal /æbn'ɔːrməl/ *adj.* anormal. ♦ **abnormality** anomalia, anormalidade.

aboard /əb'ɔːrd/ *adv.* a bordo.

abode /əb'oʊd/ *v. pret.* e *p.p.* de ***abide***.

abolish /əb'ɑlɪʃ/ *v.* abolir, anular, cancelar. ▪ *sin.* cancel.

abortion /əb'ɔːrʃən/ *s.* aborto (provocado).

abortive /əb'ɔːrtɪv/ *adj.* fracassado. ♦ **an abortive attempt** uma tentativa fracassada.

abound /əb'aʊnd/ *v.* abundar.

about /əb'aʊt/ *adv.* quase. • *prep.* sobre; perto de; em volta de; prestes a. ♦ **about as poor** quase tão pobre. **about as pretty** quase tão bonita. **about as small** quase tão pequeno. **about as sunny** quase tão ensolarado. **about 6 thousand dollars** cerca de 6 mil dólares. **about the depth of** mais ou menos da profundidade de. **about the height of** mais ou menos da altura de. **about the size of** quase do mesmo tamanho de. **all about** por toda parte; tudo sobre. **Do you know what you are about?** Você sabe o que o espera? **I'm about sick of it!** Estou farto disto! **Is she about again?** Ela já se recuperou? **left-about** meia-volta para a esquerda. **right-about** meia-volta para a direita. **They are about to arrive.** Eles estão para chegar. **What about your teachers?** Que tal os seus professores? **What are you talking about?** Sobre o que você está falando?

above /əb'ʌv/ *adv.* acima, no alto; na parte de cima. • *prep.* sobre, acima; além de. ♦ **above all** acima de tudo. **above any suspicion** acima de qualquer suspeita. **above average** acima da média. **above-mentioned** acima mencionado. **above the age of 10** acima dos 10 anos de idade. **in the room above** no quarto de cima.

abrasive /əbr'eɪsɪv/ *adj.* abrasivo, áspero; mal-educado.

abridge /əbr'ɪdʒ/ *v.* abreviar, resumir. ♦ **abridged** resumido. ▪ *sin.* abbreviate.

abridgment /əbr'ɪdʒmənt/ (*tb.* ***abridgement***) *s.* resumo.

abroad /əbr'ɔːd/ *adv.* em um país estrangeiro, fora, no exterior.

abrupt /əbr'ʌpt/ *adj.* abrupto, repentino.

absence /'æbsəns/ *s.* ausência, falta.

absent /'æbsənt/ *adj.* ausente. • *v.* ausentar(-se); afastar(-se). ♦ **absent-minded** distraído. **absentee** ausente. **absenteeism** absenteísmo, ausência, falta.

absolute /'æbsəluːt/ *adj.* absoluto.

absolutely /æbsəl'uːtli/ *adv.* absolutamente; com certeza.

absolve /əbz'ɑlv/ *v.* absolver, perdoar.

absorb /əbs'ɔːrb, bz'ɔːrb/ *v.* absorver; amortecer. ♦ **absorbed** absorvido; absorto, distraído.

absorbent /əbs'ɔːrbənt, əbz'ɔːrbənt/ *s.* ou *adj.* absorvente.

absorbing /əbs'ɔːrbɪŋ, əb'zɔːrbɪŋ/ *adj.* fascinante, cativante.

absorption /əbs'ɔːrpʃn, əbz'ɔːrpʃən/ *s.* absorção.

abstain /əbst'eɪn/ *v.* abster(-se) de, privar(-se) de.

abstemious /əbst'iːmiəs/ *adj.* abstêmio.

abstract /'æbstrækt/ *s.* abstrato; resumo. • /æbstr'ækt/ *v.* abstrair; resumir. • *adj.* abstrato; teórico. ♦ **The noise abstracted my attention from classes.** O barulho desviou minha atenção das aulas.

absurd /əbs'ɜːrd/ *adj.* absurdo; ridículo.

This situation is simply *absurd.*

abundance /əb'ʌndəns/ *s.* abundância, fartura.

abundant /əb'ʌndənt/ *adj.* abundante.

abuse /əbj'uːs/ *s.* abuso; insulto. • /ɑbj'uːz/ *v.* abusar; maltratar; insultar, ofender.

abusive /əbj'uːsɪv/ *adj.* abusivo, ultrajante, ofensivo.

abyss /əb'ɪs/ *s.* abismo.

AC /eɪs'iː/ (*abrev.* de *alternating current*) corrente alternada. ♦ **AC cord** fio de conexão. **AC inlet**

entrada de corrente alternada. **AC outlet** saída de corrente alternada. → Abbreviations

academic /ækəd'emɪk/ *adj.* acadêmico, universitário; erudito; teórico.

accelerate /əks'eləreɪt/ *v.* acelerar, apressar.

acceleration /əkselər'eɪʃn/ *s.* aceleração.

accelerator /əks'eləreɪtər/ *s.* acelerador.

accent /'æksənt, 'æksent/ *s.* acento; sotaque.

accentuate /əks'entʃueɪt/ *v.* acentuar, enfatizar.

accept /əks'ept/ *v.* aceitar; concordar; reconhecer; aprovar; admitir; acolher.

acceptable /əks'eptəbəl/ *adj.* aceitável, satisfatório.

acceptance /əks'eptəns/ *s.* aceitação; aprovação.

access /'ækses/ *s.* acesso, passagem; admissão. ♦ **access code** código de acesso. **access denied** acesso negado. **access provider** provedor de acesso.

accessible /əks'esəbəl/ *adj.* acessível.

accessory /əks'esəri/ *s.* acessório; suplemento.

accident /'æksɪdənt/ *s.* acidente, desastre. ♦ **accidental** acidental, casual. **by accident** por acaso. **accident insurance** seguro contra acidentes. **accident-prone** propenso a acidentes.

accidentally /æksɪd'entəli/ *adv.* acidentalmente: He *accidentally* erased the files.

acclaim /ə'kleɪm/ *s.* aclamação. • *v.* aclamar.

accommodate /ək'ɑmədeɪt/ *v.* acomodar, hospedar; adaptar, ajustar.

accommodating /ək'ɑmədeɪtɪŋ/ *adj.* tratável, afável, atencioso.

accommodation /əkɑməd'eɪʃən/ *s.* acomodação, alojamento.

accompaniment /ək'ʌmpənimənt/ *s.* acompanhamento.

accompany /ək'ʌmpəni/ *v.* acompanhar.

accomplice /ək'ɑmplɪs/ *s.* cúmplice.

accomplish /ək'ɑmplɪʃ/ *v.* executar, realizar.

accomplished /ə'kɑmplɪʃt/ *adj.* talentoso, dotado.

accomplishment /ək'ɑmplɪʃmənt/ *s.* realização.

accord /ək'ɔːrd/ *s.* acordo, concordância. ♦ **accordingly** dessa forma, consequentemente; de acordo.

accordance /ək'ɔːrdəns/ *s.* acordo. ♦ **in accordance with** de acordo com.

according /ək'ɔːrdɪŋ/ *adv.* de acordo. ♦ **according to** de acordo com.

accordion /ək'ɔːrdɪən/ *s.* acordeão, sanfona. → Musical Instruments

account /ək'aʊnt/ *s.* conta; relato; avaliação; valor. • *v.* explicar; prestar contas. ♦ **account for** ser responsável por. **accountant** contador. **accounting** contabilidade. **accounts payable** contas a pagar. **accounts receivable** contas a receber. **a person of great account** uma pessoa de respeito. **by all accounts** de acordo com a opinião de todos. **close a bank account** encerrar uma conta bancária. **joint checking account** conta bancária conjunta. **keep accounts** registrar. **leave out of account** desconsiderar. **of no account** sem importância. **on account of** por causa de. **on (my) own account** por (minha) própria conta. **open a bank account** abrir uma conta bancária. **take into account** levar em conta. **This accounts for everything.** Isso esclarece tudo.

accountable /ək'aʊntəbəl/ *adj.* responsável.

accountant /ək'aʊntənt/ *s.* contador. → Professions

accumulate /əkj'uːmjəleɪt/ *v.* acumular(-se), juntar(-se).

accuracy /'ækjərəsi/ *s.* exatidão.

accurate /'ækjərət/ *adj.* exato, correto; cuidadoso, meticuloso.

accuse /əkj'uːz/ *v.* acusar, denunciar. ♦ **accusation** acusação.

accustom /ək'ʌstəm/ *v.* acostumar (-se), habituar(-se). ♦ **accustomed** acostumado, habituado.

ace /eɪs/ *s.* ás; especialista.

ache /eɪk/ *s.* dor. • *v.* doer. ♦ **aching** dolorido. **bellyache** dor de barriga. **stomachache** dor de estômago. **headache** dor de cabeça. **toothache** dor de dente. **She's aching all over.** Dói-lhe o corpo todo. **We are aching to enter college.** Estamos ansiosos para entrar na faculdade.

achieve /ətʃ'iːv/ *v.* realizar; conseguir, alcançar.

achievement /ətʃ'iːvmənt/ *s.* realização, conquista.

acid /'æsɪd/ *s.* ácido. • *adj.* ácido, azedo, acre. ♦ **acid rain** chuva ácida. **acid test ratio** índice de liquidez seca. **acidity** acidez.

acknowledge /əkn'ɑlɪdʒ/ *v.* admitir, reconhecer; acusar o recebimento de.

acknowledgment /əkn'ɑlɪdʒmənt/ *s.* reconhecimento; agradecimento; recibo.

acne /'ækni/ *s.* acne.

acoustic /ək'uːstɪk/ *adj.* acústico. *s. pl.* ***acoustics*** acústica.

acquaint /əkw'eɪnt/ *v.* informar; familiarizar.

acquaintance /əkw'eɪntəns/ *s.* conhecido; conhecimento.

acquire /əkw'aɪər/ *v.* adquirir; alcançar; obter; comprar; contrair (hábito).

acquisition /ækwɪz'ɪʃən/ *s.* aquisição; obtenção; compra; proveito.

acquit /əkw'ɪt/ *v.* absolver, inocentar.

acre /'eɪkər/ *s.* acre (4.046,85 m^2). ➔ Numbers

acrobat /'ækrəbæt/ *s.* acrobata.

across /əkr'ɑːs, əkr'ɔːs/ *adv.* transversalmente. • *prep.* através de; sobre; do outro lado de. ♦ **come across** encontrar por acaso. **tear across** mover-se rapidamente. **with arms across** de braços cruzados.

acrylic /əkr'ɪlɪk/ *s.* acrílico.

act /ækt/ *s.* ato, ação; procedimento; obra; divisão de uma peça teatral; número (de circo, de variedades); representação; decreto; documento. • *v.* agir; representar; comportar-se. ♦ **by act of God** por motivo de força maior. **in the act** em flagrante. **The medicine didn't act.** O remédio não fez efeito.

action /'ækʃən/ *s.* ação; movimento, gesto; batalha.

active /'æktɪv/ *adj.* ativo; vivo; movimentado.

activity /ækt'ɪvəti/ *s.* atividade; ação, feito.

actor /'æktər/ *s.* ator. ➔ Professions

actress /'æktrəs/ *s.* atriz. ➔ Professions

actual /'æktʃuəl/ *adj.* verdadeiro, real.

actuality /æktʃu'ælɪəti/ *s.* realidade; fato.

actually /'æktʃuəli/ *adv.* de fato, na verdade. ➔ Deceptive Cognates

acupuncture /'ækjupʌŋktʃər/ *s.* acupuntura.

acute /əkj'uːt/ *adj.* agudo; pontiagudo; sério, grave; astuto, perspicaz.

ad /æd/ (*abrev.* de *advertisement*) anúncio. ➔ Abbreviations

A.D. /eɪd'iː/ (*abrev.* de *Anno Domini*) depois de Cristo (d.C.). ➔ Abbreviations

adamant /'ædəmənt/ *adj.* categórico, firme.

Adam's apple /ædəmz'æpəl/ *s.* pomo de adão. ➔ Human Body

adapt /əd'æpt/ *v.* adaptar(-se); ajustar. ♦ **adaptor** adaptador.

adaptation /ædæpt'eɪʃən/ *s.* adaptação, ajuste.

add /æd/ *v.* adicionar; juntar. ♦ **add up** aumentar, somar. **add up to** totalizar. **This adds to my difficulties.** Isso aumenta ainda mais as minhas dificuldades. **added value** valor agregado.

adder /'ædər/ *s.* víbora. → Animal Kingdom

addict /'ædɪkt/ *s.* viciado.

addicted /əd'ɪktɪd/ *adj.* viciado.

addiction /əd'ɪkʃən/ *s.* vício.

addition /əd'ɪʃən/ *s.* adição, soma; acréscimo. ♦ **in addition to** além de.

additional /əd'ɪʃənəl/ *adj.* adicional.

additive /'ædətɪv/ *s.* aditivo, complementar.

address /'ædres, ədr'es/ *s.* discurso; endereço. • /ədr'es/ *v.* discursar; recorrer a; endereçar; dirigir-se a alguém.

addressee /ædres'iː/ *s.* destinatário.

adept /əd'ept/ *s.* ou *adj.* habilidoso. → Deceptive Cognates

adequate /'ædɪkwət/ *adj.* adequado, apropriado. ▪ *sin.* proper.

adhere /ədh'ɪr/ *v.* aderir, colar.

adherence /ədh'ɪrəns/ *s.* aderência; lealdade.

adhesion /ədh'iːʒən/ *s.* adesão.

adhesive /ədh'iːsɪv, ədh'iːzɪv/ *s.* adesivo. • *adj.* aderente. ♦ **adhesive tape** esparadrapo.

adjacent /ədʒ'eɪsənt/ *adj.* adjacente.

adjective /'ædʒɪktɪv/ *s.* adjetivo.

adjoin /ədʒ'ɔɪn/ *v.* fazer fronteira com. ♦ **adjoining** adjacente, contíguo.

adjourn /ədʒ'ɜːrn/ *v.* adiar; interromper.

adjournment /ədʒ'ɜːrnmənt/ *s.* adiamento; interrupção.

adjunct /'ædʒʌŋkt/ *s.* adjunto.

adjust /ədʒ'ʌst/ *v.* ajustar; regular.

adjustable /ədʒ'ʌstəbəl/ *adj.* ajustável, regulável.

administer /ədm'ɪnɪstər/ *v.* administrar, dirigir.

administration /ədmɪnɪstr'eɪʃən/ *s.* administração, gerência, direção.

administrative /ədm'ɪnɪstreɪtɪv/ *adj.* administrativo.

administrator /ədm'ɪnɪstreɪtər/ *s.* administrador.

admirable /'ædmərəbəl/ *adj.* admirável.

admiral /'ædmərəl/ *s.* almirante. → Deceptive Cognates

admiration /ædmər'eɪʃən/ *s.* admiração, afeição.

admire /ədm'aɪər/ *v.* admirar, apreciar.

admirer /ədm'aɪərər/ *s.* admirador.

admission /ədm'ɪʃən/ *s.* admissão; entrada, acesso.

admit /ədm'ɪt/ *v.* admitir, aceitar, consentir.

admittance /ədm'ɪtəns/ *s.* admissão; entrada.

admonish /ədm'ɑnɪʃ/ *v.* (*form.*) advertir, avisar; repreender.

admonition /ædmə'nɪʃən/ *s.* aviso, advertência; repreensão.

ado /əd'uː/ *s.* alvoroço; barulho. ♦ **Much ado about nothing.** Muito barulho por nada. (Shakespeare)

adolescence /ædəl'esəns/ *s.* adolescência.

adolescent /ædəl'esənt/ *s.* ou *adj.* adolescente.

adopt /əd'ɑpt/ *v.* adotar.

adoption /əd'ɑːpʃən/ *s.* adoção.

adorable /əd'ɔːrəbəl/ *adj.* adorável.

adore /əd'ɔːr/ *v.* adorar; gostar; cultuar, venerar.

adorn /əd'ɔːrn/ *v.* adornar, enfeitar.

adornment /əd'ɔːrnmənt/ *s.* aviso, adorno, enfeite, decoração.

adrenaline /ədr'enəlɪn/ (*tb.* ***adrenalin***) *s.* adrenalina.

adrift /ədr'ɪft/ *adv.* à toa, a esmo; à deriva.

adult /'ædʌlt, əd'ʌlt/ *s.* ou *adj.* adulto. ♦ **adulthood** idade adulta.

adulterate /əd'ʌltəreɪt/ *v.* adulterar. • *adj.* adulterado, falsificado.

adulterer /ə'dʌltərər/ *s.* adúltero.

adultery /əd'ʌltəri/ *s.* adultério.

advance /ədv'æns/ *s.* avanço, progresso; adiantamento. • *v.* avançar, progredir. ♦ **payment in advance** pagamento antecipado.

advanced /ədv'ænst/ *adj.* avançado.

advancement /ədv'ænsmənt/ *s.* adiantamento; progresso; promoção.

advantage /ədv'æntɪdʒ/ *s.* vantagem; superioridade. ♦ **take advantage of** tirar proveito de.

advantageous /ædvənt'eɪdʒəs/ *adj.* vantajoso, proveitoso.

adventure /ədv'entʃər/ *s.* aventura.

adventurer /ədv'entʃərər/ *s.* aventureiro; empreendedor.

adverb /'ædvɜːrb/ *s.* advérbio.

adversary /'ædvərsəri/ *s.* adversário; competidor.

adverse /ədv'ɜːrs, 'ædvɜːrs/ *adj.* adverso, desfavorável; contrário.

adversity /ədv'ɜːrsəti/ *s.* adversidade.

advertise /'ædvərtaɪz/ *v.* anunciar; noticiar; publicar; fazer propaganda.

advertisement /ædvərt'aɪzmənt/ (*Brit.* **advert**) *s.* anúncio, propaganda.

advertiser /'ædvərtaɪzər/ *s.* anunciante.

advertising /'ædvərtaɪzɪŋ/ *s.* publicidade; anúncio. ♦ **advertising agency** agência de propaganda. **advertising campaign** campanha publicitária.

advice /ədv'aɪs/ *s.* conselho, recomendação.

advisable /ədv'aɪzəbəl/ *adj.* aconselhável; conveniente, oportuno.

advise /ədv'aɪz/ *v.* aconselhar; advertir, avisar.

adviser /ədv'aɪzər/ (*tb.* **advisor**) *s.* conselheiro.

advocate /'ædvəkət/ *s.* advogado; patrono, protetor. • /'ædvəkeɪt/ *v.* advogar; defender.

aerial /'eriəl/ *s.* antena. • *adj.* aéreo.

aerobics /er'oʊbɪks/ *s.* ginástica aeróbica.

aerodynamic /eroʊdaɪn'æmɪk/ *adj.* aerodinâmico.

aeronautics /ɛərən'ɔːtɪks/ *s.* aeronáutica.

aesthetic /esθ'etɪk/ (*tb.* **esthetic**) *adj.* estético.

aesthetics /esθ'etɪks/ *s.* estética.

affair /əf'er/ *s.* negócios; caso amoroso; incidente, evento, acontecimento. ♦ **Minister of Foreign Affairs** Ministro das Relações Exteriores.

affect /əf'ekt/ *v.* afetar, influenciar; contaminar.

affectation /æfekt'eɪʃən/ *s.* afetação; fingimento; simulação.

affected /əf'ektɪd/ *adj.* afetado; fingido; influenciado; comovido. ♦ **affected party** parte interessada, parte afetada.

affection /əf'ekʃən/ *s.* afeição; amor; sentimento.

affectionate /əf'ekʃənət/ *adj.* afetuoso, carinhoso.

affidavit /æfəd'eɪvɪt/ *s.* declaração juramentada.

affiliate /əf'ɪliət, əf'ɪlieɪt/ *s.* pessoa ou organização associada ou filiada. • *v.* afiliar(-se); associar(-se).

affinity /əf'ɪnəti/ *s.* afinidade; parentesco.

affirmation /æfərm'eɪʃən/ *s.* afirmação; ratificação.

affirmative /əf'ɜːrmətɪv/ *adj.* afirmativo, positivo.

affix /əf'ɪks/ *v.* afixar; anexar.

afflict /əfl'ɪkt/ *v.* afligir, atormentar. ♦ **be afflicted with** sofrer de.

affliction /əfl'ɪkʃən/ *s.* aflição; tristeza, mágoa.

affluence /'æfluːəns/ *s.* afluência; riqueza, abundância.

affluent /'æfluənt/ *s.* ou *adj.* afluente; rico, próspero. ▪ *sin.* wealthy, rich.

afford /əf'ɔːrd/ *v.* dispor, poder gastar, permitir-se o luxo de. ♦ **affordable** acessível.

affront /əfr'ʌnt/ *s.* afronta, ofensa. • *v.* ofender, insultar.

Afghan /'æfgæn/ *s.* ou *adj.* afegão. → Countries & Nationalities

Afghanistan /æfg'ænɪstæn/ *s.* Afeganistão. → Countries & Nationalities

afield /əf'iːld/ *adj.* afastado, distante.

afloat /əfl'oʊt/ *adj.* flutuante. • *adv.* à tona; a bordo.

afraid /əfr'eɪd/ *adj.* amedrontado; apreensivo, receoso.

afresh /əfr'eʃ/ *adv.* (*form.*) de novo, novamente.

Africa /'æfrɪkə/ *s.* África.

African /'æfrɪkən/ *s.* ou *adj.* africano.

after /'æftər/ *adv.* atrás, detrás; depois, após. • *conj.* depois que. • *prep.* atrás de; por causa de; à maneira de. ♦ **after all** afinal de contas. **He is after you.** Ele está procurando você., Ele está atrás de você. **I named her after her grandmother.** Eu dei a ela o mesmo nome da avó. **the day after tomorrow** depois de amanhã. **time after time** muitas vezes. **What is she after?** O que ela está procurando?

aftermath /'æftərmæθ/ *s.* consequência. ♦ **in the aftermath** como consequência, em decorrência de.

afternoon /æftərn'uːn/ *s.* tarde.

afterthought /'æftərθɔːt/ *s.* reflexão tardia.

afterwards /'æftərwərdz/ (*tb.* **afterward**) *adv.* depois, mais tarde.

again /əg'en, əg'eɪn/ *adv.* novamente, outra vez.

against /əg'enst, əg'eɪnst/ *prep.* contra; oposto a. ♦ **against all odds** contra todas as probabilidades. **against the stream** contra a correnteza.

age /eɪdʒ/ *s.* idade; velhice; era, época. • *v.* envelhecer. ♦ **age group** faixa etária. **at an early age** em tenra idade. **be under age** ser menor de idade. **come of age** atingir a maioridade. **He is beginning to age.** Ele está começando a envelhecer. **in old age** na velhice. **I've been waiting here for ages.** Estou esperando aqui há séculos. **She does not look her age.** Ela não aparenta a idade que tem. **the Middle Ages** a Idade Média. **the aged** os idosos. **aged** envelhecido. **a middle-aged man** um homem de meia-idade.

agency /'eɪdʒənsi/ *s.* atividade, função; agência.

agenda /ədʒ'endə/ *s.* pauta, ordem do dia.

agent /'eɪdʒənt/ *s.* agente; vendedor; reagente.

aggravate /'ægrəveɪt/ *v.* agravar, exacerbar, piorar.

aggravation /ægrəv'eɪʃən/ *s.* agravação; irritação.

aggregate /'ægrɪgeɪt, 'ægrɪgət/ *v.* agregar. • *s.* agregado. • *adj.* agregado, reunido.

aggregation /ægrɪg'eɪʃən/ *s.* agregação, reunião.

aggression /əgr'eʃən/ *s.* agressão.

aggressive /əgr'esɪv/ *adj.* agressivo; determinado.

aggressor /əgr'esər/ *s.* agressor.

aggrieve /əgr'iːv/ *v.* afligir; magoar; prejudicar.

agile /'ædʒəl/ *adj.* ágil, vivo, esperto.

agility /ədʒ'ɪləti/ *s.* agilidade.

agitate /'ædʒɪteɪt/ *v.* agitar; perturbar.

agitation /ædʒɪt'eɪʃən/ *s.* agitação; perturbação.

agitator /'ædʒɪteɪtər/ *s.* agitador.

ago /əg'oʊ/ *adv.* atrás (no tempo).

agonize /'ægənaɪz/ (*Brit.* **agonise**) *v.* agoniar, afligir(-se), angustiar(-se).

agony /'ægəni/ *s.* agonia; angústia.

agouti /əg'uːti/ (*s. pl.* ***agouti*** ou ***agoutis***) *s.* cutia. ➔ Animal Kingdom

agrarian /əgr'eriən/ *adj.* agrário.

agree /əgr'iː/ *v.* concordar. ▪ *sin.* concur. ▪ *ant.* disagree. ♦ **I agree with you.** Concordo com você. **agree to** consentir. **I disagree with you.** Discordo de você.

agreeable /əgr'iːəbəl/ *adj.* agradável, aprazível; de acordo.

agreement /əgr'iːmənt/ *s.* acordo, concordância; contrato. ▪ *ant.* disagreement. ♦ **by general agreement** por unanimidade. **come to an agreement** chegar a um acordo. **gentlemen's agreement** acordo de cavalheiros.

agricultural /ægrɪk'ʌltʃərəl/ *adj.* agrícola.

agriculture /'ægrɪk'ʌltʃər/ *s.* agricultura.

agronomy /əgr'ɑːnəmi/ *s.* agronomia.

ahead /əh'ed/ *adv.* à frente, na dianteira. ♦ **Go ahead!** Continue! **Look ahead!** Cuidado!, Atenção! **Straight ahead!** Siga em frente!

AI /eɪ'aɪ/ (*abrev.* de *artificial intelligence*) inteligência artificial. ➔ Abbreviations

aid /eɪd/ *s.* ajuda, auxílio. • *v.* ajudar, auxiliar. ♦ **first aid** primeiros socorros.

AIDS /eɪdz/ (*abrev.* de *acquired immune deficiency syndrome*) síndrome da imunodeficiência adquirida. ➔ Abbreviations

ailment /'eɪlmənt/ *s.* doença. ▪ *sin.* disease, disorder, illness, sickness, malady.

aim /eɪm/ *s.* pontaria, mira; alvo; objetivo. • *v.* apontar; visar; almejar. ♦ **aimless** sem objetivo.

ain't /eɪnt/ (*gír.* ***am/are/is not***) não sou/são/é.

air /er/ *s.* ar; céu, espaço; brisa; aspecto; jeito, atitude. • *v.* arejar. ♦ **aircrew** tripulação. **airing** ventilação. **airtight** hermético. **air base** base aérea. **air fighting** batalha aérea. **air gun** espingarda de ar comprimido. **air hostess** comissária de bordo. **air mail** correspondência via aérea. **air raid** ataque aéreo. **air pressure** pressão atmosférica. **air conditioner** ar-condicionado. **air photograph** fotografia aérea (aerofotograma). **air bomb** bomba aérea. **aircraft** aeronave. **aircraft carrier** porta-aviões. **airfield** campo de aviação. **air force** força aérea. **airless** abafado. **airline** companhia aérea. **airport** aeroporto. **airproof** à prova de ar. **air shelter** abrigo antiaéreo. **airsick** enjoado. **airy** aéreo; arejado. **fresh air** ar puro. **in the open air** ao ar livre. **on the air** no ar. **travel by air** viajar de avião.

airplane /'erpleɪn/ (*Brit.* ***aeroplane***) *s.* avião. ➔ Means of Transportation

aisle /aɪl/ *s.* corredor, passagem entre bancos em igreja, escola ou avião.

akin /ək'ɪn/ *adj.* consanguíneo; similar.

alarm /əl'ɑrm/ *s.* alarme; alerta. • *v.* alarmar. ♦ **a false alarm** um alarme falso. **sound an alarm** dar o alarme.

alarming /əl'ɑrmɪŋ/ *adj.* alarmante: The accident in Chernobyl was really an *alarming* situation.

Alas! /əl'æs/ *interj.* Que desgraça!, Que horror!

album /'ælbəm/ *s.* álbum.

alcohol /'ælkəhɔːl, 'ælkəhɑːl/ *s.* álcool.

alcoholic /ælkəh'ɔlɪk, ælkəh'ɑːlɪk/ *s.* alcoólatra. • *adj.* alcoólico; alcoólatra.

alcoholism /'ælkəhɔːlɪzəm, 'ælkəhɑːlɪzəm/ *s.* alcoolismo.

alderman /'ɔːldərmən/ *s.* vereador. ➔ Professions

ale /eɪl/ *s.* cerveja inglesa.

alert /əl'ɜːrt/ *s.* alerta, alarme. • *v.* alertar. • *adj.* vigilante, alerta.

algae /'ældʒiː, 'ælgiː/ *s. pl.* algas.
→ Animal Kingdom

algebra /'ældʒɪbrə/ *s.* álgebra.

alias /'eɪliəs/ *s.* alcunha, codinome.
→ Deceptive Cognates

alibi /'æləbaɪ/ *s.* álibi.

alien /'eɪliən/ *s.* alienígena.
• *adj.* estranho, forasteiro.

alienate /'eɪliəneɪt/ *v.* alienar; transferir uma propriedade.

alight /əl'aɪt/ *adj.* em chamas; aceso.

align /əl'aɪn/ *v.* alinhar; aliar-se, aderir.

alignment /əl'aɪnmənt/ *s.* alinhamento, coesão.

alike /əl'aɪk/ *adj.* semelhante, similar, parecido. • *adv.* igualmente; da mesma maneira. ♦ **It appeals to boys and girls alike.** Atrai tanto os meninos quanto as meninas. **No two are alike.** Não há dois iguais.

alimony /'ælɪmoʊni/ *s.* pensão alimentícia.

alive /əl'aɪv/ *adj.* vivo; ativo; enérgico; alegre.

all /ɔːl/ *adj.* todo(s), toda(s); só. • *adv.* completamente; exclusivamente, apenas, somente. • *pron.* tudo. ♦ **above all** acima de tudo. **after all** afinal de contas. **all for one and one for all** um por todos e todos por um. **all right** tudo certo. **all-time record** recorde de todos os tempos. **first of all** antes de mais nada. **in all** ao todo. **not at all** não há de quê; de forma alguma. **nothing at all** absolutamente nada. **once and for all** de uma vez por todas. **That is all.** Isso é tudo. **all-around** completo, completamente. **all but** quase.

allegation /æləg'eɪʃən/ *s.* alegação; pretexto.

allege /əl'edʒ/ *v.* alegar.

allegiance /əl'iːdʒəns/ *s.* lealdade, fidelidade.

allegory /'æləgɔːri/ *s.* alegoria.

allergy /'ælərdʒi/ *s.* alergia.
♦ **allergic** alérgico.

alleviate /əl'iːvieɪt/ *v.* aliviar; suavizar.

alley /'æli/ (*tb.* ***alleyway***) *s.* passagem.
♦ **blind alley** beco sem saída.

alliance /əl'aɪəns/ *s.* aliança.

allied /'ælaɪd, ə'laɪd/ *adj.* aliado.

alligator /'ælɪgeɪtər/ *s.* jacaré.
→ Animal Kingdom

allocate /'æləkeɪt/ *v.* alocar, destinar.

allotment /əl'ɑtmənt/ *s.* partilha, distribuição; parcela, cota.

allow /əl'aʊ/ *v.* permitir; conceder.
▪ *sin.* consent, permit.

allowance /əl'aʊəns/ *s.* concessão, permissão; mesada, pensão.

alloy /æl'ɔɪ, əl'ɔɪ/ *s.* liga (de metais).
• *v.* ligar, misturar (metais); adulterar.

all right /ɔːlr'aɪt/ (*tb.* ***alright***) *adv.* tudo bem: *All right,* I can do the dishes.

allure /əl'ʊr/ *s.* fascinação. • *v.* fascinar; tentar, seduzir. ▪ *sin.* tempt.

allurement /əl'ʊrmənt/ *s.* fascinação; tentação.

allusion /əl'uːʒən/ *s.* alusão.

ally /'ælaɪ, əl'aɪ/ *s.* aliado. • *v.* aliar(-se).

almighty /ɔːlm'aɪti/ *adj.* todo--poderoso. ♦ **Almighty God** Deus Todo-Poderoso.

almond /'ɑːmənd/ *s.* amêndoa.
→ Fruit

almost /'ɔːlmoʊst/ *adv.* quase, perto de, por pouco, aproximadamente.

alms /ɑːmz, ɑːlmz/ *s. pl.* esmola, donativo.

alone /əl'oʊn/ *adj.* sozinho, só; exclusivo. • *adv.* só, apenas.
♦ **Leave me alone!** Me deixe em paz! **Let alone the costs.** Sem falar nas despesas.

along /əl'ɔːŋ, əl'ɑːŋ/ *adv.* longitudinalmente; para a frente, avante; juntamente. • *prep.* ao longo de, junto a. ♦ **Get along with you!** Dê o fora! **get along with** dar-se bem com. **She brought**

her dog along. Ela trouxe seu cachorro consigo.

aloof /əl'uːf/ *adj.* indiferente; reservado. • *adv.* a distância, de longe.

aloud /əl'aʊd/ *adv.* alto, em voz alta.

alphabet /'ælfəbet/ *s.* alfabeto.

already /ɔːlr'edi/ *adv.* já.

also /'ɔːlsoʊ/ *adv.* também.

alt /ɔːlt/ (*abrev.* de *alternate*) alternar; mudar. ▪ *sin.* shift. → Abbreviations

altar /'ɔːltər/ *s.* altar.

alter /'ɔːltər/ *v.* alterar(-se); modificar.

alteration /ɔːltər'eɪʃən/ *s.* alteração, modificação.

altercation /ɔːltərk'eɪʃən/ *s.* altercação, briga.

alternate /'ɔːltərnət/ *s.* substituto. • *adj.* alternado. • *v.* alternar(-se), revezar.

alternative /ɔːlt'ɜːrnətɪv/ *s.* alternativa. • *adj.* alternativo.

although /ɔːlð'oʊ/ *conj.* apesar de, embora.

altitude /'æltɪtuːd/ *s.* altitude.

altogether /ɔːltəg'eðər/ *adv.* completamente; de modo geral; ao todo.

altruism /'æltruɪzəm/ *s.* altruísmo.

aluminum /əl'uːmɪnəm/ *s.* (*Brit.* ***aluminium***) alumínio.

always /'ɔːlwɪz, 'ɔːlweɪz/ *adv.* sempre.

am /æm, əm/ *v.* presente de **be**.

a.m. /eɪ'em/ (*abrev.* de *ante meridiem*) antes do meio-dia, da manhã: She never wakes up before 9 *a.m.* → Abbreviations

amateur /'æmətər, 'æmətʃər/ *s.* ou *adj.* amador.

amaze /əm'eɪz/ *v.* pasmar, assombrar; surpreender.

amazed /əm'eɪzd/ *adj.* surpreso, assombrado: Was your daddy *amazed* at the reception?

amazing /əm'eɪzɪŋ/ *adj.* surpreendente, espantoso.

ambassador /æmb'æsədər/ *s.* embaixador; emissário. → Professions

ambiguity /æmbɪgj'uːəti/ *s.* ambiguidade.

ambiguous /æmb'ɪgjuːəs/ *adj.* ambíguo, dúbio.

ambition /æmb'ɪʃən/ *s.* ambição.

ambitious /æmb'ɪʃəs/ *adj.* ambicioso.

ambulance /'æmbjələns/ *s.* ambulância.

ambush /'æmbʊʃ/ *s.* emboscada, tocaia. • *v.* atacar de tocaia, assaltar.

amen /ɑːm'en, eɪm'en/ *interj.* amém.

amenable /əm'iːnəbəl/ *adj.* ameno, brando, agradável.

amend /əm'end/ *v.* emendar; aperfeiçoar, corrigir. ♦ **make amends** compensar.

amendment /əm'endmənt/ *s.* emenda (de lei).

amenity /əm'enəti/ *s.* conforto, amenidade.

amethyst /'æməθɪst/ *s.* ou *adj.* ametista.

amiability /eɪmiəb'ɪləti/ *s.* amabilidade.

amiable /'eɪmiəbəl/ *adj.* amável, afável, agradável, cordial.

amicable /'æmɪkəbəl/ *adj.* amigável. ♦ **amicable settlement** acordo amigável.

amid /əm'ɪd/ *prep.* entre, no meio de. ▪ *sin.* amidst, among, amongst.

amiss /əm'ɪs/ *adj.* inoportuno, errôneo.

ammunition /æmjun'ɪʃən/ *s.* munição; meios de ataque e defesa.

amnesty /'æmnəsti/ *s.* anistia.

among /əm'ʌŋ/ *prep.* entre, no meio de. ♦ **among other things** entre outras coisas. **Let's divide the money among us.** Vamos dividir o dinheiro entre nós. **We are among friends.** Estamos entre amigos.

amorous /'æmərəs/ *adj.* amoroso, terno, apaixonado; afetuoso.

amount /əm'aʊnt/ *s.* soma, quantia, total, importância; quantidade, porção. • *v.* equivaler; totalizar, somar, atingir. ♦ **What does it amount to?** Quanto custa isto?
amphibian /æmf'ɪbiən/ *s.* anfíbio.
amphibious /æmf'ɪbiəs/ *adj.* anfíbio.
amphitheater /'æmfəθiətər/ (*Brit.* ***amphiteatre***) *s.* anfiteatro.
ample /'æmpəl/ *adj.* amplo, vasto; espaçoso; grande.
amplify /'æmplɪfaɪ/ *v.* ampliar, amplificar.
amputation /æmpjut'eɪʃən/ *s.* amputação.
amuse /əmj'uːz/ *v.* divertir, entreter.
amusement /əmj'uːzmənt/ *s.* divertimento, diversão. ♦ **amusement park** parque de diversões.
amusing /əmj'uːzɪŋ/ *adj.* divertido: This was a really *amusing* trip.
analgesic /ænəldʒ'iːzɪk/ *s.* ou *adj.* analgésico. ▪ *sin.* painkiller.
analogy /ən'ælədʒi/ *s.* analogia.
analysis /ən'æləsəs, ən'æləsiːz/ (*s. pl.* ***analyses***) *s.* análise.
analyst /'ænəlɪst/ *s.* analista. → Professions
analyze /'ænəlaɪz/ (*Brit.* ***analyse***) *v.* analisar.
anarchist /'ænɪrkəst/ *s.* anarquista.
anarchy /'ænərki/ *s.* anarquia.
anatomy /ən'ætəmi/ *s.* anatomia.
ancestor /'ænsestər/ *s.* antepassado.
ancestral /æns'estrəl/ *adj.* ancestral.
ancestry /'ænsestri/ *s.* linhagem.
anchor /'æŋkər/ *s.* âncora. • *v.* ancorar.
anchovy /'æntʃoʊvi/ *s.* anchova; aliche. → Animal Kingdom
ancient /'eɪntʃənt/ *s.* ancião; patriarca. • *adj.* antigo, velho. ▪ *ant.* modern. ♦ **Ancient History** História Antiga.
and /ænd, ənd/ *conj.* e.
anecdote /'ænɪkdoʊt/ *s.* anedota.
anemia /ən'iːmiə/ (*Brit.* ***anaemia***) *s.* anemia.
anesthesia /ænəsθ'iːʒə/ (*Brit.* ***anaesthesia***) *s.* anestesia.
anesthetic /ænəsθ'etɪk/ (*Brit.* ***anaesthetic***) *s.* ou *adj.* anestésico.
anesthetist /ən'iːsθətɪst/ (*Brit.* ***anaesthetist***) *s.* anestesista. → Professions
angel /'eɪndʒəl/ *s.* anjo.
anger /'æŋgər/ *s.* raiva, ira, cólera. • *v.* zangar(-se), irritar(-se).
angina /ændʒ'aɪnə/ *s.* angina.
angle /'æŋgəl/ *s.* ângulo. • *v.* pescar (com linha e anzol). ♦ **right angle** ângulo reto.
angrily /'æŋgrəli/ *adv.* irritadamente, com raiva: My sister looked at me *angrily*.
angry /'æŋgri/ *adj.* irado, furioso, irritado.
anguish /'æŋgwɪʃ/ *s.* aflição, angústia, sofrimento. ♦ **anguished** angustiado.
angular /'æŋgjələr/ *adj.* angular; ossudo.
animal /'ænɪməl/ *s.* animal. ♦ **animal kingdom** reino animal.
animate /'ænɪmeɪt/ *v.* animar, vitalizar; incentivar. • *adj.* animado, vivo.
animation /ænɪm'eɪʃən/ *s.* animação, vivacidade; entusiasmo, alegria; preparo e arranjo de desenhos animados.
animosity /ænɪm'ɑsətɪ/ *s.* animosidade; hostilidade; ódio; ressentimento; inimizade.
ankle /'æŋkəl/ *s.* tornozelo. → Human Body
annals /'ænəlz/ *s. pl.* anais; crônicas; história; registro da história.
annexation /æneks'eɪʃən/ *s.* anexação, incorporação.
annihilate /ən'aɪəleɪt/ *v.* aniquilar, exterminar.
annihilation /ənaɪəl'eɪʃən/ *s.* aniquilação, destruição; extermínio.

anniversary /ænɪv'ɜːrsəri/ *s.* aniversário.

annotate /'ænəteɪt/ *v.* anotar, tomar nota.

annotation /ænət'eɪʃən/ *s.* anotação.

announce /ən'aʊns/ *v.* anunciar, proclamar, declarar.

announcement /ən'aʊnsmənt/ *s.* proclamação, anúncio.

announcer /ən'aʊnsər/ *s.* apresentador; locutor. → Professions

annoy /ən'ɔɪ/ *v.* aborrecer, molestar, perturbar.

annoyance /ən'ɔɪəns/ *s.* aborrecimento; contrariedade.

annoyed /ən'ɔɪd/ *adj.* incomodado: Was your friend *annoyed* with me?

annoying /ən'ɔɪɪŋ/ *adj.* irritante.

annual /'ænjuəl/ *s.* ou *adj.* anual.

annually /'ænjuəli/ *adv.* anualmente: He contributes to the cause *annually*.

annuity /ən'uːəti/ *s.* anuidade; renda anual.

anoint /ən'ɔɪnt/ *v.* ungir.

anomalous /ən'ɑməlәs/ *adj.* anômalo, irregular, anormal.

anomaly /ən'ɑməli/ *s.* anomalia, anormalidade.

anonymity /ænən'ɪməti/ *s.* anonimato.

anonymous /ən'ɑnɪməs/ *adj.* anônimo.

another /ən'ʌðər/ *adj.* um outro. • *pron.* outro. ♦ **one after another** um após o outro. **one another** um ao outro. **They hate one another.** Eles se odeiam.

answer /'ænsər/ *s.* resposta. • *v.* responder, replicar; retrucar, contestar. ♦ **answer back** responder agressivamente. **answer the bell** atender a campainha. **answer the phone** atender o telefone. **He answers to the name of John.** Ele atende pelo nome de John. **in answer to your letter** em resposta à sua carta. **This answers his purpose.** Isso atende os propósitos dele.

ant /ænt/ *s.* formiga. → Animal Kingdom

antagonism /ænt'ægənɪzəm/ *s.* antagonismo; hostilidade, oposição.

anteater /'æntiːtər/ *s.* tamanduá. → Animal Kingdom

antecedent /æntɪs'iːdənt/ *s.* antecedente.

ante meridiem /'æntɪ mər'ɪdiəm/ (*latim*) *adv.* período entre a meia--noite e o meio-dia. *abrev.* **a.m.** → Abbreviations

antenna /ænt'enə/ (*s. pl.* ***antennas*** ou ***antennae***) *s.* antena.

anthem /'ænθəm/ *s.* canção religiosa ou patriótica; hino.

anthill /'ænthɪl/ *s.* formigueiro.

anthology /ænθ'ɑlədʒi/ *s.* antologia.

anthropology /ænθrəp'ɑlədʒi/ *s.* antropologia.

antiaircraft /æntɪ'erkræft/ *adj.* antiaéreo.

antibiotic /æntɪbaɪ'ɑtɪk/ *s.* ou *adj.* antibiótico.

anticipate /ænt'ɪsɪpeɪt/ *v.* antecipar; prever; anteceder.

anticlockwise /æntɪkl'ɑkwaɪz/ *adj.* ou *adv.* anti-horário.

antidote /'æntɪdoʊt/ *s.* antídoto.

antique /ænt'ik/ *s.* antiguidade. • *adj.* antigo; antiquado; arcaico.

antiquity /ænt'ɪkwəti/ *s.* antiguidade. *pl.* ***antiquities*** antiguidades; objetos antigos.

antithesis /ænt'ɪθəsɪs/ (*s. pl.* ***antitheses***) *s.* antítese.

antonym /'æntənɪm/ *s.* antônimo.

anxiety /æŋz'aɪəti/ *s.* ansiedade, ânsia; angústia.

anxious /'æŋkʃəs/ *adj.* ansioso, aflito.

anxiously /'æŋkʃəsli/ *adv.* ansiosamente: I am *anxiously* waiting for an e-mail.

any /'eni/ *adj.* ou *pron.* qualquer; nenhum (em frases negativas);

algum (em frases interrogativas). ♦ **Any book is worth reading.** Vale a pena ler qualquer livro. **Anybody (anyone) can solve that.** Qualquer pessoa pode resolver isso. **anyhow** ou **anyway** de qualquer maneira. **Anything will do.** Qualquer coisa serve. **anywhere** em qualquer lugar. **Did I give you any book?** Eu lhe dei algum livro? **Did you say anything?** Você disse alguma coisa? **Did you see anybody (anyone) at the party?** Você viu alguém na festa? **I didn't read any book.** Não li nenhum livro. **I didn't say anything.** Eu não disse nada. **I didn't see anybody (anyone) there.** Não vi ninguém lá.

apart /əp'ɑrt/ *adv.* em pedaços; separadamente, à parte. ♦ **apart from** além de. **joking apart** falando sério.

apartment /əp'ɑrtmənt/ (*Brit.* **flat**) *s.* apartamento: He has just decorated his *apartment*.

apathy /'æpəθi/ *s.* apatia, indiferença.

ape /eɪp/ *s.* macaco. • *v.* macaquear, imitar. → Animal Kingdom

aperture /'æpətʃər, 'æpətʃʊr/ *s.* abertura, fenda; orifício.

apex /'eɪpeks/ (*s. pl.* ***apexes*** /'eɪpekɪs/ ou ***apices*** /'eɪpɪsiːz/) ápice, vértice, cume, pico; apogeu, clímax, auge.

apiary /'eɪpiːeri/ *s.* apiário.

apiculture /'eɪpɪkʌltʃər/ *s.* apicultura.

apiece /əp'iːs/ *adv.* por peça, cada.

apogee /'æpədʒiː/ *s.* apogeu; ápice.

apologize /əp'ɑlədʒaɪz/ (*Brit.* ***apologise***) *v.* desculpar(-se).

apology /əp'ɑlədʒi/ *s.* desculpa.

apostle /əp'ɑsəl/ *s.* apóstolo.

apostrophe /əp'ɑstrəfi/ *s.* apóstrofo.

appalling /əp'ɔːlɪŋ/ *adj.* apavorante, pavoroso; espantoso.

apparatus /æpər'ætəs/ (*s. pl.* ***apparatuses*** /æpər'ætəsəs/) aparato, equipamento, instrumento, dispositivo; aparelho.

apparent /əp'ærənt/ *adj.* evidente, claro; aparente.

apparently /əp'ærəntli/ *adv.* aparentemente: The police *apparently* arrested the wrong person.

appeal /əp'iːl/ *s.* simpatia, encanto; apelação. • *v.* atrair; apelar (ao público, à instância superior); requerer.

appear /əp'ɪr/ *v.* aparecer, surgir; parecer; apresentar(-se), comparecer.

appearance /əp'ɪrəns/ *s.* aparecimento; aparência.

appease /əp'iːz/ *v.* apaziguar, acalmar, tranquilizar. ♦ **appease hunger** saciar/matar a fome.

appendicitis /əpendəs'aɪtɪs/ *s.* apendicite.

appendix /əp'endɪks/ (*s. pl.* ***appendices*** /əp'endɪsiːz/ ou ***appendixes*** /əp'endɪksɪz/) apêndice; anexo, acessório, suplemento. → Human Body

appetite /'æpɪtaɪt/ *s.* apetite.

applaud /əpl'ɔːd/ *v.* aplaudir; aprovar; louvar; elogiar.

applause /əpl'ɔːz/ *s.* aplauso.

apple /'æpəl/ *s.* maçã. ♦ **apple pie** torta de maçã. **apple tree** macieira. **the apple of the eye** a menina dos olhos, a queridinha. → Fruit

appliance /əpl'aɪəns/ *s.* aplicação, uso (*Brit.*); dispositivo, utensílio, instrumento.

applicant /'æplɪkənt/ *s.* requerente; candidato.

application /æplɪk'eɪʃən/ *s.* pedido; requerimento; aplicativo (*informática*). → Deceptive Cognates

apply /əpl'aɪ/ *v.* aplicar(-se); empregar; solicitar; candidatar(-se).

appoint /əp'ɔɪnt/ *v.* designar, nomear; decidir; marcar.

appointment /əp'ɔɪntmənt/ *s.* nomeação; mandato; encontro marcado, compromisso. → Deceptive Cognates

appraisal /əpr'eɪzəl/ *s.* avaliação.
appraise /əpr'eɪz/ *v.* avaliar, julgar.
appreciate /əpr'iːʃieɪt/ *v.* apreciar, estimar; ficar grato por.
appreciation /əpriːʃi'eɪʃən/ *s.* reconhecimento, gratidão; avaliação, estimativa; estima. → Deceptive Cognates
apprehend /æprɪh'end/ *v.* compreender; prender.
apprehension /æprɪh'enʃən/ *s.* apreensão; temor.
apprehensive /æprɪh'ensɪv/ *adj.* apreensivo, preocupado.
apprentice /əpr'entɪs/ *s.* aprendiz, principiante. → Professions
apprenticeship /əpr'entɪsʃɪp/ *s.* aprendizagem.
approach /əpr'oʊtʃ/ *s.* aproximação, abordagem; proximidade. • *v.* aproximar(-se) de; abordar.
appropriate /əpr'oʊpriət/ *adj.* apropriado, adequado; conveniente.
appropriation /əproʊpri'eɪʃən/ *s.* apropriação, posse.
approval /əpr'uːvəl/ *s.* aprovação.
approve /əpr'uːv/ *v.* aprovar, consentir, autorizar; apoiar.
approving /əpr'uːvɪŋ/ *s.* aprovação: The Constitution is now in the stage of *approving*.
approximate /əpr'ɑksɪmeɪt/ *v.* aproximar(-se); assemelhar(-se). • /əpr'ɑksɪmət/ *adj.* aproximado; similar.
approximately /əpr'ɑksɪmətli/ *adv.* aproximadamente: He has run *approximately* for an hour.
approximation /əprɑksɪm'eɪʃən/ *s.* aproximação; estimativa, avaliação.
apricot /'æprɪkɑt/ *s.* damasco. → Fruit
April /'eɪprəl/ *s.* abril. ♦ **April Fools' Day** ou **April Fool's Day** primeiro de abril (Dia da Mentira).
apron /'eɪprən/ *s.* avental.
apt /æpt/ *adj.* apto, hábil; adequado.
aptitude /'æptɪtuːd/ *s.* aptidão, inclinação.
aquarium /əkw'erɪəm/ *s.* aquário.
aquatic /əkw'ætɪk/ *s.* ou *adj.* aquático.
Arabian /ər'eɪbiən/ *s.* ou *adj.* árabe.
arbitrary /'ɑːrbətreri/ *adj.* arbitrário.
arbitration /ɑrbɪtr'eɪʃən/ *s.* arbitragem, decisão.
arc /ɑrk/ *s.* arco; linha curva.
arcade /ɑrk'eɪd/ *s.* arcada, galeria; fliperama.
arch /ɑrtʃ/ *s.* arco, arcada.
archaic /ɑrk'eɪɪk/ *adj.* arcaico, antigo.
archbishop /ɑrtʃb'ɪʃəp/ *s.* arcebispo.
archdiocese /ɑrtʃd'aɪəsɪs/ *s.* arquidiocese.
archeology /ɑrki'ɑlədʒi/ (*Brit.* ***archaeology***) *s.* arqueologia.
archer /'ɑːrtʃər/ *s.* arqueiro. ♦ **Archer** Sagitário.
archipelago /ɑrkɪp'eləgoʊ/ *s.* arquipélago.
architect /'ɑrkɪtekt/ *s.* arquiteto. → Professions
architecture /'ɑrkɪtektʃər/ *s.* arquitetura.
archive /'ɑːrkaɪv/ *s.* arquivo.
Arctic /'ɑːrktɪk/ *s.* ou *adj.* regiões árticas.
ardent /'ɑːrdənt/ *adj.* ardente; intenso.
arduous /'ɑːrdʒuəs/ *adj.* árduo, trabalhoso.
are /ɑr, ər/ *v.* presente de ***be***.
area /'eriə/ *s.* área; escopo; território. ♦ **area code** ou **dialling code** (*Brit.*) código de área, prefixo do DDD. → Numbers
arena /ər'iːnə/ *s.* arena.
Argentina /ɑrdʒənt'iːnə/ *s.* Argentina. → Countries & Nationalities
Argentinian /ɑːrdʒənt'ɪniən/ (*tb.* ***Argentine***) *s.* ou *adj.* argentino. → Countries & Nationalities

argue /'ɑːrgjuː/ *v.* discutir, debater; contestar, argumentar. ♦ **arguable** discutível. **argue against** argumentar contra. **argue for** argumentar a favor.

argument /'ɑːrgjumənt/ *s.* discussão, altercação; argumento.

arid /'ærɪd/ *adj.* árido, seco; enfadonho.

arise /ər'aɪz/ *v.* (*pret.* **arose**, *p.p.* **arisen**) levantar(-se); surgir, aparecer; originar(-se). → Irregular Verbs

aristocracy /ærɪst'ɑkrəsi/ *s.* aristocracia, nobreza.

aristocrat /ər'ɪstəkræt/ *s.* aristocrata.

arithmetic /ər'ɪθmətɪk/ *s.* aritmética.

ark /ɑːrk/ *s.* arca. ♦ **Noah's ark** arca de Noé.

arm /ɑːrm/ *s.* braço. *pl.* **arms** armas: Those *arms* are not enough to win the war. • *v.* armar(-se); preparar(-se) para a guerra. ♦ **arms crossed (folded)** de braços cruzados. **coat of arms** brasão de armas. **to be up in arms about** mobilizar-se contra: The students are *up in arms about* the injustices. **to be up in arms over** indignar-se com: The citizens are *up in arms over* the new law. → Human Body

armadillo /ɑːrməd'ɪloʊ/ *s.* tatu. → Animal Kingdom

armament /'ɑːrməmənt/ *s.* armamento.

armchair /'ɑːrmtʃer/ *s.* poltrona. → Furniture & Appliances

armed /'ɑːrmd/ *adj.* armado. ♦ **armed robbery** assalto à mão armada. **Armed Services** Forças Armadas.

armistice /'ɑːrmɪstɪs/ *s.* armistício, trégua.

armor /'ɑːrmər/ (*Brit.* **armour**) *s.* armadura. • *v.* blindar. ♦ **armored car** carro blindado.

armpit /'ɑːrmpɪt/ *s.* axila. → Human Body

army /'ɑːrmi/ *s.* exército.

aromatic /ærəm'ætɪk/ *adj.* aromático.

around /ər'aʊnd/ *adv.* ao redor; em círculo; por toda parte; de todos os lados. • *prep.* em torno de; junto de.

arouse /ər'aʊz/ *v.* acordar; provocar.

arrange /ər'eɪndʒ/ *v.* arrumar; arranjar; organizar; providenciar.

arrangement /ər'eɪndʒmənt/ *s.* arranjo; organização; acordo.

arrest /ər'est/ *s.* apreensão, prisão. • *v.* prender, deter, aprisionar. ♦ **be under arrest** estar preso.

arrival /ər'aɪvəl/ *s.* chegada, vinda.

arrive /ər'aɪv/ *v.* chegar.

arrogance /'ærəgəns/ *s.* arrogância.

arrogant /'ærəgənt/ *adj.* arrogante, presunçoso.

arrow /'æroʊ/ *s.* flecha, seta.

arson /'ɑːrsən/ *s.* incêndio premeditado.

art /ɑːrt/ *s.* habilidade; maestria; arte, belas-artes. ♦ **artisan** artesão. **artist** artista. **artistic** ou **artistical** artístico. **artistically** artisticamente. **the art of living** a arte de viver. **the art of printing** a arte gráfica. **work of art** obra de arte.

artery /'ɑːrtəri/ *s.* artéria; via principal. → Human Body

artful /'ɑːrtfəl/ *adj.* astuto.

arthritis /ɑːrθr'aɪtɪs/ *s.* artrite.

artichoke /'ɑːrtɪtʃoʊk/ *s.* alcachofra. → Vegetables

article /'ɑːrtɪkəl/ *s.* artigo de jornal ou composição literária; cláusula; parágrafo; item, artigo (mercadoria).

articulate /ɑːrt'ɪkjuleɪt/ *v.* articular, pronunciar. • *adj.* articulado; desinibido, bem-falante, comunicativo.

artifact /'ɑrtɪfækt/ (*Brit.* **artefact**) *s.* artefato.

artificial /ɑːrtɪf'ɪʃəl/ *adj.* artificial; falso.

artillery /ɑːrt'ɪləri/ *s.* artilharia.

artist /'ɑːrtɪst/ *s.* artista: Charles Chaplin was a great *artist.*

artistic /ɑːrt'ɪstɪk/ *adj.* artístico: This sculpture is a very *artistic* work.

artwork /'ɑːrtwɜːrk/ *s.* obra de arte: You can see Da Vinci's *artwork* in the Louvre Museum.

as /æz, əz/ *adv.* tão, igualmente, tanto quanto; por exemplo. • *conj.* como; quão, quanto; já que; assim como; enquanto; quando; porque; se bem que. • *prep.* como. ♦ **as a rule** geralmente. **as far as I am concerned** no que me diz respeito. **as far as I know** até onde sei. **as follows** como segue. **as for him** quanto a ele. **as if** ou **as though** como se. **as requested** conforme foi pedido. **as well** também. **as well as** bem como. **as yet** até agora. **as you wish** como você quiser. **be hungry as a hunter** estar morrendo de fome. **heavy as lead** pesado como chumbo. **sure as I live** tão certo quanto estou vivo. **twice as large** duas vezes maior.

asbestos /æsb'estəs/ *s.* amianto.

ASCAP /æsk'æp/ (*abrev.* de *American Society of Composers, Authors and Publishers*) Sociedade Americana de Compositores, Autores e Editores. → Abbreviations

ascend /əs'end/ *v.* ascender, elevar(-se).

ascendancy /əs'endənsiː/ (*tb.* **ascendency**) *s.* ascendência; influência.

ascension /əs'enʃən/ *s.* ascensão, subida.

ascent /əs'ent/ *s.* ascensão, subida, escalada.

ascertain /æsərt'eɪn/ *v.* apurar; determinar.

ascribe /əskr'aɪb/ *v.* designar, atribuir.

ash /æʃ/ *s.* cinza. ♦ **Ash Wednesday** Quarta-feira de Cinzas.

ashamed /əʃ'eɪmd/ *adj.* envergonhado.

ashore /əʃ'ɔːr/ *adv.* na praia; em terra firme; à praia, em direção à terra.

ashtray /'æʃtreɪ/ *s.* cinzeiro.

Asia /'eɪʒə/ *s.* Ásia.

Asian /'eɪʒən, 'eɪʃn/ *s.* ou *adj.* asiático.

aside /əs'aɪd/ *s.* aparte. • *adv.* de lado; ao lado; a distância; à parte, exceto. ♦ **aside from** com exceção de. **put aside** pôr de lado.

ask /æsk/ *v.* perguntar, indagar; pedir.

asleep /əsl'iːp/ *adj.* adormecido; dormente.

asparagus /əsp'ærəgəs/ *s.* aspargo. → Vegetables

ASPCA /eɪespiːsiː'eɪ/ (*abrev.* de *American Society for the Prevention of Cruelty to Animals*) Sociedade Americana para a Prevenção da Crueldade a Animais. → Abbreviations

aspect /'æspekt/ *s.* aspecto, aparência; ponto de vista.

asphalt /'æsfɔːlt/ *s.* asfalto. • *v.* asfaltar.

asphyxiate /əsf'ɪksieɪt/ *v.* asfixiar, sufocar.

aspirant /əsp'aɪərənt, 'æspərənt/ *s.* ou *adj.* aspirante; ambicioso.

aspiration /æspər'eɪʃən/ *s.* aspiração, ambição; respiração.

aspire /əsp'aɪər/ *v.* aspirar, almejar.

aspirin /'æspərɪn, 'æsprɪn/ (*s. pl.* **aspirin** ou **aspirins**) *s.* aspirina.

ass /æs/ *s. inf.* burro; imbecil; (*gír.*) traseiro, bunda. → Animal Kingdom → Human Body

assail /əs'eɪl/ *v.* atacar; assaltar. ♦ **assailant** agressor; assaltante.

assassin /əs'æsən/ *s.* assassino.

assassinate /əs'æsəneɪt/ *v.* assassinar.

assault /əs'ɔːlt/ *s.* ataque; agressão. • *v.* atacar; agredir.

assemble /əs'embəl/ *v.* juntar, reunir; montar. ▪ *sin.* convene.

assembly /əs'embli/ *s.* assembleia; comício; montagem. ♦ **assembly line** linha de montagem.

assent /əs'ent/ *s.* consentimento. • *v.* concordar.

assert /əs'ɜːrt/ *v.* afirmar, impor(-se).

assertion /əs'ɜːrʃən/ *s.* afirmação, declaração.

assess /əs'es/ *v.* avaliar, calcular; tributar.

assessment /əs'esmənt/ *s.* taxação; avaliação.

assets /'æsets/ *s.* ativo, bens.

assign /əs'aɪn/ *v.* designar; atribuir; destinar (recursos).

assignment /əs'aɪnmənt/ *s.* designação, indicação; tarefa.

assimilate /əs'ɪməleɪt/ *v.* assimilar.

assist /əs'ɪst/ *v.* ajudar, assistir, socorrer, auxiliar.

assistance /əs'ɪstəns/ *s.* assistência.

assistant /əs'ɪstənt/ *s.* ou *adj.* assistente, auxiliar, ajudante.

associate /əs'oʊʃieɪt, əs'oʊsieɪt/ *s.* sócio, companheiro. • *v.* associar (-se), ligar(-se). • *adj.* associado.

association /əsoʊʃi'eɪʃn, əsoʊsi'eɪʃn/ *s.* associação; clube; cooperação.

assort /əs'ɔːrt/ *v.* agrupar, sortir.

assorted /əs'ɔːrtəd/ *adj.* sortido, misto.

assortment /əs'ɔːrtmənt/ *s.* sortimento, variedade.

assume /əs'uːm/ *v.* assumir, adotar; supor.

assumption /əs'ʌmpʃən/ *s.* suposição, hipótese.

assurance /əʃ'ʊrəns/ *s.* garantia, fiança (*Brit.*); confiança, convicção.

assure /əʃ'ʊr/ *v.* assegurar(-se); garantir.

asterisk /'æstərɪsk/ *s.* asterisco. • *v.* marcar com asterisco.

asthma /'æzmə/ *s.* asma. ♦ **asthmatic** asmático.

astonish /əst'ɑnɪʃ/ *v.* surpreender, deixar atônito, causar espanto.

astonishing /əst'ɑnɪʃɪŋ/ *adj.* surpreendente, espantoso.

His creativity is really *astonishing*.

astonishment /əst'ɑnɪʃmənt/ *s.* admiração, assombro.

astray /əstr'eɪ/ *adj.* desviado, extraviado; perdido.

astrology /əstr'ɑlədʒi/ *s.* astrologia.

astronaut /'æstrənɔːt/ *s.* astronauta.

astronomy /əstr'ɑnəmi/ *s.* astronomia.

astute /əst'uːt/ *adj.* astuto.

asylum /əs'aɪləm/ *s.* asilo.

at /æt, ət/ *prep.* em, no, na; na direção de; para, a; em tempo ou lugar determinado. ♦ **at a low price** a um preço baixo. **at any price** a qualquer preço. **at Christmas** no Natal. **at dinner** no jantar. **at half the price** pela metade do preço. **at home** em casa. **at last** finalmente. **at least** pelo menos. **at night** de noite. **at once** imediatamente. **at school** na escola. **at 3 o'clock** às 3 horas. **at work** no trabalho. **at your cost** por sua conta. **not at all** não há de quê; absolutamente não, de forma alguma. **to aim at** apontar para.

at. /æt/ (*abrev.* de *atmosphere* e de *atomic*) atmosfera; atômico. ➔ Abbreviations

atheism /'eɪθiɪzəm/ *s.* ateísmo. ♦ **atheist** ateu.

athlete /'æθliːt/ *s.* atleta.

athletics /æθl'etɪks/ *s.* atletismo.

atlas /'ætləs/ *s.* atlas.

ATM /eɪtiː'em/ (*abrev.* de *Automatic Teller Machine* ou *Automated Teller Machine*) caixa automático, caixa eletrônico. ♦ **ATM cash card** cartão magnético. ➔ Abbreviations

atmosphere /'ætməsfɪr/ *s.* atmosfera; ambiente.

atom /'ætəm/ *s.* átomo.

atomic /ət'ɑmɪk/ *adj.* atômico.

atrocious /ətr'oʊʃəs/ *adj.* atroz, cruel.

atrocity /ətr'ɑsəti/ *s.* atrocidade, perversidade.

attach /ət'ætʃ/ *v.* atar, juntar; anexar.

attached /ət'ætʃt/ *adj.* anexado; apegado: He is so *attached* to his mother.

attachment /ət'ætʃmənt/ *s.* anexo; ligação; amizade.

attack /ət'æk/ *s.* ataque; doença repentina; agressão. • *v.* atacar, agredir; ofender.

attain /ət'eɪn/ *v.* (*form.*) chegar a, alcançar; realizar; conseguir.

attainment /ət'eɪnmənt/ *s.* (*form.*) obtenção, realização.

attempt /ət'empt/ *s.* tentativa; atentado. • *v.* tentar; atacar, atentar contra. ▪ *sin.* try. ♦ **attempted murder** tentativa de assassinato.

attend /ət'end/ *v.* cuidar ou tomar conta de, assistir; comparecer, frequentar (escola), assistir (a aulas). ➔ Deceptive Cognates

attendance /ət'endəns/ *s.* comparecimento; assistência.

attendant /ət'endənt/ *s.* servente, criado; atendente, organizador.

attention /ət'entʃən/ *s.* atenção; cuidado, preocupação; cortesia, fineza. ♦ **Pay attention!** Preste atenção!

attentive /ət'entɪv/ *adj.* atencioso, atento.

attic /'ætɪk/ *s.* sótão.

attitude /'ætɪtuːd/ *s.* atitude, postura, posição; estilo próprio.

attorney /ət'ɜːrni/ *s.* procurador; advogado. ♦ **Attorney General** Procurador-Geral do Estado. ➔ Professions

attract /ətr'ækt/ *v.* atrair; encantar, conquistar.

attraction /ətr'ækʃən/ *s.* atração.

attractive /ətr'æktɪv/ *adj.* atrativo; atraente, sedutor, encantador.

attribute /ətr'ɪbjuːt/ *s.* atributo, qualidade, característica. • *v.* atribuir.

aubergine /'oʊbərʒiːn/ (*Brit.*) *s.* berinjela. Ver ***eggplant***. ➔ Vegetables

auction /'ɔːkʃən/ *s.* leilão. • *v.* leiloar.

auctioneer /ɔːkʃən'ɪr/ *s.* leiloeiro.

audacious /ɔːd'eɪʃəs/ *adj.* audacioso, corajoso; atrevido.

audacity /ɔːd'æsəti/ *s.* audácia, coragem.

audible /'ɔːdəbəl/ *adj.* audível.

audience /'ɔːdiəns/ *s.* audiência; público.

audio /'ɔːdioʊ/ *s.* áudio. ♦ **audio file** arquivo de áudio.

audit /'ɔːdɪt/ *v.* auditar, conferir.

audition /ɔːd'ɪʃən/ *s.* audição (sentido): His *audition* works very well. • *v.* apresentar-se para um teste: He is *auditioning* for a TV show.

auditor /'ɔːdɪtər/ *s.* ouvinte; auditor. ➔ Professions

auditorium /ɔːdɪt'ɔːriəm/ (*s. pl.* ***auditoriums*** ou ***auditoria***) *s.* auditório.

August /'ɔːgəst/ *s.* agosto.

aunt /ænt/ *s.* tia.

au pair /oʊp'er/ *s.* (*fr.*) pessoa (geralmente estrangeira) que mora com uma família e ajuda nos serviços domésticos em troca da oportunidade de estudar o idioma local.

auspices /'ɔːspɪsɪz/ *s.* auspício; adivinhação, presságio; proteção, recomendação. ♦ **under the auspices of** sob o patrocínio de.

austere /ɔːst'ɪr/ *adj.* austero, severo.

austerity /ɔːst'erəti/ *s.* austeridade, rigor.

Australia /ɔːstr'eɪljə/ *s.* Austrália. → Countries & Nationalities

Australian /ɔːstr'eɪliən/ *s.* ou *adj.* australiano. → Countries & Nationalities

Austria /'ɔːstriə/ *s.* Áustria. → Countries & Nationalities

Austrian /'ɔːstriən/ *s.* ou *adj.* austríaco. → Countries & Nationalities

authentic /ɔːθ'entɪk/ *adj.* autêntico, genuíno.

author /'ɔːθər/ *s.* autor.

authority /əθ'ɔːrəti, əθ'ɑːrəti/ *s.* autoridade, poder; funcionário graduado. ▪ *sin.* official.

authorization /ɔːθərəz'eɪʃən/ (*Brit.* ***authorisation***) *s.* autorização, permissão.

authorize /'ɔːθəraɪz/ (*Brit.* ***authorise***) *v.* autorizar, permitir.

auto /'ɔːtoʊ/ *s.* automóvel.

autobiography /ɔːtəbaɪ'ɑgrəfi/ *s.* autobiografia. ♦ **autobiographical** autobiográfico.

autocratic /ɔːtəkr'ætɪk/ *adj.* autocrático, despótico.

autograph /'ɔːtəgræf/ *s.* autógrafo. • *v.* autografar; assinar.

automatic /ɔːtəm'ætɪk/ *adj.* automático.

automatically /ɔːtəm'ætɪkli/ *adv.* automaticamente: He reacted *automatically* to my questions.

automation /ɔːtəm'eɪʃən/ *s.* automatização, automação.

automobile /'ɔːtəməbiːl/ *s.* automóvel.

autonomy /ɔːt'ɑnəmi/ *s.* autonomia, independência.

autopsy /'ɔːtɑpsi/ *s.* autópsia, necropsia.

autumn /'ɔːtəm/ *s.* (*Brit.*) outono. ▪ *sin.* fall (*Am.*). → Weather

auxiliary /ɔːgz'ɪliəri/ *s.* auxiliar, ajudante. • *adj.* auxiliar, acessório.

Av. /æv/ (*tb.* ***Ave.***) (*abrev.* de *avenue*) avenida. → Abbreviations

available /əv'eɪləbəl/ *adj.* disponível. → Deceptive Cognates

avalanche /'ævəlæntʃ/ *s.* avalanche.

avant-garde /ævɑːŋ g'ɑrd/ *adj.* (*fr.*) de vanguarda.

avarice /'ævərɪs/ *s.* cobiça.

avenge /əv'endʒ/ *v.* vingar(-se).

avenue /'ævənuː/ *s.* avenida, alameda.

average /'ævərɪdʒ/ *s.* média, proporção; quantidade. • *v.* calcular a média. • *adj.* médio, comum. ♦ **an average man** um homem comum. **average cost** custo médio. **on average** em média. **The book averages $30.** O livro custa, em média, 30 dólares.

averse /əv'ɜːrs/ *adj.* oposto, adverso.

aversion /əv'ɜːrʒən/ *s.* aversão.

avert /əv'ɜːrt/ *v.* evitar, prevenir; desviar, afastar.

AVI /eɪviː'aɪ/ (*abrev.* de *Audio Video Interleave*) áudio e vídeo intercalados. → Abbreviations

aviary /'eɪvieri/ *s.* aviário.

aviation /eɪvi'eɪʃən/ *s.* aviação.

aviator /'eɪvieɪtər/ *s.* aviador, piloto.

avocado /ævək'ɑdoʊ/ *s.* abacate. → Fruit

avoid /əv'ɔɪd/ *v.* evitar; esquivar(-se), escapar; prevenir. ♦ **avoidable** contornável, evitável. **unavoidable** incontornável, inevitável.

a.w. /eɪd'ʌbəljuː/ (*abrev.* de *atomic weight*) peso atômico. → Abbreviations

await /əw'eɪt/ *v.* esperar, aguardar.

awake /əw'eɪk/ *v.* (*pret.* **awoke** ou **awaked**, *p.p.* **awoken** ou **awaked**) acordar. • *adj.* acordado. → Irregular Verbs

awaken /əw'eɪkən/ *v.* despertar, acordar, tirar do sono; provocar, estimular.

award /əw'ɔːrd/ *s.* prêmio, recompensa. • *v.* premiar, recompensar.

aware /əw'er/ *adj.* atento; consciente, ciente, a par, informado. ▪ *sin.* conscious. ▪ *ant.* unaware.

awareness /əw'ernəs/ *s.* consciência, conhecimento.

away /əw'eɪ/ *adv.* fora; distante, longe. ♦ **be away from home** estar longe de casa. **right away** imediatamente.

awe /ɔː/ *s.* reverência, temor, respeito. • *v.* pasmar.

awesome /'ɔːsəm/ *adj.* incrível, impressionante; bárbaro.

awful /'ɔːfəl/ *adj.* terrível, horroroso. ▪ *sin.* dreadful, fearful, horrible, terrible.

awfully /'ɔːfəli/ *adv.* terrivelmente: I am *awfully* tired.

awkward /'ɔːkwərd/ *adj.* desajeitado; embaraçoso; difícil; incômodo. ▪ *sin.* clumsy.

ax /æks/ (*Brit.* **axe**) *s.* machado. • *v.* cortar a machadadas; reduzir.

Next time ask the barber not to use an *ax* to cut your hair.

axis /'æksɪs/ (*s. pl.* **axes**) *s.* eixo.

Aztec /'æztek/ *s.* ou *adj.* asteca.

B

B, b /biː/ *s.* segunda letra do alfabeto inglês; si, a sétima nota musical.

B2B /biːtəb'iː/ (*abrev.* de *business to business*) transações entre empresas. → Abbreviations

B2C /biːtəs'iː/ (*abrev.* de *business to consumer*) transações entre empresas e consumidores. → Abbreviations

B2G /biːtədʒ'iː/ (*abrev.* de *business to government*) transações entre empresas e a administração pública. → Abbreviations

BA /biː'eɪ/ (*abrev.* de *Bachelor of Arts*) Bacharel em Artes, Bacharelado em Artes. → Abbreviations

babble /b'æbəl/ *s.* fala ininteligível. • *v.* balbuciar.

babe /beɪb/ *s.* bebê; (*inf.*) garoto(a), amor, meu bem.

baby /b'eɪbi/ *s.* bebê. ♦ **baby boom** explosão demográfica. **baby tooth** ou **milk tooth** (*Brit.*) dente de leite. **baby carriage** carrinho de bebê. **baby talk** fala de bebê. **baby linen** roupa de bebê. **babyhood** primeira infância. **babyish** infantil.

babysit /b'eɪbisɪt/ *v.* (*pret.* e *p.p.* ***babysat***) cuidar de bebês ou de crianças. ♦ **babysitter** babá.

bachelor /b'ætʃələr/ *s.* solteirão; bacharel; bacharelado.

back /bæk/ *s.* dorso, costas; parte traseira, verso; encosto; zagueiro; lombo (de animais); avesso (de tecido). • *v.* ir para trás; dar as costas. • *adj.* posterior, traseiro. • *adv.* para trás, atrás; no passado. ♦ **back and forth** para trás e para a frente. **Back off!** Afaste-se! **backpack** mochila. **backpacking** viajar com mochila. **backpacker** mochileiro. **back up** apoiar. **Come back!** Volte! **Don't answer back!** Não responda! **I'll be back soon.** Volto logo. **pay back** devolver o dinheiro. **backbone** espinha dorsal. **background** cenário, pano de fundo; passado; experiência. **backside** parte de trás. **backslash** barra invertida. **backspace** retrocesso. **backup** cópia de segurança. **backward(s)** para trás. **backyard** quintal. → Human Body

bacon /b'eɪkən/ *s.* toucinho defumado.

bacteriology /bæktɪri'ɑːlədʒi/ *s.* bacteriologia.

bacterium /bækt'ɪriəm/ (*s. pl.* ***bacteria***) *s. sing.* bactéria.

bad /bæd/ *adj.* ruim, mau. ♦ **bad sector** (*informática*) setor defeituoso do disco rígido. **bad points** defeitos. **bad track** trilha com defeito. **Too bad!** Infelizmente!, Que pena! **bad-tempered** mal-humorado.

badge /bædʒ/ *s.* distintivo, emblema.

badger /b'ædʒər/ *s.* texugo. → Animal Kingdom

badly /b'ædli/ *adv.* mal: She sings *badly.*; muito: She wants that cake so *badly.* • *adj.* arrependido: I feel *badly* for my behavior.

baffle /b'æfəl/ *s.* confusão. • *v.* confundir; frustrar.

baffling /b'æflɪŋ/ *adj.* confuso; frustrante.

bag /bæg/ *s.* saco, sacola, maleta, bolsa. • *v.* ensacar.

bagel /'beɪgəl/ *s.* tipo de pão em forma de anel.

baggage /b'ægɪdʒ/ *s.* bagagem.

bagpipe /b'ægpaɪp/ (*tb.* ***bagpipes*** ou ***pipes***) *s.* gaita de foles. → Musical Instruments

baguette /bæg'et/ *s.* baguete.

bail /beɪl/ *s.* fiança, garantia. • *v.* afiançar, pôr em liberdade.

bailiff /'beɪlɪf/ *s.* oficial de justiça. → Professions

bait /beɪt/ *s.* isca. • *v.* atrair.

bake /beɪk/ *v.* assar, cozer (no forno).

baker /b'eɪkər/ *s.* padeiro. → Professions

bakery /b'eɪkəri/ *s.* padaria.

balance /b'æləns/ *s.* balança; saldo; equilíbrio. • *v.* pesar; equilibrar(-se). ♦ **balance sheet** balancete. **I lost my balance.** Perdi o equilíbrio. **point of balance** ponto de equilíbrio.

balcony /b'ælkəni/ *s.* balcão (teatro); sacada.

bald /bɔːld/ *adj.* calvo, careca.

baldness /b'ɔːldnəs/ *s.* calvície.

ball /bɔːl/ *s.* bola; esfera; baile. ♦ **ballpoint pen** caneta esferográfica. → Classroom

ballad /b'æləd/ *s.* balada.

ballet /b'æleɪ/ *s.* balé.

balloon /bəl'uːn/ *s.* balão.

ballot /b'ælət/ *s.* cédula usada em eleições. • *v.* votar.

ballpark /b'ɔːlpɑrk/ *s.* campo de beisebol. ♦ **ballpark figure** aproximação numérica.

balm /bɑːm/ *s.* bálsamo.

balmy /b'ɑːlmi/ *adj.* agradável, ameno (temperatura).

bamboo /bæmb'uː/ *s.* bambu.

ban /bæn/ *s.* proibição. • *v.* proibir, banir. ▪ *sin.* forbid.

banana /bən'ænə/ *s.* banana. → Fruit

band /bænd/ *s.* fita, tira; aro, anel; cinta, braçadeira; faixa, atadura; equipe; bando, gangue; banda de música. • *v.* ligar; enfaixar; unir, reunir.

bandage /b'ændɪdʒ/ *s.* bandagem, atadura. • *v.* atar, enfaixar.

bandit /b'ændɪt/ *s.* bandido.

bandwidth /b'ændwɪdθ/ *s.* largura de banda (*telefonia*).

bang /bæŋ/ *s.* pancada; estrondo. *pl.* ***bangs*** franja (de cabelo). • *v.* fazer estrondo; bater, martelar, golpear. ▪ *sin.* fringe.

Bangladesh /bæŋgləd'eʃ/ *s.* Bangladesh. • *adj.* (de) Bangladesh. → Countries & Nationalities

banish /b'ænɪʃ/ *v.* banir, exilar, expulsar. ▪ *sin.* exile.

banister /b'ænɪstər/ *s.* corrimão.

bank /bæŋk/ *s.* banco; barreira; margem; recife. • *v.* cercar com dique ou barreira; depositar (banco); bancar (jogos de azar). ♦ **bank draft** retirada de dinheiro. **bank holiday** feriado bancário. **bank rate** taxa bancária. **bank clerk** caixa de banco. → Professions

banker /b'æŋkər/ *s.* banqueiro. → Professions

bankrupt /b'æŋkrʌpt/ *s.* falido. • *v.* levar à falência; arruinar. • *adj.* falido, quebrado.

bankruptcy /b'æŋkrʌptsi/ *s.* falência.

banner /b'ænər/ *s.* estandarte, flâmula, bandeira; faixa.

banquet /b'æŋkwɪt/ *s.* banquete.

baptism /b'æptɪzəm/ *s.* batismo.

baptize /bæpt'aɪz/ (*Brit.* ***baptise***) *v.* batizar, dar nome.

bar /bɑr/ *s.* barra; tranca; obstáculo; faixa; compasso, ritmo; bar; tribunal. • *v.* barrar, obstruir; impedir; confinar. ♦ **bar chart** ou **bar graph** gráfico de barras. **bar**

code código de barras. **barmaid** garçonete. **barman** (*Brit.*) ou **bartender** atendente do bar, *barman*. → Professions

barbarian /barb'eriən/ *s.* ou *adj.* bárbaro; inculto; rude.

barbecue /b'arbɪkju:/ (*tb.* ***barbeque***) *s.* churrasco.

barbed /barbd/ *adj.* farpado. ♦ **barbed wire** arame farpado.

barber /b'arbər/ *s.* barbeiro. → Professions

barbershop /b'arbərʃap/ *s.* barbearia.

bare /ber/ *v.* descobrir, despir; expor, revelar. • *adj.* nu, despido.

barefoot /b'erfʊt/ *adj.* descalço.

bargain /b'argən/ *s.* acordo comercial, contrato; pechincha. • *v.* pechinchar; negociar, fazer bom negócio.

barge /bardʒ/ *s.* barcaça. • *v.* transportar em barcaça.

baritone /b'ærɪtoʊn/ *s.* barítono.

bark /bark/ *s.* casca de árvore; latido. • *v.* latir; gritar. ♦ **Barking dogs never bite.** Cão que ladra não morde.

barley /b'arli/ *s.* cevada.

barn /barn/ *s.* celeiro.

barometer /bər'a:mɪtər/ *s.* barômetro.

baron /b'ærən/ *s.* barão.

baroness /b'ærənes/ *s.* baronesa.

baroque /bər'oʊk/ *s.* ou *adj.* barroco.

barracks /b'ærəks/ *s. pl.* quartel → Deceptive Cognates

barrel /b'ærəl/ *s.* barril; tambor (de revólver).

barren /b'ærən/ *adj.* estéril; infrutífero.

barricade /bærɪk'eɪd/ *s.* barricada. • *v.* bloquear.

barrier /b'æriər/ *s.* barreira, obstáculo.

barrister /b'ærɪstər/ *s.* advogado. → Professions

barrow /b'æroʊ/ *s.* carrinho de mão.

barter /b'artər/ *s.* intercâmbio; troca. • *v.* negociar, trocar. ▪ *sin.* exchange.

base /beɪs/ *s.* base; fundamento. • *v.* fundamentar, basear. • *adj.* vil. ♦ **base on** basear-se em.

baseball /b'eɪsbɔ:l/ *s.* beisebol. ♦ **baseball cap** boné. → Sports → Clothing

basement /b'eɪsmənt/ *s.* porão.

basic /b'eɪsɪk/ *adj.* fundamental.

basically /b'eɪsɪkli/ *adv.* basicamente: The tax is *basically* for the health program.

basin /b'eɪsən/ *s.* bacia; pia.

basis /b'eɪsɪs/ (*s. pl.* ***bases*** /b'eɪsi:z/) *s.* base; princípio.

basket /b'æskɪt/ *s.* cesto; cesta.

basketball /b'æskɪtbɔ:l/ *s.* basquetebol, bola ao cesto. → Sports

bass /beɪs/ *s.* som ou tom baixo, grave. ♦ **double bass** contrabaixo. → Musical Instruments

bassoon /bəs'un/ *s.* fagote. → Musical Instruments

bastard /b'æstərd/ *s.* ou *adj.* bastardo.

bat /bæt/ *s.* bastão; morcego. → Animal Kingdom

batch /bætʃ/ *s.* fornada; porção; grupo. ♦ **batch file** arquivo de instruções.

bath /bæθ/ *s.* banho. ♦ **bath mat** capacho de banheiro. **bath salts** sais de banho. **bath towel** toalha de banho. **bather** banhista. **bathhouse** balneário. **bathing cap** touca de banho. **bathing costume** ou **bathing suit** maiô. **bathing drawers** calção de banho. **bathing wrap** ou **bathing robe** roupão de banho. **bathroom** banheiro. **bathtub** banheira.

bathe /beɪð/ *v.* banhar(-se).

battalion /bət'æljən/ *s.* batalhão.

batter /b'ætər/ *s.* massa de farinha com ovos; batedor. • *v.* bater.

battery /b'ætəri, b'ætri/ *s.* bateria, pilha.

battle /b'ætəl/ *s.* batalha, combate. • *v.* combater, batalhar, lutar.

battlefield /b'ætəlfi:ld/ *s.* campo de batalha.

battleship /b'ætəlʃɪp/ *s.* encouraçado.

bawl /bɔːl/ *v.* gritar, berrar.

bay /beɪ/ *s.* baía; latido; louro (tempero); compartimento, divisão. • *v.* latir, uivar. ♦ **bay leaf** folha de louro.

bayonet /b'eɪənət/ *s.* baioneta.

B&B /biːənb'iː/ (*abrev.* de *Bed and Breakfast*) acomodação com cama e café da manhã. ➔ Abbreviations

BBC /biːbiːs'iː/ (*abrev.* de *British Broadcasting Corporation*) Empresa Britânica de Difusão. ➔ Abbreviations

BBS /biːbiː'es/ (*abrev.* de *Bulletin Board System*) *s.* Sistema de Painel ou de Quadro de Avisos. ➔ Abbreviations

B.C. /biːs'iː/ (*abrev.* de *Before Christ*) antes de Cristo (a.C.). ➔ Abbreviations

be /bi, biː/ *v.* (*pres.* ***am/are/is***, *pret.* ***was/were***, *p.p.* **been**) estar, ser. ➔ Irregular Verbs

beach /biːtʃ/ *s.* praia.

bead /biːd/ *s.* conta (de rosário, de vidro, de metal, etc.); gota. • *v.* ornar com contas.

beak /biːk/ *s.* bico (de ave); boca de qualquer vasilhame.

beam /biːm/ *s.* viga; raio ou feixe de luz. • *v.* irradiar; sorrir.

beaming /b'iːmɪŋ/ *adj.* radiante.

bean /biːn/ *s.* feijão. ➔ Vegetables

bear /ber/ *s.* urso. • *v.* (*pret.* ***bore***, *p.p.* ***borne*** ou ***born***) carregar, levar, trazer; tolerar, suportar, aguentar; sofrer; (*form.*) gerar, dar à luz. ♦ **polar bear** urso-polar. **bear in mind** ter em mente. **I can't bear him.** Não o suporto. **bearable** suportável. **unbearable** insuportável. ➔ Animal Kingdom ➔ Irregular Verbs

beard /bɪrd/ *s.* barba. ♦ **a bearded man** um homem barbudo. ➔ Human Body

beast /biːst/ *s.* besta, animal.

beat /biːt/ *s.* batida; golpe; pulsação; ritmo, compasso. • *v.* (*pret.* ***beat***, *p.p.* ***beat*** ou ***beaten***) bater (instrumento musical, asas, em alguém, etc.); tocar; derrotar. ♦ **Beat it!** Dê o fora! **beaten eggs** ovos batidos. ➔ Irregular Verbs

beater /b'iːtər/ *s.* batedeira.

beating /b'iːtɪŋ/ *s.* surra.

beautiful /bj'uːtɪfəl/ *adj.* bonito(a).

beautifully /bj'uːtɪfli/ *adv.* belamente, maravilhosamente: The lady is *beautifully* dressed.

beauty /bj'uːti/ *s.* beleza, formosura. ♦ **beauty parlor** salão de beleza.

beaver /b'iːvər/ *s.* castor. ➔ Animal Kingdom

became /bɪk'eɪm/ *v. pret.* de **become**.

because /bɪk'ɔːz, bɪk'ʌz/ *conj.* porque.

beckon /b'ekən/ *s.* gesto, aceno. • *v.* acenar.

become /bɪk'ʌm/ *v.* (*pret.* ***became***, *p.p.* ***become***) tornar-se, vir a ser. ➔ Irregular Verbs

bed /bed/ *s.* cama; canteiro; leito de rio. ♦ **bed linen** ou **bedclothes** roupa de cama. **bed of roses** mar de rosas. **headboard** ou **bed-head** (*Brit.*) cabeceira da cama. **bedcover** colcha. **bedgown** ou **nightgown** camisola. **bedridden** acamado. **bedroom** dormitório. **bedside lamp** luz de cabeceira. **bedside table** criado-mudo. **bedtime** hora de dormir. ➔ Furniture & Appliances

bee /biː/ *s.* abelha. ➔ Animal Kingdom

beef /biːf/ *s.* carne de vaca.

beehive /b'iːhaɪv/ *s.* colmeia.

been /bɪn/ *v. p.p.* de **be**.

beer /bɪr/ *s.* cerveja.

beet /biːt/ (*Brit.* ***beetroot***) *s.* beterraba. ➔ Vegetables

beetle /b'iːtl/ *s.* besouro. ➔ Animal Kingdom

before /bɪf'ɔːr/ *prep.* na frente de, diante de, perante; anterior a, antes de; à frente de. • *adv.* anteriormente. • *conj.* antes que. ♦ **Before Christ (B.C.)** antes de Cristo. **beforehand** de antemão. **beforetime** antigamente. **declare before God** jurar por Deus. **the day before yesterday** anteontem.

beg /beg/ *v.* mendigar, esmolar; implorar. ♦ **I beg your pardon.** Desculpe-me.

began /bɪg'æn/ *v. pret.* de **begin**.

beggar /b'egər/ *s.* mendigo. ♦ **beggars can't be choosers** a cavalo dado não se olha os dentes.

begin /bɪg'ɪn/ *v.* (*pret.* **began**, *p.p.* **begun**) começar. ▪ *sin.* start. ▪ *ant.* stop, finish, end. → Irregular Verbs

beginner /bɪg'ɪnər/ *s.* novato, principiante.

beginning /bɪg'ɪnɪŋ/ *s.* começo.

begun /bɪg'ʌn/ *v. p.p.* de **begin**.

behalf /bɪh'æf/ *s.* em nome de, em favor de. ♦ **on your behalf** em seu nome, em seu favor.

behave /bɪh'eɪv/ *v.* comportar-se.

behavior /bɪh'eɪvjər/ (*Brit.* **behaviour**) *s.* comportamento; conduta. ▪ *sin.* demeanor.

behind /bɪh'aɪnd/ *prep.* atrás de; inferior a.

being /b'iːɪŋ/ *s.* ser, indivíduo; existência, vida. • *v. ger.* de **be**. ♦ **human being** ser humano. **well-being** bem-estar.

Belgian /b'eldʒən/ *s.* ou *adj.* belga. → Countries & Nationalities

Belgium /b'eldʒəm/ *s.* Bélgica. → Countries & Nationalities

belief /bɪl'iːf/ *s.* crença.

believe /bɪl'iːv/ *v.* acreditar, crer. ▪ *sin.* trust. ♦ **Believe it or not.** Acredite se quiser. **believer** crente. **Seeing is believing.** Ver para crer. **believe in God** acreditar em Deus. **believable** crível. **unbelievable** inacreditável.

belittle /bɪl'ɪtl/ *v.* desprezar, menosprezar.

bell /bel/ *s.* sino; campainha. ♦ **answer the bell** atender a porta (a campainha). **bell button** botão da campainha. **bell pepper** pimentão. **bell rope** corda do sino. **bellboy** ou **bellhop** mensageiro (de hotel). **clear as a bell** muito claro, inteligível. **ring the bell** tocar a campainha. **it rings a bell** isso parece familiar. → Vegetables

belligerent /bəl'ɪdʒərənt/ *s.* ou *adj.* beligerante; hostil.

bellow /b'eloʊ/ *s.* berro, grito. • *v.* berrar, gritar. ▪ *sin.* scream, shout.

belly /b'eli/ *s.* barriga. • *v.* inchar. ♦ **bellyache** dor de barriga. **belly dance** dança do ventre. **belly button** umbigo. → Human Body

belong /bɪl'ɔːŋ/ *v.* pertencer (a).

belongings /bɪl'ɔːŋɪŋz/ *s. pl.* pertences; propriedades, posses.

beloved /bɪl'ʌvɪd, bɪl'ʌvd/ *s.* ou *adj.* amado, querido.

below /bɪl'oʊ/ *prep.* abaixo de, sob. • *adv.* abaixo; para baixo.

belt /belt/ *s.* cinto; faixa. • *v.* colocar cinto; surrar. ♦ **Fasten your seat belts.** Apertem os cintos de segurança. → Clothing

bench /bentʃ/ *s.* banco (de madeira ou de pedra); bancada; tribunal.

benchmark /b'entʃmɑːrk/ *s.* ponto ou elemento de referência.

bend /bend/ *s.* curva, dobra, ângulo. • *v.* (*pret.* e *p.p.* **bent**) curvar, torcer, virar, dobrar; inclinar(-se). → Irregular Verbs

beneath /bɪn'iːθ/ *prep.* sob, abaixo de. • *adv.* debaixo, abaixo, em posição inferior.

benefactor /b'enɪfæktər/ *s.* benfeitor.

beneficial /benɪf'ɪʃəl/ *adj.* benéfico, útil; vantajoso.

benefit /b'enɪfɪt/ *s.* benefício; lucro; vantagem. • *v.* beneficiar(-se), favorecer.

benevolent /bən'evələnt/ *adj.* benevolente, bondoso, caridoso.

benign /bɪn'aɪn/ *adj.* gentil; bondoso; saudável, benigno.

bent /bent/ *s.* talento, inclinação. • *adj.* curvado, torto; inclinado. • *v. pret.* e *p.p.* de ***bend***.

bereavement /bɪr'iːvmənt/ *s.* luto.

beret /bər'eɪ/ *s.* boina. → Clothing

berry /b'eri/ *s.* baga. → Fruit

berth /bɜːrθ/ *s.* beliche, leito, cabina. → Furniture & Appliances

beside /bɪs'aɪd/ *prep.* ao lado de.

besides /bɪs'aɪdz/ *prep.* além de. • *adv.* além disso.

besiege /bɪs'iːdʒ/ *v.* cercar; assediar.

best /best/ *adj.* (*sup.* de ***good***) o melhor. ▪ *ant.* worst. ♦ **best practices** melhores práticas. **at best** na melhor das hipóteses. **best man** padrinho de casamento. **I did my best.** Fiz o possível.

bestseller /bests'elər/ (*tb.* ***best-seller***) *s.* sucesso de vendas, mais vendido.

bet /bet/ *s.* aposta. • *v.* (*pret.* e *p.p.* ***bet***) apostar. → Irregular Verbs

beta /b'eɪtə/ *s.* beta; versão de *software* em desenvolvimento (*informática*).

betray /bɪtr'eɪ/ *v.* trair.

betrayal /bɪtr'eɪəl/ *s.* traição. ▪ *sin.* treachery.

better /b'etər/ *adj.* (*comp.* de ***good***) melhor. ♦ **Better late than never.** Antes tarde que nunca. **for better or (for) worse** para melhor ou para pior. **get better** melhorar. **know better** ser menos tolo ou inocente.

betting /b'etɪŋ/ *s.* aposta.

between /bɪtw'iːn/ *prep.* entre; no meio de. ♦ **between the devil and the deep blue sea** ou **between a rock and a hard place** entre a cruz e a espada. **between you and me** ou **between ourselves** cá entre nós.

beverage /b'evərɪdʒ/ *s.* bebida (que não seja água).

beware /bɪw'er/ *v.* tomar cuidado; precaver-se. ♦ **Beware of the dog.** Cuidado com o cachorro.

bewilder /bɪw'ɪldər/ *v.* confundir; transtornar.

bewildering /bɪw'ɪldərɪŋ/ *adj.* desorientador.

bewilderment /bɪw'ɪldərmənt/ *s.* confusão; perplexidade; transtorno.

bewitch /bɪw'ɪtʃ/ *v.* encantar; enfeitiçar; fascinar, cativar.

bewitching /bɪw'ɪtʃɪŋ/ *adj.* encantador; mágico.

beyond /bɪj'ɑːnd/ *prep.* além de; do outro lado de; fora de (alcance, compreensão, limite). • *adv.* além, mais longe.

bias /b'aɪəs/ *s.* linha inclinada ou oblíqua, inclinação; preconceito, parcialidade. • *v.* influenciar, predispor.

bib /bɪb/ *s.* babador.

Bible /b'aɪbəl/ *s.* Bíblia.

bibliography /bɪbli'ɑgrəfi/ *s.* bibliografia.

biceps /b'aɪseps/ *s.* bíceps. → Human Body

bicycle /b'aɪsɪkəl/ *s.* bicicleta. *abrev.* ***bike***. → Means of Transportation

bid /bɪd/ *s.* oferta, proposta; lance. • *v.* (*pret.* ***bade*** ou ***bid***, *p.p.* ***bidden*** ou ***bid***) fazer um lance. → Irregular Verbs

biennial /baɪ'eniəl/ *s.* ou *adj.* bienal.

big /bɪg/ *adj.* grande. ♦ **Big Apple** Nova Iorque. **Big Ben** relógio do Parlamento (Londres). **big boss** ou **big shot** chefão.

bigamy /b'ɪgəmi/ *s.* bigamia.

bigot /b'ɪgət/ *s.* fanático.

bigotry /b'ɪgətri/ *s.* fanatismo.

bike /baɪk/ *s.* bicicleta; motocicleta. → Means of Transportation

biker /b'aɪkər/ *s.* ciclista; motociclista.

bile /baɪl/ *s.* bílis.

bilingual /baɪl'ɪŋgwəl/ *adj.* bilíngue.

bill /bɪl/ *s.* conta, fatura; nota, cédula (de dinheiro); boletim, anúncio; folheto, circular; lista; documento; projeto de lei; nota promissória.

• *v.* mandar conta, faturar; publicar, notificar.

billboard /b'ɪlbɔːrd/ *s.* cartaz, placa.

billiards /b'ɪljərdz/ *s.* bilhar. → Leisure

billing /b'ɪlɪŋ/ *s.* faturamento: The manager will check the *billing*.

billion /b'ɪljən/ *s.* bilhão.

bimonthly /baɪm'ʌnθli/ *adj.* bimestral, bimensal. • *adv.* bimestralmente, bimensalmente.

bin /bɪn/ *s.* caixote; latão; lata de lixo. • *v.* guardar, depositar, armazenar; jogar no lixo.

binary /b'aɪnəri/ *adj.* binário.

bind /baɪnd/ *v.* (*pret.* e *p.p.* **bound**) ligar, juntar; amarrar; colar; encadernar. → Irregular Verbs

binge /bɪndʒ/ *s.* farra.

binoculars /bɪn'ɑːkjələrz/ *s. pl.* binóculo.

biochemical /baɪoʊk'emɪkəl/ *adj.* bioquímico.

biochemist /baɪoʊk'emɪst/ *s.* bioquímico. → Professions

biochemistry /baɪoʊk'emɪstri/ *s.* bioquímica.

biographical /baɪəgr'æfɪkəl/ *adj.* biográfico.

biography /baɪ'ɑgrəfi/ *s.* biografia.

biologist /baɪ'ɑlədʒɪst/ *s.* biólogo. → Professions

biology /baɪ'ɑlədʒi/ *s.* biologia.

biopsy /b'aɪɑpsi/ *s.* biópsia.

bird /bɜːrd/ *s.* pássaro, ave. ♦ **A bird in hand is worth two in the bush.** Mais vale um pássaro na mão que dois voando. **bird of prey** ave de rapina. **birdcage** gaiola. **hummingbird** beija-flor. **kill two birds with one stone** matar dois coelhos com uma cajadada só. **The early bird catches the worm.** Deus ajuda quem cedo madruga. → Animal Kingdom

birth /bɜːrθ/ *s.* nascimento. ♦ **birth certificate** certidão de nascimento. **birth control** controle de natalidade. **birth rate** taxa de natalidade. **birthday** aniversário de nascimento. **birthmark** marca de nascença. **birthplace** local de nascimento. **give birth to** dar à luz.

biscuit /b'ɪskɪt/ *s.* biscoito, bolacha. ▪ *sin.* cookie.

bishop /b'ɪʃəp/ *s.* bispo.

bison /b'aɪsən/ (*s. pl.* **bison** ou **bisons**) *s.* bisão. → Animal Kingdom

bit /bɪt/ *s.* bocado, pedaço; unidade ou caractere de informação (*informática*).

bitch /bɪtʃ/ *s.* cadela.

bite /baɪt/ *s.* bocado; mordida, dentada; ferroada, picada. • *v.* (*pret.* **bit**, *p.p.* **bit** ou **bitten**) morder; mastigar. → Irregular Verbs

biting /b'aɪtɪŋ/ *adj.* mordaz.

bitter /b'ɪtər/ *adj.* amargo; triste; penoso, dolorido.

bitterly /b'ɪtərli/ *adv.* amargamente: She was *bitterly* disappointed with her boyfriend.

bizarre /bɪz'ɑr/ *adj.* bizarro, estranho, esquisito.

black /blæk/ *s.* ou *adj.* preto. ♦ **black book** ou **blacklist** lista negra. **black cat** gato preto. **black market** mercado negro. **black pepper** pimenta-do-reino. **black sheep** ovelha negra. **black widow** viúva-negra (aranha). **blackberry** amora. **blackout** corte de luz. **blackboard** quadro-negro. **black currant** cassis, groselheira-preta. **blackmail** chantagem. **blackness** escuridão. → Classroom → Fruit → Animal Kingdom

blacken /bl'ækən/ *v.* escurecer.

bladder /bl'ædər/ *s.* bexiga. → Human Body

blade /bleɪd/ *s.* lâmina.

blame /bleɪm/ *s.* culpa. • *v.* culpar, acusar. ▪ *sin.* condemn.

blank /blæŋk/ *s.* espaço vazio; espaço em branco. ♦ **blank check** cheque em branco. **My mind went blank.** Me deu um branco.

blanket /bl'æŋkɪt/ *s.* cobertor.
blasphemy /bl'æsfəmi/ *s.* blasfêmia.
blast /blæst/ *s.* estrondo; explosão • *v.* explodir, detonar.
blaze /bleɪz/ *s.* chama, labareda, fogo; brilho.
blazer /bl'eɪzər/ *s.* tipo de paletó. ➔ Clothing
bleach /bliːtʃ/ *s.* branqueamento; alvejante. • *v.* alvejar, branquear, desbotar.
bleachers /bl'iːtʃərz/ *s.* arquibancada.
bleak /bliːk/ *adj.* deserto, desolado.
bleed /bliːd/ *v.* (*pret.* e *p.p.* ***bled***) sangrar. ♦ **bleeder** hemofílico. **bleeding** sangria; hemorragia. ➔ Irregular Verbs
blend /blend/ *s.* mistura, combinação. • *v.* misturar, combinar.
bless /bles/ *v.* abençoar.
blessing /bl'esɪŋ/ *s.* bênção. ♦ **a blessing in disguise** mal que vem para bem.
blew /bluː/ *v.* *pret.* de ***blow***.
blind /blaɪnd/ *s.* cortina, veneziana. • *v.* cegar. • *adj.* cego. ♦ **Among the blind, the one-eyed man is king.** Em terra de cego, quem tem um olho é rei. **blind alley** beco sem saída. **blind man's buff** cabra-cega (brincadeira). **blind side** ponto cego. **blindfold** venda (para os olhos). **blindly** cegamente. **blindness** cegueira. **color-blind** daltônico. **color-blindness** daltonismo.
blink /blɪŋk/ *s.* piscadela. • *v.* piscar os olhos.
bliss /blɪs/ *s.* felicidade.
blister /bl'ɪstər/ *s.* bolha.
blizzard /bl'ɪzərd/ *s.* nevasca. ➔ Weather
block /blɑk/ *s.* bloco; obstrução; quarteirão. • *v.* bloquear; paralisar.
blockage /bl'ɑːkɪdʒ/ *s.* bloqueio, obstrução.
blockbuster /bl'ɑkbʌstər/ *s.* arrasa--quarteirão, produto de sucesso arrasador.
blog /blɑg/ *s.* *blog*, blogue. ♦ **blogging** manter um blogue. ➔ Leisure
blogosphere /bl'ɑgəsfɪr/ *s.* blogosfera.
bloke /bloʊk/ *s.* (*inf. Brit.*) sujeito, cara.
blond /blɑnd/ (*tb.* ***blonde***) *adj.* loiro. ▪ *sin.* fair.
blood /blʌd/ *s.* sangue. ♦ **blood bank** banco de sangue. **blood count** hemograma. **blood donor** doador de sangue. **blood pressure** pressão arterial. **blood recipient** receptor (de sangue). **blood transfusion** transfusão de sangue. **blood type** grupo sanguíneo. **blood vessel** vaso sanguíneo. **bloodless** pálido; frio, indiferente. **bloodshed** derramamento de sangue. **bloodstream** circulação (sanguínea). **bloodsucker** sanguessuga. **bloodthirsty** sanguinário, cruel. **bloody** sangrento; ensanguentado. **a full blood horse** um cavalo puro-sangue. **in cold blood** a sangue-frio. **in hot blood** nervoso, irritado. **it runs in the blood** está no sangue. **related by blood** parente consanguíneo. **royal blood** sangue azul. ➔ Human Body
bloom /bluːm/ *s.* flor; florescência. • *v.* florir.
blooming /bl'uːmɪŋ, bl'ʊmɪŋ/ *adj.* florido, florescente.
blossom /bl'ɑsəm/ *s.* flor (de árvore frutífera). • *v.* florir, florescer.
blot /blɑt/ *s.* borrão; rasura, emenda. • *v.* borrar (com tinta); sujar.
blouse /blaʊs/ *s.* blusa feminina. ➔ Clothing
blow /bloʊ/ *s.* soco, golpe, pancada; desastre; sopro; ventania. • *v.* (*pret.* ***blew***, *p.p.* ***blown***) soprar; ventar; fazer soar (instrumento de sopro); queimar (fusível). ➔ Irregular Verbs
blue /bluː/ *s.* a cor azul. • *v.* tingir de azul. • *adj.* azul; triste, deprimido.

blueberry /bl'uːberi/ *s.* mirtilo. → Fruit

blueprint /bl'uːprɪnt/ *s.* plano, projeto.

bluff /blʌf/ *s.* blefe, logro. • *v.* iludir, blefar.

blunder /bl'ʌndər/ *s.* erro. • *v.* errar; cometer uma gafe. ▪ *sin.* mistake, error.

blunt /blʌnt/ *v.* ficar sem corte; abrandar. • *adj.* sem corte, cego; duro, ríspido. ♦ **a blunt knife** uma faca sem corte.

blur /blɜːr/ *s.* falta de clareza, borrão, mancha. • *v.* obscurecer, embaçar, enevoar.

blush /blʌʃ/ *s.* rubor. • *v.* corar, enrubescer.

What made your friend *blush*?

boar /bɔːr/ *s.* javali. → Animal Kingdom

board /bɔːrd/ *s.* quadro, lousa, tábua, prancha; papelão, cartão; pensão; junta, conselho; placa. • *v.* embarcar; hospedar-se. ♦ **motherboard** placa-mãe (*informática*). **blackboard** quadro--negro, lousa. **board of directors** diretoria. **bulletin board** quadro de avisos. **chessboard** tabuleiro de xadrez. **cutting board** ou **chopping block** tábua de corte. **clipboard** prancheta. **ironing board** tábua de passar roupa. **surfboard** prancha de surfe. **keyboard** teclado. → Classroom

boarder /b'ɔːrdər/ *s.* hóspede; aluno interno.

boarding card /b'ɔːrdɪŋ kɑrd/ (*tb.* ***boarding pass***) *s.* cartão de embarque.

boarding house /b'ɔːrdɪŋ haʊs/ *s.* pensão, pensionato.

boarding school /b'ɔːrdɪŋ skuːl/ *s.* internato.

boast /boʊst/ *s.* ostentação. • *v.* gabar-se de, vangloriar-se de.

boat /boʊt/ *s.* bote, barco, canoa; navio. • *v.* andar de barco; transportar em barco. → Means of Transportation

boatman /b'oʊtmən/ *s.* barqueiro, remador. → Professions

body /b'ɑdi/ *s.* corpo; tronco; cadáver. • *v.* corporificar, dar substância a. ♦ **body in motion** corpo em movimento. **body at rest** corpo em repouso. **body snatcher** ladrão de cadáveres. **bodyguard** guarda-costas. **examining body** junta (corpo) de examinadores. **heavenly body** corpo celeste. → Human Body

bog /bɔːg, bɑːg/ *s.* pântano. • *v.* atolar.

bogus /b'oʊgəs/ *s.* falso, fraudulento.

boil /bɔɪl/ *s.* furúnculo; fervura, ebulição. • *v.* ferver; cozinhar. ♦ **boil over** ferver e transbordar. **boiling point** ponto de ebulição.

boiler /b'ɔɪlər/ *s.* caldeira.

boisterous /b'ɔɪstərəs/ *adj.* escandaloso; animado.

bold /boʊld/ *adj.* corajoso, audacioso, ousado; negrito.

boldness /b'oʊldnəs/ *s.* coragem, audácia, ousadia.

Bolivia /bəl'ɪviə/ *s.* Bolívia. → Countries & Nationalities

Bolivian /bəl'ɪviən/ *s.* ou *adj.* boliviano. → Countries & Nationalities

bolt /boʊlt/ *s.* pino; parafuso. • *v.* aparafusar. ▪ *sin.* screw.

bomb /bɑm/ *s.* bomba; acontecimento inesperado. • *v.* bombardear.

bomber /b'ɑmər/ *s.* avião de bombardeio.

bombing /b'ɑmɪŋ/ *s.* bombardeio.

bombshell /b'ɑmʃel/ *s.* notícia inesperada, bomba.

bond /bɑnd/ *s.* vínculo; acordo, contrato; nota promissória. • *v.* unir. ♦ **bonded** unido, ligado. **bondsman** fiador.

bondage /b'ɑndɪdʒ/ *s.* escravidão.

bone /boʊn/ *s.* osso. → Human Body

bone marrow *s.* medula óssea. → Human Body

bonfire /b'ɑnfaɪr/ *s.* fogueira.

bonnet /b'ɑnət/ *s.* gorro; chapéu; capô de automóvel (*Brit.*). → Clothing

bonus /b'oʊnəs/ *s.* bonificação, bônus.

bony /b'oʊni/ *adj.* ossudo; cheio de espinhas (peixe).

boobs /bu:bz/ *pl.* (*gír.*) peitos.

booby /b'u:bi/ *s.* bobo, simplório. ♦ **booby prize** prêmio de consolação.

book /bʊk/ *s.* livro. • *v.* contratar; reservar; fichar. ♦ **bookkeeper** contador. **bookshelf** prateleira. **bookstore** ou **bookshop** livraria. **bookbinder** encadernador. **bookbinding** encadernação. **bookcase** estante. **booked up** lotado. **booking office** guichê, bilheteria. **bookish** teórico. **booklet** apostila. **bookmark** marcador de página. **book review** crítica literária. **bookworm** traça; (*gír.*) "rato de biblioteca", pessoa que lê muito. → Furniture & Appliances

booking /b'ʊkɪŋ/ *s.* reserva: I have a *booking* for a single room.

boom /bu:m/ *s.* estrondo; aumento, alta, crescimento grande e rápido.

boost /bu:st/ *s.* auxílio; incentivo. • *v.* estimular, aumentar.

boot /bu:t/ *s.* bota; pontapé; porta-malas (*Brit.*). • *v.* iniciar (*informática*). → Clothing

booth /bu:θ/ *s.* barraca; cabine. ♦ **telephone booth** cabine telefônica. **voting booth** cabine para votar.

booty /b'u:ti/ *s.* saque, roubo.

booze /bu:z/ *s.* (*gír.*) bebida (alcoólica). • *v.* beber (em grande quantidade).

border /b'ɔrdər/ *s.* margem, borda; fronteira, limite. • *v.* limitar, formar fronteira, fazer fronteira com. ▪ *sin.* boundary, margin. ♦ **borderline** linha divisória.

bore /bɔ:r/ *s.* calibre; chato, pessoa ou coisa enfadonha. • *v.* furar; chatear, aborrecer.

bored /bɔ:rd/ *adj.* entediado: He felt *bored* all day.

boring /b'ɔ:rɪŋ/ *adj.* enfadonho, chato.

born /bɔ:rn/ (*tb.* ***borne***) *v. p.p.* de ***bear***.

borough /b'ʌroʊ/ *s.* município.

borrow /b'ɑ:roʊ, b'ɔ:roʊ/ *v.* pedir emprestado.

bosom /b'ʊzəm/ *s.* peito; centro, seio. ♦ **bosom friend** amigo do peito. → Human Body

boss /bɔ:s/ *s.* chefe, patrão. • *v.* mandar, controlar.

botanist /b'ɑtənɪst/ *s.* botânico.

botany /b'ɑtəni/ *s.* botânica.

both /boʊθ/ *adj.* ou *pron.* ambos. ♦ **She is both pretty and tall.** Ela é tão bonita quanto alta.

bother /b'ɑðər/ *s.* preocupação, incômodo. • *v.* preocupar(-se); aborrecer, incomodar.

bottle /b'ɑtəl/ *s.* garrafa; frasco, vidro; mamadeira. • *v.* engarrafar. ♦ **bottle opener** abridor de garrafa.

bottleneck /b'ɑtəlnek/ *s.* gargalo; engarrafamento (de trânsito).

bottom /b'ɑtəm/ *s.* fundo; leito; assento (de cadeira); traseiro. • *adj.* inferior. ♦ **bottomless** sem fundo, sem limite. **Bottoms up!** Vira! (bebida). → Human Body

bough /baʊ/ *s.* ramo, galho.

bought /bɔ:t/ *v. pret.* e *p.p.* de ***buy***.

boulevard /b'ʊləvɑrd/ *s.* bulevar, avenida larga e arborizada.

bounce /bauns/ *s.* pulo, salto, quique. • *v.* saltar, quicar.

bound /baund/ *s.* pulo, salto; fronteira. • *adj.* encadernado; obrigado; amarrado; destinado. • *v. pret.* e *p.p.* de **bind**.

boundary /b'aundəri/ *s.* limite, fronteira.

boundless /b'aundləs/ *adj.* sem limites, sem fronteiras.

bouquet /buk'eɪ/ *s.* (*fr.*) buquê, ramalhete; aroma do vinho.

bourgeois /burʒw'ɑː, b'urʒwɑː/ *adj.* (*fr.*) burguês.

bow /bou/ *s.* arco; curva; nó. • *v.* curvar; dobrar. • *adj.* curvado, dobrado. ♦ **bow tie** gravata--borboleta.

bow /bau/ *s.* reverência, saudação. • *v.* reverenciar, saudar; subjugar.

bowel /b'auəl/ *s.* intestino. • *v.* estripar. → Human Body

bowl /boul/ *s.* bacia, tigela. • *v.* jogar boliche.

bowling /b'oulɪŋ/ *s.* boliche. → Leisure

box /bɑks/ *s.* caixa, caixote; camarote; quadrado; estojo; compartimento; caixa postal. • *v.* encaixotar; boxear.

boxer /b'ɑksər/ *s.* boxeador, pugilista.

boxing /b'ɑksɪŋ/ *s.* boxe, pugilismo. → Sports

Boxing Day (*Brit.*) dia subsequente ao Natal; 26 de dezembro: The family gave that gift to him on *Boxing Day*.

boy /bɔɪ/ *s.* menino, moço, rapaz, moleque, garoto. ♦ **Be a good boy!** Seja um bom menino! **boyfriend** namorado. **boy scout** escoteiro. **boyhood** meninice. **boyish** pueril.

boycott /b'ɔɪkɑt/ *s.* boicote. • *v.* boicotar.

bpi /biːpiː'aɪ/ (*abrev.* de *bits per inch*) *s. bits* por polegada. → Abbreviations

bps /biːpiː'es/ (*abrev.* de *bits per second*) *s. bits* por segundo. → Abbreviations

Br /biː'ɑr/ (*abrev.* de *Britain* e de *British*) Bretanha; britânico. → Abbreviations

BR /biː'ɑr/ (*abrev.* de *British Rail*) Ferrovias britânicas. → Abbreviations

bra /brɑ/ (*abrev.* de *brassière*) *s.* sutiã. → Abbreviations → Clothing

brace /breɪs/ *s.* tira; atadura; braçadeira. *pl.* **braces** suspensórios (*Brit.*); aparelho ortopédico ou dentário.

bracelet /br'eɪslət/ *s.* bracelete.

bracket /br'ækɪt/ *s.* suporte, cantoneira; colchetes (gramática). • *v.* apoiar com; colocar entre colchetes; agrupar. → Numbers

brag /bræg/ *v.* gabar-se.

braid /breɪd/ *s.* trança; fita, cadarço. • *v.* trançar.

brain /breɪn/ *s.* cérebro, miolo. *pl.* ***brains*** genialidade, capacidade intelectual. ♦ **the brains** autor intelectual, planejador. → Human Body

brains /breɪnz/ *adj.* (*inf.*) gênio.

brainwash /br'eɪnwɔːʃ, br'eɪnwɑːʃ/ *v.* fazer lavagem cerebral.

brake /breɪk/ *s.* freio. • *v.* frear.

bran /bræn/ *s.* farelo de trigo.

branch /bræntʃ/ *s.* galho, ramo; seção, filial, sucursal. • *v.* ramificar, separar(-se).

brand /brænd/ *s.* marca. • *v.* marcar com ferro quente; macular. ♦ **brand name** ou **trade mark** marca registrada. **brand-new** novo em folha.

brandy /br'ændi/ *s.* brande.

brass /bræs/ *s.* latão, metal.

brassière /brəz'ɪr/ *s.* (*fr.*) sutiã. *abrev.* **bra**. → Clothing

brat /bræt/ *s.* pirralho.

brave /breɪv/ *s.* bravo. • *adj.* corajoso, valente.

brawl /brɔːl/ *s.* briga: There was a bar *brawl* last night.

bray /breɪ/ *v.* zurrar.

Brazil /brəz'ɪl/ *s.* Brasil. → Countries & Nationalities

Brazilian /brəz'ɪliən/ *s.* ou *adj.* brasileiro. → Countries & Nationalities

Brazil nut /brəz'ɪl nʌt/ *s.* castanha--do-pará. → Fruit

breach /briːtʃ/ *s.* brecha, abertura; quebra, fratura. • *v.* romper, quebrar.

bread /bred/ *s.* pão. ♦ **breadwinner** ganha-pão. **breadcrumbs** migalhas; farinha de rosca.

breadth /bredθ/ *s.* largura.

break /breɪk/ *s.* fratura; brecha; interrupção; pausa. • *v.* (*pret.* ***broke***, *p.p.* ***broken***) quebrar, romper, fraturar; rachar; interromper; levar à falência; transgredir; arrombar; quebrar relações com; raiar, surgir. ♦ **break up** terminar ou encerrar uma relação. **I'm broke.** Estou "duro" (sem dinheiro). **break-in** arrombamento. → Irregular Verbs

breakdown /br'eɪkdaʊn/ *s.* colapso nervoso; separação.

breakfast /br'ekfəst/ *s.* café da manhã.

breakthrough /br'eɪkθruː/ *s.* avanço, inovação.

breast /brest/ *s.* peito, tórax; seio, mama. ♦ **breastfeed** amamentar. → Human Body

breath /breθ/ *s.* respiração; hálito; fôlego; brisa, sopro. ♦ **breathtaking** de tirar o fôlego, impressionante.

breathe /briːð/ *v.* respirar; tomar fôlego.

breathing /br'iːðɪŋ/ *s.* respiração: That child has a peaceful *breathing*.

breathless /br'eθləs/ *adj.* sem fôlego.

bred /bred/ *v. pret.* e *p.p.* de ***breed***.

breed /briːd/ *s.* raça; criação; classe, espécie, gênero. • *v.* (*pret.* e *p.p.* ***bred***) chocar; criar; educar; procriar, gerar. → Irregular Verbs

breeder /br'iːdər/ *s.* criador.

breeding /br'iːdɪŋ/ *s.* criação; educação.

breeze /briːz/ *s.* brisa. • *v.* ventar moderadamente.

brevity /br'evəti/ *s.* brevidade.

brew /bruː/ *s.* bebida fermentada. • *v.* fazer cerveja.

brewery /br'uːəri/ *s.* cervejaria.

bribe /braɪb/ *s.* suborno. • *v.* subornar.

bribery /br'aɪbəri/ *s.* suborno.

brick /brɪk/ *s.* tijolo.

bricklayer /br'ɪkleɪər/ *s.* pedreiro. → Professions

brickwork /br'ɪkwɜːrk/ *s.* alvenaria.

bride /braɪd/ *s.* noiva. ♦ **bridal gown** vestido de noiva. **bridal veil** véu de noiva. **bridal wreath** grinalda. **bridegroom** noivo. **bridesmaid** dama de honra. **bridesman** padrinho da noiva.

bridge /brɪdʒ/ *s.* ponte.

bridle /br'aɪdl/ *s.* freio, rédea. • *v.* colocar rédea; refrear.

brief /briːf/ *s.* sumário, síntese. *pl.* ***briefs*** calcinha; cueca. • *adj.* breve, curto; resumido, conciso; lacônico. → Clothing

briefcase /br'iːfkeɪs/ *s.* pasta, maleta.

briefing /br'iːfɪŋ/ *s.* instrução; *briefing*.

briefly /br'iːfli/ *adv.* brevemente: The teacher explained the lesson *briefly*.

brigade /brɪg'eɪd/ *s.* brigada.

bright /braɪt/ *adj.* luminoso, brilhante; claro; esperto, inteligente.

brighten /br'aɪtən/ *v.* clarear; iluminar.

brightly /br'aɪtli/ *adv.* brilhantemente: She writes poems *brightly*.; com cores vivas ou vibrantes: The painting is *brightly* colored.

brightness /br'aɪtnəs/ *s.* brilho; claridade. ▪ *sin.* luster.

brilliant /br'ɪljənt/ *s.* brilhante. • *adj.* brilhante, luminoso; magnífico; inteligente.

brim /brɪm/ *s.* borda, orla; aba; margem, beira.

brine /braɪn/ *s.* salmoura; água do mar.

bring /brɪŋ/ *v.* (*pret.* e *p.p.* **brought**) trazer; levar; carregar; conduzir. ♦ **bring in** apresentar. **bring to light** revelar, desvendar. → Irregular Verbs

brink /brɪŋk/ *s.* beira (de precipício).

brisk /brɪsk/ *adj.* vivo, esperto, alegre; ativo.

bristle /br'ɪsəl/ *s.* cerda.

Britain /br'ɪtən/ *s.* Grã-Bretanha. → Countries & Nationalities

British /br'ɪtɪʃ/ *s.* ou *adj.* britânico. → Countries & Nationalities

brittle /br'ɪtəl/ *adj.* frágil; quebradiço.

broad /brɔːd/ *adj.* largo, amplo.

broadband /br'ɔːdbænd/ *s.* banda larga (*informática*).

broadcast /br'ɔːdkæst/ *s.* programa de rádio ou televisão. • *v.* (*pret.* e *p.p.* **broadcast**) transmitir. • *adj.* transmitido pelo rádio; irradiado.

broadcasting /br'ɔːdkæstɪŋ/ *s.* transmissão.

broaden /br'ɔːdən/ *v.* alargar.

broadly /br'ɔːdli/ *adv.* amplamente: I *broadly* support the social movements.

broadness /br'ɔːdnəs/ *s.* largura, amplitude.

broccoli /br'ɑːkəli/ *s.* brócolis. → Vegetables

brochure /broʊʃ'ʊr/ *s.* brochura.

broil /brɔɪl/ *v.* grelhar.

broke /broʊk/ *v. pret.* de **break**.

broken /br'oʊkən/ *v. p.p.* de **break**.

broker /br'oʊkər/ *s.* corretor. → Professions

bronchitis /brɑŋk'aɪtɪs/ *s.* bronquite.

bronze /br'ɑnz/ *s.* bronze; estátua. • *adj.* cor de bronze.

brood /bruːd/ *s.* ninhada, filhotes; parentesco.

brook /brʊk/ *s.* riacho, córrego.

broom /bruːm/ *s.* vassoura.

bros. /brɑs/ (*abrev.* de *brothers*) irmãos. → Abbreviations

broth /brɔːθ, brɑːθ/ *s.* caldo, sopa. ♦ **chicken broth** canja, caldo de galinha.

brother /br'ʌðər/ *s.* irmão; frade. ♦ **brothers in arms** camaradas (exército). **brother-in-law** cunhado. **brotherhood** fraternidade. **brotherlike** fraterno. **brotherly** fraternal(mente). **half-brother** meio-irmão.

brought /brɔːt/ *v. pret.* e *p.p.* de **bring**.

brow /braʊ/ *s.* testa, fronte. ♦ **eyebrow** sobrancelha. → Human Body

brown /braʊn/ *s.* marrom. • *v.* pintar de castanho; bronzear. • *adj.* castanho; bronzeado; moreno.

browse /braʊz/ *v.* pastar; dar uma olhada, passar os olhos (vitrine, loja). ♦ **browser** navegador (*informática*).

bruise /bruːz/ *s.* contusão, machucado. • *v.* machucar, ferir.

brunette /bruːn'et/ *s.* ou *adj.* morena.

brush /brʌʃ/ *s.* escova; pincel, brocha. • *v.* escovar, limpar; remover.

Brussels /br'ʌslz/ *s.* Bruxelas. ♦ **Brussels sprout** couve-de--bruxelas. → Vegetables

brute /bruːt/ *adj.* irracional; bruto.

bubble /b'ʌbəl/ *s.* bolha, borbulha. • *v.* borbulhar, efervescer; espumar. ♦ **bubble bath** banho de espuma. **bubble gum** chiclete. **speech bubble** balão (de diálogo).

buck /bʌk/ *s.* (*inf.*) dólar. → Numbers

bucket /b'ʌkɪt/ *s.* balde. ♦ **It's raining buckets!** Está chovendo muito!

buckle /b'ʌkəl/ *s.* fivela; dobra, saliência; prega. • *v.* afivelar.

bud /bʌd/ *s.* botão ou broto de planta.
Buddhism /b'ʊdɪzəm/ *s.* budismo.
buddy /b'ʌdi/ *s.* amigo, companheiro.
budget /b'ʌdʒɪt/ *s.* orçamento. • *v.* orçar.
buffalo /b'ʌfəloʊ/ *s.* búfalo. → Animal Kingdom
buffer /b'ʌfər/ *s.* proteção, protetor, memória intermediária (*informática*).
buffet /bəf'eɪ/ *s.* guarda-louça; balcão de bar ou restaurante; bufê, aparador. → Furniture & Appliances
bug /bʌg/ *s.* inseto; defeito (*informática*), escuta. • *v.* (*inf.*) grampear (colocar escuta).
build /bɪld/ *v.* (*pret.* e *p.p.* ***built***) construir; formar, desenvolver. ♦ **build up** preparar, criar expectativas. → Irregular Verbs
builder /b'ɪldər/ *s.* construtor.
building /b'ɪldɪŋ/ *s.* edifício; construção. ♦ **building site** canteiro de obras, obra.
built /bɪlt/ *v. pret.* e *p.p.* de ***build***.
built-in /b'ɪltɪn/ *adj.* embutido.
bulb /bʌlb/ *s.* bulbo; lâmpada elétrica.
Bulgaria /bʌlg'eriə/ *s.* Bulgária. → Countries & Nationalities
Bulgarian /bʌlg'eriən/ *s.* ou *adj.* búlgaro. → Countries & Nationalities
bulge /bʌldʒ/ *s.* inchaço, saliência. • *v.* inchar.
bulk /bʌlk/ *s.* tamanho, volume.
bull /bʊl/ *s.* touro. ♦ **bullfight** tourada. **bullfighter** toureiro. → Animal Kingdom
bullet /b'ʊlɪt/ *s.* bala (de arma de fogo); projétil.
bulletin /b'ʊlətɪn/ *s.* boletim, comunicado, publicação. ♦ **bulletin board** quadro de avisos. → Classroom
bullshit /b'ʊlʃɪt/ *s.* (*gír.*) bobagem, besteira.
bully /b'ʊli/ *s.* brigão, valentão, tirano. • *v.* tiranizar; ameaçar, intimidar, maltratar.
bum /bʌm/ *s.* vagabundo.
bump /bʌmp/ *s.* calombo; impacto, baque; solavanco do avião; colisão. • *v.* colidir, chocar(-se).
bumper /b'ʌmpər/ *s.* para-choque.
bumpy /b'ʌmpi/ *adj.* acidentado, esburacado; desigual; turbulento.
bun /bʌn/ *s.* bolo, pãozinho; doce com passas.
bunch /bʌntʃ/ *s.* grande quantidade; cacho; grupo; rebanho; bando. • *v.* juntar(-se), agrupar(-se).
bundle /b'ʌndəl/ *s.* pacote; maço. • *v.* embrulhar, empacotar.
bungalow /b'ʌŋgəloʊ/ *s.* bangalô.
bungle /b'ʌŋgəl/ *v.* executar mal; errar.
bunk /bʌŋk/ *s.* beliche; bobagem, besteira. • *v.* dormir em beliche. → Furniture & Appliances
bunny /b'ʌni/ *s.* coelhinho. → Animal Kingdom
buoy /bɔɪ, b'u:i/ *s.* boia, salva-vidas.
buoyant /b'u:jənt/ *adj.* flutuante.
burden /b'ɜ:rdən/ *s.* carga, peso; dever, obrigação, responsabilidade. • *v.* carregar.
bureau /bj'ʊroʊ/ (*s. pl.* ***bureaus*** ou ***bureaux***) *s.* cômoda; escrivaninha; escritório; agência; departamento; divisão (repartição pública).
bureaucracy /bjʊr'ɑ:krəsi/ *s.* burocracia.
bureaucrat /bj'ʊrəkræt/ *s.* burocrata.
burger /b'ɜ:rgər/ (*tb.* ***hamburger***) *s.* hambúrguer.
burglar /b'ɜ:rglər/ *s.* assaltante; arrombador.
burglary /b'ɜ:rgləri/ *s.* arrombamento; roubo, furto.
burial /b'eriəl/ *s.* enterro, sepultamento.
burly /b'ɜ:rli/ *adj.* forte, robusto.

burn /bɜːrn/ *s.* queimadura. • *v.* (*pret.* e *p.p.* **burnt** ou **burned**) queimar; arder; bronzear; incinerar.
→ Irregular Verbs

burner /b'ɜːrnər/ *s.* bico de gás; queimador.

burnt /bɜːrnt/ *adj.* queimado: The dinner was *burnt*.

burp /bɜːrp/ *s.* arroto. • *v.* arrotar.

burrow /b'ɜːroʊ/ *s.* toca. • *v.* fazer uma cova ou uma toca.

burst /bɜːrst/ *s.* estouro, rompimento, explosão; erupção; fratura. • *v.* (*pret.* e *p.p.* **burst**) estourar, explodir; quebrar, romper; abrir. → Irregular Verbs

bury /b'eri/ *v.* enterrar; sepultar.

bus /bʌs/ (*s. pl.* **buses** ou **busses**) *s.* ônibus; barramento, canal de conexão (*informática*). → Means of Transportation

bush /bʊʃ/ *s.* arbusto. ▪ *sin.* shrub.

bushy /b'ʊʃi/ *adj.* cerrado.

business /b'ɪznəs/ *s.* serviço, trabalho, profissão, ocupação; assunto; negócio; comércio, loja, empresa, firma; interesse; tarefa. ♦ **business card** cartão de visita (comercial). **Business College** Faculdade de Administração. **business hour** horário comercial. **businessman** homem de negócios. **businesswoman** mulher de negócios. **go into business** ingressar no comércio. **Mind your own business!** Cuide da sua vida! **This is none of your business.** Não é da sua conta. **travel on business** viajar a negócios.

Scan this QR code to learn more about **business**. www.richmond.com.br/5lmbusiness

bust /bʌst/ *s.* busto; peito, seio.

bustle /b'ʌsəl/ *s.* pressa, alvoroço. • *v.* estar atarefado, apressar-se.

busy /b'ɪzi/ *adj.* ocupado. ♦ **a busy line** uma linha (telefônica) ocupada.

Sorry, I can't talk to you, dear, I'm a little *busy* now.

but /bʌt, bət/ *conj.* mas, porém; todavia, entretanto. • *prep.* exceto, menos. ♦ **the last but one** o penúltimo.

butcher /b'ʊtʃər/ *s.* açougueiro.
→ Professions

butcher's /b'ʊtʃərs/ *s.* açougue.

butchery /b'ʊtʃəri/ *s.* matadouro.

butler /b'ʌtlər/ *s.* mordomo.
→ Professions

butt /bʌt/ *s.* extremidade mais grossa (de ferramenta, de arma, etc.); coronha; toco de árvore; toco de cigarro. ♦ (*inf. Brit.*) bunda, traseiro.

butter /b'ʌtər/ *s.* manteiga.

butterfly /b'ʌtərflaɪ/ *s.* borboleta.
→ Animal Kingdom

buttock /b'ʌtək/ *s.* nádega.
→ Human Body

button /b'ʌtən/ *s.* botão. • *v.* abotoar. ♦ **buttonhole** casa de botão.

buy /baɪ/ *s.* compra, aquisição. • *v.* (*pret.* e *p.p.* **bought**) comprar, adquirir. → Irregular Verbs

buyer /b'aɪər/ *s.* comprador.

buzz /bʌz/ *s.* zumbido, zunido; murmúrio, rumor. • *v.* zumbir; murmurar.

buzzword /b'ʌzwɜːrd/ *s.* gíria; neologismo.

by /baɪ/ *prep.* perto de; ao lado de; através de, por, por meio de. ♦ **by all means** claro que sim. **by car** de carro. **by chance** por

B

acaso. **by degrees** ou **little by little** pouco a pouco. **by heart** de cor. **by myself** sozinho(a). **by no means** de modo algum. **by post** pelo correio. **by telephone** por telefone. **by the hour** por hora. **by the way** a propósito. **by the year 2010** por volta do ano 2010. **by thousands** aos milhares. **made by hand** feito à mão. **one by one** um a um. **side by side** lado a lado.

bye /baɪ/ (*tb.* **bye-bye**) *interj.* Adeus!, Até!, Tchau!

bypass /b'aɪpæs/ *s.* avenida marginal.

by-product /b'aɪprɑdʊkt/ *s.* subproduto; efeito.

bystander /b'aɪstændər/ *s.* espectador; curioso.

byte /baɪt/ *s.* conjunto de *bits* (geralmente 8) (*informática*).

C

C, c /siː/ *s.* terceira letra do alfabeto inglês; dó, a primeira nota musical.

C /siː/ (*abrev.* de *centigrade*) centígrado. → Abbreviations

c /siː/ (*abrev.* de *circa*) por volta de, aproximadamente. → Abbreviations

c/o /siː'oʊ/ (*abrev.* de *care of*) aos cuidados de. → Abbreviations

cab /kæb/ *s.* táxi. → Means of Transportation

cabbage /k'æbɪdʒ/ *s.* repolho. → Vegetables

cabin /k'æbɪn/ *s.* cabana; cabine, camarote.

cabinet /k'æbɪnət/ *s.* escritório; gabinete governamental, ministério; armário.

cable /k'eɪbəl/ *s.* cabo; telegrama. • *v.* telegrafar.

cache /kæʃ/ *s.* memória rápida (*informática*).

cackle /k'ækəl/ *s.* cacarejo; tagarelice; gargalhada. • *v.* cacarejar; tagarelar; gargalhar.

cactus /k'æktəs/ *s.* cacto.

CAD /siːeɪd'iː/ (*abrev.* de *Computer-Aided Design*) desenho ou projeto auxiliado/assistido por computador. → Abbreviations

cadence /k'eɪdəns/ *s.* cadência.

cadet /kəd'et/ *s.* cadete.

cadge /kædʒ/ *v.* filar (cigarro, almoço).

café /kæf'eɪ/ (*tb.* **cafe**) *s.* café; restaurante *self-service*; cantina.

cafeteria /kæfət'ɪriə/ *s.* restaurante *self-service*; cantina, lanchonete.

cage /keɪdʒ/ *s.* gaiola; viveiro (de aves). • *v.* engaiolar; enjaular.

cagey /k'eɪdʒi/ *adj.* cauteloso, cuidadoso.

cajole /kədʒ'oʊl/ *v.* bajular, adular; persuadir. ▪ *sin.* coax.

cake /keɪk/ *s.* bolo; torta. ♦ **It's a piece of cake!** É fácil!, É moleza!

calamitous /kəl'æmɪtəs/ *adj.* calamitoso, desastroso.

calamity /kəl'æməti/ *s.* calamidade.

calcium /k'ælsiəm/ *s.* cálcio.

calculate /k'ælkjəleɪt/ *v.* computar, calcular; orçar.

calculating /k'ælkjəleɪtɪŋ/ *adj.* astuto; calculista.

calculation /kælkjəl'eɪʃən/ *s.* cálculo; avaliação.

calculator /k'ælkjəleɪtər/ *s.* calculador, calculista; calculadora. → Classroom

calculus /k'ælkjələs/ *s.* cálculo.

calendar /k'ælɪndər/ *s.* calendário.

calf /kæf/ *s.* bezerro, novilho; panturrilha, barriga da perna. → Animal Kingdom → Human Body

caliber /k'ælɪbər/ (*Brit.* ***calibre***) *s.* calibre.

call /kɔːl/ *s.* grito; chamado, convocação, visita breve; telefonema. • *v.* chamar(-se); gritar; visitar; telefonar. ♦ **call center** centro de atendimento. **call for** pedir, requerer; prever (o clima) (*Am.*). **call in** mandar entrar. **call in question** colocar em dúvida. **call off** cancelar. **call the roll** fazer a chamada. **call to arms** convocar para o exército. **call up** ou **give a call** telefonar. **long distance call** telefonema internacional. **pay a call** fazer uma visita.

caller /k'ɔːlər/ *s.* visitante.

calling /k'ɔːlɪŋ/ *s.* chamado, vocação.

callous /k'æləs/ *adj.* calejado; endurecido; insensível. ▪ *sin.* hard. ▪ *ant.* soft.

calm /kɑlm/ *s.* calma, tranquilidade. • *v.* acalmar(-se), tranquilizar. • *adj.* calmo, tranquilo.

calmness /k'ɑmnəs/ *s.* calma, tranquilidade.

calorie /k'æləri/ *s.* caloria.

camber /k'æmbər/ *s.* curva.

Cambodia /kæmb'oʊdiə/ *s.* Camboja. → Countries & Nationalities

Cambodian /kæmb'oʊdiən/ *s.* ou *adj.* cambojano. → Countries & Nationalities

came /keɪm/ *v. pret.* de ***come***.

camel /k'æməl/ *s.* camelo. → Animal Kingdom

camera /k'æmərə/ *s.* máquina fotográfica.

Quick, darling, get your *camera*.

camouflage /k'æməflɑʒ/ *s.* camuflagem. • *v.* camuflar.

camp /kæmp/ *s.* acampamento; campo. • *v.* acampar. → Leisure

campaign /kæmp'eɪn/ *s.* campanha.

camphor /k'æmfər/ *s.* cânfora.

can /kæn/ *s.* lata; caneca. • *v.* (*pret.* ***could***) poder, ser capaz de; (*pret.* e *p.p.* ***canned***) enlatar.

Canada /k'ænədə/ *s.* Canadá. → Countries & Nationalities

Canadian /kən'eɪdiən/ *s.* ou *adj.* canadense. → Countries & Nationalities

canal /kən'æl/ *s.* canal.

canary /kən'eri/ *s.* canário. → Animal Kingdom

cancel /k'ænsəl/ *v.* cancelar, anular. ▪ *sin.* abolish.

cancelation /kænsəl'eɪʃən/ *s.* cancelamento.

cancer /k'ænsər/ *s.* câncer: The doctor confirmed that he had *cancer*.; Câncer (*astrologia*): *Cancer* is the fourth sign of the zodiac.

candid /k'ændɪd/ *adj.* cândido, ingênuo; sincero. ▪ *sin.* sincere.

candidate /k'ændɪdət, k'ændɪdeɪt/ *s.* candidato.

candle /k'ændəl/ *s.* vela.

candlelight /k'ændəlaɪt/ *s.* luz de velas.

candlestick /k'ændlstɪk/ *s.* castiçal.

candor /k'ændər/ (*Brit.* ***candour***) *s.* candura; sinceridade, franqueza.

candy /k'ændi/ *s.* bombom; doce.

cane /keɪn/ *s.* cana; junco; bengala; vara. ♦ **sugar cane** cana-de-açúcar.

canine /k'eɪnaɪn/ *s.* cão (*form.*); dente canino • *adj.* canino. → Animal Kingdom

canister /k'ænɪstər/ *s.* lata, vasilha (de biscoitos, de café).

cannabis /k'ænɪbəs/ *s.* maconha.

cannibal /k'ænɪbəl/ *s.* canibal, antropófago.

cannon /k'ænən/ *s.* canhão; artilharia. • *v.* bombardear.

canny /k'æni/ *adj.* astuto, esperto.

canoe /kən'uː/ *s.* canoa. → Means of Transportation

canoeist /kən'uːɪst/ *s.* canoeiro.

canon /k'ænən/ *s.* cânone; regra, lei.

canopy /k'ænəpi/ *s.* abrigo, cobertura; abóbada celeste.

canteen /kænt'iːn/ *s.* cantil; cantina (*Brit.*); faqueiro.

canvas /k'ænvəs/ *s.* lona; barraca; tela para pintura.

canvass /k'ænvəs/ *s.* investigação. • *v.* investigar; fazer propaganda política, pedir votos.

canyon /k'ænjən/ *s.* desfiladeiro.

cap /kæp/ *s.* quepe, gorro, boné; tampa. ♦ **if the cap fits you** (*Brit.*) se a carapuça lhe servir. → Clothing

capability /keɪpəb'ɪləti/ *s.* capacidade; aptidão; competência; habilidade.

capable /k'eɪpəbəl/ *adj.* capaz.

capacity /kəp'æsəti/ *s.* capacidade; habilidade. → Numbers

cape /keɪp/ *s.* capa; cabo (*geografia*).

caper /k'eɪpər/ *s.* salto; travessura. • *v.* saltar.

capillary /k'æpəleri/ *s.* vaso capilar.

capital /k'æpɪtl/ *s.* capital; maiúscula. ♦ **capital letter** letra maiúscula. **capital punishment** pena de morte.

capitalism /k'æpɪtəlɪzəm/ *s.* capitalismo.

capitalist /k'æpɪtəlɪst/ *s.* ou *adj.* capitalista.

capitalize /k'æpɪtəlaɪz/ (*Brit.* **capitalise**) *v.* capitalizar; escrever com letra maiúscula.

Capitol /k'æpɪtəl/ *s.* Capitólio; edifício do Congresso norte--americano em Washington D.C.

capitulate /kəp'ɪtʃuleɪt/ *v.* capitular; render(-se). ▪ *sin.* surrender.

caps /kæps/ (*abrev.* de *capital letters*) maiúsculas. → Abbreviations

capsize /k'æpsaɪz/ *v.* virar (barco).

caps lock /k'æpslɑk/ *s.* botão de letras maiúsculas (*informática*).

capsule /k'æpsjuːl, k'æpsl/ *s.* cápsula.

captain /k'æptɪn/ *s. militarismo* capitão: He was following the captain orders.; *náutica* comandante (de navio mercante): That is the *captain* of the merchant ship.; *esporte* capitão: He wants to be the soccer team *captain*.

caption /k'æpʃən/ *s.* título; legenda (de ilustração ou filme).

captious /k'æpʃəs/ *adj.* capcioso.

captivate /k'æptɪveɪt/ *v.* cativar, fascinar.

captivating /k'æptɪveɪtɪŋ/ *adj.* cativante.

captive /k'æptɪv/ *s.* ou *adj.* cativo, preso.

captivity /kæpt'ɪvəti/ *s.* cativeiro. ♦ **in captivity** em cativeiro.

capture /k'æptʃər/ *s.* captura. • *v.* capturar, aprisionar; apreender. ▪ *sin.* seizure.

car /kɑr/ *s.* carro, viatura; automóvel; vagão. → Means of Transportation

car park /k'ɑrpɑrk/ (*Brit.*) *s.* estacionamento. Ver ***parking lot***.

caramel /k'ærəmel/ *s.* caramelo.

caravan /k'ærəvæn/ *s.* caravana; casa sobre rodas, *trailer*.

carbohydrate /kɑːrboʊh'aɪdreɪt/ *s.* carboidrato, hidrato de carbono.

carbon /k'ɑːrbən/ *s.* carbono; papel--carbono.

carbonate /k'ɑːrbənət/ *s.* carbonato.

carburetor /k'ɑːrbəreɪtər/ (*Brit.* **carburettor**) *s.* carburador.

carcass /k'ɑːrkəs/ *s.* carcaça, esqueleto (de animal).

card /kɑːrd/ *s.* carta de baralho; cartão de visita; bilhete de ingresso.

cardboard /k'ɑːrdbɔːrd/ *s.* papelão; cartão; cartolina.

cardholder /k'ɑːrdhoʊldər/ *s.* titular de cartão (de crédito ou outro).

cardinal /k'ɑːrdɪnəl/ *s.* cardeal; número cardinal.

care /ker/ *s.* cuidado; atenção; precaução; preocupação. • *v.* importar(-se), preocupar(-se).

♦ **care for** ou **care about** preocupar-se com. **care of (c/o) Mr. Smith** aos cuidados do sr. Smith. **carefree** despreocupado. **careful** cuidadoso. **carefully** cuidadosamente. **carefulness** cuidado. **careless** descuidado, negligente. **carelessly** negligentemente. **carer** acompanhante de pessoa idosa. **caretaker** guarda, vigia; zelador (*Brit.*) Ver ***janitor***. **take care of** cuidar de.

career /kər'ɪr/ *s.* carreira. ♦ **career prospects** perspectivas de ascensão profissional.

caress /kər'es/ *s.* carícia, afago. • *v.* acariciar. ▪ *sin.* fondle.

cargo /k'ɑrgoʊ/ *s.* carga, frete, carregamento. ▪ *sin.* freight.

caricature /k'ærɪkətʃər, k'ærɪkətʃʊr/ *s.* caricatura. • *v.* ridicularizar.

carnation /kɑrn'eɪʃən/ *s.* cravo (flor). • *adj.* cor de carne.

carnival /k'ɑrnɪvəl/ *s.* carnaval.

carnivorous /kɑrn'ɪvərəs/ *adj.* carnívoro.

carol /k'ærəl/ *s.* hino, cântico, cântico natalino.

carp /kɑrp/ *s.* carpa. → Animal Kingdom

carpenter /k'ɑrpəntər/ *s.* carpinteiro. → Professions

carpentry /k'ɑrpəntri/ *s.* carpintaria.

carpet /k'ɑːrpɪt/ *s.* tapete. • *v.* atapetar. → Furniture & Appliances

carriage /k'ærɪdʒ/ *s.* carruagem; carro; vagão ferroviário (*Brit.*). → Means of Transportation

carrier /k'æriːər/ *s.* portador; carregador; mensageiro; transportador. → Professions

carrot /k'ærət/ *s.* cenoura. → Vegetables

carry /k'æri/ *v.* levar; conduzir; trazer, carregar. ♦ **carry arms** andar armado. **carry on** continuar. **carry out** realizar, executar. **carry the audience** arrebatar a plateia. **Don't carry things too far!** Não exagere! **carrying charge** encargos (dinheiro).

cart /kɑːrt/ *s.* carro; carreta; carroça; carrinho (de compras, café, comida) (*Brit.* ***trolley***). • *v.* transportar em carro ou carreta.

cartilage /k'ɑrtɪlɪdʒ/ *s.* cartilagem.

cartography /kɑrt'ɑgrəfi/ *s.* cartografia.

carton /k'ɑrtən/ *s.* caixa de papelão. → Deceptive Cognates

cartoon /kɑːrt'uːn/ *s.* desenho animado.

cartoonist /kɑːrt'uːnɪst/ *s.* cartunista. → Professions

cartridge /k'ɑːrtrɪdʒ/ *s.* cartucho; rolo de filme.

carve /kɑːrv/ *v.* trinchar ou cortar; esculpir, entalhar.

carving /k'ɑːrvɪŋ/ *s.* escultura.

cascade /kæsk'eɪd/ *s.* pequena cascata ou cachoeira. • *v.* cair em forma de cascata.

case /keɪs/ *s.* estojo; caixa; cápsula; bainha; coldre; mala; invólucro; caso; acontecimento; circunstância; acidente; exemplo; causa judicial. • *v.* encaixar; encaixotar; revestir. ♦ **a lost case** um caso perdido. **case sensitive** que diferencia entre maiúsculas e minúsculas. **case study** estudo de caso. **caseworker** assistente social. **in any case** em todo o caso. **in case** no caso de. **in no case** de jeito nenhum. **in such a case** nesse caso. **just in case** no caso de. **lower case** letras minúsculas. **pencil case** estojo. **the case in point** o caso em questão. **upper case** letras maiúsculas. → Classroom

cash /kæʃ/ *s.* dinheiro; pagamento à vista. • *v.* pagar ou receber à vista; cobrar, converter em dinheiro. ♦ **cash and carry** pegue e pague. **cash business** empreendimento/negócio que só trabalha com dinheiro. **cash flow** fluxo de caixa. **cash a cheque** trocar um cheque por dinheiro. **cash in**

hand dinheiro em caixa. **cash on delivery (COD)** pagamento contra entrega. **cash up** fechar o caixa. **pay cash** pagar em dinheiro. **sell for cash** vender à vista. **short of cash** sem dinheiro. **small cash** troco. **cashier** caixa (de loja, supermercado).

cashew /k'æʃuː, kæʃ'uː/ *s.* caju; cajueiro. → Fruit

casino /kəs'iːnoʊ/ *s.* cassino.

cask /kæsk/ *s.* barril.

cassava /kəs'ɑvə/ *s.* mandioca. ▪ *sin.* manioc. → Vegetables

casserole /k'æsəroʊl/ *s.* caçarola.

cassock /k'æsək/ *s.* batina (de padre).

cast /kæst/ *s.* lance; arremesso; elenco; molde; gesso. • *v.* (*pret.* e *p.p.* ***cast***) lançar; distribuir os papéis. ▪ *sin.* throw. ♦ **be cast down** estar deprimido. **cast a spell (on)** lançar um feitiço em. **cast a vote** votar. **cast out** expulsar. **cast the dice** atirar dados. **cast the first stone** atirar a primeira pedra. **The movie is well cast.** O elenco do filme é bom. → Irregular Verbs

castaway /k'æstəweɪ/ *s.* náufrago.

caste /kæst/ *s.* casta, classe social.

casting /k'æstɪŋ/ *s.* seleção de atores e atrizes: A *casting* for the princess role is open.

castle /k'æsəl/ *s.* castelo; torre (xadrez).

castor oil /k'æstərɔɪl/ *s.* óleo de rícino.

casual /k'æʒuəl/ *adj.* casual, eventual; acidental, ocasional; informal, sem cerimônia; desatento, displicente.

casualty /k'æʒuəlti/ *s.* acidentado. *pl.* ***casualties*** perdas; vítimas, pessoas feridas em guerra ou acidente. → Deceptive Cognates

cat /kæt/ *s.* gato. ♦ **All cats are grey at night.** À noite, todos os gatos são pardos. **fight like cat and dog** brigar como cão e gato. **rain cats and dogs** chover muito. **When the cat is away, the mice will play.** Quando o gato sai, os ratos fazem a festa. → Animal Kingdom

catalog /k'ætəlɔːg, k'ætəlɑːg/ (*Brit.* ***catalogue***) *s.* catálogo. • *v.* catalogar.

catalyst /k'ætəlɪst/ *s.* catalisador.

catapult / k'ætəpʌlt/ *s.* catapulta; estilingue (*Brit.*). • *v.* catapultar.

cataract /k'ætərækt/ *s.* catarata.

catarrh /kət'ɑːr/ *s.* catarro.

catastrophe /kət'æstrəfi/ *s.* catástrofe, calamidade.

catch /kætʃ/ *s.* presa; captura; pescaria; chamariz; cilada. • *v.* (*pret.* e *p.p.* ***caught***) pegar, agarrar; capturar; alcançar (ônibus); compreender; contrair; fascinar. ♦ **a great catch** um bom partido. **be caught in the rain** ser apanhado na chuva. **catch a cold** apanhar um resfriado. **Catch as catch can!** Agarre o que puder! **catch fire** pegar fogo. **catch phrase** *slogan* publicitário. **catch the finger in the door** prender o dedo na porta. **catch the truth** descobrir a verdade. **catcher** apanhador. **catchment area** (*Brit.*) distrito. **catchy** cativante. **I didn't catch what he said.** Não entendi o que ele disse. → Irregular Verbs

catechism /k'ætəkɪzəm/ *s.* catecismo.

categorize /k'ætəgəraɪz/ (*Brit.* ***categorise***) *v.* classificar.

category /k'ætəgɔːri/ *s.* categoria; classe; série; grupo.

cater /k'eɪtər/ *v.* suprir, abastecer, fornecer. ▪ *sin.* supply.

caterer /k'eɪtərər/ *s.* fornecedor. ▪ *sin.* supplier.

catering /k'eɪtərɪŋ/ *s.* serviço de bufê.

caterpillar /k'ætərpɪlər/ *s.* lagarta; trator (marca). → Animal Kingdom

catfish /k'ætfɪʃ/ *s.* bagre. → Animal Kingdom

cathedral /kəθ'iːdrəl/ *s.* catedral.

Catholicism /kəθ'ɑləsɪzəm/ *s.* catolicismo.

cattle /k'ætəl/ *s.* gado. ♦ **breed cattle** criar gado. **cattle breeder** criador de gado. **cattle breeding** ou **cattle raising** criação de gado. **cattle plague** peste bovina. **cattle run** pasto. **cattle show** exposição de gado. **cattle truck** vagão de gado. **cattleman** vaqueiro, pecuarista.

Caucasian /kɔːk'eɪziən, kɔːk'eɪʒn/ *s.* ou *adj.* caucasiano.

caught /kɔːt/ *v. pret.* e *p.p.* de **catch**.

cauliflower /k'ɔːliflaʊər, k'ɑːliflaʊər/ *s.* couve-flor. → Vegetables

cause /kɔːz/ *s.* causa; origem; razão. • *v.* causar, motivar.

causeway /k'ɔːzweɪ/ *s.* calçada, estrada ou caminho construído em local pantanoso. • *v.* calçar, pavimentar.

caustic /k'ɔːstɪk/ *adj.* cáustico, corrosivo; mordaz; sarcástico.

cauterize /k'ɔːtəraɪz/ (*Brit.* **cauterise**) *v.* cauterizar.

caution /k'ɔːʃən/ *s.* prudência, cautela, precaução; aviso; advertência. • *v.* acautelar; prevenir de, advertir.

cautious /k'ɔːʃəs/ *adj.* cauteloso. ▪ *sin.* careful. ▪ *ant.* careless.

cavalier /kævəl'ɪr/ *s.* cavaleiro.

cavalry /k'ævəlri/ *s.* cavalaria.

cave /keɪv/ *s.* caverna, gruta, toca. • *v.* (seguido de **in**) escavar; desmoronar.

cavern /k'ævərn/ *s.* caverna, gruta.

cavernous /k'ævərnəs/ *adj.* cavernoso. ♦ **cavernous voice** voz cavernosa.

cavity /k'ævəti/ *s.* cavidade; cárie.

cavort /kəv'ɔːrt/ *v.* pular, saltar.

caw /kɔː/ *v.* grasnar.

CBS /siːbiː'es/ (*abrev.* de *Columbia Broadcasting System*) Sistema Colúmbia de Difusão. → Abbreviations

CD /siːd'iː/ (*abrev.* de *Compact Disc*) disco compacto. → Abbreviations

CD-R /siːdiː'ɑr/ (*abrev.* de *Compact Disc-Recordable*) disco compacto gravável. → Abbreviations

CD-ROM /siːdiːr'ɑːm/ (*abrev.* de *Compact Disc-Read-Only Memory*) disco compacto com memória apenas de leitura. → Abbreviations

CD-RW /siːdiːɑrd'ʌbəljuː/ (*abrev.* de *Compact Disc-Rewritable*) disco compacto regravável. → Abbreviations

cease /siːs/ *v.* cessar, parar. ▪ *sin.* stop, finish. ♦ **cease fire** cessar-fogo.

ceaseless /s'iːsləs/ *adj.* incessante, contínuo.

cedar /s'iːdər/ *s.* cedro.

cede /siːd/ *v.* ceder; renunciar. ▪ *sin.* give up.

ceiling /s'iːlɪŋ/ *s.* teto; forro.

celebrate /s'elɪbreɪt/ *v.* celebrar; festejar.

celebrated /s'elɪbreɪtɪd/ *adj.* célebre, famoso.

celebration /selɪbr'eɪʃən/ *s.* comemoração, celebração.

celebrity /səl'ebrəti/ *s.* celebridade.

celery /s'eləri/ *s.* aipo, salsão. → Vegetables

celestial /səl'estʃəl/ *adj.* celestial, angelical.

celibacy /s'elɪbəsi/ *s.* celibato.

celibate /s'elɪbət/ *s.* ou *adj.* celibatário; solteiro.

cell /sel/ *s.* cela, cubículo; pilha elétrica; célula. ♦ **cell phone** telefone celular.

cellar /s'elər/ *s.* celeiro; porão; adega; provisão de vinho.

cellist /tʃ'elɪst/ *s.* violoncelista.

cello /tʃ'eloʊ/ *s.* violoncelo. → Musical Instruments

cellophane /s'eləfeɪn/ *s.* celofane.

cellular /s'eljələr/ *adj.* celular. ♦ **cellular phone (cell phone)** ou **mobile phone** (*Brit.*) telefone celular.

cellulite /s'eljulaɪt/ *s.* celulite.

celluloid /s'eljulɔɪd/ *s.* celuloide.

cellulose /s'eljuloʊs/ *s.* celulose.

Celt /kelt/ *s.* celta.

Celtic /'keltɪk/ *adj.* celta.

cement /sɪm'ent/ *s.* cimento. • *v.* cimentar.

cemetery /s'eməteri/ *s.* cemitério. ▪ *sin.* graveyard.

censor /s'ensər/ *s.* censor; crítico. • *v.* censurar.

censorship /s'ensərʃɪp/ *s.* censura.

censure /s'enʃər/ *s.* censura, crítica. • *v.* repreender, criticar.

census /s'ensəs/ *s.* censo, recenseamento.

cent /sent/ *s.* cento; centavo. ♦ **percent** ou **per cent** (*Brit.*) por cento (*matemática*). → Numbers

centenary /sent'enəri/ *s.* centenário.

center /s'entər/ (*Brit.* ***centre***) *s.* centro. • *v.* centrar; concentrar. ♦ **center back** zagueiro central.

centigrade /s'entɪgreɪd/ *s.* ou *adj.* centígrado.

centimeter /s'entɪmiːtər/ (*Brit.* ***centimetre***) *s.* centímetro: That grass grows about one *centimeter* a day. *abrev.* **cm**. → Numbers

centipede /s'entɪpiːd/ *s.* centopeia. → Animal Kingdom

central /s'entrəl/ *s.* central telefônica. • *adj.* central. ♦ **central heating** aquecimento central.

centralize /s'entrəlaɪz/ (*Brit.* ***centralise***) *v.* centralizar.

centrifuge /s'entrɪfjuːdʒ/ *s.* centrífuga. • *v.* centrifugar.

century /s'entʃəri/ *s.* século.

CEO /siːiː'oʊ/ (*abrev.* de *Chief Executive Officer*) diretor-geral, presidente da empresa. → Abbreviations → Professions

ceramic /sər'æmɪk/ *adj.* cerâmico. • *s. pl.* ***ceramics*** cerâmica.

cereal /s'ɪriəl/ *s.* cereal.

ceremonious /serəm'oʊniəs/ *adj.* cerimonioso.

ceremony /s'erəmoʊni/ *s.* cerimônia, etiqueta, formalidade. ♦ **No ceremony!** Fique à vontade!

certain /s'ɜːrtən/ *s.* número indeterminado. • *adj.* certo, seguro; claro, evidente; exato. ♦ **for certain** com certeza. **make certain** assegurar(-se).

certainty /s'ɜːrtnti/ *s.* certeza.

certificate /sərt'ɪfɪkət/ *s.* certidão, certificado, atestado. • /sərt'ɪfɪkeɪt/ *v.* certificar, atestar. ▪ *sin.* certify.

certification /sɜːrtɪfɪk'eɪʃn/ *s.* atestado, certificado, certificação.

certify /s'ɜːrtɪfaɪ/ *v.* atestar, certificar.

cessation /ses'eɪʃən/ *s.* cessação, suspensão.

CFO /siːef'oʊ/ (*abrev.* de *Chief Financial Officer*) diretor geral de finanças. → Abbreviations

chain /tʃeɪn/ *s.* cadeia, corrente; cadeia de montanhas. • *v.* acorrentar. ♦ **chain reaction** reação em cadeia. **chain store** cadeia de lojas.

chainsaw /tʃ'eɪnsɔː/ *s.* serra elétrica.

chair /tʃer/ *s.* cadeira; presidência. • *v.* empossar. ♦ **armchair** poltrona. **chairman** presidente (de empresa). **easy chair** poltrona. **electric chair** cadeira elétrica. **folding chair** cadeira de praia (dobrável). **rocking chair** cadeira de balanço. **swivel chair** cadeira giratória. **wheelchair** cadeira de rodas. → Furniture & Appliances

chairman /tʃ'ermən/ *s.* presidente (de empresa, organização, comitê).

chairwoman /tʃ'erwʊmən/ *s.* presidenta (de empresa, organização, comitê).

chalice /tʃ'ælɪs/ *s.* taça; cálice.

chalk /tʃɔːk/ *s.* giz. → Classroom

challenge /tʃ'ælɪndʒ/ *s.* desafio; provocação. • *v.* desafiar, contestar.

chamber /tʃ'eɪmbər/ *s.* câmara, quarto; tribunal superior de justiça.

• *v.* colocar em ou fornecer uma câmara. ♦ **chamber music** música de câmara. **chambermaid** camareira. **gas chamber** câmara de gás.

chameleon /kəm'iːliən/ *s.* camaleão. → Animal Kingdom

champagne /ʃæmp'eɪn/ *s.* champanhe.

champion /tʃ'æmpiən/ *s.* vencedor, campeão.

championship /tʃ'æmpɪənʃɪp/ *s.* campeonato.

chance /tʃæns/ *s.* oportunidade; sorte. • *v.* ocorrer; arriscar. • *adj.* acidental; casual, provável. ♦ **by chance** por acaso. **chances are that** o mais provável é que. **take the chance** correr o risco.

chancellor /tʃ'ænsələr/ *s.* chanceler.

chandelier /ʃændəl'ɪr/ *s.* candelabro; lustre.

change /tʃeɪndʒ/ *s.* mudança; revolução (dos tempos); troco (de dinheiro); câmbio. • *v.* trocar; alterar; variar; mudar; substituir. ▪ *sin.* alter, modify, vary. ♦ **a change for the better** uma mudança para melhor. **a change for the worse** uma mudança para pior. **a change in the weather** uma mudança no tempo. **a sudden change** uma mudança repentina. **change color** ficar pálido. **change gear** mudar de marcha (no carro). **change hands** mudar de dono. **change of mood** mudança de humor. **change of the moon** mudança de lua. **change of voice** mudança de voz. **change the linen** trocar a roupa de cama. **change trains** fazer baldeação. **changeability** instabilidade. **changeable** mutável, inconstante, instável. **changeless** imutável, constante. **changing room** vestiário. **for a change** para variar. **I changed my mind.** Mudei de ideia.

channel /tʃ'ænəl/ *s.* canal; meio, intermediário; via. • *v.* encanar, canalizar.

chant /tʃænt/ *s.* canção; cântico. • *v.* cantar.

chaos /k'eɪɑs/ *s.* caos.

chaotic /keɪ'ɑtɪk/ *adj.* caótico.

chap /tʃæp/ *s.* rachadura, fenda (nos lábios ou pele, devido à exposição ao frio ou ao calor); camarada (*Brit.*). • *v.* rachar(-se) (lábios ou pele, devido à exposição ao frio ou ao calor).

chapel /tʃ'æpəl/ *s.* capela.

chaplain /tʃ'æplin/ *s.* capelão.

chapped /tʃæpt/ *adj.* rachado (lábios ou pele, devido à exposição ao frio ou ao calor).

chapter /tʃ'æptər/ *s.* capítulo; divisão. • *v.* organizar, dividir em capítulos.

char /tʃɑːr/ *v.* queimar, tostar.

character /k'ærəktər/ *s.* caráter; personalidade; temperamento; personagem.

characteristic /kærəktər'ɪstɪk/ *s.* característica. • *adj.* característico, típico.

characterization /kærəktəraɪz'eɪʃn/ *s.* caracterização.

characterize /k'ærəktəraɪz/ (*Brit.* ***characterise***) *v.* caracterizar.

charade /ʃər'eɪd/ *s.* charada.

charcoal /tʃ'ɑrkoʊl/ *s.* carvão vegetal.

charge /tʃɑrdʒ/ *s.* carga explosiva; encargo, taxa; ordem, incumbência; acusação; carga elétrica. • *v.* carregar (arma de fogo; bateria); ordenar, encarregar; debitar; acusar; cobrar. ▪ *sin.* accuse. ♦ **at my own charge** por minha conta. **be in charge** estar encarregado. **charge account** conta-corrente. **chargeable** taxável. **charge for** cobrar por. **Charge it to his account!** Ponha na conta dele! **charges to be deducted** despesas a deduzir. **extra charge** despesa extra. **free of charge** gratuito. **take charge of** tomar conta de.

chariot /tʃ'æriət/ *s.* biga, carro de guerra; carruagem.
charisma /kər'ɪzmə/ *s.* carisma.
charismatic /kærɪəzm'ætɪk/ *adj.* carismático.
charitable /tʃ'ærətəbəl/ *adj.* caridoso.
charity /tʃ'ærəti/ *s.* caridade, misericórdia; esmola; organização de caridade.
charm /tʃɑːrm/ *s.* fascinação, encanto; beleza; amuleto ou talismã; feitiço. • *v.* cativar; encantar; enfeitiçar.
charming /tʃ'ɑːrmɪŋ/ *adj.* atraente, simpático.
chart /tʃɑːrt/ *s.* mapa; gráfico, quadro, tabela. • *v.* mapear; fazer tabela ou gráfico; desenhar. ▪ *sin.* graph.
charter /tʃ'ɑːrtər/ *s.* carta patente; escritura; alvará. • *v.* dar carta patente ou título; garantir; fretar; alugar; contratar. • *adj.* fretado.
chase /tʃeɪs/ *s.* caça, caçada; perseguição. • *v.* perseguir; caçar; gravar; entalhar. ▪ *sin.* hunt.
chasm /k'æzəm/ *s.* brecha, fenda na terra; abismo, precipício. ▪ *sin.* abyss.
chaste /tʃeɪst/ *adj.* casto, puro.
chastity /tʃ'æstəti/ *s.* castidade.
chat /tʃæt/ *s.* bate-papo. • *v.* tagarelar, bater papo. ♦ **chat room** sala de bate-papo. **a chatty letter** uma carta informal. **chatty** tagarela. ➔ Deceptive Cognates
chatter /tʃ'ætər/ *s.* conversa informal. • *v.* tagarelar; bater os dentes (de frio ou de medo).
chauffeur /ʃoʊf'ɜːr/ *s.* motorista. • *v.* trabalhar como motorista. ▪ *sin.* driver. ➔ Professions
chauvinism /ʃ'oʊvɪnɪzəm/ *s.* chauvinismo.
chayote /tʃ'aɪoʊti/ *s.* chuchu. ➔ Vegetables
cheap /tʃiːp/ *adj.* barato, de preço baixo; comum, inferior, desprezível. ♦ **Success doesn't come cheap.** O sucesso custa caro.
cheapen /tʃ'iːpən/ *v.* baratear.
cheaply /tʃ'iːpli/ *adj.* barato: That shop does repairs very *cheaply.*
cheat /tʃiːt/ *s.* impostor, trapaceiro; engano; imitação. • *v.* enganar, iludir, trapacear; trair. ▪ *sin.* fake, defraud. ♦ **He's cheating on me.** Ele está me traindo.
check /tʃek/ *s.* cheque; teste, inspeção; conta, nota. • *v.* inspecionar, conferir; marcar. ♦ **check card** cartão de débito. **check-in** admissão (em hotel ou para embarque em companhia aérea). **check-out** saída (de hotel). **check-up** exame médico minucioso. **checkable** verificável. **checkbook** talão de cheques. **checkmark** sinal de conferido (inspecionado). **in check** em xeque. **suffer a check** ser impedido.
checkerboard /tʃ'ekərbɔːrd/ *s.* tabuleiro de damas ou de xadrez.
checkered /tʃ'ekərd/ *adj.* axadrezado, quadriculado.
checkers /tʃ'ekərz/ (*Brit.* **draughts**) *s.* jogo de damas. ➔ Leisure
checkmate /tʃ'ekmeɪt/ *s.* xeque--mate.
cheek /tʃiːk/ *s.* face, bochecha. ➔ Human Body
cheekbone /tʃ'iːkboʊn/ *s.* maçã do rosto. ➔ Human Body
cheer /tʃɪr/ *s.* alegria; ânimo. • *v.* alegrar, encorajar; aplaudir, aclamar. ▪ *sin.* encourage. ♦ **cheerleader** animadora de torcida. **cheer up** animar-se. **Cheers!** Saúde! (brinde).
cheerful /tʃ'ɪrfəl/ *adj.* alegre, contente. ▪ *sin.* glad. ▪ *ant.* sad, unhappy.
cheerfulness /tʃ'ɪrfəlnəs/ *s.* alegria, satisfação.
cheese /tʃiːz/ *s.* queijo. ♦ **cheesecake** bolo ou torta de queijo.
cheetah /tʃ'iːtə/ *s.* chita, guepardo. ➔ Animal Kingdom

chemical /k'emɪkəl/ *s.* substância química. • *adj.* químico.

chemist /k'emɪst/ *s.* químico; farmacêutico. ➔ Professions

chemistry /k'emɪstri/ *s.* química.

cherish /tʃ'erɪʃ/ *v.* estimar; cuidar; lembrar (com prazer).

cherry /tʃ'eri/ *s.* cereja. ➔ Fruit

chess /tʃ'es/ *s.* xadrez, jogo de xadrez. ➔ Leisure

chest /tʃest/ *s.* tórax, peito; caixa; baú. ➔ Human Body

chestnut /tʃ'estnʌt/ *s.* castanha; castanheira. ➔ Fruit

chew /tʃu:/ *s.* mastigação. • *v.* mastigar, mascar; ruminar; ponderar.

chewing gum /tʃ'u:ɪŋgʌm/ *s.* chiclete.

chick /tʃɪk/ *s.* pintinho; menina, garota. ♦ **chick flick** filme "água com açúcar", direcionado para o público feminino.

chicken /tʃ'ɪkɪn/ *s.* frango. • *adj.* covarde. ♦ **chicken broth** caldo de galinha, canja. **chicken pox** catapora. **chicken out** acovardar(-se), (*gír.*) amarelar. **Don't count your chickens before they are hatched.** Não conte com os ovos antes de a galinha tê-los posto. ➔ Animal Kingdom

chickpea /tʃ'ɪkpi:/ *s.* grão-de-bico. ➔ Vegetables

chicory /tʃ'ɪkəri/ *s.* chicória. ➔ Vegetables

chief /tʃi:f/ *s.* chefe, líder. • *adj.* principal. ▪ *sin.* main.

chilblain /tʃ'ɪlbleɪn/ *s.* frieira.

child /tʃaɪld/ *s.* criança. ♦ **a childless couple** um casal sem filhos. **childhood** infância. **childish** infantil. **childishly** infantilmente. **childishness** infantilidade. **children** crianças. **foster child** filho de criação. **only child** filho único.

childcare /tʃ'aɪldker/ (*tb.* ***child-care***) *s.* ou *adj.* assistência à infância, cuidados com crianças: The government is investing in *childcare* centers.

Chile /tʃ'ɪli/ *s.* Chile. ➔ Countries & Nationalities

Chilean /tʃ'ɪliən/ *s.* ou *adj.* chileno. ➔ Countries & Nationalities

chili /tʃ'ɪli/ (*Brit.* ***chilli***) *s.* pimenta--malagueta.

chill /tʃɪl/ *s.* frio; arrepio; resfriado. • *v.* esfriar(-se), resfriar(-se). ♦ **chill out** relaxar, estar na boa. **chilling** assustador.

chilly /tʃ'ɪli/ *adj.* friorento, frio, gélido. ▪ *sin.* cold. ▪ *ant.* hot, warm.

chime /tʃaɪm/ *s.* carrilhão; toque de sino. • *v.* tocar sino.

chimney /tʃ'ɪmni/ *s.* chaminé.

chimpanzee /tʃɪmpænz'i:/ *s.* chimpanzé. *abrev.* ***chimp.*** ➔ Animal Kingdom

chin /tʃɪn/ *s.* queixo. ♦ **keep your chin up** mantenha a cabeça erguida, mantenha o moral alto. ➔ Human Body

China /tʃ'aɪnə/ *s.* China. ➔ Countries & Nationalities

china /tʃ'aɪnə/ *s.* porcelana. ♦ **China ink** ou **India ink** tinta nanquim. **chinaware** louça fina, porcelana.

Chinese /tʃaɪn'i:z/ *s.* ou *adj.* chinês. ➔ Countries & Nationalities

chink /tʃɪŋk/ *s.* fenda, rachadura.

chip /tʃɪp/ *s.* lasca; fragmento; circuito integrado. *pl.* ***chips*** batata frita industrializada. • *v.* lascar.

chirp /tʃɜ:rp/ *s.* gorjeio. • *v.* gorjear.

chirpy /tʃ'ɜ:pi/ *adj.* alegre, animado.

chivalry /ʃ'ɪvəlri/ *s.* cavalheirismo; cortesia.

chive /tʃaɪv/ *s.* cebolinha. ➔ Vegetables

chlorine /kl'ɔ:ri:n/ *s.* cloro.

chloroform /kl'ɔ:rəfɔ:rm/ *s.* clorofórmio.

chlorophyll /kl'ɔ:rəfɪl/ *s.* clorofila.

chocolate /tʃ'ɑ:klət, tʃ'ɔ:klət/ *s.* chocolate.

choice /tʃɔɪs/ *s.* escolha. ♦ **at your choice** à sua escolha. **by choice** por escolha, por opção. **I have no choice.** Não tenho escolha (alternativa). **multiple choice** múltipla escolha. **Take your choice.** Escolha à vontade.

choir /kw'aɪər/ *s.* coro, grupo de cantores.

choke /tʃoʊk/ *s.* asfixia; afogador (*aut.*). • *v.* engasgar(-se); silenciar; asfixiar. ▪ *sin.* throttle.

cholera /k'ɑlərə/ *s.* cólera.

choose /tʃu:z/ *v.* (*pret.* **chose**, *p.p.* **chosen**) escolher; selecionar. ♦ **choose between X and Y** escolher entre X e Y. **He was chosen president.** Ele foi eleito presidente. **She chose to travel.** Ela preferiu viajar. → Irregular Verbs

chop /tʃɑp/ *s.* corte; fatia; costeleta. • *v.* cortar, picar.

choppy /tʃ'ɑpi/ *adj.* agitado.

chopstick /tʃ'ɑpstɪk/ *s.* pauzinho, palito. *pl.* **chopsticks** *hashi*.

choral /k'ɔ:rəl/ *adj.* (*mús.*) coral, referente a coro.

chord /kɔ:rd/ *s.* acorde musical.

chore /tʃɔ:r/ *s.* trabalho doméstico.

choreography /kɔ:ri'ɑ:grəfi/ *s.* coreografia.

chorus /k'ɔ:rəs/ *s.* coro; estribilho. • *v.* cantar em coro.

chose /tʃoʊz/ *v. pret.* de **choose**.

chosen /tʃ'oʊzən/ *v. p.p.* de **choose**.

Christ /kraɪst/ *s.* Cristo, Jesus Cristo.

christen /krɪsən/ *v.* batizar; dar nome.

christening /kr'ɪsənɪŋ/ *s.* batismo.

Christian /kr'ɪstʃən/ *s.* ou *adj.* cristão. ♦ **Christian name** nome de batismo.

Christianity /krɪsti'ænəti/ *s.* cristandade; cristianismo.

Christmas /kr'ɪsməs/ *s.* Natal. *abrev.* **Xmas**. ♦ **Christmas card** cartão de Natal. **Christmas carol** cântico de Natal. **Christmas Day** dia de Natal. **Christmas Eve** véspera de Natal. **Christmas tree** árvore de Natal. **Father Christmas** (*Brit.*) ou **Santa Claus** Papai Noel. **Merry Christmas!** Feliz Natal!

chromatic /krəm'ætɪk/ *adj.* cromático.

chrome /kroʊm/ *s.* cromo.

chromosome /kr'oʊməsoʊm/ *s.* cromossomo.

chronic /kr'ɑnɪk/ *adj.* crônico.

chronicle /kr'ɑnɪkəl/ *s.* crônica. • *v.* fazer uma crônica.

chronologic /krɑnəl'ɑdʒɪk/ (*tb.* **chronological**) *adj.* cronológico.

chronometer /krən'ɑmɪtər/ *s.* cronômetro. ▪ *sin.* stopwatch.

chrysanthemum /krɪs'ænθəməm/ *s.* crisântemo.

chubby /tʃ'ʌbi/ *adj.* gordinho, rechonchudo; bochechudo.

chuckle /tʃ'ʌkəl/ *s.* risada discreta. • *v.* rir discretamente.

chum /tʃʌm/ *s.* amigo, companheiro.

chunk /tʃʌŋk/ *s.* pedaço, naco.

church /tʃɜ:rtʃ/ *s.* igreja. ▪ *sin.* temple. ♦ **after church** depois da missa. **at/in church** na igreja. **church is over** a missa terminou. **church music** música religiosa. **church service** serviço religioso. **churchgoer** devoto. **churchman** clérigo. **churchyard** cemitério.

churn /tʃɜ:rn/ *v.* agitar, bater (*alimento*).

CIA /si:aɪ'eɪ/ (*abrev.* de *Central Intelligence Agency*) Agência Central de Inteligência. → Abbreviations

cicada /sɪk'eɪdə/ *s.* cigarra. → Animal Kingdom

cider /s'aɪdər/ *s.* sidra.

cigar /sɪg'ɑr/ *s.* charuto. → Deceptive Cognates

cigarette /sɪgər'et/ *s.* cigarro.

cinder /s'ɪndər/ *s.* cinza; brasa. ♦ **cinder block** bloco de concreto.

cinema /s'ɪnəmə/ (*Brit.*) *s.* cinema, sala de cinema: They were inside the *cinema*.; filme: She likes European *cinema*.

cinnamon /s'ɪnəmən/ *s.* canela.

CIO /siːaɪ'oʊ/ (*abrev.* de *Chief Information Officer*) diretor geral de tecnologia. → Abbreviations

cipher /s'aɪfər/ (*tb.* **cypher**) *s.* cifra; zero.

circa /s'ɜːrkə/ *adv.* cerca, aproximadamente.

circle /s'ɜːrkəl/ *s.* círculo; circuito; circunferência; período, ciclo; grupo de pessoas, roda. • *v.* circular; circundar, rodear.

circuit /s'ɜːrkɪt/ *s.* circuito; giro, volta; pista. • *v.* circular; girar; circundar.

circular /s'ɜːrkjələr/ *s.* circular. • *adj.* circular, redondo.

circulate /s'ɜːrkjəleɪt/ *v.* circular, mover(-se); difundir(-se), espalhar(-se).

circulation /sɜːrkjəl'eɪʃən/ *s.* circulação.

circulatory /s'ɜːrkjələtɔːri/ *adj.* circulatório. ♦ **circulatory system** sistema circulatório.

circumcise /s'ɜːrkəmsaɪz/ *v.* circuncidar.

circumcision /sɜːrkəms'ɪʒən/ *s.* circuncisão.

circumference /sərk'ʌmfərəns/ *s.* circunferência.

circumlocution /sɜːrkəmləkj'uːʃən/ *s.* circunlóquio, divagação; perífrase.

circumscribe /s'ɜːrkəmskraɪb/ *v.* limitar; circunscrever; definir. ▪ *sin.* enclose.

circumspect /s'ɜːrkəmspekt/ *adj.* circunspecto, prudente.

circumstance /s'ɜːrkəmstæns/ *s.* circunstância, condição. ♦ **in/under no circumstances** de jeito nenhum, em hipótese alguma.

circus /s'ɜːrkəs/ *s.* circo.

cistern /s'ɪstərn/ *s.* reservatório de água, cisterna.

cite /saɪt/ *v.* citar; referir(-se) a. ▪ *sin.* quote.

citizen /s'ɪtɪzən/ *s.* cidadão. ♦ **citizenship** cidadania. **fellow citizen** concidadão.

citron /s'ɪtrən/ *s.* cidra; cidreira. → Fruit

citrus /s'ɪtrəs/ *adj.* cítrico.

city /s'ɪti/ *s.* cidade. ♦ **city authorities** autoridades municipais. **city father** ou **mayor** prefeito. **City Hall** prefeitura. **citywards** em direção à cidade. **Holy City** Cidade Santa (Jerusalém).

civic /s'ɪvɪk/ *adj.* cívico; urbano.

civil /s'ɪvəl/ *adj.* cívico; civil; polido. ♦ **civil engineer** engenheiro civil.

civilian /səv'ɪljən/ *s.* ou *adj.* civil.

civility /səv'ɪləti/ *s.* cortesia, polidez.

civilization /sɪvələz'eɪʃən/ *s.* civilização.

civilize /s'ɪvəlaɪz/ (*Brit.* **civilise**) *v.* civilizar; educar.

civilized /s'ɪvəlaɪzd/ (*Brit.* **civilised**) *adj.* civilizado.

claim /kleɪm/ *s.* reivindicação; requerimento; alegação. • *v.* reivindicar; alegar; requerer.

claimant /kl'eɪmənt/ *s.* requerente, pretendente.

clairvoyant /klerv'ɔɪənt/ *s.* vidente.

clam /klæm/ *s.* molusco; marisco. → Animal Kingdom

clamber /kl'æmbər/ *s.* escalada. • *v.* escalar. ▪ *sin.* climb.

clammy /kl'æmi/ *adj.* pegajoso, melado, grudento; úmido.

clamor /kl'æmər/ (*Brit.* **clamour**) *s.* clamor, protesto. ▪ *sin.* noise.

clamp /klæmp/ *s.* grampo; parafuso. • *v.* segurar; apertar. ♦ **clamp down** medida drástica.

clan /klæn/ *s.* clã, tribo.

clang /klæŋ/ *v.* tinir, soar.

clap /klæp/ *s.* palmada; aplauso; trovão. • *v.* aplaudir, bater palmas.

clarify /kl'ærəfaɪ/ *v.* clarificar; purificar, limpar.

clarinet /klærən'et/ *s.* clarinete. ➔ Musical Instruments

clarity /kl'ærəti/ *s.* claridade.

clash /klæʃ/ *s.* estrondo; choque, colisão. • *v.* bater, chocar(-se); opor(-se) a.

clasp /klæsp/ *s.* gancho, grampo, fecho; abraço. • *v.* apertar; fechar; abraçar. ▪ *sin.* embrace, hug.

class /klæs/ *s.* classe, categoria; aula: She has never missed an English *class*. • *v.* classificar. ♦ **classy** classudo, com estilo.

classic /kl'æsɪk/ *s.* clássico. • *adj.* convencional, típico; clássico.

classification /klæsɪfɪk'eɪʃn/ *s.* classificação.

classify /kl'æsɪfaɪ/ *v.* classificar, agrupar.

classmate /kl'æsmeɪt/ *s.* colega de classe.

classroom /kl'æsruːm, kl'æsrʊm/ *s.* sala de aula, classe.

clatter /kl'ætər/ *s.* ruído; algazarra. • *v.* matraquear; retinir.

clause /klɔːz/ *s.* frase, oração; cláusula (de contrato).

claustrophobia /klɔːstrəf'oʊbiə/ *s.* claustrofobia.

claw /klɔː/ *s.* garra; pata com unhas afiadas. • *v.* arranhar.

clay /kleɪ/ *s.* barro; argila.

clean /kliːn/ *v.* limpar. • *adj.* limpo, asseado; puro; honesto.

cleaner /kl'iːnər/ *s.* limpador, arrumador, faxineiro. ➔ Professions

cleaning /kl'iːnɪŋ/ *s.* limpeza.

cleanness /kl'iːnnəs/ *s.* limpeza; inocência.

cleanse /klenz/ *v.* limpar profundamente.

cleanser /kl'enzər/ *s.* produto de limpeza.

clear /klɪr/ *v.* clarear; retirar; limpar; desobstruir; explicar; compensar (cheque). • *adj.* claro; sem nuvens; brilhante; transparente; límpido. ♦ **crystal clear** cristalino; óbvio. **clear-sighted** lúcido.

clearance /kl'ɪrəns/ *s.* autorização; despejo; liquidação.

clearing /kl'ɪrɪŋ/ *s.* clareira.

clearly /kl'ɪrli/ *adv.* claramente: I can hear you *clearly*.

cleavage /kl'iːvɪdʒ/ *s.* decote.

clef /klef/ *s.* (*mús.*) clave. ♦ **G clef** clave de sol.

cleft /kleft/ *s.* racha, fenda, fissura. • *adj.* fendido, rachado.

clemency /kl'emənsi/ *s.* clemência.

clench /klentʃ/ *s.* aperto. • *v.* fixar, prender.

clergy /kl'ɜːrdʒi/ *s.* clero.

clergyman /kl'ɜːrdʒimən/ *s.* clérigo, padre. ▪ *sin.* priest.

clerical /kl'erɪkəl/ *adj.* clerical.

clerk /klɜːrk/ *s.* balconista; escrevente, escriturário. ➔ Professions

clever /kl'evər/ *adj.* inteligente, esperto; engenhoso; talentoso; hábil. ▪ *sin.* skilful, smart. ▪ *ant.* dumb.

cleverness /kl'evərnəs/ *s.* inteligência.

cliché /kliːʃ'eɪ/ *s.* clichê; chavão, estereótipo.

clichéd /kl'iːʃeɪd/ *adj.* estereotipado.

click /klɪk/ *s.* tique-taque, estalido. • *v.* clicar, pressionar.

client /kl'aɪənt/ *s.* cliente, freguês. ♦ **client-server** cliente-servidor (*informática*).

cliff /klɪf/ *s.* penhasco, rochedo íngreme.

climate /kl'aɪmət/ *s.* clima; atmosfera, ambiente.

climax /kl'aɪmæks/ *s.* clímax, ponto alto, auge; orgasmo. • *v.* culminar.

climb /klaɪm/ *s.* escalada. • *v.* escalar; subir; trepar.

climbing /kl'aɪmɪŋ/ *s.* alpinismo: *Climbing* is a great sport.; alta: I cannot understand this *climbing* in gas prices. • *adj.* em alta: *Climbing* prices generally lead to inflation. ➔ Sports

clinch /klɪntʃ/ *v.* ganhar, assegurar.

cling /klɪŋ/ *v.* (*pret.* e *p.p.* **clung**) agarrar, pegar; abraçar. → Irregular Verbs

clinic /kl'ɪnɪk/ *s.* clínica.

clink /klɪŋk/ *v.* tilintar.

clip /klɪp/ *s.* clipe, grampo; videoclipe; broche. • *v.* tosquiar; aparar.

clipper /kl'ɪpər/ *s.* tosquiador. *pl.* ***clippers*** tesoura; cortador de unha.

clipping /kl'ɪpɪŋ/ *s.* tosquia; recorte.

cloak /kloʊk/ *s.* capa, manto; disfarce. • *v.* encapotar; encobrir, ocultar. ♦ **cloak-and-dagger movie** filme de ação e espionagem.

cloakroom /kl'oʊkru:m, kl'oʊkrʊm/ (*Brit.*) *s.* vestiário; lavatório.

clock /klɑk/ *s.* relógio. ♦ **around the clock** dia e noite, vinte e quatro horas.

clockwise /kl'ɑkwaɪz/ *adj.* ou *adv.* sentido horário.

clockwork /kl'ɑkwɜ:rk/ *s.* mecanismo de relógio.

clog /klɑ:g/ *s.* obstáculo; tamanco. • *v.* encher(-se), obstruir.

cloister /kl'ɔɪstər/ *s.* mosteiro; retiro, claustro. ▪ *sin.* convent, monastery.

close /kloʊz/ *s.* fim, término, conclusão. • *v.* fechar, confinar; tapar; obstruir; encerrar. • *adj.* íntimo; próximo, parecido; exato; justo; limitado. • *adv.* de perto; junto. ♦ **at the close of the century** no final do século. **close a bargain** fechar um negócio. **close an affair** encerrar um assunto. **close friend** amigo íntimo. **close hand** mão-fechada, pão-duro. **close to** nas proximidades. **closed circuit TV** TV em circuito fechado. **closing time** hora de fechamento. **closure** encerramento, fechamento. **draw to a close** chegar ao fim. **have a close call** escapar por pouco. **Keep close!** Fique perto de mim! **She closed the door on him.** Ela o expulsou. **The shop closed down.** A loja fechou.

closed /kloʊzd/ *adj.* fechado: By the time we arrived in Lisbon all shops were *closed* already.

closely /kl'oʊsli/ *adv.* de perto: The detective followed the suspect *closely*.; minuciosamente: We need to investigate it *closely*.

closeness /kl'oʊsnəs/ *s.* proximidade.

closet /kl'ɑzət/ *s.* quartinho; armário embutido. ♦ **water closet** toalete. → Furniture & Appliances

close-up /kl'oʊsʌp/ *s.* *close*: He took a *close-up* of her face.

clot /klɑt/ *s.* coágulo. • *v.* coagular. ♦ **blood clot** coágulo sanguíneo. **clotted cream** coalhada.

cloth /klɔ:θ/ *s.* tecido; pedaço de pano ou tecido.

clothe /kloʊð/ *v.* (*pret.* e *p.p.* ***clothed*** ou ***clad***) vestir.

clothes /kloʊðz, kloʊz/ *s. pl.* roupa. ♦ **clothes basket** cesto de roupa suja. **change clothes** trocar de roupa. **clothes hanger** cabide. **clothes moth** traça. **clothes peg** ou **clothes pin** prendedor de roupa. **clothes brush** escova de roupa. **clothes line** varal. **put on clothes** vestir roupas. **take off clothes** tirar a roupa.

clothing /kl'oʊðɪŋ/ *s.* vestuário, roupa: She loved that piece of *clothing*.

cloud /klaʊd/ *s.* nuvem; multidão. • *v.* nublar. → Weather

cloudless /kl'aʊdləs/ *adj.* claro.

cloudy /kl'aʊdi/ *adj.* nublado.

clout /klaʊt/ *s.* murro. • *v.* dar uma surra, uma bofetada.

clove /kloʊv/ *s.* cravo-da-índia; dente de alho.

clover /kl'oʊvər/ *s.* trevo. ♦ **a four-leaf clover** um trevo de quatro folhas.

clown /klaʊn/ *s.* palhaço. • *v.* fazer palhaçadas.

club /klʌb/ *s.* taco de golfe; porrete; clube, grêmio. • *v.* bater; associar(-se). ♦ **go clubbing** ir a casas noturnas. → Leisure

clue /klu:/ *s.* indício, vestígio, pista. ▪ *sin.* key, hint. ♦ **I don't have a clue!** Não faço ideia!

clump /klʌmp/ *s.* moita; som de pisada ou pancada. • *v.* andar pesada e ruidosamente.

clumsy /kl'ʌmzi/ *adj.* desajeitado; malfeito; rude. ▪ *sin.* awkward.

clung /klʌŋ/ *v. pret.* e *p.p.* de **cling**.

cluster /kl'ʌstər/ *s.* cacho; ramalhete; bando; quantidade. • *v.* crescer em cachos; agrupar(-se).

clutch /klʌtʃ/ *s.* aperto; garra; embreagem (*aut.*). • *v.* apertar, agarrar.

clutter /kl'ʌtər/ *s.* desordem; algazarra. • *v.* fazer barulho ou algazarra.

coach /koʊtʃ/ *s.* carruagem; vagão, carro de passageiros; treinador, técnico. • *v.* ensinar, treinar; preparar.

coagulate /koʊ'æɡjuleɪt/ *v.* coagular.

coal /koʊl/ *s.* carvão vegetal. ▪ *sin.* charcoal. ♦ **coal mine** mina de carvão. **coal miner** minerador.

coalition /koʊəl'ɪʃən/ *s.* coalizão, união, aliança, liga.

coarse /kɔ:rs/ *adj.* grosso, grosseiro; áspero. ▪ *sin.* rough, rude.

coast /koʊst/ *s.* costa, praia, litoral. • *v.* costear; andar no ponto morto (*aut.*).

coastal /k'oʊstəl/ *adj.* costeiro, litorâneo.

coastguard /k'oʊstɡɑrd/ *s.* guarda costeira, polícia marítima; membro da guarda costeira.

coastline /k'oʊstlaɪn/ *s.* litoral.

coat /koʊt/ *s.* paletó; casaco; capa; camada, cobertura. • *v.* prover, equipar com capa ou casaco; pintar, revestir. → Clothing

coax /koʊks/ *v.* persuadir, convencer.

cob /kɑb/ *s.* cavalo atarracado. ♦ **corncob** espiga de milho. → Vegetables

cobble /k'ɑ:bl/ (*tb.* ***cobblestone***) *s.* paralelepípedo.

cobbler /k'ɑblər/ *s.* sapateiro. → Professions

cobweb /k'ɑbweb/ *s.* teia de aranha.

cocaine /koʊk'eɪn/ *s.* cocaína.

cock /kɑk/ *s.* galo, frango; macho de qualquer ave ou pássaro; (*gír.*) pênis. • *v.* armar (espingarda). ♦ **cock-and-bull story** conto da carochinha. **cock-eyed** vesgo. **cock-horse** cavalo de pau (brinquedo). **fighting cock** galo de briga. → Animal Kingdom

cockcrow /k'ɑkkroʊ/ *s.* amanhecer.

cockpit /k'ɑkpɪt/ *s.* assento do piloto.

cockroach /k'ɑkroʊtʃ/ *s.* barata. → Animal Kingdom

cocktail /k'ɑkteɪl/ *s.* coquetel; aperitivo.

cocoa /k'oʊkoʊ/ *s.* cacau. → Fruit

coconut /k'oʊkənʌt/ *s.* coco. → Fruit

cocoon /kək'u:n/ *s.* casulo. • *v.* encasular.

cod /kɑd/ *s.* (*tb.* ***codfish***) bacalhau. → Animal Kingdom

code /koʊd/ *s.* código; cifra. • *v.* codificar.

codify /k'ɑ:dɪfaɪ/ *v.* codificar, classificar.

coerce /koʊ'ɜ:rs/ *v.* coagir, forçar.

coercion /koʊɜ:rʒən/ *s.* coerção.

coffee /k'ɔ:fi, 'k'ɑ:fi/ *s.* café. ♦ **coffee bean** grão de café. **coffee break** intervalo para o cafezinho. **coffee cup** xícara de café. **coffee grinder** ou **coffee mill** moedor de café. **coffee plantation** cafezal. **coffee set** aparelho (louça) de café. **coffee stall** balcão para tomar café. **coffee table** mesa de centro. **coffee tree** cafeeiro. **coffeehouse** ou **coffee shop** local para se tomar café. **coffeepot** cafeteira. **raw coffee** café não torrado. **roasted coffee** café torrado. → Furniture & Appliances

coffer /kɔ:fər, k'ɑ:fər/ *s.* cofre; arca.

coffin /k'ɔ:fɪn, k'ɑ:fɪn/ *s.* caixão.

cog /kɑg/ *s.* dente de roda dentada, dente de engrenagem.

cogent /k'oʊdʒənt/ *adj.* convincente, persuasivo.

cogitate /k'ɑdʒɪteɪt/ *v.* cogitar; imaginar; considerar.

cognition /kɑgn'ɪʃən/ *s.* cognição.

coherent /koʊh'ɪrənt/ *adj.* coerente.

cohesion /koʊh'iːʒən/ *s.* coesão.

coil /kɔɪl/ *s.* rolo; espiral; bobina.

coin /kɔɪn/ *s.* moeda. • *v.* cunhar moeda.

coinage /k'ɔɪneɪdʒ/ *s.* cunhagem.

coincide /koʊɪns'aɪd/ *v.* coincidir; corresponder, concordar, harmonizar.

coincidence /koʊ'ɪnsɪdəns/ *s.* coincidência.

coke /koʊk/ *s.* coque (combustível); Coca-Cola®; cocaína.

cold /koʊld/ *s.* frio; resfriado. • *adj.* frio; frígido; reservado; inexpressivo; imparcial. ♦ **in cold blood** a sangue-frio. **cold front** frente fria. → Weather

coldness /k'oʊldnəs/ *s.* frio; frieza.

coleslaw /k'oʊlslɔː/ *s.* salada de repolho cru cortado bem fino.

collaborate /kəl'æbəreɪt/ *v.* colaborar, cooperar.

collaboration /kəlæbər'eɪʃən/ *s.* colaboração.

collapse /kəl'æps/ *s.* colapso, desmaio; falência. • *v.* cair, ruir, desmoronar; desmaiar.

collar /k'ɑlər/ *s.* colarinho, gola; colar; gargantilha; coleira. → Deceptive Cognates

collarbone /k'ɑlərboʊn/ *s.* clavícula. → Human Body

colleague /k'ɑliːg/ *s.* colega.

collect /kəl'ekt/ *s.* coleta. • *v.* coletar; compilar; colecionar; cobrar; arrecadar. ▪ *sin.* compile. ♦ **collect call** chamada telefônica a cobrar. → Leisure

collection /kəl'ekʃən/ *s.* coleção: He has a big toy *collection*.

collective /kəl'ektɪv/ *s.* coletivo. • *adj.* coletivo; acumulado.

college /k'ɑlɪdʒ/ *s.* ensino superior, faculdade. → Deceptive Cognates

collide /kəl'aɪd/ *v.* colidir; discordar.

collision /kəl'ɪʒən/ *s.* colisão; conflito.

colloquial /kəl'oʊkwɪəl/ *adj.* coloquial, familiar.

Colombia /kəl'oʊmbiə/ *s.* Colômbia. → Countries & Nationalities

Colombian /kəl'oʊmbiən/ *s.* ou *adj.* colombiano. → Countries & Nationalities

colon /k'oʊlən/ *s.* dois-pontos (:); cólon (*anatomia*). → Human Body

colonel /k'ɜːrnəl/ *s.* coronel.

colonial /kəl'oʊniəl/ *adj.* colonial.

colonialism /kəl'oʊniəlɪzəm/ *s.* colonialismo.

colonist /k'ɑlənɪst/ *s.* colono.

colonization /kɑlənəz'eɪʃən/ (*Brit.* ***colonisation***) *s.* colonização.

colonize /k'ɑlənaɪz/ (*Brit.* ***colonise***) *v.* colonizar.

colony /k'ɑləni/ *s.* colônia.

color /k'ʌlər/ (*Brit.* ***colour***) *s.* cor, colorido. • *v.* pintar, tingir, colorir; enrubescer; disfarçar, alterar. ♦ **color-blind** daltônico. **color blindness** daltonismo.

colored /k'ʌlərd/ (*Brit.* ***coloured***) *adj.* colorido; (*pej.*) de raça negra.

colorful /k'ʌlərfəl/ (*Brit.* ***colourful***) *adj.* colorido; pitoresco.

coloring /k'ʌlərɪŋ/ (*Brit.* ***colouring***) *s.* coloração.

colorless /k'ʌlərləs/ (*Brit.* ***colourless***) *adj.* sem cor; pálido.

colt /koʊlt/ *s.* potro. → Animal Kingdom

column /k'ɑləm/ *s.* coluna.

coma /k'əʊmə/ *s.* coma, inconsciente.

comb /koʊm/ *s.* pente; crista (de ave). • *v.* pentear.

combat /k'ɑːmbæt/ *s.* combate, luta. • /kəmb'æt/ *v.* lutar, combater.

combatant /k'ɑːmbətənt/ *s.* ou *adj.* combatente.

combination /kɑmbɪn'eɪʃən/ *s.* combinação.

combine /kəmb'aɪn/ *v.* combinar; unir(-se), associar(-se).

combustion /kəmb'ʌstʃən/ *s.* combustão.

come /kʌm/ *v.* (*pret.* **came**, *p.p.* **come**) vir; chegar; aparecer; alcançar; ocorrer; resultar; importar em, custar. ♦ **come across** encontrar. **come apart** descolar; desfazer. **come back** voltar. **Come in!** Entre! **come into a fortune** herdar uma fortuna. **come of age** atingir a maioridade. **come to** voltar a si. **come to a bad end** acabar mal. **come what may** aconteça o que acontecer. **comeback** retorno. **First come, first served.** Quem chega primeiro é atendido primeiro. **How come?** Como?, Por quê? **Let's come to terms!** Vamos chegar a um acordo! **Let's come to the point!** Vamos ao que interessa! **She came near to losing her faith.** Ela quase perdeu a fé. **Where do I come in?** Que vantagem eu levo?
→ Irregular Verbs

comedian /kəm'iːdiən/ *s.* comediante.

comedy /k'ɑmədi/ *s.* comédia.

comet /k'ɑmət/ *s.* cometa.

comfort /k'ʌmfərt/ *s.* conforto; bem-estar; auxílio. • *v.* confortar.

comfortable /k'ʌmftəbl, k'ʌmfərtəbl/ *adj.* confortável.

comfortably /k'ʌmfərtəbli/ *adv.* confortavelmente: They live *comfortably* in the countryside.

comic /k'ɑmɪk/ *s.* ou *adj.* cômico. *pl.* **comics** história em quadrinhos, gibi. ♦ **comic strip** tira (de quadrinhos).

comma /k'ɑmə/ *s.* vírgula. ♦ **inverted commas** ou **quotation marks** aspas.

command /kəm'ænd/ *s.* comando; ordem. • *v.* comandar; mandar.

commandant /k'ɑːməndænt/ *s.* comandante.

commandment /kəm'ændmənt/ *s.* mandamento.

commemorate /kəm'emәreɪt/ *v.* comemorar.

commemoration /kəmemər'eɪʃən/ *s.* comemoração.

commencement /kəm'ensmənt/ *s.* começo; dia de formatura, cerimônia de colação de grau.

commend /kəm'end/ *v.* elogiar; recomendar.

commendation /kɑmend'eɪʃən/ *s.* elogio, aprovação.

comment /k'ɑːment/ *s.* comentário; observação. • *v.* comentar; fazer observações.

commentary /k'ɑmənteri/ *s.* comentário.

commerce /k'ɑmɜːrs/ *s.* comércio, negócio; tráfico.

commercial /kəm'ɜːrʃəl/ *s.* comercial; propaganda. • *adj.* comercial.

commission /kəm'ɪʃən/ *s.* comissão; autorização, licença, procuração. • *v.* comissionar; encarregar.

commissioner /kəm'ɪʃənər/ *s.* comissário.

commit /kəm'ɪt/ *v.* submeter; cometer; comprometer(-se).

commitment /kəm'ɪtmənt/ *s.* comprometimento: I must thank you for your *commitment* to this project.

committee /kəm'ɪti/ *s.* comitê, comissão.

commodity /kəm'ɑdəti/ *s.* artigo, mercadoria. ▪ *sin.* goods, merchandise. → Deceptive Cognates

common /k'ɑmən/ *adj.* comum; popular.

commonly /k'ɑmənli/ *adv.* comumente, geralmente: This uniform is *commonly* used by the French Army.

commonplace /k'ɑmənpleɪs/ *s.* ou *adj.* trivial, lugar-comum.

commonwealth /k'ɑmənwelθ/ *s.* comunidade, nação, estado.

commotion /kəm'oʊʃən/ *s.* comoção; tumulto. ▪*sin.* disturbance.

commune /kəmj'uːn/ *s.* comuna. • *v.* confidenciar; comungar.

communicate /kəmj'uːnɪkeɪt/ *v.* transferir, transmitir; comunicar(-se).

communication /kəmjuːnɪk'eɪʃən/ *s.* comunicação.

communicative /kəmj'uːnəkeɪtɪv/ *adj.* comunicativo. ▪*sin.* articulate.

communion /kəmj'uːniən/ *s.* comunhão; participação, coparticipação.

communism /k'ɑmjənɪzəm/ *s.* comunismo.

communist /k'ɑːmjənɪst/ *s.* comunista.

community /kəmj'uːnəti/ *s.* comunidade; sociedade, associação.

commute /kəmj'uːt/ *v.* percorrer grande distância de trem, metrô, ônibus até o trabalho e de volta para casa.

compact /k'ɑːmpækt/ *s.* caixa ou estojo de pó de arroz. • *adj.* compacto; conciso; maciço. • /kəmp'ækt/ *v.* comprimir; condensar; unir.

companion /kəmp'ænjən/ *s.* companheiro.

companionship /kəmp'ænjənʃɪp/ *s.* companhia, companheirismo.

company /k'ʌmpəni/ *s.* companhia (empresa).

comparable /k'ɑmpərəbəl/ *adj.* comparável.

comparative /kəmp'ærətɪv/ *adj.* comparativo.

compare /kəmp'er/ *v.* comparar(-se); igualar(-se).

comparison /kəmp'ærəsən/ *s.* comparação.

compartment /kəmp'ɑrtmənt/ *s.* compartimento.

compass /k'ʌmpəs/ *s.* bússola. *pl.* ***compasses*** compasso. • *v.* circundar; obter; compreender. ♦ **compass card** rosa dos ventos.

compassion /kəmp'æʃən/ *s.* compaixão. ▪*sin.* pity, sympathy.

compassionate /kəmp'æʃənət/ *adj.* compassivo.

compatible /kəmp'ætəbəl/ *adj.* compatível.

compel /kəmp'el/ *v.* compelir. ▪*sin.* force, oblige.

compensate /k'ɑmpenseɪt/ *v.* compensar, recompensar.

compensation /kɑmpens'eɪʃən/ *s.* recompensa; indenização.

compete /kəmp'iːt/ *v.* competir, concorrer.

competence /k'ɑmpətəns/ *s.* competência, capacidade.

competent /k'ɑmpətənt/ *adj.* competente.

competition /kɑmpət'ɪʃən/ *s.* competição; rivalidade; concorrência. ♦ **unfair competition** concorrência desleal.

competitive /kəmp'etətɪv/ *adj.* competitivo.

competitor /kəmp'etɪtər/ *s.* concorrente.

compile /kəmp'aɪl/ *v.* compilar; colecionar. ▪*sin.* collect.

complacency /kəmpl'eɪsənsi/ *s.* complacência, condescendência.

complacent /kəmpl'eɪsənt/ *adj.* complacente; satisfeito de si.

complain /kəmpl'eɪn/ *v.* queixar(-se), lamentar; fazer uma reclamação.

complaint /kəmpl'eɪnt/ *s.* queixa, reclamação.

complement /k'ɑːmplɪmənt/ *s.* complemento. • /k'ɑːmplɪment/ *v.* completar.

complementary /kɑːmplɪm'entri/ *adj.* complementar.

complete /kəmpl'iːt/ *v.* completar. • *adj.* completo, íntegro; perfeito.

completely /kəmpl'iːtli/ *adv.* completamente: I am *completely* dizzy.

completion /kəmpl'i:ʃən/ *s.* conclusão.

complex /k'ɑmpleks/ *s.* complexo. • *adj.* complexo, complicado.

complexion /kəmpl'ekʃən/ *s.* cor ou aspecto (do rosto).

complexity /kəmpl'eksəti/ *s.* complexidade.

compliance /kəmpl'aɪəns/ *s.* complacência, submissão.

compliant /kəmpl'aɪənt/ *adj.* complacente, condescendente.

complicate /k'ɑmplɪkeɪt/ *v.* complicar.

complicated /k'ɑ:mplɪkeɪtɪd/ *adj.* complicado.

complication /kɑmplɪk'eɪʃən/ *s.* complicação.

complicity /kəmpl'ɪsəti/ *s.* cumplicidade.

compliment /k'ɑ:mplɪmənt/ *s.* cumprimento, elogio. • /k'ɑ:mplɪment/ *v.* saudar; elogiar.

complimentary /kɑ:mplɪm'entri/ *adj.* lisonjeiro; gratuito.

comply /kəmpl'aɪ/ *v.* consentir; cumprir. ▪ *sin.* submit.

component /kəmp'oʊnənt/ *s.* ou *adj.* componente.

compose /kəmp'oʊz/ *v.* compor; escrever; acalmar(-se).

composed /kəmp'oʊzəd/ *adj.* calmo.

composer /kəmp'oʊzər/ *s.* compositor.

composite /kəmp'ɑzɪt/ *s.* ou *adj.* composto: Brazil is a *composite* of different cultures.

composition /kɑmpəz'ɪʃən/ *s.* composição.

composure /kəmp'oʊʒər/ *s.* serenidade, calma; compostura.

compound /k'ɑmpaʊnd/ *s.* ou *adj.* complexo, composto.

comprehend /kɑmprɪh'end/ *v.* compreender; abranger.

comprehensible /kɑmprɪh'ensəbəl/ *adj.* compreensível.

comprehension /kɑmprɪh'enʃən/ *s.* compreensão.

comprehensive /kɑmprɪh'ensɪv/ *adj.* inclusivo, abrangente; amplo. ▪ *sin.* extensive. → Deceptive Cognates

compress /k'ɑ:mpres/ *s.* compressa. • /kəmpr'es/ *v.* comprimir.

compression /kəmpr'eʃən/ *s.* compressão; condensação.

comprise /kəmpr'aɪz/ *v.* incluir, conter. ▪ *sin.* include, contain.

compromise /k'ɑmprəmaɪz/ *s.* compromisso; concessão. • *v.* ajustar, entrar em acordo; comprometer(-se). → Deceptive Cognates

compulsion /kəmp'ʌlʃən/ *s.* compulsão; coerção, coação.

compulsive /kəmp'ʌlsɪv/ *adj.* compulsivo; irreprimível.

compulsory /kəmp'ʌlsəri/ *adj.* compulsório, obrigatório.

computer /kəmpj'u:tər/ *s.* computador. ♦ **computer graphics** computação gráfica. **computer network** rede de computadores.

con /kɑn/ (*abrev.* de *convict*) condenado. → Abbreviations

concave /kɑ:nk'eɪv, k'ɑ:nkeɪv/ *s.* ou *adj.* côncavo.

conceal /kəns'i:l/ *v.* esconder, ocultar, dissimular. ▪ *sin.* hide, disguise.

concede /kəns'i:d/ *v.* admitir, reconhecer; ceder. ▪ *sin.* admit, acknowledge.

conceit /kəns'i:t/ *s.* vaidade, presunção.

conceited /kəns'i:tɪd/ *adj.* convencido.

conceivable /kəns'i:vəbəl/ *adj.* concebível.

conceive /kəns'i:v/ *v.* conceber; imaginar; engravidar; compreender.

concentrate /k'ɑnsəntreɪt/ *v.* concentrar.

concentration /kɑnsəntr'eɪʃən/ *s.* concentração.

concept /k'ɑnsept/ *s.* conceito.

conception /kəns'epʃən/ *s.* concepção.

concern /kəns'ɜːrn/ *s.* interesse; preocupação. • *v.* preocupar; interessar.

concerned /kəns'ɜːrnd/ *adj.* preocupado.

concerning /kəns'ɜːrnɪŋ/ *prep.* relativo a.

concert /k'ɑnsərt/ *s.* concerto; acordo, entendimento. • /kəns'ɜːrt/ *v.* planejar; ajustar; combinar.

concession /kəns'eʃən/ *s.* concessão; permissão; privilégio. ▪ *sin.* grant.

concessionaire /kənseʃən'er/ *s.* concessionário.

conciliate /kəns'ɪlieɪt/ *v.* conciliar, reconciliar.

concise /kəns'aɪs/ *adj.* conciso, breve.

conclude /kənkl'uːd/ *v.* concluir; terminar; deduzir.

conclusion /kənkl'uːʒn/ *s.* conclusão.

conclusive /kənkl'uːsɪv/ *adj.* conclusivo.

concoct /kənk'ɑkt/ *v.* preparar; forjar.

concoction /kənk'ɑkʃən/ *s.* mistura, preparação; trama, plano, planejamento.

concomitant /kənk'ɑmɪtənt/ *adj.* concomitante, simultâneo.

concord /k'ɑːŋkɔːrd/ *s.* acordo; concordância. • *v.* concordar.

concourse /k'ɑŋkɔːrs/ *s.* ajuntamento; salão de espera, saguão (em estação ferroviária ou rodoviária). ➔ Deceptive Cognates

concrete /k'ɑŋkriːt/ *s.* concreto, massa de cimento. • *v.* concretizar; solidificar(-se). • *adj.* material; específico, particular; determinado.

concurrence /kənk'ɜːrəns/ *s.* conformidade de opiniões; simultaneidade, concomitância.

concussion /kənk'ʌʃən/ *s.* concussão, choque, abalo.

condemn /kənd'em/ *v.* culpar, condenar; censurar; sentenciar; reprovar. ▪ *sin.* blame.

condemnation /kɑndemn'eɪʃən/ *s.* condenação, reprovação, censura; sentença judicial.

condensation /kɑndens'eɪʃən/ *s.* condensação; substância ou produto condensado; abreviação, sinopse, resumo. ▪ *sin.* sum.

condense /kənd'ens/ *v.* condensar; concentrar; liquefazer; resumir; reduzir.

condescend /kɑndɪs'end/ *v.* condescender.

condescending /kɑndɪs'endɪŋ/ *adj.* condescendente, transigente, complacente.

condiment /k'ɑːndɪmənt/ *s.* condimento, tempero.

condition /kənd'ɪʃən/ *s.* condição. • *v.* condicionar; ser ou estar condicionado; estipular; limitar, restringir.

conditional /kənd'ɪʃənəl/ *s.* tempo condicional (do verbo). • *adj.* condicional.

condole /kənd'oʊl/ *v.* condoer(-se), compadecer(-se); dar pêsames.

condom /k'ɑndəm/ *s.* preservativo; camisinha.

condone /kənd'oʊn/ *v.* perdoar, desculpar. ▪ *sin.* forgive.

conduce /kəndj'uːs/ *v.* conduzir, levar; tender; contribuir para.

conduct /k'ɑndʌkt/ *s.* conduta; gestão; comando, liderança. • /kənd'ʌkt/ *v.* dirigir; reger (uma orquestra); guiar; conduzir (eletricidade, calor, etc.). ▪ *sin.* manage.

conductor /kənd'ʌktər/ *s.* condutor; diretor; guia; regente.

conduit /k'ɑːnduɪt/ *s.* canal, conduto; conduíte.

cone /koʊn/ *s.* cone; pinha; casquinha de sorvete. • *v.* dar forma de cone.

confection /kənf'ekʃən/ *s.* confecção; confeito; roupa feita.

confectionary /kənf'ekʃəneri/ (*tb.* **confectionery**) *s.* confeitos; confeitaria.

confederate /kənf'edərət/ *s.* ou *adj.* confederado, aliado.

confederation /kənfedər'eɪʃən/ *s.* confederação.

confer /kənf'ɜːr/ *v.* outorgar; consultar, deliberar.

conference /k'ɑnfərəns/ *s.* conferência, reunião.

confess /kənf'es/ *v.* confessar.

confession /kənf'eʃən/ *s.* confissão.

confessional /kənf'eʃənəl/ *s.* confessionário. • *adj.* confessional.

confessor /kənf'esər/ *s.* confessor.

confide /kənf'aɪd/ *v.* confidenciar, contar segredos. ▪ *sin.* trust, believe.

confidence /k'ɑːnfɪdəns/ *s.* confiança; fé, convicção. ♦ **self-confidence** autoconfiança. **confidence trick** conto do vigário.

confident /k'ɑːnfɪdənt/ *adj.* confiante, seguro. ♦ **self-confident** autoconfiante

confidential /kɑːnfɪd'enʃl/ *adj.* confidencial.

confidently /k'ɑnfɪdəntli/ *adv.* confiantemente: He acted *confidently* during the test.

config /k'ɑnfɪg/ (*abrev.* de *configuration*) configuração. → Abbreviations

confine /kənf'aɪn/ *s. pl.* ***confines*** limites, fronteiras. • *v.* limitar; confinar, encarcerar. ▪ *sin.* border.

confined /kənf'aɪnd/ *adj.* restrito: This area is a *confined* space for food storage.

confirm /kənf'ɜːrm/ *v.* confirmar; verificar.

confirmation /kɑnfərm'eɪʃən/ *s.* confirmação; crisma.

confiscate /k'ɑːnfɪskeɪt/ *v.* confiscar.

confiscation /kɑːnfɪsk'eɪʃn/ *s.* apreensão, confisco.

conflict /k'ɑnflɪkt/ *s.* conflito; discordância. • /kənfl'ɪkt/ *v.* lutar; discordar.

conform /kənf'ɔːrm/ *v.* conformar(-se); obedecer; amoldar; adaptar(-se).

confront /kənfr'ʌnt/ *v.* confrontar, enfrentar, afrontar. ▪ *sin.* face.

confuse /kənfj'uːz/ *v.* confundir; embaraçar, envergonhar.

confused /kənfj'uːzd/ *adj.* confuso.

confusing /kənfj'uːzɪŋ/ *adj.* confuso: The instructions were *confusing*, only a few people understood them.

confusion /kənfj'uːʒən/ *s.* confusão.

congeal /kəndʒ'iːl/ *v.* congelar.

congenial /kəndʒ'iːniəl/ *adj.* apropriado; agradável.

congenital /kəndʒ'enɪtəl/ *adj.* congênito; inato.

congestion /kəndʒ'estʃən/ *s.* congestão; congestionamento.

conglomeration /kənglɑmər'eɪʃən/ *s.* conglomeração.

congratulate /kəngr'ætʃuleɪt/ *v.* felicitar, congratular.

congratulation /kəngrætʃul'eɪʃn/ *s.* congratulação. *pl.* ***congratulations*** parabéns.

congregate /k'ɑŋgrɪgeɪt/ *v.* reunir(-se). • *adj.* congregado, reunido.

congregation /kɑŋgrɪg'eɪʃən/ *s.* congregação.

congress /k'ɑŋgrəs/ *s.* congresso.

congressman /k'ɑŋgrəsmən/ *s.* congressista, deputado

conjecture /kəndʒ'ektʃər/ *s.* conjectura. • *v.* conjecturar, supor. ▪ *sin.* supposition.

conjugal /k'ɑndʒəgəl/ *adj.* conjugal.

conjugate /k'ɑndʒəgeɪt/ *v.* conjugar; unir, combinar.

conjugation /kɑndʒəg'eɪʃən/ *s.* conjugação.

conjunction /kəndʒ'ʌŋkʃən/ *s.* conjunção.

connect /kən'ekt/ *v.* conectar(-se); juntar(-se), unir(-se); relacionar(-se).

connection /kən'ekʃən/ *s.* ligação; conexão.

connivance /kən'aɪvəns/ *s.* conivência.

connive /kən'aɪv/ *v.* ser conivente.

connoisseur /kɑːnəs'ɜːr, kɑːnəs'ʊr/ *s.* conhecedor, perito.

conquer /k'ɑŋkər/ *v.* conquistar; dominar.

conqueror /k'ɑŋkərər/ *s.* conquistador; vencedor.

conquest /k'ɑŋkwest/ *s.* conquista. ▪ *sin.* triumph.

conscience /k'ɑnʃəns/ *s.* consciência.

conscious /k'ɑnʃəs/ *adj.* consciente. ▪ *sin.* aware. ▪ *ant.* unconscious, unaware.

consciousness /k'ɑntʃəsnəs/ *s.* consciência; conhecimento.

consecrate /k'ɑnsɪkreɪt/ *v.* consagrar. ▪ *sin.* dedicate, sanctify.

consecutive /kəns'ekjətɪv/ *adj.* consecutivo, sucessivo.

consensus /kəns'ensəs/ *s.* consenso.

We finally reached a *consensus* on this matter.

consent /kəns'ent/ *s.* permissão, consentimento. • *v.* consentir, aprovar. ▪ *sin.* allow, permit.

consequence /k'ɑnsəkwens/ *s.* consequência.

conservation /kɑnsərv'eɪʃən/ *s.* conservação.

conservative /kəns'ɜːrvətɪv/ *s.* conservador. • *adj.* conservador, moderado.

conservatory /kəns'ɜːrvətɔːri/ *s.* jardim de inverno; conservatório musical.

conserve /k'ɑːnsɜːrv/ *s.* conserva. • /kəns'ɜːrv/ *v.* conservar, preservar.

consider /kəns'ɪdər/ *v.* considerar, refletir.

considerable /kəns'ɪdərəbəl/ *adj.* considerável.

considerably /kəns'ɪdərəbli/ *adv.* consideravelmente: The price fell down *considerably*.

considerate /kəns'ɪdərət/ *adj.* atencioso.

consideration /kənsɪdər'eɪʃən/ *s.* consideração.

considering /kəns'ɪdərɪŋ/ *prep.* em vista de, considerando.

consign /kəns'aɪn/ *v.* consignar; enviar.

consist /kəns'ɪst/ *v.* consistir, compreender.

consistence /kəns'ɪstəns/ *s.* consistência, firmeza, solidez.

consistent /kəns'ɪstənt/ *adj.* consistente, sólido; coerente.

consolation /kɑnsəl'eɪʃən/ *s.* consolação, consolo.

console /k'ɑnsoʊl/ *s.* painel de controle (do *videogame*); console (do carro). • /kəns'oʊl/ *v.* consolar.

consolidate /kəns'ɑlɪdeɪt/ *v.* consolidar.

consonant /k'ɑnsənənt/ *s.* consoante.

consort /k'ɑnsɔːrt/ *s.* cônjuge. • /kəns'ɔːrt/ *v.* consorciar(-se), andar em más companhias ▪ *sin.* spouse.

conspicuous /kənsp'ɪkjuəs/ *adj.* distinto; notável; visível, evidente. ▪ *sin.* remarkable, prominent.

conspiracy /kənsp'ɪrəsi/ *s.* conspiração, intriga, trama.

conspire /kənsp'aɪər/ *v.* conspirar, tramar.

constant /k'ɑnstənt/ *s.* ou *adj.* constante.

constantly /k'ɑnstəntli/ *adv.* constantemente: She *constantly* arrives early at work.

constellation /kɑnstəl'eɪʃən/ *s.* constelação.

consternate /k'ɑːnstərneɪt/ *v.* sentir(-se) consternado.

consternation /kɑnstərn'eɪʃən/ *s.* consternação, temor.

constipation /kɑnstɪp'eɪʃən/ *s.* prisão de ventre.

constituent /kənst'ɪtʃuənt/ *s.* componente, elemento; eleitor. • *adj.* constituinte.

constitute /k'ɑnstətuːt/ *v.* constituir.

constitution /kɑnstət'uːʃən/ *s.* constituição.

constitutional /kɑnstətj'uːʃənəl/ *adj.* constitucional.

construct /kənstr'ʌkt/ *v.* construir. ▪ *sin.* build.

construction /kənstr'ʌkʃən/ *s.* construção; interpretação.

constructive /kənstr'ʌktɪv/ *adj.* construtivo, útil.

consul /k'ɑnsəl/ *s.* cônsul.

consulate /k'ɑnsələt/ *s.* consulado.

consult /kəns'ʌlt/ *v.* consultar. ▪ *sin.* deliberate.

consultant /kəns'ʌltənt/ *s.* consultor. ➔ Professions

consultation /kɑnsəlt'eɪʃən/ *s.* consulta, conversa.

consume /kəns'uːm/ *v.* consumir; gastar.

consumer /kənsj'uːmər/ *s.* consumidor. ♦ **consumer goods** bens de consumo.

consummate /k'ɑnsəmeɪt/ *v.* consumar; completar. • /k'ɑːnsəmət/ *adj.* completo; consumado.

consumption /kəns'ʌmpʃən/ *s.* consumo.

cont. /kɑnt/ (*abrev.* de *continued*) continua, continuação. ➔ Abbreviations

contact /k'ɑntækt/ *s.* contato. • *v.* contatar.

contagious /kənt'eɪdʒəs/ *adj.* contagioso.

contain /kənt'eɪn/ *v.* conter. ▪ *sin.* hold, comprise, include.

container /kənt'eɪnər/ *s.* recipiente, contêiner.

contaminate /kənt'æmɪneɪt/ *v.* contaminar, contagiar. ▪ *sin.* pollute, defile.

contemn /kənt'em/ *v.* desprezar. ▪ *sin.* despise. ▪ *ant.* esteem.

contemplate /k'ɑntəmpleɪt/ *v.* contemplar; ponderar; meditar.

contemplation /kɑntəmpl'eɪʃən/ *s.* contemplação.

contemporary /kənt'empəreri/ *s.* ou *adj.* contemporâneo.

contempt /kənt'empt/ *s.* desprezo, desdém.

contemptible /kənt'emptəbəl/ *adj.* desprezível.

contemptuous /kənt'emptʃuəs/ *adj.* desdenhoso.

contend /kənt'end/ *v.* lutar; afirmar.

content /k'ɑntent/ *s.* conteúdo.

content /kənt'ent/ *s.* contentamento. • *adj.* alegre. • *v.* contentar(-se).

contented /kənt'entɪd/ *adj.* satisfeito.

contention /kənt'enʃən/ *s.* contestação, disputa, briga.

contentment /kənt'entmənt/ *s.* contentamento.

contest /k'ɑntest/ *s.* competição, torneio; debate. • /kənt'est/ *v.* contestar, debater, discutir; competir. ➔ Deceptive Cognates

context /k'ɑntekst/ *s.* contexto.

continent /k'ɑntɪnənt/ *s.* continente.

continental /kɑntɪn'entəl/ *adj.* continental.

continuation /kəntɪnju'eɪʃən/ *s.* continuação.

C

continue /kənt'ɪnjuː/ *v.* continuar, prosseguir; perdurar.

continuity /kɑntən'uːəti/ *s.* continuidade.

continuous /kənt'ɪnjuəs/ *adj.* contínuo, ininterrupto.

continuously /kənt'ɪnjʊəsli/ *adv.* continuamente: Your performance in English is *continuously* improving.

contortion /kənt'ɔːrʃən/ *s.* contorção.

contour /k'ɑntʊr/ *s.* contorno. • *v.* contornar.

contraception /kɑntrəs'epʃən/ *s.* contracepção.

contraceptive /kɑntrəs'eptɪv/ *s.* ou *adj.* anticoncepcional.

contract /k'ɑntrækt/ *s.* contrato, escritura. • /kəntr'ækt/ *v.* contrair; abreviar, reduzir; contratar. ▪ *sin.* abridge.

contraction /kəntr'ækʃən/ *s.* contração.

contradict /kɑntrəd'ɪkt/ *v.* contradizer, contestar; negar. ▪ *sin.* deny.

contradiction /kɑntrəd'ɪkʃən/ *s.* contradição.

contrary /k'ɑntreri/ *s.* ou *adj.* contrário, oposto.

contrast /k'ɑntræst/ *s.* contraste, diferença. • /kəntr'æst/ *v.* contrastar(-se); diferenciar.

contravention /kɑntrəv'enʃən/ *s.* contravenção, infração.

contribute /kəntr'ɪbjuːt/ *v.* contribuir.

contribution /kɑntrɪbj'uːʃən/ *s.* contribuição.

contributor /kəntr'ɪbjətər/ *s.* contribuinte; colaborador.

contrite /kəntr'aɪt/ *adj.* arrependido.

contrive /kəntr'aɪv/ *v.* inventar; planejar; efetuar; produzir, realizar. ▪ *sin.* devise, invent.

control /kəntr'oʊl/ *s.* controle, supervisão. • *v.* dirigir, comandar; reprimir, controlar. ♦ **be/get out of control** estar/ficar fora de controle.

controller /kəntr'oʊlər/ *s.* controlador; auditor, inspetor. → Professions

controversy /k'ɑntrəvɜːrsi/ *s.* controvérsia.

convalesce /kɑnvəl'es/ *v.* convalescer.

convalescence /kɑnvəl'esəns/ *s.* convalescença.

convalescent /kɑnvəl'esənt/ *s.* ou *adj.* convalescente.

convenience /kənv'iːniəns/ *s.* conveniência, comodidade; utilidade. ♦ **convenience food** comida congelada. **convenience store** loja de conveniência. **public convenience** banheiro público.

convenient /kənv'iːniənt/ *adj.* conveniente, adequado. ▪ *sin.* suitable.

convent /k'ɑːnvent, k'ɑːnvənt/ *s.* convento. ▪ *sin.* cloister, monastery.

convention /kənv'enʃən/ *s.* convenção, conferência, assembleia.

conventional /kənv'entʃənəl/ *adj.* convencional.

converge /kənv'ɜːrdʒ/ *v.* convergir.

conversant /kənv'ɜːrsənt/ *adj.* familiarizado.

conversation /kɑnvərs'eɪʃən/ *s.* conversa.

converse /k'ɑnvɜːrs/ *s.* coisa oposta ou contrária. • /kənv'ɜːrs/ *v.* conversar. • *adj.* oposto, contrário.

conversion /kənv'ɜːrʒn, kənv'ɜːrʃn/ *s.* conversão.

convert /k'ɑnvɜːrt/ *s.* convertido. • /kənv'ɜːrt/ *v.* converter.

convertible /kənv'ɜːrtəbəl/ *adj.* conversível.

convex /k'ɑnveks/ *adj.* convexo.

convey /kənv'eɪ/ *v.* transportar; conduzir; expressar, transmitir.

conveyance /kənv'eɪəns/ *s.* transporte, condução; título, escritura, expressão, transmissão.

convict /k'ɑnvɪkt/ *s.* condenado, sentenciado. • /kənv'ɪkt/ *v.* condenar, sentenciar. → Deceptive Cognates

conviction /kənv'ɪkʃən/ *s.* condenação; convicção.

convince /kənv'ɪns/ *v.* convencer.

convincing /kənv'ɪnsɪŋ/ *adj.* convincente.

convocation /kɑnvək'eɪʃən/ *s.* convocação.

convoke /kənv'oʊk/ *v.* convocar.

convoy /k'ɑnvɔɪ/ *s.* escolta. • /kənv'ɔɪ/ *v.* proteger, escoltar.

convulsion /kənv'ʌlʃən/ *s.* convulsão, espasmo. *pl.* ***convulsions*** mudanças (políticas).

COO /siːoʊ'oʊ/ (*abrev.* de *Chief Operating Officer*) diretor geral de operações. → Abbreviations

cook /kʊk/ *s.* cozinheiro(a). • *v.* cozinhar. → Professions

cooker /k'ʊkər/ (*Brit.*) *s.* fogão. ♦ **pressure cooker** panela de pressão. → Furniture & Appliances

cookery /k'ʊkəri/ *s.* arte culinária. → Leisure

cookie /k'ʊki/ (*Brit.* **biscuit**) *s.* biscoito; informação fragmentada enviada do servidor para o usuário (*informática*).

cooking /k'ʊkiŋ/ *s.* culinária: He bought a book on Japanese *cooking*.

cool /kuːl/ *v.* esfriar; acalmar(-se). • *adj.* frio, fresco; calmo; (*gír.*) legal, bacana.

coolness /k'uːlnəs/ *s.* frieza, indiferença.

cooperate /koʊ'ɑpəreɪt/ (*Brit.* ***co-operate***) *v.* cooperar, colaborar.

cooperation /koʊɑpər'eɪʃən/ (*Brit.* ***co-operation***) *s.* cooperação, colaboração.

cooperative /koʊ'ɑpərətɪv/ (*Brit.* ***co-operative***) *s.* cooperativa. • *adj.* cooperativo.

coordinate /koʊ'ɔːrdɪneɪt/ (*Brit.* ***co-ordinate***) *v.* coordenar.

coordination /koʊɔːrdɪn'eɪʃən/ (*Brit.* ***co-ordination***) *s.* coordenação.

cop /kɑp/ *s.* (*gír.*) guarda, policial, tira.

cope /koʊp/ *v.* lidar; enfrentar.

copious /k'oʊpiəs/ *adj.* abundante. ▪ *sin.* plentiful.

copper /k'ɑpər/ *s.* ou *adj.* cobre.

copulate /k'ɑpjuleɪt/ *v.* copular, ter relações sexuais.

copy /k'ɑpi/ *s.* cópia. • *v.* copiar.

copyright /k'ɑpiraɪt/ *s.* direitos autorais.

coral /k'ɔːrəl, k'ɑːrəl/ *s.* ou *adj.* coral. ♦ **coral reef** recife de coral. → Animal Kingdom

cord /kɔːrd/ *s.* corda, cordão, cordel.

cordial /k'ɔːrdʒəl/ *adj.* cordial. ▪ *sin.* hearty. ▪ *ant.* rough.

cordiality /kɔːrdʒi'æləti/ *s.* cordialidade.

cordon /k'ɔːrdən/ *s.* cordão (de isolamento).

corduroy /k'ɔːrdərɔɪ/ *s.* ou *adj.* veludo cotelê.

core /kɔːr/ *s.* caroço de frutas; centro, núcleo.

cork /kɔːrk/ *s.* cortiça; rolha.

corkscrew /k'ɔrːkskruː/ *s.* saca--rolhas.

corn /kɔːrn/ *s.* cereal; milho. • *v.* salgar, conservar (carne) em salmoura. → Vegetables

corner /k'ɔːrnər/ *s.* canto; ângulo; esquina. • *v.* colocar num canto; apertar.

cornfield /k'ɔːrnfiːld/ *s.* trigal; milharal.

cornstarch /k'ɔːrnstɑrtʃ/ *s.* amido de milho.

coronary /k'ɔːrəneri, k'ɑːrəneri/ *s.* ou *adj.* coronária. → Human Body

coronation /kɔːrən'eɪʃn, kɑːrən'eɪʃn/ *s.* coroação.

corporal /k'ɔːrpərəl/ *s.* cabo (na hierarquia militar). • *adj.* corporal.

corporate /k'ɔːrpərət/ *adj.* corporativo.

corporation /kɔːrpər'eɪʃən/ *s.* corporação.

corpse /kɔːrps/ *s.* cadáver, defunto.

corpuscle /k'ɔːrpʌsəl/ *s.* corpúsculo.

correct /kər'ekt/ *v.* corrigir. • *adj.* correto; exato; justo.

correction /kər'ekʃən/ *s.* correção, retificação.

correctness /kər'ektnəs/ *s.* precisão, exatidão.

correlate /k'ɔːrəleɪt/ *v.* correlacionar. • *adj.* ou *s.* correlato.

correspond /kɔːrəsp'ɑnd/ *v.* corresponder, concordar, combinar; trocar correspondência.

correspondence /kɔːrəsp'ɑndəns/ *s.* correspondência.

correspondent /kɔːrəsp'ɑndənt/ *s.* ou *adj.* correspondente.

corridor /k'ɔːrɪdɔːr, k'ɑːrɪdɔːr/ *s.* corredor, passagem.

corroborate /kər'ɑbəreɪt/ *v.* corroborar.

corrode /kər'oʊd/ *v.* corroer.

corrugation /kɔrəg'eɪʃən/ *s.* enrugamento.

corrupt /kər'ʌpt/ *v.* corromper; subornar. • *adj.* corrupto. ▪ *sin.* bribe.

corruption /kər'ʌpʃən/ *s.* corrupção.

cortisone /k'ɔːrtəzoʊn, k'ɔːrtəsoʊn/ *s.* cortisona.

cosh /kɑʃ/ *s.* cassetete.

cosmetic /kɑzm'etɪk/ *s.* ou *adj.* cosmético.

cosmic /k'ɑzmɪk/ *adj.* cósmico.

cosmonaut /k'ɑzmənɔːt/ *s.* cosmonauta, astronauta. → Professions

cosmopolitan /kɑzməp'ɑlɪtən/ *s.* ou *adj.* cosmopolita.

cosmos /k'ɑːzmoʊs, k'ɑːzməs/ *s.* cosmo, universo.

cost /kɔːst/ *s.* preço, custo, gasto. • *v.* (*pret.* e *p.p.* **cost**) custar. ♦ **at any cost** a qualquer custo. **at his cost** à custa dele. **cost of living** custo de vida. **cost price** preço de custo. **costly** custoso, caro. **cover the cost** cobrir o custo. **defray the cost** pagar os custos. **free of cost** grátis. **This cost him his life.** Isso lhe custou a vida. **This costs me much trouble.** Isso me dá muito trabalho. → Irregular Verbs

costume /k'ɑstuːm/ *s.* fantasia; traje. • /kɑstʃ'uːm/ *v.* fantasiar(-se). → Deceptive Cognates

cosy /k'oʊzi/ (*Brit.*) *adj.* confortável, aconchegante. Ver ***cozy***.

cot /kɑt/ (*Brit.*) *s.* berço (de bebê). ▪ *sin.* cradle.

cottage /k'ɑtɪdʒ/ *s.* cabana, casa pequena, chalé; casa de campo.

cottage cheese *s.* cottage (tipo de queijo): He made a sandwich with *cottage cheese.*

cotton /k'ɑtən/ *s.* algodão.

couch /kaʊtʃ/ *s.* divã, sofá. ♦ **couch potato** viciado em TV. → Furniture & Appliances

cough /kɔːf/ *s.* tosse. • *v.* tossir.

could /kəd, kʊd/ *v. pret.* de ***can***.

council /k'aʊnsəl/ *s.* conselho, assembleia.

councilor /k'aʊnsələr/ (*Brit.* ***councillor***) *s.* conselheiro; vereador.

counsel /k'aʊnsəl/ *s.* deliberação, consulta; conselho; advogado de defesa. • *v.* aconselhar.

counselor /k'aʊnsələr/ (*Brit.* ***counsellor***) *s.* conselheiro.

count /kaʊnt/ *s.* conta; soma; conde. • *v.* contar; somar; computar. ♦ **countdown** contagem regressiva.

countenance /k'aʊntənəns/ *s.* semblante, face; feição. • *v.* aceitar, apoiar, aprovar. ▪ *sin.* face.

counter /k'aʊntər/ *s.* balcão, guichê; ficha; oposto, contrário. • *v.* opor, agir contra; contragolpear. ♦ **an over-the-counter medicine** um remédio sem prescrição médica. → Furniture & Appliances

counteract /kaʊntər'ækt/ *v.* contrariar, opor(-se); neutralizar.

counterbalance /k'aʊntərbæləns/ *s.* contrapeso. • /kaʊntərb'æləns/ *v.* contrabalançar, compensar.

countercharge /k'aʊntərtʃɑrdʒ/ *s.* contra-acusação. • *v.* fazer contra--acusação.

counterfeit /k'aʊntərfɪt/ *s.* imitação, falsificação. • *v.* falsificar. ▪ *sin.* fake.

countermand /k'aʊntərm'æ:nd/ *s.* contraordem.

counterpart /k'aʊntərpɑrt/ *s.* contraparte, contrapartida; sósia.

countless /k'aʊntləs/ *adj.* inúmero, incontável.

country /k'ʌntri/ *s.* país; campo. ♦ **all over the country** no país todo. **country bumpkin** caipira. **country house** casa de campo. **country music** música country. **countryman** compatriota; camponês. **countryside** zona rural. **live in the country** morar no campo. **mother country** ou **native country** terra natal.

Scan this QR code to learn more about **country**. www.richmond.com.br/5lmcountry

county /k'aʊnti/ *s.* município; condado, comarca.

coup /ku:/ *s.* golpe.

couple /k'ʌpəl/ *s.* par, casal; dupla. • *v.* unir; acoplar. ▪ *sin.* pair.

coupling /k'ʌplɪŋ/ *s.* junção; engate.

coupon /k'u:pɑ:n, kj'u:pɑ:n/ *s.* cupom; bilhete; talão.

courage /k'ɜ:rɪdʒ/ *s.* coragem, bravura.

courageous /kər'eɪdʒəs/ *adj.* corajoso, audaz.

courier /k'ʊriər/ *s.* mensageiro; correio; guia. ➔ Professions

course /kɔ:rs/ *s.* curso; andamento; direção, rumo; método; percurso; conduta; prato (parte de refeição). ♦ **main course** prato principal. **of course** é claro.

court /kɔ:rt/ *s.* pátio, quintal; viela; área, quadra para jogos; sessão de tribunal. • *v.* cortejar; namorar.

courteous /k'ɜ:rtiəs/ *adj.* cortês, atencioso.

courtesy /k'ɜ:rtəsi/ *s.* cortesia, polidez.

cousin /k'ʌzən/ *s.* primo/a.

cove /koʊv/ *s.* enseada, angra.

covenant /k'ʌvənənt/ *s.* convenção; pacto; convênio.

cover /k'ʌvər/ *s.* coberta, cobertura; capa de livro ou revista; tampa; cobertor; invólucro. • *v.* cobrir, tampar; envolver; revestir; esconder; abrigar; percorrer. ♦ **cover girl** garota de capa (de revista).

coverage /k'ʌvərɪdʒ/ *s.* cobertura.

covering /k'ʌvərɪŋ/ *s.* coberta, cobertura, revestimento.

covet /k'ʌvət/ *v.* cobiçar. ▪ *sin.* desire.

cow /kaʊ/ *s.* vaca. ➔ Animal Kingdom

coward /k'aʊərd/ *s.* covarde. • *adj.* covarde, medroso.

cowardice /k'aʊərdɪs/ *s.* covardia.

cowardly /k'aʊərdli/ *adv.* covardemente.

cowboy /k'aʊbɔɪ/ *s.* vaqueiro.

cowshed /k'aʊʃed/ *s.* estábulo.

coy /kɔɪ/ *adj.* modesto; reservado; tímido.

coyote /k'aɪoʊt, kaɪ'oʊti/ *s.* coiote. ➔ Animal Kingdom

cozy /k'oʊzi/ *adj.* confortável. Ver *cosy*.

CPU /si:pi:j'u:/ (*abrev.* de *Central Processing Unit*) unidade central de processamento. ➔ Abbreviations

crab /kræb/ *s.* caranguejo, siri. *pl.* *crabs* chato (inseto parasita). ➔ Animal Kingdom

crack /kræk/ *s.* fenda, fresta; estalido, estalo, estrondo; *crack*: *Crack* is a dangerous drug. • *v.* rachar, quebrar; estalar; estourar. • *adj.* excelente, superior. • *interj.* zás!

cracker /kr'ækər/ *s.* biscoito; bombinha de São João; pirata de computador.

crackle /kr'ækəl/ *s.* estalido. • *v.* estalar.

cradle /kr'eɪdəl/ *s.* berço de bebê. ▪ *sin.* cot.

craft /kræft/ *s.* arte, destreza; nave, embarcação; ofício. ♦ **aircraft** aeronave. **spacecraft** espaçonave.

craftsman /kr'æftsmən/ *s.* artífice, artesão.

craftsmanship /kr'æftsmənʃɪp/ *s.* artesanato.

crafty /kr'æfti/ *adj.* esperto, astuto; habilidoso. ▪ *sin.* smart, clever, sly.

crag /kræg/ *s.* rochedo íngreme.

cram /kræm/ *s.* congestionamento. • *v.* abarrotar, encher; comprimir; rachar de estudar.

cramp /kræmp/ *s.* grampo, gancho; cãibra. *pl.* ***cramps*** cólicas. • *v.* grampear; provocar cãibra.

cramped /kræmpt/ *adj.* retesado, contraído (músculo).

crane /kreɪn/ *s.* guindaste. • *v.* esticar o pescoço para ver melhor.

crank /kræŋk/ *s.* manivela; pessoa excêntrica. • *v.* acionar por meio de manivela.

cranky /kr'æŋki/ *adj.* irritadiço, mal-humorado.

crash /kræʃ/ *s.* quebra; estampido, estrondo; impacto, colisão; falha fatal. • *v.* estalar; colidir; espatifar(-se); arruinar(-se); falir. ♦ **crash helmet** capacete de motoqueiro. **crash landing** aterrissagem forçada.

crate /kreɪt/ *s.* engradado. • *v.* encaixotar, empacotar; transportar em engradados.

crater /kr'eɪtər/ *s.* cratera.

crave /kreɪv/ *v.* almejar, desejar; suplicar; precisar.

crawl /krɔːl/ *s.* rastejo, rastejamento; estilo de natação. • *v.* rastejar; engatinhar; mover(-se) lentamente; nadar no estilo *crawl*.

crayfish /kr'eɪfɪʃ/ *s.* lagostim. → Animal Kingdom

crayon /kr'eɪən/ *s.* lápis colorido para desenho; lápis de cera; trabalho feito com esse lápis; pastel. • *v.* desenhar a pastel.

craze /kreɪz/ *s.* paixão, capricho; mania; moda, interesse passageiro. • *v.* enlouquecer.

crazy /kr'eɪzi/ *adj.* louco, demente. ▪ *sin.* insane, mad, nuts.

creak /kriːk/ *s.* rangido, chiado. • *v.* ranger, chiar.

cream /kriːm/ *s.* nata; creme; pomada. • *v.* cobrir de creme; bater (até ficar cremoso); aplicar/passar creme.

creamy /kr'iːmi/ *adj.* cremoso.

crease /kriːs/ *s.* ruga, prega, dobra. • *v.* dobrar, vincar; enrugar(-se). ▪ *sin.* ply, wrinkle.

create /kri'eɪt/ *v.* criar, produzir; inventar.

creation /kri'eɪʃən/ *s.* criação.

creative /kri'eɪtɪv/ *adj.* criativo, inventivo.

creator /kri'eɪtər/ *s.* criador.

creature /kr'iːtʃər/ *s.* criatura.

credential /krəd'enʃl/ *s.* credencial. *pl.* ***credentials*** referências. • *adj.* credencial, digno de crédito.

credibility /kredəb'ɪləti/ *s.* credibilidade.

credit /kr'edɪt/ *s.* crença, fé; confiança; crédito, saldo. *pl.* ***credits*** créditos: You can see her name during the movie *credits*. • *v.* crer, acreditar; confiar; dar crédito bancário ou comercial. ♦ **blank credit** crédito ilimitado. **credit card** cartão de crédito.

credulous /kr'edʒələs/ *adj.* crédulo, ingênuo.

creed /kriːd/ *s.* credo, profissão de fé cristã; doutrina, crença. ▪ *sin.* faith.

creek /kriːk/ *s.* córrego, riacho.

creep /kriːp/ *s.* rastejo, deslizamento; pessoa estranha. • *v.* (*pret.* e *p.p.* **crept**) arrastar(-se); rastejar; engatinhar. → Irregular Verbs

creeper /kr'iːpər/ *s.* planta trepadeira.

cremate /krəm'eɪt/ *v.* cremar, incinerar.

cremation /krəm'eɪʃən/ *s.* cremação, incineração.

crepe /kreɪp/ *s.* crepe; papel crepom; renda (de tecido).

crept /krept/ *v. pret.* e *p.p.* de **creep**.

crescent /kr'esənt/ *s.* quarto crescente da lua. • *adj.* em forma de meia-lua; crescente.

crest /krest/ *s.* crista; cume. ♦ **crestfallen** cabisbaixo.

crevice /kr'evɪs/ *s.* fenda, fresta, greta, fissura.

crew /kruː/ *s.* tripulação. • *v. pret.* de **crow**.

crib /krɪb/ *s.* berço com grades altas. • *v.* colar (nos exames).

cricket /kr'ɪkɪt/ *s.* grilo; críquete. → Animal Kingdom → Sports

crime /kraɪm/ *s.* crime, delito; pecado; transgressão.

criminal /kr'ɪmɪnəl/ *s.* criminoso. • *adj.* criminal, criminoso.

crimson /k'rɪmzən/ *s.* ou *adj.* vermelho carmim.

crinkle /k'rɪŋkəl/ *s.* ruga, dobra. • *v.* ondular, fazer dobras.

cripple /k'rɪpəl/ *s.* aleijado. • *v.* aleijar; incapacitar; estragar.

crisis /kr'aɪsɪs/ (*s. pl.* **crises**) *s.* crise.

crisp /krɪsp/ *adj.* anelado, encaracolado, crespo, ondulado; crocante; frio, fresco, refrescante (clima); áspero.

crispy /kr'ɪspi/ *adj.* crocante.

criterion /kraɪt'ɪriən/ (*s. pl.* **criteria**) *s.* critério, norma.

critic /kr'ɪtɪk/ *s.* crítico; julgador.

critical /kr'ɪtɪkəl/ *adj.* crítico.

criticism /kr'ɪtɪsɪzəm/ *s.* crítica.

John just can't stand any kind of *criticism.*

criticize /kr'ɪtɪsaɪz/ (*Brit.* **criticise**) *v.* criticar, censurar, desaprovar.

croak /kroʊk/ *s.* coaxo, grasnado. • *v.* coaxar, grasnar.

crochet /kroʊʃ'eɪ/ *s.* crochê. • *v.* fazer crochê.

crockery /kr'ɑkəri/ *s.* louça de barro, cerâmica.

crocodile /kr'ɑkədaɪl/ *s.* crocodilo. → Animal Kingdom

crocus /kr'oʊkəs/ *s.* açafrão.

crony /kr'oʊni/ *s.* comparsa, cúmplice.

crook /krʊk/ *s.* trapaceiro, ladrão. • *v.* curvar, entortar.

crooked /kr'ʊkɪd/ *adj.* torto; desonesto.

crop /krɑp/ *s.* colheita, safra; produção. • *v.* plantar, semear, colher.

cross /krɔːs/ *s.* cruz; crucifixo; encruzilhada, cruzamento. • *v.* marcar com cruz; cruzar, atravessar. • *adj.* transversal, oblíquo; contrário; zangado, irritadiço. • *adv.* de lado a lado; através; em cruz; transversalmente; contrariamente. ♦ **cross over** atravessar. **cross the frontier** cruzar a fronteira. **cross-connection** linha cruzada. **cross-eyed** estrábico. **cross-legged** de pernas cruzadas. **cross-stitch** ponto de cruz (costura). **crossbred** híbrido;

mestiço. **crossed check** cheque cruzado. **crossfire** fogo cruzado. **crossing** cruzamento. **crossroads** cruzamento (de ruas). **crosswalk** faixa para pedestres. **crossword** ou **crossword puzzle** palavras cruzadas. **Keep your fingers crossed.** Torça por mim. **make the sign of the cross** fazer o sinal da cruz. **It crossed my mind.** Passou-me pela cabeça. **Way of the Cross.** *via crucis.* **with crossed arms** de braços cruzados.

crossly /kr'ɔːsli/ *adv.* irritadamente, furiosamente.

crotch /krɑtʃ/ (*Brit.* **crutch**) *s.* virilha. ▪ *sin.* groin. → Human Body

crouch /kraʊtʃ/ *v.* agachar(-se); humilhar(-se).

crow /kroʊ/ *s.* corvo. • *v.* (*pret.* **crew**, *p.p.* **crowed**) gritar de alegria (bebê); cantar (galo). → Animal Kingdom

crowd /kraʊd/ *s.* multidão. • *v.* aglomerar(-se); povoar. ▪ *sin.* throng.

crowded /kr'aʊdɪd/ *adj.* abarrotado, cheio, lotado.

crown /kraʊn/ *s.* coroa. • *v.* coroar; recompensar; ornar, adornar.

crucial /kr'uːʃəl/ *adj.* crucial, crítico, decisivo.

crucifix /kr'uːsəfɪk/ *s.* crucifixo.

crucify /kr'uːsɪfaɪ/ *v.* crucificar; torturar.

crude /kruːd/ *adj.* cru, bruto; não cozido; imaturo; grosseiro, rude.

crudeness /kr'uːdnəs/ *s.* crueza.

cruel /kr'uːəl/ *adj.* cruel: Do not be so *cruel*!

cruelty /kr'uːəlti/ *s.* crueldade.

cruise /kruːz/ *s.* cruzeiro, viagem.

crumb /krʌm/ *s.* migalha; miolo do pão.

crumble /kr'ʌmbl/ *v.* esmigalhar; desintegrar(-se); desmoronar.

crumple /kr'ʌmpl/ *s.* ruga, prega, dobra. • *v.* amarrotar.

crunch /krʌntʃ/ *v.* mastigar ruidosamente; triturar ruidosamente.

crusade /kruːs'eɪd/ *s.* cruzada.

crush /krʌʃ/ *s.* esmagamento, compressão violenta. • *v.* esmagar; triturar.

crust /krʌst/ *s.* casca de pão; crosta.

crustacean /krʌst'eɪʃən/ *s.* ou *adj.* crustáceo.

crutch /krʌtʃ/ *s.* muleta, bengala.

cry /kraɪ/ *s.* grito. • *v.* gritar; chorar. ▪ *sin.* bellow, scream, yell, weep. ♦ **cry for joy** chorar de alegria. **cry over spilled milk** chorar sobre o leite derramado.

cryptography /krɪpt'ɑːgrəfi/ *s.* criptografia.

crystal /kr'ɪstəl/ *s.* cristal. • *adj.* transparente, cristalino.

crystallize /kr'ɪstəlaɪz/ (*Brit.* **cristallise**) *v.* cristalizar.

Ctrl /kəntr'oʊl/ (*abrev.* de *control*) controle. → Abbreviations

Ctrl-Alt /kəntr'oʊl ɔːlt/ (*abrev.* de *control-alternate*) controle e alternância. → Abbreviations

Ctrl-Alt-Del /kəntr'oʊl ɔːlt dɪl'iːt/ (*abrev.* de *control-alternate-delete*) controle-alternância-eliminação. → Abbreviations

cub /kʌb/ *s.* filhote. ♦ **Cub Scouts** escoteiros, lobinhos.

Cuba /kj'uːbə/ *s.* Cuba. → Countries & Nationalities

Cuban /kj'uːbən/ *s.* ou *adj.* cubano. → Countries & Nationalities

cube /kjuːb/ *s.* cubo.

cubic /kj'uːbɪk/ *adj.* cúbico.

cubicle /kj'uːbɪkəl/ *s.* cubículo.

cuckoo /k'ʊkuː/ *s.* cuco; doido.

cucumber /kj'uːkʌmbər/ *s.* pepino. → Vegetables

cud /kʌd/ *s.* bolo alimentar (dos ruminantes), comida regurgitada.

cuddle /k'ʌdəl/ *s.* abraço. • *v.* abraçar, aconchegar. ▪ *sin.* snuggle, hug.

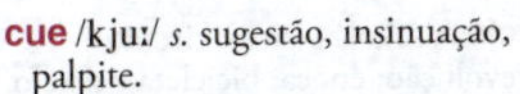

cue /kjuː/ *s.* sugestão, insinuação, palpite.

cuff /kʌf/ *s.* punho de manga; bainha de calça. ♦ **cuff links** abotoaduras.

cul-de-sac /k'ʌl də sæk/ *s.* rua ou beco sem saída.

culinary /k'ʌlɪneri/ *adj.* culinário.

cull /kʌl/ *v.* matar animais para controlar sua população.

culminate /k'ʌlmɪneɪt/ *v.* culminar.

culottes /kuːl'ɑts/ *s.* saia-calça.

culpable /k'ʌlpəbəl/ *adj.* culpável.

culprit /k'ʌlprɪt/ *s.* culpado, criminoso; acusado, réu.

cult /kʌlt/ *s.* culto; seita; ritual.

cultivate /k'ʌltɪveɪt/ *v.* cultivar.

cultivation /kʌltɪv'eɪʃən/ *s.* cultivo; cultura.

cultural /k'ʌltʃərəl/ *adj.* cultural.

culture /k'ʌltʃər/ *s.* cultura; educação; cultivo.

cumbersome /k'ʌmbərsəm/ *adj.* difícil; desajeitado.

cumulative /kj'uːmjəleɪtɪv/ *adj.* cumulativo.

cunning /k'ʌnɪŋ/ *adj.* esperto, astuto. ▪ *sin.* crafty, sly.

cup /kʌp/ *s.* xícara; taça (prêmio). → Numbers

cupboard /k'ʌbərd/ *s.* guarda-louça; armário → Furniture & Appliances

curb /kɜːrb/ *s.* freio; meio fio, calçada. • *v.* restringir, refrear; pôr freio em.

curd /kɜːrd/ *s.* coalho, coalhada. • *v.* coalhar, coagular.

curdle /k'ɜːrdl/ *v.* azedar, talhar, coalhar.

cure /kjʊr/ *s.* cura; medicamento. • *v.* curar; medicar; defumar.

curfew /k'ɜːrfjuː/ *s.* toque de recolher.

curiosity /kjʊri'ɑːsəti/ *s.* curiosidade; raridade; qualidade estranha.

curious /kj'ʊriəs/ *s.* ou *adj.* curioso; indiscreto.

curl /kɜːrl/ *s.* cacho, anel, caracol de cabelo. • *v.* enrolar, torcer, espiralar.

curly /k'ɜːrli/ *adj.* ondulado, encaracolado.

currency /k'ɜːrənsi/ *s.* moeda (de país).

current /k'ɜːrənt/ *s.* corrente, fluxo; corrente elétrica. • *adj.* circulante, corrente. ▪ *sin.* stream.

currently /k'ɜːrəntli/ *adv.* atualmente: Our new work schedule is *currently* under discussion.

curse /kɜːrs/ *s.* maldição, praga; desgraça, calamidade. • *v.* maldizer, amaldiçoar, xingar. ▪ *sin.* swear.

curt /kɜːrt/ *adj.* rude, brusco.

curtain /k'ɜːrtn/ *s.* cortina. → Furniture & Appliances

curvature /k'ɜːrvətʃər/ *s.* curvatura.

curve /kɜːrv/ *s.* curva; curvatura. • *v.* curvar(-se), arquear; fazer curva. • *adj.* curvado, curvo.

curved /kɜːrvd/ *adj.* curvo: That old man has a *curved* back.

cushion /k'ʊʃ/ *s.* almofada. • *v.* almofadar; amortecer. → Furniture & Appliances

custard /k'ʌstərd/ *s.* manjar, creme feito de leite e ovos.

custody /k'ʌstədi/ *s.* custódia; prisão; proteção, guarda.

custom /k'ʌstəm/ *s.* costume. *pl.* ***customs*** alfândega. ♦ **pay customs** pagar impostos na alfândega.

customer /k'ʌstəmər/ *s.* freguês, comprador, cliente.

cut /kʌt/ *s.* corte; ferida; picada. • *v.* (*pret.* e *p.p.* **cut**) cortar; ferir. • *adj.* cortado; entalhado; lapidado. ♦ **cut and paste** recortar e colar. **cut down** diminuição. **cut in half** reduzir à metade. **cut into pieces** cortar em pedaços. **Cut it out!** Deixe disso! **cut the cards** cortar as cartas (do baralho). **Cut your coat according to your cloth.** Viva de acordo com as suas possibilidades.

draw cuts jogar palitos. **He cut the knot.** Ele resolveu o problema. **He took a short cut.** Ele cortou caminho. **make a cut in the story** resumir a história. **pay cut** redução salarial. → Irregular Verbs

cute /kjuːt/ *adj.* bonitinho, fofinho; engraçado.

cuticle /kj'uːtɪkəl/ *s.* cutícula.

cutlery /k'ʌtləri/ (*tb.* ***silverware***) *s.* talheres (facas, tesouras, instrumentos de corte).

cutlet /k'ʌtlət/ *s.* costeleta; fatia de carne ou de peixe, posta.

cutting /k'ʌtɪŋ/ *s.* incisão. • *adj.* cortante; mordaz. ♦ **cutting edge** inovador, de ponta.

cyanide /s'aɪənaɪd/ *s.* cianureto.

cybercafé /s'aɪbərkæfeɪ/ *s. cybercafé.*

cybernaut /s'aɪbərnɔːt/ *s.* cibernauta.

cyberspace /s'aɪbərspeɪs/ *s.* ciberespaço.

cyclamate /s'aɪkləmeɪt/ *s.* ciclamato.

cycle /s'aɪkəl/ *s.* ciclo; circuito; revolução; época; bicicleta; triciclo. • *v.* passar por um ciclo; andar de bicicleta ou de triciclo. ♦ **cycling** ciclismo. → Sports

cyclic /s'aɪklɪk, s'ɪklɪk/ (*tb.* ***cyclical***) *adj.* cíclico.

cyclone /s'aɪkloʊn/ *s.* ciclone. → Weather

cylinder /s'ɪlɪndər/ *s.* cilindro.

cylindric /səl'ɪndrɪk/ *adj.* cilíndrico.

cymbals /s'ɪmbəlz/ *s. pl.* pratos (instrumento musical). → Musical Instruments

cynic /s'ɪnɪk/ (*tb.* ***cynical***) *s.* ou *adj.* cínico.

cypress /s'aɪprəs/ *s.* cipreste.

czar /zɑr/ (*tb.* ***tsar*** ou ***tzar***) *s.* czar.

Czech /tʃek/ *s.* ou *adj.* tcheco. → Countries & Nationalities

Czech Republic /tʃek rɪp'ʌblɪk/ *s.* República Tcheca. → Countries & Nationalities

D

D /diː/ *s.* quarta letra do alfabeto inglês; ré, a segunda nota musical.

DA /diː'eɪ/ (*abrev.* de *District Attorney*) procurador. → Abbreviations

dab /dæb/ *s.* pequena quantidade; palmadinha, toque suave. *pl.* **dabs** (*Brit.*) impressão digital. • *v.* tocar levemente.

dad /dæd/ *s.* papai.

daddy /d'ædi/ *s.* papai. ▪ *sin.* dad.

daffodil /d'æfədɪl/ *s.* narciso.

daft /dæft/ *adj.* bobo, louco. ▪ *sin.* crazy, mad, insane, silly. ♦ **daft as a brush** burro como uma porta.

dagger /d'ægər/ *s.* adaga, punhal.

daily /d'eɪli/ *adv.* diariamente.

dainty /d'eɪnti/ *s.* iguaria fina. • *adj.* delicado; delicioso; elegante, gracioso, belo.

dairy /d'eri/ *s.* laticínio; estabelecimento que comercializa laticínios.

daisy /d'eɪzi/ *s.* margarida.

dale /deɪl/ *s.* vale.

dam /dæm/ *s.* represa, dique. • *v.* represar.

damage /d'æmɪdʒ/ *s.* dano, prejuízo. *pl.* **damages** indenização. • *v.* estragar; prejudicar. ▪ *sin.* injury, loss.

dame /deɪm/ *s.* senhora, dama.

damn /dæm/ *s.* maldição, praga. • *v.* condenar; amaldiçoar. • *adj.* desgraçado, maldito. ♦ **damn it!** maldito seja! **not a damn thing** absolutamente nada. **not give a damn** não se importar. **not be worth a damn** não valer nada.

damp /dæmp/ *s.* umidade. • *v.* umedecer. • *adj.* úmido.

dance /dæns/ *s.* dança; baile. • *v.* dançar, bailar.

dancer /d'ænsər/ *s.* dançarino, bailarino.

dancing /d'ænsɪŋ/ *s.* dança: That restaurant offers good food, live music and *dancing*. → Leisure

dandruff /d'ændrʌf/ *s.* caspa.

Dane /deɪn/ *s.* dinamarquês (nativo da Dinamarca). → Countries & Nationalities

danger /d'eɪndʒər/ *s.* perigo, risco. ▪ *sin.* hazard, peril. ♦ **in danger of** sujeito a. **to be out of danger** estar a salvo.

dangerous /d'eɪndʒərəs/ *adj.* perigoso.

dangle /d'æŋgəl/ *s.* balanço. • *v.* balançar(-se).

Danish /d'eɪnɪʃ/ *s.* ou *adj.* dinamarquês. → Countries & Nationalities

dare /d'er/ *s.* coragem, desafio, ousadia. • *v.* ousar, atrever-se; desafiar, afrontar; ter coragem.

daring /d'erɪŋ/ *s.* audácia. • *adj.* audacioso.

dark /dɑːrk/ *s.* escuridão. • *adj.* escuro. ♦ **after dark** depois do anoitecer. **Dark Ages** Idade Média. **in the dark** sem informação ou conhecimento sobre algo.

darken /d'ɑːrkən/ *v.* escurecer.

darkness /d'ɑːrknəs/ *s.* escuridão.

darling /d'ɑrlɪŋ/ *s.* ou *adj.* querido(a).

darn /dɑːrn/ *s.* remendo. • *v.* remendar.

dart /dɑːrt/ *s.* dardo; flecha; seta. • *v.* arremessar. → Leisure

dash /dæʃ/ *s.* colisão; pancada; pitada (pequena quantidade); hífen; traço (travessão). • *v.* quebrar; bater; colidir.

dashboard /d'æʃbɔːrd/ *s.* painel (do carro).

DAT /dæt/ (*abrev.* de *Digital Audiotape*) fita de áudio digital. → Abbreviations

data /d'eɪtə, d'ætə/ *s. pl.* dados. *sing.* **datum**. ♦ **data bank/database** banco/base de dados. **data compression** compressão de dados. **data entry** entrada de dados. **data flow** fluxo de dados. **data recording** gravação de dados. **data retrieving** recuperação de dados. **data sharing** compartilhamento de dados. **data source** fonte de dados. **data storage** armazenamento de dados. → Deceptive Cognates

date /deɪt/ *s.* data; encontro; entrevista; tâmara. • *v.* datar; sair com alguém; namorar. ♦ **expiration date** (*Brit.* **expiry date**) data de validade. **blind date** encontro às escuras. **have a date** ter um encontro. **out-of-date** ou **outdated** fora de moda. **up-to-date** atual, atualizado, moderno. → Fruit → Numbers

daughter /d'ɔːtər/ *s.* filha.

dawn /dɔːn/ *s.* alvorada, madrugada. • *v.* amanhecer. ▪ *sin.* daybreak.

day /d'eɪ/ *s.* dia. ♦ **all day long** o dia todo. **All Souls' Day** Dia de Finados. **by day** de dia. **day after day** ou **day by day** ou **day in, day out** dia após dia. **day boarder** aluno semi-interno. **day care center** (*Brit.* **day care centre**) creche. **day off** dia livre, folga. **Doomsday** Dia do Juízo Final. **every other day** dia sim, dia não. **in broad daylight** em plena luz do dia. **once a day** uma vez ao dia. **the day after tomorrow** depois de amanhã. **the day before yesterday** anteontem. **the other day** outro dia. **daybreak** raiar do dia. **daydream** sonhar acordado. **daylight saving time** horário de verão. **daily** diariamente.

daze /deɪz/ *s.* confusão mental; torpor. • *v.* ofuscar; entorpecer, pasmar.

dazzle /dæzəl/ *s.* deslumbramento, fascinação. • *v.* deslumbrar, fascinar.

DC /diːs'iː/ (*abrev.* de *District of Columbia*) Distrito de Colúmbia. → Abbreviations

D-day /d'ideɪ/ *s.* Dia D (desembarque das tropas aliadas na Normandia, durante a 2ª Guerra Mundial).

DEA /diːiː'eɪ/ (*abrev.* de *Drug Enforcement Administration*) Força Administrativa de Narcóticos. → Abbreviations

dead /ded/ *s.* ou *adj.* ou *adv.* morto. ♦ **a dead-drunk man** um homem completamente embriagado. **dead center of the car** ponto morto do carro. **dead heat** empate. **dead house** necrotério. **dead language** língua morta. **dead march** marcha fúnebre. **Dead Sea** Mar Morto. **dead weight** peso morto. **dead-end street** rua sem saída. **deadly poison** veneno mortal. **the seven deadly sins** os sete pecados capitais.

deadline /d'edlaɪn/ *s.* data-limite, prazo final.

deadlock /d'edlɑk/ *s.* impasse.

deaf /def/ *adj.* surdo. ♦ **turn a deaf ear** fingir que não ouve. **stone-deaf** surdo como uma porta. **deafen** ensurdecer. **deafening** ensurdecedor. **deafness** surdez.

deal /diːl/ *s.* acordo. • *v.* (*pret.* e *p.p.* ***dealt***) negociar; repartir. ♦ **a good deal of** ou **a great deal of** muito; uma grande quantidade. **deal with** lidar com. **make a deal** fechar um negócio. **It's a deal!** Negócio fechado! → Irregular Verbs

dealer /d'iːlər/ *s.* negociante; distribuidor.

dean /diːn/ *s.* reitor.

dear /dɪr/ *s.* querido, bem-amado. • *adj.* amado, querido, estimado; dispendioso, caro.

dearth /dɜːrθ/ *s.* escassez. ▪ *sin.* lack.

death /deθ/ *s.* morte. ♦ **death certificate** atestado de óbito. **death rate** taxa ou índice de mortalidade. **death sentence** pena de morte. **deathbed** leito de morte. **death blow** golpe mortal. **death duty** imposto sobre herança. **deathless** imortal. **tired to death** muito cansado. **wounded to death** muito ferido.

debase /dɪb'eɪs/ *v.* humilhar; desprezar.

debate /dɪb'eɪt/ *s.* debate, discussão. • *v.* debater, discutir.

debility /dɪb'ɪləti/ *s.* debilidade, fraqueza.

debit /d'ebɪt/ *s.* débito, dívida. • *v.* debitar.

debris /dəbr'iː/ *s.* escombros, restos, ruínas.

debt /det/ *s.* dívida; obrigação, dever, compromisso. ♦ **Out of debt, out of danger.** Quem não deve não teme.

debtor /d'etər/ *s.* devedor.

debug /diːb'ʌg/ *v.* depurar, eliminar erros, limpar (*informática*).

debunk /diːb'ʌŋk/ *v.* desiludir, desmascarar, ridicularizar.

debut /deɪbj'uː/ *s.* estreia. • *v.* estrear.

decade /d'ekeɪd, dɪk'eɪd/ *s.* década.

decadence /d'ekədəns/ *s.* decadência.

decathlon /dɪk'æθlən/ *s.* decátlon. → Sports

decay /dɪk'eɪ/ *s.* decadência; ruína. • *v.* decair, deteriorar. ▪ *sin.* decline. ♦ **tooth decay** cárie.

deceased /dɪs'iːst/ *s.* ou *adj.* falecido. ▪ *sin.* dead.

deceit /dɪs'iːt/ *s.* fraude; engano.

deceitful /dɪs'iːtfəl/ *adj.* enganoso, enganador.

deceive /dɪs'iːv/ *v.* enganar.

December /dɪs'embər/ *s.* dezembro.

decency /d'iːsənsi/ *s.* decência, decoro.

decent /d'iːsənt/ *adj.* decente, respeitável.

decentralize /diːs'entrəlaɪz/ (*Brit.* ***decentralise***) *v.* descentralizar.

deception /dɪs'epʃən/ *s.* engano; fraude, trapaça. → Deceptive Cognates

deceptive /dɪs'eptɪv/ *adj.* enganoso.

decide /dɪs'aɪd/ *v.* decidir; solucionar.

deciduous /dɪs'ɪdʒuəs, dɪs'ɪdjuəs/ *adj.* que cai, caduca (folha). ▪ *sin.* transitory. ▪ *ant.* evergreen.

decimal /d'esɪməl/ *s.* ou *adj.* decimal. → Numbers

decipher /dɪs'aɪfər/ *v.* decifrar.

decision /dɪs'ɪʒən/ *s.* decisão.

decisive /dɪs'aɪsɪv/ *adj.* decisivo.

deck /dek/ *s.* convés, plataforma; baralho.

deckchair /d'ektʃer/ *s.* cadeira de lona; espreguiçadeira.

declaration /deklər'eɪʃən/ *s.* declaração; confissão, depoimento.

declare /dɪkl'er/ *v.* declarar; depor, expressar. ▪ *sin.* express.

decline /dɪkl'aɪn/ *s.* declínio, decadência; deterioração; declive. • *v.* declinar, recusar; baixar, diminuir.

decompose /diːkəmp'oʊz/ *v.* decompor.

decor /deɪk'ɔːr/ *s.* cenário; decoração, ornamentação.

decorate /d'ekəreɪt/ *v.* decorar, ornamentar. ▪ *sin.* trim, adorn, garnish.

decoration /dekər'eɪʃən/ *s.* decoração.

decorative /d'ekəreɪtɪv/ *adj.* decorativo, ornamental.

decorator /d'ekəreɪtər/ *s.* decorador. → Professions

decoy /d'iːkɔɪ/ *s.* armadilha; chamariz, isca.

decrease /d'iːkriːs/ *s.* decréscimo, diminuição, redução. • /dɪkr'iːs/ *v.* decrescer, diminuir, reduzir.

decree /dɪkr'iː/ *s.* decreto, mandado. • *v.* decretar.

decrepit /dɪkr'epɪt/ *adj.* decrépito.

dedicate /d'edɪkeɪt/ *v.* dedicar(-se).

dedicated /d'edɪkeɪtɪd/ *adj.* dedicado.

dedication /dedɪk'eɪʃən/ *s.* dedicação; dedicatória.

deduce /dɪd'uːs/ *v.* deduzir, inferir.

deduct /dɪd'ʌkt/ *v.* subtrair; deduzir.

deduction /dɪd'ʌkʃən/ *s.* dedução.

deed /diːd/ *s.* façanha, proeza; escritura. ▪ *sin.* achievement, feat. ♦ **good deed** boa ação.

deep /diːp/ *adj.* profundo; secreto. ♦ **deep mourning** luto fechado. **deep-read** culto. **deep-rooted** enraizado. **deepen** aprofundar. **deeply** profundamente. **depth** profundidade.

deer /d'ɪr/ *s.* cervo. → Animal Kingdom

deface /dɪf'eɪs/ *v.* desfigurar; borrar.

defamation /defəm'eɪʃən/ *s.* difamação, calúnia.

default /dɪf'ɔːlt, d'iːfɔːlt/ *s.* padrão, automático. ♦ **default setting** estabelecimento de padrões básicos.

defeat /dɪf'iːt/ *s.* derrota; frustração. • *v.* derrotar; frustrar. ▪ *sin.* beat; foil, frustrate.

defect /d'iːfekt, dɪf'ekt/ *s.* defeito. • *v.* trair, mudar de lado; desertar.

defection /dɪf'ekʃən/ *s.* traição; deserção.

defective /dɪf'ektɪv/ *adj.* defeituoso.

defend /dɪf'end/ *v.* defender, proteger, amparar.

defendant /dɪf'endənt/ *s.* réu.

defender /dɪf'endər/ *s.* advogado de defesa; defensor. → Professions

defense /dɪf'ens/ (*Brit.* **defence**) *s.* defesa, proteção.

defenseless /dɪf'ensləs/ (*Brit.* **defenceless**) *adj.* indefeso.

defensive /dɪf'ensɪv/ *s.* defensiva. • *adj.* defensivo.

defer /dɪf'ɜːr/ *v.* adiar. ▪ *sin.* put off, postpone.

deference /d'efərəns/ *s.* deferência, respeito.

defiance /dɪf'aɪəns/ *s.* desafio, provocação; rebeldia, oposição.

deficiency /dɪf'ɪʃənsi/ *s.* carência, deficiência, falta. ▪ *sin.* lack.

defile /dɪf'aɪl, d'iːfaɪl/ *s.* desfiladeiro. • /dɪf'aɪl/ *v.* sujar, contaminar; corromper.

define /dɪf'aɪn/ *v.* definir, descrever; limitar.

definite /d'efɪnət/ *adj.* definido; definitivo.

definitely /d'efɪnətli/ *adv.* definitivamente: I am *definitely* clumsy.

definition /defɪn'ɪʃən/ *s.* definição.

This is not my *definition* of a little scratch!

definitive /dɪf'ɪnətɪv/ *adj.* definitivo.

deflagrate /d'efləgreɪt/ *v.* deflagrar.

deflate /dɪfl'eɪt/ *v.* deflacionar; esvaziar (pneu).

deflect /dɪfl'ekt/ *v.* desviar(-se).

deform /dɪf'ɔːrm/ *v.* deformar.

deformed /dɪf'ɔːrmd/ *adj.* deformado.

deformity /dɪf'ɔːrməti/ *s.* deformidade, deformação.

defraud /dɪfr'ɔːd/ *v.* trapacear; fraudar. ▪ *sin.* cheat.

defray /dɪfr'eɪ/ *v.* custear, financiar.

defrost /diːfr'ɔːst/ *v.* descongelar.

defy /dɪf'aɪ/ *v.* desafiar, provocar.

degenerate /dɪdʒ'enərət/ *s.* ou *adj.* degenerado. • /dɪdʒ'enəreɪt/ *v.* degenerar.

degradation /degrəd'eɪʃən/ *s.* degradação; rebaixamento.

degree /dɪgr'iː/ *s.* grau; medida, ordem; estágio, classe; diploma. ♦ **by degrees** pouco a pouco. **first-degree murder** homicídio doloso qualificado. **to a degree** até certo ponto. → Numbers → Classroom

dehydrate /diːh'aɪdreɪt/ *v.* desidratar.

deity /d'iːəti/ *s.* divindade.

deject /dɪdʒ'ekt/ *v.* abater, desanimar.

del /del/ (*abrev.* de *delete*) apagar, eliminar (*informática*). → Abbreviations

delay /dɪl'eɪ/ *s.* demora, atraso. • *v.* demorar, atrasar(-se).

delegate /d'elɪgət/ *s.* delegado; deputado; representante. • /d'elɪgeɪt/ *v.* delegar; incumbir, encarregar. ▪ *sin.* deputy. → Professions

delegation /delɪg'eɪʃən/ *s.* delegação.

delete /dɪl'iːt/ *v.* apagar, excluir (*informática*).

deliberate /dɪl'ɪbəreɪt/ *v.* deliberar, ponderar. • /dɪl'ɪbərət/ *adj.* acautelado, ponderado, deliberado. ▪ *sin.* consider, think (about/over), ponder.

delicacy /d'elɪkəsi/ *s.* delicadeza; guloseima.

delicate /d'elɪkət/ *adj.* delicado, atencioso.

delicatessen /delɪkət'esən/ *s.* mercearia de produtos finos. *abrev.* **deli**.

delicious /dɪl'ɪʃəs/ *adj.* delicioso.

delight /dɪl'aɪt/ *s.* delícia; prazer. • *v.* deleitar; ter prazer; encantar. ▪ *sin.* pleasure.

delighted /dɪl'aɪtɪd/ *adj.* encantado: She was *delighted* with the garden.

delightful /dɪl'aɪtfəl/ *adj.* encantador. ▪ *sin.* charming.

delineate /dɪl'ɪniːeɪt/ *v.* delinear, esboçar.

delinquent /dɪl'ɪŋkwənt/ *s.* ou *adj.* delinquente. ▪ *sin.* offender.

delirious /dɪl'ɪriəs/ *adj.* delirante.

deliver /dɪl'ɪvər/ *v.* entregar; fazer o parto; libertar; distribuir (cartas).

delivery /dɪl'ɪvəri/ *s.* entrega; parto. ♦ **deliveryman** entregador. **delivery note** nota de entrega. **delivery room** sala de parto. **place of delivery** local de entrega.

delude /dɪl'uːd/ *v.* enganar, iludir.

deluge /d'eljuːdʒ/ *s.* dilúvio. • *v.* inundar. ▪ *sin.* flood, overflow.

delusion /dɪl'uːʒən/ *s.* desilusão; engano.

demand /dɪm'ænd/ *s.* demanda; exigência. • *v.* exigir; requerer. ▪ *sin.* require. ♦ **law of supply and demand** lei de oferta e de procura. **demanding** exigente.

demarcation /diːmɑrk'eɪʃən/ *s.* demarcação.

demeanor /dɪm'iːnər/ (*Brit.* ***demeanour***) *s.* conduta, comportamento. ▪ *sin.* behavior.

demise /dɪm'aɪz/ *s.* falecimento: The doctor announced their *demise*.; fracasso: The Roman Empire *demise* was caused by several invasions.

demission /dɪm'ɪʃən/ *s.* demissão.

democracy /dɪm'ɑkrəsi/ *s.* democracia.

democrat /d'eməkræt/ *s.* democrata.

democratic /deməkr'ætɪk/ *adj.* democrático.

demolish /dɪm'ɑlɪʃ/ *v.* demolir, destruir. ▪ *sin.* destroy.

demon /d'iːmən/ *s.* demônio. ▪ *sin.* devil.

demonstrate /d'emənstreɪt/ *v.* demonstrar.

demonstration /demənstr'eɪʃən/ *s.* demonstração.

demonstrative /dɪm'ɑnstrətɪv/ *adj.* demonstrativo.

demoralize /dɪm'ɔːrəlaɪz/ (*Brit.* ***demoralise***) *v.* desmoralizar.

demo tape /d'emoʊ teɪp/ *s.* fita de demostração: He recorded a *demo tape* for the producer.

demure /dɪm'jʊr/ *adj.* recatada, tímida (mulher).

den /den/ *s.* toca, covil; retiro; recanto; gabinete.

denial /dɪn'aɪəl/ *s.* negação; recusa.

denim /d'enɪm/ *s.* brim. ♦ **denim jacket** jaqueta *jeans.* ➔ Clothing

Denmark /d'enmɑrk/ *s.* Dinamarca. ➔ Countries & Nationalities

denomination /dɪnɑmɪn'eɪʃən/ *s.* denominação.

denote /dɪn'oʊt/ *v.* significar, indicar.

denounce /dɪn'aʊns/ *v.* denunciar.

dense /dens/ *adj.* denso, espesso.

dent /dent/ *s.* amassado; entalhe. • *v.* amassar; entalhar.

dental /d'entəl/ *adj.* dental, dentário. ♦ **dental floss** fio dental.

dentist /d'entɪst/ *s.* dentista. ➔ Professions

dentistry /d'entɪstri/ *s.* odontologia.

deny /dɪn'aɪ/ *v.* negar, desmentir. ▪ *sin.* refuse, contradict.

deodorant /di'oʊdərənt/ *s.* ou *adj.* desodorante, desodorizante.

depart /dɪp'ɑrt/ *v.* partir, ir embora, sair.

departed /dɪp'ɑrtɪd/ *adj.* morto, defunto.

department /dɪp'ɑrtmənt/ *s.* departamento, seção. ♦ **department store** loja de departamentos.

departure /dɪp'ɑrtʃər/ *s.* partida, saída. ♦ **departure gate** portão de embarque. **departure platform** plataforma de embarque. **departure time** horário de embarque. **point of departure** ponto de partida.

depend /dɪp'end/ *v.* (usado com a preposição ***on***) depender de; contar com; confiar em.

dependable /dɪp'endəbəl/ *adj.* confiável, seguro.

dependence /dɪp'endəns/ *s.* dependência; subordinação.

dependent /dɪp'endənt/ *adj.* ou *s.* dependente.

depict /dɪp'ɪkt/ *v.* pintar; descrever, retratar. ▪ *sin.* paint.

deplorable /dɪpl'ɔːrəbəl/ *adj.* deplorável, lastimável.

deplore /dɪpl'ɔːr/ *v.* criticar, deplorar; lamentar(-se).

deport /dɪp'ɔːrt/ *v.* deportar.

depose /dɪp'oʊz/ *v.* depor, destituir (do poder).

deposit /dɪp'ɑzɪt/ *s.* depósito; garantia. • *v.* depositar.

depositor /dɪp'ɑzɪtər/ *s.* depositante.

depot /d'iːpoʊ/ *s.* armazém, depósito; estação.

deprave /dɪpr'eɪv/ *v.* depravar; viciar.

depreciate /dɪpr'iːʃieɪt/ *v.* depreciar.

depreciation /dɪpriːʃi'eɪʃən/ *s.* depreciação.

depredation /deprəd'eɪʃən/ *s.* depredação.

depress /dɪpr'es/ *v.* deprimir; humilhar; desvalorizar.

depressed /dɪpr'est/ *adj.* deprimido.

depressing /dɪpr'esɪŋ/ *adj.* deprimente.

depression /dɪpr'eʃən/ *s.* depressão.

deprivation /deprɪv'eɪʃən/ *s.* privação.

deprive /dɪpr'aɪv/ *v.* privar.

depth /depθ/ *s.* profundidade. ▪ *sin.* profundity.

deputation /depjut'eɪʃən/ *s.* delegação; comissão.

deputy /d'epjuti/ *s.* deputado; representante; substituto.

derail /dɪr'eɪl/ *v.* descarrilar.

derange /dɪr'eɪndʒ/ *v.* desarranjar, desordenar; enlouquecer, perturbar. ▪ *sin.* disorder; madden.

deride /dɪr'aɪd/ *v.* zombar, ridicularizar.

derision /dɪr'ɪʒən/ *s.* menosprezo.

derive /dɪr'aɪv/ *v.* derivar; originar(-se).

dermatology /dɜːrmət'ɑlədʒi/ *s.* dermatologia.

descend /dɪs'end/ *v.* descer; descender.

descendant /dɪs'endənt/ *s.* descendente.

descent /dɪs'ent/ *s.* descida; descendência.

describe /dɪskr'aɪb/ *v.* descrever.

description /dɪskr'ɪpʃən/ *s.* descrição.

desert /d'ezərt/ *s.* deserto. • /dɪz'ɜːrt/ *v.* abandonar, desertar.

deserted /dɪz'ɜːrtɪd/ *adj.* abandonado: That town looked *deserted.*

deserve /dɪz'ɜːrv/ *v.* merecer.

deserving /dɪz'ɜːrvɪŋ/ *adj.* digno (de), merecedor (de).

design /dɪz'aɪn/ *s.* projeto; desenho. • *v.* projetar; desenhar.

designate /d'ezɪgneɪt/ *v.* designar, indicar; nomear. • /d'ezɪgnət/ *adj.* designado.

designer /dɪz'aɪnər/ *s.* desenhista, projetista. → Professions

desirable /dɪz'aɪərəbəl/ *adj.* desejável.

desire /dɪz'aɪər/ *s.* desejo. • *v.* desejar. ▪ *sin.* wish, crave.

desk /desk/ *s.* balcão de informação; carteira escolar; escrivaninha. → Classroom → Furniture & Appliances

desolate /d'esəleɪt/ *v.* despovoar, devastar. • /d'esələt/ *adj.* desolado, infeliz, solitário.

desolation /desəl'eɪʃən/ *s.* desolação, devastação; solidão; tristeza.

despair /dɪsp'er/ *s.* desespero. • *v.* desesperar. ♦ **out of despair** desesperadamente. ▪ *sin.* anguish.

desperate /d'espərət/ *adj.* desesperado, desesperador.

despicable /dɪsp'ɪkəbl/ *adj.* desprezível; imoral, vil.

despise /dɪsp'aɪz/ *v.* desprezar. ▪ *sin.* contemn. ▪ *ant.* esteem.

despite /dɪsp'aɪt/ *prep.* apesar de. ▪ *sin.* in spite of.

despot /d'espɑt/ *s.* déspota.

dessert /dɪz'ɜːrt/ *s.* sobremesa. ♦ **dessert spoon** colher de sobremesa.

destination /destɪn'eɪʃən/ *s.* destino.

destiny /d'estəni/ *s.* destino. ▪ *sin.* fate.

destitute /d'estɪtuːt/ *adj.* destituído; necessitado.

destroy /dɪstr'ɔɪ/ *v.* destruir, aniquilar.

destruction /dɪstr'ʌkʃən/ *s.* destruição.

destructive /dɪstr'ʌktɪv/ *adj.* destrutivo.

detach /dɪt'ætʃ/ *v.* desunir, separar; desligar.

detail /d'iːteɪl/ *s.* detalhe. • *v.* detalhar.

detailed /dit'eɪld, d'iːteɪld/ *adj.* detalhado: Here you will find *detailed* instructions.

detain /dɪt'eɪn/ *v.* deter, demorar. ▪ *sin.* hold.

detect /dɪt'ekt/ *v.* descobrir, identificar, revelar. ▪ *sin.* discover.

detective /dɪt'ektɪv/ *s.* detetive. → Professions

detention /dɪt'enʃən/ *s* detenção; custódia.

deter /dɪt'ɜːr/ *v.* intimidar, atemorizar; dissuadir; (usado com a preposição ***from***) deter, impedir. ▪ *sin.* discourage, dissuade.

detergent /dɪt'ɜːrdʒənt/ *s.* ou *adj.* detergente.

deteriorate /dɪt'ɪriəreɪt/ *v.* deteriorar(-se).

determination /dɪtɜːrmɪn'eɪʃən/ *s.* determinação, resolução.

determine /dɪt'ɜːrmɪn/ *v.* determinar.

determined /dɪt'ɜːrmɪnd/ *adj.* determinado: He was *determined* to go on.

detest /dɪt'est/ *v.* detestar, odiar. ▪ *sin.* hate.

detestable /dɪt'estəbəl/ *adj.* detestável.

detonate /d'etəneɪt/ *v.* detonar, explodir.

detour /d'iːtʊr/ *s.* volta, desvio.

detract /dɪtr'ækt/ *v.* (usado com a preposição ***from***) depreciar(-se); diminuir; desviar.

detriment /d'etrɪmənt/ *s.* dano; detrimento. ▪ *sin.* damage, harm.

deuce /duːs/ *s.* empate em 40 a 40 (*tênis*).

devaluation /diːvælju'eɪʃən/ *s.* desvalorização.

devastate /d'evəsteɪt/ *v.* arrasar, assolar, devastar.

develop /dɪv'eləp/ *v.* desenvolver(-se). ♦ **a developed country** um país desenvolvido. **a developing country** um país em desenvolvimento. **an underdeveloped country** um país subdesenvolvido.

development /dɪv'eləpmənt/ *s.* desenvolvimento. ♦ **underdevelopment** subdesenvolvimento.

deviant /d'iːviənt/ *adj.* corrompido, pervertido.

deviate /d'iːvieɪt/ *v.* desviar-se, afastar-se, divergir (dos padrões). ▪ *sin.* diverge, swerve.

deviation /diːvi'eɪʃən/ *s.* desvio.

device /dɪv'aɪs/ *s.* dispositivo; instrumento.

devil /d'evəl/ *s.* diabo. ▪ *sin.* demon.

devilish /d'evəlɪʃ/ *adj.* diabólico.

devious /d'iːviəs/ *adj.* divergente; desonesto; tortuoso.

devise /dɪv'aɪz/ *v.* imaginar, inventar, criar.

devoid /dɪv'ɔɪd/ *adj.* (geralmente seguido de ***of***) destituído de, desprovido de.

devote /dɪv'oʊt/ *v.* devotar, dedicar.

devoted /dɪv'oʊtɪd/ *adj.* dedicado; devotado.

devotion /dɪv'oʊʃən/ *s.* devoção.

devour /dɪv'aʊər/ *v.* devorar.

devout /dɪv'aʊt/ *adj.* dedicado, devotado; devoto, religioso.

dew /duː/ *s.* orvalho, sereno. ➔ Weather

dexterity /dekst'erəti/ *s.* agilidade, destreza.

diabetes /daɪəb'iːtiːz/ *s.* diabetes.

diagnose /daɪəgn'oʊs/ *v.* diagnosticar.

diagnosis /daɪəgn'oʊsɪs/ *s.* diagnóstico. *pl.* ***diagnoses***.

diagonal /daɪ'ægənəl/ *s.* ou *adj.* diagonal.

diagram /d'aɪəgræm/ *s.* diagrama; gráfico.

dial /d'aɪəl/ *s.* mostrador de relógio, de rádio, de bússola; disco dos aparelhos telefônicos. • *v.* discar (telefone).

dialect /d'aɪəlekt/ *s.* dialeto.

dialog /d'aɪəlɔːg/ (*Brit.* ***dialogue***) *s.* diálogo. • *v.* dialogar, conversar.

diameter /daɪ'æmɪtər/ *s.* diâmetro.

diamond /d'aɪəmənd/ *s.* diamante.

diaper /d'aɪpər/ (*Brit.* ***nappy***) *s.* fralda.

diaphragm /d'aɪəfræm/ *s.* diafragma.

diarrhea /daɪər'iːə/ (*Brit.* ***diarrhoea***) *s.* diarreia.

diary /d'aɪəri/ *s.* diário.

dice /daɪs/ *s. pl.* dados. *sing.* ***die***. • *v.* cortar (vegetais, etc.) em cubos. ♦ **The dice are cast.** Os dados estão lançados. **throw/roll the dice** jogar os dados. ➔ Leisure

dicey /d'aɪsi/ *adj.* arriscado, perigoso. ▪ *sin.* dangerous, hazardous.

dictate /d'ɪkteɪt/ *v.* ditar; impor.

dictation /dɪkt'eɪʃən/ *s.* ditado.

dictator /d'ɪkteɪtər/ *s.* ditador.

diction /d'ɪkʃən/ *s.* dicção.

dictionary /d'ɪkʃəneri/ *s.* dicionário.

did /dɪd/ *v. pret.* de ***do***.

die /daɪ/ *s.* dado de jogar. *pl.* **dice** /daɪs/ • *v.* morrer. ▪ *sin.* perish, pass away. ▪ *ant.* live.

diet /d'aɪət/ *s.* dieta, regime. • *v.* fazer dieta. ♦ **be on a diet** estar de regime.

dietetic /daɪət'etɪk/ *adj.* dietético.

differ /d'ɪfər/ *v.* (geralmente acompanhado de ***from***) diferir de; (geralmente acompanhado de ***on/ over***) discordar de.

difference /d'ɪfrəns/ *s.* diferença.

different /d'ɪfrənt/ *adj.* diferente.

differentiate /dɪfər'enʃieɪt/ *v.* diferenciar.

differently /d'ɪfrəntli/ *adv.* diferentemente: They think *differently*.

difficult /d'ɪfɪkəlt/ *adj.* difícil. ▪ *sin.* hard. ▪ *ant.* easy.

difficulty /d'ɪfɪkəlti/ *s.* dificuldade. ▪ *sin.* trouble.

diffuse /dɪfj'uːs/ *adj.* difuso, espalhado. • *v.* difundir(-se), espalhar(-se).

dig /dɪg/ *v.* (*pret.* e *p.p.* **dug**) cavar, escavar. → Irregular Verbs

digest /dɪdʒ'est/ *v.* digerir.

digestible /daɪdʒ'estəbl, dɪdʒ'estəbl/ *adj.* digerível.

digestion /dɪdʒ'estʃən/ *s.* digestão.

digit /d'ɪdʒɪt/ *s.* dígito.

digital /d'ɪdʒɪtəl/ *adj.* digital. ♦ **digital divide** exclusão digital. **digital media** meios de comunicação digitais. **digital signature** assinatura digital.

dignified /d'ɪgnɪfaɪd/ *adj.* honrado; sério, grave.

dignify /d'ɪgnɪfaɪ/ *v.* dignificar.

dignity /d'ɪgnəti/ *s.* dignidade.

digress /daɪgr'es/ *v.* divagar.

digression /daɪgr'eʃən/ *s.* digressão, divagação.

dike /daɪk/ (*tb.* **dyke**) *s.* dique; (*gír. pej.*) mulher homossexual, "sapatão".

dilate /daɪl'eɪt/ *v.* dilatar, expandir, ampliar. ▪ *sin.* expand.

diligent /d'ɪlɪdʒənt/ *adj.* aplicado, cuidadoso, diligente.

dilute /daɪl'uːt/ *v.* diluir. • *adj.* diluído.

dim /dɪm/ *v.* escurecer; ofuscar. • *adj.* escuro. ▪ *sin.* dark. ▪ *ant.* clear.

dime /daɪm/ *s.* moeda de dez centavos (*Canadá e EUA*). → Numbers

dimension /daɪm'enʃn, dɪm'enʃn/ *s.* dimensão.

diminish /dɪm'ɪnɪʃ/ *v.* diminuir.

diminutive /dɪm'ɪnjətɪv/ *s.* diminutivo. • *adj.* diminuto, minúsculo.

dimple /d'ɪmpəl/ *s.* covinha (nas faces ou no queixo).

din /dɪn/ *s.* estrondo, ruído contínuo.

dine /daɪn/ *v.* jantar.

dingy /d'ɪndʒi/ *adj.* sujo; desbotado.

dinner /d'ɪnər/ *s.* jantar. ♦ **dinner jacket** (*Brit.*) traje de gala, *smoking*. Ver ***tuxedo***.

dip /dɪp/ *s.* mergulho; banho (de mar); molho. • *v.* mergulhar; molhar.

diphtheria /dɪfθ'ɪriə, dɪpθ'ɪriə/ *s.* difteria.

diphthong /d'ɪfθɑŋ, d'ɪpθɑŋ/ *s.* ditongo.

diploma /dɪpl'oʊmə/ *s.* diploma.

diplomacy /dɪpl'oʊməsi/ *s.* diplomacia.

diplomat /d'ɪpləmæt/ *s.* diplomata.

dire /d'aɪər/ *adj.* calamitoso, terrível. ♦ **in dire straits** em grande dificuldade ou necessidade.

direct /dər'ekt/ *v.* dirigir; indicar; endereçar. • *adj.* direto, franco. ♦ (*Brit.*) **direct debt** débito automático.

direction /dər'ekʃən/ *s.* direção; administração; diretoria; sentido; endereço. *pl.* ***directions*** instruções.

directly /dər'ektli/ *adv.* diretamente: The boys went home *directly*.

director /dər'ektər/ *s.* diretor. → Professions

directory /dər'ektəri/ *s.* catálogo, lista. ♦ **telephone directory** lista telefônica.

dirigible /d'ɪrɪdʒəbl/ *s.* dirigível. • *adj.* dirigível, manobrável.

dirt /dɜːrt/ *s.* sujeira; terra. ♦ **dirt road** estrada de terra. **dirt-cheap** baratíssimo. **dirt poor** paupérrimo. **throw dirt on somebody** falar mal de alguém, denegrir.

dirty /d'ɜːrti/ *adj.* sujo. ♦ **dirty trick** golpe sujo, trapaça. **dirty work** trabalho malfeito; trabalho sujo.

disability /dɪsəb'ɪləti/ *s.* deficiência, incapacidade; inabilidade.

disabled /dɪs'eɪbəld/ *adj.* incapacitado. ▪ *sin.* handicapped.

disadvantage /dɪsədv'æntɪdʒ/ *s.* desvantagem; perda, prejuízo. ♦ **be at a disadvantage** estar em desvantagem. **sell to disadvantage** vender com prejuízo.

disagree /dɪsəgr'iː/ *v.* discordar.

disagreeable /dɪsəgr'iːəbəl/ *adj.* desagradável.

disagreement /dɪsəgr'iːmənt/ *s.* discordância, divergência.

disappear /dɪsəp'ɪr/ *v.* desaparecer. ▪ *sin.* vanish, fade.

disappearance /dɪsəp'ɪərəns/ *s.* desaparecimento.

disappoint /dɪsəp'ɔɪnt/ *v.* desapontar.

disappointed /dɪsəp'ɔɪntɪd/ *adj.* desapontado.

disappointing /dɪsəp'ɔɪntɪŋ/ *adj.* decepcionante: The situation was really *disappointing*.

disappointment /dɪsəp'ɔɪntmənt/ *s.* decepção, desapontamento.

disapproval /dɪsəpr'uːvəl/ *s.* desaprovação, reprimenda.

disapprove /dɪsəpr'uːv/ *v.* desaprovar.

disapproving /dɪsəpr'uːvɪŋ/ *adj.* desaprovador: My mother had a *disapproving* look.

disarm /dɪs'ɑːrm/ *v.* desarmar.

disarmament /dɪs'ɑːrməmənt/ *s.* desarmamento.

disaster /dɪz'æstər/ *s.* desastre.

disastrous /dɪz'æstrəs/ *adj.* desastroso.

disbelief /dɪsbɪl'iːf/ *s.* descrença, incredulidade.

disbelieve /dɪsbɪl'iːv/ *v.* desacreditar, duvidar.

disc Ver ***disk***.

discard /d'ɪskɑːrd/ *s.* descarte. • /dɪsk'ɑːrd/ *v.* descartar; livrar-se de. ▪ *sin.* dismiss.

discern /dɪs'ɜːrn/ *v.* discernir. ▪ *sin.* distinguish, perceive.

discharge /d'ɪstʃɑːrdʒ/ *s.* demissão; dispensa; descarga; descarregamento. • /dɪstʃ'ɑːrdʒ/ *v.* demitir, exonerar; descarregar; disparar.

disciple /dɪs'aɪpəl/ *s.* discípulo.

discipline /d'ɪsəplɪn/ *s.* disciplina. • *v.* disciplinar, ensinar.

disclose /dɪskl'oʊz/ *v.* descobrir; expor, revelar. ▪ *sin.* uncover, unveil.

discolor /dɪsk'ʌlər/ (*Brit.* ***discolour***) *v.* descorar, descolorar; desbotar.

discomfort /dɪsk'ʌmfərt/ *s.* desconforto, incômodo.

disconcert /dɪskəns'ɜːrt/ *v.* desconcertar.

disconnect /dɪskən'ekt/ *v.* desunir, romper; desligar, parar. • *adj.* separado, desconexo.

discontent /dɪskənt'ent/ *s.* descontentamento. • *v.* descontentar. • *adj.* descontente.

discontinue /dɪskənt'ɪnjuː/ *v.* interromper, suspender. ▪ *sin.* cease.

discord /d'ɪskɔːrd/ *s.* discórdia. • /dɪsk'ɔːrd/ *v.* discordar, desafinar.

discount /d'ɪskaʊnt/ *s.* desconto. • /dɪsk'aʊnt/ *v.* descontar, abater, deduzir; desprezar.

discourage /dɪsk'ɜːrɪdʒ/ *v.* desanimar.

discourse /d'ɪskɔːrs/ *s.* discurso; tratado; conversação. • /dɪsk'ɔːrs/ *v.* discursar; conversar, falar. ▪ *sin.* speak.

discourteous /dɪsk'ɜːrtiəs/ *adj.* mal-educado.

discover /dɪsk'ʌvər/ *v.* descobrir.
discoverer /dɪsk'ʌvərər/ *s.* descobridor.
discovery /dɪsk'ʌvəri/ *s.* descoberta.
discredit /dɪskr'edɪt/ *s.* descrédito. • *v.* desacreditar.
discreet /dɪskr'i:t/ *adj.* discreto, prudente, cauteloso.
discrepancy /dɪskr'epənsi/ *s.* discrepância, divergência.
discretion /dɪskr'eʃən/ *s.* discrição, prudência.

I count on your *discretion* about this problem.

discriminate /dɪskr'ɪmɪneɪt/ *v.* discriminar; distinguir; separar.
discriminating /dɪskr'ɪmɪneɪtɪŋ/ *adj.* distinto, diferenciado; separado.
discrimination /dɪskrɪmɪn'eɪʃən/ *s.* discriminação.
discuss /dɪsk'ʌs/ *v.* discutir.
discussion /dɪsk'ʌʃən/ *s.* discussão.
disdain /dɪsd'eɪn/ *s.* desdém, desprezo. • *v.* desdenhar.
disease /dɪz'i:z/ *s.* doença. ▪ *sin.* ailment, disorder, illness, infirmity, malady, sickness.
diseased /dɪz'i:zd/ *adj.* doente. ▪ *sin.* ill, sick.
disembark /dɪsɪmb'ɑrk/ *v.* desembarcar, descarregar.
disengage /dɪsɪng'eɪdʒ/ *v.* desprender; soltar.
disentangle /dɪsɪnt'æŋgl/ *v.* desembaraçar, desenredar.
disfigure /dɪsf'ɪgjər/ *v.* desfigurar.
disgrace /dɪsgr'eɪs/ *s.* desgraça; descrédito; vergonha, desonra. • *v.* desgraçar; desonrar, difamar.
disgraceful /dɪsgr'eɪsfəl/ *adj.* desgraçado; vergonhoso.
disgruntled /dɪsgr'ʌntəld/ *adj.* descontente, insatisfeito.
disguise /dɪsg'aɪz/ *s.* disfarce. • *v.* disfarçar, dissimular.
disgust /dɪsg'ʌst/ *s.* desgosto; repugnância, asco. • *v.* repugnar.
disgusting /dɪsg'ʌstɪŋ/ *adj.* repugnante.
dish /dɪʃ/ *s.* prato, iguaria, comida; travessa. ♦ **side dish** guarnição, acompanhamento do prato principal.
disheartened /dɪsh'ɑ:rtn/ *adj.* desencorajador, desestimulante.
dishonest /dɪs'ɑnɪst/ *adj.* desonesto, infiel, desleal.
dishonesty /dɪs'ɑnɪsti/ *s.* desonestidade, deslealdade.
dishonor /dɪs'ɑnər/ (*Brit.* ***dishonour***) *s.* desonra. • *v.* desonrar.
dishonorable /dɪs'ɑnərəbəl/ (*Brit.* ***dishonourable***) *adj.* desonroso.
dishwasher /d'ɪʃwɔ:ʃər, d'ɪʃwɑʃər/ *s.* máquina de lavar louça.
disillusion /dɪsɪl'u:ʒən/ *s.* desilusão. • *v.* desiludir.
disinfect /dɪsɪnf'ekt/ *v.* desinfetar.
disinfectant /dɪsɪnf'ektənt/ *s.* desinfetante.
disintegrate /dɪs'ɪntɪgreɪt/ *v.* desintegrar(-se).
disinterested /dɪs'ɪntrəstɪd/ *adj.* desinteressado.
disk /dɪsk/ *s.* disco: The *disk* contains restored data. ♦ **disk drive** unidade de disco. **full disk** disco cheio.
dislike /dɪsl'aɪk/ *s.* aversão; antipatia. • *v.* antipatizar. ♦ **likes and dislikes** preferências pessoais.
dislocate /d'ɪsloʊkeɪt/ *v.* deslocar.
dislodge /dɪsl'ɑdʒ/ *v.* desalojar.
disloyal /dɪsl'ɔɪəl/ *adj.* desleal.

dismal /d'ɪzməl/ *adj.* sombrio; lúgubre, triste.
dismantle /dɪsm'æntəl/ *v.* desmantelar; desmontar.
dismay /dɪsm'eɪ/ *s.* desânimo. • *v.* desanimar.
dismiss /dɪsm'ɪs/ *v.* dispensar; despedir, demitir; repudiar, rejeitar. ▪ *sin.* discharge, discard.
dismissal /dɪsm'ɪsəl/ *s.* demissão.
dismount /dɪsm'aʊnt/ *v.* desmontar.
disobedience /dɪsəb'iːdiəns/ *s.* desobediência.
disobedient /dɪsəb'iːdiənt/ *adj.* desobediente.
disobey /dɪsəb'eɪ/ *v.* desobedecer.
disorder /dɪs'ɔːrdər/ *s.* desordem; doença. • *v.* desordenar; adoecer.
disorderly /dɪs'ɔːrdərli/ *adj.* desordenado. • *adv.* desordenadamente.
disorganize /dɪs'ɔːrgənaɪz/ (*Brit.* ***disorganise***) *v.* desorganizar.
dispatch /dɪsp'ætʃ/ *s.* despacho; mensagem. • *v.* despachar, expedir; matar.
dispense /dɪsp'ens/ *v.* dispensar; conceder, distribuir. ▪ *sin.* distribute.
dispenser /dɪsp'ensər/ *s.* máquina automática de vendas; recipiente (sabonete, papel, etc.).
disperse /dɪsp'ɜːrs/ *v.* dispersar, dissipar. ▪ *sin.* spread, dispel.
displace /dɪspl'eɪs/ *v.* deslocar; desalojar; substituir; demitir.
display /dɪspl'eɪ/ *s.* exposição; desfile. • *v.* exibir, expor.
displease /dɪspl'iːz/ *v.* desagradar, ofender. ▪ *sin.* offend.
displeasure /dɪspl'eʒər/ *s.* desprazer, desgosto, desagrado.
disposable /dɪsp'oʊzəbəl/ *adj.* descartável. ♦ **disposable needles** agulhas descartáveis.
disposal /dɪsp'oʊzəl/ *s.* disposição; venda; descarte.
dispose /dɪsp'oʊz/ *v.* dispor; vender; descartar.
disposition /dɪspəz'ɪʃən/ *s.* disposição.
disprove /dɪspr'uːv/ *v.* refutar, invalidar.
dispute /dɪspj'uːt/ *s.* disputa, discussão. • *v.* disputar, discutir, contestar. ▪ *sin.* argue.
disqualify /dɪskw'ɑlɪfaɪ/ *v.* desqualificar.
disregard /dɪsrɪg'ɑrd/ *s.* descuido, negligência; desconsideração. • *v.* desconsiderar; negligenciar. ▪ *sin.* neglect.
disreputable /dɪsr'epjətəbəl/ *adj.* não respeitável.
disrespect /dɪsrɪsp'ekt/ *s.* desrespeito. • *v.* desrespeitar.
disrespectful /dɪsrɪsp'ektfəl/ *adj.* desrespeitoso.
disruption /dɪsr'ʌpʃən/ *s.* ruptura: The government is in *disruption*.
dissatisfy /dɪs'ætɪsfaɪ/ *v.* descontentar.
dissect /dɪs'ekt, daɪs'ekt/ *v.* dissecar.
dissent /dɪs'ent/ *s.* discordância. • *v.* divergir, discordar.
dissertation /dɪsərt'eɪʃən/ *s.* dissertação.
dissimulate /dɪs'ɪmjuleɪt/ *v.* dissimular, fingir.
dissipate /d'ɪsɪpeɪt/ *v.* dissipar, dispersar.
dissolve /dɪz'ɑːlv/ *v.* dissolver.
dissonance /d'ɪsənəns/ *s.* dissonância; discordância.
dissonant /d'ɪsənənt/ *adj.* dissonante, desafinado.
dissuade /dɪsw'eɪd/ *v.* dissuadir.
distance /d'ɪstəns/ *s.* distância, intervalo. • *v.* distanciar.
distant /d'ɪstənt/ *adj.* distante. ▪ *sin.* far, remote. ▪ *ant.* close, near, next.
distaste /dɪst'eɪst/ *s.* desagrado, desgosto; repugnância.

distasteful /dɪst'eɪstfəl/ *adj.* desagradável.
distend /dɪst'end/ *v.* estender, expandir.
distil /dɪst'ɪl/ *v.* destilar.
distillery /dɪst'ɪləri/ *s.* destilaria.
distinct /dɪst'ɪŋkt/ *adj.* distinto, diferente; claro.
distinction /dɪst'ɪŋkʃən/ *s.* distinção.
distinctive /dɪst'ɪŋktɪv/ *adj.* distintivo, característico.
distinguish /dɪst'ɪŋgwɪʃ/ *v.* distinguir, discernir. ▪ *sin.* discern.
distinguished /dɪst'ɪŋgwɪʃt/ *adj.* famoso; distinto.
distort /dɪst'ɔːrt/ *v.* deturpar, distorcer; deformar.
distortion /dɪst'ɔːrʃən/ *s.* distorção.
distract /dɪstr'ækt/ *v.* distrair.
distracted /dɪstr'æktɪd/ *adj.* distraído.
distraction /dɪstr'ækʃən/ *s.* distração.
distress /dɪstr'es/ *s.* aflição, angústia; desgraça; pobreza. • *v.* afligir. ▪ *sin.* anxiety, anguish, agony.
distribute /dɪstr'ɪbjuːt/ *v.* distribuir, repartir.
distribution /dɪstrɪbj'uːʃn/ *s.* distribuição.
district /d'ɪstrɪkt/ *s.* distrito, região, bairro.
distrust /dɪstr'ʌst/ *s.* desconfiança. • *v.* desconfiar. ▪ *sin.* suspicion.
disturb /dɪst'ɜːrb/ *v.* perturbar, incomodar; transtornar; interromper. ▪ *sin.* interrupt.
disturbance /dɪst'ɜːrbəns/ *s.* perturbação.
disturbing /dɪst'ɜːrbɪŋ/ *adj.* perturbador: That noise is *disturbing*.
disuse /dɪsj'uːs/ *s.* desuso. • /dɪsj'uːz/ *v.* desusar.
ditch /dɪtʃ/ *s.* fosso, vala. • *v.* abrir, cavar fosso ou vala.
dive /daɪv/ *s.* mergulho. • *v.* (*pret.* ***dived*** ou **dove**, *p.p.* ***dived***) mergulhar. ▪ *sin.* plunge.
→ Irregular Verbs
diver /d'aɪvər/ *s.* mergulhador.
diverge /daɪv'ɜːrdʒ/ *v.* divergir.
diverse /daɪv'ɜːrs/ *adj.* diverso, diferente, distinto.
diversify /daɪv'ɜːrsɪfaɪ/ *v.* diversificar.
diversion /daɪv'ɜːrʒən/ *s.* diversão; desvio.
diversity /daɪv'ɜːrsəti/ *s.* diversidade.
divert /daɪv'ɜːrt/ *v.* divertir; distrair, desviar. ▪ *sin.* amuse.
divide /dɪv'aɪd/ *v.* dividir; repartir. ▪ *sin.* share.
dividend /d'ɪvɪdend/ *s.* dividendo.
divine /dɪv'aɪn/ *adj.* divino.
diving /d'aɪvɪŋ/ *s.* mergulho.
♦ **diving board** ou **springboard** trampolim. → Sports
divinity /dɪv'ɪnəti/ *s.* divindade.
division /dɪv'ɪʒən/ *s.* divisão; seção.
divorce /dɪv'ɔːrs/ *s.* divórcio. • *v.* divorciar-se.
divulge /daɪv'ʌldʒ/ *v.* divulgar. ▪ *sin.* publish.
dizzy /d'ɪzi/ *v.* atordoar. • *adj.* atordoado, tonto, cambaleante.
♦ **feel dizzy** sentir-se tonto.
DJ /diːdʒ'eɪ/ (*abrev.* de *Disc Jockey*) disc-jóquei, animador, apresentador. → Abbreviations
DNA /diːen'eɪ/ (*abrev.* de *deoxyribonucleic acid*) ácido desoxirribonucleico.
→ Abbreviations
do /duː/ *v.* (*pret.* ***did***, *p.p.* ***done***) fazer. ♦ **dos and don'ts** o que pode e o que não pode ser feito.
→ Irregular Verbs
docile /d'ɑːsl/ *adj.* dócil, obediente.
dock /dɑk/ *s.* doca, estaleiro, embarcadouro; banco dos réus.
♦ **docks** cais. **docker** (*Brit.*) estivador. **dockyard** estaleiro.
doctor /d'ɑktər/ *s.* doutor, médico. *abrev.* ***doc.*** ♦ **doctor's degree** diploma de médico. **doctor's office** consultório médico. **family doctor** médico da família. **quack**

doctor charlatão. **doctorate** doutorado. ➔ Professions

document /d'ɑːkjumənt/ *s.* documento. • /d'ɑːkjument/ *v.* documentar.

dodge /dɑdʒ/ *v.* esquivar-se, evitar, escapar.

doe /doʊ/ *s.* rena. ➔ Animal Kingdom

dog /dɔːg/ *s.* cão. ♦ **dog breeder** criador de cães. **dogcatcher** homem da carrocinha. **dog collar** coleira. **dog kennel** canil. **street dog** ou **mutt** vira-lata. **lead a dog's life** levar uma vida dura, de cão. **fight like cat and dog** brigar como cão e gato. **teach an old dog new tricks** ensinar papagaio velho a falar. **watchdog** cão de guarda. ➔ Animal Kingdom

dogma /d'ɔːgmə/ *s.* dogma; doutrina.

dogmatic /dɔːgm'ætɪk/ *adj.* dogmático.

doings /d'uːɪŋz/ *s. pl.* ações, feitos, acontecimentos; conduta.

dole /doʊl/ *s.* dádiva, esmola; seguro-desemprego. • *v.* distribuir, repartir com os pobres.

doll /dɑl/ *s.* boneca.

dollar /d'ɑlər/ *s.* dólar: I have a *dollar.* ➔ Numbers

dolphin /d'ɑlfɪn/ *s.* golfinho. ➔ Animal Kingdom

domain /doʊm'eɪn/ *s.* domínio. ♦ **domain name** nome de domínio. **public domain** domínio público.

dome /doʊm/ *s.* cúpula; abóbada.

domestic /dəm'estɪk/ *adj.* doméstico, caseiro, familiar; nacional.

domesticate /dəm'estɪkeɪt/ *v.* domesticar.

domicile /d'ɑːmɪsaɪl, d'oʊmɪsaɪl/ *s.* domicílio.

dominant /d'ɑmɪnənt/ *s.* ou *adj.* dominante.

dominate /d'ɑmɪneɪt/ *v.* dominar, controlar.

domination /dɑmɪn'eɪʃən/ *s.* dominação.

domineer /dɑmɪn'ɪər/ *v.* dominar.

domineering /dɑmən'ɪrɪŋ/ *adj.* dominante.

Dominican /dəm'ɪnɪkən/ *s.* ou *adj.* dominicano. ➔ Countries & Nationalities

Dominican Republic /dəmɪnɪkən rɪp'ʌblɪk/ *s.* República Dominicana. ➔ Countries & Nationalities

dominion /dəm'ɪniən/ *s.* domínio.

domino /d'ɑmənoʊ/ *s.* dominó. **dominoes** jogo de dominó. ➔ Leisure

donate /d'oʊneɪt/ *v.* doar, dar.

done /dʌn/ *v. p.p.* de ***do***. ♦ **Are you done?** Você terminou?, Você está pronto?

donkey /d'ɔːŋki, d'ɑːŋki/ *s.* burro, asno; (*gír.*) imbecil, ignorante, estúpido. ➔ Animal Kingdom

donor /d'oʊnər/ *s.* doador.

doom /duːm/ *s.* condenação; destino. • *v.* condenar, predestinar, destinar.

door /dɔːr/ *s.* porta. ♦ **back door** porta dos fundos. **doorbell** campainha. **doorknob** maçaneta. **door latch** trinco. **doormat** capacho. **front door** ou **entrance door** porta da frente (de entrada). **next door** casa vizinha. **show the door** mostrar a saída. **sliding door** porta de correr. **doorman** porteiro.

dope /doʊp/ *s.* narcótico, entorpecente; imbecil, tolo; informação. • *v.* viciar, dopar.

dormant /d'ɔːrmənt/ *adj.* dormente, inativo.

dormitory /d'ɔːrmətɔːri/ *s.* dormitório. *abrev.* ***dorm.***

DoS /diːoʊ'es/ *s.* (*abrev.* de *denial of service*) negação de serviço. ➔ Abbreviations

DOS /dɔːs/ (*abrev.* de *Disk-Operating System*) Sistema Operacional de Disco. ➔ Abbreviations

dose /dous/ *s.* dose. • *v.* dosar; medicar.

dosshouse /d'ɑːshaʊs/ (*Brit.*) *s.* hotel barato.

dot /dɑt/ *s.* ponto; pingo, pinta; borrão, mancha. • *v.* pontilhar. ♦ **dotted line** linha pontilhada. **seven o'clock on the dot** sete horas em ponto.

double /d'ʌbəl/ *s.* dobro, duplo; cópia; duplicata; sósia; dublê: Indiana Jones had a *double* for his movies. • *adj.* dobrado; duplo. ♦ **double agent** agente duplo. **double bass** contrabaixo. **double bed** cama de casal. **double chin** queixo duplo. **double meaning** duplo sentido. **double or nothing** o dobro ou nada. **double-park** estacionar em fila dupla. **double room** quarto para casal. **double the fist** fechar o punho. **double time** pagamento em dobro. **double-decker** ônibus de dois andares. **double-edged sword** faca de dois gumes. → Musical Instruments

doubt /daʊt/ *s.* dúvida. • *v.* duvidar. ♦ **be in doubt** estar na dúvida. **beyond doubt** ou **no doubt** sem dúvida. **doubtable** ou **doubtful** duvidoso. **doubter** cético. **doubtless** indubitável. **doubtlessly** indubitavelmente. **She doubts it.** Ela duvida disso.

Do you have any *doubts* about this subject?

dough /doʊ/ *s.* massa de farinha; (*gír.*) dinheiro.

doughnut /d'oʊnʌt/ (*tb.* ***donut***) *s.* rosquinha.

dove /dʌv/ *s.* pomba. → Animal Kingdom

down /daʊn/ *adj.* abatido, desanimado. • *adv.* ou *prep.* abaixo, para baixo. ♦ **bend down** curvar-se. **Calm down!** Acalme-se! **down-and-out** numa pior, sem perspectivas. **down payment** entrada (em dinheiro). **downspout** calha. **down the river** rio abaixo. **down the years** no decorrer dos anos. **down-to-earth** prático, realista. **go down** ou **come down** descer; afundar. **kneel down** ajoelhar-se. **lie down** deitar-se. **put down** sacrificar. **send down** condenar (à prisão). **The sun is down.** O sol se pôs. **The thermometer is down by 7 degrees.** O termômetro desceu 7 graus. **ups and downs** altos e baixos. **upside down** de cabeça para baixo. **write down** anotar. **downcast** abatido, deprimido. **downcome** ou **downfall** decadência, queda, ruína. **downhearted** desanimada. **downhill** declive. **downpour** chuva forte, toró. **downright** completamente, positivamente. **downtown** centro da cidade. **downtrodden** oprimido.

download /daʊnl'oʊd/ *v.* descarregar, transferir (*informática*).

downsizing /d'aʊnsaɪzɪŋ/ *s.* enxugamento.

downstairs /d'aʊnst'erz/ *s.* andar térreo. • *adj.* do andar inferior. • *adv.* embaixo, para baixo, escada abaixo.

downward /d'aʊnwərd/ (*tb.* ***downwards***) *adj.* ou *adv.* para baixo: They took the way *downward*.

dowry /d'aʊri/ *s.* dote.

doz. /dʌz/ (*abrev.* de *dozen* ou *dozens*) dúzia ou dúzias. → Abbreviations

doze /doʊz/ *s.* soneca, cochilo. • *v.* cochilar. ▪ *sin.* nap.

dozen /d'ʌzən/ *s.* dúzia. ♦ **a dozen eggs** uma dúzia de ovos. **half a dozen** meia dúzia.

dpt. /dɪp'ɑrtmənt/ (*abrev.* de *department*) departamento. → Abbreviations

Dr. /d'ɑktər/ (*abrev.* de *Doctor*) Doutor. → Abbreviations

Dr. /draɪv/ (*abrev.* de *Drive*) Rua, Alameda. → Abbreviations

draft /dræft/ (*Brit.* ***draught***) *s.* desenho, rascunho; ordem de pagamento; corrente de ar. • *v.* traçar, delinear.

drag /dræg/ *v.* arrastar(-se); mover(-se) lentamente ou com dificuldade. ♦ **drag-and-drop** arrastar e soltar (*informática*).

dragon /dr'ægən/ *s.* dragão.

dragonfly /dr'ægənflaɪ/ *s.* libélula. → Animal Kingdom

drain /dreɪn/ *s.* dreno, tubo, ralo; esgoto. • *v.* drenar.

drake /dreɪk/ *s.* pato, marreco. → Animal Kingdom

drama /dr'ɑmə/ *s.* teatro; drama: I prefer *drama* to comedy.

dramatically /drəm'ætɪkli/ *adv.* dramaticamente: He changed his opinion *dramatically*.

dramatist /dr'æmətɪst/ *s.* dramaturgo.

dramatize /dr'æmətaɪz/ (*Brit.* ***dramatise***) *v.* dramatizar.

drank /dræŋk/ *v. pret.* de **drink**.

drape /dreɪp/ *v.* decorar; pendurar. • *s. pl.* ***drapes*** cortina; tapeçaria.

drastic /dr'æstɪk/ *adj.* drástico.

draw /drɔː/ *v.* (*pret.* **drew**, *p.p.* ***drawn***) desenhar; tirar, puxar, arrancar; arrastar. ♦ **draw a weapon** sacar uma arma. **draw attention** chamar a atenção. **draw back** retirar-se. **draw blood** tirar sangue. **draw breath** tomar fôlego. **draw comparisons** fazer comparações. **draw down a curse** lançar uma maldição. **draw money** retirar (sacar) dinheiro. **draw near** aproximar-se. **draw the curtain** fechar a cortina. **draw to an end** aproximar-se do fim. **draw to scale** desenhar em escala. **drawbridge** ponte levadiça. **drawback** reembolso; desvantagem. **drawer** gaveta; desenhista. **drawing** desenho, desenhar. **drawing master** professor de desenho. **drawing pad** bloco para desenho. **drawing paper** papel para desenho. **drawing board** prancheta para desenho. **free-hand drawing** desenho à mão livre. → Irregular Verbs → Leisure

drawn /drɔːn/ *v. p.p.* de ***draw***.

dread /dred/ *s.* medo, horror, espanto. • *v.* temer, recear; tremer de medo. ▪ *sin.* fear.

dreadful /dr'edfəl/ *adj.* horrível, espantoso. ▪ *sin.* awful, fearful, horrible, terrible.

dream /driːm/ *s.* sonho. • *v.* (*pret.* e *p.p.* ***dreamt*** ou ***dreamed***) sonhar. → Irregular Verbs

dreamer /dr'iːmər/ *s.* sonhador.

dreamt /dremt/ *v. pret.* e *p.p.* de ***dream***.

dreary /dr'ɪri/ *adj.* lúgubre, sombrio.

dredge /dredʒ/ *s.* rede; draga. • *v.* dragar.

dreg /dreg/ *s.* resíduos, refugo, detritos; ralé, escória.

drench /drentʃ/ *s.* banho; enxurrada. • *v.* ensopar.

dress /dres/ *s.* vestido. • *v.* vestir. → Clothing

dresser /dr'esər/ *s.* guarda-louça; toucador, penteadeira; cômoda. → Furniture & Appliances

dressing /dr'esɪŋ/ *s.* molho, tempero. ♦ **dressing gown** penhoar, roupão. **dressing room** vestiário ou camarim.

dressmaker /dr'esmeɪkər/ *s.* costureira, modista.

drew /druː/ *v. pret.* de **draw**.

dribble /d'rɪbəl/ *s.* baba, saliva; pingo, gota. • *v.* gotejar; babar.

drier /dr'aɪər/ *s.* secador (de roupa, cabelo, etc.).

drift /drɪft/ *s.* vento; correnteza; intenção; deriva; desvio da rota. • *v.* amontoar(-se), acumular; desgarrar, ir à deriva.

drill /drɪl/ *s.* broca. • *v.* furar, perfurar; exercitar (através da repetição).

drink /drɪŋk/ *s.* bebida. • *v.* (*pret.* ***drank***, *p.p.* ***drunk*** ou ***drunken***) beber. ♦ **drink a toast** brindar. **mild drink** bebida suave. **soft drink** refrigerante. **stiff drink** bebida forte. **drinkable water** água potável. **drinking fountain** bebedouro. **drinking glass** copo, taça. **drinking house** botequim, bar. **drinking straw** canudinho. **dead drunk** ou **blind drunk** completamente embriagado. **drunkard** beberrão, alcoólatra, alcoolista. **drunkenness** embriaguez, alcoolismo. **drunkometer** bafômetro. **get drunk** embriagar-se. **undrinkable water** água não potável. → Irregular Verbs

drip /drɪp/ *s.* gota, gotejamento. • *v.* gotejar, pingar.

drive /draɪv/ *s.* passeio de carro; percurso; impulso: In a violent *drive* he killed her. • *v.* (*pret.* ***drove***, *p.p.* ***driven***) impelir, empurrar; guiar, dirigir; conduzir. → Irregular Verbs

driver /dr'aɪvər/ *s.* chofer, motorista; unidade (*informática*). ♦ **driver's license** carteira de habilitação.

driveway /dr'aɪvweɪ/ *s.* entrada para carros em moradia.

drizzle /dr'ɪzl/ *s.* garoa, chuvisco. • *v.* garoar, chuviscar. → Weather

drone /droʊn/ *s.* zangão; aeronave sem piloto, controlada por rádio. → Animal Kingdom

droop /druːp/ *v.* inclinar(-se), abaixar(-se); desfalecer, definhar.

drop /drɑp/ *s.* gota, pingo. • *v.* pingar; deixar cair; cair. ♦ **a drop in prices** uma queda nos preços. **by drops** gota a gota. **drop a line** escrever. **drop in** aparecer, visitar. **drop the curtain** descer o pano (teatro).

dropper /dr'ɑpər/ *s.* conta-gotas.

droppings /dr'ɑpɪŋz/ *s.* cocô, excremento (de animais): The cage is full of bird *droppings*.

drought /draʊt/ *s.* seca, aridez. → Weather

drove /droʊv/ *s.* rebanho; multidão (de pessoas). • *v. pret.* de **drive**.

drown /draʊn/ *v.* afogar(-se), sufocar(-se).

drowse /draʊz/ *v.* cochilar.

drowsiness /dr'aʊzɪnəs/ *s.* sonolência.

drowsy /dr'aʊzi/ *adj.* sonolento.

drudgery /dr'ʌdʒəri/ *s.* trabalho enfadonho, monótono.

drug /drʌg/ *s.* droga, medicamento; tóxico. • *v.* drogar; entorpecer, narcotizar. ♦ **drug addict** viciado em drogas.

drugstore /dr'ʌgstɔːr/ *s.* drogaria, farmácia.

drum /drʌm/ *s.* tambor. *pl.* ***drums*** bateria (instrumento musical). • *v.* rufar; batucar. → Musical Instruments

drunk /drʌŋk/ *s.* bêbado, ébrio. • *adj.* bêbado, embriagado. • *v. p.p.* de ***drink***.

dry /draɪ/ *s.* seca. • *v.* secar, enxugar. • *adj.* seco, enxuto; árido. ♦ **dry air** ar seco. **dry cleaning** lavagem a seco. **dry cough** tosse seca. **dry crust** pedaço de pão seco. **dry up** secar. **drying** secagem. **drying stove** estufa.

dryer /dr'aɪər/ (*tb.* ***drier***) *s.* secador, secadora de roupas. ♦ **hairdryer** secador de cabelos.

dryness /dr'aɪnəs/ *s.* secura, aridez.

DST /diːest'iː/ (*abrev.* de *Daylight Saving Time*) horário de verão. → Abbreviations

dubious /d'u:biəs/ *adj.* dúbio, ambíguo; duvidoso; suspeito.
duchess /d'ʌtʃəs/ *s.* duquesa.
duck /dʌk/ *s.* pato, marreco; mergulho. • *v.* mergulhar.
➔ Animal Kingdom
duckling /d'ʌklɪŋ/ *s.* patinho.
dud /dʌd/ *s.* ou *adj.* defeituoso.
♦ **dud cheque** cheque sem fundos.
dude /du:d/ *s. inf.* cara; pessoa bacana.
due /du:/ *s.* dívida. • *adj.* devido; próprio, oportuno, adequado, justo.
duel /d'u:əl/ *s.* duelo. • *v.* duelar.
duet /du'et/ *s.* duo, dueto.
dug /dʌg/ *v. pret.* e *p.p.* de **dig**.
duke /du:k/ *s.* duque.
dull /dʌl/ *adj.* monótono; estúpido; obtuso; triste; escuro; nublado; sombrio. ▪ *sin.* gloomy.
duly /d'u:li/ *adv.* propriamente, devidamente, exatamente.
dumb /dʌm/ *v.* emudecer, silenciar. • *adj.* mudo; pasmado; estúpido. ▪ *sin.* silent.
dummy /d'ʌmi/ *s.* mudo; testa de ferro, fantoche; manequim; estúpido; chupeta (*Brit.*). • *adj.* simulado, postiço, falsificado.
dump /dʌmp/ *s.* depósito de lixo. • *v.* esvaziar; descarregar lixo.
dune /du:n/ *s.* duna.
dung /dʌŋ/ *s.* esterco, estrume. ▪ *sin.* manure.
dungarees /dʌŋgər'i:z/ *s. pl.* (*Brit.*) macacão.
dungeon /d'ʌndʒən/ *s.* calabouço.
duplicate /d'u:plɪkət/ *s.* ou *adj.* duplicado. • /d'u:plɪkeɪt/ *v.* duplicar.
durable /d'ʊrəbəl/ *adj.* durável. ▪ *sin.* lasting, permanent.
duration /dur'eɪʃən/ *s.* duração.
during /d'ʊrɪŋ/ *prep.* durante.
dust /dʌst/ *s.* pó, poeira. • *v.* espanar. ♦ **dust basket** ou **dust bin** lata de lixo. **dust cloth** espanador. **dust coat** ou **duster** guarda-pó. **duststorm** tempestade de areia. **raise dust** levantar poeira. **turn to dust and ashes** desfazer-se em cinzas. **dustman** (*Brit.*) ou **garbage collector** lixeiro. **dustpan** pá de lixo. **dusty** empoeirado.
Dutch /dʌtʃ/ *s.* ou *adj.* holandês.
➔ Countries & Nationalities
duty /d'u:ti/ *s.* dever, obrigação; taxa aduaneira. ▪ *sin.* obbligation. ♦ **be on duty** estar de plantão.
DVD /di:vi:d'i:/ (*abrev.* de *Digital Video Disc*) disco digital de vídeo.
➔ Abbreviations
DVD-ROM /di:vi:di:r'ɑ:m/ (*abrev.* de *Digital Video Disc Read-Only Memory*) disco digital de vídeo com memória apenas de leitura.
➔ Abbreviations
dwarf /dwɔ:rf/ *s.* anão, pigmeu. ▪ *sin.* midget.
dwell /dwel/ *v.* (*pret.* e *p.p.* ***dwelled*** ou ***dwelt***) habitar, morar. ▪ *sin.* live, abide. ➔ Irregular Verbs
dweller /dw'elər/ *s.* habitante.
dwelling /dw'elɪŋ/ *s.* habitação.
dwelt /dwelt/ *v. pret.* e *p.p.* de ***dwell***.
dwindle /dw'ɪndəl/ *v.* encolher, diminuir; decair.
dye /daɪ/ *s.* tintura, tinta, corante. • *v.* tingir.
dying /d'aɪɪŋ/ *adj.* moribundo: He is a *dying* man.
dynamic /daɪn'æmɪk/ *adj.* dinâmico, ativo; enérgico; potente.
dynamite /d'aɪnəmaɪt/ *s.* dinamite. • *v.* dinamitar.

E, e /iː/ *s.* quinta letra do alfabeto inglês; mi, a terceira nota musical.

E /iː/ (*abrev.* de *East*) leste. → Abbreviations

ea. /iːtʃ/ (*abrev.* de *each*) cada. → Abbreviations

each /iːtʃ/ *adj.* cada. • *pron.* cada, cada um. ♦ **each other** um ao outro.

eager /ˈiːgər/ *adj.* ansioso; ávido.

eagerness /ˈiːgərnəs/ *s.* ansiedade; avidez; ímpeto. ▪ *sin.* avidity.

eagle /ˈiːgəl/ *s.* águia. → Animal Kingdom

ear /ɪr/ *s.* ouvido; orelha. ♦ **be all ears** ser todo ouvidos. **dog-ear** dobra em página de livro. **have an ear for music** ter bom ouvido para música. **go in one ear and out the other** entrar por um ouvido e sair pelo outro. **Lend me an ear!** Escute-me! **play by ear** tocar de ouvido. **This came to her mother's ear.** Isso chegou aos ouvidos da mãe dela. **turn a deaf ear to** não dar ouvidos a. **eardrum** tímpano. **earring** brinco. **earache** dor de ouvido. **earphone** fone de ouvido. → Human Body

earl /ɜːrl/ *s.* conde. ▪ *sin.* count.

earlobe /ˈɪːrloʊb/ *s.* lóbulo da orelha. → Human Body

early /ˈɜːrli/ *adj.* cedo; precoce, antecipado; primeiro. • *adv.* cedo, de madrugada; antecipadamente; no princípio. ▪ *sin.* soon. ♦ **as early as 1995** já no ano 1995. **early in the summer** ou **in the early summer** no início do verão. **early in the morning** de manhã cedo. **in early life** na infância.

earmark /ˈɪrmɑrk/ *v.* alocar, destinar.

earn /ɜːrn/ *v.* ganhar (merecidamente); lucrar.

earnest /ˈɜːrnɪst/ *s.* seriedade, determinação. • *adj.* sério.

earnings /ˈɜːrnɪŋz/ *s. pl.* salário; rendimentos.

earth /ɜːrθ/ *s.* globo terrestre; Terra; solo. • *v.* ligar à terra (com fio terra). ♦ **Come back to earth!** Pare de sonhar! **earthmover** escavadeira. **earthquake** terremoto. **earth wire** fio terra. **earthworm** minhoca. **earthy** terroso (gosto, cor, cheiro). **earthly** terrestre. **unearth** desenterrar.

ease /iːz/ *s.* tranquilidade; facilidade; sossego; alívio, conforto. • *v.* aliviar, atenuar, consolar, reconfortar; facilitar.

easel /ˈiːzəl/ *s.* cavalete (pintura).

easily /ˈiːzili/ *adv.* facilmente: He can *easily* do the task.

east /iːst/ *s.* leste (ponto cardeal): *East* is one of the four cardinal directions. • *adv.* para o leste: The search party went *east*. ♦ **the East** o Oriente: Christopher Columbus wanted to sail west to reach *the East*.

Easter /ˈiːstər/ *s.* Páscoa.

Eastern /ˈiːstərn/ *adj.* oriental.

eastward /ˈiːstwərd/ (*tb.* **eastwards**) *adv.* em direção ao leste.

easy /'iːzi/ *adj.* fácil; leve; cômodo, confortável, tranquilo. • *adv.* moderadamente; com calma. ♦ **easy chair** poltrona. **free and easy** informal; sem regras rígidas. **I'm easy.** Eu não me importo. **on easy terms** sob condições favoráveis. **Take it easy!** Relaxe!, Calma! **easygoing** descontraído, calmo, fácil de lidar. **Easier said than done.** É mais fácil falar que fazer.

eat /iːt/ *v.* (*pret.* **ate**, *p.p.* **eaten**) comer. ➔ Irregular Verbs

e-banking /'iːbæŋkɪŋ/ (*abrev.* de *electronic banking*) banco eletrônico. ➔ Abbreviations

ebb /eb/ *s.* maré baixa, vazante da maré. • *v.* declinar; baixar (maré).

ebony /'ebəni/ *s.* ou *adj.* ébano.

eccentric /ɪks'entrɪk/ *s.* ou *adj.* excêntrico.

ecclesiastic /ɪkliːziː'æstɪk/ *s.* ou *adj.* eclesiástico.

echo /'ekoʊ/ *s.* eco; repercussão. • *v.* ecoar; ressoar; repetir.

eclipse /ɪkl'ɪps/ *s.* eclipse. • *v.* eclipsar.

ecology /ɪk'ɑlədʒi/ *s.* ecologia.

e-commerce /'iːkɑmɜːrs/ (*abrev.* de *electronic commerce*) comércio eletrônico. ➔ Abbreviations

economic /iːkən'ɑmɪk/ *adj.* econômico: The firm was affected by the *economic* crisis.

economical /iːkən'ɑmɪkəl/ *adj.* econômico.

economics /iːkən'ɑmɪks/ *s. sing.* ou *pl.* economia.

economist /ɪk'ɑnəmɪst/ *s.* economista. ➔ Professions

economize /ɪk'ɑnəmaɪz/ (*Brit.* **economise**) *v.* economizar.

economy /ɪk'ɑnəmi/ *s.* economia.

ecstasy /'ekstəsi/ *s.* êxtase.

Ecuador /'ekwədɔːr/ *s.* Equador. ➔ Countries & Nationalities

Ecuadorian /ekwəd'ɔːriən/ *adj.* equatoriano. ➔ Countries & Nationalities

ecumenical /ekjuːm'enɪkl/ *s.* ou *adj.* ecumênico.

eczema /ɪgz'iːmə/ *s.* eczema.

edge /edʒ/ *s.* ponta, canto, extremidade, margem, beira; lâmina, corte. • *v.* afiar, amolar; aguçar; delimitar, cercar. ▪ *sin.* border. ♦ **cutting edge** inovador. **live on the edge** viver no limite. **on edge** nervoso, tenso. **to have the edge on** estar em vantagem.

edgy /'edʒi/ *adj.* agitado, nervoso. ▪ *sin.* nervous.

edible /'edəbəl/ *adj.* comestível.

edict /'iːdɪkt/ *s.* édito, edital, decreto.

edification /edɪfɪk'eɪʃən/ *s.* edificação; instrução.

edit /'edɪt/ *v.* editar, publicar, editorar; censurar.

edition /ɪd'ɪʃən/ *s.* edição.

editor /'edɪtər/ *s.* redator (de jornal); editor, organizador da edição (de livros). ➔ Deceptive Cognates ➔ Professions

editorial /edɪt'ɔːriəl/ *s.* editorial.

educate /'edʒukeɪt/ *v.* educar, ensinar; instruir; adestrar.

educated /'edʒukeɪtɪd/ *adj.* instruído, culto: She met an *educated* and well-read professor. ➔ Deceptive Cognates

education /edʒuk'eɪʃən/ *s.* educação, ensino.

educational /edʒuk'eɪʃənəl/ *adj.* educacional.

educator /'edʒukeɪtər/ *s.* educador. ➔ Professions

eel /iːl/ *s.* enguia. ♦ **slippery as an eel** difícil de apanhar. ➔ Animal Kingdom

eerie /'ɪri/ (*tb.* **eery**) *adj.* estranho, misterioso.

effect /ɪf'ekt/ *s.* efeito, resultado, consequência. *pl.* ***effects*** mercadorias, produtos; objetos pessoais. • *v.* efetuar, executar, realizar, desempenhar; produzir.

effective /ɪf'ektɪv/ *adj.* eficaz.

effectively /ɪf'ektɪvli/ *adv.* efetivamente: The fighting has *effectively* ended.

effeminate /ɪf'emɪnət/ *adj.* afeminado.

effervescence /efər'vesəns/ *s.* efervescência.

effervescent /efər'vesənt/ *adj.* efervescente.

efficient /ɪf'ɪʃənt/ *adj.* eficiente, competente.

efficiently /ɪf'ɪʃəntli/ *adv.* eficientemente: She runs the business very *efficiently*.

effort /'efərt/ *s.* esforço. ▪ *sin.* attempt.

I appreciate your *effort*, but we don't need any more employees right now.

effusive /ɪfj'uːsɪv/ *adj.* efusivo, expansivo.

e.g. /iːdʒ'iː/ (*abrev.* de *exempli gratia*) por exemplo: Brazil has different types of indians, *e.g.* Patachós and Guaranis. → Abbreviations

egg /eg/ *s.* ovo. ♦ **egg cell** óvulo. **white of an egg** clara de ovo. **yolk of an egg** gema de ovo. **fried eggs** ovos fritos. **hard-boiled eggs** ovos cozidos. **poached eggs** ovos *poché*. **put all eggs into one basket** arriscar tudo (colocar todos os ovos numa só cesta). **rotten eggs** ovos podres. **scrambled eggs** ovos mexidos. **soft-boiled eggs** ovos cozidos moles. **egg-shaped** oval. **eggbeater** batedor de ovos. **eggshell** casca de ovo. → Vegetables

eggplant /'egplænt/ *s.* berinjela. → Vegetables

egocentric /iːgoʊs'entrɪk/ *adj.* egocêntrico.

Egypt /'iːdʒɪpt/ *s.* Egito. → Countries & Nationalities

Egyptian /idʒ'ɪpʃən/ *s.* ou *adj.* egípcio. → Countries & Nationalities

eight /eɪt/ *s.* ou *num.* oito. → Numbers

eighteen /eɪt'iːn/ *s.* ou *num.* dezoito. → Numbers

eighteenth /eɪt'iːnθ/ *s.* ou *num.* décimo oitavo; dezoito avos (fração). → Numbers

eighth /eɪtθ/ *s.* ou *num.* oitavo; oitavo (fração). → Numbers

eightieth /'eɪtiəθ/ *s.* ou *num.* octagésimo; oitenta avos (fração). → Numbers

eighty /'eɪti/ *s.* ou *num.* oitenta. ♦ **the eighties** a década de 1980; os anos 1980. → Numbers

either /'aɪðər, 'iːðər/ *adj.* um ou outro (de dois); nem um nem outro (de dois, em frases negativas); cada, qualquer (de duas alternativas). • *adv.* tampouco; também. ♦ **Choose either X or Y.** Escolha ou X ou Y. **Don't choose either X or Y.** Não escolha nem X nem Y. **I don't like him either.** Eu também não gosto dele. **You may choose either.** Você pode escolher qualquer um (dos dois).

ejaculate /idʒ'ækjuleɪt/ *v.* ejacular.

ejaculation /idʒækjul'eɪʃn/ *s.* ejaculação.

eject /ɪdʒ'ekt/ *v.* ejetar, expelir; lançar; dispensar, destituir.

elaborate /ɪl'æbəreɪt/ *v.* detalhar; aperfeiçoar. • /ɪl'æbərət/ *adj.* elaborado, complexo.

elapse /ɪl'æps/ *v.* passar, decorrer, expirar, transcorrer (tempo).

elastic /ɪl'æstɪk/ *s.* elástico. • *adj.* elástico, flexível, adaptável.

elasticity /iːlæst'ɪsəti/ *s.* elasticidade.

elbow /'elboʊ/ *s.* cotovelo. → Human Body

elder /'eldər/ *s.* pessoa idosa; primogênito. • *adj.* mais velho; mais antigo, anterior.

elderly /'eldərli/ *adj.* idoso.

e-learning /'iːlɜːrnɪŋ/ (*abrev.* de *electronic learning*) aprendizagem eletrônica. → Abbreviations

elect /ɪl'ekt/ *s.* predestinado, privilegiado. • *v.* eleger; escolher.

election /ɪl'ekʃən/ *s.* eleição: We have an *election* for president this year.

electoral /ɪl'ektərəl/ *adj.* eleitoral.

electorate /ɪl'ektərət/ *s.* eleitorado.

electric /ɪl'ektrɪk/ *adj.* elétrico; vibrante, eletrizante. • *s.* bonde. ♦ **electric chair** cadeira elétrica. **electric drill** furadeira elétrica. **electric guitar** guitarra. **electric shaver** barbeador elétrico. → Musical Instruments

electrical /ɪl'ektrɪkəl/ *adj.* elétrico: This is an *electrical* system.

electrician /ɪlektr'ɪʃən/ *s.* eletricista. → Professions

electricity /ɪlektr'ɪsəti/ *s.* eletricidade.

electrification /ɪlektrɪfɪk'eɪʃən/ *s.* eletrificação.

electrify /ɪl'ektrɪfaɪ/ *v.* eletrificar; instalar equipamento elétrico; entusiasmar.

electrocardiogram /ɪlektroʊk'ɑrdioʊgræm/ *s.* eletrocardiograma.

electrocute /ɪl'ektrəkjuːt/ *v.* eletrocutar.

electrode /ɪl'ektroʊd/ *s.* eletrodo.

electrodynamic /ɪlektroʊdaɪn'æmɪk/ *adj.* eletrodinâmico.

electrolysis /ɪlektr'ɑləsɪs/ *s.* eletrólise.

electromagnetic /ɪlektroʊmægn'etɪk/ *adj.* eletromagnético.

electron /ɪl'ektrɑn/ *s.* elétron.

electronic /ɪlektr'ɑnɪk/ *adj.* eletrônico.

electronics /ɪlektr'ɑnɪks/ *s.* eletrônica.

elegance /'elɪgəns/ *s.* elegância, distinção, gosto.

elegant /'elɪgənt/ *adj.* elegante, fino, polido; gentil, distinto.

element /'elɪmənt/ *s.* elemento, componente; fundamento, princípio.

elementary /elɪm'entri/ *adj.* elementar; rudimentar.

elephant /'elɪfənt/ *s.* elefante. → Animal Kingdom

elevate /'elɪveɪt/ *v.* levantar, elevar.

elevation /elɪv'eɪʃən/ *s.* elevação.

elevator /'elɪveɪtər/ *s.* elevador, ascensor. ▪ *sin.* lift (*Brit.*).

eleven /ɪl'evən/ *s.* ou *num.* onze. → Numbers

eleventh /ɪl'evənθ/ *s.* ou *num.* décimo primeiro; onze avos (fração). → Numbers

elf /elf/ (*s. pl.* **elves** /elvz/) *s.* duende, gnomo.

eligible /'elɪdʒəbəl/ *adj.* qualificado; apto. ♦ **an eligible bachelor** um bom partido.

eliminate /ɪl'ɪmɪneɪt/ *v.* eliminar.

elite /eɪl'iːt, ɪl'iːt/ *s.* elite.

ellipse /ɪl'ɪps/ *s.* elipse.

elope /ɪl'oʊp/ *v.* fugir para casar(-se).

eloquence /'eləkwəns/ *s.* eloquência, retórica.

eloquent /'eləkwənt/ *adj.* eloquente, expressivo.

else /els/ *adv.* em vez de, em lugar de; de outro modo, do contrário, senão; outro, diverso, diferente; além disso, ainda mais. • *conj.* ou, senão. ♦ **Anybody else?** ou **Anyone else?** Alguém mais? **Anything else?** Algo mais? **nobody else** ou **no one else** ninguém mais. **nothing else** nada mais. **or else** ou então. **someone else** ou **somebody else** alguém mais. **something else** algo mais. **What else?** O que mais? **Where else?** Onde mais? **Who else?** Quem mais? **elsewhere** em algum outro lugar.

elucidate /il'uːsɪdeɪt/ *v.* elucidar, explicar. ▪ *sin.* explain.

elude /ɪl'uːd/ *v.* esquivar(-se), evadir; evitar. ▪ *sin.* escape.

elusive /ɪl'uːsɪv/ *adj.* de difícil compreensão ou definição; difícil de encontrar ou capturar.

e-mail /'iːmeɪl/ (*abrev.* de *electronic mail*) correio eletrônico. → Abbreviations

emancipate /ɪm'ænsɪpeɪt/ *v.* emancipar(-se); livrar(-se), libertar(-se).

embalm /ɪmb'ɑm/ *v.* embalsamar, conservar.

embankment /ɪmb'æŋkmənt/ *s.* dique, aterro.

embargo /ɪmb'ɑrgoʊ/ *s.* embargo; impedimento. • *v.* embargar, boicotar.

embark /ɪmb'ɑrk/ *v.* embarcar.

embarrass /ɪmb'ærəs/ *v.* envergonhar(-se); embaraçar, estorvar, atrapalhar; complicar. ▪ *sin.* entangle.

embarrassed /ɪmb'ærəst/ *adj.* envergonhado.

embarrassing /ɪmb'ærəsɪŋ/ *adj.* embaraçoso.

embarrassment /ɪmb'ærəsmənt/ *s.* vergonha, embaraço.

embassy /'embəsi/ *s.* embaixada.

embed /ɪmb'ed/ *v.* encravar; embutir.

embedded /ɪmb'edɪd/ *adj.* embutido, incluso, encaixado, encravado.

embellish /ɪmb'elɪʃ/ *v.* embelezar. ▪ *sin.* adorn, garnish.

embezzle /ɪmb'ezəl/ *v.* desviar, defraudar, desfalcar.

embezzlement /ɪmb'ezəlmənt/ *s.* desvio, desfalque.

embitter /ɪmb'ɪtər/ *v.* amargar, amargurar.

emblem /'embləm/ *s.* emblema.

embodiment /ɪmb'ɑdiːmənt/ *s.* incorporação; personificação.

embody /ɪmb'ɑdi/ *v.* personificar, incorporar.

embrace /ɪmbr'eɪs/ *s.* abraço. • *v.* abraçar(-se); adotar; seguir; admitir; receber; aceitar. ▪ *sin.* clasp, comprise.

embroider /ɪmbr'ɔɪdər/ *v.* bordar.

embroidery /ɪmbr'ɔɪdəri/ *s.* bordado.

embryo /'embriːoʊ/ *s.* embrião.

emerald /'emərəld/ *s.* ou *adj.* esmeralda.

emerge /ɪm'ɜːrdʒ/ *v.* emergir, surgir. ▪ *sin.* rise.

emergency /ɪm'ɜːrdʒənsi/ *s.* emergência.

emigrant /'emɪgrənt/ *s.* ou *adj.* emigrante.

emigrate /'emɪgreɪt/ *v.* emigrar.

eminent /'emɪnənt/ *adj.* eminente, notável, famoso. ▪ *sin.* distinguished.

emissary /'emɪseri/ *s.* ou *adj.* emissário, representante.

emission /iːm'ɪʃən/ *s.* emissão.

emit /iːm'ɪt/ *v.* emitir; publicar.

emoticon /ɪm'oʊtɪkɑn/ (*abrev.* de *emotional icon*) ícone emocional. → Abbreviations

emotion /ɪm'oʊʃən/ *s.* emoção.

emotional /ɪm'oʊʃənəl/ *adj.* emocional.

emperor /'empərər/ *s.* imperador.

emphasis /'emfəsɪs/ (*s. pl.* **emphases** /'emfəsiːz/) *s.* ênfase, importância.

emphasize /'emfəsaɪz/ (*Brit.* **emphasise**) *v.* enfatizar.

emphatic /ɪmf'ætɪk/ *adj.* enfático.

empire /'empaɪər/ *s.* império; reino. ▪ *sin.* kingdom.

empiric /ɪmp'ɪrɪk/ *s.* empírico, prático.

empirical /ɪmp'ɪrɪkəl/ *adj.* empírico.

employ /ɪmpl'ɔɪ/ *s.* emprego, serviço, ocupação; uso, aplicação. • *v.* empregar, dar serviço; usar. ♦ **employee** empregado, funcionário. **employer** empregador. **employment** emprego. **employment agency** agência de empregos. **underemployment** subemprego. **unemployment** desemprego. **unemployment rate** taxa de desemprego.

empower /ɪmp'aʊər/ *v.* autorizar; dar força, dar poder.

empowerment /ɪmp'aʊərmənt/ *s.* delegação de poder; fortalecimento.

empress /'emprəs/ *s.* imperatriz.

emptiness /'emptinəs/ *s.* vácuo; vazio.

empty /'empti/ *adj.* vazio, vácuo; desocupado, vago. ▪ *sin.* vacant. ♦ **empty out** esvaziar. **empty stomach** estômago vazio. **empty-handed** de mãos vazias. **empty-headed** cabeça oca.

emulsion /ɪm'ʌlʃən/ *s.* emulsão.

enable /ɪn'eɪbəl/ *v.* habilitar; capacitar, tornar apto; possibilitar.

enact /ɪn'ækt/ *v.* ordenar, decretar, promulgar; legalizar.

enamel /ɪn'æməl/ *s.* esmalte (de dente, de pintura). • *v.* esmaltar.

enchant /ɪntʃ'ænt/ *v.* encantar, enfeitiçar; deleitar, enlevar.

enchanting /ɪntʃ'æntɪŋ/ *adj.* encantador, fascinante, maravilhoso.

enchantment /ɪntʃ'æntmənt/ *s.* encantamento.

encircle /ɪns'ɜːrkəl/ *v.* cercar, envolver, rodear.

enclose /ɪnkl'oʊz/ *v.* fechar, encerrar, cercar.

enclosed /ɪnkl'oʊzd/ *adj.* incluso, anexo.

enclosure /ɪnkl'oʊʒər/ *s.* cerco; cerca, muro; anexos (correspondência).

encoded /ɪnk'oʊdɪd/ *adj.* codificado.

encore /'ɑŋkɔːr/ *s.* bis, repetição. • *interj.* bis!

encounter /ɪnk'aʊntər/ *s.* encontro; conflito. • *v.* encontrar casualmente, deparar(-se) com alguém.

encourage /ɪnk'ɜːrɪdʒ/ *v.* encorajar.

encouragement /ɪnk'ɜːrɪdʒmənt/ *s.* encorajamento.

encrust /ɪnkr'ʌst/ *v.* incrustar, cravar; revestir.

encrypt /ɪnkr'ɪpt/ *v.* transformar em código, codificar.

end /end/ *s.* fim, termo, conclusão; parada. • *v.* acabar, concluir, terminar, finalizar; parar. ♦ **All's well that ends well.** Tudo está bem quando termina bem. **at the end of August** no final de agosto. **bring to an end** acabar com; pôr fim a. **come to an end** chegar ao fim. **come to a bad end** terminar mal. **end product** produto final. **endless** infindável, interminável, sem fim. **endlessly** infinitamente. **from one end to the other** de ponta a ponta, do começo ao fim. **in the end** no fim. **The end justifies the means.** Os fins justificam os meios.

endanger /ɪnd'eɪndʒər/ *v.* pôr em perigo. ▪ *sin.* jeopardize, imperil.

endangered /ɪnd'eɪndʒərd/ *adj.* ameaçado; em extinção. ▪ *sin.* threatened. ♦ **endangered species** espécie ameaçada de extinção.

endearing /ɪnd'ɪrɪŋ/ *adj.* amável, terno.

endeavor /ɪnd'evər/ (*Brit.* ***endeavour***) *s.* diligência, esforço, empenho. • *v.* esforçar-se. ▪ *sin.* strive, struggle.

ending /'endɪŋ/ *s.* final: The villain had a bad *ending*.

endorse /ɪnd'ɔːrs/ *v.* endossar; apoiar.

endorsement /ɪnd'ɔːrsmənt/ *s.* endosso, endossamento.

endoscope /'endəskoʊp/ *s.* endoscópio.

endoscopy /end'ɑskəpi/ *s.* endoscopia.

endow /ɪnd'aʊ/ *v.* doar; dotar; prendar.

endowment /ɪnd'aʊmənt/ *s.* doação; dote.

endurance /ɪnd'ʊrəns/ *s.* resistência.

endure /ɪnd'ʊr/ *v.* aturar, sofrer, suportar; aguentar, resistir, tolerar. ▪ *sin.* bear, tolerate.

enduring /ɪnd'ʊrɪŋ/ *adj.* duradouro.

enemy /'enəmi/ *s.* ou *adj.* inimigo. ▪ *sin.* foe, adversary, opponent, antagonist. ▪ *ant.* friend.

energetic /enərdʒ'etɪk/ *adj.* enérgico, vigoroso; ativo, eficaz.

energy /'enərdʒi/ *s.* energia.

enforce /ɪnf'ɔːrs/ *v.* forçar, obrigar.

engage /ɪng'eɪdʒ/ *v.* empenhar, comprometer(-se) com; ficar noivo.

engaged /ɪng'eɪdʒd/ *adj.* comprometido, noivo: Brad and Susan are *engaged*.

engagement /ɪng'eɪdʒmənt/ *s.* compromisso; noivado.

engender /ɪndʒ'endər/ *v.* engendrar.

engine /'endʒɪn/ *s.* máquina, motor; locomotiva; instrumento, engenho.

engineer /endʒɪn'ɪr/ *s.* engenheiro. • *v.* planejar; construir. → Professions

engineering /endʒɪn'ɪrɪŋ/ *s.* engenharia.

England /'ɪŋglənd/ *s.* Inglaterra. → Countries & Nationalities

English /'ɪŋglɪʃ/ *s.* inglês; a língua, o idioma inglês; natural da Inglaterra. • *adj.* inglês. ♦ **Englishman** inglês. **Englishwoman** inglesa. **the English** o povo inglês. → Countries & Nationalities

engrave /ɪngr'eɪv/ *v.* gravar, esculpir; entalhar. ▪ *sin.* imprint.

engraving /ɪngr'eɪvɪŋ/ *s.* gravura; gravação.

enhance /ɪnh'æns/ *v.* aumentar; realçar.

This will really *enhance* your communication skills.

enjoy /ɪndʒ'ɔɪ/ *v.* aproveitar, desfrutar; gostar.

enjoyable /ɪndʒ'ɔɪəbəl/ *adj.* agradável: Those times were *enjoyable*.

enjoyment /ɪndʒ'ɔɪmənt/ *s.* prazer; alegria.

enlarge /ɪnl'ɑrdʒ/ *v.* alargar; estender; ampliar, amplificar; aumentar. ▪ *sin.* increase, extend.

enlargement /ɪnl'ɑrdʒmənt/ *s.* ampliação.

enlighten /ɪnl'aɪtən/ *v.* esclarecer.

enlightenment /ɪnl'aɪtənmənt/ *s.* esclarecimento. ♦ **the Enlightenment** ou **Age of Enlightenment** ou **Age of Reason** Iluminismo.

enlist /ɪnl'ɪst/ *v.* alistar(-se), recrutar; registrar(-se). ▪ *sin.* enroll.

enmity /'enməti/ *s.* inimizade, aversão.

enormity /ɪn'ɔːrməti/ *s.* enormidade.

enormous /ɪn'ɔːrməs/ *adj.* enorme, colossal, imenso. ▪ *sin.* huge, immense, vast.

enough /ɪn'ʌf/ *adj.* bastante, suficiente. ▪ *sin.* sufficient.

enrage /ɪnr'eɪdʒ/ *v.* enfurecer, encolerizar, irritar, enraivecer.

enrich /ɪnr'ɪtʃ/ *v.* enriquecer; melhorar.

enroll /ɪnr'oʊl/ *v.* registrar(-se), matricular(-se), inscrever(-se). ▪ *sin.* enlist. → Deceptive Cognates

ensemble /ɑns'ɑmbəl/ *s.* conjunto, grupo.

ensign /'ensən/ *s.* insígnia; bandeira; emblema, distintivo.

enslave /ɪnsl'eɪv/ *v.* escravizar; subjugar.

ensue /ɪns'uː/ *v.* seguir(-se); resultar; suceder, acontecer, decorrer.

entangle /ɪnt'æŋgəl/ *v.* emaranhar, embaraçar; desconcertar.

entanglement /ɪnt'æŋgəlmənt/ *s.* embaraço; entrelaçamento.

enter /'entər/ *v.* entrar; digitar; ingressar, inscrever(-se), associar(-se).

enterprise /'entərpraɪz/ *s.* empreendimento, empresa; aventura. • *v.* empreender; arriscar, aventurar-se.

entertain /entərt'eɪn/ *v.* entreter, divertir, distrair; receber visita. ▪ *sin.* amuse.

entertainer /entərt'eɪnər/ *s.* artista (de variedades): That comediant is a good *entertainer*.

entertaining /entərt'eɪnɪŋ/ *adj.* divertido.

entertainment /entərt'eɪnmənt/ *s.* entretenimento, divertimento; espetáculo.

enthralling /ɪnθr'ɔːlɪŋ/ *adj.* cativante, envolvente.

enthusiasm /ɪnθ'uːziːæzəm/ *s.* entusiasmo.

enthusiastic /ɪnθuːzi'æstɪk/ *adj.* entusiástico, entusiasmado.

entire /ɪnt'aɪər/ *adj.* inteiro. ▪ *sin.* whole.

entirely /ɪnt'aɪərli/ *adv.* totalmente.

entitle /ɪnt'aɪtəl/ *v.* intitular, denominar; dar a alguém o direito de: I *entitle* you to speak on my name. ▪ *sin.* name.

entity /'entəti/ *s.* entidade.

entourage /'ɑːnturɑːʒ/ *s.* séquito, cortejo.

entrails /'entreɪlz/ *s. pl.* entranhas, vísceras.

entrance /'entrəns/ *s.* entrada, ingresso, permissão; abertura; portão. ♦ **entrance exam** exame vestibular. **entrance fee** taxa de ingresso.

entrepreneur /ɑːntrəprən'ɜːr/ *s.* empresário; empreendedor.

entrust /ɪntr'ʌst/ *v.* confiar (algo a alguém).

entry /'entri/ *s.* entrada, ingresso; portal; verbete (dicionário): This is a difficult *entry* of the encyclopedia. ▪ *sin.* entrance.

enumerate /ɪn'uːməreɪt/ *v.* enumerar.

enunciate /ɪn'ʌnsiːeɪt/ *v.* enunciar, pronunciar; manifestar.

envelop /ɪnv'eləp/ *v.* envolver.

envelope /'envəloʊp, 'ɑːnvəloʊp/ *s.* envelope.

enviable /'enviəbəl/ *adj.* invejável, cobiçável.

envious /'enviəs/ *adj.* invejoso.

environment /ɪnv'aɪrənmənt/ *s.* meio ambiente; ambiente.

Scan this QR code to learn more about **environment**.
www.richmond.com.br/5lmenvironment

environmental /ɪnvaɪrənm'entəl/ *adj.* ambiental: *Environmental* pollution is a global issue.

envisage /ɪnv'ɪzɪdʒ/ *v.* considerar, imaginar.

envoy /'envɔɪ/ *s.* enviado.

envy /'envi/ *s.* inveja; ciúme. • *v.* invejar, desejar.

ephemeral /ɪf'emərəl/ *adj.* efêmero.

epic /'epɪk/ *adj.* épico.

epidemic /epɪd'emɪk/ *s.* epidemia. • *adj.* epidêmico.

epilepsy /'epɪlepsi/ *s.* epilepsia.

epileptic /epɪl'eptɪk/ *s.* ou *adj.* epilético.

epilog /'epɪlɔːg, 'epɪlɑːg/ (*Brit.* ***epilogue***) *s.* epílogo.

episcopal /ɪp'ɪskəpəl/ *adj.* episcopal.

episode /'epɪsoʊd/ *s.* episódio.

epistle /ɪp'ɪsɪl/ *s.* epístola, carta, missiva.

epitaph /'epɪtæf/ *s.* epitáfio.

epoch /'epək/ *s.* época, era; período.

epopee /'epəpiː/ *s.* epopeia.

equable /'ekwəbəl/ *adj.* equivalente, equitativo.

equal /'iːkwəl/ *s.* igual, semelhante. • *v.* igualar, equiparar. • *adj.* igual, idêntico; uniforme. ♦ **equal sign**

ou **equals sign** (*Brit.*) sinal de igual (*matemática*). → Numbers

equality /ikw'ɑləti/ *s.* igualdade, equidade.

equalize /'iːkwəlaɪz/ (*Brit.* ***equalise***) *v.* igualar; nivelar.

equally /'iːkwəli/ *adv.* igualmente: They split the reward *equally*.

equate /ikw'eɪt/ *v.* igualar; equiparar(-se).

equator /ɪkw'eɪtər/ *s.* equador.

equestrian /ɪkw'estriən/ *s.* cavaleiro. • *adj.* equestre.

equidistant /iːkwɪd'ɪstənt, ekwɪd'ɪstənt/ *adj.* equidistante.

equilibrate /ɪkw'ɪlɪbreɪt/ *v.* equilibrar.

equine /'iːkwaɪn/ *adj.* equino.

equip /ɪkw'ɪp/ *v.* equipar, guarnecer; preparar, tornar apto.

equipment /ɪkw'ɪpmənt/ *s.* equipamento.

equivalence /ɪkw'ɪvələns/ *s.* equivalência.

equivalent /ɪkw'ɪvələnt/ *adj.* equivalente.

era /'ɪrə/ *s.* era, época.

eradicate /ɪr'ædɪkeɪt/ *v.* erradicar. ▪ *sin.* extirpate, exterminate.

erase /ɪr'eɪs/ *v.* raspar, riscar; apagar; rasurar; extinguir.

eraser /ɪr'eɪsər/ *s.* apagador; borracha (de apagar). → Classroom

erect /ɪr'ekt/ *v.* erigir, erguer, levantar; edificar; fundar; instituir. • *adj.* ereto, reto, direito.

erection /ɪr'ekʃən/ *s.* ereção; construção.

ergonomic /ɜːrgən'ɑːmɪk/ *adj.* ergonômico. ♦ **ergonomic keyboard** teclado ergonômico (*informática*).

ergonomics /ɜːrgən'ɑːmɪks/ *s.* ergonomia.

erode /ɪr'oʊd/ *v.* corroer, desgastar(-se); sofrer erosão.

erosion /ɪr'oʊʒən/ *s.* erosão.

erotic /ɪr'ɑtɪk/ *adj.* erótico, libidinoso.

err /er/ *v.* errar; enganar(-se).

errand /'erənd/ *s.* mensagem, recado; incumbência, missão. ▪ *sin.* task.

errant /'erənt/ *adj.* errante; ambulante.

erroneous /ɪr'oʊniəs/ *adj.* errôneo, errado, falso, incorreto, inexato.

error /'erər/ *s.* erro, engano, equívoco. ▪ *sin.* mistake, blunder.

erudite /'erudaɪt/ *adj.* erudito, sábio.

erupt /ɪr'ʌpt/ *v.* entrar em erupção, explodir.

eruption /ɪr'ʌpʃən/ *s.* erupção, explosão.

esc /ɪsk/ (*abrev.* de *escape*) escapar, sair. ♦ **esc key** tecla de escape ou saída. → Abbreviations

escalate /'eskəleɪt/ *v.* escalar, subir; aumentar, intensificar(-se).

escalator /'eskəleɪtər/ *s.* escada rolante.

escape /ɪsk'eɪp/ *s.* fuga; saída. • *v.* escapar; vazar.

escort /'eskɔːrt/ *s.* escolta, cobertura, companhia, comboio, séquito; acompanhante. • /ɪsk'ɔːrt/ *v.* escoltar, acompanhar. ▪ *sin.* accompany.

Eskimo /'eskɪmoʊ/ (*s. pl.* ***Eskimo*** ou ***Eskimos***) *s.* ou *adj.* esquimó.

esophagus /ɪs'ɑfəgəs/ (*Brit.* ***oesophagus***) *s.* esôfago. → Human Body

especial /ɪsp'eʃəl/ *adj.* especial; particular, principal; excepcional.

especially /ɪsp'eʃəli/ *adv.* especialmente: He likes animals, *especially* dogs.

espionage /'espiənɑːʒ/ *s.* espionagem.

essay /'eseɪ/ *s.* ensaio; redação; dissertação. • /es'eɪ/ *v.* ensaiar, experimentar.

essence /e'sens/ *s.* essência; âmago.

essential /ɪ'senʃəl/ *adj.* essencial, indispensável; importante.

essentially /ɪs'enʃəli/ *adv.* essencialmente: She is *essentially* sweet.

establish /ɪst'æblɪʃ/ *v.* estabelecer; fundar, instituir; determinar.

establishment /ɪst'æblɪʃmənt/ *s.* estabelecimento.

estate /ɪst'eɪt/ *s.* fazenda; propriedade; conjunto de bens; patrimônio; legado. ▪ *sin.* property.

esteem /ɪst'iːm/ *s.* estima, consideração. • *v.* estimar; avaliar, taxar. ♦ **self-esteem** autoestima.

estimate /'estɪmət/ *s.* estimativa, avaliação. • /'estɪmeɪt/ *v.* estimar, avaliar, calcular, orçar.

estrange /ɪstr'eɪndʒ/ *v.* alienar. ➔ Deceptive Cognates

estranged /ɪstr'eɪndʒd/ *adj.* separado.

estuary /'estʃueri/ *s.* estuário.

ETA /iːtiː'eɪ/ (*abrev.* de *estimated time of arrival*) tempo estimado da chegada. ➔ Abbreviations

ETD /iːtiːd'iː/ (*abrev.* de *estimated time of departure*) tempo estimado da partida. ➔ Abbreviations

eternal /ɪt'ɜːrnəl/ *adj.* eterno, imortal.

Eternal City *s.* a Cidade Eterna (Roma).

eternity /ɪt'ɜːrnəti/ *s.* eternidade.

ethic /'eθɪk/ *s.* ética. *pl.* **ethics** regras morais ou princípios.

Ethiopia /iːθi'oʊpiə/ *s.* Etiópia. ➔ Countries & Nationalities

Ethiopian /iːθi'oʊpiən/ *s.* ou *adj.* etíope. ➔ Countries & Nationalities

ethnic /'eθnɪk/ *s.* ou *adj.* étnico.

ethnology /eθn'ɑːlədʒi/ *s.* etnologia.

etiquette /'etɪket, 'etɪkət/ *s.* etiqueta, boas maneiras. ▪ *sin.* manners.

etymology /etɪm'ɑlədʒi/ *s.* etimologia.

Eucharist /j'uːkərɪst/ *s.* Eucaristia.

euphemism /j'uːfəmɪzəm/ *s.* eufemismo.

euphoria /juːf'ɔːriə/ *s.* euforia.

euro /'jʊroʊ/ *s.* euro (moeda da União Europeia): I spent a lot of *euros* during my trip to France.

European /jʊrəp'iːən/ *s.* ou *adj.* europeu.

euthanasia /juːθən'eɪʒə/ *s.* eutanásia.

evacuate /ɪv'ækjueɪt/ *v.* evacuar, desocupar, abandonar; despejar, esvaziar.

evacuation /ɪvækju'eɪʃn/ *s.* evacuação.

evade /ɪv'eɪd/ *v.* evadir(-se); escapar, fugir; sonegar.

evaluate /ɪv'æljueɪt/ *v.* avaliar, estimar o valor.

evaporate /ɪv'æpəreɪt/ *v.* evaporar(-se), dissipar(-se).

evasion /ɪv'eɪʒən/ *s.* evasão.

evasive /ɪv'eɪsɪv/ *adj.* evasivo, ambíguo.

eve /iːv/ *s.* véspera. ♦ **Christmas Eve** Véspera de Natal. **Easter Eve** Véspera da Páscoa. **New Year's Eve** Véspera de Ano-Novo.

even /'iːvən/ *v.* igualar; nivelar; emparelhar; equilibrar; comparar(-se), equiparar. • *adj.* plano, liso; igual; par; nivelado. • *adv.* igualmente; até; mesmo. ♦ **an even chance** uma chance em duas. **be even with somebody** estar quite com alguém. **even more** mais ainda. **even number** número par. **even so** mesmo assim. **even the score** igualar o placar. **even though** ou **even if** mesmo se; embora.

evening /'iːvənɪŋ/ *s.* noite.

event /ɪv'ent/ *s.* evento, acontecimento; incidente.

eventual /ɪv'entʃuəl/ *adj.* eventual.

eventuality /ɪventʃu'æləti/ *s.* eventualidade.

eventually /ɪv'entʃuəli/ *adv.* finalmente; fatalmente. ➔ Deceptive Cognates

ever /'evər/ *adv.* sempre; já; alguma vez. ♦ **ever since** desde então. **hardly ever** quase nunca. **everlasting** duradouro, eterno, perene.

evergreen /'evərgriːn/ *adj.* perene.

every /'evri/ *adj.* todo, todos. ♦ **every now and then** de vez em quando. **every other month** mês sim, mês não. **every time** toda vez que. **I expect them every minute.** Eu os espero a todo momento. **everybody** ou **everyone** todo mundo. **every day** todos os dias. **everything** tudo. **everywhere** em todos os lugares.

evidence /'evɪdəns/ *s.* evidência, prova, indício. • *v.* comprovar.

evident /'evɪdənt/ *adj.* evidente.

evidently /'evɪdəntli/ *adv.* evidentemente, visivelmente.

evil /'iːvl, 'iːvɪl/ *s.* mal, maldade. • *adj.* mau, malvado. ♦ **I wish no one any evil.** Não desejo mal a ninguém.

evildoer /'iːvəlduːər/ *s.* malfeitor.

evoke /ɪv'oʊk/ *v.* evocar; provocar.

evolution /iːvəl'uːʃn, evəl'uːʃn/ *s.* evolução.

ewe /juː/ *s.* ovelha. ➔ Animal Kingdom

exact /ɪgz'ækt/ *v.* extorquir; exigir. • *adj.* exato, preciso, correto, justo, certo.

exactly /ɪgz'æktli/ *adv.* exatamente: They did *exactly* the same.

exactness /ɪgz'æktnəs/ *s.* exatidão.

exaggerate /ɪgz'ædʒəreɪt/ *v.* exagerar.

exaggeration /ɪgzædʒər'eɪʃən/ *s.* exagero.

exam /ɪgz'æm/ *s.* exame, teste, prova; inspeção.

examination /ɪgzæmɪn'eɪʃən/ *s.* exame: Today we will have an *examination* at school.

examine /ɪgz'æmɪn/ *v.* examinar, averiguar, investigar, inspecionar.

example /ɪgz'æmpəl/ *s.* exemplo. ♦ **for example** ou **for instance** por exemplo. **set a good example** dar um bom exemplo.

exasperate /ɪgz'æspəreɪt/ *v.* exasperar(-se), irritar(-se); amargurar(-se).

excavate /'ekskəveɪt/ *v.* escavar; cavar.

exceed /ɪks'iːd/ *v.* exceder, sobrepujar, superar; distinguir(-se). ▪ *sin.* surpass, transcend.

exceeding /ɪks'iːdɪŋ/ *adj.* excessivo; excepcional.

excel /ɪks'el/ *v.* exceder, superar; vencer; destacar(-se), distinguir(-se), sobressair(-se).

excellence /'eksələns/ *s.* excelência.

excellent /'eksələnt/ *adj.* excelente.

except /ɪks'ept/ *v.* excetuar, omitir, isentar, eximir, excluir. • *prep.* exceto, fora. • *conj.* a menos que, senão. ▪ *sin.* but.

exception /ɪks'epʃən/ *s.* exceção.

exceptionable /ɪks'epʃənəbəl/ *adj.* censurável, reprovável; contestável, recusável.

exceptional /ɪks'epʃənəl/ *adj.* excepcional.

excerpt /'eksɜːrpt/ *s.* excerto, trecho, passagem. • /eks'ɜːrpt/ *v.* extrair, selecionar, resumir.

excess /ɪks'es/ *s.* excesso; abuso. • *adj.* excedente.

excessive /ɪks'esɪv/ *adj.* excessivo.

exchange /ɪkstʃ'eɪndʒ/ *s.* troca, permuta, intercâmbio. ▪ *sin.* barter. • *v.* trocar, cambiar, permutar. ♦ **exchange rate** taxa de câmbio.

excitant /'eksɪtənt/ *s.* ou *adj.* excitante, estimulante.

excitation /eksɪt'eɪʃən/ *s.* excitação; estímulo.

excite /ɪks'aɪt/ *v.* excitar; estimular, incitar; provocar.

excited /ɪks'aɪtɪd/ *adj.* entusiasmado: She is very *excited* about the party.

excitement /ɪks'aɪtmənt/ *s.* excitação.

exciting /ɪks'aɪtɪŋ/ *adj.* empolgante; emocionante. ➔ Deceptive Cognates

exclaim /ɪkskl'eɪm/ *v.* exclamar; gritar.

exclamation /eksklǝm'eɪʃən/ *s.* exclamação; grito, brado. ♦ **exclamation mark** ponto de exclamação.

exclude /ɪkskl'uːd/ *v.* excluir; eliminar; afastar.

exclusion /ɪkskl'uːʒən/ *s.* exclusão.

exclusive /ɪkskl'uːsɪv/ *adj.* exclusivo; único; privativo; inacessível.

excrement /'ekskrɪmənt/ *s.* excremento.

excursion /ɪksk'ɜːrʒən/ *s.* excursão.

excuse /ɪkskj'uːs/ *s.* escusa, desculpa. • /ɪkskj'uːz/ *v.* desculpar(-se), perdoar.

execrate /'eksɪkreɪt/ *v.* execrar, detestar.

execute /'eksɪkjuːt/ *v.* executar; efetuar, cumprir, levar a cabo.

execution /eksɪkj'uːʃən/ *s.* execução.

executive /ɪgz'ekjətɪv/ *s.* executivo.

executor /ɪgz'ekjətər/ *s.* testamenteiro; realizador, executor.

exemplification /ɪgzemplɪfɪk'eɪʃən/ *s.* exemplificação; demonstração.

exemplify /ɪgz'emplɪfaɪ/ *v.* exemplificar.

exempt /ɪgz'empt/ *s.* ou *adj.* pessoa isenta de alguma obrigação. • *v.* isentar, libertar, dispensar. ▪ *sin.* free.

exemption /ɪgz'empʃən/ *s.* isenção, dispensa.

exercise /'eksərsaɪz/ *s.* exercício. • *v.* exercitar(-se).

exert /ɪgz'ɜːrt/ *v.* mostrar; exercer; empregar, aplicar.

exertion /ɪgz'ɜːrʃən/ *s.* esforço, empenho. ▪ *sin.* effort.

exhaust /ɪgz'ɔːst/ *s.* escape, descarga. • *v.* esvaziar, despejar; gastar, consumir; escapar; descarregar; esgotar, fatigar.

exhaustion /ɪgz'ɔːstʃən/ *s.* exaustão, esgotamento, cansaço.

exhaustive /ɪgz'ɔːstɪv/ *adj.* exaustivo.

exhibit /ɪgz'ɪbɪt/ *s.* exibição, apresentação, exposição. • *v.* exibir(-se); revelar.

exhibition /eksɪb'ɪʃən/ *s.* exposição, exibição.

exigency /'eksɪdʒənsi/ *s.* exigência; emergência.

exiguous /egz'ɪgjuəs/ *adj.* exíguo, pequeno; parco, escasso.

exile /'eksaɪl, 'egzaɪl/ *s.* exílio, desterro. • *v.* exilar, banir; expatriar. ▪ *sin.* banish.

exist /ɪgz'ɪst/ *v.* existir; viver.

existence /ɪgz'ɪstəns/ *s.* existência.

existing /ɪgz'ɪstɪŋ/ *adj.* existente.

exit /'eksɪt, 'egzɪt/ *s.* saída. • *v.* sair. ♦ **exit strategy** estratégia de recuo; estratégia de fuga. → Deceptive Cognates

exonerate /ɪgz'ɑnəreɪt/ *v.* exonerar.

exorbitance /igz'ɔrbɪtəns/ *s.* exorbitância, demasia; extravagância.

exorbitant /ɪgz'ɔːrbɪtənt/ *adj.* exorbitante, excessivo; extravagante.

exorcize /'eksɔːrsaɪz/ (*Brit.* **exorcise**) *v.* exorcizar.

exorcism /'eksɔrsɪzəm/ *s.* exorcismo.

exotic /ɪgz'ɑtɪk/ *adj.* exótico; raro.

exp /ɪksp/ (*abrev.* de *expenses*, de *export* e de *express*) despesas, exportação e expresso. → Abbreviations

expand /ɪksp'ænd/ *v.* expandir, dilatar, ampliar, desenvolver. ▪ *sin.* dilate.

expansion /ɪksp'æntʃən/ *s.* expansão, dilatação, extensão, ampliação.

expatriate /eksp'eɪtriət/ *v.* expatriar, desterrar.

expect /ɪksp'ekt/ *v.* esperar, aguardar; supor, presumir; estar grávida. ♦ **Expect me when you see me.** Não posso lhe dizer com certeza quando estarei lá.

expectation /ekspekt'eɪʃən/ *s.* expectativa.

expectorant /ɪksp'ektərənt/ *s.* ou *adj.* expectorante.

expedient /ɪksp'iːdiːənt/ *s.* expediente, meio, recurso. • *adj.* expediente. ▪ *sin.* resource.

expedition /ekspəd'ɪʃən/ *s.* expedição.

expel /ɪksp'el/ *v.* expelir, expulsar.

expend /ɪksp'end/ *v.* despender, gastar; consumir.

expense /ɪksp'ens/ *s.* despesa, gasto; custo. ▪ *sin.* cost. ♦ **at the expense of** à custa de.

expensive /ɪksp'ensɪv/ *adj.* dispendioso, caro.

experience /ɪksp'ɪriːəns/ *s.* experiência, prática. • *v.* sentir, experienciar, conhecer.

experienced /ɪksp'ɪriənst/ *adj.* experiente: John is *experienced* in these tools.

experiment /ɪksp'erɪmənt/ *s.* experiência. • *v.* experimentar, tentar, fazer experiências.

experimental /ɪksperɪm'entəl/ *adj.* experimental.

expert /'ekspɜːrt/ *s.* perito, especialista. ➔ Deceptive Cognates

expertise /ekspɜːrt'iːz/ *s.* conhecimento ou habilidade de um especialista.

expire /ɪksp'aɪər/ *v.* expirar; morrer; terminar, vencer (prazo).

explain /ɪkspl'eɪn/ *v.* explicar.

explanation /eksplən'eɪʃən/ *s.* explicação.

explanatory /ɪkspl'ænətɔri/ *adj.* explicativo.

explicit /ɪkspl'ɪsɪt/ *adj.* explícito.

explode /ɪkspl'oʊd/ *v.* explodir, detonar.

exploit /'eksplɔɪt/ *s.* bravura, ato de heroísmo. • /ɪkspl'ɔɪt/ *v.* explorar, aproveitar(-se) de. ▪ *sin.* deed.

exploration /eksplər'eɪʃən/ *s.* exploração.

explore /ɪkspl'ɔːr/ *v.* explorar, investigar.

explorer /ɪkspl'ɔːrər/ *s.* explorador.

explosion /ɪkspl'oʊʒən/ *s.* explosão.

explosive /ɪkspl'oʊsɪv, ɪkspl'oʊzɪv/ *s.* ou *adj.* explosivo.

exponent /eksp'oʊnənt/ *s.* expoente.

export /'ekspɔːrt/ *s.* exportação. • /ɪksp'ɔːrt/ *v.* exportar.

exporter /eksp'ɔːrtər/ *s.* exportador.

expose /ɪksp'oʊz/ *v.* expor, exibir.

exposition /ekspəz'ɪʃən/ *s.* exposição; explicação.

exposure /ɪksp'oʊʒər/ *s.* exposição (a doenças, ao frio); exibição; publicidade; revelação (fotografia, verdade).

express /ɪkspr'es/ *s.* mensagem urgente, carta ou encomenda expressa. • *adj.* exato; claro; expresso; explícito. • *v.* despachar como encomenda; expressar; manifestar. ▪ *sin.* declare.

expression /ɪkspr'eʃən/ *s.* expressão.

expressive /ɪkspr'esɪv/ *adj.* expressivo.

expropriate /ekspr'oʊpriːeɪt/ *v.* desapropriar.

expulsion /ɪksp'ʌlʃən/ *s.* expulsão.

exquisite /ɪkskw'ɪzɪt, 'ekskwɪzɪt/ *adj.* bonito; delicado; muito bom. ➔ Deceptive Cognates

extend /ɪkst'end/ *v.* estender; prolongar; prorrogar (prazo). ▪ *sin.* enlarge, increase, stretch, reach.

extension /ɪkst'enʃən/ *s.* extensão.

extensive /ɪkst'ensɪv/ *adj.* extensivo; amplo. ▪ *sin.* broad, wide.

extent /ɪkst'ent/ *s.* extensão; grau ▪ *sin.* limit. ♦ **to a certain extent** até certo ponto.

extenuate /ɪkst'enjuːeɪt/ *v.* extenuar, enfraquecer; abrandar.

exterior /ɪkst'ɪriər/ *s.* exterior; aspecto. • *adj.* exterior, externo.

exterminate /ɪkst'ɜːrmɪneɪt/ *v.* exterminar. ▪ *sin.* eradicate.

external /ɪkst'ɜːrnəl/ *adj.* externo, exterior.

extinct /ɪkst'ɪŋkt/ *adj.* extinto; apagado.

extinction /ɪkst'ɪŋkʃən/ *s.* extinção.

extinguish /ɪkst'ɪŋgwɪʃ/ *v.* extinguir; apagar; aniquilar; eliminar.

extirpate /'ekstərpeɪt/ *v.* extirpar, exterminar. ▪ *sin.* eradicate.

extirpator /'ekstərpeɪtər/ *s.* exterminador.

extort /ɪkst'ɔːrt/ *v.* extorquir.

extortion /ɪkst'ɔːrʃən/ *s.* extorsão.

extortionate /ɪkst'ɔːrʃənət/ *adj.* extorsivo; exorbitante, excessivo.

extra /'ekstrə/ *s.* extra, acréscimo; figurante. *pl.* ***extras*** gastos extraordinários, despesas extras. • *adj.* extra, extraordinário, especial, excepcional; suplementar. • *adv.* super, extra: These clothes are *extra* large.

extract /'ekstrækt/ *s.* extrato. • /ɪkstr'ækt/ *v.* extrair.

extradite /'ekstrədaɪt/ *v.* extraditar.

extraordinary /ɪkstr'ɔːrdəneri/ *adj.* extraordinário; excepcional. ▪ *sin.* remarkable.

extravagance /ɪkstr'ævəgəns/ *s.* extravagância.

extravagant /ɪkstr'ævəgənt/ *adj.* extravagante; gastador, esbanjador.

extreme /ɪkstr'iːm/ *s.* extremo; extremidade. • *adj.* extremo; último; supremo; imenso; severo. ♦ **extreme sports** esportes radicais.

extremely /ɪkstr'iːməli/ *adv.* extremamente: That place is *extremely* dangerous.

extremity /ɪkstr'eməti/ *s.* extremidade; fim, término.

extrovert /'ekstrəvɜːrt/ *adj.* extrovertido.

exult /ɪgz'ʌlt/ *v.* exultar; triunfar; alegrar(-se).

exultant /ɪgz'ʌltənt/ *adj.* exultante.

eye /aɪ/ *s.* olho, vista; visão, percepção. • *v.* olhar, ver, observar, contemplar, mirar, examinar. ♦ **An eye for an eye and a tooth for a tooth.** Olho por olho, dente por dente. **apple of the eyes** menina dos olhos. **Beauty is in the eye of the beholder.** A beleza está nos olhos de quem vê. **before my eyes** diante dos meus olhos. **cast an eye over the newspaper** dar uma olhada no jornal. **eye bank** banco de olhos. **eye hospital** clínica oftalmológica. **He has a good eye for cars.** Ele entende de carros. **I caught her eyes.** Eu atraí a atenção dela. **I'm up to the eyes in work.** Estou sobrecarregado de serviço. **in my eyes** a meu ver, na minha opinião. **in the eyes of the law** aos olhos da lei. **in the twinkling of an eye** num piscar de olhos. **Keep an eye on them!** Vigie-os! **with naked eye** a olho nu. **with other eyes** com outros olhos. **evil eye** mau-olhado. **black-eyed** de olhos pretos. **blue-eyed** de olhos azuis. **brown-eyed** de olhos castanhos. **green-eyed** de olhos verdes. **eyeball** globo ocular. **eyebrow** sobrancelha. **eyeglass** monóculo. **eyelash** cílio. **eyelid** pálpebra. **eyeshadow** sombra (maquiagem). **eyesight** vista, visão. **eyesore** monstruosidade, algo feio de se olhar. **eyewitness** testemunha ocular. ➔ Human Body

e-zine /'iːziːn/ (*abrev.* de *electronic magazine*) revista eletrônica, revista *on-line*. ➔ Abbreviations

F

F /ef/ *s.* sexta letra do alfabeto inglês; fá, a quarta nota musical.

F /ef/ (*abrev.* de *Fahrenheit*) Fahrenheit. → **Abbreviations**

fable /f'eɪbəl/ *s.* fábula; mito.

fabric /f'æbrɪk/ *s.* textura, tecido, pano; estrutura, construção; feitio. → **Deceptive Cognates**

fabricate /f'æbrɪkeɪt/ *v.* fabricar; inventar história.

fabrication /fæbrɪk'eɪʃən/ *s.* fabricação, construção; história inventada.

fabulous /f'æbjələs/ *adj.* fabuloso.

face /feɪs/ *s.* face, rosto, fisionomia. • *v.* encarar, enfrentar. ♦ **double-face coat** casaco de dupla face. **face an enemy** enfrentar um inimigo. **face down** de bruços, virado para baixo. **face powder** pó facial. **face to face** face a face, pessoalmente. **face value** valor nominal (dinheiro). **for her fair face** pelos seus belos olhos. **half face** perfil. **He saved his face.** Ele salvou as aparências. **He showed his face.** Ele apareceu (deu as caras). **in the face of** em face de; diante de. **Let's face the music.** Vamos dançar conforme a música. **look a person in the face** encarar alguém. **lose face** perder prestígio, ser humilhado. **make a face** fazer uma careta. **poker face** expressão que esconde sentimentos ou intenções. **She made up her face.** Ela se maquiou. **slam/shut the door in a person's face** fechar a porta na cara de alguém. **face card** ou **picture card** carta de baralho com figura (rei, valete, dama). **be faced with serious problems** estar enfrentando problemas sérios. → **Human Body**

faceless /f'eɪsləs/ *adj.* anônimo, desconhecido.

facelift /f'eɪslɪft/ *s.* cirurgia plástica facial.

facet /f'æsɪt/ *s.* faceta.

facilitate /fəs'ɪlɪteɪt/ *v.* facilitar, simplificar.

facility /fəs'ɪləti/ *s.* facilidade; equipamento, instalação. ♦ **use the facilities** usar o toalete.

facsimile /fæks'ɪməli/ (*tb.* ***fax***) *s.* cópia, fac-símile.

fact /fækt/ *s.* fato. ♦ **as a matter of fact** na realidade. **in fact** de fato, na verdade.

faction /f'ækʃən/ *s.* facção; discórdia.

factor /f'æktər/ *s.* fator.

factory /f'æktri, f'æktəri/ *s.* fábrica; usina.

factual /f'æktʃuəl/ *adj.* efetivo, real, baseado em fatos.

faculty /f'ækəlti/ *s.* capacidade, faculdade, habilidade; corpo docente; estabelecimento de ensino superior.

fad /fæd/ *s.* mania, moda.

fade /feɪd/ *v.* murchar; enfraquecer, esvair(-se); desfalecer; desbotar; desvanecer, sumir.

fag /fæg/ *s.* homossexual, “bicha” (*gír. vulg. Am.*); cigarro (*gír. Brit.*).

fail /feɪl/ *v.* falhar; desapontar; fracassar; ser reprovado em exame; falir.

failure /f'eɪljər/ *s.* fracasso; deficiência; colapso; falência. ▪ *sin.* bankruptcy.

faint /feɪnt/ *s.* desmaio. • *adj.* fraco; abatido; medroso; desbotado, pálido. • *v.* desmaiar, desfalecer. ♦ **I don't have the faintest idea.** Não tenho a mínima ideia.

faintly /f'eɪntli/ *adv.* vagamente: She is *faintly* naive.

fair /fer/ *s.* feira; mercado; bazar de caridade. • *adj.* satisfatória (saúde); formoso; claro, louro; favorável (vento); amável; legível (letra); honesto (jogo, luta). • *adv.* de modo justo, nítido, favorável. ♦ **fair play** jogo limpo.

fairly /f'erli/ *adv.* bastante, razoavelmente; de modo justo, honesto.

fairy /f'eri/ *s.* fada. • *adj.* mágico; imaginário; gracioso. ♦ **fairy godmother** fada madrinha. **fairy tale** conto de fadas. **tooth fairy** fada do dente.

faith /feɪθ/ *s.* fé; crença ou convicção religiosa. ▪ *sin.* creed. ♦ **faith cure** cura pela fé. **faithfully** fielmente. **faithfulness** fidelidade. **faithless** ateu, sem fé. **unfaithful** infiel. **in good faith** de boa-fé. **in bad faith** de má-fé. **unfaithfully** infielmente.

faithful /f'eɪθfəl/ *adj.* fiel: Dogs are *faithful* friends.

fake /feɪk/ *s.* falsificação; embuste. • *v.* tapear; imitar, falsificar; fingir, simular. • *adj.* falsificado, falso. ▪ *sin.* counterfeit.

falcon /f'ælkən/ *s.* falcão. ➔ Animal Kingdom

fall /fɔːl/ *s.* queda; baixa, diminuição; declive; outono. *pl.* ***falls*** queda--d'água, cachoeira, catarata. • *v.* (*pret.* ***fell***, *p.p.* ***fallen***) cair. ♦ **fall down** desmoronar. **fall in love with** apaixonar-se por. **fall in prices** queda nos preços. **fall into disuse** cair em desuso. **fall of temperature** queda na temperatura. **Easter falls on Sunday.** A Páscoa cai no domingo. **Hopes don't fall to the ground.** A esperança é a última que morre. ➔ Irregular Verbs ➔ Weather

fallacious /fəl'eɪʃəs/ *adj.* enganador, fraudulento.

fallen /f'ɔːlən/ *v. p.p.* de ***fall***.

false /fɔːls/ *adj.* falso; desleal; traidor; falsificado.

falsehood /f'ɔːlshʊd/ *s.* falsidade, mentira.

falsify /f'ɔːlsɪfaɪ/ *v.* falsificar, adulterar; mentir.

falter /f'ɔːltər/ *v.* gaguejar; hesitar, vacilar; cambalear. ▪ *sin.* hesitate.

fame /feɪm/ *s.* fama; renome; reputação. ▪ *sin.* renown. ♦ **hall of fame** rol da fama.

familiar /fəm'ɪliər/ *s.* familiar. • *adj.* familiar; familiarizado; íntimo; doméstico.

familiarity /fəmɪli'ærəti/ *s.* familiaridade.

familiarize /fəm'ɪliəraɪz/ (*Brit.* ***familiarise***) *v.* familiarizar(-se).

family /f'æməli/ *s.* família; descendência. ♦ **family doctor** médico da família. **family estate** patrimônio da família. **family life** vida em família. **family likeness** semelhança familiar. **family name** ou **surname** sobrenome. **family planning** planejamento familiar. **family tree** árvore genealógica. **family vault** jazigo familiar.

famine /f'æmɪn/ *s.* inanição, fome; carestia, penúria.

famous /f'eɪməs/ *adj.* famoso. ▪ *sin.* renowned, well-known.

fan /fæn/ *s.* leque; ventilador; fã, admirador; aficionado, entusiasta. • *v.* abanar; ventilar; arejar.

fanatic /fən'ætɪk/ *s.* ou *adj.* fanático.

fanciful /f'ænsɪfəl/ *adj.* fantástico; fantasioso, imaginativo. ▪ *sin.* imaginative.

fancy /f'ænsi/ *s.* fantasia; extravagância; mania. • *v.* imaginar; julgar; gostar de. • *adj.* caprichoso; ornamental; extravagante, exorbitante.

fang /fæŋ/ *s.* dente canino; presa. ▪ *sin.* canine tooth.

fantastic /fænt'æstɪk/ *adj.* fantástico.

fantasy /f'æntəsi/ *s.* fantasia, imaginação.

FAO /efeɪ'oʊ/ (*abrev.* de *Food and Agricultural Organization*) Organização para a Alimentação e a Agricultura. → Abbreviations

FAQ /fæk, efeɪkj'uː/ (*abrev.* de *Frequently Asked Questions*) perguntas mais frequentes. → Abbreviations

far /fɑr/ *adj.* remoto, distante. • *adv.* longe. ♦ **a far look** um semblante vago. **as far as** até. **as far as I know** até onde eu sei. **by far** de longe. **far above** muito acima. **far away (from)** longe de. **Far be it from me!** Longe de mim! **Far East** Extremo Oriente. **far into the night** até altas horas da noite. **far in years** de idade avançada. **far less** muito menos. **far more** muito mais. **farsighted** esperto, perspicaz. **How far?** Quão longe? **so far** até agora, até o momento. **too far** longe demais. **farther than** ou **further than** mais longe que. **the farthest** ou **the furthest** o mais distante.

farce /fɑrs/ *s.* farsa.

fare /fer/ *s.* tarifa.

farewell /ferw'el/ *s.* adeus, despedida. • *interj.* adeus. ♦ **farewell party** festa de despedida.

farm /fɑrm/ *s.* fazenda, granja, chácara, sítio. • *v.* cultivar; criar gado; arrendar.

farmer /f'ɑrmər/ *s.* fazendeiro.

farmhouse /f'ɑrmhaʊs/ *s.* casa de fazenda.

farming /f'ɑrmɪŋ/ *s.* lavoura, agricultura.

fart /fɑrt/ *v.* soltar um pum (*gír.*). • *s.* pum (*gír.*).

farther /f'ɑrðər/ (*tb.* **further**) *adj.* ou *adv.* mais distante: They moved two blocks *farther*.

farthest /f'ɑrðəst/ (*tb.* **furthest**) *adj.* ou *adv.* o mais distante: That is the *farthest* path you can take.

fascinate /f'æsɪneɪt/ *v.* fascinar, encantar, cativar.

fascination /fæsɪn'eɪʃən/ *s.* fascinação; deslumbramento.

fascist /f'æʃɪst/ *s.* ou *adj.* fascista.

fashion /f'æʃən/ *s.* moda; padrão; maneira. • *v.* moldar; modelar. ♦ **after the Brazilian fashion** segundo a moda brasileira. **fashion designer** estilista. **fashion magazine** revista de moda. **fashion parade** desfile de moda. **fashion plate** molde. **launch the fashion** lançar moda. **out of fashion** ou **old-fashioned** fora de moda.

fashionable /f'æʃənəbəl/ *adj.* chique, na moda: Your new dress is very *fashionable*.

fast /fæst/ *s.* jejum. • *adj.* firme, seguro; forte; profundo (sono); adiantado (relógio); veloz. • *adv.* rapidamente; profundamente. • *v.* jejuar.

fasten /f'æsən/ *v.* fixar; atar, prender; apertar. ▪ *sin.* attach, fix.

fastener /f'æsənər/ *s.* prendedor; grampo; fecho.

fastidious /fæst'ɪdiəs/ *adj.* caprichoso, meticuloso. → Deceptive Cognates

fat /fæt/ *s.* gordura, banha, graxa; obesidade. • *adj.* gordo, obeso.

fatal /f'eɪtəl/ *adj.* fatal; inevitável; mortal.

fatalism /f'eɪtəlɪzəm/ *s.* fatalismo.

fatality /fət'æləti/ *s.* fatalidade.

fate /feɪt/ *s.* destino, sorte; morte, destruição. • *v.* destinar; condenar, fadar. ▪ *sin.* destiny.

father /f'ɑðər/ *s.* pai. ♦ **Father** Deus. **Father Christmas** (*Brit.*) ou **Santa Claus** Papai Noel. **foster father** pai adotivo. **Like father, like son.**

Tal pai, tal filho. **stepfather** padrasto. **the Holy Father** ou **the Pope** o Papa. **father-in-law** sogro. **fatherhood** ou **fathership** paternidade. **fatherland** terra natal. **fatherless** órfão de pai. **fatherly** paternal. **godfather** padrinho. **grandfather** avô.

fatidic /fət'ɪdɪk/ *adj.* fatídico, profético.

fatigue /fət'iːg/ *s.* fadiga, cansaço. • *v.* fatigar, cansar.

fatten /f'ætən/ *v.* engordar.

faucet /f'ɔːsɪt/ (*Brit.* **tap**) *s.* torneira.

fault /fɔːlt/ *s.* falta, culpa; defeito; erro, engano; descuido.

faultless /f'ɔːltləs/ *adj.* perfeito, irrepreensível; sem defeitos.

faulty /f'ɔːlti/ *adj.* defeituoso; imperfeito; falho.

favor /f'eɪvər/ (*Brit.* **favour**) *s.* favor, benefício; fineza. • *v.* favorecer, auxiliar, proteger.

favorable /f'eɪvərəbəl/ (*Brit.* **favourable**) *adj.* vantajoso.

favorably /f'eɪvərəbli/ (*Brit.* **favourably**) *adv.* favoravelmente.

favorite /f'eɪvərɪt/ (*Brit.* **favourite**) *s.* ou *adj.* favorito, predileto.

fax /fæks/ (*abrev.* de *facsimile*) cópia, fac-símile. → Abbreviations

FBI /efbiː'aɪ/ (*abrev.* de *Federal Bureau of Investigation*) Departamento Federal de Investigação. → Abbreviations

FDA /efdiː'eɪ/ (*abrev.* de *Food and Drug Administration*) Vigilância de Alimentos e Medicamentos. → Abbreviations

fear /fɪr/ *s.* medo, temor. • *v.* temer, recear. ♦ **fear God** temer a Deus. **fearful** medroso; assustador. **fearfully** medrosamente; terrivelmente. **fearless** destemido. **fearlessly** destemidamente. **fearsome** medonho, alarmante. **for fear of** por medo de. **in fear of** com medo de. **He is in fear of his life.** Ele teme pela sua vida. **no fear** não há perigo.

feasible /f'iːzəbəl/ *adj.* possível, provável, viável.

feast /fiːst/ *s.* festa; banquete. • *v.* banquetear.

feat /fiːt/ *s.* feito, façanha, proeza. ▪ *sin.* deed.

feather /f'eðər/ *s.* pena; pluma; plumagem. • *v.* empenar, emplumar(-se).

featherweight /f'eðərweɪt/ *s.* ou *adj.* peso-pena.

feathery /f'eðəri/ *adj.* de penas, emplumado; leve.

feature /f'iːtʃər/ *s.* aspecto, atributo; característica; traço; matéria especial (em jornal). • *v.* caracterizar; destacar; ter a participação de; exibir (filme, peça).

February /f'ebrueri/ *s.* fevereiro.

fecundate /f'iːkəndeɪt/ *v.* fecundar, fertilizar.

fed /fed/ *v. pret.* e *p.p.* de **feed**. • *s.* policial do FBI, polícia federal (*gír.*). • *adj.* nutrido. ▪ *ant.* underfed.

federal /f'edərəl/ *adj.* federal: The lawyer mentioned a *federal* law at the court.

federation /fedər'eɪʃən/ *s.* federação.

fee /fiː/ *s.* remuneração; honorários; gratificação; taxa (de matrícula, de exame).

feeble /f'iːbəl/ *s.* fraco. • *adj.* fraco, delicado. ▪ *sin.* weak. ▪ *ant.* strong.

feed /fiːd/ *s.* alimento, pasto; alimentação, nutrição. • *v.* (*pret.* e *p.p.* **fed**) alimentar, nutrir; sustentar; pastar. ♦ **feed on** comer, alimentar-se de algo. **be fed up** estar satisfeito (farto); estar aborrecido com alguma coisa. **breastfeeding** amamentação. → Irregular Verbs

feeding bottle *s.* mamadeira.

feel /fiːl/ *v.* (*pret.* e *p.p.* **felt**) sentir(-se), perceber; tocar, apalpar, tatear; pressentir, achar. ♦ **feel ashamed** sentir-se envergonhado. **feel as if** ter a impressão de. **feel hot** sentir calor. **feel good** sentir-se bem. **feel hurt** sentir-se magoado. **feel like** ter vontade de. **feel lonely** sentir-se só. **feel sorry for** sentir pena de. **feel the pulse** tomar o pulso (a pulsação). **feel cold** sentir frio. → Irregular Verbs

feeling /f'iːlɪŋ/ *s.* sentimento; sensibilidade; sensação, impressão.

feet /fiːt/ *ver* ***foot***.

feign /feɪn/ *v.* fingir. ▪ *sin.* pretend.

feline /f'iːlaɪn/ *s.* ou *adj.* felino.

fell /fel/ *v.* derrubar; *pret.* de ***fall***.

fellow /f'eloʊ/ *s.* companheiro, colega; sócio; sujeito, indivíduo. ♦ **good fellow** bom sujeito. **Poor fellow!** Coitado! **queer fellow** ou **odd fellow** sujeito esquisito. **What can a fellow do?** O que se pode fazer? **fellow being** semelhante. **fellow citizen** concidadão. **fellow feeling** simpatia. **fellow passenger** companheiro de viagem. **fellow soldier** companheiro de armas. **fellow student** companheiro de estudo. **fellow worker** companheiro de trabalho. **fellowship** associação; camaradagem, coleguismo; bolsa de estudos.

felon /f'elən/ *s.* delinquente, bandido, criminoso.

felony /f'eləni/ *s.* crime grave.

felt /felt/ *s.* feltro. • *v. pret.* e *p.p.* de ***feel***. ♦ **felt-tip pen** caneta hidrográfica. → Classroom

female /f'iːmeɪl/ *s.* fêmea; mulher, moça. • *adj.* feminino.

feminine /f'emənɪn/ *s.* ou *adj.* feminino.

feminism /f'emənɪzəm/ *s.* feminismo.

feminist /f'emənɪst/ *s.* ou *adj.* feminista.

fence /fens/ *s.* cerca, grade. • *v.* cercar, tapar; esgrimar, praticar esgrima. ▪ *sin.* guard, security. → Sports

fender /f'endər/ *s.* paralama.

ferment /f'ɜːrment/ *s.* fermento. • /fərm'ent/ *v.* fermentar; levedar.

fermentation /fɜːrment'eɪʃən/ *s.* fermentação.

fern /fɜːrn/ *s.* samambaia.

ferocious /fər'oʊʃəs/ *adj.* feroz, cruel. ▪ *sin.* fierce, savage, wild.

ferret /f'erɪt/ *s.* furão. → Animal Kingdom

ferry /f'eri/ *s.* balsa. • *v.* atravessar em balsa. → Means of Transportation

fertile /f'ɜːrtəl/ *adj.* fértil, fecundo. ▪ *sin.* fruitful.

fertility /fərt'ɪləti/ *s.* fertilidade.

fertilize /f'ɜːrtəlaɪz/ (*Brit.* ***fertilise***) *v.* fertilizar; fecundar.

fertilizer /f'ɜːrtəlaɪzər/ (*Brit.* ***fertiliser***) *s.* fertilizante.

fervent /f'ɜːrvənt/ *adj.* ardente; apaixonado. → Deceptive Cognates

fervor /f'ɜːrvər/ (*Brit.* ***fervour***) *s.* fervor; ardor.

festival /f'estɪvəl/ *s.* festival: Every year we have a winter *festival*.

festivity /fest'ɪvəti/ *s.* festividade.

fetch /fetʃ/ *v.* ir buscar; trazer; mandar vir. ▪ *sin.* bring.

fetus /f'iːtəs/ (*Brit.* ***foetus***) *s.* feto.

feud /fjuːd/ *s.* contenda, rixa. • *v.* discutir. ▪ *sin.* quarrel.

fever /f'iːvər/ *s.* febre.

feverish /f'iːvərɪʃ/ *adj.* febril; agitado.

few /fjuː/ *adj.* poucos. • *pron.* poucos, raros. ♦ **a few** alguns.

Before we eat, I want to tell you *a few* words about our organization.

fewer /fj'uːər/ *adj.* menos.

FF /ef'ef/ *adj.* (*abrev.* de *Fast Forward*) mover para a frente com rapidez. → Abbreviations

fiancé /fiːɑns'eɪ/ *s.* noivo.

fiancée /fiːɑns'eɪ/ *s.* noiva.

fib /fɪb/ *s.* lorota, mentira. • *v.* contar uma lorota.

fiber /f'aɪbər/ (*Brit.* **fibre**) *s.* fibra.

fiberglass /f'aɪbərglæs/ (*Brit.* **fibreglass**) *s.* fibra de vidro.

fickle /f'ɪkəl/ *adj.* inconstante, volúvel, instável.

fickleness /f'ɪkəlnəs/ *s.* instabilidade.

fiction /f'ɪkʃən/ *s.* ficção; mentira.

fictional /f'ɪkʃənəl/ *adj.* imaginário.

fictitious /fɪkt'ɪʃəs/ *adj.* fictício.

fiddle /f'ɪdəl/ *s.* violino. • *v.* tocar violino. → Musical Instruments

fiddler /f'ɪdlər/ *s.* violinista.

fidelity /fɪd'eləti/ *s.* fidelidade; lealdade.

fidget /f'ɪdʒɪt/ *s.* inquietação, intranquilidade. • *v.* inquietar(-se); atormentar(-se), preocupar(-se).

field /fi:ld/ *s.* campo; jazida. ♦ **diamond field** jazida de diamantes. **field of action** campo de ação. **field of vision** campo de visão. **magnetic field** campo magnético. **field glasses** binóculo. **field work** trabalho ou pesquisa de campo. **battlefield** campo de batalha. **coalfield** jazida de carvão.

fiend /fi:nd/ *s.* demônio, espírito maligno; maníaco.

fiendish /f'i:ndɪʃ/ *adj.* diabólico.

fierce /fɪrs/ *adj.* feroz, ameaçador. ▪ *sin.* ferocious, savage. ♦ **fierce competition** concorrência acirrada.

Don't judge my dog by its looks, it's very *fierce* indeed.

fierceness /f'ɪrsnəs/ *s.* ferocidade.

fiery /f'aɪəri/ *adj.* ardente, abrasador; inflamável, inflamado; belicoso.

FIFA /f'i:fə/ (*abrev.* de *Fédération Internationale de Football Association*) Federação Internacional de Futebol. → Abbreviations

FIFO /f'aɪfoʊ/ (*abrev.* de *First-In, First-Out*) o que entra primeiro sai primeiro. → Abbreviations

fifteen /fɪft'i:n/ *s.* ou *num.* quinze. → Numbers

fifteenth /fɪft'i:nθ/ *s.* ou *num.* décimo quinto; quinze avos (fração). → Numbers

fifth /fɪfθ/ *s.* ou *num.* quinto; a quinta parte. → Numbers

fiftieth /f'ɪftiəθ/ *s.* ou *num.* quinquagésimo; cinquenta avos (fração). → Numbers

fifty /f'ɪfti/ *s.* ou *num.* cinquenta. ♦ **fifty-fifty** meio a meio. **the fifties** a década de 1950; os anos 1950. → Numbers

fig /fɪg/ *s.* figo. → Fruit

fig. /fɪg/ (*abrev.* de *figure*) figura. → Abbreviations

fight /faɪt/ *s.* batalha, briga, disputa. • *v.* (*pret.* e *p.p.* **fought**) lutar, combater. → Irregular Verbs

fighter /f'aɪtər/ *s.* lutador, guerreiro, combatente.

figment /f'ɪgmənt/ *s.* ficção, imaginário, invenção.

figure /f'ɪgjər/ *s.* figura, imagem; aparência; vulto; corpo, porte; algarismo, cifra; preço, quantia; símbolo. • *v.* figurar, simbolizar; imaginar; numerar, computar. ♦ **figure out** entender, compreender.

file /faɪl/ *s.* fichário, arquivo; lima, lixa. • *v.* arquivar, fichar, pôr em ordem; limar, lixar. ♦ **file address** endereço de arquivo. **file backup** cópia de segurança de arquivo. **file data** dados do arquivo. **file format** formato do arquivo. **file menu** opções do arquivo. **file updating** atualização de arquivo. → Classroom

filiation /fɪliː'eɪʃən/ *s.* filiação.
filing /f'aɪlɪŋ/ *s.* arquivamento.
fill /fɪl/ *v.* encher(-se); acumular; obturar; preencher. ♦ **fill a prescription** aviar uma receita. **fill up** completar.
fillet /fɪl'eɪ/ *s.* faixa, venda, atadura; fita, friso; filé.
filling /f'ɪlɪŋ/ *s.* enchimento; recheio; obturação. ♦ **filling station** ou **gas station** posto de gasolina.
filly /f'ɪli/ *s.* potranca. → Animal Kingdom
film /fɪlm/ *s.* filme; fita de cinema; membrana. • *v.* filmar.
filter /f'ɪltər/ *s.* filtro. • *v.* filtrar.
filth /fɪlθ/ *s.* sujeira, imundície.
filthy /f'ɪlθi/ *adj.* imundo, obsceno.
filtrate /f'ɪltreɪt/ *s.* líquido filtrado. • *v.* filtrar.
fin /fɪn/ *s.* barbatana, nadadeira.
final /f'aɪnəl/ *s.* ou *adj.* final, último.
finality /faɪn'æləti/ *s.* finalidade.
finally /f'aɪnəli/ *adv.* finalmente: I *finally* found a good seat.
finance /f'aɪnæns, faɪn'æns/ *s.* setor financeiro. *pl.* ***finances*** finanças. • *v.* financiar.
financial /faɪn'ænʃl, fən'ænʃl/ *adj.* financeiro.
financier /fɪnəns'ɪr/ *s.* financista, financeiro.
find /faɪnd/ *v.* (*pret.* e *p.p.* ***found***) achar, encontrar; perceber, constatar. ♦ **find out** descobrir. → Irregular Verbs
finding /f'aɪndɪŋ/ *s.* achado.
fine /faɪn/ *s.* multa, penalidade. • *v.* multar. • *adj.* fino; tempo bom, agradável; leve, delicado; ótimo; bem. • *interj.* ótimo! ♦ **Fine Arts** Belas-Artes. → Weather
finger /f'ɪŋgər/ *s.* dedo. ♦ **finger cot** ou **finger stall** dedal. **fingertip** ponta do dedo. **little finger** dedo mínimo, mindinho. **middle finger** dedo médio, pai de todos. **ring finger** dedo anular. **fingerprint** impressão digital. **forefinger** ou **index finger** dedo indicador, fura--bolo. → Human Body
finish /f'ɪnɪʃ/ *s.* chegada; fim; acabamento. • *v.* acabar; concluir.
Finn /fɪn/ *s.* finlandês. → Countries & Nationalities
Finnish /f'ɪnɪʃ/ *s.* a língua finlandesa. • *adj.* finlandês. → Countries & Nationalities
fire /f'aɪər/ *s.* fogo; incêndio; tiro; faísca. • *v.* incendiar; disparar, atirar; demitir. ▪ *sin.* heat, warmth, glow. ♦ **fire station** posto do corpo de bombeiros. **There's no smoke without fire.** Não há fumaça sem fogo. **on fire** em chamas. **pour oil into fire** colocar lenha na fogueira. **ceasefire** cessar-fogo. **crossfire** fogo cruzado. **fire alarm** alarme de incêndio. **fire brigade** corpo de bombeiros. **fire escape** saída ou escada de incêndio. **fire extinguisher** extintor de incêndio. **fire insurance** seguro contra incêndio. **firepan** fogareiro. **bonfire** fogueira. **firearm** arma de fogo. **firefighter** bombeiro. **fireplace** lareira. **fireproof** à prova de fogo. **fire truck** carro de bombeiros. **firewall** barreira de segurança. **firewater** aguardente. **firewood** lenha. **fireworks** fogos de artifício. → Professions → Means of Transportation
firefly /f'aɪərflaɪ/ *s.* vaga-lume. → Animal Kingdom
firm /fɜːrm/ *s.* firma, empresa. • *v.* firmar, fixar. • *adj.* firme, sólido. ▪ *sin.* stable, solid.
firmness /f'ɜːrmnəs/ *s.* firmeza, estabilidade.
first /fɜːrst/ *s.* começo, princípio; primeiro. • *adj.* primitivo, anterior; em primeiro lugar; principal, essencial. • *adv.* antes de tudo; primeiramente; anteriormente; preferivelmente. ▪ *ant.* last. ♦ **at first** no início. **first come, first served** por ordem de chegada. **first floor**

primeiro andar. **first lady** primeira--dama. **first lieutenant** primeiro--tenente. **first of all** ou **first and foremost** antes de mais nada. **first offender** réu primário. **first prize** primeiro prêmio. **for the first time** pela primeira vez. **the first of May** primeiro de maio. **buy at first-hand** comprar de primeira mão. **first aid** primeiros socorros. **first-born** primogênito. **first-class** de primeira classe. **first-rate** de primeira classe, excelente. → Numbers

fish /fɪʃ/ (*s. pl.* ***fish***) *s.* peixe, pescado. • *v.* pescar. ♦ **fish bait** isca. **fishbone** espinha. **fishbowl** aquário. **fishhook** anzol. **fisher** ou **fisherman** pescador. **fishery** pescaria. **fishmonger** peixeiro. **fishing line** linha de pesca. **fishing net** rede de pesca. **fishing rod** vara de pesca. **fishing boat** barco de pesca. **school of fish** cardume. **feel like a fish out of water** sentir-se como um peixe fora d'água. → Animal Kingdom

fissure /f'ɪʃər/ *s.* fissura, fenda, brecha.

fist /fɪst/ *s.* punho; mão fechada. • *v.* empunhar. ♦ **tight-fisted** mesquinho, pão-duro. → Human Body

fit /fɪt/ *s.* adaptação, ajuste, encaixe; corte, feitio; convulsão; desmaio. • *adj.* bom, próprio; apto, capaz. • *v.* assentar; adaptar; prover; amoldar(-se); encaixar. ▪ *sin.* apt. ♦ **fit for publication** próprio para publicação. **fit of cold** calafrio. **fit of rage** ataque de raiva. **food fit for a king** uma régia refeição. **It fits the occasion.** A ocasião é propícia. **It is not fit.** Não é adequado (apropriado). **The shirt fits you.** A camisa lhe cai (serve) bem. **fitness** aptidão; boa forma; conveniência. **fitting** ajuste, encaixe.

five /faɪv/ *s.* ou *num.* cinco. ♦ **five-finger exercise** exercício para piano com os cinco dedos. **five-shooter** arma de fogo com cinco tiros. **fivefold** quintuplicado. **a bunch of fives** dar um soco. **a fiver** nota de cinco dólares. → Numbers

fix /fɪks/ *v.* fixar, ligar, consertar; pregar, colar. ▪ *sin.* stick.

fixed /f'ɪkst/ *adj.* fixo: Those refrigerators have *fixed* prices.

fizz /fɪz/ *s.* efervescência. • *v.* efervecer. ♦ **fizzy water** água com gás.

flabbergasted /fl'æbərgæstɪd/ *adj.* boquiaberto, estarrecido.

flabby /fl'æbi/ *adj.* frouxo; flácido.

flag /flæg/ *s.* bandeira, pavilhão, estandarte. • *v.* transmitir sinais com bandeiras; embandeirar; fatigar-se.

flagpole /fl'ægpoʊl/ *s.* mastro.

flagrant /fl'eɪgrənt/ *adj.* flagrante, notório.

flair /fler/ *s.* faro, instinto; talento, dom, habilidade. ▪ *sin.* gift.

flake /fleɪk/ *s.* floco; lasca. • *v.* escamar; lascar.

flamboyant /flæmb'ɔɪənt/ *adj.* vistoso, extravagante; ostensivo.

flame /fleɪm/ *s.* chama, brilho; ardor; paixão. • *v.* flamejar; queimar, incendiar. ▪ *sin.* blaze. ♦ **burst into flames** entrar em combustão.

flank /flæŋk/ *s.* flanco, lado; ala. • *v.* flanquear.

flannel /f'lænəl/ *s.* flanela.

flap /flæp/ *s.* aba; bofetada; batente. • *v.* bater (asas); pender; deixar cair; dar palmadas; açoitar.

flare /fler/ *s.* chama, luz; ostentação. • *v.* cintilar; explodir.

flash /flæʃ/ *s.* lampejo, clarão, relâmpago; lâmpada para instantâneos; instante. • *v.* flamejar, lançar chamas; lampejar, faiscar, reluzir. ♦ **flashback** lembrança. **in a flash** numa fração de segundo.

flashy /fl'æʃi/ *adj.* vistoso, espalhafatoso.

flask /flæsk/ *s.* frasco; cantil.

flat /flæt/ *s.* superfície plana, horizontal, achatada; apartamento; pneu murcho. • *adj.* liso, plano; simplório. • *adv.* horizontalmente, de modo plano, chato. ♦ **flat battery** (*Brit.*) ou **dead battery** bateria descarregada. **flat screen** tela plana.

flatness /fl'ætnəs/ *s.* igualdade; estagnação de negócios.

flatten /f'lætən/ *v.* aplainar, achatar, nivelar; bater, derrubar; (geralmente com ***out***) achatar.

flatter /fl'ætər/ *v.* lisonjear, bajular.

flatterer /fl'ætərər/ *s.* lisonjeador, adulador, cortejador.

flattering /fl'ætərɪŋ/ *adj.* lisonjeiro.

flattery /fl'ætəri/ *s.* lisonja, bajulação.

flaunt /flɔːnt/ *s.* ostentação. • *v.* exibir, ostentar.

flavor /fl'eɪvər/ (*Brit.* ***flavour***) *s.* sabor, gosto; tempero; aroma. • *v.* temperar, condimentar. ▪ *sin.* taste.

flavorless /fl'eɪvərləs/ (*Brit.* ***flavourless***) *adj.* insípido.

flaw /flɔː/ *s.* falha, fenda; defeito. • *v.* quebrar, fender.

flawless /fl'ɔːləs/ *adj.* sem defeito, perfeito, impecável. ▪ *sin.* perfect.

flax /flæks/ *s.* linho.

flea /fliː/ *s.* pulga. ♦ **flea market** mercado de pulgas. → Animal Kingdom

fled /fled/ *v. pret.* e *p.p.* de ***flee***.

flee /fliː/ *v.* (*pret.* e *p.p.* ***fled***) fugir, escapar. → Irregular Verbs

fleece /fliːs/ *s.* lã de carneiro. • *v.* tosquiar; trapacear, extorquir.

fleet /fliːt/ *s.* frota, esquadra. • *adj.* rápido, veloz.

fleeting /fl'iːtɪŋ/ *adj.* passageiro, fugaz, transitório. ▪ *sin.* temporary.

Flemish /fl'emɪʃ/ *s.* ou *adj.* flamengo.

flesh /fleʃ/ *s.* carne; polpa. ♦ **He is flesh and blood.** Ele é de carne e osso. **in the flesh** em pessoa.

flesh-colored da cor da pele. → Human Body

fleshy /fl'eʃi/ *adj.* carnudo, corpulento.

flew /fluː/ *v. pret.* de ***fly***.

flexibility /fleksəb'ɪləti/ *s.* flexibilidade.

flexible /fl'eksəbəl/ *adj.* flexível. ▪ *sin.* supple.

flick /flɪk/ *s.* movimento rápido; filme. • *v.* sacudir; estalar; mover(-se) rapidamente.

flicker /fl'ɪkər/ *s.* luz; centelha. • *v.* tremer.

flickering /fl'ɪkərɪŋ/ *adj.* trêmulo.

flight /flaɪt/ *s.* voo. ♦ **flight attendant** comissário de bordo. → Professions

flighty /fl'aɪti/ *adj.* frívolo.

flimsy /fl'ɪmzi/ *adj.* franzino; frágil; superficial; leve. ▪ *sin.* superficial.

fling /flɪŋ/ *s.* arremesso; relacionamento, caso amoroso. • *v.* (*pret.* e *p.p.* ***flung***) arremessar, lançar. → Irregular Verbs

flint /flɪnt/ *s.* pedra de isqueiro.

flip /flɪp/ *s.* sacudidela. • *v.* sacudir; tirar cara ou coroa; saltar. ♦ **flip-flop** chinelo de dedo.

flipper /fl'ɪpər/ *s.* barbatana; nadadeira.

flirt /flɜːrt/ *s.* paquera. • *v.* flertar.

float /floʊt/ *s.* boia, salva-vidas; jangada, balsa. • *v.* flutuar, boiar.

floating /fl'oʊtɪŋ/ *adj.* flutuante.

flock /flɑk/ *s.* bando; rebanho, manada, revoada; tropa, multidão; madeixa. ♦ **Birds of a feather flock together.** Diz-me com quem andas e eu te direi quem és.

flood /flʌd/ *s.* inundação, enchente; dilúvio. • *v.* inundar. → Weather

floodlight /fl'ʌdlaɪt/ *s.* holofote, refletor.

floor /flɔːr/ *s.* assoalho, solo, piso; pavimento. • *v.* pavimentar, assoalhar. ♦ **basement floor** subsolo. **dance floor** pista de dança. **first floor** primeiro andar.

floor cloth pano de chão. **floor tile** ladrilho. **top floor** último andar. **floorwax** cera para o chão.

flop /flɑp/ *s.* fracasso, fiasco. • *v.* fracassar.

floppy /fl'ɑpi/ *adj.* frouxo, mole.

florist /fl'ɔːrɪst/ *s.* florista. ➔ Professions

flounder /fl'aʊndər/ *v.* hesitar, vacilar; mover-se com dificuldade.

flour /fl'aʊər/ *s.* farinha. • *v.* polvilhar.

flourish /fl'ɜːrɪʃ/ *v.* prosperar; distinguir-se, ter fama; ostentar; ornar. ▪ *sin.* prosper.

flow /floʊ/ *s.* escoamento; fluxo. • *v.* fluir; escorrer, jorrar. ▪ *sin.* stream.

flower /fl'aʊər/ *s.* flor. • *v.* florescer, desabrochar. ♦ **flowerbed** canteiro. **flowershop** floricultura. **cauliflower** couve-flor. **flowered** ou **flowery** florido. **flowerpot** vaso de plantas. **To die in the flower of one's age.** Morrer na flor da idade.

flowing /fl'oʊɪŋ/ *adj.* corrente, fluente, fluido.

flown /floʊn/ *v. p.p.* de **fly**.

flu /fluː/ (*abrev.* de **influenza**) gripe.

fluctuate /fl'ʌktʃueɪt/ *v.* flutuar, ondular; variar, oscilar.

fluctuation /flʌktʃu'eɪʃən/ *s.* flutuação.

fluency /fl'uːənsi/ *s.* fluência.

fluent /fl'uːənt/ *adj.* fluido, fluente.

fluently /fl'uːəntli/ *adv.* fluentemente, correntemente.

fluff /flʌf/ *s.* penugem.

fluffy /fl'ʌfi/ *adj.* fofo, macio.

fluid /fl'uːɪd/ *s.* ou *adj.* fluido.

flung /flʌŋ/ *v. pret.* e *p.p.* de **fling**.

flunk /flʌŋk/ *s.* fracasso; reprovação em exame. • *v.* ser reprovado em exame; fracassar. ▪ *sin.* fail.

fluorescent /flɔːr'esnt, flʊr'esnt/ *adj.* fluorescente.

flush /flʌʃ/ *s.* rubor, vermelhidão; esguicho; crescimento súbito; vigor; descarga. • *v.* enrubescer, ruborizar-se; incandescer; resplandecer; esguichar. • *adj.* rico, pródigo; liso, nivelado. • *adv.* niveladamente.

flute /fluːt/ *s.* flauta. • *v.* tocar flauta. ➔ Musical Instruments

flux /flʌks/ *s.* fluxo.

fly /flaɪ/ *s.* mosca; braguilha. • *v.* (*pret.* **flew**, *p.p.* **flown**) voar. ♦ **fly a flag** hastear uma bandeira. **fly a kite** soltar pipa. **fly a plane** pilotar um avião. **flying field** campo de voo. **flying fish** peixe-voador. **flying instructor** instrutor de voo. **flying officer** tenente-aviador. **flying saucer** disco voador. **flying visit** visita rápida, visita de médico. ➔ Irregular Verbs ➔ Leisure ➔ Animal Kingdom

flying /fl'aɪɪŋ/ *s.* aviação: This *flying* company offers more discounts. • *adj.* voador: Rockets are *flying* machines.

foal /foʊl/ *s.* potro. ➔ Animal Kindgom

foam /foʊm/ *s.* espuma. • *v.* espumar.

focalize /f'oʊkəlaɪz/ (*Brit.* **focalise**) *v.* focar, focalizar; enfocar.

focus /f'oʊkəs/ *s.* foco. • *v.* focar, focalizar.

fodder /f'ɑdər/ *s.* forragem.

foe /foʊ/ *s.* inimigo, adversário.

fog /fɔːg, fɑg/ *s.* nevoeiro, neblina, névoa. • *v.* obscurecer; confundir. ➔ Weather

foggy /f'ɔːgi, f'ɑgi/ *adj.* nebuloso.

foil /fɔɪl/ *s.* folha metálica, chapa, lâmina delgada de metal. • *v.* frustrar. ▪ *sin.* frustrate.

fold /foʊld/ *s.* dobra, prega, ruga, vinco; envoltório, embrulho. • *v.* dobrar; entrelaçar; embrulhar.

folder /f'oʊldər/ *s.* pasta de papéis.

folding /f'oʊldɪŋ/ *s.* dobradura. • *adj.* dobrável. ♦ **folding chair** cadeira de dobrar. **folding screen** biombo.

foliage /f'oʊliːɪdʒ/ *s.* folhagem.

folk /fouk/ *s.* povo; tribo; nação; (geralmente no *pl.*: ***folks***) gente, pessoa, família, parentes. • *adj.* popular; folclórico. ♦ **folk tale** ou **folk story** lenda. **folk custom** costume popular. **folk dance** dança folclórica. **folk music** música folclórica. **folk song** canção folclórica. **folkloric** folclórico. **folklore** folclore. **folklorist** folclorista.

follow /f'ɑlou/ *v.* seguir, acompanhar; perseguir; observar. ♦ **Do you follow me?** Você está me entendendo? **follow a profession** seguir uma profissão. **follow in somebody's steps** seguir os passos de alguém. **Follow my advice!** Siga meu conselho! **follow the fashion** seguir a moda. **follower** acompanhante; seguidor. **Follow your nose.** Siga sua intuição.

following /f'ɑlouɪŋ/ *adj.* seguinte. ♦ **the following day** o dia seguinte.

follow-up /f'ɑlouʌp/ *s.* acompanhamento.

folly /f'ɑli/ *s.* loucura, tolice.

foment /foum'ent/ *v.* fomentar, estimular.

fond /fɑnd/ *adj.* afeiçoado; afetuoso; apaixonado. ♦ **fond of** amigo, apreciador. **She's fond of him.** Ela gosta muito dele.

fondness /f'ɑndnəs/ *s.* ternura, afeição.

font /fɑnt/ *s.* fonte (*informática*); pia batismal.

food /fu:d/ *s.* alimento, comida; sustento; ração. ♦ **fast food** refeição rápida. **food mixer** batedeira. **food poisoning** intoxicação alimentar. **food processor** multiprocessador de alimentos. **foodstuffs** gêneros alimentícios.

Scan this QR code to learn more about **food**. www.richmond.com.br/5lmfood

fool /fu:l/ *s.* louco, bobo, imbecil. • *v.* bobear, fazer o papel de tolo; folgar; enganar, trapacear. ♦ **Don't make a fool of yourself!** Não faça papel de bobo! **fool around** enganar, perder tempo. **play the fool** bancar o bobo. **to be no fool** não ser nenhum idiota.

foolish /f'u:lɪʃ/ *adj.* tolo.

foolishness /f'u:lɪʃnəs/ *s.* loucura, tolice.

foot /fʊt/ (*s. pl.* ***feet*** /fi:t/) *s.* pé; base, suporte; margem inferior (de uma página); pé (medida de comprimento); garra, pata. ♦ **be on the same foot** estar em condições de igualdade. **foot by foot** pé ante pé. **foot soldier** soldado de infantaria. **from head to foot** da cabeça aos pés. **on foot** a pé. **footrace** corrida a pé. **barefoot** descalço. **footmark** ou **footprint** pegada. **footnote** nota de rodapé. **footpath** trilha para pedestres; passeio, calçada. **footstep** passo. **footwear** calçado. **forefoot** pé ou pata dianteira. ➔ Human Body ➔ Numbers

football /f'ʊtbɔ:l/ *s.* futebol (geralmente o americano): They prefer *football* to basketball. ➔ Sports

footer /f'ʊtər/ *s.* nota de rodapé.

for /fər, fɔ:r/ *prep.* por, em lugar de; a favor de; de, em nome de; para, ao preço de; a fim de; em busca de; com destino a; por causa de; a respeito de; durante. • *conj.* pois, visto que, desde que. ♦ **apologize for** desculpar-se por. **arrested for murder** preso por assassinato. **as for me** quanto a mim. **if it weren't for that** se não fosse aquilo. **for a while** por um tempo. **for example** por exemplo. **For how long?** Por quanto tempo? **for months** há meses. **for the last time** pela última vez. **go for a walk** dar um passeio. **good for nothing** imprestável. **leave for Chicago** partir para Chicago. **long for a rest** ansiar por um descanso.

not for anything in the world por nada no mundo. **once and for all** de uma vez por todas. **send for the doctor** mandar chamar o médico. **three for a dollar** três por um dólar. **vote for** votar em. **What for?** Para quê? **word for word** palavra por palavra.

forbade /fərb'æd/ *v. pret.* de ***forbid***.

forbear /fɔːrb'er/ *s.* antepassado, ancestral. • *v.* (*pret.* ***forbore***, *p.p.* ***forborne***) conter, abster-se de; sofrer, tolerar; poupar(-se); ter paciência. → Irregular Verbs

forbearing /fɔːrb'erɪŋ/ *adj.* paciente, tolerante.

forbid /fərb'ɪd/ *v.* (*pret.* ***forbade*** ou ***forbad***, *p.p.* ***forbidden*** ou ***forbid***) proibir; impedir. ▪ *sin.* prohibit. ▪ *ant.* allow, permit. → Irregular Verbs

forbidden /fərb'ɪdən/ *v. p.p.* de ***forbid***.

forbidding /fərb'ɪdɪŋ/ *adj.* proibitivo; ameaçador.

forbore /fɔːrb'ɔːr/ *v. pret.* de ***forbear***.

forborne /fɔːrb'ɔːrn/ *v. p.p.* de ***forbear***.

force /fɔːrs/ *s.* força, energia; valentia; força militar, naval ou policial; potência. • *v.* forçar, arrombar; coagir. ▪ *sin.* compel, oblige.

forced /fɔːrst/ *adj.* forçado.

forceful /f'ɔːrsfəl/ *adj.* forte.

fore /fɔːr/ *s.* parte dianteira, frente, proa. • *adj.* dianteiro; anterior, prévio, primeiro. • *adv.* anteriormente.

forearm /f'ɔːrɑrm/ *s.* antebraço. → Human Body

forebode /fɔːrb'oʊd/ *v.* predizer.

foreboding /fɔːrb'oʊdɪŋ/ *s.* pressentimento, presságio.

forecast /f'ɔːrkæst/ *s.* previsão, prognóstico. • *v.* prever; prevenir; projetar.

forefather /f'ɔːrfɑðər/ *s.* antepassado.

forefinger /f'ɔːrfɪŋgər/ *s.* dedo indicador. → Human Body

foregoing /f'ɔːrgoʊɪŋ/ *s.* ou *adj.* já mencionado, precedente. ▪ *sin.* previous, former.

foregone /f'ɔːrgɔːn/ *adj.* passado, prévio.

foreground /f'ɔːrgraʊnd/ *s.* primeiro plano; frente.

forehead /f'ɔːrhed, f'ɔːred/ *s.* testa, fronte. → Human Body

foreign /f'ɔːrən, f'ɑrən/ *adj.* estrangeiro; alienígena; externo. ♦ **Foreign Affairs** Relações Internacionais. **Foreign Trade** Comércio Exterior.

foreigner /f'ɔːrənər, f'ɑrənər/ *s.* estrangeiro, forasteiro. ▪ *sin.* outsider.

foreman /f'ɔːrmən/ *s.* capataz, feitor; contramestre, chefe.

foremost /f'ɔːrmoʊst/ *adj.* principal. • *adv.* em primeiro lugar, principalmente.

forename /f'ɔːrneɪm/ *s.* prenome.

forerunner /f'ɔːrʌnər/ *s.* precursor; sinal, presságio; antepassado. ▪ *sin.* precursor.

foresee /fɔːrs'iː/ *v.* (*pret.* ***foresaw***, *p.p.* ***foreseen***) prever, antever, pressupor. → Irregular Verbs

foreshadow /fɔːrʃ'ædoʊ/ *v.* prenunciar.

foresight /f'ɔːrsaɪt/ *s.* previsão; previdência, presságio.

forest /f'ɔːrɪst, f'ɑrɪst/ *s.* floresta. • *v.* arborizar, reflorestar. • *adj.* florestal.

forestall /fɔːrst'ɔːl/ *v.* prevenir, evitar.

foretell /fɔːrt'el/ *v.* (*pret.* e *p.p.* ***foretold***) profetizar, prever. ▪ *sin.* predict. → Irregular Verbs

forethought /f'ɔːrθɔːt/ *s.* premeditação; prevenção; previsão.

forever /fər'evər/ *adv.* para sempre, eternamente.

forewarn /fɔːrw'ɔːrn/ *v.* prevenir, precaver; advertir.

foreword /f'ɔːrwɜːrd/ *s.* prefácio, prólogo.

forfeit /f'ɔːrfət/ *s.* penalidade, pena. • *v.* perder por confisco, pagar como multa ou castigo.

forgave /fərg'eɪv/ *v. pret.* de ***forgive***.

forge /fɔːrdʒ/ *s.* forja, fornalha; usina siderúrgica; fundição. • *v.* forjar; inventar, planejar; moldar; falsificar. ▪ *sin.* invent.

forgery /f'ɔːrdʒəri/ *s.* falsificação (de documentos, quadros, assinatura).

forget /fərg'et/ *v.* (*pret.* ***forgot***, *p.p.* ***forgot*** ou ***forgotten***) esquecer, esquecer-se de; omitir. → Irregular Verbs

forgetful /fərg'etfəl/ *adj.* esquecido, negligente.

forgetfulness /fərg'etfəlnəs/ *s.* esquecimento; negligência.

forgive /fərg'ɪv/ *v.* (*pret.* ***forgave***, *p.p.* ***forgiven***) perdoar, desculpar. ▪ *sin.* absolve, pardon. → Irregular Verbs

forgiven /fərg'ɪvən/ *v. p.p.* de ***forgive***.

forgiveness /fərg'ɪvnəs/ *s.* perdão.

forgot /fərg'ɑt/ *v. pret.* de ***forget***.

forgotten /fərg'ɑtən/ *v. p.p.* de ***forget***.

fork /fɔːrk/ *s.* garfo; bifurcação. • *v.* bifurcar.

forked /fɔːrkt/ *adj.* bifurcado; ramificado.

form /fɔːrm/ *s.* forma; fórmula; tipo, espécie; formulário. • *v.* formar; produzir.

formal /f'ɔːrməl/ *adj.* cerimonioso, solene; convencional; formal.

formality /fɔːrm'æləti/ *s.* formalidade, cerimônia, etiqueta.

formalize /f'ɔːrməlaɪz/ (*Brit.* ***formalise***) *v.* formalizar.

formally /f'ɔːrməli/ *adv.* formalmente: The document must be *formally* filled out.

formation /fɔːrm'eɪʃən/ *s.* formação.

formative /f'ɔːrmətɪv/ *adj.* formativo.

former /f'ɔːrmər/ *adj.* anterior. ▪ *ant.* latter.

formerly /f'ɔːrmərli/ *adv.* anteriormente; antigamente.

formidable /f'ɔːrmɪdəbl, fərm'ɪdəbl/ *adj.* formidável; assustador.

formula /f'ɔːrmjələ/ (*s. pl.* ***formulas*** ou ***formulae***) *s.* fórmula: Perseverance is the *formula* for success.

formulate /f'ɔːrmjəleɪt/ *v.* formular.

forsake /fərs'eɪk/ *v.* (*pret.* ***forsook***, *p.p.* ***forsaken***) renunciar a, abandonar. → Irregular Verbs

forsaken /fərs'eɪkən/ *adj.* desamparado. • *v. p.p.* de ***forsake***.

forsook /fərs'ʊk/ *v. pret.* de ***forsake***.

fort /fɔːrt/ *s.* forte, castelo.

forth /fɔːrθ/ *adv.* adiante, para a frente. ▪ *sin.* forward, onward. ♦ **and so forth** e assim por diante. **back and forth** para frente e para trás. **from this time forth** de agora em diante.

forthcoming /fɔːrθk'ʌmɪŋ/ *adj.* próximo, futuro, que está por vir.

forthwith /fɔːrθw'ɪθ, fɔːrθw'ɪð/ *adv.* em seguida, sem demora, imediatamente.

fortieth /f'ɔːrtiəθ/ *s.* ou *num.* quadragésimo; quarenta avos (fração). → Numbers

fortification /fɔːrtɪfɪk'eɪʃən/ *s.* fortificação, fortaleza.

fortify /f'ɔːrtɪfaɪ/ *v.* fortificar, fortalecer. ▪ *sin.* strengthen.

fortitude /f'ɔːrtətuːd/ *s.* força, coragem, firmeza, resistência.

fortnight /f'ɔːrtnaɪt/ (*Brit.*) *s.* quinzena.

fortnightly /f'ɔːrtnaɪtli/ *adj.* quinzenal. • *adv.* quinzenalmente.

fortress /f'ɔːrtrəs/ *s.* fortaleza; forte.

fortune /f'ɔːrtʃən/ *s.* fortuna, boa sorte. ♦ **come into a fortune** herdar uma fortuna. **make a fortune** fazer fortuna. **marry a fortune** casar-se com alguém rico.

try one's fortune tentar a sorte. **good fortune** boa sorte. **fortunate** próspero; felizardo. **fortunately** felizmente. **fortune teller** cartomante, vidente. **unfortunate** infeliz. **unfortunately** infelizmente.

forty /f'ɔːrti/ *s.* ou *num.* quarenta. ♦ **the forties** a década de 1940; os anos 1940. → Numbers

forum /f'ɔːrəm/ *s.* foro, fórum.

forward /f'ɔːrwərd/ *s.* dianteiro, atacante. • *v.* despachar, transmitir, encaminhar; ajudar, incentivar. • *adj.* dianteiro, anterior. • *adv.* adiante, para diante, avante, para a frente. ▪ *sin.* forth.

foster /f'ɔːstər, f'ɑstər/ *adj.* adotivo. • *v.* adotar; encorajar; criar. ▪ *sin.* cherish, harbor.

fought /fɔːt/ *v. pret.* e *p.p.* de ***fight***.

foul /faʊl/ *s.* infração, falta. • *v.* sujar. • *adj.* sujo, imundo; rude, ofensivo. • *adv.* ilicitamente, traiçoeiramente. ♦ **foul play** jogo sujo.

found /faʊnd/ *v.* fundar, construir; basear(-se); *pret.* e *p.p.* de ***find***.

foundation /faʊnd'eɪʃən/ *s.* fundação, base.

founder /f'aʊndər/ *s.* fundador.

foundry /f'aʊndri/ *s.* fundição.

fountain /f'aʊntən/ *s.* fonte; chafariz. ♦ **water fountain** bebedouro. **fountain pen** caneta tinteiro.

four /fɔːr/ *s.* ou *num.* quatro. ♦ **on all fours** de quatro. → Numbers

fourteen /f'ɔːrt'iːn/ *s.* ou *num.* quatorze, catorze. → Numbers

fourteenth /fɔːrt'iːnθ/ *s.* ou *num.* décimo quarto; catorze avos, quatorze avos (fração). → Numbers

fourth /fɔːrθ/ *s.* ou *num.* quarto, a quarta parte. → Numbers

fowl /faʊl/ *s.* qualquer ave comestível. • *v.* caçar. → Animal Kingdom

fox /fɑks/ *s.* raposa; pessoa astuta. • *v.* enganar. → Animal Kingdom

fraction /fr'ækʃən/ *s.* migalha; fração. → Numbers

fracture /fr'æktʃər/ *s.* fenda, racha; fratura, ruptura. • *v.* fraturar.

fragile /fr'ædʒəl/ *adj.* frágil, friável.

fragment /fr'ægmənt/ *s.* fragmento. • /frægm'ent/ *v.* despedaçar(-se).

fragrance /fr'eɪgrəns/ *s.* fragrância, perfume. ▪ *sin.* smell.

fragrant /fr'eɪgrənt/ *adj.* fragrante, perfumado.

frame /freɪm/ *s.* armação; carcaça, esqueleto; quadro, moldura. • *v.* moldar; imaginar; construir, planejar; enquadrar, emoldurar; incriminar.

framework /fr'eɪmwɜːrk/ *s.* armação; estrutura.

franc /fræŋk/ *s.* franco (moeda).

France /fræns/ *s.* França. → Countries & Nationalities

frankly /fr'æŋkli/ *adv.* francamente.

frankness /fr'æŋknəs/ *s.* franqueza.

frantic /fr'æntɪk/ *adj.* frenético, furioso.

fraternal /frət'ɜːrnəl/ *adj.* fraternal, fraterno.

fraternity /frət'ɜːrnəti/ *s.* fraternidade, irmandade. ▪ *sin.* brotherhood.

fraternize /fr'ætərnaɪz/ (*Brit.* ***fraternise***) *v.* confraternizar.

fraud /frɔːd/ *s.* fraude; mentira; impostor. ▪ *sin.* deceit.

fraudulent /fr'ɔːdʒələnt/ *adj.* fraudulento.

freak /friːk/ *s.* excentricidade. • *adj.* esquisito, excêntrico.

freckle /f'rekl/ *s.* sarda.

freckled /fr'ekəld/ *adj.* sardento.

free /friː/ *v.* livrar, libertar. • *adj.* livre, desimpedido; desocupado; gratuito; isento. • *adv.* grátis, gratuitamente. ♦ **free enterprise** livre empresa. **free fall** queda livre (paraquedismo). **free fight** luta livre. **freelancer** trabalhador sem vínculo empregatício, colaborador independente. **of my own free will** de minha livre e espontânea vontade. **set free** libertar. **freehand drawing** desenho à mão livre. **freeware** ou **free software** programa gratuito (*informática*). **freeway** autoestrada.

freedom /fr'i:dəm/ *s.* liberdade. ♦ **freedom of press** liberdade de imprensa.

freely /fr'i:li/ *adv.* livremente: The dolphins were swimming *freely*.

freeze /fri:z/ *s.* geada; congelamento. • *v.* (*pret.* **froze**, *p.p.* **frozen**) gelar, refrigerar; congelar; morrer de frio. ➔ Irregular Verbs

freezer /fr'i:zər/ *s.* frigorífico; refrigerador, geladeira. ➔ Furniture & Appliances

freezing /fr'i:zıŋ/ *adj.* gelado, frio; glacial.

freight /freıt/ *s.* frete; carga, fardo. • *v.* fretar.

freighter /fr'eıtər/ *s.* navio cargueiro.

French /frentʃ/ *s.* francês, a língua francesa. • *adj.* francês. ♦ **French fries** (*Am.*) batatas fritas. ➔ Countries & Nationalities

Frenchman /fr'entʃmən/ *s.* francês. ➔ Countries & Nationalities

frenzy /fr'enzi/ *s.* frenesi.

frequency /fr'i:kwənsi/ *s.* frequência.

frequent /fr'i:kwənt/ *adj.* frequente, repetido. • *v.* frequentar.

fresh /freʃ/ *adj.* fresco; novo, recente; revigorado.

freshen /fr'eʃən/ *v.* refrescar, renovar.

freshly /fr'eʃli/ *adv.* recém: The chair is *freshly* painted.

freshman /fr'eʃmən/ (*Brit.* **fresher**) *s.* calouro.

freshness /fr'eʃnəs/ *s.* frescor.

freshwater /fr'eʃwɔ:tər/ *adj.* de água doce.

fret /fret/ *v.* afligir(-se), atormentar(-se).

friar /fr'aıər/ *s.* frade, monge.

friction /fr'ıkʃən/ *s.* fricção; atrito.

Friday /fr'aıdeı, fr'aıdi/ *s.* sexta-feira.

fridge /frıdʒ/ (*abrev.* de *refrigerator*) *s.* geladeira, refrigerador. ➔ Abbreviations

fried /fraıd/ *adj.* frito.

friend /frend/ *s.* amigo. ♦ **A friend in need is a friend indeed.** Um amigo na necessidade é um amigo de verdade. **bosom friend** amigo íntimo. **close friend** grande amigo (chegado). **friend at court** amigo influente. **friendless** sem amigos. **friendly** amigável, amigavelmente. **friendship** amizade. **make friends** fazer amigos.

fries /fraız/ *s. pl.* batatas fritas.

frigate /fr'ıgət/ *s.* fragata.

fright /fraıt/ *s.* medo, susto, pavor.

frighten /fr'aıtən/ *v.* amedrontar. ▪ *sin.* scare, intimidate.

frightened /fr'aıtənd/ *adj.* assustado: The horses seemed to be *frightened*.

frightening /fr'aıtənıŋ/ *adj.* assustador.

frightful /fr'aıtfəl/ *adj.* assustador.

frigid /fr'ıdʒıd/ *adj.* frígido.

frigidity /frıdʒ'ıdəti/ *s.* frigidez.

fringe /frındʒ/ *s.* franjas. • *v.* guarnecer. ♦ **fringe** (*Brit.*) ou **bangs** franja. **fringe benefits** vantagens extras.

frisky /fr'ıski/ *adj.* brincalhão, travesso, levado.

fritter /fr'ıtər/ *s.* pedaço, fragmento.

frivolity /frıv'ɑləti/ *s.* frivolidade.

frivolous /fr'ıvələs/ *adj.* frívolo, banal.

frizzy /fr'ızi/ *adj.* crespo, encrespado.

frog /frɔ:g, frɑg/ *s.* rã. ➔ Animal Kingdom

frogman /fr'ɔ:gmən, fr'ɑgmən/ *s.* homem-rã.

frolic /fr'ɑlık/ *s.* brincadeira. • *v.* (*pret.* e *p.p.* **frolicked**) brincar. ➔ Irregular Verbs

from /frɑm, frʌm, frəm/ *prep.* de; proveniente de; desde, a partir de.

front /frʌnt/ *s.* frente; dianteira; fronte, testa, face; frente de batalha; beira, costa. • *v.* defrontar, olhar para. • *adj.* frontal. ♦ **front cover** capa de revista. **front door** porta de entrada. **front page** primeira página. **front row** primeira fila.

frontier /frʌnt'ɪr/ *s.* fronteira, limite. ▪ *sin.* border, boundary.

frost /frɔːst/ *s.* geada; frigidez, indiferença. • *v.* gear. → Weather

frosting /fr'ɔːstɪŋ/ *s.* glacê para cobrir bolos.

frosty /fr'ɔːsti/ *adj.* gelado; congelado.

froth /frɔːθ/ *s.* espuma, espuma de cerveja. • *v.* espumar.

frown /fraʊn/ *s.* franzimento das sobrancelhas; carranca. • *v.* franzir as sobrancelhas.

froze /froʊz/ *v. pret.* de ***freeze***.

frozen /fr'oʊzən/ *adj.* gelado; congelado, gélido. • *v. p.p.* de ***freeze***.

fruit /fruːt/ *s.* fruto; fruta; produto, resultado, consequência. • *v.* frutificar.

fruitful /fr'uːtfəl/ *adj.* frutífero. ▪ *sin.* fertile.

fruitless /fr'uːtləs/ *adj.* infrutífero. ▪ *sin.* vain.

frustrate /fr'ʌstreɪt/ *v.* frustrar; malograr; decepcionar.

frustrated /fr'ʌstreɪtɪd/ *adj.* frustrado.

frustration /frʌstr'eɪʃən/ *s.* frustração.

fry /fraɪ/ *s.* fritura. • *v.* fritar.

frying pan /fr'aɪɪŋ pæn/ *s.* frigideira.

ft. (*abrev.* de *foot* ou *feet*) pé ou pés. → Abbreviations

fudge /fʌdʒ/ *s. fondant*, doce de leite, chocolate, etc.; bobagem, lorota. • *v.* remendar; camuflar.

fuel /fj'uːəl/ *s.* combustível. • *v.* abastecer com combustível.

fugitive /fj'uːdʒətɪv/ *s.* fugitivo, foragido.

fulfill /fʊlf'ɪl/ (*Brit.* ***fulfil***) *v.* cumprir (palavra, promessa, etc.); efetuar, realizar; satisfazer (pedido, desejo, etc.); preencher. ▪ *sin.* accomplish.

fulfillment /fʊlf'ɪlmənt/ (*Brit.* ***fulfilment***) *s.* cumprimento, realização.

full /fʊl/ *adj.* cheio; lotado; total, integral. ▪ *ant.* hollow, empty. ♦ **full moon** lua cheia. **full scale** tamanho natural. **full stop** ponto-final. **full time** tempo integral. **write in full** escrever por extenso.

fully /f'ʊli/ *adv.* completamente: I *fully* understand you.

fulminate /f'ʌlmɪneɪt/ *v.* fulminar.

fumble /f'ʌmbəl/ *v.* tatear, apalpar.

fume /fjuːm/ *s.* (geralmente no *pl.*: ***fumes***) fumo; fumaça. • *v.* fumar; lançar fumo.

fumigate /fj'uːmɪgeɪt/ *v.* fumigar; defumar.

fun /fʌn/ *s.* brincadeira; divertimento; graça; diversão. • *adj.* divertido, legal. • *v.* brincar, gracejar, divertir(-se). ♦ **for fun** de brincadeira. **Have fun!** Divirta-se! **make fun of** zombar de.

function /f'ʌŋkʃən/ *s.* função; exercício, prática; finalidade; espetáculo, baile. • *v.* funcionar.

functional /f'ʌŋkʃənəl/ *adj.* funcional.

fund /fʌnd/ *s.* fundo, capital, valor disponível.

fundamental /fʌndəm'entəl/ *adj.* fundamental, básico, essencial.

funeral /fj'uːnərəl/ *s.* funeral. ▪ *sin.* obsequies.

fungus /f'ʌŋgəs/ (*s. pl.* ***fungi*** ou ***funguses***) *s.* fungo; cogumelo. ▪ *sin.* mushroom.

funnel /f'ʌnəl/ *s.* funil. • *v.* afunilar; canalizar.

funny /f'ʌni/ *adj.* engraçado.

fur /fɜːr/ *s.* pelo ou pele (animal). • *v.* forrar com pele. ♦ **fur coat** casaco de pele.

furious /fj'ʊriəs/ *adj.* furioso, irritado.

furlough /f'ɜːrloʊ/ *s.* licença.

furnace /f'ɜːrnɪs/ *s.* forno, fornalha, caldeira.

furnish /f'ɜːrnɪʃ/ *v.* fornecer; mobiliar.

furnishings /f'ɜːrnɪʃɪŋz/ *s. pl.* mobília.

furniture /f'ɜːrnɪtʃər/ *s.* mobília, móveis.

furrow /f'ɜːroʊ/ *s.* sulco; ruga (da face). • *v.* arar; enrugar.

furry /f'ɜːri/ *adj.* peludo.

further /f'ɜːrðər/ *adj.* mais distante; adicional. • *v.* favorecer, ajudar. • *adv.* mais, além.

furthermore /fɜːrðərm'ɔːr/ *adj.* além disso.

furtive /f'ɜːrtɪv/ *adj.* furtivo, oculto.

fury /fj'ʊri/ *s.* fúria, furor.

fuse /fjuːz/ *s.* fusível; estopim. • *v.* fundir.

fuselage /fj'uːsəlɑʒ/ *s.* fuselagem.

fusion /fj'uːʒən/ *s.* fusão.

fuss /fʌs/ *s.* espalhafato, rebuliço, estardalhaço; pessoa exagerada, irrequieta, nervosa. • *v.* exagerar; inquietar(-se); irritar(-se), reclamar.

fussiness /f'ʌsinəs/ *s.* espalhafato.

futile /fj'uːtəl/ *adj.* fútil, inútil; ineficaz.

future /fj'uːtʃər/ *s.* ou *adj.* futuro.

fuzzy /f'ʌzi/ *adj.* felpudo; borrado, confuso. ♦ **fuzzy logic** lógica difusa.

G

G, g /dʒiː/ *s.* sétima letra do alfabeto inglês; sol, a quinta nota musical.

gabble /g'æbəl/ *s.* conversa, tagarelice. • *v.* tagarelar.

gadget /g'ædʒɪt/ *s.* bugiganga.

gag /gæg/ *s.* mordaça; piada. • *v.* amordaçar; silenciar.

gage /geɪdʒ/ (*Brit.* **gauge**) *s.* medida, escala; medidor.

gager /g'eɪdʒər/ (*Brit.* **gauger**) *s.* aferidor, medidor.

gaiety /g'eɪəti/ *s.* alegria.

gain /geɪn/ *s.* ganho; lucro. • *v.* ganhar, obter; alcançar. ▪ *sin.* profit. ▪ *ant.* loss.

gait /geɪt/ *s.* modo de andar, porte.

galaxy /g'ælәksi/ *s.* galáxia.

gale /geɪl/ *s.* ventania, vendaval. → Weather

gall /gɔːl/ *s.* bílis; rancor, amargura; sofrimento. • *v.* irritar alguém. ♦ **gall bladder** vesícula biliar. **gall stone** cálculo biliar. → Human Body

gallant /g'ælənt/ *s.* ou *adj.* nobre, bravo; fino, imponente; valoroso.

gallantry /g'æləntri/ *s.* valentia; cortesia; cavalheirismo.

gallery /g'æləri/ *s.* galeria; sacada; tribuna; balcão. ♦ **art gallery** galeria de arte.

galley /g'æli/ *s.* galera, galé (navio antigo).

gallon /g'ælən/ *s.* galão (nos EUA, 3,8 l.; na Inglaterra, 4,5 l.). → Numbers

gallop /g'æləp/ *s.* galope. • *v.* galopar.

gallows /g'ælouz/ *s.* forca; patíbulo.

gamble /g'æmbəl/ *s.* aposta, jogo; empreendimento arriscado. • *v.* jogar jogos de azar; arriscar; especular; apostar.

gambler /g'æmblər/ *s.* jogador.

gambling /g'æmblɪŋ/ *s.* jogo (de azar): He spent all his money on *gambling.*

game /geɪm/ *s.* jogo, partida; caça; divertimento, passatempo, brincadeira. ♦ **game away one's fortune** perder a fortuna no jogo. **game master** moderador do jogo. **game of chance** jogo de azar. **gamecock** galo de briga. **gamester** jogador.

gander /g'ændər/ *s.* ganso. → Animal Kingdom

gang /gæŋ/ *s.* grupo de pessoas, bando, turma; gangue, quadrilha. • *v.* formar grupo ou turma; atacar em turma. ▪ *sin.* group.

gangrene /g'æŋgriːn/ *s.* gangrena. • *v.* gangrenar.

gangster /g'æŋstər/ *s.* gângster, ladrão, bandido.

gap /gæp/ *s.* abertura, brecha, fenda; lacuna; grande diferença ou disparidade.

gape /geɪp/ *s.* abertura; bocejo. • *v.* bocejar; olhar boquiaberto para, embasbacar(-se). ▪ *sin.* stare, gaze.

gaping /g'eɪpɪŋ/ *adj.* aberto, escancarado; enorme; boquiaberto.

garage /gər'ɑːʒ, gər'ɑːdʒ/ *s.* garagem; oficina mecânica.

garb /gɑrb/ *s.* traje, roupa, vestimenta; farda; aparência. • *v.* vestir; trajar.

garbage /g'ɑrbɪdʒ/ (*Brit.* ***rubbish***) *s.* lixo. ♦ **garbage can** lixeira. **garbage man** lixeiro. **garbage truck** caminhão de lixo. → Means of Transportation

garble /g'ɑrbəl/ *v.* deturpar, falsificar.

garden /g'ɑrdən/ *s.* jardim. • *v.* ajardinar.

gardener /g'ɑrdənər/ *s.* jardineiro. → Professions

gargle /g'ɑrgəl/ *s.* gargarejo, líquido para gargarejo. • *v.* gargarejar.

garland /g'ɑrlənd/ *s.* grinalda, guirlanda. • *v.* decorar com flores.

garlic /g'ɑrlɪk/ *s.* alho. → Vegetables

garment /g'ɑrmənt/ *s.* peça de roupa. • *v.* vestir.

garner /g'ɑrnər/ *v.* armazenar, estocar. ▪ *sin.* hoard.

garnish /g'ɑrnɪʃ/ *s.* guarnição, enfeite. • *v.* enfeitar, decorar. ▪ *sin.* adorn, decorate, trim.

garrison /g'ærɪsən/ *s.* guarnição militar.

gas /gæs/ *s.* gás; gasolina. • *v.* suprir com gás ou gasolina; usar gás em. ♦ **gas chamber** câmara de gás. **gas mask** máscara contra gás. **gas pump** bomba de gasolina. **gas station** posto de gasolina. **gas stove** fogão a gás. **gas burner** bico de gás. **gas engine** motor a gás. **gasometer** medidor de gás. **gaseous** gasoso.

gash /gæʃ/ *s.* ferida, corte profundo. • *v.* cortar profundamente, ferir.

gasoline /g'æsəli:n/ (*Brit.* ***petrol***) *s.* gasolina.

gasp /gæsp/ *s.* respiração ofegante. • *v.* respirar com dificuldade; arfar.

gastric /g'æstrɪk/ *adj.* gástrico. ♦ **gastric juice** suco gástrico.

gate /geɪt/ *s.* portão; porteira.

gatecrasher /g'eɪtkræʃər/ *s.* penetra (que entra sem ser convidado).

gateway /g'eɪtweɪ/ *s.* entrada, portal, passagem.

gather /g'æðər/ *v.* juntar(-se), reunir(-se), aglomerar(-se); colher, coletar, apanhar (frutas). ▪ *sin.* collect.

gathering /g'æðərɪŋ/ *s.* reunião, assembleia.

gauche /goʊʃ/ *adj.* desajeitado.

gaudy /g'ɔ:di/ *adj.* afetado; berrante, colorido.

gaunt /gɔ:nt/ *adj.* abatido, magro, esquelético.

gauze /gɔ:z/ *s.* gaze.

gave /geɪv/ *v. pret.* de ***give***.

gay /geɪ/ *adj.* alegre, divertido; vistoso, brilhante; homossexual. ▪ *sin.* cheerful.

gaze /geɪz/ *s.* olhar fixo, atento ou pasmado. • *v.* olhar fixamente, fitar. ▪ *sin.* stare.

gazetteer /gæzət'ɪr/ *s.* dicionário geográfico; jornalista.

GB /dʒi:b'i:/ (*abrev.* de *Great Britain*) Grã-Bretanha. → Abbreviations

gear /gɪr/ *s.* engrenagem, roda; mecanismo, aparelhos. • *v.* engrenar; engatar. ♦ **gear box** caixa de câmbio. **gear lever** ou **gear shift** (*Brit.*) alavanca de câmbio.

gecko /g'ekoʊ/ *s.* lagartixa. → Animal Kingdom

geek /gi:k/ *s.* pessoa muito hábil ou viciada em computador.

gem /dʒem/ *s.* pedra preciosa, joia.

gender /dʒ'endər/ *s.* gênero.

gene /dʒi:n/ *s.* gene.

general /dʒ'enərəl/ *s.* general. • *adj.* geral; comum; genérico. ♦ **general practitioner** (*Brit.*) clínico geral. **in general** em geral. **generally** geralmente.

generality /dʒenər'æləti/ *s.* generalidade.

generalize /dʒ'enərəlaɪz/ (*Brit.* ***generalise***) *v.* generalizar.

generate /dʒ'enəreɪt/ *v.* gerar; produzir; procriar.

generation /dʒenər'eɪʃən/ *s.* geração; procriação; linhagem.

generator /dʒ'enəreɪtər/ *s.* gerador, dínamo.

generic /dʒən'erɪk/ *adj.* genérico.

generosity /dʒenər'ɑsəti/ *s.* generosidade.

generous /dʒ'enərəs/ *adj.* generoso; amplo, largo; fértil.

genetic /dʒə'netɪk/ (*s. pl.* **genetics** /dʒən'etɪks/) *s.* genética. • *adj.* genético.

genial /dʒ'iːniəl/ *adj.* cordial, amável, simpático. → Deceptive Cognates

genital /dʒ'enɪtəl/ (*s. pl.* **genitals** /dʒ'enɪtəlz/ ou **genitalia** /dʒenɪt'eɪliə/) órgãos genitais. • *adj.* genital. → Human Body

genius /dʒ'iːniəs/ *s.* gênio.

genocide /dʒ'enəsaɪd/ *s.* genocídio.

genocidal /dʒenəs'aɪdl/ *adj.* genocida.

gent /dʒent/ (*abrev.* de *gentleman*) *s.* cavalheiro. ♦ **The Gents** (*Brit.*) banheiro público. → Abbreviations

gentle /dʒ'entəl/ *adj.* suave; humano, bondoso; meigo, amável, gentil; dócil, manso.

gentleman /dʒ'entəlmən/ (*s. pl.* **gentlemen**) *s.* cavalheiro.

gently /dʒ'entli/ *adv.* gradativamente; suavemente: She *gently* sang a lullaby.

gentry /dʒ'entri/ *s.* alta burguesia; pequena nobreza.

genuine /dʒ'enjuɪn/ *adj.* genuíno, real; sincero.

geographer /dʒi'ɑːgrəfər/ *s.* geógrafo. → Professions

geographic /dʒiːəgr'æfɪk/ *adj.* geográfico.

geography /dʒi'ɑgrəfi/ *s.* geografia.

geologist /dʒi'ɑlədʒɪst/ *s.* geólogo. → Professions

geology /dʒi'ɑlədʒi/ *s.* geologia.

geometry /dʒi'ɑmətri/ *s.* geometria.

geriatric /dʒəri'ætrɪk/ *adj.* geriátrico.

germ /dʒɜːrm/ *s.* germe, micróbio; embrião; origem.

German /dʒ'ɜːrmən/ *s.* ou *adj.* alemão. → Countries & Nationalities

Germany /dʒ'ɜːrməni/ *s.* Alemanha. → Countries & Nationalities

germinate /dʒ'ɜːrmɪneɪt/ *v.* germinar.

gesticulate /dʒest'ɪkjuleɪt/ *v.* gesticular.

gesture /dʒ'estʃər/ *s.* gesto. • *v.* gesticular.

get /get/ *v.* (*pret.* **got**, *p.p.* **gotten** ou *Brit.* **got**) receber, obter, ganhar; ficar, tornar-se; contrair, apanhar; conseguir; tomar, comer; compreender, entender; ter, possuir; engendrar; chegar; induzir, persuadir. ♦ **get along** progredir; dar-se bem. **get away with** livrar(-se) da culpa. **get back** voltar. **get dark** escurecer. **get down** descer. **get dressed** vestir--se. **get drunk** ficar bêbado. **get home** chegar em casa. **get hungry** ficar com fome. **get in** entrar. **get married to** casar-se com. **get over** superar, recuperar-se. **get ready** aprontar-se. **get things done** resolver (situação). **get through** terminar. **get tired** ficar cansado. **get together** reunir(-se). **get under** subjugar. **get up** levantar (da cama). **It's got to be done.** Isso tem de ser feito. **This gets on my nerves.** Isto me dá nos nervos. → Irregular Verbs

getaway /g'etəweɪ/ *s.* fuga, escape.

ghastly /g'æstli/ *adj.* horrível, medonho, apavorante. • *adv.* horrivelmente.

ghetto /g'etoʊ/ (*s. pl.* **ghettos** ou **ghettoes**) *s.* gueto.

ghost /goʊst/ *s.* espírito; fantasma. ♦ **ghost story** história de fantasmas, história de terror.

ghostly /g'oʊstli/ *adj.* fantasmagórico; pálido.

GI /dʒiː'aɪ/ (*abrev.* de *Government Issue*) assunto do governo. • *s.* soldado (*inf.*). → Abbreviations

giant /dʒ'aɪənt/ *s.* gigante. • *adj.* gigantesco.

gibberish /dʒ'ɪbərɪʃ/ *s.* bobagem, besteira, algo sem sentido.

giddy /g'ɪdi/ *adj.* atordoado; vertiginoso; frívolo, inconstante. • *v.* ficar com vertigem, provocar vertigem.

GIF /gɪf/ (*abrev.* de *Graphics Interchange Format*) formato de intercâmbio de gráficos. ➔ Abbreviations

gift /gɪft/ *s.* presente; dádiva; dom. • *v.* doar, presentear.

gifted /g'ɪftɪd/ *adj.* dotado, talentoso.

gigabit /g'ɪgəbɪt/ *s.* um bilhão de bits (*informática*). Pode ser representado por *Gb*, *Gbit* e *G-bit*.

gigantic /dʒaɪg'æntɪk/ *adj.* enorme, gigantesco.

giggle /g'ɪgəl/ *s.* risadinha. • *v.* dar risadinha tola.

gild /gɪld/ *v.* (*pret.* e *p.p.* **gilt**) dourar. ➔ Irregular Verbs

gill /gɪl/ *s.* brânquia, guelra.

gilt /gɪlt/ *adj.* dourado. • *v. pret.* e *p.p.* de **gild**.

gin /dʒɪn/ *s.* gim.

ginger /dʒ'ɪndʒər/ *s.* gengibre. • *adj.* castanho-avermelhado (*Brit.*). ➔ Vegetables

gingerly /dʒ'ɪndʒərli/ *adv.* cuidadosamente, devagar.

giraffe /dʒər'æf/ *s.* girafa. ➔ Animal Kingdom

girder /g'ɜːrdər/ *s.* viga, coluna, suporte.

girdle /g'ɜːrdəl/ *s.* cinta; cercado. • *v.* cercar.

girl /gɜːrl/ *s.* menina.

girlfriend /g'ɜːrlfrend/ *s.* amiga; namorada.

girth /gɜːrθ/ *s.* medida da cintura; circunferência. • *v.* medir a cintura.

gist /dʒɪst/ *s.* essência, ponto principal.

give /gɪv/ *v.* (*pret.* **gave**, *p.p.* **given**) dar, presentear; entregar, oferecer; mostrar; aplicar. ♦ **give a cry** dar um grito. **give a lift** dar uma carona. **give a look** dar uma olhada. **give birth** dar à luz. **give ear** dar ouvidos. **give in** ceder. **give lessons** dar aulas. **give origin to** dar origem a. **give place** ceder um lugar. **give up** desistir. ➔ Irregular Verbs

given /g'ɪvən/ *v. p.p.* de **give**.

glacial /gl'eɪʃəl/ *adj.* glacial, gelado.

glacier /gl'eɪʃər/ *s.* geleira.

glad /glæd/ *adj.* contente. ▪ *sin.* pleased, joyful, cheerful. ▪ *ant.* sad, unhappy.

gladden /gl'ædn/ *v.* alegrar.

gladly /gl'ædli/ *adv.* prazerosamente, alegremente, com prazer.

gladness /gl'ædnəs/ *s.* alegria.

glamor /gl'æmər/ (*Brit.* **glamour**) *s.* brilho, *glamour*, magnetismo.

glamorous /gl'æmərəs/ *adj.* fascinante, deslumbrante, encantador, glamouroso.

glance /glæns/ *s.* relance, olhadela. • *v.* lançar um olhar rápido. ▪ *sin.* glimpse.

gland /glænd/ *s.* glândula.

glare /gler/ *s.* resplendor, clarão; olhar penetrante, olhar fulminante. • *v.* resplandecer; olhar fixamente. ▪ *sin.* flame, shine.

glaring /gl'erɪŋ/ *adj.* brilhante, ofuscante; com olhar fixo; óbvio.

glass /glæs/ *s.* vidro; copo; vidraça; espelho. • *v.* envidraçar. ♦ **a glassful (of wine)** um copo cheio (de vinho). **glass eye** olho de vidro. **glass worker** vidraceiro. **glass cloth** pano para secar copos. **glass cutter** cortador de vidros. **glass grinder** lapidador. **glassware** artigos feitos de vidro. **glassy** vítreo. **magnifying glass** lente de aumento, lupa.

glasses /gl'aesiz/ *s. pl.* óculos. ♦ **pair of glasses** óculos.

glaze /gleɪz/ *s.* esmalte, verniz, cobertura vitrificada; glacê. • *v.* envidraçar, colocar vidro; esmaltar, vitrificar.

glazier /gl'eɪʒər/ (*tb.* ***glassworker***) *s.* vidraceiro.

gleam /gliːm/ *s.* raio, lampejo, brilho. • *v.* cintilar, raiar, brilhar. ▪ *sin.* ray, beam.

gleaming /gl'iːmɪŋ/ *adj.* brilhante, reluzente.

glee /gliː/ *s.* alegria, divertimento.

glib /glɪb/ *adj.* desenvolto; superficial; enganoso. ▪ *sin.* insincere; superficial.

glide /glaɪd/ *s.* deslize, deslizamento. • *v.* planar; deslizar. ▪ *sin.* slip.

glider /gl'aɪdər/ *s.* planador. → Means of Transportation

glimmer /gl'ɪmər/ *s.* vislumbre, noção; brilho fraco.

glimpse /glɪmps/ *s.* olhar rápido. • *v.* olhar rapidamente. ▪ *sin.* glance.

glint /glɪnt/ *s.* raio de luz, resplendor, lampejo. • *v.* brilhar, cintilar.

glitter /gl'ɪtər/ *s.* brilho. • *v.* brilhar, cintilar. ▪ *sin.* shine.

gloat /gloʊt/ *s.* exultação. • *v.* olhar com satisfação; deleitar-se.

global /gl'oʊbəl/ *adj.* global, mundial. ♦ **global warming** aquecimento global. **global village** aldeia global.

globalization /gloʊbələz'eɪʃən/ (*Brit.* ***globalisation***) *s.* globalização.

globe /gloʊb/ *s.* globo, esfera.

globule /gl'ɑbjuːl/ *s.* glóbulo.

gloom /gluːm/ *s.* escuridão; tristeza, melancolia. • *v.* escurecer, obscurecer; estar triste.

gloomy /gl'uːmi/ *adj.* escuro; melancólico.

glorify /gl'ɔːrɪfaɪ/ *v.* glorificar.

glory /gl'ɔːri/ *s.* fama, reputação; glória.

gloss /glɑːs, glɔːs/ *s.* brilho, lustro. • *v.* lustrar, polir.

glossary /gl'ɑːsəri, gl'ɔːsəri/ *s.* glossário.

glossy /gl'ɑːsi, gl'ɔːsi/ *adj.* lustroso.

glove /glʌv/ *s.* luva. ♦ **fit like a glove** cair como uma luva. → Clothing

glow /gloʊ/ *s.* brilho; ardor. • *v.* arder; ruborizar; brilhar. ♦ **glow-worm** vaga-lume.

glowing /gl'oʊɪŋ/ *adj.* reluzente, incandescente; entusiasmado, radiante.

glucose /gl'uːkoʊs/ *s.* glicose.

glue /gluː/ *s.* cola, grude. • *v.* colar, grudar. → Classroom

glut /glʌt/ *s.* fartura, abundância. • *v.* fartar, saturar.

glutton /gl'ʌtən/ *s.* glutão, comilão.

GMT /dʒiːemt'iː/ (*abrev.* de *Greenwich Mean Time*) Horário Médio de Greenwich. → Abbreviations

gnat /næt/ *s.* mosquito, borrachudo. → Animal Kingdom

gnaw /nɔː/ *v.* roer, morder.

GNP /dʒiːenp'iː/ (*abrev.* de *Gross National Product*) Produto Interno Bruto (PIB). → Abbreviations

go /goʊ/ *v.* (*pret.* ***went***, *p.p.* ***gone***) ir; andar; viajar; caminhar; proceder, avançar. ♦ **go after** ir em busca de. **go against** contrariar. **Go ahead!** Vá em frente! **go away** ir embora. **go back** voltar. **go by** passar (do tempo). **go by bus** ir de ônibus. **go for a walk** sair para dar um passeio. **go on** continuar. **go on foot** ir a pé. **go on horseback** ir a cavalo. **go on strike** entrar em greve. **go with** combinar com. **go-slow** (*Brit.*) ou **slowdown** protesto em que os trabalhadores trabalham o mais vagarosamente possível. **going down** descendo. **going up** subindo. **How are things going?** Como estão as coisas? **set the watch going** pôr o relógio em movimento. → Irregular Verbs

goal /goʊl/ *s.* meta, objetivo; gol.

goalkeeper /g'oʊlkiːpər/ *s.* goleiro.

goat /goʊt/ *s.* cabra. → Animal Kingdom

God /gɑːd/ *s.* Deus. ♦ **For God's sake!** Pelo amor de Deus! **God bless you!** Deus o abençoe! **God forbid!** Deus me livre! **God**

willing. Se Deus quiser. **In God we trust.** Nós confiamos em Deus. **So help me God!** Juro por Deus! **Thank God!** Graças a Deus! **godchild** afilhado. **goddess** deusa. **godfather** padrinho. **godless** ateu. **godlike** divino. **godmother** madrinha. **godsend** dádiva divina.

god /gɑːd/ *s.* deus: In Greek mythology, Zeus was the supreme *god*.

godparents /g'ɑːdperənt/ *s.* padrinhos.

goggle /g'ɑgəl/ *s.* olhar esbugalhado. *pl.* óculos de proteção/natação. • *v.* arregalar os olhos; fitar.

gold /gouldl/ *s.* ouro; dinheiro, riqueza. ♦ **All that glitters is not gold.** Nem tudo que reluz é ouro. **gold-filled** folheado a ouro. **gold watch** relógio de ouro. **gold digger** mineiro. **gold mine** mina de ouro. **golden** dourado. **golden anniversary** bodas de ouro. **goldfish** peixinho dourado (*kinguio*). **goldsmith** ourives. → Animal Kingdom

golf /gɑːlf, gɔːlf/ *s.* golfe. • *v.* jogar golfe. → Sports

gondola /g'ɑːndələ, gɑːnd'oulə/ *s.* gôndola. → Means of Transportation

gone /gɔːn/ *v. p.p.* de **go**.

good /gʊd/ *s.* bem, benefício. *pl.* **goods** bens, produtos, mercadorias. • *adj.* bom. ♦ **do a good turn** fazer uma boa ação. **feel good** sentir-se bem. **for the good of** pelo bem de. **Good Friday** Sexta-feira Santa. **good look** boa aparência. **good-looking** bonito, de boa aparência. **good neighbor policy** política de boa vizinhança. **good breeding** boa educação. **good for nothing** imprestável. **good luck** boa sorte. **good morning** bom dia. **good night** boa noite. **good sense** bom senso. **good-bye** até logo. **goodness** bondade. **have good health** ter boa saúde. **Have a good time!** Divirta-se! **He's gone for good.** Ele se foi para não voltar. **in good faith** de boa-fé. **My goodness!** Meu Deus! **take something in good part** levar na brincadeira. **The sandwich looks good.** O sanduíche parece bom. **What is this good for?** Para que serve isso? **What's the good of this?** Qual a vantagem disto?

goodwill /gʊdw'ɪl/ *s.* boa vontade.

goose /guːs/ (*s. pl.* ***geese*** /giːs/) *s.* ganso. Ver ***gander***. → Animal Kingdom

GOP /dʒiːoup'iː/ (*abrev.* de *Grand Old Party*) Partido Republicano dos Estados Unidos. → Abbreviations

gore /gɔːr/ *s.* sangue. • *v.* espetar.

gorge /gɔːrdʒ/ *s.* garganta, goela; desfiladeiro, vale. • *v.* engolir, devorar; empanturrar-se.

gorgeous /g'ɔːrdʒəs/ *adj.* deslumbrante. ▪ *sin.* amazing, dazzling.

gorilla /gər'ɪlə/ *s.* gorila. → Animal Kingdom

gory /g'ɔːri/ *adj.* ensanguentado; sangrento, violento.

gosh /gɑʃ/ *interj.* caramba!, puxa vida!

Gospel /g'ɑːspl/ *s.* Evangelho.

gossip /g'ɑsɪp/ *s.* fofoca. • *v.* fofocar. ♦ **gossip column** coluna social.

gossiper /g'ɑsɪpər/ *s.* fofoqueiro.

got /gɑt/ *v. pret.* ou *p.p.* (*Brit.*) de ***get***.

gotten /g'ɑtən/ *v. p.p.* de ***get***.

gov. /gʌv/ (*abrev.* de *government*) organização ou instituição governamental (utilizada em endereços eletrônicos). → Abbreviations

govern /g'ʌvərn/ *v.* governar, dirigir, administrar; controlar. ▪ *sin.* rule, regulate.

governess /g'ʌvərnəs/ *s.* governanta.

government /g'ʌvərnmənt/ *s.* governo.

governor /g'ʌvərnər/ *s.* governador.

gown /gaʊn/ *s.* vestido de festa; beca, toga. → Clothing

GPS /dʒiːpiː'es/ (*abrev.* de *Global Positioning System*) sistema de posicionamento global (sistema eletrônico de navegação por satélite). → Abbreviations

grab /græb/ *v.* agarrar, pegar, apanhar.

grace /greɪs/ *s.* graça, beleza; favor; perdão. • *v.* ornar, enfeitar; honrar. ▪ *sin.* favor.

graceful /gr'eɪsfəl/ *adj.* gracioso.

gracious /gr'eɪʃəs/ *adj.* cortês, afável, agradável, benevolente. ♦ **Good gracious!** Meu Deus!

graciousness /gr'eɪʃəsnəs/ *s.* cortesia, bondade.

gradation /grəd'eɪʃən/ *s.* gradação; progressão.

grade /greɪd/ *s.* grau; série; nota. • *v.* classificar; mudar gradativamente; dar nota, corrigir.

gradient /gr'eɪdiənt/ *s.* declive, inclinação.

gradual /gr'ædʒuəl/ *adj.* gradual.

gradually /gr'ædʒuəli/ *adv.* gradualmente.

graduate /gr'ædʒuət/ *s.* pessoa graduada, diplomada. • /gr'ædʒueɪt/ *v.* graduar(-se).

graduation /grædʒu'eɪʃn/ *s.* colação de grau; graduação.

graft /græft/ *s.* enxerto; logro, fraude; suborno; corrupção. • *v.* enxertar; subornar.

grafter /gr'æftər/ *s.* corrupto.

grain /greɪn/ *s.* grão, semente, cereal.

grained /greɪnəd/ *adj.* granulado.

gram /græm/ *s.* grama. → Numbers

grammar /gr'æmər/ *s.* gramática.

grammatical /grəm'ætɪkl/ *adj.* gramatical; gramaticalmente correto. ▪ *ant.* ungrammatical.

granary /gr'ænəri/ *s.* celeiro, armazém.

grand /grænd/ *s.* (*inf.*) mil dólares/libras: I paid three *grand* for that trip. • *adj.* formidável, grandioso; principal, supremo.

grandchild /gr'æntʃaɪld/ *s.* neto, neta: She always cooks for her *grandchild*.

granddaughter /gr'ændɑːtər/ *s.* neta.

grandfather /gr'ænfɑːðər/ (*tb.* **granddad**, **grandpa** e **gramps**) *s.* avô.

grandmother /gr'ænmʌðər/ (*tb.* **grandma**) *s.* avó.

grandparents /gr'ænperənts/ *s.* avós.

grand piano *s.* piano de cauda. → Musical Instruments

grandson /gr'ænsʌn/ *s.* neto.

granger /gr'eɪndʒər/ *s.* granjeiro.

granite /gr'ænɪt/ *s.* granito.

grant /grænt/ *s.* concessão; privilégio; doação; subsídio; bolsa. • *v.* conceder; admitir; permitir. ♦ **take for granted** partir do princípio; aceitar como natural ou corriqueiro; dar como certo.

grape /greɪp/ *s.* uva. → Fruit

grapefruit /gr'eɪpfruːt/ *s.* toranja. → Fruit

grapevine /gr'eɪpvaɪn/ *s.* videira. ♦ **I heard it through the grapevine.** Eu soube disso pelos boatos.

graph /græf/ *s.* gráfico.

graphic /gr'æfɪk/ *adj.* gráfico.

grasp /græsp/ *s.* aperto, posse, domínio; compreensão. • *v.* agarrar, pegar; compreender.

grasping /gr'æspɪŋ/ *adj.* avaro, ganancioso.

grass /græs/ *s.* capim; grama, gramado; pasto; (*inf.*) maconha: Buying, selling and smoking *grass* is now legal in some countries. • *v.* cobrir com grama. ♦ **grass roots** bases, fundamentos.

grasshopper /gr'æshɑpər/ *s.* gafanhoto. ▪ *sin.* locust. → Animal Kingdom

grassy /gr'æsi/ *adj.* coberto de grama ou capim.

grate /greɪt/ *s.* grelha, grade. • *v.* ranger; ofender, irritar; ralar.

grated /gr'eɪtɪd/ *adj.* ralado.

grateful /gr'eɪtfəl/ *adj.* grato, agradecido.

grater /gr'eɪtər/ *s.* ralador.

gratify /gr'ætɪfaɪ/ *v.* satisfazer, agradar, contentar.

gratitude /gr'ætɪtu:d/ *s.* gratidão, agradecimento.

gratuity /grət'u:əti / *s.* gratificação, gorjeta. → Deceptive Cognates

grave /greɪv/ *s.* sepultura, túmulo, cova. • *v.* gravar, esculpir; escavar. • *adj.* pesado; grave, sério; ameaçador; sombrio; solene. ▪ *sin.* serious, solemn. → Deceptive Cognates

gravel /gr'ævəl/ *s.* pedregulho, cascalho.

gravestone /gr'eɪvstoʊn/ *s.* lápide.

graveyard /gr'eɪvjɑrd/ *s.* cemitério.

gravitation /grævɪt'eɪʃən/ *s.* gravitação; atração.

gravity /gr'ævəti/ *s.* gravidade.

gravy /gr'eɪvi/ *s.* molho ou caldo de carne.

gray /greɪ/ (*Brit.* ***grey***) *s.* a cor cinza. • *adj.* cinza, cinzento. ♦ **grayscale** escala de cinza (*informática*).

graze /greɪz/ *s.* pasto; arranhadura. • *v.* pastar; arranhar, roçar.

grease /gri:s/ *s.* banha, gordura; graxa. • *v.* engraxar; lubrificar; subornar.

greasy /gr'i:si/ *adj.* gorduroso; escorregadio.

great /greɪt/ *adj.* grande; extenso, comprido; poderoso; favorito; ótimo, formidável.

Great Britain /greit br'itn/ *s.* Grã-Bretanha. → Countries & Nationalities

greaten /gr'eɪtən/ *v.* aumentar, ampliar.

great-grandfather /greɪtgr'ænfɑ:ðər/ *s.* bisavô.

great-grandmother /greɪtgr'ænmʌðər/ *s.* bisavó.

great-grandparents /greɪtgr'ænperənts/ *s.* bisavós.

greatly /gr'eɪtli/ *adv.* muito: The athlete improved his performance *greatly*.

greatness /gr'eɪtnəs/ *s.* grandeza.

Greece /gri:s/ *s.* Grécia. → Countries & Nationalities

greed /gri:d/ *s.* ganância, avidez; gula.

Greek /gri:k/ *s.* ou *adj.* grego. → Countries & Nationalities

green /gri:n/ *s.* verde; gramado. • *adj.* verde; natural. ♦ **green beans** vagem. **green cloth** pano verde (para mesa de jogo). **green hand** mão de obra inexperiente. **green light** sinal aberto (sinal verde). **green meat** carne fresca ou crua. **greens** verduras. **green wound** ferida recente. **green stall** barraca de verduras (na feira). **green tea** chá verde. **green food** verdura orgânica. **greengrocer** verdureiro, quitandeiro. **greengrocery** quitanda. **greenhouse** estufa. **greenhouse effect** efeito estufa. **greenish** esverdeado. → Vegetables

greet /gri:t/ *v.* cumprimentar, saudar.

greeting /gr'i:tɪŋ/ *s.* saudação; cumprimento. *pl.* ***greetings*** saudações. ▪ *sin.* salute.

grenade /grən'eɪd/ *s.* granada.

grew /gru:/ *v. pret.* de ***grow***.

grey /greɪ/ Ver ***gray***.

greyhound /gr'eɪhaʊnd/ *s.* galgo (cão). → Animal Kingdom

grid /grɪd/ *s.* grade, grelha.

grief /gri:f/ *s.* aflição, tristeza, mágoa, pesar. ▪ *sin.* affliction.

grievance /gr'i:vəns/ *s.* queixa; ressentimento, mágoa.

grieve /gri:v/ *v.* molestar; ofender(-se), afligir(-se); lamentar(-se); preocupar(-se).

grievous /gr'iːvəs/ *adj.* penoso; grave, sério.

grill /grɪl/ *s.* grelha. • *v.* grelhar.

grim /grɪm/ *adj.* austero; inflexível; horrível; carrancudo. ▪ *sin.* ghasty, hideous.

grimace /grɪm'eɪs, gr'ɪməs/ *s.* careta. • *v.* fazer careta.

grime /graɪm/ *s.* sujeira, fuligem. • *v.* encardir, sujar.

grimy /gr'aɪmi/ *adj.* sujo, encardido.

grin /grɪn/ *s.* sorriso largo. • *v.* sorrir de orelha a orelha.

grind /graɪnd/ *s.* ação de moer, de afiar; trabalho penoso; aluno estudioso. • *v.* (*pret.* e *p.p.* ***ground***) moer; afiar; trabalhar longa e pesadamente; ranger os dentes. → Irregular Verbs

grinder /gr'aɪndər/ *s.* moedor.

grip /grɪp/ *s.* ação de agarrar ou segurar, aperto. • *v.* agarrar, pegar; prender a atenção. → Deceptive Cognates

grit /grɪt/ *s.* grão de areia; coragem. • *v.* ranger.

grizzly /gr'ɪzli/ *adj.* pardo, cinzento; grisalho.

groan /groʊn/ *s.* gemido. • *v.* gemer. ▪ *sin.* moan.

grocer /gr'oʊsər/ *s.* merceeiro, vendeiro. → Professions

grocery /gr'oʊsəri/ *s.* mercearia. *pl.* ***groceries*** mantimentos, produtos de mercearia.

groin /grɔɪn/ *s.* virilha. → Human Body

groom /gruːm/ *s.* cavalariço; noivo. • *v.* enfeitar(-se), arrumar(-se), preparar(-se); cortar, escovar; treinar.

groove /gruːv/ *s.* encaixe, entalhe, ranhura, sulco; rotina. • *v.* entalhar, escavar.

grope /groʊp/ *v.* andar tateando no escuro; acariciar, tocar.

gross /groʊs/ *s.* grosa (doze dúzias). • *adj.* inteiro, geral, total; grosseiro, indelicado; gordo; corpulento; bruto (peso ou valor); nojento.

grotesque /groʊt'esk/ *adj.* grotesco.

grotto /gr'ɑtoʊ/ (*s. pl.* ***grottos*** ou ***grottoes***) *s.* gruta.

ground /graʊnd/ *s.* terra, chão, solo, terreno. • *v. pret.* e *p.p.* de ***grind***. ♦ **give ground** ceder, afundar (terreno). **ground floor** térreo. **lose ground** perder terreno. **grounding** primeira demão (pintura); educação básica; castigo. **groundless** infundado, sem motivo. **grounds** motivos. **background** experiência; pano de fundo. **playground** área para brincar. **underground** (*Brit.*) ou **subway** metrô.

grounded /gr'aʊndɪd/ *adj.* aterrado, protegido por um fio terra. ♦ **You're grounded!** Você está de castigo!

group /gruːp/ *s.* grupo. • *v.* agrupar.

grove /groʊv/ *s.* bosque, arvoredo.

grow /groʊ/ *v.* (*pret.* ***grew***, *p.p.* ***grown***) crescer; florescer; tornar--se. ▪ *sin.* increase, raise. ▪ *ant.* decrease. ♦ **a growing child** uma criança em crescimento. **grow a beard** deixar crescer a barba. **grow obsolete** ficar obsoleto. **grow out of use** cair em desuso. **grow up** crescer. **growable** cultivável. **grower** produtor. **growing moon** lua crescente. **grown-up** adulto. **growth** crescimento, aumento; tumor. **He's grown out of his clothes.** A roupa não lhe serve mais (pois ele cresceu muito). → Irregular Verbs

growl /graʊl/ *s.* resmungo; rugido. • *v.* rosnar, rugir.

grown /groʊn/ *v. p.p.* de ***grow***.

grub /grʌb/ *s.* larva, lagarta, verme.

grubby /gr'ʌbi/ *adj.* sujo, imundo.

grudge /grʌdʒ/ *s.* rancor, ódio. • *v.* invejar; ter rancor ou má vontade. ♦ **hold a grudge against** guardar rancor de.

gruesome /gr'uːsəm/ *adj.* horrível, abominável, medonho.

gruff /grʌf/ *adj.* áspero; rude, grosseiro.

grumble /gr'ʌmbəl/ *s.* murmúrio. • *v.* murmurar, resmungar.

grumpy /gr'ʌmpi/ *adj.* irritável, rabugento.

grunt /grʌnt/ *s.* grunhido. • *v.* grunhir, rosnar.

GSM /dʒiːes'em/ (*abrev.* de *Global System for Mobile Communications*) sistema global para comunicações móveis. → Abbreviations

guarantee /gærənt'iː/ *s.* garantia; seguro; fiador; caução. • *v.* garantir; afiançar. ▪ *sin.* warranty.

guard /gɑrd/ *s.* guarda, vigia, sentinela; escolta, proteção, defesa. • *v.* vigiar, defender, proteger. ♦ **off-guard** desprevenido. **on guard** prevenido, alerta. → Professions

guardian /g'ɑrdiən/ *s.* tutor.

guava /gw'ɑvə/ *s.* goiaba. → Fruit

guerrilla /gər'ɪlə/ *s.* guerrilha.

guess /ges/ *s.* suposição. • *v.* adivinhar; imaginar; achar.

guest /gest/ *s.* hóspede, convidado.

guidance /g'aɪdəns/ *s.* orientação; direção.

guide /gaɪd/ *s.* guia. • *v.* guiar; governar.

What do you mean "we should have hired a *guide*"?

guideline /g'aɪdlaɪn/ *s.* diretriz.

guild /gɪld/ *s.* grêmio; associação, sindicato.

guile /gaɪl/ *s.* astúcia, malícia.

guilt /gɪlt/ *s.* culpa, culpabilidade.

guilty /g'ɪlti/ *adj.* culpado.

guinea pig /g'ɪni pɪg/ *s.* porquinho--da-índia. → Animal Kingdom

guitar /gɪt'ɑr/ *s.* violão. → Musical Instruments

gulf /gʌlf/ *s.* golfo, baía. • *v.* devorar.

gull /gʌl/ *s.* gaivota. → Animal Kingdom

gullet /g'ʌlɪt/ *s.* garganta, goela; esôfago. → Human Body

gully /g'ʌli/ *s.* bueiro; sarjeta.

gulp /gʌlp/ *s.* gole, trago. • *v.* tragar, engolir.

gum /gʌm/ *s.* goma de mascar; bala de goma; cola; gengiva. • *v.* colar. → Human Body

gun /gʌn/ *s.* arma de fogo. • *v.* atirar, caçar.

gunfire /g'ʌnfaɪər/ *s.* tiroteio.

gunman /g'ʌnmən/ *s.* pistoleiro.

gunpowder /g'ʌnpaudər/ *s.* pólvora.

gunshot /g'ʌnʃɑt/ *s.* bala; tiro.

gurgle /g'ɜːrgəl/ *s.* gargarejo; murmúrio. • *v.* gargarejar; murmurar.

gush /gʌʃ/ *v.* jorrar, esguichar. ▪ *sin.* flow (out).

gust /gʌst/ *s.* rajada de vento.

gut /gʌt/ *s.* intestino, tripa. *pl.* **guts** coragem. ♦ **She's got the guts to do this.** Ela tem coragem de fazer isso. → Human Body

gutter /g'ʌtər/ *s.* sarjeta; calha.

guy /gaɪ/ *s.* rapaz; sujeito.

guzzle /g'ʌzəl/ *v.* comer (ou beber) avidamente.

gymnasium /dʒɪmn'eɪziːəm/ *s.* ginásio de esportes. *abrev.* **gym**.

gymnast /dʒ'ɪmnæst/ *s.* ginasta.

gymnastics /dʒɪmn'æstɪks/ *s.* ginástica. → Sports

gynecologist /gaɪnək'ɑlədʒɪst/ (*Brit.* ***gynaecologist***) *s.* ginecologista. → Professions

gypsy /dʒ'ɪpsi/ (*Brit.* ***gipsy***) *s.* ou *adj.* cigano.

H

H, h /eɪtʃ/ *s.* oitava letra do alfabeto inglês.

H /eɪtʃ/ (*abrev.* de *hydrogen*) hidrogênio. ➔ Abbreviations

habit /h'æbɪt/ *s.* roupa, traje; hábito. • *v.* vestir.

habitual /həb'ɪtʃuəl/ *adj.* habitual, familiar.

hack /hæk/ *s.* invasão (*informática*); corte. • *v.* cortar, talhar; invadir ilegalmente (*informática*). ▪ *sin.* chop.

hacker /h'ækər/ *s.* *hacker*, ciberpirata.

had /həd, hæd/ *v. pret.* e *p.p.* de ***have***.

hadn't /h'ædənt/ forma contraída de *had not*.

haggard /h'ægərd/ *adj.* extenuado, abatido.

haggle /h'ægəl/ *v.* pechinchar.

hail /heɪl/ *s.* granizo; saudação; aclamação. • *v.* saudar; aclamar; chover granizo; (geralmente acompanhado de ***from***) proceder de. • *interj.* salve! ➔ Weather

hailstone /h'eɪlstoʊn/ (*tb.* ***hail stone***) *s.* granizo.

hailstorm /h'eɪlstɔːrm/ *s.* tempestade de granizo.

hair /her/ *s.* cabelo; pelo. ♦ **hair-raising** horrível, de arrepiar o cabelo. **horsehair** crina. **hairbrush** escova de cabelo. **haircut** corte de cabelo. **hairdo** penteado. **hairdresser** cabeleireiro. **hairdryer** ou **hairdrier** secador de cabelos. **hairless** ou **bald** careca. **hairpin** grampo para cabelo. **hairstyle** corte, penteado. **hair stylist** cabeleireiro. **hairy** cabeludo, peludo. **He wasn't killed at the accident by a hair's breadth.** Ele não morreu no acidente por pouco. ➔ Human Body ➔ Professions

half /hæf/ (*s. pl.* ***halves*** /hævz/) *s.* metade. • *adj.* meio. • *adv.* parcialmente. ♦ **half a dozen** meia dúzia. **half an hour** meia hora. **half-sister** meia-irmã. **half-sole** meia-sola. **half-blooded** mestiço. **half boot** bota de cano curto. **half-brother** meio-irmão. **half-dead** exausto. **half-dime** moeda de 5 centavos de dólar. **half-face** perfil. **half-and-half** ou **fifty-fifty** meio a meio. **half-price** metade do preço. **half-timer** trabalhador de meio período. **half-moon** meia-lua. **halfway** meio caminho. **do things by halves** fazer as coisas pela metade. **half-wit** estúpido, idiota. ➔ Numbers

hall /hɔːl/ *s.* saguão; sala.

hallmark /hɔːlmɑrk/ *s.* marca reconhecida, que representa algo com qualidade.

Halloween /hæloʊ'iːn/ *s.* Dia das Bruxas, comemorado em 31 de outubro.

hallucination /həluːsɪn'eɪʃn/ *s.* alucinação.

hallway /h'ɔːlweɪ/ *s.* corredor.

halo /h'eɪloʊ/ (*s. pl.* ***halos***) *s.* halo; auréola.

halt /h'ɔːlt/ *s.* parada, descanso. • *v.* parar, descansar.

halve /hæv/ *v.* dividir em partes iguais; cortar ao meio.

ham /hæm/ *s.* presunto.

hamburger /h'æmbɜːrgər/ *s.* hambúrguer.

hammer /h'æmər/ *s.* martelo. • *v.* martelar.

hammock /h'æmək/ *s.* rede para dormir.

hamper /h'æmpər/ *s.* cesta com tampa. • *v.* impedir, dificultar, atrapalhar.

hand /hænd/ *s.* mão; ponteiro de relógio. • *v.* dar, conduzir, passar. ♦ **by the hand of** por intermédio de. **change hands** mudar de dono. **handbag** bolsa. **handball** handebol. **handbook** manual. **handbrake** freio de mão. **handcuffs** algemas. **handful** punhado. **handheld computer** computador de bolso. **hand in hand** de mãos dadas. **handkerchief** lenço. **handmade** ou **made by hand** feito à mão. **handshake** aperto de mão. **Hands off!** Tire as mãos! **hand to hand** corpo a corpo. **Hands up!** Mãos ao alto! **handwriting** letra manuscrita, caligrafia. **handwritten** manuscrito. **handy** hábil, jeitoso, cômodo. **hold hands** dar-se as mãos. **lend a hand** ou **give a hand** dar uma ajuda. **on hand** à mão. **on the other hand** por outro lado. **second-hand car** carro de segunda mão. **shake hands** dar um aperto de mãos. → Human Body → Sports

handicap /h'ændikæp/ *s.* deficiência; desvantagem ou vantagem concedida. • *v.* dificultar, criar obstáculos.

handicapped /h'ændikæpt/ *s.* ou *adj.* deficiente (físico ou mental). ▪ *sin.* disabled.

handicraft /h'ændikræft/ (*tb.* ***craft***) *s.* artesanato; habilidade manual.

handiwork /h'ændiwɜːrk/ *s.* trabalho manual, artesanal.

handle /h'ændəl/ *s.* manivela; alavanca; trinco, maçaneta; cabo. • *v.* manobrar, lidar com; manejar, manusear; suportar. ♦ **Handle with care.** Cuidado, frágil.

handlebar /h'ændəlbɑr/ *s.* guidão.

handout /h'ændaʊt/ *s.* folheto; donativo; nota oficial à imprensa.

handsome /h'ænsəm/ *adj.* bonito, elegante.

handyman /h'ændimæn/ (*s. pl.* ***handymen***) *s.* aquele que faz de tudo.

hang /hæŋ/ *v.* (*pret.* e *p.p.* ***hung***) pender, pendurar; (*pret.* e *p.p.* ***hanged***) enforcar, ser enforcado. ♦ **hang out** passar o tempo com amigos; frequentar. → Irregular Verbs → Leisure

hangar /h'æŋər, h'æŋgər/ *s.* hangar.

hanger /h'æŋər/ *s.* alça; cabide.

hang-glider /h'æŋglaɪdər/ (*tb.* ***hang glider***) *s.* asa-delta.

hang-gliding /h'æŋglaɪdɪŋ/ (*tb.* ***hang gliding***) *s.* prática de asa-delta. → Sports

hanging /h'æŋɪŋ/ *s.* enforcamento; suspensão. • *adj.* suspenso.

hangover /h'æŋoʊvər/ *s.* ressaca (depois de uma bebedeira).

haphazard /hæph'æzərd/ *adj.* casual.

happen /h'æpən/ *v.* acontecer, suceder. ♦ **I happened to be there.** Acontece que eu estava lá.

happening /h'æpənɪŋ/ *s.* acontecimento, ocorrência.

happiness /h'æpinəs/ *s.* felicidade. ▪ *ant.* unhappiness.

happy /h'æpi/ *adj.* feliz. ♦ **feel happy** sentir(-se) feliz. **happily** alegremente. **happy end** final feliz. **They lived happily ever**

after. Viveram felizes para sempre. **unhappy** infeliz.

Aren't you *happy* to know Mom is going to visit us tomorrow?

harass /h'ærəs, hər'æs/ *v.* molestar, incomodar, assediar. ♦ **harassment** assédio.

harbor /h'ɑːrbər/ (*Brit.* **harbour**) *s.* porto; abrigo. • *v.* abrigar; ancorar. ▪ *sin.* haven.

hard /hɑːrd/ *adj.* duro, sólido; difícil; severo, inflexível; cruel; desagradável; fatigante; injusto. • *adv.* duramente, asperamente. ▪ *sin.* tough, firm, solid. ♦ **hard copy** cópia impressa.

hardback /h'ɑːrdbæk/ *s.* livro de capa dura.

harden /h'ɑːrdən/ *v.* endurecer; calejar; fortalecer; insensibilizar-se.

hardly /h'ɑːrdli/ *adv.* mal, dificilmente; quase (nunca, nenhum, ninguém).

hardness /h'ɑːrdnəs/ *s.* dureza, firmeza; frieza.

hardship /h'ɑːrdʃɪp/ *s.* dificuldade, desventura; miséria; opressão, injustiça; sofrimento.

hardware /h'ɑːrdwer/ *s. hardware* (*informática*); ferragens; ferramentas.

hardy /h'ɑːrdi/ *adj.* forte, robusto; ousado; valente, resistente.

hare /her/ *s.* lebre. → Animal Kingdom

harm /hɑːrm/ *s.* mal, dano; ofensa; injustiça. • *v.* prejudicar; ofender; causar dano. ▪ *sin.* evil, injury. ♦ **harmful** prejudicial. **harmfully** perniciosamente. **harmless** inócuo, inofensivo. **harmlessly** inofensivamente. **I mean no harm.** Não tive a intenção de ofender. **There is no harm in asking.** Perguntar não ofende.

harmonica /hɑːrm'ɑːnɪkə / *s.* gaita. → Musical Instruments

harmonious /hɑrm'oʊniəs/ *adj.* harmonioso.

harmony /h'ɑːrməni/ *s.* harmonia.

harness /h'ɑːrnɪs/ *s.* couraça, armadura; arreio. • *v.* arrear; subordinar; aproveitar ou explorar (recursos naturais).

harp /hɑːrp/ *s.* harpa. → Musical Instruments

harpist /h'ɑrːpɪst/ *s.* harpista.

harpoon /hɑrp'uːn/ *s.* arpão. • *v.* arpoar.

harsh /hɑːrʃ/ *adj.* áspero, severo, cruel. ▪ *sin.* rough, severe, rude.

harshness /h'ɑːrʃnəs/ *s.* severidade, crueldade.

harvest /h'ɑːrvɪst/ *s.* colheita, safra; resultado. • *v.* colher.

hassle /h'æsəl/ *s.* problema, complicação. • *v.* aborrecer, chatear.

haste /heɪst/ *s.* pressa. • *v.* apressar, acelerar. ♦ **in haste** às pressas.

hasten /h'eɪsən/ *v.* acelerar, apressar. ▪ *sin.* accelerate, hurry, speed.

hasty /h'eɪsti/ *adj.* apressado, impaciente; ligeiro.

hat /hæt/ *s.* chapéu. → Clothing

hatch /hætʃ/ *s.* escotilha. • *v.* nascer, sair do ovo.

hatchet /h'ætʃɪt/ *s.* machadinha.

hate /heɪt/ *s.* ódio. • *v.* odiar.

hatred /h'eɪtrɪd/ *s.* ódio, aversão.

haul /hɔːl/ *v.* puxar, arrastar; rebocar.

haunt /hɔːnt/ *s.* abrigo, toca, refúgio. • *v.* frequentar; assombrar. ♦ **haunted house** casa mal--assombrada.

have /həv, hæv/ *v.* (*pret.* e *p.p.* **had**) ter, haver, possuir; receber, obter. → Irregular Verbs

haven /h'eɪvən/ *s.* porto, ancoradouro; abrigo. • *v.* abrigar, asilar. ▪ *sin.* harbor.

haven't /h'ævənt/ forma contraída de *have not.*

havoc /h'ævək/ *s.* destruição, devastação, dano, estrago. • *v.* destruir.

hawk /hɔːk/ *s.* falcão. → Animal Kingdom

hay /heɪ/ *s.* feno.

hazard /h'æzərd/ *s.* risco, perigo. • *v.* arriscar, ousar. ▪ *sin.* danger, peril. → Deceptive Cognates

hazardous /h'æzərdəs/ *adj.* arriscado.

haze /heɪz/ *s.* neblina. • *v.* obscurecer; confundir; dar trote (em estudantes); fazer algazarra.

hazelnut /h'eɪzəlnʌt/ *s.* avelã. → Fruit

hazy /h'eɪzi/ *adj.* nebuloso, confuso; vago.

HD /eɪtʃd'iː/ (*abrev.* de *Hard Disk*) disco rígido. → Abbreviations

he /hiː/ *pron. pess.* ele.

he'd /hiːd/ (forma contraída de *he had* ou de *he would*) ele tinha; ele iria.

he'll /hiːl/ (forma contraída de *he will*) ele irá.

he's /hiːz/ (forma contraída de *he is* ou de *he has*) ele é, ele está; ele tem.

head /hed/ *s.* cabeça; chefe, diretor; topo. • *v.* encabeçar, liderar; cabecear (futebol). • *adj.* principal. ♦ **He lost his head.** Ele perdeu a cabeça (ficou zangado). **Heads or tails?** Cara ou coroa? **head office** matriz. **head over heels** bagunçado, de pernas para o ar. **head start** vantagem. **Success went to his head.** O sucesso lhe subiu à cabeça. **neither head nor tail** sem pé nem cabeça. **You must be off your head.** Você deve estar louco. **headache** dor de cabeça. **headlights** faróis dianteiros, luz alta. **headline** título, manchete. **headmaster** diretor (de escola). **headphones** ou **earphones** fones de ouvido. **headquarters** quartel-general. **headship** chefia. **headwaiter** *maître.* **headwork** trabalho intelectual. → Human Body

header /h'edər/ *s.* cabeçalho; cabeçada (futebol).

heal /hiːl/ *v.* curar, sarar; cicatrizar(-se). ♦ **healable** curável. **healing** cura.

health /helθ/ *s.* saúde. ♦ **bill of health** atestado de saúde. **Department of Health** ou **Board of Health** Ministério da Saúde. **drink to someone's health** beber à saúde de alguém. **health resort** estância. **Health Service** Serviço de Saúde. **Your health.** À sua saúde. **good health** boa saúde. **ill health** má saúde. **healthy** ou **healthful** saudável, sadio. **unhealthy** ou **unhealthful** nocivo, prejudicial; doentio.

Scan this QR code to learn more about **health**. www.richmond.com.br/5lmhealth

heap /hiːp/ *s.* muitos; multidão. • *v.* (geralmente seguido de **up**) amontoar.

hear /hɪr/ *v.* (*pret.* e *p.p.* **heard**) ouvir, escutar, dar ouvidos. ♦ **Hear him out.** Deixe-o acabar de falar. **hearable** audível. **hearing aid** aparelho de surdez. **hearsay** boato. **I heard of this.** Eu soube disso. **She heard from him.** Ela teve notícias dele. → Irregular Verbs

heard /hɜːrd/ *v. pret.* e *p.p.* de **hear**.

hearing /hɪrɪŋ/ *s.* ouvido, audição: My grandfather's *hearing* is not doing well.; audiência: The witness attended to the *hearing.*

heart /hɑrt/ *s.* coração; centro. ♦ **from the bottom of my heart** do fundo do meu coração. **Have a heart!** Tenha dó! **heart and soul** de corpo e alma. **heart attack** ataque cardíaco. **heart failure** parada cardíaca. **take to heart** levar a sério. **heartbeat** batimento cardíaco, pulsação. **heartbreak** angústia. **heartburn** azia. **hearten** animar, encorajar. **heartless** cruel. **hearty** sincero; cordial; entusiasta. **open-hearted** franco. **She is heartbroken.** Ela está triste, inconsolável (de coração partido). **She lost her heart.** Ela se apaixonou. **This cuts me to the heart.** Isto me corta o coração. **learn by heart** aprender de cor. ➔ Human Body

heart of palm (*tb.* ***palm cabbage***) *s.* palmito. ➔ Vegetables

hearth /hɑːrθ/ *s.* lareira. ▪ *sin.* fireplace.

heat /hiːt/ *s.* calor; aquecimento; cio. • *v.* aquecer; excitar(-se). ♦ **heating** (*Brit.*) ou **heat** sistema de calefação.

heater /h'iːtər/ *s.* aquecedor.

heating /h'iːtɪŋ/ *s.* aquecimento.

heat wave /h'iːtweɪv/ *s.* onda de calor.

heave /hiːv/ *s.* empurrão; esforço. • *v.* tentar erguer, levantar, hastear; suspirar.

heaven /h'evən/ *s.* céu, firmamento; paraíso.

heavenly /h'evənli/ *adj.* celeste; divino.

heavily /h'evɪli/ *adv.* duramente, pesadamente.

heavy /h'evi/ *adj.* pesado; forte, violento; triste, abatido; cansativo; preguiçoso; prenhe, grávida; indigesto. ♦ **heavy-handed** desajeitado; severo, opressor. **heavy news** notícia triste. **heavy weight** peso pesado (boxe).

hectare /h'ekter/ *s.* hectare. ➔ Numbers

hectic /h'ektɪk/ *adj.* apressado; movimentado.

hedge /hedʒ/ *s.* cerca viva; divisa. • *v.* cercar; limitar; esquivar(-se).

hedgehog /h'edʒhɔːg, h'edʒhɑːg/ ouriço. ➔ Animal Kingdom

heed /hiːd/ *s.* cuidado, atenção. • *v.* prestar atenção. ▪ *sin.* attention, care.

heedless /h'iːdləs/ *adj.* descuidado, desatento.

heel /hiːl/ *s.* calcanhar; salto do sapato. ♦ **high heels** ou **heels** salto alto. ➔ Human Body

height /haɪt/ *s.* altura; altitude; latitude.

heighten /h'aɪtən/ *v.* elevar, aumentar; salientar. ▪ *sin.* raise.

heir /er/ *s.* herdeiro. • *v.* herdar. ♦ **heir to the throne** herdeiro do trono.

heiress /'erəs/ *s.* herdeira.

held /held/ *v. pret.* e *p.p.* de ***hold***.

helicopter /h'elɪkɑːptər/ (*inf.* ***chopper***) *s.* helicóptero. ➔ Means of Transportation

hell /hel/ *s.* inferno. ♦ **It hurts like hell.** Isso dói muito.

hello /həl'oʊ/ (*Brit.* ***hullo***, ***hallo***) *interj.* olá.

helm /helm/ *s.* leme do navio. • *v.* dirigir, governar.

helmet /h'elmɪt/ *s.* capacete.

help /help/ *s.* assistência; alívio, ajuda. • *v.* auxiliar, ajudar. ♦ **helper** ajudante. **helpful** útil, prestativo. **helpless** desamparado, indefeso. **Help yourself!** Sirva-se! **I can't help doing it.** Não posso deixar de fazer isso. **So help me God!** Juro por Deus! **There is no help for it.** Não adianta., Não tem jeito., Não há remédio.

helter-skelter /heltərsk'eltər/ *s.* tobogã (*Brit.*). • *adj.* atabalhoado, confuso.

hem /hem/ *s.* bainha, barra (da roupa). • *v.* fazer a barra, a bainha (da roupa).

hemisphere /h'emɪsfɪr/ *s.* hemisfério.

hemoglobin /hiːməgl'oʊbɪn/ (*Brit.* ***haemoglobin***) *s.* hemoglobina.

hemorrhage /h'emərɪdʒ/ (*Brit.* ***haemorrhage***) *s.* hemorragia.

hen /hen/ *s.* galinha. → Animal Kingdom

hence /hens/ *adv.* daqui a. • *conj.* portanto.

henceforth /hensf'ɔːrθ/ *adv.* doravante.

hepatitis /hepət'aɪtɪs/ *s.* hepatite.

her /hər, ər, hɜːr/ *pron. pess.* ou *adj. poss.* a, ela, lhe, se, si, dela.

herald /h'erəld/ *s.* arauto, mensageiro; manchete. • *v.* sinalizar; anunciar.

herb /ɜːrb/ *s.* erva.

herd /hɜːrd/ *s.* rebanho, manada. ▪ *sin.* flock.

here /hɪr/ *adv.* aqui, neste lugar. • *interj.* Presente! ♦ **here and there** aqui e ali. **Here we go!** Lá vamos nós! **Here you are.** Aqui está., Toma.

hereabout /hɪrəb'aʊt/ *adv.* por aqui, por aí.

hereafter /hɪr'æftər/ *s.* vida após a morte. • *adv.* daqui por diante.

hereby /hɪrb'aɪ/ *adv.* com isso, por meio disso.

hereditary /hər'edɪtəri/ *adj.* hereditário.

herein /hɪr'ɪn/ *adj.* incluso, anexo.

heresy /h'erəsi/ *s.* heresia.

herewith /hɪrw'ɪð, hɪrw'ɪθ/ *adv.* juntamente.

heritage /h'erɪtɪdʒ/ *s.* herança. ▪ *sin.* inheritance.

hermit /h'ɜːrmɪt/ *s.* eremita, ermitão.

hernia /h'ɜːrniə/ *s.* hérnia.

hero /h'ɪroʊ, h'iːroʊ/ *s.* herói.

heroic /hər'oʊɪk/ *adj.* heroico.

heroin /h'eroʊɪn/ *s.* heroína (*quím.*).

heroine /h'eroʊɪn/ *s.* heroína.

herring /h'erɪŋ/ (*s. pl.* ***herrings*** ou ***herring***) *s.* arenque. → Animal Kingdom

hers /hɜːrz/ *pron. poss.* dela.

herself /hɜːrs'elf, hərs'elf/ *pron. reflex.* (a) ela mesma, se, (a) si.

hesitant /h'ezɪtənt/ *adj.* hesitante.

hesitate /h'ezɪteɪt/ *v.* hesitar, vacilar, estar indeciso. ▪ *sin.* falter.

hesitation /hezɪt'eɪʃən/ *s.* hesitação.

heterogeneous /hetərədʒ'iːniəs/ (*tb.* ***heterogenous***) *adj.* heterogêneo.

heterosexual /hetərəs'ekʃuəl/ *adj.* heterossexual.

hexagon /h'eksəgɑn/ *s.* hexágono.

hey /heɪ/ *interj.* ei!

HH /eɪtʃ'eɪtʃ/ (*abrev.* de *Her/His Highness*; *His Holiness*) Sua Alteza; Sua Santidade (o Papa). → Abbreviations

hi /haɪ/ *interj.* olá!, alô!, oi!.

hibernate /h'aɪbərneɪt/ *v.* hibernar.

hiccup /h'ɪkʌp/ *s.* soluço. • *v.* soluçar.

hid /hɪd/ *v. pret.* de **hide**.

hidden /h'ɪdən/ *v. p.p.* de **hide**.

hide /haɪd/ *v.* (*pret.* ***hid***, *p.p.* ***hid*** ou ***hidden***) esconder(-se), ocultar(-se). ▪ *sin.* conceal. ♦ **hide-and-seek** esconde-esconde. **hide-out** esconderijo. → Irregular Verbs

hideous /h'ɪdiəs/ *adj.* horrível, medonho. ▪ *sin.* ghastly, grim.

hierarchy /h'aɪərɑrki/ *s.* hierarquia.

hieroglyphics /haɪərəgl'ɪfɪks/ *s.* hieróglifo.

high /haɪ/ *s.* pico. • *adj.* alto, elevado, grande; superior, principal; excelente; caro. ♦ **high and low** por toda parte. **High Court** Suprema Corte. **high education** ensino/educação superior. **high-grade** ou **high-class** de primeira qualidade. **high priest** sumo sacerdote. **high school** colégio (escola secundária). **high society** alta sociedade. **high speed** alta velocidade. **high spirits** bom humor. **high-tension** alta tensão. **high tide** maré alta. **the high seas** alto-mar. **high-blown** arrogante. **high-bred** educado, distinto, de sangue nobre. **high-tech** ou **hi-tech** alta tecnologia. **highlands**

montanhas. **highly** altamente. **highway** rodovia. **Your Highness** Sua Alteza.

highlight /h'aɪlaɪt/ *s.* ponto alto, melhor momento, auge; principal. *pl.* ***highlights*** mechas (no cabelo); melhores momentos. • *v.* ressaltar, realçar, destacar, chamar a atenção para; assinalar (com marcador de texto). ♦ **highlighter** caneta marca--texto. → Classroom

hijack /h'aɪdʒæk/ *s.* sequestro de avião, veículo, etc. (*Brit.*). • *v.* sequestrar avião, veículo, etc.

hike /haɪk/ *s.* caminhada, passeio, trilha. • *v.* caminhar, passear, fazer trilha. → Leisure

hiker /h'aɪkər/ *s.* andarilho.

hilarious /hɪl'eriəs/ *adj.* alegre, hilário, engraçado.

hill /hɪl/ *s.* morro, colina; ladeira.

hillside /h'ɪlsaɪd/ *s.* vertente, encosta.

hilltop /h'ɪltɑp/ *s.* cume.

hilly /h'ɪli/ *adj.* montanhoso.

hilt /hɪlt/ *s.* cabo, punho (faca, espada).

him /hɪm/ *pron. pess.* o, ele, lhe, se, si.

himself /hɪms'elf/ *pron. reflex.* (a) ele mesmo, se, (a) si.

hinder /h'ɪndər/ *v.* impedir, retardar. • *adj.* traseiro. ▪ *sin.* prevent, impede, obstruct.

hindsight /h'aɪndsaɪt/ *s.* retrospectiva, percepção tardia.

Hindu /h'ɪndu:/ (*s. pl.* ***Hindus***) *s.* ou *adj.* hindu.

Hinduism /h'ɪndu:ɪzəm/ *s.* hinduísmo.

hinge /hɪndʒ/ *s.* dobradiça. ♦ **hinge on** depender de.

hint /hɪnt/ *s.* sugestão, insinuação, alusão, dica. • *v.* sugerir, aludir. ♦ **take the/a hint** vestir a carapuça; aceitar a sugestão.

hip /hɪp/ *s.* quadril, anca. • *v.* legal; atualizado. → Human Body

hip-hop /h'ɪphɑ:p/ *s. hip-hop* (gênero musical).

hippopotamus /hɪpəp'ɑtəməs/ (*tb.* ***hippo***) (*s. pl.* ***hippopotamuses*** ou ***hippopotami***) *s.* hipopótamo. → Animal Kingdom

hire /haɪr/ *s.* aluguel; salário. • *v.* alugar; arrendar; contratar. ♦ **hirer** locador. **hire-purchase** compra a prestações.

his /hɪz/ *adj.* ou *pron. poss.* dele.

hiss /hɪs/ *s.* assobio; vaia. • *v.* assobiar; vaiar.

historian /hɪst'ɔ:riən/ *s.* historiador.

historic /hɪst'ɔ:rɪk/ *adj.* histórico.

historical /hɪst'ɔ:rɪkəl/ *adj.* histórico: Rome is full of *historical* architecture.

history /h'ɪstri/ *s.* história.

hit /hɪt/ *s.* golpe; acidente; sucesso; resultado de pesquisa na internet. • *v.* (*pret.* e *p.p.* ***hit***) golpear, acertar. ▪ *sin.* beat, strike. → Irregular Verbs

hitch /hɪtʃ/ *s.* puxão; nó; problema; obstáculo. • *v.* escorregar; engatar; amarrar(-se); casar(-se); pegar. ♦ **hitch a lift** ou **hitch a ride** pegar carona.

hitchhike /h'ɪtʃhaɪk/ *v.* pegar carona, viajar pedindo carona.

HIV /eɪtʃaɪv'i:/ (*abrev.* de *Human Immunodeficiency Virus*) Vírus da Imunodeficiência Humana. → Abbreviations

hive /haɪv/ (*tb.* ***beehive***) *s.* colmeia.

HM /eɪtʃ'em/ (*abrev.* de *Her/His Majesty*) Sua Majestade. → Abbreviations

HMS /eɪtʃem'es/ (*abrev.* de *Her/His Majesty's Service* ou de *Her/His Majesty's Ship*) Serviço/Navio de Sua Majestade. → Abbreviations

hoard /hɔ:rd/ *s.* estoque, provisão. • *v.* acumular, ajuntar, armazenar. ▪ *sin.* garner.

hoarse /hɔ:rs/ *adj.* rouco.

hoax /hoʊks/ *s.* peça, brincadeira. • *v.* brincar. ▪ *sin.* trick.

hobble /h'ɑbəl/ *v.* mancar; impedir.

hobby /h'ɑbi/ *s.* passatempo.

hobo /h'oʊboʊ/ (*s. pl.* **hobos**) *s.* vagabundo. ▪ *sin.* tramp.

hockey /h'ɑːki/ *s.* hóquei. ➔ Sports

hoe /hoʊ/ *s.* enxada. • *v.* cavar com enxada, capinar.

hog /hɔːg/ *s.* porco. • *v.* monopolizar; comer demais. ➔ Animal Kingdom

hoist /hɔɪst/ *s.* guindaste, guincho. • *v.* levantar, elevar. ▪ *sin.* lift.

hold /hoʊld/ *s.* alça, cabo; suporte; ação de segurar ou agarrar; porão; prisão; fortaleza. • *v.* (*pret.* e *p.p.* **held**) pegar, segurar; manter; defender; prosseguir; empregar; sustentar; refrear, embargar; conter, encerrar; possuir; ocupar; considerar; crer, afirmar; presidir; reunir; festejar; aguardar; permanecer; ser válido. ▪ *sin.* keep, detain, retain, maintain, contain. ♦ **hold back** esconder(-se); deter(-se). **holdback** obstáculo. **holder** portador, proprietário; vasilhame, recipiente. **Hold on!** Aguente firme!; Espere! (ao telefone). **hold the audience** fascinar o público, prender a atenção do público. **hold (down) the job** manter o emprego. **Hold your tongue!** Cale-se! **smallholding** pequena propriedade. **The bottle holds 2 liters.** Na garrafa cabem 2 litros. **The meeting will be held at 6 p.m.** A reunião realizar-se-á às 6 da tarde. ➔ Irregular Verbs

hole /hoʊl/ *s.* buraco. • *v.* furar, cavar.

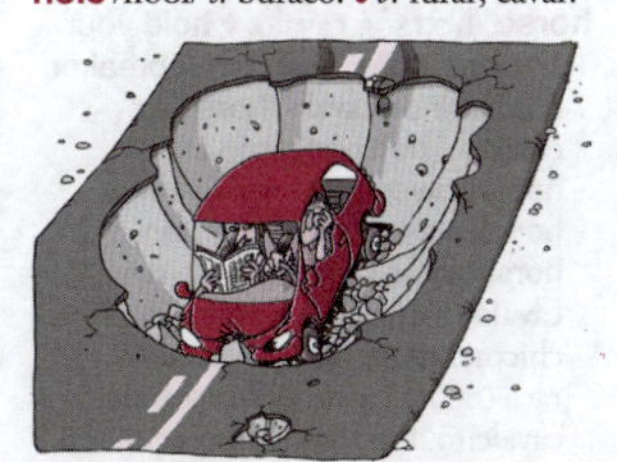

Drive carefully; there are many *holes* along this highway.

holiday /h'ɑlədeɪ/ *s.* feriado. *pl.* **holidays** (*Brit.*) férias.

holiness /h'oʊlinəs/ *s.* santidade. ♦ **Your/His Holiness** Sua Santidade (o Papa).

hollow /h'ɑloʊ/ *s.* buraco. • *v.* escavar, esburacar. • *adj.* oco. ▪ *sin.* empty. ▪ *ant.* full.

holly /h'ɑli/ *s.* azevinho.

holocaust /h'ɑləkɔːst/ *s.* holocausto.

holster /h'oʊlstər/ *s.* coldre.

holy /h'oʊli/ *adj.* santo, sagrado. ♦ **Holy Bible** Bíblia Sagrada. **Holy Grail** Santo Graal. **holy place** santuário. **holy war** guerra santa. **holy water** água benta.

homage /h'ɑmɪdʒ/ *s.* homenagem. ♦ **pay homage to** prestar homenagem.

home /hoʊm/ *s.* lar, residência; família; pátria, origem. • *adj.* caseiro; doméstico; nativo, local, nacional. • *adv.* para casa. ♦ **at home** em casa. **home address** endereço residencial. **leave home** sair de casa. **Make yourself at home.** Sinta-se em casa. **nothing to write home about** nada de excepcional. **home-baked bread** pão caseiro. **homecoming** volta ao lar; reencontro anual de ex-alunos. **homemade** feito em casa. **homeland** terra natal. **homeless** sem-lar, desabrigado, sem-teto. **homelike** caseiro. **homesickness** saudade de casa. **homework** lição de casa.

Scan this QR code to learn more about home.
www.richmond.com.br/5lmhome

homeopathy /hoʊmɪ'ɑpəθi/ *s.* homeopatia.

homepage (*tb.* **home page**) *s.* página principal na internet.

homicide /h'ɑmɪsaɪd/ *s.* homicídio.

homogeneous /hoʊmədʒ'iːniəs/ (*tb.* **homogenous**) *adj.* homogêneo.

homosexual /hoʊməs'ekʃuəl/ *adj.* homossexual.

homosexuality /hoʊməsekʃu'æləti/ *s.* homossexualidade.

honest /'ɑnɪst/ *adj.* honesto, decente, honrado; justo; genuíno, real.

honestly /'ɑnɪstli/ *adv.* honestamente, francamente.

honesty /'ɑnəsti/ *s.* honestidade.

honey /h'ʌni/ *s.* mel; doçura; namorado(a); querido(a).

honeycomb /h'ʌnikoʊm/ *s.* favo de mel.

honeymoon /h'ʌnimuːn/ *s.* lua de mel.

honk /hɑŋk/ *s.* buzina; grasnada (ganso). • *v.* buzinar; grasnar (ganso).

honor /'ɑnər/ (*Brit.* ***honour***) *s.* honra; reputação; lealdade; respeito. *pl.* ***honors*** reverência; distinção. • *v.* honrar. ♦ **code of honor** código de honra. **maid of honor** madrinha (de casamento). **matter of honor** questão de honra. **with honors** com distinção. **word of honor** palavra de honra. **Your Honor** Excelência, Meritíssimo, Vossa Senhoria.

honorable /'ɑnərəbəl/ (*Brit.* ***honourable***) *adj.* honrado.

hood /hʊd/ *s.* capuz; capô; capota. • *v.* cobrir.

hoody /hʊdi/ *s.* moletom com capuz. → Clothing

hoof /huːf/ (*s. pl.* ***hoofs*** ou ***hooves***) *s.* casco, unha de animais; pata (de cavalo).

hook /hʊk/ *s.* gancho; anzol. • *v.* enganchar, fisgar.

hooker /h'ʊkər/ *s.* (*inf.*) prostituta. ▪ *sin.* hustler.

hooligan /h'uːlɪgən/ *s.* torcedor vândalo.

hoop /huːp/ *s.* arco; aro. • *v.* arquear.

hoot /huːt/ *s.* pio; buzina. • *v.* piar; buzinar.

hooter /h'uːtər/ *s.* sirene; buzina.

hop /hɑp/ *s.* pulo, salto; viagem curta. • *v.* pular. ♦ **hopscotch** jogo de amarelinha.

hope /hoʊp/ *s.* esperança. • *v.* esperar; desejar, ter esperança. ♦ **I am out of hope.** Não tenho mais esperança. **I hope so.** Espero que sim. **raise someone's hopes** dar esperanças a alguém. **hopeful** esperançoso, promissor. **hopefully** esperançosamente; com sorte, tomara. **hopeless** ou **unhopeful** desesperançado. **hopelessly** desesperançosamente, desesperadamente.

horde /h'ɔːrd/ *s.* horda, multidão.

horizon /hər'aɪzən/ *s.* horizonte.

horizontal /hɔːriz'ɑntəl/ *adj.* horizontal: The teacher drew an *horizontal* line on the blackboard.

hormone /h'ɔːrmoʊn/ *s.* hormônio.

horn /hɔːrn/ *s.* chifre, corno; buzina, corneta; trompa. → Musical Instruments

horny /h'ɔːrni/ *adj.* que tem chifre, chifrudo; (*inf.*) sexualmente excitado.

horoscope /h'ɑːrəskoʊp/ *s.* horóscopo.

horrible /h'ɔːrəbəl/ *adj.* horrível. ▪ *sin.* terrible, awful.

horrid /h'ɔːrɪd/ *adj.* horrendo, terrível. ▪ *sin.* fearful.

horrify /h'ɔːrɪfaɪ/ *v.* horrorizar.

horror /h'ɔːrər/ *s.* horror.

horse /h'ɔːrs/ *s.* cavalo. ♦ **hold your horses** tenha calma. **horsebreaker** domador de cavalo. **horsecar** charrete. **horsehair** crina. **horsepower (hp)** cavalo-vapor. **horse race** corrida de cavalo. **horsetail** ou **ponytail** rabo de cavalo (penteado). **horsewhip** chicote. **racehorse** cavalo de raça (ou de corrida). **horseman** cavaleiro. **horsemanship** equitação. **horseshoe** ferradura. **put the cart before the horses** colocar a carroça na frente dos bois. **horseback**

riding equitação. **horsewoman** amazona. **Trojan horse** cavalo de Troia. **Wild horses couldn't drag someone away (from something).** Não há nada que o faça desistir (de algo). → Animal Kingdom → Sports

hose /hoʊz/ *s.* mangueira. • *v.* esguichar, regar. ♦ **pantyhose** meia-calça.

hospitable /h'ɑspɪtəbəl/ *adj.* hospitaleiro.

hospital /h'ɑspɪtəl/ *s.* hospital.

hospitality /hɑspɪt'æləti/ *s.* hospitalidade.

hospitalize /h'ɑspɪtəlaɪz/ (*Brit.* ***hospitalise***) *v.* hospitalizar.

host /hoʊst/ *s.* apresentador; hospedeiro; anfitrião. • *v.* receber (pessoas); apresentar (programa de TV, rádio).

hostage /h'ɑstɪdʒ/ *s.* refém.

hostel /h'ɑstəl/ *s.* alojamento, albergue.

hostess /h'oʊstəs/ *s.* anfitriã; recepcionista.

hostile /h'ɑstaɪl, h'ɑːstl/ *adj.* hostil.

hostility /hɑst'ɪləti/ *s.* hostilidade.

hot /hɑt/ *adj.* quente; apimentado; vivo, forte (para cores). ♦ **a hot-tempered man** um homem "esquentado". **grow hot** esquentar. **He is in hot water.** Ele está em apuros. **hot dog** cachorro-quente. **hot dog stand** carrinho de cachorro quente. **hot-blooded** ardente, passional. **hot-water bottle** bolsa de água quente. **hotfoot** apressadamente. **hothouse** estufa (para plantas). **hotly** ativamente, calorosamente. **These magazines go/sell like hot cakes.** Estas revistas vendem "como água".

hotel /hoʊ'el/ *s.* hotel: I want to stay in a *hotel* near the beach.

hound /haʊnd/ *s.* cão de caça. → Animal Kingdom

hour /'aʊər/ *s.* hora.

house /h'aʊs/ *s.* casa, residência. • *v.* abrigar, alojar, guardar. ♦ **house of call** albergue. **House of Commons** (*Brit.*) Câmara dos Comuns. **house of correction** penitenciária. **House of God** templo, igreja. **House of Lords** (*Brit.*) Câmara dos Lordes. **House of Representatives** Câmara dos Deputados. **house on fire** casa em chamas. **housewarming** festa de inauguração. **keep an open house** ser hospitaleiro. **like a house on fire** a todo vapor; às mil maravilhas. **house drainage** encanamento. **house rent** aluguel. **house tax** imposto predial. **household** lar. **housekeeper** governanta. **housemaid** empregada. **The Houses of Parliament** (*Brit.*) Parlamento Inglês. **housewife** dona de casa. **housework** serviço doméstico.

housing /h'aʊzɪŋ/ *s.* habitação, moradia: That association provides *housing* for the homeless.

hove /hoʊv/ *v. pret.* e *p.p.* de ***heave***.

hover /h'ʌvər/ *v.* suspender; pairar.

hovercraft /h'ʌvərkræft/ (*s. pl.* ***hovercraft*** ou ***hovercrafts***) *s.* aerobarco.

how /haʊ/ *adv.* como, de que maneira; quanto. ♦ **How about going out tonight?** Que tal sairmos hoje à noite? **How are you doing?** Como vai você? **How come?** Como isso aconteceu? **How deep?** Qual a profundidade? **How do you do?** Muito prazer! **How high?** Qual a altura? (de coisas). **How large?** Qual o tamanho? **How long?** Quanto tempo? **How many?** Quantos? **How much?** Quanto? **How often?** Com que frequência? **How old are you?** Qual a sua idade? **How tall?** Qual a altura? (de pessoas). **How wide?** Qual a largura?

however /haʊ'evər/ *adv.* de qualquer modo; por mais… que. • *conj.* mas, porém, contudo, todavia.

howl /haʊl/ *s.* uivo, urro. • *v.* uivar; gritar.

HP, hp /eɪtʃp'iː/ (*abrev.* de **horsepower**) cavalo-força, cavalo-vapor.
HTML /eɪtʃtiːem'el/ (*abrev.* de *Hypertext Markup Language*) linguagem de marcação de hipertexto. → Abbreviations
HTTP /eɪtʃtiːtiːp'iː/ (*abrev.* de *Hypertext Transfer Protocol*) protocolo de transferência de hipertexto. → Abbreviations
hubbub /h'ʌbʌb/ *s.* tumulto, rebuliço, algazarra.
hubby /h'ʌbi/ (*inf.* de **husband**) *s.* marido, maridão.
huddle /h'ʌdəl/ *s.* desordem, confusão, aglomeração. • *v.* misturar; amontoar; apertar(-se); encolher(-se).
hue /hjuː/ *s.* cor, coloração.
huff /hʌf/ *s.* acesso de mau humor. • *v.* xingar, gritar.
huffiness /h'ʌfɪnəs/ *s.* irritação.
huffy /h'ʌfi/ *adj.* irritável, irascível; mal-humorado.
hug /hʌg/ *s.* abraço. • *v.* apertar; abraçar. ▪ *sin.* clasp.
huge /hjuːdʒ/ *adj.* imenso, vasto, enorme. ▪ *sin.* immense, enormous.
hull /hʌl/ *s.* casca; casco (de navio); invólucro, envoltório. • *v.* descascar (fruta).
hum /hʌm/ *s.* zumbido. • *v.* zumbir; cantarolar; hesitar.
human /hj'uːmən/ *adj.* humano. ♦ **human being** ser humano.
humane /hjuːm'eɪn/ *adj.* humano, compassivo, bondoso.
humanitarian /hjuːmænɪt'eriən/ *s.* ou *adj.* humanitário.
humanity /hjuːm'ænəti/ *s.* humanidade. ▪ *sin.* mankind.
humble /h'ʌmbəl/ *v.* humilhar, rebaixar; ser humilde. • *adj.* humilde; submisso.
humid /hj'uːmɪd/ *adj.* úmido.
humidity /hjuːm'ɪdəti/ *s.* umidade. ▪ *sin.* moisture.
humiliate /hjuːm'ɪlieɪt/ *v.* humilhar.
humility /hjuːm'ɪləti/ *s.* humildade.
hummingbird /h'ʌmɪŋbɜːrd/ *s.* beija--flor. → Animal Kingdom
humor /hj'uːmər/ (*Brit.* **humour**) *s.* humor; temperamento; capricho.
humorous /hj'uːmərəs/ *adj.* engraçado, humorístico.
hump /hʌmp/ *s.* corcova, corcunda; lombada. • *v.* arrastar.
hunch /hʌntʃ/ *s.* premonição, pressentimento; corcova; fatia grossa. • *v.* curvar(-se).
hunchback /h'ʌntʃbæk/ *s.* pessoa corcunda.
hundred /h'ʌndrəd/ *s.* ou *num.* cem, cento. ♦ **hundredfold** cem vezes. → Numbers
hundredth /h'ʌndrədθ, h'ʌndrətθ/ *s.* ou *num.* centésimo, cem avos. → Numbers
hung /hʌŋ/ *v. pret.* e *p.p.* de **hang**.
Hungarian /hʌŋg'eriən/ *s.* ou *adj.* húngaro. → Countries & Nationalities
Hungary /h'ʌŋgəriː/ *s.* Hungria. → Countries & Nationalities
hunger /h'ʌŋgər/ *s.* fome, apetite. ♦ **hunger strike** greve de fome.
hungry /h'ʌŋgri/ *adj.* faminto.
hunk /hʌŋk/ *s.* naco, pedaço.
hunt /hʌnt/ *s.* caça, caçada; busca. • *v.* caçar, perseguir, procurar. ▪ *sin.* chase. ♦ **hunting** caça. **hunt high and low** procurar por toda parte. **hunt down** ou **hunt out** procurar até achar.
hunter /h'ʌntər/ *s.* caçador.
hunting /h'ʌntɪŋ/ *s.* caça: They protested against chimpanzee *hunting*. • *adj.* de caça (relativo à caça): It's *hunting* season.
hurdle /h'ɜːrdəl/ *s.* barreira, obstáculo; corrida de obstáculos; cerca. • *v.* lidar com obstáculos; correr e pular obstáculos.
hurl /hɜːrl/ *s.* arremesso, lance. • *v.* lançar, arremessar; gritar. ▪ *sin.* cast.

hurray /hər'eɪ/ *interj.* hurra!, viva!

hurricane /h'ɜːrəkən, h'ɜːrəkeɪn/ *s.* furacão, tufão. ➔ Weather

hurried /h'ɜːrid/ *adj.* apressado, precipitado.

hurriedly /h'ɜːridli/ *adv.* apressadamente. ▪ *sin.* in a hurry.

hurry /h'ɜːri/ *s.* pressa, precipitação. • *v.* apressar(-se); precipitar(-se). ▪ *sin.* hasten.

hurt /hɜːrt/ *s.* ferida; dor. • *v.* (*pret.* e *p.p.* **hurt**) ferir; ofender; magoar; doer; danificar; prejudicar. ➔ Irregular Verbs

husband /h'ʌzbənd/ *s.* marido.

hush /hʌʃ/ *s.* silêncio, quietude. • *v.* silenciar; acalmar; calar(-se), ficar quieto. • *interj.* quieto!, silêncio!

husk /hʌsk/ *s.* casca, palha (de grãos, legumes).

husky /h'ʌski/ *s.* rouco, áspero; robusto; cão *husky* siberiano. ➔ Animal Kingdom

hustle /h'ʌsəl/ *s.* movimento apressado; empurrão; atividade ilegal. • *v.* apressar(-se); empurrar, acotovelar(-se).

hustler /h'ʌslər/ *s. inf.* trapaceiro; prostituta.

hut /hʌt/ *s.* cabana; barraca. • *v.* alojar em barracas ou cabanas.

hybrid /h'aɪbrɪd/ *s.* ou *adj.* híbrido.

hydrant /h'aɪdrənt/ *s.* hidrante.

hydraulic /haɪdr'ɔːlɪk/ *adj.* hidráulico.

hydroelectric /haɪdroʊl'ektrɪk/ *adj.* hidrelétrico.

hydrogen /h'aɪdrədʒən/ *s.* hidrogênio.

hyena /haɪ'iːnə/ (*Brit.* **hyaena**) *s.* hiena. ➔ Animal Kingdom

hygiene /haɪdʒ'en, haɪdʒ'iːn/ *s.* higiene.

hygienic /haɪdʒ'enɪk, haɪdʒ'iːnɪk/ *adj.* higiênico. ▪ *ant.* unhygienic.

hymn /hɪm/ *s.* hino.

hype /haɪp/ *s.* demasia, exagero; propaganda. • *v.* promover.

hyperlink /h'aɪpərlɪŋk/ *s.* *link*, *hiperlink*.

hypermarket /h'aɪpərmɑːrkɪt/ *s.* hipermercado.

hypertext /h'aɪpərtekst/ *s.* hipertexto.

hyphen /h'aɪfən/ *s.* hífen.

hypnosis /hɪpn'oʊsɪs/ *s.* hipnose.

hypnotic /hɪpn'ɑtɪk/ *adj.* hipnótico, paralisador.

hypnotize /h'ɪpnətaɪz/ (*Brit.* **hipnotise**) *v.* hipnotizar.

hypochondriac /haɪpək'ɑːndriæk/ *s.* ou *adj.* hipocondríaco.

hypocrisy /hɪp'ɑkrəsi/ *s.* hipocrisia.

hypocrite /h'ɪpəkrɪt/ *s.* hipócrita.

hypothesis /haɪp'ɑθəsɪs/ (*s. pl.* **hypotheses**) *s.* hipótese.

hypothetical /haɪpəθ'etɪkl/ *adj.* hipotético.

hysteria /hɪst'ɪriə/ *s.* histeria.

hysterical /hɪst'erɪkəl/ *adj.* histérico; hilário, engraçado.

hysterics /hɪst'erɪks/ *s. pl.* histeria; crise ou ataque de histeria.

I

I, i /aɪ/ *s.* nona letra do alfabeto inglês.
I /aɪ/ *pron. pess. reto* eu.
I/O /aɪ'oʊ/ (*abrev.* de *Input/Output*) entrada e saída. → Abbreviations
I'd /aɪd/ forma contraída de *I had* ou de *I would*.
I'll /aɪl/ forma contraída de *I will*.
I'm /aɪm/ forma contraída de *I am*.
I've /aɪv/ forma contraída de *I have*.
ICBM /aɪsiːbiː'em/ (*abrev.* de *Intercontinental Ballistic Missile*) míssil balístico intercontinental. → Abbreviations
ice /aɪs/ *s.* gelo; sorvete. • *v.* gelar, congelar; cobrir com glacê. ♦ **break the ice** quebrar o gelo. **ice age** período glacial. **ice ax** picareta de alpinista. **icebox** geladeira. **ice-cold** gelado. **ice cream** sorvete. **ice cube** pedra de gelo. **ice hockey** hóquei sobre gelo. **ice point** temperatura de congelamento. **ice rink** ou **skating rink** rinque de patinação. **ice skating** patinação no gelo. **iceman** vendedor de sorvete. → Sports
iceberg /'aɪsbɜːrg/ *s. iceberg*.
icing /'aɪsɪŋ/ *s.* glacê.
ICJ /aɪsiːdʒ'eɪ/ (*abrev.* de *International Court of Justice*) Corte Internacional de Justiça. → Abbreviations
icon /'aɪkɑn/ *s.* ícone.
ICR /aɪsiː'ɑr/ (*abrev.* de *Intelligent Character Recognition*) identificação inteligente de caracteres (*informática*). → Abbreviations
icy /'aɪsi/ *adj.* gelado, gélido; glacial.
ID /aɪd'iː/ (*abrev.* de *Identification Document* ou *Identity Document*) documento de identidade. → Abbreviations
idea /aɪd'iːə/ *s.* ideia.
ideal /aɪd'iːəl/ *s.* ou *adj.* ideal.
idealism /aɪd'iːəlɪzəm/ *s.* idealismo.
idealist /aɪd'iːəlɪst/ *s.* idealista.
idealize /aɪd'iːəlaɪz/ (*Brit.* ***idealise***) *v.* idealizar.
ideally /aɪd'iːəli/ *adv.* de preferência, idealmente.
identical /aɪd'entɪkəl/ *adj.* idêntico.
identification /aɪdentɪfɪk'eɪʃən/ *s.* identificação; documento.
identify /aɪd'entɪfaɪ/ *v.* identificar(-se).
identity /aɪd'entəti/ *s.* identidade. ♦ **identity card** carteira de identidade. **identity theft** roubo de identidade.
ideology /aɪdi'ɑlədʒi/ *s.* ideologia.
idiom /'ɪdiəm/ *s.* expressão idiomática. → Deceptive Cognates
idiomatic /ɪdiəm'ætɪk/ *adj.* idiomático.
idiot /'ɪdiət/ *s.* idiota. ▪ *sin.* fool.
idle /'aɪdəl/ *v.* ficar à toa, perder tempo. • *adj.* preguiçoso; ocioso. ▪ *sin.* lazy, indolent.
idleness /'aɪdəlnəs/ *s.* preguiça. ▪ *sin.* indolence, laziness.
idol /'aɪdəl/ *s.* ídolo.
i.e. /aɪ'iː/ (*abrev.* de *id est*) isto é: I am going to my favorite place, *i.e.*, the swimming pool. → Abbreviations

if /ɪf/ *conj.* se. ♦ **if only** se ao menos.
igloo /'ɪgluː/ *s.* iglu.
ignite /ɪgn'aɪt/ *v.* acender; inflamar(-se).
ignition /ɪgn'ɪʃən/ *s.* ignição.
ignorance /'ɪgnərəns/ *s.* ignorância.
ignorant /'ɪgnərənt/ *adj.* ignorante. ▪ *sin.* unlettered.
ignore /ɪgn'ɔːr/ *v.* ignorar.
ill /ɪl/ *s.* mal, maldade; desgosto; calamidade, aflição; doença. • *adj.* doente, indisposto; mal, ruim. • *adv.* mal; imperfeitamente. ♦ **ill nature** mau gênio. **ill will** má vontade. **speak ill** falar mal. **feel ill at ease** sentir-se desconfortável. **ill-assorted** malcasado. **ill-behaved** malcomportado. **ill-bred** mal-educado. **ill-contrived** mal planejado. **ill-famed** mal-afamado. **ill-fated** infeliz. **ill feeling** ressentimento. **ill-humored** ou **ill-tempered** mal-humorado. **ill-mannered** grosseiro. **ill-pleased** descontente. **ill-spent money** dinheiro mal-empregado. **ill treatment** maus-tratos. **ill usage** mau uso. **illness** doença.
illegal /ɪl'iːgəl/ *adj.* ilegal, ilícito.
illegible /ɪl'edʒəbəl/ *adj.* ilegível.
illegitimate /ɪlədʒ'ɪtəmət/ *s.* ou *adj.* ilegítimo.
illicit /ɪ'lɪsət/ *adj.* ilegal, ilícito.
illiterate /ɪl'ɪtərət/ *adj.* analfabeto. ▪ *sin.* ignorant, unlettered.
illogical /ɪl'ɑdʒɪkəl/ *adj.* ilógico, irracional.
illuminate /ɪl'uːmɪneɪt/ *v.* iluminar; esclarecer. ▪ *sin.* enlighten.
illumination /ɪluːmɪn'eɪʃən/ *s.* iluminação.
illusion /ɪl'uːʒən/ *s.* ilusão.
illustrate /'ɪləstreɪt/ *v.* ilustrar; esclarecer, exemplificar.
illustration /ɪləstr'eɪʃən/ *s.* ilustração, gravura; explanação, exemplo.
image /'ɪmɪdʒ/ *s.* imagem.
imagery /'ɪmɪdʒəri/ *s.* imagens.
imaginary /ɪm'ædʒɪneri/ *adj.* imaginário.
imagination /ɪmædʒɪn'eɪʃən/ *s.* imaginação.
imaginative /ɪm'ædʒɪnətɪv/ *adj.* imaginativo.
imagine /ɪm'ædʒɪn/ *v.* imaginar.
imbalance /ɪmb'æləns/ *s.* desequilíbrio.
imbecile /'ɪmbəsəl/ *s.* ou *adj.* imbecil.
imitate /'ɪmɪteɪt/ *v.* imitar, copiar. ▪ *sin.* copy.
imitation /ɪmɪt'eɪʃən/ *s.* imitação.
immaculate /ɪm'ækjələt/ *adj.* imaculado, puro.
immature /ɪmətʃ'ʊr, ɪmət'ʊr/ *adj.* imaturo.
immaturity /ɪmətʃ'ʊrəti, ɪmət'ʊrəti/ *s.* imaturidade.
immeasurable /ɪm'eʒərəbəl/ *adj.* imensurável.
immediate /ɪm'iːdiət/ *adj.* imediato; próximo.
immediately /ɪm'iːdiətli/ *adv.* imediatamente, já.
immense /ɪm'ens/ *adj.* imenso. ▪ *sin.* enormous, huge.
immerse /ɪm'ɜːrs/ *v.* imergir, submergir, mergulhar.
immigrant /'ɪmɪgrənt/ *s.* ou *adj.* imigrante.
immigrate /'ɪmɪgreɪt/ *v.* imigrar.
immigration /ɪmɪgr'eɪʃən/ *s.* imigração.
imminent /'ɪmɪnənt/ *adj.* iminente.
immobile /ɪm'oʊbəl/ *adj.* imóvel.
immobilize /ɪm'oʊbəlaɪz/ (*Brit.* ***immobilise***) *v.* imobilizar.
immoral /ɪm'ɔːrəl, ɪm'ɑrəl/ *adj.* imoral.
immorality /ɪmər'æləti/ *s.* imoralidade, devassidão, libertinagem.
immortal /ɪm'ɔːrtəl/ *adj.* imortal.
immortality /ɪmɔːrt'æləti/ *s.* imortalidade.
immune /ɪmj'uːn/ *adj.* imune.

immunity /ɪmj'uːnəti/ *s.* imunidade.
immunize /'ɪmjunaɪz/ (*Brit.* **immunise**) *v.* imunizar.
imp /ɪmp/ *s.* criança levada, moleque, "pestinha".
impact /'ɪmpækt/ *s.* impacto, choque, colisão; efeito. • /ɪmp'ækt/ *v.* afetar; impactar.
impair /ɪmp'er/ *v.* prejudicar; danificar. ▪ *sin.* injure. ♦ **an impaired person** ou **a disabled person** pessoa com deficiências físicas ou mentais.
impart /ɪmp'ɑrt/ *v.* transmitir (informação), comunicar.
impartial /ɪmp'ɑrʃəl/ *adj.* imparcial.
impasse /'ɪmpæs/ *s.* impasse.
impassioned /ɪmp'æʃənd/ *adj.* envolvido, fervoroso.
impassive /ɪmp'æsɪv/ *adj.* impassível.
impatience /ɪmp'eɪʃəns/ *s.* impaciência, intolerância.
impatient /ɪmp'eɪʃənt/ *adj.* impaciente.
impeach /ɪmp'iːtʃ/ *v.* acusar (pessoa pública, governo); pôr em dúvida; atacar. ▪ *sin.* accuse.
impeccable /ɪmp'ekəbəl/ *adj.* impecável, irrepreensível, perfeito.
impede /ɪmp'iːd/ *v.* impedir, retardar. ▪ *sin.* hinder.
impediment /ɪmp'edɪmənt/ *s.* impedimento.
impel /ɪmp'el/ *v.* impelir, empurrar; induzir; motivar.
impenetrable /ɪmp'enɪtrəbəl/ *adj.* impenetrável.
imperative /ɪmp'erətɪv/ *adj.* imperativo, imprescindível. • *s.* algo importante que demanda atenção imediata; modo verbal que expressa uma ordem ou pedido.
imperceptible /ɪmpərs'eptəbəl/ *adj.* imperceptível.
imperfect /ɪmp'ɜːrfɪkt/ *adj.* imperfeito.
imperil /ɪmp'erəl/ *v.* pôr em perigo, expor, arriscar. ▪ *sin.* endanger.
imperishable /ɪmp'erɪʃəbəl/ *adj.* imperecível, imortal. ▪ *sin.* immortal.
impermeability /ɪmpɜːrmiəb'ɪləti/ *s.* impermeabilidade.
impersonal /ɪmp'ɜːrsənəl/ *adj.* impessoal.
impersonate /ɪmp'ɜːrsəneɪt/ *v.* personificar; representar; imitar.
impertinent /ɪmp'ɜːrtnənt/ *adj.* impertinente, insolente.
impetus /'ɪmpɪtəs/ *s.* ímpeto, impulso; estímulo, incentivo.
impinge /ɪmp'ɪndʒ/ *v.* colidir; usurpar; infringir; influenciar.
implant /ɪmpl'ænt/ *s.* implante. • *v.* implantar, inserir, introduzir.
implausible /ɪmpl'ɔːzəbəl/ *adj.* improvável, incerto.
implement /'ɪmplɪmənt/ *s.* implemento, instrumento, utensílio, ferramenta. • /'ɪmplɪment/ *v.* executar, efetuar; levar a cabo. ▪ *sin.* device.
implicate /'ɪmplɪkeɪt/ *v.* acarretar, envolver, implicar.
implication /ɪmplɪk'eɪʃən/ *s.* implicação, consequência.
implicit /ɪmpl'ɪsɪt/ *adj.* implícito, tácito, subentendido.
implore /ɪmpl'ɔːr/ *v.* implorar. ▪ *sin.* beg.
implosion /ɪmpl'oʊʒən/ *s.* implosão.
imply /ɪmpl'aɪ/ *v.* conter, encerrar; inferir, insinuar, significar. ▪ *sin.* signify, mean.
impolite /ɪmpəl'aɪt/ *adj.* indelicado. ▪ *sin.* rude. ▪ *ant.* polite.
import /'ɪmpɔːrt/ *s.* importação. • /ɪmp'ɔːrt/ *v.* importar.
importance /ɪmp'ɔːrtəns/ *s.* importância, valor.
important /ɪmp'ɔːrtənt/ *adj.* importante.
importune /ɪmpɔːrt'uːn/ *v.* importunar.
impose /ɪmp'oʊz/ *v.* impor, obrigar.

imposing /ɪmp'oʊzɪŋ/ *adj.* imponente.

imposition /ɪmpəz'ɪʃən/ *s.* imposição.

impossibility /ɪmpɑsəb'ɪləti/ *s.* impossibilidade.

impossible /ɪmp'ɑsəbəl/ *adj.* impossível.

impostor /ɪmp'ɑstər/ *s.* impostor.

impotence /'ɪmpətəns/ *s.* impotência.

impotent /'ɪmpətənt/ *adj.* impotente.

impoverish /ɪmp'ɑvərɪʃ/ *v.* empobrecer.

impracticable /ɪmpr'æktɪkəbəl/ *adj.* impraticável; impossível.

impractical /ɪmpr'æktɪkəl/ *adj.* pouco prático.

impregnate /ɪmpr'egneɪt/ *v.* fertilizar, fecundar, engravidar; impregnar.

impress /'ɪmpres/ *s.* impressão, estampa; carimbo. • /ɪmpr'es/ *v.* impressionar, comover; afetar; gravar.

impression /ɪmpr'eʃən/ *s.* impressão.

impressive /ɪmpr'esɪv/ *adj.* impressionante.

imprint /'ɪmprɪnt/ *s.* carimbo; estampa; marca. • /ɪmpr'ɪnt/ *v.* gravar; imprimir; carimbar.

imprison /ɪmpr'ɪzən/ *v.* prender, encarcerar. ▪ *sin.* jail, arrest.

imprisonment /ɪmpr'ɪzənmənt/ *s.* prisão, aprisionamento. ▪ *sin.* confinement.

improbable /ɪmpr'ɑbəbəl/ *adj.* improvável.

impromptu /ɪmpr'ɑmptuː/ *adj.* improvisado.

improper /ɪmpr'ɑpər/ *adj.* impróprio; inadequado; incorreto.

improve /ɪmpr'uːv/ *v.* melhorar; aprimorar.

improvement /ɪmpr'uːvmənt/ *s.* melhora; melhoria.

improvise /'ɪmprəvaɪz/ *v.* improvisar.

imprudent /ɪmpr'uːdənt/ *adj.* imprudente.

impulse /'ɪmpʌls/ *s.* impulso.

impulsive /ɪmp'ʌlsɪv/ *adj.* impulsivo.

impunity /ɪmpj'uːnəti/ *s.* impunidade.

impure /ɪmpj'ʊr/ *adj.* impuro. ▪ *ant.* pure.

impurity /ɪmpj'ʊrəti/ *s.* impureza.

in /ɪn/ *prep.* em; dentro; para dentro. ♦ **be in debt** estar endividado. **be in trouble** estar com problemas; estar em perigo. **Come in!** Entre! **in a few words** em poucas palavras. **in a week** dentro de uma semana. **in any case** de qualquer modo. **in English** em inglês. **in good humor** de bom humor. **in good weather** com tempo bom. **in height** de altura. **in here** aqui dentro. **in ink** à tinta. **in length** de comprimento. **in 1997** em 1997. **in my defense** em minha defesa. **in pairs** aos pares; em pares. **in pieces** em pedaços. **in reply to** em resposta a. **in September** em setembro. **ins and outs** pormenores. **in size** de tamanho. **in the afternoon** à tarde. **in the morning** de manhã. **in the rain** na chuva. **in the USA** nos EUA. **in turn** por sua vez. **in winter** no inverno. **one in five** um em cinco; um a cada cinco.

Mr. Jones asked me if he could park his car *in* our garage.

inability /ɪnəb'ɪləti/ *s.* inabilidade, incompetência, incapacidade.

inaccessible /ɪnæks'esəbəl/ *adj.* inacessível.

inaccurate /ɪn'ækjərət/ *adj.* inexato, impreciso.
inactive /ɪn'æktɪv/ *adj.* inativo, inerte.
inadequacy /ɪn'ædɪkwəsi/ *s.* inadequação. ▪ *sin.* inadequateness.
inadequate /ɪn'ædɪkwət/ *adj.* inadequado. ▪ *sin.* inappropriate.
inanimate /ɪn'ænɪmət/ *adj.* inanimado.
inappropriate /ɪnəpr'oʊpriət/ *adj.* impróprio, inadequado. ▪ *sin.* inadequate.
inattentive /ɪnət'entɪv/ *adj.* desatento, desatencioso, descuidado.
inaugural /ɪn'ɔːgjərəl/ *adj.* inaugural, inicial. ♦ **inaugural address** ou **inaugural speech** discurso de posse.
inaugurate /ɪn'ɔːgjəreɪt/ *v.* inaugurar.
inborn /ɪnb'ɔːrn/ *adj.* inato, congênito.
inbox /'ɪnbɑks/ *s.* caixa de entrada (*informática*).
incandescent /ɪnkænd'esənt/ *adj.* incandescente, ardente.
incapability /ɪnkeɪpəb'ɪləti/ *s.* incapacidade. ▪ *sin.* incapacity.
incapable /ɪnk'eɪpəbəl/ *adj.* incapaz.
incapacitate /ɪnkəp'æsɪteɪt/ *v.* incapacitar, inabilitar.
incapacity /ɪnkəp'æsəti/ *s.* incapacidade, inabilidade. ▪ *sin.* incapability.
incarcerate /ɪnk'ɑrsəreɪt/ *v.* encarcerar, aprisionar, confinar.
incendiary /ɪns'endiəri/ *adj.* incendiário.
incense /'ɪnsens/ *s.* incenso; fragrância.
incentive /ɪns'entɪv/ *s.* incentivo, estímulo. • *adj.* estimulante.
incessant /ɪns'esənt/ *adj.* incessante.
incest /'ɪnsest/ *s.* incesto.
incestuous /ɪns'estʃuəs/ *adj.* incestuoso.
inch /ɪntʃ/ *s.* polegada (1 polegada = 2,54 cm). • *v.* avançar ou mover(-se) lentamente. → Numbers
incidence /'ɪnsɪdəns/ *s.* incidência.
incident /'ɪnsɪdənt/ *s.* incidente.
incinerate /ɪns'ɪnəreɪt/ *v.* incinerar, queimar.
incision /ɪns'ɪʒən/ *s.* incisão, corte.
incite /ɪns'aɪt/ *v.* incitar, estimular. ▪ *sin.* encourage.
inclination /ɪnklɪn'eɪʃən/ *s.* inclinação; tendência. ▪ *sin.* tendency, trend.
incline /'ɪnklaɪn/ *s.* inclinação; declive; rampa. • /ɪnkl'aɪn/ *v.* inclinar(-se), ter tendência para; pender para.
include /ɪnkl'uːd/ *v.* incluir, abranger.
including /ɪnkl'uːdɪŋ/ *prep.* inclusive.
inclusion /ɪnkl'uːʒən/ *s.* inclusão.
inclusive /ɪnkl'uːsɪv/ *adj.* abrangente, inclusivo.
incoherent /ɪnkoʊh'ɪrənt/ *adj.* incoerente.
income /'ɪnkʌm/ *s.* renda, rendimento. ▪ *sin.* revenue. ♦ **Income Tax** Imposto de Renda.
incoming /'ɪnkʌmɪŋ/ *adj.* de chegada, de entrada.
incomparable /ɪnk'ɑmprəbəl/ *adj.* incomparável.
incompatible /ɪnkəmp'ætəbəl/ *adj.* incompatível.
incompetence /ɪnk'ɑmpɪtəns/ *s.* incompetência.
incompetent /ɪnk'ɑmpɪtənt/ *adj.* incompetente.
incomplete /ɪnkəmpl'iːt/ *adj.* incompleto.
incomprehensible /ɪnkɑmprɪh'ensəbəl/ *adj.* incompreensível.
inconceivable /ɪnkəns'iːvəbəl/ *adj.* inconcebível.
inconclusive /ɪnkənkl'uːsɪv/ *adj.* inconclusivo, sem resultados.
incongruous /ɪnk'ɑŋgruəs/ *adj.* incongruente.
inconsequent /ɪnk'ɑnsəkwənt/ *adj.* inconsequente.
inconsiderate /ɪnkəns'ɪdərət/ *adj.* sem consideração.
inconsistent /ɪnkəns'ɪstənt/ *adj.* incompatível, inconsistente.

inconstant /ɪnk'ɑnstənt/ *adj.* inconstante.

inconvenience /ɪnkənv'iːniəns/ *s.* desconforto, inconveniência. • *v.* molestar, incomodar.

inconvenient /ɪnkənv'iːniənt/ *adj.* inconveniente, inoportuno.

incorporate /ɪnk'ɔːrpəreɪt/ *v.* incorporar, unir, agregar.

incorrect /ɪnkər'ekt/ *adj.* incorreto.

incorrigible /ɪnk'ɔːrɪdʒəbl, ɪnk'ɑrɪdʒəbl/ *adj.* incorrigível.

incorruptible /ɪnkər'ʌptəbəl/ *adj.* incorruptível, íntegro.

increase /'ɪŋkriːs/ *s.* aumento. • /ɪnkr'iːs/ *v.* aumentar, crescer, ampliar. ▪ *sin.* enlarge, extend, grow. ▪ *ant.* decrease. ♦ **increasing** crescente. **increasingly** progressivamente. **on the increase** em alta.

incredible /ɪnkr'edəbəl/ *adj.* incrível.

increment /'ɪŋkrəmənt/ *s.* incremento, aumento.

incriminate /ɪnkr'ɪmɪneɪt/ *v.* incriminar, culpar.

incurable /ɪnkj'ʊrəbəl/ *adj.* incurável.

incursion /ɪnk'ɜːrʒən/ *s.* incursão, invasão.

indebted /ɪnd'etɪd/ *adj.* endividado.

indecency /ɪnd'iːsənsi/ *s.* indecência.

indecision /ɪndɪs'ɪʒən/ *s.* indecisão.

indecisive /ɪndɪs'aɪsɪv/ *adj.* indeciso.

indeed /ɪnd'iːd/ *adv.* de fato, realmente, mesmo. • *interj.* É mesmo!

indefinite /ɪnd'efɪnət/ *adj.* indefinido, vago, indeterminado.

indelicate /ɪnd'elɪkət/ *adj.* indelicado.

indemnify /ɪnd'emnɪfaɪ/ *v.* indenizar. ▪ *sin.* compensate.

indemnity /ɪnd'emnəti/ *s.* indenização.

independence /ɪndɪp'endəns/ *s.* independência.

independent /ɪndɪp'endənt/ *adj.* independente: She is an *independent* woman.

indestructible /ɪndɪstr'ʌktəbəl/ *adj.* indestrutível.

indeterminate /ɪndɪt'ɜːrmɪnət/ *adj.* indeterminado.

index /'ɪndeks/ (*s. pl.* ***indices*** /'ɪndɪsiːz/) *s.* índice. • *v.* indexar.

India /'ɪndiə/ *s.* Índia. → Countries & Nationalities

Indian /'ɪndiən/ *s.* ou *adj.* índio (***Native American*** é usado para se referir aos povos indígenas dos Estados Unidos e Canadá); indiano. → Countries & Nationalities

indicate /'ɪndɪkeɪt/ *v.* indicar, designar; aludir; mostrar. ▪ *sin.* show.

indication /ɪndɪk'eɪʃən/ *s.* indício, sinal.

indicative /ɪnd'ɪkətɪv/ *s.* indicativo.

indicator /'ɪndɪkeɪtər/ *s.* indicador.

indict /ɪnd'aɪt/ *v.* indiciar, acusar, culpar. ▪ *sin.* blame.

indictment /ɪnd'aɪtmənt/ *s.* indiciação, acusação; denúncia.

indifference /ɪnd'ɪfrəns/ *s.* indiferença.

indifferent /ɪnd'ɪfrənt/ *adj.* indiferente; apático.

indigenous /ɪnd'ɪdʒənəs/ *adj.* indígena, nativo.

indigent /'ɪndɪdʒənt/ *s.* ou *adj.* indigente, pobre. ▪ *sin.* poor.

indigestion /ɪndɪdʒ'estʃən/ *s.* indigestão, dispepsia.

indignant /ɪnd'ɪgnənt/ *adj.* indignado.

indignity /ɪnd'ɪgnəti/ *s.* indignidade; humilhação.

indirect /ɪndər'ekt, ɪndaɪr'ekt/ *adj.* indireto; disfarçado, simulado.

indirectly /ɪndər'ektli/ *adv.* indiretamente: John is *indirectly* responsible for this misunderstanding.

indiscipline /ɪnd'ɪsɪplɪn/ *s.* indisciplina, desobediência.

indiscreet /ɪndɪskr'iːt/ *adj.* indiscreto.

indiscriminate /ɪndɪskr'ɪmɪnət/ *adj.* indiscriminado.

indispensable /ɪndɪsp'ensəbəl/ *adj.* indispensável, necessário.

indistinct /ɪndɪst'ɪŋkt/ *adj.* indistinto, confuso. ▪ *sin.* confusing.

individual /ɪndɪv'ɪdʒuəl/ *s.* indivíduo, pessoa. • *adj.* individual, pessoal, particular.

individuality /ɪndɪvɪdʒu'æləti/ *s.* individualidade.

individualize /ɪndɪv'ɪdʒuəlaɪz/ (*Brit.* ***individualise***) *v.* individualizar.

indivisible /ɪndɪv'ɪzəbəl/ *adj.* indivisível.

indoctrinate /ɪnd'ɑktrɪneɪt/ *v.* instruir; doutrinar.

indolence /'ɪndələns/ *s.* indolência, preguiça. ▪ *sin.* idleness.

Indonesia /ɪndən'iːʒə/ *s.* Indonésia. ➔ Countries & Nationalities

Indonesian /ɪndən'iːʒən/ *s.* ou *adj.* indonésio. ➔ Countries & Nationalities

indoor /'ɪndɔːr/ *adj.* interior; interno: Cards and chess are *indoor* games.

indoors /ɪnd'ɔːrz/ *adv.* dentro de casa; em local fechado.

indubitable /ɪnd'uːbɪtəbl/ *adj.* indubitável, incontestável, certo. ▪ *sin.* unquestionable, undeniable.

induce /ɪnd'uːs/ *v.* induzir, levar a.

induct /ɪnd'ʌkt/ *v.* introduzir; iniciar; recrutar.

indulge /ɪnd'ʌldʒ/ *v.* satisfazer; permitir(-se).

indulgence /ɪnd'ʌldʒəns/ *s.* indulgência, complacência.

indulgent /ɪnd'ʌldʒənt/ *adj.* indulgente, complacente.

indult /ɪnd'ʌlt/ *s.* indulto, perdão.

industrial /ɪnd'ʌstriəl/ *s.* ou *adj.* industrial.

industrialize /ɪnd'ʌstriəlaɪz/ (*Brit.* ***industrialise***) *v.* industrializar.

industrious /ɪnd'ʌstriəs/ *adj.* persistente, trabalhador, esforçado.

industry /'ɪndəstri/ *s.* diligência, dedicação; indústria, fábrica; ramo de negócios.

inedible /ɪn'edəbl/ *adj.* não comestível; intragável.

ineffective /ɪnɪf'ektɪv/ *adj.* ineficaz.

inefficiency /ɪnɪf'ɪʃənsi/ *s.* ineficiência.

inefficient /ɪnɪf'ɪʃənt/ *adj.* ineficiente, incapaz, inapto.

inequality /ɪnɪkw'ɑləti/ *s.* desigualdade.

inert /ɪn'ɜːrt/ *adj.* inerte.

inertia /ɪn'ɜːrʃə/ *s.* inércia, torpor.

inevitable /ɪn'evɪtəbl/ *adj.* inevitável.

inevitably /ɪn'evɪtəbli/ *adv.* inevitavelmente: He is *inevitably* going to take the wrong way.

inexact /ɪnɪgz'ækt/ *adj.* incorreto; impreciso.

inexcusable /ɪnɪkskj'uːzəbl/ *adj.* indesculpável, imperdoável.

inexhaustible /ɪnɪgz'ɔːstəbl/ *adj.* inexaurível, inesgotável.

inexistent /ɪnɪgz'ɪstənt/ *adj.* inexistente.

inexpensive /ɪnɪksp'ensɪv/ *adj.* barato. ▪ *sin.* cheap.

inexplicable /ɪnɪkspl'ɪkəbl/ *adj.* inexplicável.

inexpressive /ɪnɪkspr'esɪv/ *adj.* inexpressivo, insignificante.

infallible /ɪnf'æləbl/ *adj.* infalível.

infamous /'ɪnfəməs/ *adj.* infame, famigerado.

infamy /'ɪnfəmi/ *s.* infâmia, desonra.

infancy /'ɪnfənsi/ *s.* infância. ▪ *sin.* childhood. ♦ **in its infancy** no início.

infant /'ɪnfənt/ *s.* criança.

infantile /'ɪnfəntaɪl/ *adj.* infantil. ▪ *sin.* childish.

infantry /'ɪnfəntri/ *s.* infantaria.

infatuated /ɪnf'ætʃueɪtəd/ *adj.* apaixonado.
infatuation /ɪnfætʃu'eɪʃən/ *s.* paixão fugaz.
infect /ɪnf'ekt/ *v.* infectar, contaminar, infeccionar.
infection /ɪnf'ekʃən/ *s.* infecção.
infectious /ɪnf'ekʃəs/ *adj.* infeccioso; contagioso: That bacteria is *infectious*.
infer /ɪnf'ɜːr/ *v.* inferir, deduzir, concluir; supor, conjeturar.
inferior /ɪnf'ɪriər/ *s.* ou *adj.* inferior. ▪ *ant.* superior.
inferiority /ɪnfɪri'ɔːrəti, ɪnfɪri'ɑrəti/ *s.* inferioridade.
infertile /ɪnf'ɜːrtəl/ *adj.* estéril, infértil.
infest /ɪnf'est/ *v.* infestar.
infidel /'ɪnfɪdəl/ *s.* infiel, pagão. • *adj.* infiel, descrente.
infidelity /ɪnfɪd'eləti/ *s.* infidelidade.
infiltrate /'ɪnfɪltreɪt/ *v.* infiltrar(-se).
infinite /'ɪnfɪnət/ *s.* ou *adj.* infinito.
infinitive /ɪnf'ɪnətɪv/ *s.* infinitivo.
infirmary /ɪnf'ɜːrməri/ *s.* hospital; enfermaria.
infirmity /ɪnf'ɜːrməti/ *s.* fraqueza; enfermidade. ▪ *sin.* illness, sickness, malady.
inflame /ɪnfl'eɪm/ *v.* inflamar; enfurecer.
inflammation /ɪnfləm'eɪʃən/ *s.* inflamação.
inflate /ɪnfl'eɪt/ *v.* inflar, encher de ar; aumentar.
inflation /ɪnfl'eɪʃən/ *s.* inflação. ♦ **inflation rate** taxa de inflação.
inflexible /ɪnfl'eksəbəl/ *adj.* inflexível.
inflict /ɪnfl'ɪkt/ *v.* infligir, punir.
influence /'ɪnfluəns/ *s.* influência. • *v.* influenciar.
influenza /ɪnflu'enzə/ *s.* gripe. *abrev.* **flu**.
influx /'ɪnflʌks/ *s.* influxo, afluxo; afluência.
inform /ɪnf'ɔːrm/ *v.* informar.
informal /ɪnf'ɔːrməl/ *adj.* informal.
information /ɪnfərm'eɪʃən/ *s.* informação, notícia. ♦ **information retrieval** recuperação de informações. **information superhighway** infovia, autoestrada das informações. **information technology** tecnologia da informação.
informative /ɪnf'ɔːrmətɪv/ *adj.* informativo.
informer /ɪnf'ɔːrmər/ *s.* informante, informador; delator.
infraction /ɪnfr'ækʃən/ *s.* infração.
infringe /ɪnfr'ɪndʒ/ *v.* infringir, violar. ▪ *sin.* violate, transgress.
infuriate /ɪnfj'ʊrieɪt/ *v.* enfurecer.
infuse /ɪnfj'uːz/ *v.* infundir, introduzir; inspirar; impregnar.
ingenious /ɪndʒ'iːniəs/ *adj.* criativo, engenhoso.
ingenuity /ɪndʒən'uːəti / *s.* engenhosidade. ➔ Deceptive Cognates
ingrained /ɪngr'eɪnd/ (*tb.* ***engrained***) *adj.* enraizado, arraigado.
ingratitude /ɪngr'ætɪtuːd/ *s.* ingratidão.
ingredient /ɪngr'iːdiənt/ *s.* ingrediente: Egg is a common *ingredient* in many recipes.
inhabit /ɪnh'æbɪt/ *v.* habitar, morar.
inhabitant /ɪnh'æbɪtənt/ *s.* habitante.
inhale /ɪnh'eɪl/ *v.* inalar, aspirar, respirar; tragar.

Try not to *inhale* the smoke!

inhaler /ɪnh'eɪlər/ *s.* inalador.
inherent /ɪnh'ɪrənt/ *adj.* inerente, próprio; inato. ▪ *sin.* innate.
inherit /ɪnh'erɪt/ *v.* herdar.

inheritable /ɪnh'erɪtəbəl/ *adj.* hereditário.

inheritance /ɪnh'erɪtəns/ *s.* herança.

inhibit /ɪnh'ɪbɪt/ *v.* inibir; impedir. ▪ *sin.* stop, hinder.

inhuman /ɪnhj'uːmən/ *adj.* desumano. ▪ *sin.* cruel, unkind.

inimitable /ɪn'ɪmɪtəbəl/ *adj.* inimitável, inigualável.

initial /ɪn'ɪʃəl/ *s.* ou *adj.* inicial.

initially /ɪn'ɪʃəli/ *adv.* inicialmente: *Initially* I thought the twins were the same person.

initiate /ɪn'ɪʃiət/ *s.* principiante, novato. • /ɪn'ɪʃieɪt/ *v.* iniciar, começar.

initiative /ɪn'ɪʃətɪv/ *s.* iniciativa.

inject /ɪndʒ'ekt/ *v.* injetar, introduzir.

injection /ɪndʒ'ekʃən/ *s.* injeção.

injunction /ɪndʒ'ʌŋʃən/ *s.* injunção, proibição; ordem.

injure /'ɪndʒər/ *v.* prejudicar; ferir; magoar. ▪ *sin.* harm, impair.

injured /'ɪndʒərd/ *adj.* ferido, machucado: Ronaldo got *injured* during the game.; ofendido: My neighbor felt *injured* due to our words.

injury /'ɪndʒəri/ *s.* prejuízo, dano; ferimento. ▪ *sin.* damage, harm, mischief. → Deceptive Cognates

injustice /ɪndʒ'ʌstɪs/ *s.* injustiça.

ink /ɪŋk/ *s.* tinta. ♦ **ink cartridge** cartucho de tinta. **ink-jet** jato de tinta. **ink-jet printer** impressora a jato de tinta.

inkling /'ɪŋklɪŋ/ *s.* insinuação, indireta; alusão.

inland /'ɪnlænd/ *s.* interior (de um país ou continente). • *adj.* interior; doméstico.

in-laws /'ɪnlɔːz/ *s. pl.* parentes (do cônjuge). ♦ **brother-in-law** cunhado. **daughter-in-law** nora. **father-in-law** sogro. **mother-in-law** sogra. **sister-in-law** cunhada. **son-in-law** genro.

inlet /'ɪnlet/ *s.* entrada, pró[illegible] introdução; baía, enseada

inmate /'ɪnmeɪt/ *s.* presidiário; recluso; internado.

inmost /'ɪnmoʊst/ *adj.* mais profundo. ▪ *sin.* innermost.

inn /ɪn/ *s.* estalagem, albergue, hospedaria, pousada; taberna.

innate /ɪn'eɪt/ *adj.* inato, natural. ▪ *sin.* inherent.

inner /'ɪnər/ *adj.* interno, interior; íntimo, secreto.

innermost /'ɪnərmoʊst/ *adj.* mais íntimo ou profundo.

innocence /'ɪnəsəns/ *s.* inocência.

innocent /'ɪnəsənt/ *adj.* inocente, ingênuo. ▪ *sin.* naïve.

innocuous /ɪn'ɑkjuəs/ *adj.* inócuo.

innovate /'ɪnəveɪt/ *v.* inovar.

innuendo /ɪnju'endoʊ/ *s.* insinuação.

inoculate /ɪn'ɑkjuleɪt/ *v.* inocular, introduzir; vacinar.

inoffensive /ɪnəf'ensɪv/ *adj.* inofensivo. ▪ *sin.* harmless.

inopportune /ɪnɑpərt'uːn/ *adj.* inoportuno, inconveniente.

input /'ɪnpʊt/ *s.* contribuição, entrada. • *v.* inserir dados (*informática*).

inquest /'ɪŋkwest/ *s.* inquérito, investigação.

inquire /ɪnkw'aɪər/ (*Brit.* **enquire**) *v.* inquirir, indagar. ▪ *sin.* ask.

inquiry /'ɪnkwəri, ɪnkw'aɪəri/ (*Brit.* **enquiry**) *s.* pesquisa, investigação, interrogatório.

Inquisition /ɪnkwɪz'ɪʃən/ *s.* Inquisição.

inquisitive /ɪnkw'ɪzətɪv/ *adj.* curioso, inquisitivo, indagador.

inroad /'ɪnroʊd/ *s.* invasão; avanço. ▪ *sin.* invasion.

insane /ɪns'eɪn/ *adj.* insano, insensato.

insanitary /ɪns'ænəteri/ *adj.* insalubre.

insanity /ɪns'ænəti/ *s.* loucura; insensatez.

insatiable /ɪns'eɪʃəbəl/ *adj.* insaciável.

inscribe /ɪnskr'aɪb/ *v.* inscrever; [illegible]rever; registrar.

inscription /ɪnskr'ɪpʃən/ *s.* gravação, registro; dedicatória.

insect /'ɪnsekt/ *s.* inseto.

insecure /ɪnsɪkj'ʊr/ *adj.* inseguro.

insecurity /ɪnsɪkj'ʊrəti/ *s.* insegurança; incerteza.

inseminate /ɪns'emɪneɪt/ *v.* inseminar.

insensitive /ɪns'ensətɪv/ *adj.* insensível.

inseparable /ɪns'eprəbəl/ *adj.* inseparável.

insert /'ɪnsɜːrt/ *s.* suplemento, encarte. • /ɪns'ɜːrt/ *v.* inserir, introduzir.

inside /ɪns'aɪd/ *s.* interior. • *adj.* interno. • *adv.* dentro, no meio. • *prep.* dentro dos limites de. ♦ **inside out** do avesso.

insight /'ɪnsaɪt/ *s.* compreensão, vislumbre.

insignificant /ɪnsɪgn'ɪfɪkənt/ *adj.* insignificante.

insincere /ɪnsɪns'ɪr/ *adj.* falso, fingido, insincero.

insinuate /ɪns'ɪnjueɪt/ *v.* insinuar, sugerir.

insipid /ɪns'ɪpɪd/ *adj.* insípido.

insist /ɪns'ɪst/ *v.* insistir, persistir.

insistence /ɪns'ɪstəns/ *s.* insistência.

insofar as /ɪnsəf'ɑr əz/ *conj.* à medida que.

insoluble /ɪns'ɑljəbəl/ *adj.* insolúvel; indissolvível.

insomnia /ɪns'ɑmniə/ *s.* insônia.

inspect /ɪnsp'ekt/ *v.* inspecionar, vistoriar.

inspection /ɪnsp'ekʃən/ *s.* inspeção.

inspiration /ɪnspər'eɪʃən/ *s.* inspiração; ideia.

inspire /ɪnsp'aɪər/ *v.* inspirar.

instability /ɪnstəb'ɪləti/ *s.* instabilidade, insegurança.

install /ɪnst'ɔːl/ (*Brit.* ***instal***) *v.* instalar; colocar; empossar; estabelecer.

installation /ɪnstəl'eɪʃən/ *s.* instalação.

installment /ɪnst'ɔːlmənt/ (*Brit.* ***instalment***) *s.* prestação; episódio.

instance /'ɪnstəns/ *s.* exemplo; ocorrência; caso. ♦ **for instance** ou **for example** por exemplo.

instant /'ɪnstənt/ *s.* momento, instante. • *adj.* imediato; urgente; instantâneo.

instantaneous /ɪnstənt'eɪniəs/ *adj.* instantâneo.

instead /ɪnst'ed/ *adv.* em vez de, em substituição a.

instep /'ɪnstep/ *s.* peito do pé. ➔ Human Body

instigate /'ɪnstɪgeɪt/ *v.* instigar, incitar.

instill /ɪnst'ɪl/ (*Brit.* ***instil***) *v.* instilar, pingar; incutir.

instinct /'ɪnstɪŋkt/ *s.* instinto.

instinctive /ɪnst'ɪŋktɪv/ *adj.* instintivo.

institute /'ɪnstɪtuːt/ *s.* instituição, instituto. • *v.* instituir, estabelecer; nomear.

institution /ɪnstɪt'uːʃən/ *s.* instituição: The Catholic church is an ancient *institution.*

instruct /ɪnstr'ʌkt/ *v.* instruir, ensinar.

instruction /ɪnstr'ʌkʃən/ *s.* instrução.

instructive /ɪnstr'ʌktɪv/ *adj.* instrutivo.

instrument /'ɪnstrəmənt/ *s.* instrumento, utensílio, ferramenta. • *v.* instrumentar. ▪ *sin.* tool.

insufficient /ɪnsəf'ɪʃənt/ *adj.* insuficiente.

insufflate /'ɪnsəfleɪt/ *v.* insuflar, encher de ar.

insulate /'ɪnsəleɪt/ *v.* isolar; separar.

insult /'ɪnsʌlt/ *s.* insulto, ofensa. • /ɪns'ʌlt/ *v.* insultar, ofender.

insulting /ɪns'ʌltɪŋ/ *adj.* insultante: The teenage manners were *insulting* to all of us.

insurance /ɪnʃ'ʊrəns/ *s.* seguro. ♦ **life insurance** seguro de vida. **insurance policy** apólice de seguro.

insure /ɪnʃ'ʊr/ *v.* segurar (pôr no seguro).

insurrection /ɪnsər'ekʃən/ *s.* insurreição, revolta, levante.

intact /ɪnt'ækt/ *adj.* intato, íntegro.

intake /'ɪnteɪk/ *s.* entrada; consumo.

intangible /ɪnt'ændʒəbəl/ *adj.* intangível, inalcançável.

integral /'ɪntɪgrəl/ *s.* integral (*matemática*). • *adj.* completo, total. → Numbers

integrate /'ɪntɪgreɪt/ *v.* integrar, completar.

integrity /ɪnt'egrəti/ *s.* integridade.

intellect /'ɪntəlekt/ *s.* intelecto, inteligência.

intellectual /ɪntəl'ektʃuəl/ *s.* ou *adj.* intelectual.

intelligence /ɪnt'elɪdʒəns/ *s.* inteligência, intelecto; informação.

intelligent /ɪnt'elɪdʒənt/ *adj.* inteligente.

intelligible /ɪnt'elɪdʒəbəl/ *adj.* inteligível.

intend /ɪnt'end/ *v.* pretender, intencionar. → Deceptive Cognates

intended /ɪnt'endəd/ *s.* futuro marido, futura esposa. • *adj.* pretendido: My *intended* salary is much higher than the one you are offering me.

intense /ɪnt'ens/ *adj.* intenso; forte.

intensify /ɪnt'ensɪfaɪ/ *v.* intensificar.

intensity /ɪnt'ensəti/ *s.* intensidade.

intensive /ɪnt'ensɪv/ *adj.* intensivo.

intent /ɪnt'ent/ *s.* intenção, propósito. • *adj.* decidido; atento; solícito.

intention /ɪnt'enʃən/ *s.* intenção.

intentional /ɪnt'enʃənəl/ *adj.* intencional.

interact /ɪntər'ækt/ *v.* interagir.

interaction /ɪntər'ækʃən/ *s.* interação.

interactive /ɪntər'æktɪv/ *adj.* interativo.

intercede /ɪntərs'i:d/ *v.* interceder.

intercept /ɪntərs'ept/ *v.* interceptar.

interchange /'ɪntərtʃeɪndʒ/ *s.* intercâmbio; permuta, troca. • /ɪntərtʃ'eɪndʒ/ *v.* intercambiar; permutar, trocar.

intercourse /'ɪntərkɔ:rs/ *s.* relação sexual.

interest /'ɪntrəst/ *s.* interesse; atração; juros. • *v.* interessar; atrair. ♦ **interest rate** taxa de juros.

interested /'ɪntrəstɪd/ *adj.* interessado.

interesting /'ɪntrəstɪŋ/ *adj.* interessante.

interfere /ɪntərf'ɪr/ *v.* interferir, intervir, interpor.

interference /ɪntərf'ɪrens/ *s.* interferência; intervenção.

interim /'ɪntərɪm/ *s.* ínterim, meio--tempo. • *adj.* interino, provisório.

interior /ɪnt'ɪriər/ *s.* ou *adj.* interior.

interjection /ɪntərdʒ'ekʃən/ *s.* interjeição, exclamação.

interlude /'ɪntərlu:d/ *s.* intervalo.

intermediary /ɪntərm'i:dieri/ *s.* ou *adj.* intermediário.

intermediate /ɪntərm'i:diət/ *adj.* intermediário.

intermission /ɪntərm'ɪʃən/ *s.* interrupção, intervalo.

intermittent /ɪntərm'ɪtənt/ *adj.* intermitente, com interrupções.

intern /ɪnt'ɜ:rn/ *v.* internar. • /'ɪntɜ:rn/ *s.* estagiário.

internal /ɪnt'ɜ:rnəl/ *adj.* interno.

international /ɪntərn'æʃənəl/ *adj.* internacional.

internet /'ɪntərnet/ (*tb.* ***the internet***, ***the net***, ***the web***) internet, a rede mundial de computadores.

interpret /ɪnt'ɜ:rprɪt/ *v.* explicar; interpretar.

interpretation /ɪntɜ:rprɪt'eɪʃən/ *s.* explicação; interpretação.

interpreter /ɪnt'ɜ:rprɪtər/ *s.* intérprete; tradutor. → Professions

interrogate /ɪnt'erəgeɪt/ *v.* interrogar.

interrogation /ɪnterəg'eɪʃən/ *s.* interrogação, interrogatório.

interrogative /ɪntər'ɑgətɪv/ *adj.* interrogativo. • *s.* pronome interrogativo.

interrupt /ɪntər'ʌpt/ *v.* interromper.

interruption /ɪntər'ʌpʃən/ *s.* interrupção; pausa.

intersect /ɪntərs'ekt/ *v.* cruzar, atravessar, cortar.

intersection /ɪntərs'ekʃən/ *s.* interseção, cruzamento.

interstate /'ɪntərsteɪt/ *s.* rodovia interestadual. • *adj.* interestadual.

interurban /ɪntər'ɜːrbən/ *adj.* interurbano.

interval /'ɪntərvəl/ *s.* intervalo.

intervene /ɪntərv'iːn/ *v.* intervir; interferir.

intervention /ɪntərv'enʃən/ *s.* intervenção; interferência.

interview /'ɪntərvjuː/ *s.* entrevista. • *v.* entrevistar.

interviewer /'ɪntərvjuːər/ *s.* entrevistador.

intestine /ɪnt'estɪn/ *s.* intestino. ▪ *sin.* bowel(s). → Human Body

intimacy /'ɪntɪməsi/ *s.* intimidade.

intimate /'ɪntɪmət/ *adj.* profundo; íntimo; pessoal. • /'ɪntɪmeɪt/ *v.* proclamar, anunciar; insinuar, indicar.

intimation /ɪntɪm'eɪʃən/ *s.* insinuação.

intimidate /ɪnt'ɪmɪdeɪt/ *v.* intimidar.

into /'ɪntə, 'ɪntuː/ *prep.* para dentro.

intolerable /ɪnt'ɑlərəbəl/ *adj.* intolerável.

intolerance /ɪnt'ɑlərəns/ *s.* intolerância.

intolerant /ɪnt'ɑlərənt/ *adj.* intolerante.

intonation /ɪntən'eɪʃən/ *s.* entonação.

intoxicate /ɪnt'ɑksɪkeɪt/ *v.* intoxicar.

intoxicated /ɪnt'ɑksɪkeɪtɪd/ *adj.* bêbado, embriagado; intoxicado.

intoxication /ɪntɑksɪk'eɪʃən/ *s.* intoxicação; embriaguez.

intranet /'ɪntrənet/ *s.* rede local integrada (*informática*).

intransigent /ɪntr'ænzɪdʒənt/ *adj.* intransigente.

intransitive /ɪntr'ænsətɪv/ *adj.* intransitivo.

intrepid /ɪntr'epɪd/ *adj.* intrépido, corajoso.

intricate /'ɪntrɪkət/ *adj.* intrincado.

intrigue /'ɪntriːg, ɪntr'iːg/ *s.* intriga, cilada. • /ɪntr'iːg/ *v.* intrigar, fascinar; conspirar.

intriguing /ɪntr'iːgɪŋ/ *adj.* envolvente, fascinante, intrigante.

intrinsic /ɪntr'ɪnzɪk/ *adj.* intrínseco.

introduce /ɪntrəd'uːs/ *v.* trazer; inserir; introduzir; apresentar. ▪ *sin.* present.

introduction /ɪntrəd'ʌkʃən/ *s.* introdução; apresentação; prefácio. ♦ **letter of introduction** carta de apresentação.

introspective /ɪntrəsp'ektɪv/ *adj.* introspectivo.

introvert /'ɪntrəvɜːrt/ *adj.* introvertido.

intrude /ɪntr'uːd/ *v.* intrometer.

intruder /ɪntr'uːdər/ *s.* intruso, intrometido.

intrusion /ɪntr'uːʒən/ *s.* intrusão, intromissão.

intuition /ɪntu'ɪʃən/ *s.* intuição.

intuitive /ɪnt'uːɪtɪv/ *adj.* intuitivo.

inundate /'ɪnʌndeɪt/ *v.* inundar, alagar, cobrir de água.

invade /ɪnv'eɪd/ *v.* invadir, tomar; violar, infringir.

invader /ɪnv'eɪdər/ *s.* invasor.

invalid /'ɪnvəlɪd/ *s.* inválido.

invalidate /ɪnv'ælɪdeɪt/ *v.* invalidar.

invaluable /ɪnv'æljuəbəl/ *adj.* inestimável, valiosíssimo.

invariable /ɪnv'eriəbəl/ *adj.* invariável.

invasion /ɪnv'eɪʒən/ *s.* invasão.
invent /ɪnv'ent/ *v.* inventar, criar.
invention /ɪnv'enʃən/ *s.* invenção.
inventor /ɪnv'entər/ *s.* inventor.
inventory /'ɪnvəntɔːri/ *s.* inventário; estoque. • *v.* inventariar.
inverse /ɪnv'eːrs/ *s.* ou *adj.* inverso, contrário.
invert /ɪnv'ɜːrt/ *v.* inverter, reverter. ♦ **inverted commas** (*Brit.*) ou **quotation marks** aspas.
invertebrate /ɪnv'ɜːrtɪbreɪt/ *s.* invertebrado.
invest /ɪnv'est/ *v.* investir; dar posse.
investigate /ɪnv'estɪgeɪt/ *v.* investigar, pesquisar.
investigation /ɪnvestɪg'eɪʃən/ *s.* investigação, pesquisa.
investment /ɪnv'estmənt/ *s.* investimento. ♦ **return on investment** retorno sobre investimento.
invigorate /ɪnv'ɪgəreɪt/ *v.* revigorar, fortalecer.
invincibility /ɪnvɪnsəb'ɪləti/ *s.* invencibilidade. ▪ *sin.* invincibleness.
invincible /ɪnv'ɪnsəbəl/ *adj.* invencível, imbatível.
invisible /ɪnv'ɪzəbəl/ *s.* invisível.
invitation /ɪnvɪt'eɪʃən/ *s.* convite.
invite /ɪnv'aɪt/ *v.* convidar; solicitar.
inviting /ɪnv'aɪtɪŋ/ *adj.* convidativo.
invoice /'ɪnvɔɪs/ *s.* fatura; nota fiscal.
involuntary /ɪnv'ɑlənteri/ *adj.* involuntário.
involve /ɪnv'ɑlv/ *v.* envolver; afetar, acarretar, implicar; incluir.
involved /ɪnv'ɑlvd/ *adj.* envolvido: Are you *involved* with these people?
involvement /ɪnv'ɑlvmənt/ *s.* envolvimento, comprometimento.
invulnerable /ɪnv'ʌlnərəbəl/ *adj.* invulnerável.
inward /'ɪnwərd/ *adv.* para dentro; íntimo; voltado para o interior.

IP /aɪp'iː/ (*abrev.* de *Internet Protocol*) protocolo de internet. → Abbreviations
IQ /aɪkj'uː/ (*abrev.* de *Intelligence Quotient*) quociente de inteligência, QI. → Abbreviations
Iran /ɪr'æn/ *s.* Irã. → Countries & Nationalities
Iranian /ɪ'reɪniən/ *s.* ou *adj.* iraniano. → Countries & Nationalities
Iraq /ɪr'æk/ *s.* Iraque. → Countries & Nationalities
Iraqi /ɪr'æki/ *s.* ou *adj.* iraquiano. → Countries & Nationalities
Ireland /'aɪərlənd/ *s.* Irlanda. → Countries & Nationalities
iris /'aɪrɪs/ *s.* íris. → Human Body
Irish /'aɪrɪʃ/ *s.* ou *adj.* irlandês. → Countries & Nationalities
iron /'aɪərn/ *s.* ferro; ferro de passar. • *v.* passar a ferro. ♦ **iron horse** locomotiva. **iron casting** fundição de ferro. **ironing** roupa para passar. **ironing board** tábua de passar roupa. **ironware** ferragens.
ironic /aɪr'ɑnɪk/ *adj.* irônico.
irony /'aɪrəni/ *s.* ironia.
irradiate /ɪr'eɪdieɪt/ *v.* irradiar, brilhar.
irrational /ɪr'æʃənəl/ *adj.* irracional.
irrefutable /ɪrɪfj'uːtəbl, ɪr'efjətəbl/ *adj.* irrefutável, incontestável.
irregular /ɪr'egjələr/ *adj.* irregular.
irrelevant /ɪr'eləvənt/ *adj.* irrelevante; impertinente.
irrespective of /ɪrɪsp'ektɪv əv/ *prep.* independente de, não obstante.
irresponsible /ɪrɪsp'ɑnsəbəl/ *adj.* irresponsável.
irrigate /'ɪrɪgeɪt/ *v.* irrigar, regar.
irrigation /ɪrɪg'eɪʃən/ *s.* irrigação.
irritate /'ɪrɪteɪt/ *v.* irritar; provocar.
irritating /'ɪrɪteɪtɪŋ/ *adj.* irritante: That man's attitude is *irritating*.
irritation /ɪrɪt'eɪʃən/ *s.* irritação.

IRS /aɪɑr'es/ (*abrev.* de *Internal Revenue Service*) Receita Federal. ➔ Abbreviations

is /ɪz/ (3ª *pessoa sing.* de *be*) é, está.

Islam /'ɪzlɑm, ɪzl'ɑm/ *s.* Islã.

island /'aɪlənd/ *s.* ilha.

islander /'aɪləndər/ *s.* ilhéu.

isle /aɪl/ *s.* ilha, ilhota.

isn't /'ɪzənt/ (forma contraída de *is not*) não é; não está.

isolate /'aɪsəleɪt/ *v.* isolar.

ISP /aɪesp'iː/ (*abrev.* de *Internet Service Provider*) provedor de acesso à internet. ➔ Abbreviations

Israel /'ɪzreɪl/ *s.* Israel. ➔ Countries & Nationalities

Israeli /ɪzr'eɪli/ *s.* ou *adj.* israelita. ➔ Countries & Nationalities

issue /'ɪʃuː/ *s.* emissão; edição; remessa; problema. • *v.* emitir, lançar, pôr em circulação; divulgar, publicar.

IT /aɪt'iː/ (*abrev.* de *Information Technology*) Tecnologia de Informação, TI. ➔ Abbreviations

it /ɪt/ *pron. pess. reto e oblíquo* ela, ele (para referir-se a acontecimentos, coisas e animais em geral).

it'll /'ɪtəl/ forma contraída de *it will*.

it's /ɪts/ forma contraída de *it is* ou de *it has*.

Italian /ɪt'æliən/ *s.* ou *adj.* italiano. ➔ Countries & Nationalities

italics /ɪt'ælɪks/ *s. pl.* itálico.

Italy /'ɪtəli/ *s.* Itália. ➔ Countries & Nationalities

itch /ɪtʃ/ *s.* coceira; vontade de fazer algo. • *v.* coçar, comichar; desejar.

item /'aɪtəm/ *s.* item, artigo.

itinerary /aɪt'ɪnəreri/ *s.* itinerário, percurso.

its /ɪts/ *adj.* ou *pron. poss.* (relativo a *it*) dele, dela.

itself /ɪts'elf/ *pron. reflex.* (relativo a *it*) se, si mesmo, o próprio, a própria, a ela mesma, a ele mesmo, propriamente dito.

ivory /'aɪvəri/ *s.* marfim.

ivy /'aɪvi/ *s.* planta trepadeira; hera.

J

J, j /dʒeɪ/ *s.* décima letra do alfabeto inglês.

jab /dʒæb/ *s.* cutucão, cotovelada; golpe, facada. • *v.* picar; apunhalar; espetar, esfaquear.

jack /dʒæk/ *s.* macaco, alavanca (*mec.*); valete (no baralho).

jackal /dʒ'ækəl/ *s.* chacal. ➔ Animal Kingdom

jackass /dʒ'ækæs/ *s.* imbecil.

jacket /dʒ'ækɪt/ *s.* jaqueta; paletó. ➔ Clothing

jackpot /dʒ'ækpɑt/ *s.* total de apostas num jogo; bolada, prêmio; bolão. ♦ **hit the jackpot** ter êxito; tirar a sorte grande.

jade /dʒeɪd/ *s.* jade.

jagged /dʒ'ægɪd/ *adj.* pontudo.

jaguar /dʒ'ægjuər/ *s.* jaguar, onça--pintada. ➔ Animal Kingdom

jail /dʒeɪl/ *s.* cadeia, prisão. • *v.* encarcerar, prender.

jailbird /dʒ'eɪlbɜːrd/ *s.* presidiário, preso.

jailer /dʒ'eɪlər/ (*tb.* **jailor**) *s.* carcereiro. ➔ Professions

jam /dʒæm/ *s.* geleia; esmagamento; aperto; enrascada. • *v.* apertar(-se); esmagar; empurrar; congestionar. ♦ **traffic jam** congestionamento, engarrafamento.

Jamaica /dʒəm'eɪkə/ *s.* Jamaica. ➔ Countries & Nationalities

Jamaican /dʒəm'eɪkən/ *s.* ou *adj.* jamaicano. ➔ Countries & Nationalities

janitor /dʒ'ænɪtər/ *s.* zelador; porteiro. ➔ Professions

January /dʒ'ænjueri/ *s.* janeiro.

Japan /dʒəp'æn/ *s.* Japão. ➔ Countries & Nationalities

Japanese /dʒæpən'iːz/ *s.* ou *adj.* japonês. ➔ Countries & Nationalities

jar /dʒɑr/ *s.* jarro, vaso, jarra. • *v.* abalar; chocar; estremecer.

jargon /dʒ'ɑrgən/ *s.* jargão.

jasmine /dʒ'æzmɪn/ *s.* jasmim.

javelin /dʒ'ævəlɪn/ *s.* dardo, lança.

jaw /dʒɔː/ *s.* maxila; mandíbula. • *v.* tagarelar; gritar, repreender. ➔ Human Body

jaywalker /dʒ'eɪwɔːkər/ *s.* pedestre distraído e imprudente.

jealous /dʒ'eləs/ *adj.* ciumento; invejoso.

I'm not the *jealous* kind at all.

jealousy /dʒ'eləsi/ *s.* ciúme; inveja. ▪ *sin.* envy.

jeans /dʒiːnz/ *s.* *jeans*: I bought a pair of dark *jeans*. ➔ Clothing

Jeep™ /dʒiːp/ *s.* jipe.

jeer /dʒɪr/ *s.* zombaria, escárnio. • *v.* zombar, escarnecer.

jelly /dʒ'eli/ *s.* geleia; gelatina.

jellyfish /dʒ'elifɪʃ/ (*s. pl.* ***jellyfish***) *s.* água-viva, medusa. → Animal Kingdom

jeopardize /dʒ'epərdaɪz/ (*Brit.* ***jeopardise***) *v.* colocar em risco, prejudicar.

jeopardy /dʒ'epərdi/ *s.* perigo, risco. ▪ *sin.* danger, hazard.

jerk /dʒɜːrk/ *s.* empurrão, puxão, solavanco; espasmo; idiota, imbecil. • *v.* empurrar; levantar.

jet /dʒet/ *s.* jato, jorro; esguicho; avião a jato; propulsão a jato. • *v.* sair a jato, esguichar. ♦ **jet lag** cansaço/fadiga de voo. → Means of Transportation

jetliner /dʒ'etlaɪnər/ *s.* avião comercial a jato. → Means of Transportation

Jew /dʒuː/ *s.* judeu.

jewel /dʒ'uːəl/ *s.* joia. • *v.* adornar, enfeitar com joias.

jeweler /dʒ'uːələr/ (*Brit.* ***jeweller***) *s.* joalheiro.

jewelry /dʒ'uːəlri/ (*Brit.* ***jewellery***) *s.* joias: The bride was wearing a piece of *jewelry* from her family.

Jewish /dʒ'uːɪʃ/ *adj.* judaico. • *s.* e *adj.* judeu.

jig /dʒɪg/ *s.* dança. • *v.* saltitar, saracotear.

jiggle /dʒ'ɪgəl/ *s.* sacudidela, ginga. • *v.* sacudir.

jigsaw /dʒ'ɪgsɔː/ *s.* serrote; quebra--cabeça.

jingle /dʒ'ɪŋgəl/ *s.* tinido; canção publicitária. • *v.* tinir, tilintar.

jittery /dʒ'ɪtəri/ *adj.* nervoso, agitado.

job /dʒɑb/ *s.* obra, empreitada, tarefa; emprego, trabalho. • *v.* negociar.

jobless /dʒ'ɑbləs/ *adj.* desempregado. ▪ *sin.* unemployed. ♦ **joblessness** ou **unemployment** desemprego.

jockey /dʒ'ɑki/ *s.* jóquei. • *v.* competir.

jog /dʒɑg/ *s.* corrida; cutucada, empurrão. • *v.* correr; cutucar, empurrar. ♦ **jogger** corredor. **jogging** corrida. → Sports

join /dʒɔɪn/ *s.* junção, ligação; encaixe. • *v.* ligar, juntar(-se), unir(-se). ▪ *sin.* connect, unite.

joint /dʒɔɪnt/ *s.* junta, articulação, junção; (*gír.*) baseado: You can get dizzy if you smoke a *joint.*; espelunca: That nightclub is a *joint.* • *v.* articular; dividir em pedaços (carne). • *adj.* conjugado; articulado. ♦ **joint account** conta (bancária) conjunta.

joke /dʒoʊk/ *s.* gracejo, piada, brincadeira. • *v.* brincar, contar piada. ▪ *sin.* jest. ♦ **It's no joke.** É sério. **joking apart** brincadeiras à parte.

joker /dʒ'oʊkər/ *s.* brincalhão; curinga (no baralho).

jolly /dʒ'ɑli/ *adj.* alegre; divertido; jovial.

jolt /dʒoʊlt/ *s.* solavanco, sacudida. • *v.* sacudir; balançar.

jostle /dʒ'ɑsəl/ *s.* encontrão, esbarrão. • *v.* empurrar, acotovelar.

jot /dʒɑt/ *s.* coisa mínima, coisa insignificante. • *v.* anotar rapidamente.

journal /dʒ'ɜːrnəl/ *s.* diário; periódico, revista especializada. → Deceptive Cognates

journalism /dʒ'ɜːrnəlɪzəm/ *s.* jornalismo.

journalist /dʒ'ɜːrnəlɪst/ *s.* jornalista, repórter.

journey /dʒ'ɜːrni/ *s.* viagem, jornada. ▪ *sin.* travel, voyage, tour.

joy /dʒɔɪ/ *s.* alegria, contentamento, júbilo. ▪ *sin.* pleasure, delight.

joyful /dʒ'ɔɪfəl/ *adj.* alegre, jubiloso. ▪ *sin.* cheerful, glad, happy. ▪ *ant.* blue, sad, unhappy.

joystick /dʒ'ɔɪstɪk/ *s.* alavanca de controle, controlador manual.

jubilant /dʒ'uːbɪlənt/ *adj.* jubilante.

jubilee /dʒ'uːbɪliː/ *s.* jubileu.

Judaism /dʒ'uːdaɪzəm/ *s.* judaísmo.

judge /dʒʌdʒ/ *s.* juiz; perito. • *v.* julgar, sentenciar; decidir; concluir; avaliar.

judgment /dʒ'ʌdʒmənt/ (*Brit. judgement*) *s.* julgamento.

judicial /dʒud'ɪʃəl/ *adj.* judicial.

judiciary /dʒud'ɪʃieri/ *s.* poder judiciário. • *adj.* judiciário, forense.

judicious /dʒud'ɪʃəs/ *adj.* judicioso, prudente.

judo /dʒ'uːdoʊ/ *s.* judô. → Sports

jug /dʒʌg/ *s.* jarro, cântaro, moringa.

juggle /dʒ'ʌgəl/ *s.* truque, artifício. • *v.* iludir, criar ilusões; fazer malabarismo.

juice /dʒuːs/ *s.* suco.

juicy /dʒ'uːsi/ *adj.* suculento.

July /dʒul'aɪ/ *s.* julho.

jumble /dʒ'ʌmbəl/ *s.* desordem. • *v.* remexer, misturar, confundir.

jumbo /dʒ'ʌmboʊ/ *adj.* enorme, gigante.

jump /dʒʌmp/ *s.* salto, pulo. • *v.* saltar, pular. ♦ **jump for joy** pular de alegria. **jump the line** furar a fila. **jump to conclusions** tirar conclusões precipitadas. **Jump to it!** Faça-o imediatamente! **jump at it** aceitar prontamente.

jumper /dʒ'ʌmpər/ *s.* avental; malha, suéter; saltador; conector elétrico para configuração de placa (*informática*).

junction /dʒ'ʌŋkʃən/ *s.* ligação, conexão, entroncamento.

June /dʒuːn/ *s.* junho.

jungle /dʒ'ʌŋgəl/ *s.* mato, selva.

junior /dʒ'uːniər/ *s.* júnior, pessoa mais jovem; profissional iniciante; estudante do penúltimo ano do Ensino Médio ou do Ensino Superior. ♦ **He's 3 years my junior.** Ele é três anos mais novo que eu. **junior high (school)** Ensino Fundamental (do 6º ao 9º ano).

junk /dʒʌŋk/ *s.* refugo; sucata. • *v.* jogar fora, descartar. ♦ **junk food** comida de baixo valor nutricional. **junk mail** correspondência não solicitada (geralmente comercial e publicitária).

junkie /dʒ'ʌŋki/ *s.* (*inf.*) drogado.

jurisdiction /dʒʊrɪsd'ɪkʃən/ *s.* jurisdição, alçada.

juror /dʒ'ʊrər/ *s.* jurado.

jury /dʒ'ʊri/ *s.* júri.

just /dʒʌst/ *adj.* justo, imparcial. • *adv.* exatamente; simplesmente; justamente; só, apenas; perfeitamente; há pouco. ♦ **I just won't do it.** Eu simplesmente não vou fazer isso. **just about** mais ou menos; quase. **just a minute** só um minuto. **just as she arrived** no momento em que ela chegou. **just now** ou **right now** agora mesmo, imediatamente. **just tell me** apenas me diga. **just then** naquele instante. **Just wonderful!** Simplesmente maravilhoso!

justice /dʒ'ʌstɪs/ *s.* justiça, equidade.

justifiable /dʒ'ʌstɪfaɪəbl, dʒʌstɪf'aɪəbl/ *adj.* justificável.

justification /dʒʌstɪfɪk'eɪʃən/ *s.* justificação, razão.

justify /dʒ'ʌstɪfaɪ/ *v.* justificar; absolver, perdoar; desculpar; alinhar as margens de um texto (*informática*). ▪ *sin.* explain.

jut /dʒʌt/ *v.* sobressair, ressaltar, salientar(-se).

jute /dʒuːt/ *s.* juta.

juvenile /dʒ'uːvənl/ *adj.* juvenil, jovem; imaturo.

juxtapose /dʒʌkstəp'oʊz/ *v.* justapor.

K, k /keɪ/ *s.* décima primeira letra do alfabeto inglês.

kale /keɪl/ *s.* couve. → Vegetables

kaleidoscope /kəl'aɪdəskoʊp/ *s.* caleidoscópio.

kangaroo /kæŋgər'uː/ *s.* canguru. → Animal Kingdom

karate /kər'ɑti/ *s.* caratê. → Sports

kayak /k'aɪæk/ *s.* caiaque. ♦ **kayaking** andar de caiaque. → Sports

kebab /kɪb'æb/ *s.* espetinho.

keel /kiːl/ *s.* barcaça; quilha.

keen /kiːn/ *v.* lamentar. • *adj.* agudo, afiado, cortante; mordaz, perspicaz; sutil. ▪ *sin.* acute, sharp. ♦ **be keen to** querer muito. **be keen to do (something)** estar empolgado para fazer (algo).

keenness /k'iːnnəs/ *s.* sagacidade, perspicácia; entusiasmo.

keep /kiːp/ *v.* (*pret.* e *p.p.* ***kept***) ter, possuir; guardar, conservar, reter, deter. ♦ **keep a secret** guardar segredo. **Keep close!** Fique por perto! **keep company** fazer companhia. **Keep distance!** ou **Keep away!** Mantenha distância! **keep faith with** ser fiel a. **Keep going!** Prossiga!, Continue! **keep in touch** manter contato. **Keep it in mind.** Lembre-se disso. **Keep off!** Mantenha-se afastado! **keep the peace** manter a ordem. **Keep quiet!** Fique quieto! **Keep silence!** Não fale nada! **keep track of** ficar a par de, manter-se informado sobre. **Keep your balance!** Mantenha o seu equilíbrio! **Keep your head.** Não se desespere. **keeper** carcereiro, capataz; inspetor, zelador; protetor. **I'm keeping you.** Eu estou te atrasando. **keeping** manutenção; proteção; posse. → Irregular Verbs → Professions

kennel /k'enəl/ *s.* canil; casinha de cachorro.

Kenya /k'iːnjə/ *s.* Quênia. → Countries & Nationalities

Kenyan /k'iːnjən/ *s.* ou *adj.* queniano. → Countries & Nationalities

kept /kept/ *v. pret.* e *p.p.* de **keep**.

kerosene /k'erəsiːn/ (*Brit.* ***kerosine***) *s.* querosene.

ketchup /k'etʃəp/ (*tb.* ***catsup***) *s.* *ketchup*.

This is not what I meant by "pass me the *ketchup*".

kettle /k'etəl/ *s.* chaleira.

key /kiː/ *s.* chave; código, padrão; clave; tecla. ♦ **key assignment** definição de teclas. **public key** chave pública. **private key** chave privada. **cryptographic key** chave criptográfica.

keyboard /k'iːbɔːrd/ *s.* teclado. ➔ Musical Instruments

keyhole /k'iːhoʊl/ *s.* buraco da fechadura.

keynote /k'iːnoʊt/ *s.* ideia central; nota chave.

keystroke /k'iːstroʊk/ *s.* toque nas teclas.

kg /keɪdʒ'i/ (*abrev.* de *kilogram*). ➔ Abbreviations

khaki /k'ɑki/ *adj.* cáqui.

kick /kɪk/ *s.* pontapé; chute. • *v.* dar pontapés; chutar.

kickboxing /k'ɪkbɑksɪŋ/ *s. kickboxing.* ➔ Sports

kickoff /k'ɪkɔːf/ *s.* início; pontapé inicial.

kid /kɪd/ *s.* criança; pelica; cabrito. • *v.* caçoar, zombar de, brincar, pregar uma peça. ➔ Animal Kingdom

kidnap /k'ɪdnæp/ *v.* raptar, sequestrar.

kidnapper /k'ɪdnæpər/ *s.* raptor, sequestrador.

kidney /k'ɪdni/ *s.* rim. ➔ Human Body

kill /kɪl/ *v.* matar, abater; assassinar. ▪ *sin.* murder, slay. ♦ **Kill or cure!** Ou vai, ou racha! **kill time** matar o tempo. **killjoy** estraga prazeres. **killer** assassino. **killer whale** baleia-assassina, orca. ➔ Animal Kingdom

killing /k'ɪlɪŋ/ *s.* assassinato, matança.

kiln /kɪln/ *s.* forno.

kilo /k'iːləʊ/ *s.* quilo, quilograma.

kilogram /k'ɪləgræm/ (*Brit.* ***kilogramme***) *s.* quilograma. ➔ Numbers

kilometer /kɪl'ɑmɪtər/ (*Brit.* ***kilometre***) *s.* quilômetro. ➔ Numbers

kilowatt /k'ɪləwɑt/ *s.* quilowatt.

kilt /kɪlt/ *s. kilt*, saia escocesa. ➔ Clothing

kimono /kɪm'oʊnoʊ/ *s.* quimono. ➔ Clothing

kin /kɪn/ *s.* família, parentes.

kind /kaɪnd/ *s.* classe, espécie, grupo, gênero. • *adj.* amável, bondoso; gentil, afável.

kindergarten /k'ɪndərgɑrtən/ *s.* jardim de infância.

kindly /k'aɪndli/ *adv.* amavelmente.

kindness /k'aɪndnəs/ *s.* bondade, gentileza.

kinetic /kɪn'etɪk/ *adj.* cinético.

king /kɪŋ/ *s.* rei, soberano, monarca.

kingdom /k'ɪŋdəm/ *s.* reino.

king-size /k'ɪŋsaɪz/ *adj.* (de) tamanho gigante.

kinless /k'ɪnləs/ *adj.* sem parentes.

kinship /k'ɪnʃɪp/ *s.* parentesco.

kiosk /k'iːɑsk/ *s.* quiosque; banca (de jornais, revistas, etc.); cabine telefônica.

kiss /kɪs/ *s.* beijo. • *v.* beijar.

kit /kɪt/ *s.* equipamento; estojo; maleta; caixa de ferramentas. ♦ **kit out** (*Brit.*) equipar.

kitchen /k'ɪtʃɪn/ *s.* cozinha.

kitchenware /k'ɪtʃɪnwer/ *s.* utensílios de cozinha.

kite /kaɪt/ *s.* papagaio, pipa. ♦ **kitesurfing** kitesurfe. ➔ Sports

kitten /k'ɪtən/ *s.* gatinho. ➔ Animal Kingdom

KKK /keɪkeɪk'eɪ/ (*abrev.* de *Ku Klux Klan*). ➔ Abbreviations

kleptomania /kleptəm'eɪniə/ *s.* cleptomania.

knapsack /n'æpsæk/ *s.* mochila.

knead /niːd/ *v.* misturar, amassar (massa).

knee /niː/ *s.* joelho; joelheira. ➔ Human Body

kneecap /n'iːkæp/ *s.* rótula. ➔ Human Body

kneel /niːl/ *v.* (*pret.* e *p.p.* ***knelt***) ajoelhar(-se). ➔ Irregular Verbs

knelt /nelt/ *v. pret.* e *p.p.* de ***kneel***.

knew /nuː/ *v. pret.* de ***know***.

knife /naɪf/ (*s. pl.* ***knives*** /n'aɪvz/) faca, lâmina.

knight /naɪt/ *s.* cavaleiro.

knighthood /n'aɪthʊd/ *s.* título de cavaleiro.

knit /nɪt/ *v.* (*pret.* e *p.p.* ***knit*** ou ***knitted***) tricotar. → Irregular Verbs

knitting /n'ɪtɪŋ/ *s.* tricô; malha. → Leisure

knitwear /n'ɪtwer/ *s.* malha ou roupa de lã.

knob /nɑb/ *s.* botão, puxador, maçaneta; calombo, protuberância.

knock /nɑk/ *s.* pancada, golpe, batida. • *v.* bater em, dar pancadas em; derrubar. ♦ **a knock at the door** uma batida na porta. **knock against somebody** esbarrar em alguém. **knock down** derrubar, bater.

knot /nɑt/ *s.* nó, laço. • *v.* amarrar; fazer um nó.

know /noʊ/ *v.* (*pret.* ***knew***, *p.p.* ***known***) saber, conhecer, entender. ♦ **know better** saber das coisas. **know by chance** saber por acaso. **know by heart** saber de cor. **know by sight** conhecer de vista. **let me know** avise-me. **not that I know** não que eu saiba. **know-how** conhecimento, experiência técnica. **well-known** famoso, muito conhecido. **world-known** conhecido mundialmente. **you know** veja bem; você sabe. **you never know** nunca se sabe. → Irregular Verbs

knowledge /n'ɑlɪdʒ/ *s.* conhecimento, sabedoria. ♦ **knowledge base** base de conhecimento, banco de dados.

known /noʊn/ *v. p.p.* de ***know***.

knuckle /n'ʌkl/ *s.* articulação do dedo, saliência do dedo. → Human Body

KO /keɪ'oʊ/ (*abrev.* de *knockout*) nocaute. → Abbreviations

koala /koʊ'ɑlə/ (*tb.* ***koala bear***) *s.* coala. → Animal Kingdom

L, l /el/ *s.* décima segunda letra do alfabeto inglês.

LA /el'eɪ/ (*abrev.* de *Los Angeles*). → Abbreviations

lab /læb/ *s.* laboratório: They are doing some experiments in the science *lab*.

label /l'eɪbəl/ *s.* rótulo, etiqueta. • *v.* rotular, etiquetar.

labor /l'eɪbər/ (*Brit.* **labour**) *s.* labor, trabalho, exercício; mão de obra. ♦ **be in labor** estar em trabalho de parto.

laboratory /l'æbrətɔːri/ *s.* laboratório.

laborious /ləb'ɔːriəs/ *adj.* laborioso, penoso.

labyrinth /l'æbərɪnθ/ *s.* labirinto.

lace /leɪs/ *s.* cordão, cadarço; renda. • *v.* atar, amarrar.

lack /læk/ *s.* falta. • *v.* faltar, carecer de.

lacking /l'ækɪŋ/ *adj.* desprovido de; deficiente em.

laconic /lək'ɑnɪk/ *adj.* lacônico. ▪ *sin.* brief.

lacquer /l'ækər/ *s.* laca; verniz; laquê. • *v.* envernizar; laquear.

lacrosse /ləkr'ɑːs/ *s.* lacrosse. → Sports

lacy /l'eɪsi/ *adj.* rendado.

lad /læd/ (*Brit.*) *s.* rapaz, jovem.

ladder /l'ædər/ *s.* escada.

laden /l'eɪdən/ *adj.* carregado; onerado.

ladies' room *s.* banheiro feminino.

lady /l'eɪdi/ (*s. pl.* **ladies**) *s.* senhora, dama.

ladybug /l'eɪdibʌg/ *s.* joaninha. → Animal Kingdom

ladylike /l'eɪdilaɪk/ *adj.* refinada, elegante; bem-educada.

lag /læg/ *v.* ficar para trás; atrasar-se; prender, encarcerar. • *s.* atraso, demora; defasagem. ▪ *sin.* delay.

lager /l'ɑgər/ *s.* cerveja leve.

lagoon /ləg'uːn/ *s.* lagoa.

laid /leɪd/ *v. pret.* e *p.p.* de **lay**.

lain /leɪn/ *v. p.p.* de **lie**.

lair /ler/ *s.* toca, cova, covil.

lake /leɪk/ *s.* lago.

lamb /læm/ *s.* cordeiro. → Animal Kingdom

lame /leɪm/ *v.* coxear, mancar. • *adj.* coxo, manco; fraco; inapto; chato. ♦ **a lame excuse** uma desculpa esfarrapada.

lament /ləm'ent/ *s.* lamento, queixa; choro. • *v.* lamentar, lastimar.

laminate /l'æmɪneɪt/ *s.* material plástico laminado. • *v.* laminar.

lamination /læmɪn'eɪʃən/ *s.* laminação.

lamp /læmp/ *s.* lâmpada; luminária. ♦ **gas lamp** lâmpada a gás. **hurricane lamp** candeeiro, lampião. **incandescent lamp** lâmpada incandescente. **oil lamp** lâmpada a óleo.

lamppost /l'æmppoʊst/ *s.* poste de luz.

lampshade /l'æmpʃeɪd/ *s.* cúpula do abajur.

LAN /læn/ (*abrev.* de *Local Area Network*) rede de área local. → Abbreviations

land /lænd/ *s.* terra; país, nação; solo, terreno. • *v.* desembarcar; ancorar; aterrissar; pousar. ▪ *sin.* country. ♦ **see how the land lies** sondar o terreno.

land mine *s.* mina terrestre (explosivo).

landing /l'ændɪŋ/ *s.* desembarque; aterrissagem; plataforma. ♦ **landing stage** plataforma de desembarque.

landlady /l'ændleɪdi/ *s.* senhoria.

landlord /l'ændlɔːrd/ *s.* senhorio.

landmark /l'ændmɑrk/ *s.* ponto de referência, marco; limite, divisa.

landowner /l'ændoʊnər/ *s.* proprietário de terras.

landscape /l'ændskeɪp/ *s.* paisagem. ▪ *sin.* view. ♦ **landscape gardening** paisagismo.

landslide /l'ændslaɪd/ *s.* deslizamento de terra.

lane /leɪn/ *s.* travessa, beco, viela; pista; caminho; faixa.

language /l'æŋgwɪdʒ/ *s.* língua, idioma; linguagem.

lantern /l'æntərn/ *s.* lanterna, farol.

lap /læp/ *s.* colo; volta completa em uma pista de corrida ou de atletismo. • *v.* enrolar, dobrar; lamber, beber. ♦ **be in the lap of the gods** estar nas mãos de Deus. **the last lap** o começo do fim.

lapel /ləp'el/ *s.* lapela.

lapse /læps/ *s.* lapso; intervalo, espaço de tempo; descuido, deslize; desvio. • *v.* decorrer, passar; errar; decair; caducar, prescrever.

laptop /l'æptɑp/ *s.* computador portátil, *notebook*.

lard /lɑːrd/ *s.* toucinho, banha.

larder /l'ɑːrdər/ (*Brit.*) *s.* despensa.

large /lɑːrdʒ/ *adj.* grande; abundante; amplo. ♦ **at large** em geral; à solta. **largely** em grande parte. → Deceptive Cognates

lark /lɑːrk/ *s.* cotovia; brincadeira. ♦ **lark about** ou **lark around** brincar. → Animal Kingdom

larynx /l'ærɪŋks/ (*s. pl.* **larynges** ou **larynxes**) *s.* laringe. → Human Body

laser /l'eɪzər/ (*abrev.* de *Light Amplification by Stimulated Emission of Radiation*) *s.* raio *laser*. ♦ **laser printer** impressora a *laser*. → Abbreviations

lash /læʃ/ *s.* chicote; chicotada; surra; cílio; sátira, sarcasmo. • *v.* amarrar; chicotear; surrar, bater; criticar.

lass /læs/ *s.* garota.

last /læst/ *s.* último; fim, final. • *v.* durar. • *adj.* último, derradeiro, final, por último. ♦ **at last** finalmente. **He breathed his last.** Ele morreu. **last name** ou **surname** sobrenome. **the Last Supper** A Última Ceia (Santa Ceia). **the last but one** o penúltimo. **the last straw** a gota--d'água, a última gota, o limite. **the last word** a última palavra. **till the last** ou **to the last** até o fim. **lasting** durável. **lastingness** durabilidade. **lastly** enfim.

latch /lætʃ/ *s.* trinco, ferrolho. • *v.* trancar.

late /leɪt/ *adj.* tardio, atrasado, demorado; último, recente; falecido. • *adv.* tarde; até tarde; no fim. ♦ **Better late than never.** Antes tarde do que nunca. **get late** ficar tarde. **her late husband** seu falecido marido. **in the late 90s** no final da década de 1990. **latecomer** retardatário. **lateness** atraso. **later on** mais tarde. **See you later!** ou **See you!** Até logo! **sooner or later** mais cedo ou mais tarde.

lately /l'eɪtli/ *adv.* ultimamente.

latent /l'eɪtənt/ *adj.* oculto, latente.

lather /l'æðər/ *s.* espuma de sabão. • *v.* espumar.

Latin /l'ætən/ *s.* latim. • *adj.* latino.

latitude /l'ætɪtuːd/ *s.* latitude.

latter /l'ætər/ *adj.* último; citado por último. ▪ *ant.* former.

laudable /l'ɔːdəbəl/ *adj.* louvável. ▪ *sin.* praiseworthy.

laugh /læf/ *v.* rir, gargalhar. • *s.* risada. ♦ **He who laughs last laughs best.** Quem ri por último ri melhor. **laugh at somebody** rir de alguém. **laughable** ridículo, risível. **laughing gas** gás hilariante.

laughter /l'æftər/ *s.* risada.

launch /lɔːntʃ/ *s.* lancha a motor; lançamento. • *v.* lançar. ♦ **launching** lançamento. **launching pad** plataforma de lançamento.

launder /l'ɔːndər/ *v.* lavar e passar (roupa).

laundry /l'ɔːndri/ *s.* lavanderia; roupa lavada ou para lavar.

lava /l'ɑvə/ *s.* lava.

lavatory /l'ævətɔːri/ *s.* lavatório, banheiro.

lavender /l'ævəndər/ *s.* ou *adj.* lavanda, alfazema.

lavish /l'ævɪʃ/ *adj.* pródigo; abundante, generoso. • *v.* esbanjar.

law /lɔː/ *s.* lei; regulamento; estatuto; jurisprudência; tribunal; Direito. ♦ **law court** ou **court of law** tribunal de justiça. **law-abiding** obediente à lei. **lawbreaker** transgressor. **lawful** legal, lícito. **lawfully** legalmente. **lawless** ilegal; sem lei. **lawlessly** ilegalmente. **lawsuit** processo judicial. **outlaw** fora da lei.

lawn /lɔːn/ *s.* gramado.

lawyer /l'ɔːjər/ *s.* advogado. → Professions

lax /læks/ *adj.* frouxo; permissivo, descuidado. ▪ *sin.* loose. ▪ *ant.* tight.

laxative /l'æksətɪv/ *s.* ou *adj.* laxante.

lay /leɪ/ *v. pret.* de ***lie***.

lay /leɪ/ *s.* situação, posição; balada, canção. • *adj.* leigo; não profissional. • *v.* (*pret.* e *p.p.* ***laid***) apresentar; apostar; deitar; pôr, colocar; cobrir, tapar. ♦ **lay an ambush** preparar uma armadilha. **lay aside** pôr de lado. **lay bricks** assentar tijolos. **lay eggs** botar ovos. **lay fire** pôr fogo. **lay $500 on a horse** apostar 500 dólares num cavalo. **lay heads together** deliberar. **lay off** demitir. **lay plans** fazer planos. **lay the blame on somebody** colocar a culpa em alguém. **lay the table** pôr a mesa. **layabout** vagabundo. → Irregular Verbs

layer /l'eɪər/ *s.* camada.

layman /l'eɪmən/ *s.* leigo. ▪ *ant.* expert.

layoff /l'eiɔːf/ *s.* demissão.

layout /l'eɪaʊt/ *s.* disposição, plano, projeto, esquema.

laziness /l'eɪzinəs/ *s.* preguiça.

lazy /l'eɪzi/ *adj.* preguiçoso. ▪ *sin.* idle, indolent.

lead /led/ *s.* chumbo.

lead /liːd/ *s.* precedência; liderança, comando; cabo ou fio condutor. • *v.* (*pret.* e *p.p.* ***led***) conduzir, comandar, liderar; persuadir, induzir. → Irregular Verbs

leader /l'iːdər/ *s.* guia; chefe, líder; comandante.

leadership /l'iːdərʃɪp/ *s.* chefia; liderança.

leading /l'iːdɪŋ/ *adj.* principal: This is the *leading* car of the parade.

leaf /liːf/ (*s. pl.* ***leaves*** /liːvz/) *s.* folha (de planta).

leafless /l'iːfləs/ *adj.* desfolhado.

leaflet /l'iːflət/ *s.* folheto.

league /liːg/ *s.* liga, aliança; légua (1 légua = 4,8 km). • *v.* ligar-se, aliar-se. ▪ *sin.* alliance.

leak /liːk/ *s.* rombo, fenda; vazamento. • *v.* escoar; vazar. ♦ **take a leak** (*inf.*) urinar.

lean /liːn/ *v.* (*pret.* e *p.p.* ***leaned*** ou ***leant***) inclinar(-se); encostar(-se). • *adj.* magro. ▪ *sin.* thin. ▪ *ant.* fat, thick. → Irregular Verbs

leaning /l'iːnɪŋ/ *s.* inclinação. • *adj.* inclinado; propenso.

leap /liːp/ *s.* pulo, salto. • *v.* (*pret.* e *p.p.* **leaped** ou **leapt**) pular, saltar; lançar-se; arremessar-se. ♦ **leap year** ano bissexto. → Irregular Verbs

learn /lɜːrn/ *v.* (*pret.* e *p.p.* **learned** ou **learnt**) aprender, estudar, instruir(-se); ter conhecimento, ser informado. → Irregular Verbs

learned /l'ɜːrnɪd/ *adj.* instruído; erudito. • *v. pret.* e *p.p.* de **learn**. ▪ *ant.* stupid, ignorant.

learner /l'ɜːrnər/ *s.* discípulo, aprendiz.

learnt /lɜːrnt/ *v. pret.* e *p.p.* de **learn**.

lease /liːs/ *s.* arrendamento. • *v.* arrendar.

leash /liːʃ/ *s.* coleira, trela. • *v.* atar, atrelar; pôr coleira, controlar.

least /liːst/ *s.* a menor parcela, o mínimo. • *adj.* o menor, mínimo. • *adv.* o menos. ♦ **at least** pelo menos.

leather /l'eðər/ *s.* couro.

leave /liːv/ *s.* licença, permissão. • *v.* (*pret.* e *p.p.* **left**) sair, partir; deixar, abandonar. ♦ **be on leave** estar de licença. **Leave me alone!** Deixe-me em paz! **leave behind** ultrapassar, deixar para trás. **leave for** partir para. **Leave it to me.** Deixe comigo. **leave out** omitir. **maternity leave** licença-maternidade. → Irregular Verbs

leaven /l'evən/ *s.* levedura, fermento. • *v.* fermentar.

Lebanese /lebən'iːz/ *s.* ou *adj.* libanês. → Countries & Nationalities

Lebanon /l'ebənən/ *s.* Líbano. → Countries & Nationalities

lecture /l'ektʃər/ *s.* palestra, conferência; repreensão. • *v.* dar uma palestra; repreender. → Deceptive Cognates

lecturer /l'ektʃərər/ *s.* conferencista.

led /led/ *v. pret.* e *p.p.* de **lead**.

ledge /ledʒ/ *s.* cordilheira ou camada de pedras no mar; parapeito; saliência.

leek /liːk/ *s.* alho-poró. → Vegetables

left /left/ *s.* esquerda (*política*); lado esquerdo. • *v. pret.* e *p.p.* de **leave**. • *adj.* esquerdo. • *adv.* à esquerda. ♦ **left-handed** canhoto. **be left behind** ser deixado para trás. **There's nothing left.** Não sobrou nada.

left-wing /left wɪŋ/ *adj.* de esquerda (*política*).

leftover /l'eftoʊvər/ *s.* resto(s), sobra(s).

leg /leg/ *s.* perna. ♦ **a wooden leg** uma perna de pau. **Get on your legs!** Levante-se! **He stands on his own legs.** Ele é independente. → Human Body

legacy /l'egəsi/ *s.* legado, herança.

legal /l'iːgəl/ *adj.* legal; lícito. ▪ *ant.* illegal, unlawful.

legality /liːg'æləti/ *s.* legalidade.

legalize /l'iːgəlaɪz/ (*Brit.* **legalise**) *v.* legalizar, legitimar.

legend /l'edʒənd/ *s.* lenda; fábula; inscrição, legenda.

legendary /l'edʒənderi/ *adj.* lendário, fabuloso. ▪ *sin.* fabulous, mythical.

leggings /l'egɪŋz/ *s.* calça *legging*. → Clothing

legible /l'edʒəbəl/ *adj.* legível.

legion /l'iːdʒən/ *s.* legião; multidão.

legislate /l'edʒɪsleɪt/ *v.* legislar, fazer leis.

legislation /ledʒɪsl'eɪʃən/ *s.* legislação.

legislator /l'edʒɪsleɪtər/ *s.* legislador.

legislature /l'edʒɪsleɪtʃər/ *s.* legislatura.

legitimacy /lɪdʒ'ɪtɪməsi/ *s.* legitimidade.

legitimate /lɪdʒ'ɪtɪmet/ *v.* legitimar. • *adj.* legítimo, autêntico, legal.

leisure /l'iːʒər/ *s.* lazer, ócio.

Scan this QR code to learn more about **leisure**. www.richmond.com.br/5lmleisure

leisurely /l'iːʒərli/ *adj.* vagaroso, sem pressa. • *adv.* tranquilamente.

lemon /l'emən/ *s.* limão-siciliano. → Fruit

lemonade /lemən'eɪd/ *s.* limonada.

lend /lend/ *v.* (*pret.* e *p.p.* **lent**) emprestar (algo a alguém). → Irregular Verbs

length /leŋθ/ *s.* comprimento, extensão; duração. → Numbers

lengthen /l'eŋθən/ *v.* encompridar, alongar.

lengthways /l'əŋθweɪz/ *adv.* longitudinalmente. ▪ *sin.* lengthwise.

lengthy /l'eŋθi/ *adj.* prolongado, comprido. ▪ *ant.* short.

lenient /l'iːniənt/ *adj.* suave, doce, brando.

lens /lenz/ (*s. pl.* **lenses** /l'ensɪs/) *s.* lente.

lent /lent/ *v. pret.* e *p.p.* de **lend**.

lentil /l'entəl/ *s.* lentilha. → Vegetables

leopard /l'epərd/ *s.* leopardo. → Animal Kingdom

leper /l'epər/ *s.* leproso, hanseniano.

leprosy /l'eprəsi/ *s.* lepra.

lesbian /l'ezbiən/ *s.* lésbica.

lesion /l'iːʒən/ *s.* lesão.

less /les/ *s.* ou *adj.* menos; menor; inferior. • *adv.* menos.

lessen /l'esən/ *v.* diminuir, reduzir.

lesser /l'esər/ *adj.* menos, menor, inferior.

lesson /l'esən/ *s.* lição; aula.

lest /lest/ *conj.* a fim de que não; com receio de que.

let /let/ *v.* (*pret.* e *p.p.* **let**) permitir, deixar. ♦ **let down** decepcionar. **let fall** deixar cair. **Let him in.** Deixe-o entrar. **Let it be.** Deixe como está. **let loose** soltar, largar. **Let me know!** Avise-me! **Let's see.** Vamos ver. **let out** deixar sair. **Let us go!/ Let's go!** Vamos embora! **letdown** decepção. → Irregular Verbs

let's /lets/ forma contraída de *let us*.

lethal /l'iːθəl/ *adj.* letal, mortal.

lethargy /l'eθərdʒi/ *s.* letargia, apatia, torpor.

letter /l'etər/ *s.* letra; carta. ♦ **capital letter** letra maiúscula. **letterbox** (*Brit.*) ou **mailbox** (*Am.*) caixa de correspondência, caixa de correio. **to the letter** ao pé da letra.

lettuce /l'etɪs/ *s.* alface. → Vegetables

leukemia /luːk'iːmiə/ *s.* leucemia.

level /l'evəl/ *s.* nível. • *v.* nivelar; igualar.

lever /l'evər/ *s.* alavanca. • *v.* mover com alavanca.

leverage /l'evərɪdʒ/ *s.* poder de barganha.

levitate /l'evɪteɪt/ *v.* levitar.

levy /l'evi/ *s.* taxação, arrecadação; recrutamento de soldados. • *v.* arrecadar; recrutar soldados; taxar, cobrar impostos.

lexicon /l'eksɪkɑn/ *s.* léxico, vocabulário.

liability /laɪəb'ɪləti/ *s.* responsabilidade legal, obrigação.

liable /l'aɪəbəl/ *adj.* responsável; sujeito a, passível de, suscetível a.

liaison /li'eɪzɑːn, l'iəzɑːn/ *s.* ligação, contato.

liar /l'aɪər/ *s.* mentiroso.

libel /l'aɪbəl/ *s.* calúnia, difamação. • *v.* caluniar, difamar.

liberality /lɪbər'æləti/ *s.* liberalidade, generosidade.

liberate /l'ɪbəreɪt/ *v.* liberar, libertar.

libertine /l'ɪbərtiːn/ *s.* libertino, devasso.

liberty /l'ɪbərti/ *s.* liberdade; licença, permissão.

librarian /laɪbr'eriən/ *s.* bibliotecário.

library /l'aɪbreri/ *s.* biblioteca. → Deceptive Cognates

license /l'aɪsəns/ *s.* licença. ♦ **driver's license** carteira de motorista. **license plate** placa (de carro).

licit /l'ɪsɪt/ *adj.* lícito, permitido. ▪ *ant.* illicit, illegal.

lick /lɪk/ *s.* lambida. • *v.* lamber.

lid /lɪd/ *s.* tampa; pálpebra. → Human Body

lie /laɪ/ *s.* mentira; falsidade. • *v.* (*pret.* **lay**, *p.p.* **lain**) mentir; jazer; deitar-se. ➔ Irregular Verbs

lieutenant /luːt'enənt/ *s.* tenente.

life /laɪf/ (*s. pl.* **lives** /laɪvz/) *s.* vida, existência. ♦ **bring to life** reavivar. **come to life** animar-se. **for life** para a vida toda. **life cycle** ciclo de vida. **life expectancy** expectativa de vida. **life and death** de vida ou morte. **life annuity** pensão vitalícia, renda vitalícia. **lifeboat** bote salva-vidas. **lifeguard** salva-vidas. **life insurance** seguro de vida. **life jacket** colete salva-vidas. **lifebuoy** ou **life belt** boia de salvamento. **lifeless** morto; sem vitalidade. **lifelong** vitalício.

lifetime /l'aɪftaɪm/ *s.* vida, existência.

LIFO /l'aɪfoʊ/ (*abrev.* de *Last-in, first-out*) o que entra por último sai primeiro (*informática*). ➔ Abbreviations

lift /lɪft/ *s.* elevador (*Brit.*); estímulo; carona. • *v.* erguer, suspender, içar.

light /laɪt/ *s.* luz. • *v.* (*pret.* e *p.p.* **lighted** ou **lit**) iluminar, acender; inflamar; clarear. • *adj.* brilhante, claro, luminoso; leve. ♦ **a light meal** uma refeição leve. **shed light on something** esclarecer alguma coisa. **bring to light** trazer à tona. **come to light** tornar-se conhecido. **light bulb** lâmpada. **light pen** caneta óptica. **lightweight** peso leve. **set light to** pôr fogo em. **travel light** viajar com pouca bagagem. **light-headed** tonto, com tontura. **light-hearted** despreocupado. **light-legged** ligeiro. **light-year** ano-luz. **lighthouse** farol. **lighting** iluminação. **lighter** isqueiro. **lightless** escuro. **lightly** levemente; ligeiramente. **light meter** medidor de luminosidade. **lightness** claridade, luminosidade. **lightning** relâmpago, raio. **lightning rod** para-raios. **lightning bug** ou **firefly** vaga-lume. ➔ Irregular Verbs ➔ Weather

lighten /l'aɪtən/ *v.* iluminar, clarear; tornar mais leve.

like /laɪk/ *v.* gostar de. • *adj.* semelhante; equivalente. • *adv.* tal como, do mesmo modo que. ♦ **As you like.** Como você quiser. **Don't talk like that!** Não fale desse jeito! **feel like** ter vontade de. **Have you ever heard the like of it?** Você já ouviu algo igual? **look like** parecer-se com. **Not likely!** Improvável! **likeable** agradável, amável. **likelihood** probabilidade. **likeness** semelhança. **likes and dislikes** preferências. **likewise** da mesma forma, igualmente. **liking** gosto, preferência.

likely /l'aɪkli/ *adj.* provável: He is a *likely* candidate for the presidency. • *adv.* provavelmente: We will very *likely* be late.

liken /l'aɪkən/ *v.* comparar.

lilac /l'aɪlək/ *s.* lilás.

lily /l'ɪli/ (*s. pl.* **lilies**) *s.* lírio.

limb /lɪm/ *s.* membro (braço, perna). ➔ Human Body

lime /laɪm/ *s.* cal; limão-taiti. ➔ Fruit

limelight /l'aɪmlaɪt/ *s.* publicidade, evidência, notoriedade; ribalta.

limestone /l'aɪmstoun/ *s.* pedra calcária.

limit /l'ɪmɪt/ *s.* limite, marco. • *v.* limitar, restringir; demarcar.

limitation /lɪmɪt'eɪʃən/ *s.* limitação, restrição; demarcação.

limited /l'ɪmɪtɪd/ *adj.* limitado: Our resources are *limited* at this moment.

limousine /l'ɪməziːn, lɪməz'iːn/ *s.* limusine. ➔ Means of Transportation

limp /lɪmp/ *s.* claudicação, coxeadura. • *v.* mancar. • *adj.* flácido; frouxo.

line /laɪn/ *s.* linha; corda; fio; fila, fileira; alinhamento; caminho; bilhete; fibra; ruga. *pl.* **lines** falas (teatro, cinema, TV). • *v.* riscar, alinhar(-se); encapar, revestir, cobrir. ♦ **know the lines by heart** saber o texto de cor.

lineage /l'ɪniɪdʒ/ *s.* linhagem, estirpe.

linen /l'ɪnɪn/ *s.* linho; roupa branca. ♦ **Wash your dirty linen at home.** Roupa suja se lava em casa.

liner /l'aɪnər/ *s.* navio de cruzeiro. ➔ Means of Transportation

linger /l'ɪŋgər/ *v.* ficar para trás, atrasar-se, tardar; protelar; persistir, permanecer. ▪ *sin.* remain, endure.

linguist /l'ɪŋgwɪst/ *s.* linguista.

linguistics /lɪŋgw'ɪstɪks/ *s.* linguística.

lining /l'aɪnɪŋ/ *s.* forro, revestimento.

link /lɪŋk/ *s.* argola; elo; conexão; ligação; *link (informática).* • *v.* encadear, unir.

lion /l'aɪən/ *s.* leão. *fem.* ***lioness***. ➔ Animal Kingdom

lip /lɪp/ *s.* lábio. ♦ **lip-read** ler os lábios. ➔ Human Body

lipstick /l'ɪpstɪk/ *s.* batom.

liquefy /l'ɪkwɪfaɪ/ (*tb.* ***liquify***) *v.* liquefazer; dissolver.

liquid /l'ɪkwɪd/ *s.* ou *adj.* líquido: Water can occur in *liquid*, solid or gaseous states.

liquor /l'ɪkər/ *s.* bebida alcoólica.

list /lɪst/ *s.* lista, catálogo. • *v.* registrar; enumerar; listar.

listen /l'ɪsən/ *v.* escutar.

listener /l'ɪsənər/ *s.* ouvinte.

lit /lɪt/ *v. p.p.* de ***light***.

liter /l'iːtər/ (*Brit.* ***litre***) *s.* litro: I drink a *liter* of milk a day. ➔ Numbers

literal /l'ɪtərəl/ *adj.* literal.

literary /l'ɪtəreri/ *adj.* literário.

literate /l'ɪtərət/ *adj.* instruído; alfabetizado. ▪ *ant.* illiterate.

literature /l'ɪtrətʃər, l'ɪtrətʃʊr/ *s.* literatura.

Lithuania /lɪθu'eɪniə/ *s.* Lituânia. ➔ Countries & Nationalities

Lithuanian /lɪθu'eɪniən/ *s.* ou adj. lituano. ➔ Countries & Nationalities

litigant /l'ɪtɪgənt/ *s.* ou *adj.* litigante.

litigation /lɪtɪg'eɪʃən/ *s.* litígio, processo judicial.

litter /l'ɪtər/ *s.* lixo; ninhada. • *v.* dar à luz uma ninhada.

little /l'ɪtəl/ *adj.* pequeno. • *adv.* pouco. ▪ *sin.* small. ▪ *ant.* huge, big, enormous. ♦ **little finger** dedo mínimo, dedo mindinho. ➔ Human Body

live /laɪv/ *adj.* vivo; ao vivo; em atividade. ♦ **live show** *show* ao vivo. **liveliness** vivacidade, ânimo. **lively** animado; animadamente.

live /lɪv/ *v.* viver, morar. ♦ **living room** sala de estar. **make a living** ganhar a vida.

livelihood /l'aɪvlihʊd/ *s.* subsistência.

liver /l'ɪvər/ *s.* fígado. ➔ Human Body

livestock /l'aɪvstɑk/ *s.* criação; conjunto de animais de uma fazenda.

living /l'ɪvɪŋ/ *s.* sustento; existência; estilo de vida: Having friends is important for a better way of *living*. • *adj.* vivo: Latin is not a *living* language anymore.

lizard /l'ɪzərd/ *s.* lagarto. ➔ Animal Kingdom

llama /l'ɑmə/ *s.* lhama. ➔ Animal Kingdom

load /loʊd/ *s.* carga; peso; opressão. • *v.* carregar.

loaf /loʊf/ (*s. pl.* ***loaves*** /loʊvz/) *s.* pão. • *v.* vagabundear.

loan /loʊn/ *s.* empréstimo. • *v.* emprestar.

loathe /loʊð/ *v.* detestar. ▪ *sin.* hate. ▪ *ant.* love.

loathsome /l'oʊðsəm/ *adj.* repugnante, abominável.

lobby /l'ɑbi/ *s.* vestíbulo, saguão; grupo de pressão ou interesse. • *v.* pressionar, fazer *lobby*.

lobe /loʊb/ *s.* lóbulo. ➔ Human Body

lobster /l'ɑbstər/ *s.* lagosta.
→ Animal Kingdom

Waiter, I believe something is wrong with this *lobster*.

local /l'oʊkəl/ *s.* habitante local. • *adj.* local, da região.

locality /loʊk'æləti/ *s.* localidade.

localize /l'oʊkəlaɪz/ (*Brit.* **localise**) *v.* localizar.

locally /l'oʊkəli/ *adv.* localmente, no local: The rain caused damages *locally*.

locate /l'oʊkeɪt/ *v.* colocar ou situar em determinado local; fixar residência.

location /loʊk'eɪʃən/ *s.* local; locação.

lock /lɑk/ *s.* fechadura; cadeado. *pl.* **locks** cachos, mecha de cabelos. • *v.* trancar, travar.

locker /l'ɑkər/ *s.* gaveta; baú; armário; compartimento com chave.

lockjaw /l'u:kdʒɔ:/ *s.* tétano.

locksmith /l'ɑksmɪθ/ *s.* serralheiro. → Professions

locomotion /loʊkəm'oʊʃən/ *s.* locomoção.

locomotive /loʊkəm'oʊtɪv/ *s.* locomotiva.

locust /l'oʊkəst/ *s.* gafanhoto. ▪ *sin.* grasshopper. → Animal Kingdom

locution /ləkj'u:ʃən/ *s.* locução.

lodge /lɑdʒ/ *s.* chalé; portaria, guarita. • *v.* alojar, abrigar; hospedar(-se); colocar.

lodger /l'ɑdʒər/ *s.* locatário, inquilino; hóspede.

lodging /l'ɑdʒɪŋ/ *s.* alojamento, aposento; quarto de aluguel; residência temporária.

loft /lɔ:ft/ *s.* sótão; apartamento sem divisórias.

log /lɔ:g/ *s.* tora; registro. ♦ **sleep like a log** dormir como uma pedra. **log in** ou **log on** acessar um sistema (*informática*). **log off** ou **log out** sair do sistema, encerrar (*informática*).

logger /l'ɔ:gər/ *s.* madeireiro, lenhador.

logic /l'ɑdʒɪk/ *s.* lógica; raciocínio; coerência.

logical /l'ɑdʒɪkəl/ *adj.* lógico; racional; coerente.

logistics /lədʒ'ɪstɪks/ *s.* logística.

logo /l'oʊgoʊ/ *s.* logotipo.

loin /lɔɪn/ *s.* lombo, quadril. ♦ **loincloth** tanga. → Human Body

LOL /el oʊ 'el/ (*abrev.* de *laughing out loud*) dando gargalhadas. → Abbreviations

lollipop /l'ɑlipɑp/ (*Brit.* **lollypop**) *s.* pirulito.

lone /loʊn/ *adj.* solitário, só; desabitado, ermo.

loneliness /l'oʊnlinəs/ *s.* solidão.

lonely /l'oʊnli/ *adj.* solitário, só; isolado.

lonesome /l'oʊnsəm/ *adj.* solitário, só.

long /lɔ:ŋ/ *adj.* longo, alongado; extenso. • *adv.* durante; por longo tempo; longamente. • *v.* ansiar por; ambicionar, almejar. ▪ *sin.* yearn. ♦ **as long as** enquanto; contanto que. **before long** sem demora. **Don't be long!** Volte logo! **How long?** Há quanto tempo? **in the long run** no longo prazo. **long before** bem antes de. **long for** ter saudade de; desejar. **long jump** ou **broad jump** salto em distância. **to make a long story short** encurtar uma história, em poucas palavras. **So long!** Até logo! **long-distance call** ligação/chamada interurbana. **long-tongued** tagarela. **long-winded** prolixo. **at the**

longest no mais tardar. **longevity** longevidade. **longing** desejo. **no longer** não mais. **She is not sleeping any longer.** Ela não está mais dormindo.

longitude /'lɑndʒətu:d/ *s.* longitude.

look /lʊk/ *s.* olhar, olhadela; expressão; aspecto. • *v.* parecer; olhar, contemplar; considerar; examinar. ♦ **Take a look at the picture.** Dê uma olhada na foto. **look ahead** considerar o futuro. **look forward to** esperar ansiosamente (por). **look like** parecer(-se) com. **Look out!** Cuidado! **Look up the word in the dictionary.** Procure a palavra no dicionário. **She doesn't look her age.** Ela não aparenta a idade que tem. **looker** observador. **by the looks** ao que parece. **bad looking** de má aparência. **good looking** de boa aparência. **I'm looking after my kids.** Estou tomando conta dos meus filhos. **I'm looking for my money.** Estou procurando meu dinheiro. **looking-glass** espelho.

lookout /'lʊkaʊt/ *s.* observação; observador; preocupação.

loom /lu:m/ *s.* vulto indistinto; tear. • *v.* aparecer gradualmente.

loop /lu:p/ *s.* laço, laçada; acrobacia aérea. • *v.* dar laços.

loose /lu:s/ *adj.* folgado, frouxo, solto.

loosely /'lu:sli/ *adv.* folgadamente, de modo solto: The clothes fit him *loosely*.

loosen /'lu:sən/ *v.* afrouxar, soltar.

loot /lu:t/ *s.* pilhagem, saque. • *v.* pilhar, saquear.

lord /lɔ:rd/ *s.* senhor, amo; soberano. • *v.* dominar. ▪ *sin.* God, Heavenly Father, the Almighty. ♦ **The Lord** Deus (Senhor).

lorry /'lɔ:ri/ (*Brit.*) *s.* caminhão.

lose /lu:z/ *v.* (*pret.* e *p.p.* **lost**) perder; desperdiçar. → Irregular Verbs

loser /'lu:zər/ *s.* perdedor.

loss /lɔ:s/ *s.* perda, dano, prejuízo.

lost /lɔ:st/ *v. pret.* e *p.p.* de ***lose***. ♦ **lost and found** achados e perdidos.

lot /lɑ:t/ *s.* sorte, destino; lote. • *pron.* muito. • *adv.* em grande parte. • *v.* lotear, dividir. ♦ **a lot of** ou **lots of** muitos.

lotion /'loʊʃən/ *s.* loção.

lottery /'lɑ:təri/ *s.* loteria.

loud /laʊd/ *adj.* alto, sonoro; barulhento. • *adv.* em voz alta. ▪ *sin.* noisy. ♦ **loudhailer** megafone. **loudspeaker** alto-falante.

lounge /laʊndʒ/ *s.* sala de estar. • *v.* vadiar; passar o tempo ociosamente; recostar-se.

louse /laʊs/ (*s. pl.* ***lice*** /laɪs/) *s.* piolho. → Animal Kingdom

lousy /'laʊzi/ *adj.* sujo, nojento; vulgar; ruim, de má qualidade.

love /lʌv/ *s.* amor, paixão, afeição. • *v.* amar, gostar de. ♦ **a lover of reading** um amante da leitura. **fall in love with** apaixonar-se por. **lovable** adorável. **love affair** caso de amor. **love song** canção de amor. **love story** história de amor. **love letter** carta de amor. **loveless** desamor. **lovely** encantador; amável, adorável; delicioso; amavelmente, adoravelmente. **lover** amante; apreciador, aficionado. **loving** amoroso. **make love** fazer amor (sexo).

I see you really *love* pasta.

low /loʊ/ *adj.* baixo; pequeno; inferior; profundo (som); barato; escasso. ♦ **a low-necked dress**

um vestido decotado. **be low on** estar com pouco, ter pouco. **low beam** farol baixo. **low frequency** baixa frequência. **low level** de baixo nível. **low pressure** pressão baixa. **low relief** ou **bas-relief** baixo-relevo. **low tide** maré baixa, vazante. **low-priced** barato. **low-spirited** deprimido. **low profile** discreto. **lower class** classe operária. **lower case** letra minúscula. **lower school** escola de Ensino Fundamental. **lowland** baixada. **lowness** baixaria, baixeza.

lowing /l'oʊɪŋ/ *s.* mugido.

loyal /l'ɔɪəl/ *adj.* leal.

loyalty /l'ɔɪəlti/ *s.* lealdade, fidelidade.

lozenge /l'ɑːzɪndʒ/ *s.* losango; pastilha para a garganta.

LSD /elesd'iː/ (*abrev.* de *Lysergic Acid Diethylamide*) ácido lisérgico. → Abbreviations

Ltd. (*abrev.* de *limited*) limitado. → Abbreviations

lubricate /l'uːbrɪkeɪt/ *v.* lubrificar.

lucid /l'uːsɪd/ *adj.* lúcido; claro, coerente.

luck /lʌk/ *s.* acaso; sorte, felicidade. ♦ **Good luck!** Boa sorte! **bad luck** azar.

luckless /l'ʌkləs/ *adj.* desafortunado, azarado.

lucky /l'ʌki/ *adj.* feliz, sortudo. ▪ *sin.* fortunate.

lucrative /l'uːkrətɪv/ *adj.* lucrativo, rentável.

luge /luːʒ, luːdʒ/ *s. luge.* → Sports

luggage /l'ʌgɪdʒ/ *s.* bagagem.

lukewarm /luːkw'ɔːrm/ *adj.* morno, tépido; sem entusiasmo.

lull /lʌl/ *s.* calmaria, bonança. • *v.* embalar; acalmar.

lullaby /l'ʌləbaɪ/ *s.* canção de ninar.

lumbar region *s.* região lombar. → Human Body

lumber /l'ʌmbər/ *s.* madeira serrada. • *v.* acumular desordenadamente, atravancar.

lumbering /l'ʌmbərɪŋ/ *adj.* pesado, desajeitado.

luminous /l'uːmɪnəs/ *adj.* luminoso, brilhante, reluzente.

lump /lʌmp/ *s.* inchaço, protuberância; torrão; caroço. • *v.* amontoar.

lumpy /l'ʌmpi/ *adj.* encaroçado.

lunacy /l'uːnəsi/ *s.* demência, loucura.

lunatic /l'uːnətɪk/ *s.* ou *adj.* louco; lunático.

lunch /lʌntʃ/ *s.* almoço. • *v.* almoçar. ♦ **lunchtime** hora do almoço. → Deceptive Cognates

lung /lʌŋ/ *s.* pulmão. → Human Body

lunge /lʌndʒ/ *s.* investida, estocada, bote. • *v.* investir contra, dar uma estocada, dar um bote.

lurch /lɜːrtʃ/ *s.* solavanco. • *v.* cambalear. ♦ **leave someone in the lurch** abandonar alguém, deixar alguém na mão.

lure /lʊr/ *s.* isca, chamariz. • *v.* atrair, seduzir, fascinar.

lurk /lɜːrk/ *v.* espreitar.

luscious /l'ʌʃəs/ *adj.* delicioso, saboroso; suculento; açucarado, melado, adocicado.

lush /lʌʃ/ *adj.* viçoso, exuberante.

lust /lʌst/ *s.* luxúria, lascívia.

luster /l'ʌstər/ (*Brit.* **lustre**) *s.* brilho suave. ▪ *sin.* gloss.

lusty /l'ʌsti/ *adj.* robusto, vigoroso. ▪ *sin.* vigorous.

lute /luːt/ *s.* alaúde. → Musical Instruments

luxuriant /lʌgʒ'ʊriənt/ *adj.* luxuriante, exuberante.

luxurious /lʌgʒ'ʊriəs/ *adj.* luxuoso, suntuoso; exuberante.

luxury /l'ʌkʃəri/ *s.* luxo.

lying /l'aɪɪŋ/ *adj.* mentiroso, falso.

lynch /lɪntʃ/ *v.* linchar.

lynx /lɪŋks/ (*s. pl.* **lynx** ou **lynxes**) *s.* lince. → Animal Kingdom

lyric /l'ɪrɪk/ *s.* poema lírico. *pl.* **lyrics** letra de música. • *adj.* lírico.

M, m /em/ *s.* décima terceira letra do alfabeto inglês.

macabre /məkˈɑbrə/ *adj.* macabro.

machine /məʃˈiːn/ *s.* máquina, mecanismo.

machine-gun /məʃˈiːngʌn/ *s.* metralhadora.

machinery /məʃˈiːnəri/ *s.* maquinaria.

mackintosh /mˈækɪntɑʃ/ (*tb.* ***mac*** ou ***mack***) *s.* sobretudo impermeável (*Brit.*).

mad /mæd/ *adj.* louco, doido; enraivecido. ▪ *sin.* crazy, insane, nuts.

madam /mˈædəm/ *s.* senhora.

madden /mˈædən/ *v.* enlouquecer; irritar.

made /meɪd/ *adj.* feito, fabricado. • *v. pret.* e *p.p.* de ***make***.

madman /mˈædmən/ *s.* louco, maluco.

madness /mˈædnəs/ *s.* loucura, demência; fúria. ▪ *sin.* fury, rage.

magazine /mˈægəziːn/ *s.* revista.

maggot /mˈægət/ *s.* larva.

magic /mˈædʒɪk/ *s.* magia, feitiçaria. • *adj.* mágico.

magician /mədʒˈɪʃən/ *s.* mágico, feiticeiro.

magistrate /mˈædʒɪstreɪt/ *s.* juiz, juíza, magistrado.

magnanimous /mægnˈænɪməs/ *adj.* magnânimo, generoso.

magnet /mˈægnət/ *s.* magneto, ímã.

magnetic /mægnˈetɪk/ *adj.* magnético; atraente.

magnificent /mægnˈɪfɪsənt/ *adj.* magnífico, grandioso. ▪ *sin.* superb.

magnify /mˈægnɪfaɪ/ *v.* ampliar; exaltar. ♦ **magnifying glass** lente de aumento.

magnitude /mˈægnɪtuːd/ *s.* magnitude.

mahogany /məhˈɑgəni/ *s.* mogno.

maid /meɪd/ *s.* empregada doméstica. → Professions

maiden /mˈeɪdən/ *s.* donzela, virgem. ▪ *sin.* virgin. ♦ **maiden name** nome de solteira.

mail /meɪl/ *s.* correspondência, correio. • *v.* postar, expedir pelo correio, enviar, remeter. ▪ *sin.* post.

mailbag /mˈeɪlbæg/ *s.* mala postal.

mailbox /mˈeɪlbɑks/ *s.* caixa de correio.

mailing list /mˈeɪlɪŋ lɪst/ *s.* lista de mala direta; lista de discussão.

mailman /mˈeɪlmæn/ (*Brit.* ***postman***) (*s. pl.* ***mailmen***) *s.* carteiro. → Professions

mail merge /mˈeɪl mɜːrdʒ/ *s.* processamento de mala direta.

mail order *s.* venda via correio.

main /meɪn/ *adj.* principal, essencial. ▪ *sin.* chief. ▪ *ant.* secondary.

mainframe /mˈeɪnfreɪm/ *s.* computador central.

mainland /mˈeɪnlænd/ *s.* terra firme; continente.

main line *s.* linha principal (ferrovia ou metrô).

mainly /mˈeɪnli/ *adv.* principalmente, sobretudo.

mainstream /m'eɪnstriːm/ *s.* corrente principal, tendência predominante.

maintain /meɪnt'eɪn/ *v.* manter; preservar; suportar, sustentar; afirmar, declarar. ▪ *sin.* assert, hold, sustain.

maintenance /m'eɪntənəns/ *s.* manutenção; pensão.

maize /meɪz/ *s.* milho. ▪ *sin.* corn.

majestic /mədʒ'estɪk/ *adj.* majestoso, grandioso.

majesty /m'ædʒəsti/ *s.* majestade.

major /m'eɪdʒər/ *s.* major; disciplina ou curso principal na universidade: His *major* is French. • *adj.* maior, principal. ▪ *ant.* minor.

majority /mədʒ'ɔːrəti/ *s.* maioria; maioridade. ▪ *ant.* minority.

make /meɪk/ *s.* marca; feitio, forma; fabricação. • *v.* (*pret.* e *p.p.* ***made***) fazer, fabricar, construir; criar, elaborar; compor; causar, motivar; conseguir; executar, desempenhar; resultar, totalizar, somar; nomear, promover; ganhar. ♦ **make a bid** fazer um lance (leilão). **make a call** dar um telefonema. **make a deal** fechar um negócio. **make a face** fazer uma careta. **make amends for** indenizar; compensar. **make a mistake** cometer um erro. **make allowances for** dar um desconto, ser tolerante; fazer concessão. **make an excuse** dar uma desculpa. **make a promise** fazer uma promessa. **make a repair** fazer um conserto. **make a will** fazer um testamento. **make believe** fingir, fazer de conta. **make difficulties** criar dificuldades. **make efforts** esforçar-se. **make friends** fazer amigos. **make fun of** zombar de. **make money** enriquecer. **make noise** fazer barulho. **make off** fugir. **make peace** fazer as pazes. **make progress** progredir. **make sense** fazer sentido. **make someone's acquaintance** conhecer alguém pela primeira vez. **make sure** certificar-se. **make the bed** arrumar a cama. **make the best of** aproveitar ao máximo (mesmo em uma situação ruim). **Make up your mind!** Decida-se! **make way** abrir caminho. **Make yourself at home!** Sinta-se à vontade! **two and two make four** dois e dois são quatro. **Maker** Criador. **maker** fabricante. → Irregular Verbs

makeshift /m'eɪkʃɪft/ *s.* expediente. • *adj.* temporário, provisório.

makeup /m'eɪkʌp/ (*tb.* ***make-up***) *s.* composição: Pharmacy studies the *makeup* of the medicine.; maquiagem: She is wearing a lot of *makeup*.; caráter, temperamento: Some doctors study the psychological *makeup* of criminals.

making /m'eɪkɪŋ/ *s.* fabricação. *pl.* ***makings*** lucros, ganhos. ♦ **making of** construção; elaboração, produção.

male /meɪl/ *s.* macho; homem. • *adj.* masculino.

malevolence /məl'evələns/ *s.* malevolência; má vontade.

malfunction /mælf'ʌŋkʃən/ *s.* defeito, problema.

malice /m'ælɪs/ *s.* malícia; maldade.

malicious /məl'ɪʃəs/ *adj.* malicioso; mal-intencionado.

malign /məl'aɪn/ *v.* difamar, caluniar. • *adj.* maligno; nocivo.

malignant /məl'ɪgnənt/ *adj.* maligno.

malinger /məl'ɪŋgər/ *v.* fingir-se de doente.

mall /mɔːl/ *s.* centro comercial, *shopping center*.

malnutrition /mælnuːtr'ɪʃən/ *s.* desnutrição.

malt /mɔːlt/ *s.* malte.

maltreat /mæltr'iːt/ *v.* maltratar; abusar.

mammal /m'æməl/ *s.* mamífero.

man /mæn/ (*s. pl.* ***men***) *s.* homem. • *v.* tripular. ♦ **man of letters** homem letrado. **man of the world** homem experiente, viajado. **man-eater** canibal. **man-made** artificial, sintético. **no man's land** terra de ninguém; terra em disputa. **manhood** humanidade. **mankind** espécie humana. **mannish** másculo, viril.

manacle /m'ænəkəl/ *s.* algema. • *v.* algemar.

manage /m'ænɪdʒ/ *v.* administrar, dirigir, conduzir; conseguir: Can you *manage* all this homework?

manageable /m'ænɪdʒəbəl/ *adj.* controlável; realizável.

management /m'ænɪdʒmənt/ *s.* gestão, administração; diretoria.

manager /m'ænɪdʒər/ *s.* administrador, gerente, dirigente, diretor. → Professions

managing director *s.* diretor-geral. → Professions

mandate /m'ændeɪt/ *s.* mandato.

mandatory /m'ændətɔːri/ *adj.* obrigatório.

mandible /m'ændɪbəl/ *s.* mandíbula. ▪ *sin.* jaw. → Human Body

mandolin /m'ændəlɪn, mændəl'ɪn/ *s.* bandolim. → Musical Instruments

mane /meɪn/ *s.* crina; juba.

maneuver /mən'uːvər/ (*Brit.* ***manoeuvre***) *s.* manobra. • *v.* manobrar.

mango /m'æŋgoʊ/ (*s. pl.* ***mangoes***) *s.* manga. → Fruit

mania /m'eɪniə/ *s.* mania.

maniac /m'eɪniæk/ *adj.* maníaco.

manicure /m'ænɪkjʊr/ *s.* manicure. → Professions

manifest /m'ænɪfest/ *v.* manifestar • *s.* manifesto, declaração.

manikin /m'ænɪkɪn/ (*tb.* ***mannikin***) *s.* manequim.

manipulate /mən'ɪpjuleɪt/ *v.* manipular.

manner /m'ænər/ *s.* maneira, modo; estilo, uso, hábito. *pl.* ***manners*** boas maneiras, etiqueta.

manpower /m'ænpaʊər/ *s.* mão de obra.

mansion /m'ænʃn/ *s.* mansão, palacete.

manslaughter /m'ænslɔːtər/ *s.* homicídio não intencional.

mantle /m'æntəl/ *s.* capa, capote. • *v.* cobrir. → Clothing

manual /m'ænjuəl/ *s.* manual, compêndio. • *adj.* manual, portátil.

manufacture /mænjuf'æktʃər/ *s.* manufatura, fabricação. • *v.* fabricar, produzir.

manufacturer /mænjuf'æktʃərər/ *s.* fabricante.

manufacturing /mænjuf'æktʃərɪŋ/ *s.* fabricação: Cars are produced in a large-scale *manufacturing.*

manure /mən'ʊr/ *s.* adubo, esterco, estrume. • *v.* adubar. ▪ *sin.* dung.

many /m'eni/ *adj.* muitos, muitas. ▪ *ant.* few.

map /mæp/ *s.* mapa. • *v.* mapear. → Classroom

marathon /m'ærəθɑn/ *s.* maratona. → Sports

marble /m'ɑrbəl/ *s.* mármore; bola de gude. *pl.* ***marbles*** jogo de bolas de gude.

March /mɑrtʃ/ *s.* março.

march /mɑrtʃ/ *s.* marcha. • *v.* marchar.

mare /mer/ *s.* égua. → Animal Kingdom

margarine /m'ɑrdʒərən/ *s.* margarina.

margin /m'ɑrdʒən/ *s.* margem; extremidade. ▪ *sin.* border.

marijuana /mærəw'ɑnə/ (*tb.* ***marihuana***) *s.* maconha.

marina /mər'iːnə/ *s.* marina.

marine /mər'iːn/ *s.* marinha, frota de navios; fuzileiro naval. • *adj.* marinho.

maritime /m'ærɪtaɪm/ *adj.* marítimo; naval.

mark /mɑrk/ *s.* marca, sinal; símbolo; alvo, mira; meta; nota escolar. • *v.* marcar, assinalar; distinguir; indicar, designar; dar notas; prestar atenção. ♦ **marker** pincel atômico. **marksman** atirador de elite. **marksmanship** habilidade/destreza no tiro esportivo. **on your marks** em seus postos, preparar.

market /m'ɑrkɪt/ *s.* mercado; feira.

marketing /m'ɑːrkɪtɪŋ/ *s. marketing* (estudo do mercado e propaganda).

market research *s.* pesquisa de mercado.

marmalade /m'ɑrməleɪd/ *s.* geleia. ▪ *sin.* jam, jelly.

maroon /mər'uːn/ *adj.* castanho--avermelhado.

marquee /mɑrk'i/ *s.* toldo, marquise.

marriage /m'ærɪdʒ/ *s.* casamento.

married /m'ærid/ *adj.* casado.

marrow /m'ærou/ *s.* tutano; medula; (*Brit.*) abóbora. → Human Body → Vegetables

marry /m'æri/ *v.* casar(-se). ▪ *sin.* wed.

Mars /mɑrz/ *s.* Marte.

marsh /mɑrʃ/ *s.* pântano.

marshal /m'ɑrʃəl/ *s.* marechal; oficial de justiça; mestre de cerimônias; chefe do corpo de bombeiros. • *v.* ordenar, pôr em ordem; conduzir.

martial /m'ɑrʃəl/ *adj.* marcial.

martyr /m'ɑrtər/ *s.* mártir; sofredor.

marvel /m'ɑrvəl/ *s.* maravilha; prodígio. • *v.* maravilhar-se. ▪ *sin.* wonder.

marvelous /m'ɑrvələs/ (*Brit.* **marvellous**) *adj.* maravilhoso; surpreendente.

marxism /m'ɑrksɪzəm/ *s.* marxismo.

marxist /m'ɑrksɪst/ *adj.* marxista.

mascara /mæsk'ærə/ *s.* rímel.

masculine /m'æskjəlɪn/ *adj.* masculino.

mash /mæʃ/ *s.* mistura, mingau, pasta. • *v.* misturar; amassar. ♦ **mashed potatoes** purê de batatas.

mask /mæsk/ *s.* máscara, disfarce. • *v.* mascarar, disfarçar; ocultar.

masonry /m'eɪsənri/ *s.* alvenaria; maçonaria.

masquerade /mæskər'eɪd/ *s.* baile de máscaras; farsa, peça.

mass /mæs/ *s.* missa; massa; multidão. • *v.* amontoar; concentrar. ♦ **mass media** comunicação de massa. **mass production** produção em massa. **say Mass** celebrar missa. **mass-produce** produzir em massa.

massacre /m'æsəkər/ *s.* massacre. • *v.* massacrar, chacinar.

massage /məs'ɑʒ/ *s.* massagem. • *v.* massagear.

massive /m'æsɪv/ *adj.* maciço, compacto, sólido.

mast /mæst/ *s.* mastro; poste.

master /m'æstər/ *s.* dono, senhor, amo; mestre, patrão; professor; proprietário. • *v.* dominar, controlar. ♦ **master a subject** dominar um assunto. **master of ceremonies** mestre de cerimônias. **The Master** Jesus Cristo. **master builder** empreiteiro. **master key** chave mestra. **master switch** chave geral. **masterful** dominador. **masterly** magistral. **mastermind** mentor; gênio. **masterpiece** obra-prima.

mastery /m'æstəri/ *s.* domínio.

masturbate /m'æstərbeɪt/ *v.* masturbar(-se).

masturbation /mæstərb'eɪʃən/ *s.* masturbação.

mat /mæt/ *s.* esteira; capacho, tapete.

match /mætʃ/ *s.* igual; combinação; companheiro; luta, competição, partida, jogo; palito de fósforo. • *v.* igualar, combinar com; confrontar; emparelhar; casar, unir-se. ♦ **an even match** competição equilibrada.

matchbox /m'ætʃbɑks/ *s.* caixa de fósforos.

matching /m'ætʃɪŋ/ *adj.* que combina: I bought a beautiful necklace with a *matching* pair of earrings.

matchless /m'ætʃləs/ *adj.* incomparável, inigualável; ímpar.

M

mate /meɪt/ *s.* companheiro, parceiro; cônjuge; sócio. • *v.* casar; acasalar. ♦ **roommate** companheiro de quarto. **checkmate** xeque--mate (xadrez). **classmate** colega de classe. **mating** acasalamento. **mating season** época de acasalamento, cio.

material /mət'ɪriəl/ *s.* material; matéria, substância; tecido. ♦ **raw material** matéria-prima.

materialism /mət'ɪriəlɪzəm/ *s.* materialismo.

materialist /mət'ɪriəlɪst/ *adj.* materialista.

materialize /mət'ɪriəlaiz/ (*Brit.* ***materialise***) *v.* materializar, concretizar.

maternal /mət'ɜːrnəl/ *adj.* maternal, materno.

maternity /mət'ɜːrnəti/ *s.* maternidade.

mathematician /mæθəmət'ɪʃən/ *s.* matemático.

mathematics /mæθəm'ætɪks/ *s.* matemática. *abrev.* ***math*** ou ***maths*** (*Brit.*).

matinée /mætn'eɪ/ (*tb.* ***matinee***) *s.* matinê (de cinema ou de teatro).

matrimony /m'ætrɪmoʊni/ *s.* matrimônio, casamento.

matrix /m'eɪtrɪks/ *s.* matriz.

matron /m'eɪtrən/ *s.* mãe de família; diretora.

matter /m'ætər/ *s.* matéria, substância; assunto, tópico; pus; importância. • *v.* importar, significar. ♦ **a matter of opinion** uma questão de opinião. **a matter of taste** uma questão de gosto. **As a matter of fact.** Na realidade. **It doesn't matter.** Não importa. **No crying matter.** Não é motivo para chorar. **No laughing matter.** Não é motivo para rir. **No matter what/who/why/where/when.** Não importa o quê/quem/por quê/onde/quando. **printed matter** material impresso. **the heart of the matter** o xis da questão. **What's the matter?** O que há?, Qual o problema?

mattress /m'ætrəs/ *s.* colchão.

mature /mətʃ'ʊr, mət'ʊr/ *v.* amadurecer. • *adj.* maduro.

mausoleum /mɔːsəl'iːəm/ *s.* mausoléu.

maverick /m'ævərɪk/ *adj.* inconformista, não acomodado, dissidente, perturbador.

maximize /m'æksɪmaɪz/ (*Brit.* ***maximise***) *v.* maximizar.

maximum /m'æksɪməm/ *adj.* máximo.

May /meɪ/ *s.* maio.

may /meɪ/ *v.* (*pret.* ***might***) poder, ter permissão; ser possível.

maybe /m'eɪbi/ *adv.* talvez, possivelmente. ▪ *sin.* perhaps.

mayonnaise /m'eɪəneɪz/ *s.* maionese.

mayor /m'eɪər/ *s.* prefeito. *fem.* ***mayoress***. ➔ Deceptive Cognates

maze /meɪz/ *s.* labirinto; confusão. ♦ **be mazed** estar confuso.

MD /emd'iː/ (*abrev.* de *Doctor of Medicine*) Doutor em Medicina. ➔ Abbreviations

me /miː/ *pron. pess. oblíquo* me, mim.

meadow /m'edoʊ/ *s.* prado, campina.

meager /m'iːgər/ (*Brit.* ***meagre***) *adj.* insuficiente.

meal /miːl/ *s.* refeição.

mean /miːn/ *s.* meio, meio-termo, média. *pl.* ***means*** meio(s) de. • *v.* (*pret.* e *p.p.* ***meant***) significar; tencionar, querer dizer. • *adj.* baixo, vil; sovina, pão-duro. ♦ **a man of means** um homem de posses. **by all means** de qualquer modo. **by means of** por meio de. **by no means** de modo algum. **feel mean** sentir-se mal(vado). **He lives beyond his means.** Ele vive além de suas posses. **in the meantime** ou **meanwhile** nesse ínterim, enquanto isso. **means of communication** meio de comunicação. **means**

of transportation meio de transporte. **meaning** significado, sentido. **meaningful** significativo. **meaningfully** significativamente. **meaningless** sem sentido; insignificante. **meaninglessly** insignificantemente. **What do you mean?** O que você quer dizer? **You don't mean it!** Você não está falando sério! → Irregular Verbs

What makes you think he's much too *mean*?

meander /mi'ændər/ *v.* perambular, vagar.

meant /ment/ *v. pret.* e *p.p.* de **mean**.

meanwhile /m'i:nwaıl/ *adv.* enquanto isso.

measles /m'i:zəlz/ *s.* sarampo.

measure /m'eʒər/ *s.* medida; extensão; proporção; limite; moderação. • *v.* medir; comparar; avaliar.

measurement /m'eʒərmənt/ *s.* medição; medida, dimensão.

meat /mi:t/ *s.* carne.

meatball /m'i:tbɔ:l/ *s.* almôndega.

mechanic /mək'ænık/ *s.* mecânico. → Professions

mechanical /mək'ænıkəl/ *adj.* mecânico, automático.

mechanics /mək'ænıks/ *s.* mecânica.

mechanism /m'ekənızəm/ *s.* mecanismo.

medal /m'edəl/ *s.* medalha; honraria.

meddle /m'edəl/ *v.* intrometer-se, meter-se; intervir.

mediate /m'i:dieıt/ *v.* mediar, agir como mediador. • /m'i:diıt/ *adj.* mediano.

medical /m'edıkəl/ *adj.* medicinal, médico.

medication /medık'eıʃən/ *s.* remédio, medicamento, medicação.

medicine /m'edsn, m'edısn/ *s.* medicina; remédio, medicamento.

medieval /medi'i:vl, mi:d'i:vl/ (*Brit.* ***mediaeval***) *adj.* medieval.

mediocre /mi:di'ıoʊkər/ *adj.* medíocre.

mediocrity /mi:di'ɑkrəti/ *s.* mediocridade.

meditate /m'edıteıt/ *v.* meditar, refletir, pensar.

medium /m'i:diəm/ (*s. pl.* ***media*** ou ***mediums***) *s.* meio; meio--termo, média; mídia, meio de comunicação em massa; médium. • *adj.* médio, mediano; moderado.

medley /m'edli/ *s.* mistura; miscelânea. • *v.* misturar. • *adj.* misto.

meek /mi:k/ *adj.* manso, dócil; gentil; humilde; submisso. ▪ *sin.* humble.

meet /mi:t/ *v.* (*pret.* e *p.p.* ***met***) encontrar-se (com); conhecer. → Irregular Verbs

meeting /m'i:tıŋ/ *s.* encontro; reunião, assembleia; concentração. → Leisure

melancholy /m'elənkɑli/ *s.* melancolia; tristeza.

mellow /m'eloʊ/ *adj.* maduro; meigo, suave. • *v.* amadurecer.

melon /m'elən/ *s.* melão. → Fruit

melt /melt/ *s.* fundição. • *v.* fundir, derreter.

melting point *s.* ponto de fusão.

melting pot *s.* miscigenação; local onde houve grande miscigenação.

member /m'embər/ *s.* membro; sócio.

membership /m'embərʃıp/ *s.* associado, sócio: That new club *membership* has grown by 500 already.

♦ **membership card** cartão de sócio; cartão fidelidade: I can get a 10% discount with my *membership card*.

membrane /m'embreɪn/ *s.* membrana.

memorandum /memər'ændəm/ (*s. pl.* **memoranda** ou **memorandums**) *s.* memorando. *abrev.* ***memo***.

memoirs /m'emwɑrz/ *s. pl.* memórias.

memorable /m'emərəbəl/ *adj.* memorável.

memorial /mem'ɔːriəl/ *s.* monumento comemorativo; velório, cerimônia fúnebre.

memorize /m'eməraɪz/ (*Brit.* ***memorise***) *v.* decorar, memorizar.

memory /m'eməri/ *s.* memória, recordação, lembrança.

menace /m'enəs/ *s.* ameaça. • *v.* ameaçar. ▪ *sin.* threat.

This dog is a *menace* to people on the streets.

mend /mend/ *v.* consertar; corrigir.

mendacious /mend'eɪʃəs/ *adj.* mentiroso. ▪ *sin.* liar.

mendicant /m'endɪkənt/ *s.* mendigo.

mending /m'endɪŋ/ *s.* conserto, reforma.

menial /m'iːniəl/ *adj.* doméstico.

meningitis /menɪndʒ'aɪtɪs/ *s.* meningite.

menopause /m'enəpɔːz/ *s.* menopausa.

menstrual /m'enstruəl/ *adj.* menstrual.

menstruate /m'enstrueɪt/ *v.* menstruar.

menstruation /menstru'eɪʃn/ *s.* menstruação.

menswear /m'enzwer/ *s.* roupas masculinas.

mental /m'entəl/ *adj.* mental: I take care of my *mental* health.

mentality /ment'æləti/ *s.* mentalidade.

mentally /m'entəli/ *adv.* mentalmente: This music is *mentally* relaxing.

mention /m'enʃən/ *s.* referência, menção. • *v.* mencionar. ♦ **not to mention** além de; sem falar em.

menu /m'enjuː/ *s.* cardápio, menu. ♦ **menu bar** barra de menus (*informática*).

meow /mi'aʊ/ (*tb.* ***miaow***) *s.* miado. • *v.* miar. ▪ *sin.* mew.

mercenary /m'ɜːrsəneri/ *s.* ou *adj.* mercenário.

merchandise /m'ɜːrtʃəndaɪz, m'ɜːrtʃəndaɪs/ *s.* mercadoria. • *v.* negociar.

merchant /m'ɜːrtʃənt/ *s.* negociante, comerciante. • *adj.* mercantil, mercante. ♦ **merchant navy** ou **merchant marine** marinha mercante. **merchant ship** navio mercante.

merciful /m'ɜːrsɪfəl/ *adj.* misericordioso. ▪ *sin.* gracious.

merciless /m'ɜːrsɪləs/ *adj.* impiedoso, cruel.

Mercury /m'ɜːrkjəri/ *s.* Mercúrio (planeta).

mercury /m'ɜːrkjəri/ *s.* mercúrio (elemento químico).

mercy /m'ɜːrsi/ *s.* piedade, misericórdia; bênção. ♦ **Have mercy!** Tenha dó!

mere /mɪr/ *adj.* mero, simples.

merely /m'ɪrli/ *adv.* meramente: I am *merely* a trainee.

merge /m'ɜːrdʒ/ *v.* fundir(-se), amalgamar.

merger /m'ɜːrdʒər/ *s.* fusão (de empresas).

meringue /mər'æŋ/ *s.* merengue, suspiro.

mermaid /m'ɜːrmeɪd/ *s.* sereia.

merry /m'eri/ *adj.* alegre, jovial, divertido. ♦ **merry-go-round** carrossel. **merrymaker** folião.

mesmerize /m'ezmərаɪz/ (*Brit.* **mesmerise**) *v.* hipnotizar.

mess /mes/ *s.* desordem; sujeira; bagunça. • *v.* misturar; sujar. ♦ **make a mess** bagunçar, estragar. **messy** sujo; bagunçado.

message /m'esɪdʒ/ *s.* mensagem.

messiah /məs'aɪə/ *s.* messias.

met /met/ *v. pret.* e *p.p.* de ***meet***.

metal /m'etəl/ *s.* metal.

metallic /mət'ælɪk/ *adj.* metálico.

metamorphose /metəm'ɔːrfouz/ *v.* transformar(-se).

metamorphosis /metəm'ɔːrfəsɪs, metəm'ɔːrfəsiːz/ (*s. pl.* ***metamorphoses***) *s.* metamorfose, transformação.

metaphor /m'etəfər, m'etəfɔːr/ *s.* metáfora.

metaphysics /metəf'ɪzɪks/ *s.* metafísica.

meteor /m'iːtiɔːr/ *s.* meteoro.

meteoric /miːti'ɔːrɪk/ *adj.* meteórico.

meteorite /m'iːtiəraɪt/ *s.* meteorito.

meter /m'iːtər/ (*Brit.* **metre**) *s.* metro; medidor, relógio (de água, gás, eletricidade). • *v.* medir.

methane /m'eθeɪn/ *s.* metano.

method /m'eθəd/ *s.* método.

methodist /m'eθədɪst/ *adj.* metodista.

methodology /meθəd'ɑlədʒi/ *s.* metodologia.

meticulous /mət'ɪkjələs/ *adj.* meticuloso, detalhista.

metric /m'etrɪk/ *adj.* métrico.

Mexican /m'eksɪkən/ *s.* ou *adj.* mexicano. → Countries & Nationalities

Mexico /m'eksɪkou/ *s.* México. → Countries & Nationalities

micro /m'aɪkrou/ *adj.* micro, mínimo.

microbe /m'aɪkroub/ *s.* micróbio.

microchip /m'aɪkroutʃɪp/ microprocessador, *microchip.*

microcosm /m'aɪkroukɑzəm/ *s.* microcosmo.

microorganism /maɪkrou'ɔːrgənɪzəm/ *s.* micro-organismo.

microphone /m'aɪkrəfoun/ *s.* microfone. *abrev.* ***mike***.

microscope /m'aɪkrəskoup/ *s.* microscópio.

microwave /m'aɪkrəweɪv/ *s.* micro-ondas. ♦ **microwave oven** forno de micro-ondas. → Furniture & Appliances

mid /mɪd/ *adj.* meio, médio. ♦ **midsummer** pleno verão. **mid-20th century** meados do século XX.

midday /mɪdd'eɪ/ *s.* meio-dia. ▪ *sin.* noon.

middle /m'ɪdəl/ *s.* meio, centro. • *adj.* médio. ♦ **Middle Ages** Idade Média. **middle age** meia-idade. **Middle East** Oriente Médio. **middle name** nome do meio. **middle-class** classe média. **middleman** intermediário. **middleweight** peso médio.

midget /m'ɪdʒɪt/ *s.* (*pej.*) anão. ▪ *sin.* dwarf.

MIDI /m'ɪdi/ (*abrev.* de *Musical Instrument Digital Interface*) Interface digital para instrumento musical. → Abbreviations

midnight /m'ɪdnaɪt/ *s.* meia-noite: She usually goes to bed at *midnight.*

midst /mɪdst/ *s.* meio, centro. • *adv.* ou *prep.* no meio, entre.

midway /mɪdw'eɪ/ *s.* metade do caminho. • *adv.* a meio caminho.

midwife /m'ɪdwaɪf/ (*s. pl.* ***midwives***) *s.* parteira.

might /maɪt/ *s.* força, poder. • *v. pret.* de ***may***.

mighty /m'aɪti/ *adj.* poderoso, forte, potente, vigoroso.

migraine /m'aɪgreɪn/ *s.* enxaqueca.
migrate /m'aɪgreɪt/ *v.* migrar.
mild /maɪld/ *adj.* suave, brando, meigo; tenro; moderado.
mildly /m'aɪldli/ *adv.* suavemente.
mile /maɪl/ *s.* milha (1 milha = 1.609 m). → Numbers
military /m'ɪləteri/ *s.* exército. • *adj.* militar; bélico.
milk /mɪlk/ *s.* leite. • *v.* ordenhar. ♦ **dry milk** ou **milk powder** leite em pó. **milk of magnesia** leite de magnésia. **milk-pail** balde de leite. **milk sugar** lactose. **milk tooth** ou **baby tooth** dente de leite. **milker** ordenhador, retireiro. **milkman** leiteiro. **Milky Way** Via Láctea.
mill /mɪl/ *s.* moinho. • *v.* moer, triturar.
millennium /mɪl'eniəm/ (*s. pl.* ***millennia*** ou ***millenniums***) *s.* milênio.
milligram /m'ɪligræm/ (*Brit.* ***milligramme***) *s.* miligrama: The doctor recommended me to reduce my salt consumption to 1,000 *milligrams* a day.
million /m'ɪljən/ *s.* milhão. → Numbers
millionaire /mɪljən'er/ *adj.* milionário.
mime /m'aɪm/ *s.* mímica. • *v.* fazer mímica.
mimic /m'ɪmɪk/ *s.* imitador; mímico. • *adj.* mímico. • *v.* imitar. ▪ *sin.* imitate.
mince /mɪns/ *s.* picadinho de carne. • *v.* picar, cortar em pedaços; andar a passos miúdos.
mind /maɪnd/ *s.* mente, cérebro, intelecto; espírito, alma; memória, lembrança; opinião; disposição. • *v.* importar-se; cuidar. ♦ **have in mind** lembrar-se de. **I don't mind** Não me importo. **I made up my mind.** Eu me decidi. **Keep your mind on your work!** Concentre-se no seu trabalho! **Mind your own business!** Cuide da sua vida! **Never mind.** Não tem importância. **peace of mind** paz de espírito. **presence of mind** presença de espírito. **She's out of her mind.** Ela está louca. **Speak your mind!** Diga o que você pensa! **We've changed our minds.** Mudamos de ideia. **mindful** consciente, ciente. **mindless** insensato. **mindlessness** insensatez.
mine /maɪn/ *s.* mina; jazida de minério. • *v.* minar. • *pron. poss.* meu, minha, meus, minhas.
minefield /m'aɪnfiːld/ *s.* campo minado.
miner /m'aɪnər/ *s.* mineiro.
mineral /m'ɪnərəl/ *adj.* mineral. ♦ **mineral water** água mineral.
mingle /m'ɪŋgəl/ *v.* misturar(-se).
miniature /m'ɪnətʃər, m'ɪnətʃʊr/ *s.* miniatura.
minibus /m'ɪnibʌs/ *s.* micro-ônibus. → Means of Transportation
minimal /m'ɪnɪməl/ *adj.* mínimo.
minimize /m'ɪnɪmaɪz/ (*Brit.* ***minimise***) *v.* reduzir ao mínimo; subestimar.
minimum /m'ɪnɪmən/ (*s. pl.* ***minima*** ou ***minimum***) *s.* ou *adj.* mínimo.
mining /m'aɪnɪŋ/ *s.* mineração.
miniskirt /m'ɪniskɜːrt/ *s.* minissaia. → Clothing
minister /m'ɪnɪstər/ *s.* ministro; pastor. • *v.* ajudar, atender; ministrar.
ministry /m'ɪnɪstri/ *s.* ministério, sacerdócio.
minor /m'aɪnər/ *s.* menor (de idade). • *adj.* menor, inferior; secundário. ▪ *ant.* major.
minority /maɪn'ɔːrəti/ *s.* minoria; menoridade. • *adj.* minoritário. ▪ *ant.* majority.
mint /mɪnt/ *s.* hortelã, menta; casa da moeda. • *v.* cunhar moedas. • *adj.* novo, sem uso.
minus /m'aɪnəs/ *prep.* menos, sem. • *adj.* negativo. → Numbers
minute /m'ɪnɪt/ *s.* minuto; momento, instante; ata. • /maɪn'uːt, maɪ'njuːt/ *adj.* miúdo, minúsculo. ▪ *sin.* tiny. ▪ *ant.* large, huge. ♦ **minute hand** ponteiro dos minutos.
miracle /m'ɪrəkəl/ *s.* milagre.

miraculous /mɪr'ækjələs/ *adj.* miraculoso, milagroso.

mirror /m'ɪrər/ *s.* espelho; modelo, exemplar. • *v.* espelhar, refletir. → Furniture & Appliances

misadventure /mɪsədv'entʃər/ *s.* desventura, infortúnio, desgraça.

misbehave /mɪsbɪh'eɪv/ *v.* comportar-se mal.

misbelief /mɪsbɪl'iːf/ *s.* crença errônea.

misbelieve /mɪsbɪl'iːv/ *v.* descrer; duvidar.

miscarriage /m'ɪskærɪdʒ/ *s.* aborto espontâneo.

miscellaneous /mɪsəl'eɪniəs/ *adj.* misto, misturado, variado.

mischief /m'ɪstʃɪf/ *s.* maldade; prejuízo; travessura, brincadeira de mau gosto. ▪ *sin.* evil, injury.

mischievous /m'ɪstʃɪvəs/ *adj.* travesso.

misdeed /mɪsd'iːd/ *s.* crime, delito. ▪ *sin.* offense.

miserable /m'ɪzrəbəl/ *adj.* miserável, desgraçado, infeliz; pobre, necessitado; triste. ▪ *sin.* unhappy.

misery /m'ɪzəri/ *s.* miséria; tristeza, sofrimento.

misfit /m'ɪsfɪt/ *v.* assentar mal, ajustar--se mal. • *s.* desajuste; desajustado.

misfortune /mɪsf'ɔːrtʃuːn/ *s.* infortúnio, azar.

misguide /mɪsg'aɪd/ *v.* desencaminhar; enganar.

mishear /mɪsh'ɪr/ *v.* (*pret.* e *p.p.* ***misheard***) ouvir mal. → Irregular Verbs

misinterpret /mɪsɪnt'ɜːrprɪt/ *v.* interpretar mal, compreender mal.

misjudge /mɪsdʒ'ʌdʒ/ *v.* julgar mal; subestimar.

mislay /mɪsl'eɪ/ *v.* (*pret.* e *p.p.* ***mislaid***) perder. → Irregular Verbs

mislead /mɪsl'iːd/ *v.* (*pret.* e *p.p.* ***misled***) desencaminhar; enganar. → Irregular Verbs

mismatch /m'ɪsmætʃ/ *v.* combinar mal: She always *mismatches* her clothes.

misplace /mɪspl'eɪs/ *v.* extraviar, perder.

misprint /m'ɪsprɪnt/ *s.* erro de impressão.

mispronounce /mɪsprən'aʊns/ *v.* pronunciar mal/errado.

mispronunciation /mɪsprənʌnsi'eɪʃən/ *s.* erro de pronúncia.

miss /mɪs/ *s.* senhorita; moça. • *v.* falhar, errar; não alcançar, não obter; sentir falta de, ter saudade de.

missile /m'ɪsəl/ *s.* míssil; projétil.

missing /m'ɪsɪŋ/ *adj.* que falta; perdido; ausente; desaparecido.

mission /m'ɪʃən/ *s.* missão. ♦ **mission accomplished** missão cumprida. **mission critical systems** sistemas de missão crítica.

misspell /mɪssp'el/ *v.* grafar ou soletrar incorretamente.

mist /mɪst/ *s.* névoa, neblina, cerração. → Weather

mistake /mɪst'eɪk/ *s.* engano, equívoco, erro. ▪ *sin.* error. • *v.* (*pret.* ***mistook***, *p.p.* ***mistaken***) enganar-se; interpretar mal; confundir, errar. → Irregular Verbs

mistaken /mɪst'eɪkən/ *adj.* equivocado: I must be *mistaken*. • *v. p.p.* de ***mistake***. ♦ **If I'm not mistaken.** Se não me engano.

mister /m'ɪstər/ *s.* senhor.

mistook /mɪst'ʊk/ *v. pret.* de ***mistake***.

mistreat /mɪstr'iːt/ *v.* maltratar.

mistress /m'ɪstrəs/ *s.* dona de casa, patroa; amante.

mistrust /mɪstr'ʌst/ *s.* desconfiança. • *v.* desconfiar, suspeitar (de alguém ou algo).

misty /m'ɪsti/ *adj.* nebuloso, nevoento.

misunderstand /mɪsʌndərst'ænd/ *v.* (*pret.* e *p.p.* ***misunderstood***) entender mal; interpretar mal. → Irregular Verbs

misunderstanding /mɪsʌndərst'ændɪŋ/ *s.* equívoco, mal-entendido.

misuse /mɪsj'uːs/ *s.* mau uso. • /mɪsj'uːz/ *v.* abusar, fazer mau uso de, usar erradamente.

mite /maɪt/ *s.* ácaro.

mitigate /m'ɪtɪgeɪt/ *v.* aliviar.

mitten /m'ɪtən/ (*s. pl.* ***mittens***) *s.* luvas que deixam os dedos de fora.

mix /mɪks/ *s.* mistura. • *v.* misturar, combinar; unir. ▪ *sin.* blend. ♦ **mix-up** confusão. **I'm mixed up.** Estou confuso.

mixed /mɪkst/ *adj.* misto: This cereal contains *mixed* fruit.

mixer /m'ɪksər/ *s.* mixagem; misturador.

mixture /m'ɪkstʃər/ *s.* mistura, mescla.

moan /moʊn/ *s.* gemido. • *v.* gemer. ▪ *sin.* groan.

mob /mɑb/ *s.* plebe, ralé; quadrilha. • *v.* tumultuar. ♦ **the Mob** a Máfia.

mobile /m'oʊbəl/ *adj.* móvel; telefone celular (*Brit.*).

mock /mɑk/ *s.* zombaria. • *v.* escarnecer, zombar de. • *adj.* falso, dissimulado.

mockery /m'ɑkəri/ *s.* escárnio; gozação.

mode /moʊd/ *s.* forma, meio, modo.

model /m'ɑdəl/ *s.* modelo.

moderation /mɑdər'eɪʃən/ *s.* moderação, comedimento.

modern /m'ɑdərn/ *adj.* moderno: The *Modern* Art Week marked the Modernism Movement in Brazil.

modest /m'ɑdɪst/ *adj.* recatado; modesto.

modesty /m'ɑdəsti/ *s.* modéstia.

modify /m'ɑdɪfaɪ/ *v.* modificar, mudar, alterar.

mogul /m'oʊgəl/ *adj.* magnata.

moist /mɔɪst/ *adj.* úmido.

moisten /m'ɔɪsən/ *v.* umedecer.

moistness /m'ɔɪstnəs/ *s.* umidade. ▪ *sin.* humidity, moisture.

moisture /m'ɔɪstʃər/ *s.* umidade. ➔ Deceptive Cognates

moisturize /m'ɔɪstʃəraɪz/ *v.* hidratar a pele, passar hidratante. ♦ **moisturizing cream** creme hidratante.

molding /m'oʊldɪŋ/ (*Brit.* ***moulding***) *s.* moldagem.

moldy /m'oʊldi/ (*Brit.* ***mouldy***) *adj.* mofado.

mole /moʊl/ *s.* pinta, sinal; toupeira; dique; porto. ➔ Animal Kingdom

mom /mɑm/ (*Brit.* ***mum***) *s.* mamãe: *Mom*, what is for lunch?

moment /m'oʊmənt/ *s.* momento: This is a special *moment* for me.

momentary /m'oʊmənteri/ *adj.* momentâneo.

mommy /m'ɑmi/ (*Brit.* ***mummy***) *s.* mamãe.

Monacan /m'ɑnəkən/ *s.* ou *adj.* de Mônaco. ➔ Countries & Nationalities

Monaco /m'ɑnəkoʊ/ *s.* Mônaco. ➔ Countries & Nationalities

monarch /m'ɑːnərk, m'ɑːnɑːrk/ *s.* monarca, soberano.

monarchy /m'ɑnərki/ *s.* monarquia.

monastery /m'ɑnəsteri/ *s.* mosteiro. ▪ *sin.* cloister.

Monday /m'ʌndeɪ, m'ʌndi/ *s.* segunda-feira.

money /m'ʌni/ *s.* dinheiro. ♦ **I am short of money.** Estou sem dinheiro. **make money** enriquecer. **money box** cofre. **moneylender** agiota. **money market** mercado financeiro. **money order** ordem de pagamento. **Time is money.** Tempo é dinheiro. **a moneyed man** um homem endinheirado. ➔ Numbers

mongrel /m'ʌŋgrəl/ *s.* vira-lata. • *adj.* mestiço (animal).

monitor /m'ɑnɪtər/ *s.* monitor (de acampamento, de disciplina escolar); monitor (*informática*): The computer *monitor* is broken.

monk /mʌŋk/ *s.* monge, frade.

monkey /m'ʌŋki/ *s.* macaco. ➔ Animal Kingdom

monolithic /mɑnəl'ɪθɪk/ *adj.* monolítico.

monolog /m'ɑːnəlɔːg, m'ɑːnəlɑːg/ (*Brit.* ***monologue***) *s.* monólogo.

monopolize /mən'ɑpəlaɪz/ (*Brit.* ***monopolise***) *v.* monopolizar.

monopoly /mən'ɑpəli/ *s.* monopólio; "Banco Imobiliário" (jogo).

monosyllable /m'ɑnəsɪləbəl/ *s.* monossílabo.

monotony /mən'ɑtəni/ *s.* monotonia.

monoxide /mən'ɑksaɪd/ *s.* monóxido.

monster /m'ɑnstər/ *s.* monstro.

monstrous /m'ɑnstrəs/ *adj.* monstruoso.

month /mʌnθ/ *s.* mês.

monthly /m'ʌnθli/ *adj.* mensal. • *adv.* mensalmente.

moo /muː/ *s.* mugido. • *v.* mugir.

mood /muːd/ *s.* ânimo, disposição, humor. ♦ **I'm not in the mood.** Não estou com disposição. **in good mood** de bom humor. **in bad mood** de mau humor.

moody /m'uːdi/ *adj.* mal-humorado. ▪ *ant.* well-tempered.

moon /muːn/ *s.* lua. ♦ **full moon** lua cheia. **growing moon** lua crescente. **half moon** meia-lua. **moon beam** raio de lua. **moon rise** nascer da lua. **moon shine** brilho da lua. **new moon** lua nova. **honeymoon** lua de mel. **moonless** sem luar. **moonlight** luar. **moonstruck** lunático, louco. **moony** distraído, pensativo.

moor /mʊr/ *s.* mouro. • *v.* ancorar, atracar.

moose /muːs/ *s.* alce. ➔ Animal Kingdom

mop /mɑp/ *s.* esfregão. • *v.* esfregar, limpar.

moped /m'oʊped/ *s.* mobilete. ➔ Means of Transportation

moral /m'ɔːrəl/ *s.* moral: Did you get the *moral* of the story? • *adj.* moral: Religions search *moral* attitudes.

morally /m'ɔːrəli/ *adv.* moralmente: He is *morally* responsible for the boy.

more /mɔːr/ *adj.* mais; adicional, extra. • *adv.* mais; além do mais. ♦ **a little more** um pouco mais. **any more** mais (em frases negativas). **furthermore** além do mais. **more and more** cada vez mais. **more or less** mais ou menos. **much more** muito mais. **once more** mais uma vez. **moreover** acima de tudo.

morgue /mɔːrg/ *s.* necrotério. ▪ *sin.* mortuary.

morning /m'ɔːrnɪŋ/ *s.* manhã.

Moroccan /mər'ɑkən/ *s.* ou *adj.* marroquino. ➔ Countries & Nationalities

Morocco /mər'ɑkoʊ/ *s.* Marrocos. ➔ Countries & Nationalities

moron /m'ɔːrɑn/ *s.* cretino.

mortar /m'ɔːrtər/ *s.* morteiro; argamassa. • *v.* cobrir, juntar com argamassa.

mortgage /m'ɔːrgɪdʒ/ *s.* hipoteca. • *v.* hipotecar.

mortician /mɔːrt'ɪʃən/ *s.* agente funerário. ▪ *sin.* undertaker. ➔ Professions

mortify /m'ɔːrtɪfaɪ/ *v.* mortificar.

mortuary /m'ɔːrtʃueri/ *s.* necrotério. • *adj.* mortuário; fúnebre. ▪ *sin.* morgue.

mosque /mɑsk/ *s.* mesquita.

moss /mɔːs/ *s.* musgo.

most /moʊst/ *s.* a maior parte, o maior número; a maioria; máximo. • *adv.* o mais. ♦ **at most** no máximo. **make the most of** aproveitar ao máximo. **most people** a maioria das pessoas. **the most beautiful** o mais bonito. **This is the most I can do for him.** Isso é o máximo que posso fazer por ele. **mostly** principalmente; na maioria das vezes.

motel /moʊt'el/ *s.* motel.

moth /mɔːθ/ *s.* traça; mariposa. ➔ Animal Kingdom

mother /m'ʌðer/ *s.* mãe, progenitora; madre, freira; matriz, fonte, origem. ♦ **mother country** ou **motherland** terra natal. **mother language** ou **mother tongue** língua materna. **Mother Superior** madre superiora. **Mother's Day** Dia das Mães. **mother-in-law** sogra. **mother-of-pearl** madrepérola. **motherhood** maternidade. **motherless** órfão de mãe. **motherly** maternal(mente).

motif /moʊt'iːf/ *s.* desenho, motivo, tema.

motion /m'oʊʃən/ *s.* movimento; gesto. • *v.* gesticular; acenar. ▪ *sin.* movement. ♦ **motionless** imóvel. **motion picture** filme.

motivate /m'oʊtɪveɪt/ *v.* motivar.

motivation /moʊtɪəv'eɪʃən/ *s.* motivação; incentivo, estímulo.

motive /m'oʊtɪv/ *s.* motivo, causa, razão.

motor /m'oʊtər/ *s.* motor.

motorbike /m'oʊtərbaɪk/ *s.* motocicleta. ▪ *sin.* motorcycle. → Means of Transportation

motorboat /m'oʊtərboʊt/ *s.* lancha a motor.

motorcycle /m'oʊtərsaɪkəl/ *s.* motocicleta. ▪ *sin.* motorbike. → Means of Transportation

mound /maʊnd/ *s.* montículo; morro, colina.

mount /maʊnt/ *s.* montaria; moldura de um quadro. • *v.* subir, montar; organizar, equipar.

mountain /m'aʊntən/ *s.* montanha, serra. ♦ **mountain biking** praticar *mountain bike*. **mountainside** encosta. **mountaintop** cume. → Sports

mountaineer /maʊntən'ɪr/ *s.* alpinista. ▪ *sin.* climber. ♦ **mountaineering** alpinismo. → Sports

mounting /m'aʊntɪŋ/ *s.* montagem; suporte.

mourn /mɔːrn/ *v.* lamentar, velar. ▪ *sin.* grieve.

mournful /mɔːrnfəl/ *adj.* pesaroso.

mourning /m'ɔːrnɪŋ/ *s.* velório; luto.

mouse /maʊs/ (*s. pl.* ***mice***) *s.* camundongo; *mouse* de computador. → Animal Kingdom

mousetrap /m'aʊstræp/ *s.* ratoeira.

mouth /maʊθ/ *s.* boca; embocadura, foz. → Human Body

mouthful /m'aʊθfʊl/ *s.* bocado; gole.

movable /m'uːvəbəl/ (*tb.* ***moveable***) *s.* ou *adj.* móvel.

move /muːv/ *s.* movimento; mudança; lance, jogada. • *v.* mover(-se), deslocar(-se); mudar; comover(-se).

movement /m'uːvmənt/ *s.* movimento.

movie /m'uːvi/ *s.* filme. *pl.* ***movies*** cinema.

movie theater *s.* cinema: We went to the *movie theater* last night.

moving /m'uːvɪŋ/ *adj.* comovente. ▪ *sin.* touching.

MSc /emess'iː/ (*abrev.* de *Master of Science*) mestrado. → Abbreviations

much /mʌtʃ/ *adj.* ou *adv.* muito. ♦ **as much as** tanto quanto. **How much?** Quanto? **make much of** dar muita importância a. **nothing much** nada de mais. **not much** não muito. **so much** tanto. **so much the better** tanto melhor. **so much the worse** tanto pior. **This is much the same.** Isso é quase a mesma coisa. **too much** demais. **twice as much** duas vezes mais. **very much** muitíssimo.

mucus /mj'uːkəs/ *s.* muco.

mud /mʌd/ *s.* lama, barro, lodo.

muddle /m'ʌdəl/ *s.* confusão; bagunça. • *v.* confundir; desnortear; misturar.

muddy /m'ʌdi/ *adj.* enlameado; confuso.

mudguard /m'ʌdgɑrd/ *s.* para-lama.

muffin /m'ʌfɪn/ *s.* bolinho doce, *muffin*.

muffle /m'ʌfəl/ *v.* encapotar; amortecer, abafar (som).

mug /mʌg/ *s.* caneca; pessoa ingênua, boba. • *v.* assaltar; brigar, lutar.

mulberry /m'ʌlberi/ *s.* amora. → Fruit

mule /mjuːl/ *s.* mula. → Animal Kingdom

multimedia /mʌltim'iːdiə/ *s.* ou *adj.* multimídia.

multiple /m'ʌltɪpəl/ *s.* ou *adj.* múltiplo.

multiply /m'ʌltɪplaɪ/ *v.* multiplicar.

multistory /m'ʌltɪstɔːri/ (*tb.* ***multistoried***) *adj.* de muitos andares.

multitude /m'ʌltɪtuːd/ *s.* multidão.

mum /mʌm/ Ver ***mom***.

mumble /m'ʌmbəl/ *s.* resmungo. • *v.* resmungar.

mummy /m'ʌmi/ *s.* múmia.

mumps /mʌmps/ *s.* caxumba.

munch /mʌntʃ/ *v.* mastigar devagar.

mundane /mʌnd'eɪn/ *adj.* mundano; comum.

municipal /mjuːn'ɪsɪpəl/ *adj.* municipal.

mural /mj'ʊrəl/ *s.* afresco, mural.

murder /m'ɜːrdər/ *s.* assassinato. • *v.* assassinar, matar. ▪ *sin.* kill.

murderer /m'ɜːrdərər/ *s.* assassino. ▪ *sin.* killer, slayer.

murky /m'ɜːrki/ *adj.* escuro; obscuro.

murmur /m'ɜːrmər/ *s.* murmúrio. • *v.* murmurar. ▪ *sin.* whisper.

muscle /m'ʌsəl/ *s.* músculo; *inf.* segurança: He works as a *muscle* in a show house. → Human Body

muse /mjuːz/ *s.* musa. • *v.* meditar, pensar; divagar. ▪ *sin.* think.

museum /mjuz'iːəm/ *s.* museu.

mushroom /m'ʌʃruːm, m'ʌʃrʊm/ *s.* cogumelo, fungo. → Vegetables

music /mj'uːzɪk/ *s.* música: *Music* is an international language.

musical /mj'uːzɪkəl/ *adj.* musical: She has *musical* skills.

musician /mjuz'ɪʃən/ *s.* músico. → Professions

musketeer /mʌskət'ɪr/ *s.* mosqueteiro.

Muslim /m'ʊzləm, m'ʌzləm, m'ʊzlɪm/ *s.* ou *adj.* muçulmano.

mussel /m'ʌsəl/ *s.* mexilhão. → Animal Kingdom

must /mʌst, məst/ *s.* obrigação, necessidade. • *v.* dever, ter de.

mustache /m'ʌstæʃ, mə'stæʃ/ (*Brit.* ***moustache***) *s.* bigode.

mustard /m'ʌstərd/ *s.* mostarda.

musty /m'ʌsti/ *adj.* bolorento, embolorado.

mutable /mj'uːtəbəl/ *adj.* mutável.

mutate /mj'uːteɪt/ *v.* mudar, transformar, converter.

mute /mjuːt/ *s.* ou *adj.* mudo. ▪ *sin.* silent.

mutilate /mj'uːtɪleɪt/ *v.* mutilar, deformar, aleijar.

mutineer /mjuːtən'ɪr/ *s.* amotinado.

mutiny /mj'uːtəni/ *s.* motim, revolta, rebelião.

mutter /m'ʌtər/ *s.* murmúrio. • *v.* resmungar; murmurar.

mutton /m'ʌtən/ *s.* carne de carneiro.

mutual /mj'uːtʃuəl/ *adj.* mútuo, recíproco.

muzzle /m'ʌzəl/ *s.* focinho; mordaça, focinheira. • *v.* amordaçar; pôr focinheira em.

my /maɪ/ *adj. poss.* meu, minha, meus, minhas.

myopia /maɪ'oʊpiə/ *s.* miopia. ▪ *sin.* nearsightedness.

myopic /maɪ'ɑpɪk/ *adj.* míope. ▪ *sin.* nearsighted.

myriad /m'ɪriəd/ *s.* miríade.

myself /maɪs'elf/ *pron. reflex.* eu mesmo, (a) mim mesmo. ♦ **by myself** eu sozinho, por mim mesmo.

mysterious /mɪst'ɪriəs/ *adj.* misterioso.

mystery /m'ɪstri/ *s.* mistério.

mystic /m'ɪstɪk/ *s.* ou *adj.* místico.

mysticism /m'ɪstɪsɪzəm/ *s.* misticismo.

mystify /m'ɪstɪfaɪ/ *v.* mistificar, iludir, ludibriar; ficar perplexo.

myth /mɪθ/ *s.* mito, fábula, lenda. ▪ *sin.* legend.

mythical /m'ɪθɪkəl/ *adj.* lendário, mítico. ▪ *sin.* fabulous, legendary.

mythology /mɪθ'ɑlədʒi/ *s.* mitologia.

N

N, n /en/ décima quarta letra do alfabeto inglês.

N /en/ (*abrev.* de *North*) norte. → **Abbreviations**

nag /næg/ *s.* cavalo. • *v.* importunar, irritar, atormentar, aborrecer.

nail /neɪl/ *s.* prego; cravo; unha; garra. • *v.* pregar; cravar; fixar; agarrar. → **Human Body**

naive /naɪ'iːv/ (*tb.* **naïve**) *adj.* ingênuo; simples. ▪ *sin.* ingenuous.

naked /n'eɪkɪd/ *adj.* nu, despido; exposto, desprotegido. ▪ *sin.* bare. ♦ **with/to the naked eye** a olho nu.

nakedness /n'eɪkɪdnəs/ *s.* nudez.

name /neɪm/ *s.* nome; título; reputação, fama, renome. • *v.* nomear; mencionar; notar. ♦ **call names** xingar. **Christian name** ou **first name** nome de batismo. **I don't know him by name.** Não o conheço de nome. **in the name of God** em nome de Deus. **middle-name** nome do meio. **nameless** anônimo. **nameplate** crachá. **nickname** apelido. **pen name** pseudônimo (literário). **surname** ou **family name** sobrenome. **the above named** acima mencionado. **the below named** abaixo mencionado. **What's your name?** Qual o seu nome?

namely /n'eɪmli/ *adv.* a saber, isto é.

namesake /n'eɪmseɪk/ *s.* homônimo, xará.

nanny /n'æni/ *s.* babá. → **Professions**

nano- /n'ænoʊ/ *pref.* um bilionésimo.

nanotechnology /nænoʊtekn'ɑlədʒi/ *s.* nanotecnologia.

nap /næp/ *s.* soneca, cochilo. • *v.* cochilar, tirar uma soneca. ▪ *sin.* doze.

nape /neɪp/ *s.* nuca. → **Human Body**

napkin /n'æpkɪn/ *s.* guardanapo.

nappy /n'æpi/ (*Brit.*) *s.* fralda. (*Am.* **diaper**).

narcotic /nɑrk'ɑtɪk/ *s.* ou *adj.* narcótico.

narrate /n'æreɪt/ *v.* narrar, contar; relatar; expor.

narrative /n'ærətɪv/ *s.* narrativa.

narrator /nər'eɪtər/ *s.* narrador.

narrow /n'æroʊ/ *adj.* estreito; apertado; limitado. • *v.* estreitar; apertar; limitar. ▪ *ant.* broad, wide. ♦ **narrow-minded** intolerante, limitado.

narrowness /n'æroʊnəs/ *s.* estreiteza.

nasal /n'eɪzəl/ *adj.* nasal.

nasty /n'æsti/ *adj.* sórdido, torpe, vil; desagradável; indecente.

nation /n'eɪʃən/ *s.* nação, país; etnia. ♦ **nationwide** por todo o país.

national /n'æʃənəl/ *s.* ou *adj.* nacional. ♦ **national anthem** hino nacional. **National Health Service** (*Brit.*) Sistema Governamental de Saúde. **National Insurance** (*Brit.*) Previdência Social. **national service** serviço militar compulsório.

nationalism /n'æʃənəlɪzəm/ *s.* nacionalismo.
nationalist /n'æʃənəlɪst/ *adj.* nacionalista.
nationality /næʃən'æləti/ *s.* nacionalidade.
nationalize /n'æʃənəlaɪz/ (*Brit.* ***nationalise***) *v.* nacionalizar.
nationally /n'æʃənəli/ *adv.* nacionalmente.
native /n'eɪtɪv/ *s.* ou *adj.* nativo, natural.
nativity /nət'ɪvəti/ *s.* natividade.
natural /n'ætʃərəl/ *adj.* natural, normal.
naturalist /n'ætʃərəlɪst/ *s.* naturalista.
naturalize /n'ætʃərəlaɪz/ (*Brit.* ***naturalise***) *v.* naturalizar.
naturally /n'ætʃərəli/ *adv.* naturalmente.
nature /n'eɪtʃər/ *s.* natureza; essência; caráter, qualidade; personalidade.
naught /nɔːt/ Ver ***nought***.
naughty /n'ɔːti/ *adj.* malcriado, desobediente; malicioso.
nausea /n'ɔːziə, n'ɔːsiə/ *s.* enjoo, náusea.
nauseate /n'ɔːzieɪt, n'ɔːsieɪt/ *v.* enjoar.
nauseating /n'ɔːzieɪtɪŋ, n'ɔːsieɪtɪŋ/ *adj.* enjoativo, nauseante.
nautical /n'ɔːtɪkəl/ *adj.* náutico; marítimo.
naval /n'eɪvəl/ *adj.* marítimo, naval.
navel /n'eɪvəl/ *s.* umbigo. → Human Body
navigate /n'ævɪgeɪt/ *v.* navegar; pilotar.
navigation /nævɪg'eɪʃən/ *s.* navegação.
navigator /n'ævɪgeɪtər/ *s.* navegador.
navy /n'eɪvi/ *s.* marinha; frota. ♦ **navy blue** azul-marinho.
Nazi /n'ɑtsi/ *s.* ou *adj.* nazista.
Nazism /n'ɑtsɪzəm/ *s.* nazismo.
NBC /enbiːs'iː/ (*abrev.* de *National Broadcasting Company*) Empresa Nacional de Difusão. → Abbreviations
NE /en'iː/ (*abrev.* de *northeast, northeastern*) nordeste, nordestino. → Abbreviations
Neanderthal /ni'ændərtɑːl/ *s.* ou *adj.* Neandertal (o antepassado humano ou relativo a ele).
near /nɪr/ *v.* aproximar-se, acercar-se. • *adj.* próximo, perto; contíguo, vizinho; íntimo, familiar. • *adv.* próximo, perto, a pouca distância; quase. • *prep.* junto a; perto de. ♦ **near at hand** à mão. **Near East** Oriente Próximo (atual Oriente Médio). **nearby** nas proximidades. **nearer** mais próximo. **nearly** aproximadamente, quase. **nearness** proximidade. **near-sighted** míope. **near-sightedness** miopia. **the nearest** o mais próximo.
neat /niːt/ *adj.* limpo, asseado, arrumado; agradável. ▪ *sin.* clear, tidy. ▪ *ant.* dirty, filthy.
neatly /n'iːtli/ *adv.* organizadamente: Keep your clothes *neatly* folded, please!
necessarily /nesəs'erəli/ *adv.* necessariamente: You do not *necessarily* have to go now.
necessary /n'esəseri/ *adj.* necessário, indispensável, imprescindível.
necessitate /nəs'esɪteɪt/ *v.* necessitar, precisar.
necessity /nəs'esəti/ *s.* necessidade.
neck /nek/ *s.* pescoço; gargalo; gola; estreito. ♦ **a stiff neck** cabeça-dura; torcicolo. **by a neck** por pouco. **neck and neck** emparelhado. **neckband** colarinho, gola. **neckerchief** lenço de pescoço. **necklace** colar. **neckline** decote. **wryneck** torcicolo. → Human Body
nectarine /n'ektəriːn/ *s.* nectarina. → Fruit
need /niːd/ *s.* necessidade; carência, falta; motivo; dificuldade; pobreza.

pl. **needs** necessidades. • *v.* necessitar. ♦ **a need for** carência de. **in case of need** em caso de necessidade. **neediness** miséria. **needy** carente.

needle /n'iːdəl/ *s.* agulha. ♦ **needlework** bordado. → Leisure

negative /n'egətɪv/ *s.* negativa, negação; veto. → Numbers

neglect /nɪgl'ekt/ *s.* negligência, desleixo. • *v.* negligenciar; omitir.

neglectful /nɪgl'ektful/ *adj.* negligente.

negligence /n'eglɪdʒəns/ *s.* negligência.

negotiate /nɪg'oʊʃieɪt/ *v.* negociar.

Negro /n'iːgroʊ/ *s.* ou *adj.* negro. ▪ *sin.* Black, African-American.

neigh /neɪ/ *s.* relincho. • *v.* relinchar.

neighbor /n'eɪbər/ (*Brit.* ***neighbour***) *s.* vizinho.

neighborhood /n'eɪbərhʊd/ (*Brit.* ***neighbourhood***) *s.* vizinhança. ▪ *sin.* vicinity.

neighboring /n'eɪbərɪŋ/ (*Brit.* ***neighbouring***) *adj.* vizinho, adjacente.

neither /n'aɪðər, n'iːðər/ *adj.* nenhum, nenhum dos dois. • *conj.* nem. • *pron.* nenhum, nem um nem outro.

neon /n'iːɑn/ *s.* néon.

nephew /n'efjuː, n'evjuː/ *s.* sobrinho. *fem.* ***niece***.

Neptune /n'eptuːn, n'eptjuːn/ *s.* Netuno.

nerd /nɜːrd/ *s. nerd*, chato, pouco sociável; pessoa estudiosa, obcecada por tecnologia.

nerve /nɜːrv/ *s.* nervo; força, vigor. ♦ **get on someone's nerves** dar nos nervos de alguém.

nervous /n'ɜːrvəs/ *adj.* nervoso, agitado. ♦ **nervous breakdown** esgotamento nervoso.

nest /nest/ *s.* ninho. • *v.* aninhar(-se).

nestle /n'esəl/ *v.* aninhar(-se), aconchegar(-se); abrigar(-se).

Net /net/ (*abrev.* de *internet*). → Abbreviations

net /net/ *s.* rede; preço; lucro; peso líquido. • *v.* lançar a rede; proteger com rede; obter lucro líquido de.

Netherlands /n'eðərləndz/ *s.* Países Baixos. → Countries & Nationalities

netiquette /n'etɪket/ *s.* etiqueta para o uso da internet.

network /n'etwɜːrk/ *s.* cadeia, rede.

neurosis /nʊr'oʊsɪs/ (*s. pl.* ***neuroses***) *s.* neurose.

neurotic /nʊr'ɑtɪk/ *s.* ou *adj.* neurótico.

neuter /n'uːtər/ *adj.* neutro.

neutral /n'uːtrəl/ *s.* ponto morto (*mec.*). • *adj.* neutro; imparcial.

neutralize /n'uːtrəlaɪz/ (*Brit.* ***neutralise***) *v.* neutralizar.

never /n'evər/ *adv.* nunca, jamais.

nevermore /nevərm'ɔːr/ *adv.* nunca mais.

nevertheless /nevərðəl'es/ *adv.* ou *conj.* todavia, não obstante, contudo, entretanto; apesar de tudo. ▪ *sin.* however.

new /nuː/ *adj.* novo; recente; moderno; novato, inexperiente. ▪ *ant.* old. ♦ **New Year** Ano-Novo. **New Year's Eve** véspera de Ano--Novo. **New Year's Day** Dia de Ano-Novo. **newborn** recém--nascido. **newcomer** recém--chegado. **newish** seminovo. **newness** novidade. **What's new?** O que há de novo?

newly /n'uːli/ *adv.* recém: The cake is *newly* baked.

news /nuːz/ (*abrev.* de *North, East, West and South*) *s. pl.* notícia, novidade, informação. ♦ **newsreel** cinejornal. **newscast** noticiário, telejornal. **newsdealer** jornaleiro. **newsgroup** grupo de discussão via internet. **newsman** jornalista, repórter. **newspaper** jornal. **newsstand** banca de jornal. → Abbreviations → Professions

New Zealand /nuː z'iːlənd/ *s.* Nova Zelândia. → Countries & Nationalities

New Zealander /nuː z'iːləndər/ *s.* ou *adj.* neozelandês. → Countries & Nationalities

next /nekst/ *adj.* seguinte, próximo. ♦ **next door** casa ao lado, vizinho. **next to** perto, quase.

nibble /n'ɪbəl/ *s.* pedaço, bocado. • *v.* mordiscar.

nice /naɪs/ *adj.* bonito, lindo; amável, bondoso; agradável, encantador; gentil; delicado.

nicely /n'aɪsli/ *adv.* bem: She is doing nicely.

niche /nɪtʃ, niːʃ/ *s.* nicho.

nickel /n'ɪkəl/ *s.* níquel. • *v.* niquelar. → Numbers

nickname /n'ɪkneɪm/ *s.* apelido.

nicotine /n'ɪkətiːn/ *s.* nicotina.

niece /niːs/ *s.* sobrinha.

night /naɪt/ *s.* noite. ♦ **good night** boa noite. **night owl** notívago, boêmio. **night school** escola noturna. **night watch** vigília. **nightclub** boate. **nightdress** ou **nightgown** camisola. **nightlife** vida noturna. **nightingale** rouxinol. **nightmare** pesadelo. **nightshift** turno da noite. **nightstand** criado-mudo. **nightwork** trabalho noturno. **nightly** todas as noites.

nil /nɪl/ *s.* nada, zero.

nimble /n'ɪmbəl/ *adj.* ágil, vivo, ligeiro. ▪ *sin.* active.

nine /naɪn/ *s.* ou *num.* nove. → Numbers

nineteen /naɪnt'iːn/ *s.* ou *num.* dezenove. → Numbers

nineteenth /naɪnt'iːnθ/ *s.* ou *num.* décimo nono; um dezenove avos. → Numbers

ninetieth /n'aɪntiəθ/ *s.* ou *num.* nonagésimo; um noventa avos. → Numbers

ninety /n'aɪnti/ *s.* ou *num.* noventa. ♦ **the nineties** a década de 1990; os anos 1990. → Numbers

ninth /naɪnθ/ *s.* ou *num.* nona parte; nono. → Numbers

nip /nɪp/ *s.* beliscão; picada; gole, trago. • *v.* beliscar, picar.

nipple /n'ɪpəl/ *s.* mamilo. → Human Body

nitrate /n'aɪtreɪt/ *s.* nitrato.

nitrogen /n'aɪtrədʒən/ *s.* nitrogênio.

no /noʊ/ *s.* não, negativa. • *adj.* nenhum, nenhuma. • *adv.* não. ♦ **no way** de forma alguma, de jeito nenhum.

nobility /noʊb'ɪləti/ *s.* nobreza, aristocracia.

noble /n'oʊbəl/ *s.* ou *adj.* nobre.

nobleman /n'oʊbəlmən/ *s.* nobre, aristocrata, fidalgo.

nobody /n'oʊbədi/ *s.* pessoa insignificante, joão-ninguém. • *pron.* ninguém. ▪ *sin.* no one.

nocturnal /nɑːkt'ɜːrnl/ *adj.* noturno.

nod /nɑd/ *s.* aceno de cabeça; inclinação para a frente. • *v.* acenar com a cabeça.

nodule /n'ɑdʒuːl/ *s.* nódulo.

noise /nɔɪz/ *s.* alarido, barulho, ruído. ♦ **make noise** fazer barulho. **noiseless** silencioso. **noiselessly** silenciosamente. **noisemaker** desordeiro. **noisily** ruidosamente. **noisy** barulhento.

nomad /n'oʊmæd/ *s.* nômade.

nominal /n'ɑmɪnəl/ *adj.* nominal.

nominate /n'ɑmɪneɪt/ *v.* nomear, designar.

nominee /nɑːmɪn'iː/ *s.* candidato, indicado.

none /nʌn/ *pron.* nenhum. • *adv.* nada, nem um pouco.

nonetheless /nʌnðəl'es/ *conj.* entretanto, não obstante, apesar disso. ▪ *sin.* nevertheless.

nonexistent /nɑnɪgz'ɪstənt/ *adj.* inexistente.

nonfiction /nɑnf'ɪkʃən/ *adj.* não ficção (livro, obra).

nonsense /n'ɑnsəns, n'ɑnsens/ *s.* absurdo, contrassenso; bobagem, disparate.

nonstop /n'ɑnst'ɑp/ *adj.* ininterrupto, contínuo, sem parada.

noob /nuːb/ *adj.* (*inf.*) recém-chegado, pessoa inexperiente (*informática*).

noodle /n'uːdəl/ *s.* macarrão tipo espaguete.

noon /nuːn/ *s.* meio-dia. ▪ *sin.* midday.

no one /noʊ wʌn/ *pron.* ninguém: *No one* answered the telephone. ▪ *sin.* nobody.

noose /nuːs/ *s.* laço; armadilha. • *v.* laçar.

nor /nɔːr/ *adv.* ou *conj.* nem.

norm /nɔːrm/ *s.* norma, padrão, tipo.

normal /n'ɔːrməl/ *adj.* regular, usual, comum.

normally /n'ɔːrməli/ *adv.* normalmente: I *normally* wake up at seven a.m.

north /nɔːrθ/ *s.* ou *adj.* norte.

northeast /nɔːrθ'iːst/ *s.* ou *adj.* nordeste.

northeastern /nɔːrθ'iːstərn/ *adj.* do nordeste, nordestino.

northern /n'ɔːrðərn/ *adj.* do norte, setentrional.

Northern Ireland /nɔːrðərn 'aɪərlənd/ *s.* Irlanda do Norte. → Countries & Nationalities

Northern Irish /nɔːrðərn 'aɪrɪʃ/ *s.* ou *adj.* norte-irlandês. → Countries & Nationalities

North Korea /nɔːrθ kər'iə/ *s.* Coreia do Norte. → Countries & Nationalities

North Korean /nɔːrθ kər'iən/ *s.* ou *adj.* norte-coreano. → Countries & Nationalities

North Pole /nɔːrθ poʊl/ *s.* Polo Norte.

North Sea /nɔːrθ siː/ *s.* Mar do Norte.

North Star /nɔːrθ stɑr/ *s.* Estrela Polar.

northward(s) /n'ɔːrθwərd/ *adj.* ou *adv.* em direção ao norte.

northwest /nɔːrθw'est/ *s.* ou *adj.* noroeste.

northwestern /nɔːrθw'estərn/ *adj.* do noroeste.

Norway /n'ɔːrweɪ/ *s.* Noruega. → Countries & Nationalities

Norwegian /nɔːrw'iːdʒən/ *s.* ou *adj.* norueguês. → Countries & Nationalities

nose /noʊz/ *s.* nariz; focinho. • *v.* cheirar; procurar. ♦ **Keep your nose out of this!** Não meta o nariz onde não é chamado! **noseband** focinheira. **nose drops** gotas nasais. **She did it under my nose.** Ela fez isso debaixo do meu nariz. **She turned up her nose.** Ela demonstrou pouco-caso. **The dog followed his nose.** O cachorro farejou.; O cachorro seguiu seu instinto. → Human Body

nostalgia /nəst'ældʒə, nɑːst'ældʒə/ *s.* nostalgia, melancolia, saudade.

nostril /n'ɑstrəl/ *s.* narina. → Human Body

nosy /n'oʊzi/ *adj.* curioso, metido, xereta.

not /nɑt/ *adv.* não.

notable /n'oʊtəbəl/ *s.* celebridade. • *adj.* notável.

notably /n'oʊtəbli/ *adv.* particularmente; notavelmente.

notch /nɑtʃ/ *s.* entalhe. • *v.* entalhar.

note /noʊt/ *s.* nota, anotação, registro, apontamento; notícia, comentário; bilhete. • *v.* anotar, tomar nota; observar.

notebook /n'oʊtbʊk/ *s.* caderno; *laptop*, computador portátil. → Classroom

noteworthy /n'oʊtwɜːrði/ *adj.* digno de nota.

nothing /n'ʌθɪŋ/ *s.*, *adv.* ou *pron.* nada. ♦ **come to nothing** dar em nada. **good for nothing** que não serve para nada, imprestável. **have nothing to do with** não ter nada que ver com. **nothing at all** absolutamente nada. **Nothing doing.** Nada feito. **nothing else** nada mais. **Nothing ventured, nothing gained.** Quem não chora não mama.

notice /n'oʊtɪs/ *s.* observação; notificação, informação; advertência, sinal; comentário; anúncio; aviso-prévio. • *v.* notar, perceber, reparar; notificar. ▪ *sin.* remark, observe.
➔ Deceptive Cognates

noticeable /n'oʊtɪsəbəl/ *adj.* notável: He is a *noticeable* man.

notification /noʊtɪfɪk'eɪʃn/ *s.* notificação.

notify /n'oʊtɪfaɪ/ *v.* notificar.

notion /n'oʊʃən/ *s.* noção, ideia.

Where did you get the *notion* that I'm not in a good mood?

notorious /noʊt'ɔːriəs/ *adj.* notório.

notwithstanding /nɑtwɪθst'ændɪŋ, nɑtwɪðst'ændɪŋ/ *adv.* no entanto, não obstante. • *prep.* apesar de.

nought /nɔːt/ (*Brit.* **naught**) *s.* nada, zero. ➔ Numbers

noun /naʊn/ *s.* nome, substantivo.

nourish /nɜːrɪʃ/ *v.* nutrir, alimentar.

nourishing /nɜːrɪʃɪŋ/ *adj.* nutritivo.

novel /n'ɑvəl/ *s.* romance. • *adj.* moderno, novo. ➔ Deceptive Cognates

novelty /n'ɑvəlti/ *s.* novidade; inovação.

November /noʊv'embər/ *s.* novembro.

novice /n'ɑvɪs/ *s.* noviço; novato.

now /naʊ/ *adv.* agora, já. ♦ **for now** por enquanto. **from now on** de agora em diante. **just now** agora mesmo. **now and then** de vez em quando. **now or never** agora ou nunca. **right now** imediatamente. **up to now** até agora. **nowadays** atualmente, hoje em dia.

nowhere /n'oʊwer/ *adv.* em nenhuma parte, em lugar nenhum.

noxious /n'ɑkʃəs/ *adj.* nocivo; insalubre.

nozzle /n'ɑːzl/ *s.* bocal (de mangueira).

nuance /n'uːɑns/ *s.* nuance, matiz.

nuclear /n'uːkliər/ *adj.* nuclear.

nucleus /n'uːkliəs/ (*s. pl.* **nuclei**) *s.* núcleo, centro.

nude /nuːd/ *adj.* nu, despido. ▪ *sin.* naked.

nugget /n'ʌgɪt/ *s.* pepita (de ouro); *nugget* (de frango).

nuisance /n'uːsəns/ *s.* incômodo, estorvo, amolação.

null /nʌl/ *adj.* nulo, sem efeito.

nullify /n'ʌlɪfaɪ/ *v.* anular, invalidar; abolir.

numb /nʌm/ *adj.* entorpecido, paralisado. • *v.* entorpecer.

number /n'ʌmbər/ *s.* número. • *v.* numerar; contar. ♦ **a number of** uma série de. **even number** número par. **number plate** (*Brit.*) ou **license plate** (*Am.*) placa de carro. **odd number** número ímpar. **out of number** inumerável. **Your days are numbered.** Seus dias estão contados.

numbness /n'ʌmnəs/ *s.* torpor, entorpecimento.

numerical /nuːm'erɪkəl/ *adj.* numérico.

numerous /n'uːmərəs/ *adj.* numeroso, abundante.

Numlock /n'ʌmlɑk/ (*abrev.* de *Number Lock*) trava do teclado numérico. ➔ Abbreviations

nun /nʌn/ *s.* freira.

nuptial /n'ʌpʃəl/ *adj.* nupcial, matrimonial.

nurse /nɜːrs/ *s.* enfermeiro/a; governanta. • *v.* cuidar de; amamentar; criar; pajear.
➔ Professions

nursery /n'ɜːrsəri/ *s.* berçário. ♦ **nursery rhyme** rimas ou versos infantis. **nursery school** jardim de infância.

nursing /n'ɜːrsɪŋ/ *s.* enfermagem.

nurture /n'ɜːrtʃər/ *s.* criação; educação. • *v.* criar; educar.

nut /nʌt/ *s.* noz; porca (de parafuso). • *adj.* (*inf.*) ***nuts*** doido, louco, maluco. ♦ **a hard nut to crack** osso duro de roer. **(be) nuts about something/ somebody** (ser) louco por algo/ alguém. **Brazil nut** castanha-do--pará. **He must be nuts.** Ele deve estar louco. **nut tree** nogueira. **chestnut** castanha; castanheira. **hazelnut** avelã. **nutcracker** quebra-nozes. **nutmeg** noz--moscada. → Fruit

nutrient /n'uːtriənt/ *s.* substância nutritiva, nutriente. • *adj.* nutritivo.

nutrition /nutr'ɪʃən/ *s.* nutrição.

nutritious /nutr'ɪʃəs/ *adj.* nutritivo.

nutshell /n'ʌtʃel/ *s.* casca de noz. ♦ **in a nutshell** em resumo, em poucas palavras.

NW /end'ʌbəljuː/ (*abrev.* de *Northwest*) noroeste. → Abbreviations

NYC /enwaɪs'iː/ (*abrev.* de *New York City*) cidade de Nova Iorque. → Abbreviations

nylon /n'aɪlɑn/ *s.* náilon, *nylon.*

nymph /nɪmf/ *s.* ninfa.

O

O, o /oʊ/ *s.* décima quinta letra do alfabeto inglês.
o'clock /ək'lɑk/ *adv.* hora exata, em ponto. → Numbers
oak /oʊk/ *s.* carvalho.
oar /ɔːr/ *s.* remo. • *v.* remar.
oarsman /'ɔːrzmən/ *s.* remador.
OAS /oʊeɪ'es/ (*abrev.* de *Organization of American States*) Organização dos Estados Americanos. → Abbreviations
oasis /oʊ'eɪsɪs/ (*s. pl.* **oases**) *s.* oásis.
oat /oʊt/ *s.* aveia (plantação). *pl.* **oats** aveia (comida).
oath /oʊθ/ *s.* juramento; blasfêmia.
oatmeal /'oʊtmiːl/ *s.* farinha de aveia; mingau de aveia.
obedient /oʊb'iːdiənt/ *adj.* obediente.
obese /oʊb'iːs/ *adj.* obeso, gordo.
obey /əb'eɪ/ *v.* obedecer, acatar.
obituary /oʊb'ɪtʃueri/ *s.* obituário.
object /'ɑbdʒɪkt, 'ɑbdʒekt/ *s.* objeto; artigo; assunto. • /əbdʒ'ekt/ *v.* objetar(-se), opor(-se),desaprovar.
objection /əbdʒ'ekʃən/ *s.* objeção.
objective /əbdʒ'ektɪv/ *s.* objetivo.
obligation /ɑblɪg'eɪʃən/ *s.* obrigação, dever; compromisso. ▪ *sin.* duty.
obligatory /əbl'ɪgətɔːri/ *adj.* (*form.*) obrigatório.
oblige /əbl'aɪdʒ/ *v.* (*form.*) obrigar; fazer um favor.
obliging /əbl'aɪdʒɪŋ/ *adj.* (*form.*) amável; prestativo, gentil.
oblique /əbl'iːk/ *adj.* oblíquo.
obliterate /əbl'ɪtəreɪt/ *v.* remover; destruir; apagar.
oblivion /əbl'ɪviən/ *s.* esquecimento.
oboe /'oʊboʊ/ *s.* oboé. → Musical Instruments
obscene /əbs'iːn/ *adj.* obsceno, indecente. ▪ *sin.* filthy.
obscenity /əbs'enəti/ *s.* obscenidade, indecência. ▪ *sin.* obsceneness.
obscure /əbsk'jʊr/ *v.* obscurecer; ocultar. • *adj.* obscuro, vago; sombrio; incerto, duvidoso.
obscurity /əbskj'ʊrəti/ *s.* obscuridade; incerteza.
observance /əbz'ɜːrvəns/ *s.* observância, cumprimento; ritual, costume.
observation /ɑbzəːrv'eɪʃən/ *s.* observação.
observe /əbz'ɜːrv/ *v.* observar; perceber, notar.
observer /əbz'ɜːrvər/ *s.* observador.
obsess /əbses/ *v.* obcecar.
obsession /əbs'eʃən/ *s.* obsessão.
obsolete /ɑbsəl'iːt/ *adj.* obsoleto, arcaico, antiquado.
obstacle /'ɑbstəkəl/ *s.* obstáculo.
obstetrician /ɑbstətr'ɪʃən/ *s.* obstetra. → Professions
obstetrics /əbst'etrɪks/ *s.* obstetrícia.
obstinacy /'ɑbstɪnəsi/ *s.* teimosia; obstinação.

obstinate /'ɑbstɪnət/ *adj.* obstinado, teimoso.

obstruct /əbstr'ʌkt/ *v.* obstruir; impedir, dificultar. ▪ *sin.* hinder, prevent.

obstruction /əbstr'ʌkʃən/ *s.* obstrução.

obtain /əbt'eɪn/ *v.* obter, alcançar.

obturate /'ɑbtəreɪt/ *v.* obturar; tapar.

obvious /'ɑbviəs/ *adj.* óbvio, evidente.

obviously /'ɑbviəsli/ *adv.* obviamente: *Obviously*, this is not the best way to do this job.

occasion /ək'eɪʒən/ *s.* ocasião.

occasional /ək'eɪʒənəl/ *adj.* fortuito, esporádico, ocasional.

occasionally /ək'eɪʒənəli/ *adv.* ocasionalmente: We *occasionally* travel abroad.

occupant /'ɑkjəpənt/ *s.* ocupante.

occupation /ɑkjup'eɪʃən/ *s.* ocupação; emprego, trabalho.

occupational /ɑkjup'eɪʃənəl/ *adj.* ocupacional.

occupy /'ɑkjupaɪ/ *v.* ocupar.

occur /ək'ɜːr/ *v.* ocorrer, acontecer.

occurrence /ək'ɜːrəns/ *s.* ocorrência; evento; frequência.

ocean /'oʊʃən/ *s.* oceano.

oceanography /oʊʃən'ɑgrəfi/ *s.* oceanografia.

October /ɑkt'oʊbər/ *s.* outubro.

octopus /'ɑktəpəs/ *s.* polvo. → Animal Kingdom

odd /ɑd/ *adj.* ímpar; estranho, curioso. • *s. pl.* **odds** vantagem; desigualdade, diferença; probabilidade. ♦ **against all odds** contra todas as probabilidades. **odd jobs** trabalhos não especializados. **odd-job man** faz-tudo.

oddity /'ɑdəti/ *s.* excentricidade.

oddly /'ɑdli/ *adv.* estranhamente: She used to dress *oddly*.

oddness /'ɑdnəs/ *s.* extravagância.

odor /'oʊdər/ (*Brit.* **odour**) *s.* cheiro, odor.

odyssey /'ɑdəsi/ *s.* odisseia; viagem, aventura.

of /ʌv, əv/ *prep.* de, do, da.

off /ɔːf, ɑːf/ *prep.* fora de; distante de. • *adj.* desligado; livre; cancelado. • *adv.* distante; fora, ausente. ♦ **a long way off** uma longa distância. **an off chance** uma possibilidade remota. **call off** cancelar. **get off** descer (de veículo). **off-duty** de folga. **off-peak** fora de temporada. **off-season** baixa estação. **off the record** confidencial; extraoficial. **put off** adiar. **see off** despedir-se de. **take off** levantar voo; despir (roupa). **turn off** desligar.

offend /əf'end/ *v.* ofender.

offender /əf'endər/ *s.* delinquente. ♦ **first offender** réu primário.

offense /əf'ens/ (*Brit.* **offence**) *s.* crime; ofensa, afronta, ultraje. ▪ *sin.* misdeed.

offensive /əf'ensɪv/ *s.* ofensiva. • *adj.* ofensivo; repulsivo.

offer /'ɔːfər, 'ɑːfər/ *s.* oferta, proposta, dádiva. • *v.* ofertar, presentear; oferecer(-se).

offering /'ɔːfərɪŋ, 'ɑːfərɪŋ/ *s.* oferecimento.

off-hand /ɔːfh'ænd/ *adj.* repentino; improvisado; brusco; rude, mal-educado. • *adv.* de improviso, repentinamente. ▪ *sin.* unpremeditated.

office /'ɔːfɪs, 'ɑːfɪs/ *s.* escritório, consultório; repartição; função; cargo. ♦ **office supply store** fornecedor de artigos para escritórios. → Deceptive Cognates

officer /'ɔːfɪsər, 'ɑːfɪsər/ *s.* oficial; comandante; funcionário graduado.

official /əf'ɪʃəl/ *s.* funcionário público. • *adj.* oficial.

officially /əf'ɪʃəli/ *adv.* oficialmente: The Olympic Games have *officially* started.

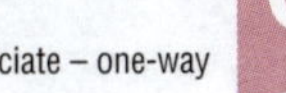

officiate /əf'ɪʃieɪt/ *v.* presidir, conduzir; celebrar.

officious /əf'ɪʃəs/ *adj.* oficioso, intrometido, abelhudo.

offline /ɔːfl'aɪn, ɑːfl'aɪn/ *adj.* desconectado. ▪ *ant.* online.

offset /'ɔːfset, 'ɑːfset/ *s.* compensação; deslocamento. • *v.* compensar; deslocar.

offshore /ɔːfʃ'ɔːr, ɑːfʃ'ɔːr/ *adj.* ou *adv.* costeiro, fora do continente.

offshoring /ɔːfʃ'ɔːrɪŋ, ɑːfʃ'ɔːrɪŋ/ *s.* terceirização no exterior.

offside /ɔːfs'aɪd, ɑːfs'aɪd/ *s.* impedimento (no futebol). • *adj.* impedido.

offspring /'ɔːfsprɪŋ, 'ɑːfsprɪŋ/ *s.* descendência, prole.

often /ɔːfən, 'ɔːftən/ *adv.* frequentemente.

oh! /oʊ/ *interj.* oh!

oil /ɔɪl/ *s.* óleo; petróleo; azeite. • *v.* lubrificar. ♦ **oil slick** mancha de óleo. **oil tanker** petroleiro. → Means of Transportation

oily /'ɔɪli/ *adj.* oleoso, gorduroso.

ointment /'ɔɪntmənt/ *s.* pomada.

okay /oʊk'eɪ/ (*tb.* **OK**) *interj.* tudo bem, tudo certo.

okra /'oʊkrə/ *s.* quiabo. → Vegetables

old /oʊld/ *adj.* velho, idoso; antiquado. ▪ *ant.* new. ♦ **get old** ou **grow old** envelhecer. **old age** velhice. **old hand** pessoa experiente, tarimbada. **old-fashioned** fora de moda. **Old Testament** Velho Testamento. **older than** mais velho que. **the oldest of** o mais velho de.

olive /'ɑlɪv/ *s.* azeitona. → Vegetables

Olympics /əl'ɪmpɪks/ (*tb.* ***The Olympics***, ***Olympic Games***) *s. pl.* Jogos Olímpicos.

omelette /'ɑmlət/ (*tb.* ***omelet***) *s.* omelete.

omen /'oʊmən/ *s.* agouro, presságio.

omission /əm'ɪʃən/ *s.* omissão; falta.

omit /əm'ɪt/ *v.* omitir; negligenciar.

omnipotent /ɑmn'ɪpətənt/ *adj.* onipotente.

on /ɑːn, ɔːn/ *adv.* em cima, sobre; sucessivamente; em diante. • *prep.* sobre; em, no, na, nos, nas; junto a; a respeito de. ♦ **and so on** e assim por diante. **call on** visitar. **Come on!** Vamos! **concentrate on** concentrar-se em. **depend on** depender de. **from that day on** daquele dia em diante. **get on in life** progredir na vida. **Go on!** Continue! **Hold on!** Dê um tempo!, Aguarde. **insist on** insistir em. **later on** mais tarde. **on a diet** de dieta. **on and on** sem parar. **on board** a bordo. **on business** a negócios. **on Christmas Eve** na Véspera de Natal. **on duty** de plantão. **on fire** em chamas. **on foot** a pé. **on horseback** a cavalo. **on leave** de licença. **on my arrival** na minha chegada. **on purpose** de propósito. **on sale** em liquidação. **on show** em cartaz. **on strike** em greve. **on Sunday** no domingo. **on the contrary** pelo contrário. **on time** na hora certa. **on TV** na TV. **put on** vestir. **rely on** confiar em.

once /wʌns/ *s.* uma vez. • *adv.* outrora. • *conj.* uma vez que. ♦ **at once** imediatamente. **once and for all** de uma vez por todas. **once in a lifetime** uma vez na vida. **once in a while** de vez em quando. **once more** mais uma vez. **Once upon a time...** Era uma vez...

oncoming /'ɑːnkʌmɪŋ, 'ɔːnkʌmɪŋ/ *adj.* próximo, imediato, iminente; na direção contrária.

one /wʌn/ *s.* ou *num.* número um. • *pron.* um, uma; aquele; alguém, algum. ♦ **one and all** todos. **one another** um ao outro. **one by one** um a um. **one-sided** unilateral. **the one and only** o único. → Numbers

oneself /wʌns'elf/ *pron. reflex.* si, si mesmo, si próprio.

one-way /wʌnw'eɪ/ *adj.* de mão única (rua); não retornável (embalagem).

O

onion /'ʌnjən/ *s.* cebola. ➔ Vegetables

online /ɑːnl'aɪn, ɔːnl'aɪn/ *adj.* conectado. ▪ *ant.* offline.

only /'oʊnli/ *adj.* único; só. • *adv.* somente, apenas.

onset /'ɑːnset, 'ɔːnset/ *s.* ataque, assalto; começo, início.

onto /'ɑːntə, 'ɔːntə, 'ɑːntu/ (*tb.* **on to**) *prep.* por cima, sobre.

onward /'ɑːnwərd, 'ɔːnwərd/ (*Brit.* **onwards**) *adj.* avançado, adiantado. • *adv.* para a frente, em diante, avante.

ooze /uːz/ *s.* lodo. • *v.* escorrer; esvair(-se), escoar.

opaque /oʊp'eɪk/ *adj.* opaco, fosco.

open /'oʊpən/ *s.* clareira; ar livre; abertura. • *v.* abrir(-se); esclarecer; divulgar; desobstruir; inaugurar. • *adj.* aberto; livre, desocupado, disponível; acessível; desprotegido; público. ♦ **open air** ao ar livre. **open fire** abrir fogo. **open-minded** liberal. **open to** aberto a; passível de. **the open sea** o alto-mar. **open-armed** ou **with open arms** de braços abertos. **open-eyed** atento. **open-handed** generoso. **open-hearted** sincero. **open-mouthed** boquiaberto. **opener** abridor. **opening** abertura; oportunidade. **opening night** noite de inauguração.

openly /'oʊpənli/ *adv.* abertamente: I always speak *openly* about politics.

opera /'ɑprə/ *s.* ópera.

operate /'ɑpəreɪt/ *v.* funcionar; operar; dirigir.

operation /ɑpər'eɪʃən/ *s.* operação.

operative /'ɑːpərətɪv, 'ɑːpəreɪtɪv/ *adj.* em funcionamento.

operator /'ɑpəreɪtər/ *s.* telefonista; operador. ➔ Professions

ophthalmologist /ɑfθælm'ɑlədʒɪst/ *s.* oftalmologista. ➔ Professions

opinion /əp'ɪnjən/ *s.* opinião.

opium /'oʊpiəm/ *s.* ópio.

opponent /əp'oʊnənt/ *s.* oponente, adversário. • *adj.* oposto, em oposição. ▪ *sin.* enemy.

opportune /ɑpərt'uːn/ *adj.* oportuno.

opportunity /ɑpərt'uːnəti/ *s.* oportunidade, ocasião.

oppose /əp'oʊz/ *v.* opor-se a, resistir.

opposed /əp'oʊzd/ *adj.* contrário, hostil.

opposing /əp'oʊzɪŋ/ *adj.* contrário: My sister has an *opposing* viewpoint to mine.

opposite /'ɑpəzət/ *s.* ou *adj.* oposto, contrário. • *adv.* ou *prep.* em frente a.

opposition /ɑpəz'ɪʃən/ *s.* oposição.

oppress /əpr'es/ *v.* oprimir.

oppression /əpr'eʃən/ *s.* opressão.

oppressive /əpr'esɪv/ *adj.* opressivo.

oppressor /əpr'esər/ *s.* opressor, tirano.

opt /ɑpt/ *v.* fazer uma opção, optar.

optic /'ɑptɪk/ *adj.* óptico.

optical /'ɑptɪkəl/ *adj.* óptico.

optimism /'ɑptɪmɪzəm/ *s.* otimismo.

optimistic /ɑptɪm'ɪstɪk/ *adj.* otimista.

optimize /'ɑːptɪmaɪz/ (*Brit.* **optimise**) *v.* melhorar ao máximo, otimizar.

optimum /'ɑptɪməm/ *adj.* ótimo.

option /'ɑpʃən/ *s.* opção, preferência. ▪ *sin.* choice.

optional /'ɑpʃənəl/ *adj.* opcional, facultativo.

or /ɔːr/ *conj.* ou; senão. ♦ **or so** mais ou menos.

oracle /'ɔːrəkəl/ *s.* oráculo.

oral /ɔːrəl/ *adj.* oral.

orange /'ɔːrɪndʒ, 'ɑːrɪndʒ/ *s.* ou *adj.* laranja. ➔ Fruit

orangeade /ɔːrɪndʒ'eɪd, ɑːrɪndʒ'eɪd/ *s.* laranjada.

orbit /'ɔːrbɪt/ *s.* órbita.

orchard /'ɔːrtʃərd/ *s.* pomar.

orchestra /'ɔːrkɪstrə/ *s.* orquestra.

orchid /'ɔːrkɪd/ *s.* orquídea.

ordeal /ɔːrd'iːl/ *s.* experiência ruim, sofrimento.

order /'ɔːrdər/ *s.* ordem, sequência; encomenda; pedido; regra; mandato. • *v.* ordenar; mandar; pedir, encomendar; receitar; arranjar, arrumar. ♦ **in order that** ou **in order to** a fim de que, para. **out of order** quebrado, enguiçado.

orderly /'ɔːrdərli/ *s.* atendente. • *adj.* ordeiro, metódico; disciplinado, organizado.

ordinary /'ɔːrdneri/ *adj.* normal, comum. ▪ *sin.* common.

ore /ɔːr/ *s.* minério.

oregano /ər'egənoʊ/ *s.* orégano.

organ /'ɔːrgən/ *s.* órgão. ♦ **vital organ** órgão vital. ➔ Musical Instruments

organic /ɔːrg'ænɪk/ *adj.* orgânico.

organism /'ɔːrgənɪzəm/ *s.* organismo.

organization /ɔːrgənəz'eɪʃən/ (*Brit.* ***organisation***) *s.* organização, empresa.

organize /'ɔːrgənaɪz/ (*Brit.* ***organise***) *v.* organizar.

orgy /'ɔːrdʒi/ *s.* orgia.

orient /'ɔːriənt/ *s.* oriente. • *v.* orientar(-se); guiar.

oriental /ɔːri'entl/ *adj.* oriental.

orientate /'ɔːriənteɪt/ *v.* orientar(-se); guiar. (*Brit.*)

orientation /ɔːriənt'eɪʃn/ *s.* orientação.

origin /'ɔːrɪdʒɪn/ *s.* origem, fonte; princípio. ▪ *sin.* source.

original /ər'ɪdʒənəl/ *s.* original. • *adj.* primitivo; inventivo, inovador.

originality /ərɪdʒən'æləti/ *s.* originalidade.

originally /ər'ɪdʒənəli/ *adv.* originalmente: *Originally,* the Bible was written in Hebrew and Aramaic.

originate /ər'ɪdʒɪneɪt/ *v.* originar; surgir, nascer.

ornament /'ɔːrnəmənt/ *s.* ornamento, adorno. • *v.* ornamentar, adornar.

ornate /ɔːrn'eɪt/ *adj.* adornado. ▪ *sin.* adorned, decorated.

orphan /'ɔːrfən/ *s.* ou *adj.* órfão.

orphanage /'ɔːrfənɪdʒ/ *s.* orfandade; orfanato.

orthography /ɔːrθ'ɑːgrəfi/ *s.* ortografia.

orthopedics /ɔːrθəp'iːdɪks/ (*Brit.* ***orthopaedics***) *s.* ortopedia.

OS /oʊ'es/ (*abrev.* de *Operating System*) Sistema Operacional (*informática*). ➔ Abbreviations

ostrich /'ɑstrɪtʃ, 'ɔːstrɪtʃ/ *s.* avestruz. ➔ Animal Kingdom

other /'ʌðər/ *adj.* ou *pron.* outro, outra, outros, outras. ♦ **none other than** nem mais nem menos que. **somehow or other** seja como for.

otherwise /'ʌðərwaɪz/ *conj.* caso contrário, senão.

otter /'ɑtər/ *s.* lontra. ➔ Animal Kingdom

ouch! /aʊtʃ/ *interj.* ai!, ui!

ought to /'ɔːt tə/ *v.* deveria.

ounce /aʊns/ *s.* onça (medida de peso; 1 onça = 28,35 gramas). ➔ Numbers

our /ɑːr, 'aʊər/ *adj. poss.* nosso, nossa, nossos, nossas.

ours /ɑːrz, 'aʊərz/ *pron. poss.* (o) nosso, (a) nossa, (os) nossos, (as) nossas.

ourselves /ɑːrs'elvz, aʊərs'elvz/ *pron. reflex.* nós mesmos. ♦ **by ourselves** sozinhos.

out /aʊt/ *adv.* fora. • *prep.* fora de. ♦ **break out** irromper (guerra). **find out** descobrir. **get out** ou **go out** sair. **out of breath** sem fôlego. **out of doubt** sem dúvida. **out of fashion** fora de moda. **out of focus** fora de foco. **out of luck** sem sorte. **out of mind** louco. **out of money** sem dinheiro. **out of order** enguiçado, quebrado. **out of place** fora do lugar. **out of print** esgotado (publicação). **out of question** fora de cogitação. **out of reach** ou **beyond reach** fora de alcance. **Out of sight, out of mind.** O que os olhos não veem, o coração não sente. **one out of five** um em cinco. **put out** apagar (luz, fogo, etc.). **way out** saída. **wear out** desgastar(-se). **out-of-date** antiquado.

outage /'aʊtɪdʒ/ *s.* interrupção, falta: The power *outage* was caused by the tropical rain.

outbreak /'aʊtbreɪk/ *v.* entrar em erupção, irromper. • *s.* deflagração, surgimento.

outburst /'aʊtbɜːrst/ *s.* acesso (de raiva, de riso).

outcast /'aʊtkæst/ *s.* proscrito; pária. • *adj.* exilado, desterrado.

outcome /'aʊtkʌm/ *s.* resultado, efeito, consequência.

outcry /'aʊtkraɪ/ *s.* grito, berro; protesto; clamor. ▪ *sin.* uproar.

outdated /aʊtd'eɪtɪd/ *adj.* antiquado.

outdo /aʊtd'uː/ *v.* exceder, superar.

outdoor /'aʊtdɔːr/ (*tb.* **outdoors**) *adj.* ao ar livre. ♦ **outdoor advertising** publicidade ao ar livre.

outer /'aʊtər/ *adj.* exterior, externo.

outfit /'aʊtfɪt/ *s.* equipamento, aparelhamento; uniforme.

outgoing /'aʊtgoʊɪŋ/ *adj.* sociável, expansivo.

outlaw /'aʊtlɔː/ *s.* fora da lei, criminoso, foragido.

outlet /'aʊtlet/ *s.* passagem, saída; loja de ponta de estoque. ♦ **outlet valve** válvula de escape.

outline /'aʊtlaɪn/ *s.* contorno; esboço, rascunho. • *v.* esboçar, delinear. ▪ *sin.* sketch.

outlive /aʊtl'ɪv/ *v.* sobreviver. ▪ *sin.* survive.

outlook /'aʊtlʊk/ *s.* perspectiva, probabilidade; ponto de vista.

outnumber /aʊtn'ʌmbər/ *v.* superar em número.

outpost /'aʊtpoʊst/ *s.* posto avançado (exército); observatório.

output /'aʊtpʊt/ *s.* produção, rendimento.

outrage /'aʊtreɪdʒ/ *s.* ultraje, atrocidade, insulto. • *v.* ultrajar, insultar.

outright /'aʊtraɪt/ *adj.* sincero; completo; inequívoco. • /aʊtr'aɪt/ *adv.* completamente; francamente.

outset /'aʊtset/ *s.* início, princípio.

outside /aʊts'aɪd/ *s.* exterior; aparência. • *adj.* externo; aparente; exterior. • *adv.* fora, por fora, externamente. • *prep.* fora de.

outsider /aʊt'saɪdər/ *s.* estranho, intruso; forasteiro.

outskirts /'aʊtskɜːrts/ *s.* limite; divisa; subúrbios, periferia.

outsourcing /'aʊtsɔːrsɪŋ/ *s.* subcontratação, terceirização.

outspoken /aʊtsp'oʊkən/ *adj.* franco, sincero.

outstanding /aʊtst'ændɪŋ/ *adj.* excelente, notável; pendente.

Her singing performance was *outstanding*.

outward /'aʊtwərd/ (*Brit.* **outwards**) *adj.* externo, exterior; visível. • *adv.* visivelmente; para fora.

outweigh /aʊtw'eɪ/ *v.* pesar mais; valer a pena; superar, exceder.

outwit /aʊtw'ɪt/ *v.* exceder em esperteza; lograr, passar a perna em.

outworn /'aʊtwɔːrn/ *adj.* fora de moda, antiquado.

oval /'oʊvəl/ *adj.* oval.

ovary /'oʊvəri/ *s.* ovário. ➔ Human Body

oven /'ʌvən/ *s.* forno.

over /'oʊvər/ *adj.* acabado; demasiado, excessivo. • *adv.* por cima; muito, demais, em excesso; completamente.

• *prep.* sobre; ao longo de; a respeito de; no decurso de; por; acima de, superior a. ♦ **Ask him over!** Peça que ele venha para cá! **be over** estar terminado. **over and over again** de novo. **over the next month** durante o mês que vem. **over the phone** pelo telefone. **The milk is boiling over.** O leite está fervendo (derramando). **think over** refletir.

over- /'oʊvər/ *pref.* denotativo de demasia, exagero.

overall /'oʊvərɔːl/ *adj.* global, total. • *adv.* no geral. • *s. pl.* **overalls** (*Brit.*) macacão. ➔ Clothing

overboard /'oʊvərbɔːrd/ *adv.* ao mar. ♦ **go overboard** entusiasmar-se, exagerar.

overbook /oʊvərb'ʊk/ *v.* reservar mais passagens ou ingressos do que a quantidade disponível.

overbooking /oʊvərb'ʊkɪŋ/ *s.* excesso de reservas.

overburden /oʊvərb'ɜːrdən/ *v.* sobrecarregar.

overcast /oʊvərk'æst/ *v.* obscurecer. • *adj.* nublado, coberto, encoberto.

overcharge /oʊvərtʃ'ɑrdʒ/ *v.* cobrar demais, sobretaxar. • *s.* sobrecarga; sobrepreço.

overcoat /'oʊvərkoʊt/ *s.* sobretudo. ➔ Clothing

overcome /oʊvərk'ʌm/ *v.* (*pret.* **overcame**, *p.p.* **overcome**) superar; dominar, sobrepujar, vencer, triunfar. ➔ Irregular Verbs

overcrowd /oʊvərkr'aʊd/ *v.* abarrotar, superlotar.

overdo /oʊvərd'uː/ *v.* (*pret.* **overdid**, *p.p.* **overdone**) exagerar. ➔ Irregular Verbs

overdose /'oʊvərdoʊs/ (*abrev.* **OD**) *s.* overdose.

overdraft /'oʊvərdræft/ *s.* saldo negativo (banco).

overdraw /oʊvərdr'ɔː/ *v.* (*pret.* **overdrew**, *p.p.* **overdrawn**) exagerar; sacar (dinheiro) sem saldo no banco. ➔ Irregular Verbs

overdue /oʊvərd'uː/ *adj.* atrasado, vencido.

overestimate /oʊvər'estɪmeɪt/ *v.* superestimar.

overflow /oʊvərfl'oʊ/ *v.* alagar, inundar, transbordar. • /'oʊvərfloʊ/ *s.* alagamento, inundação.

overgrow /oʊvərgr'oʊ/ *v.* (*pret.* **overgrew**, *p.p.* **overgrown**) crescer em excesso. ➔ Irregular Verbs

overhaul /oʊvərh'ɔːl/ *v.* revisar. • /'oʊvərhɔːl/ *s.* revisão.

overhead /'oʊvərhed/ *adj.* aéreo; suspenso. • /oʊvərh'ed/ *adv.* em cima, por cima. • *s. pl.* despesas gerais. ♦ **overhead projector** retroprojetor. ➔ Classroom

overhear /oʊvərh'ɪr/ *v.* (*pret.* e *p.p.* **overheard**) ouvir por acaso; escutar. ➔ Irregular Verbs

overlap /oʊvərl'æp/ *v.* sobrepor(-se), justapor(-se).

overlay /oʊvərl'eɪ/ *v.* (*pret.* e *p.p.* **overlaid**) cobrir, revestir. • /'oʊvərleɪ/ *s.* cobertura, revestimento. ➔ Irregular Verbs

overleaf /oʊvərl'iːf/ *adv.* no verso da página.

overload /'oʊvərloʊd/ *s.* sobrecarga. • /oʊvərl'oʊd/ *v.* sobrecarregar.

overlook /oʊvərl'ʊk/ *v.* olhar sem atenção, deixar passar, negligenciar. • *s.* negligência.

overnight /oʊvərn'aɪt/ *adv.* durante a noite; da noite para o dia.

overpass /'oʊvərpæs/ *s.* viaduto.

overpower /oʊvərp'aʊər/ *v.* dominar, subjugar.

overrate /oʊvərr'eɪt/ *v.* superestimar.

override /oʊvərr'aɪd/ *v.* (*pret.* **overrode**, *p.p.* **overridden**) desconsiderar, desprezar. ➔ Irregular Verbs

overrule /oʊvərr'uːl/ *v.* dominar, conquistar, prevalecer.

overseas /oʊvərs'iːz/ *adj.* exterior; estrangeiro. • *adv.* além-mar.

oversee /oʊvərs'iː/ *v.* (*pret.* ***oversaw***, *p.p.* ***overseen***) vigiar, supervisionar: The manager must *oversee* his employees' work. ➔ Irregular Verbs

overseer /'oʊvərsɪr/ *s.* inspetor, supervisor; superintendente.

oversight /'oʊvərsaɪt/ *s.* descuido, erro.

oversleep /oʊvərsl'iːp/ *v.* (*pret.* e *p.p.* ***overslept***) dormir demais. ➔ Irregular Verbs

overspend /oʊvərsp'end/ *v.* (*pret.* e *p.p.* ***overspent***) gastar demais. ➔ Irregular Verbs

overt /oʊv'ɜːrt, 'oʊvɜːrt/ *adj.* público; evidente, declarado.

overtake /oʊvərt'eɪk/ *v.* (*pret.* ***overtook***, *p.p.* ***overtaken***) alcançar, ultrapassar. ➔ Irregular Verbs

overthrow /oʊvərθr'oʊ/ *v.* (*pret.* ***overthrew***, *p.p.* ***overthrown***) derrubar, destronar, destruir. • *s.* derrubada, destronamento, destruição. ➔ Irregular Verbs

overtime /'oʊvərtaɪm/ *s.* trabalho extra, hora extra.

overture /'oʊvərtʃər, 'oʊvərtʃʊr/ *s.* abertura; proposta, oferta; prelúdio.

overturn /oʊvərt'ɜːrn/ *v.* derrubar, virar; subverter.

overview /'oʊvərvjuː/ *s.* panorama.

overweight /oʊvərw'eɪt/ *adj.* com excesso de peso.

overwhelm /oʊvərw'elm/ *v.* oprimir; subjugar; esmagar.

overwhelming /oʊvərw'elmɪŋ/ *adj.* esmagador; irresistível.

overwork /oʊvərw'ɜːrk/ *s.* trabalho pesado. • *v.* trabalhar demais.

overwrite /oʊvərr'aɪt/ *v.* (*pret.* ***overwrote***, *p.p.* ***overwritten***) regravar, substituir. ➔ Irregular Verbs

owe /oʊ/ *v.* dever a, ter dívidas.

owing to /'oʊɪŋ tuː/ *prep.* devido a, que se deve.

owl /aʊl/ *s.* coruja. ➔ Animal Kingdom

own /oʊn/ *v.* possuir, ter. • *adj.* próprio.

owner /'oʊnər/ *s.* proprietário.

ox /ɑks/ (*s. pl.* ***oxen*** /'ɑːksn/) *s.* boi. ➔ Animal Kingdom

oxygen /'ɑksɪdʒən/ *s.* oxigênio.

oyster /'ɔɪstər/ *s.* ostra. ➔ Animal Kingdom

ozone /'oʊzoʊn/ *s.* ozônio. ♦ **ozone layer** camada de ozônio.

P

P, p /piː/ *s.* décima sexta letra do alfabeto inglês.

P2P /piːtuːp'iː/ (*abrev.* de *peer-to-peer*) ponto a ponto, rede virtual compartilhada. → Abbreviations

pace /peɪs/ *s.* passo; ritmo; marcha. ▪ *sin.* step. ♦ **at a great pace** a passos largos. **double pace** passo acelerado. **I took two paces towards her.** Eu dei dois passos em direção a ela. **keep pace with** acompanhar o ritmo de. **set the pace** acertar o passo; dar andamento a. **pacemaker** marca-passo.

pacify /p'æsɪfaɪ/ *v.* pacificar, serenar. ♦ **pacifier** chupeta.

pack /pæk/ *s.* pacote; maço; matilha; quadrilha; mochila. • *v.* empacotar, embalar; arrumar as malas; acondicionar; abarrotar. ♦ **a pack of cards** baralho. **a pack of dogs** matilha. **pack off** despachar. **packed out** lotado. **Pack up!** Arrume suas coisas! **This is a pack of lies.** Isto é um monte de mentiras. **a packed room** uma sala repleta de gente. **pack animal** animal de carga. **packer** empacotador. **packing** embalagem. **packing box** ou **packing case** caixote.

package /p'ækɪdʒ/ (*Brit.* ***parcel*** ou ***packet***) *s.* pacote, embrulho. ♦ **package tour** ou **package holiday** (*Brit.*) pacote turístico.

packaging /p'ækɪdʒɪŋ/ *s.* embalagem: Children like attractive *packaging*.

packet /p'ækɪt/ (*Brit.*) *s.* pacote: I am going to send this *packet* to Mexico.

pact /pækt/ *s.* pacto.

pad /pæd/ *s.* almofada. • *v.* almofadar, acolchoar.

padding /p'ædɪŋ/ *s.* estofamento.

paddock /p'ædək/ *s.* cercado (para animais).

padlock /p'ædlɑk/ *s.* cadeado.

pagan /p'eɪgən/ *s.* pagão.

page /peɪdʒ/ *s.* pajem, empregado doméstico; mensageiro; página. ♦ **page break** quebra de página. **page layout** configuração ou formato de página.

pageant /p'ædʒənt/ *s.* concurso. ♦ **beauty pageant** concurso de beleza.

paid /peɪd/ *v. pret.* e *p.p.* de **pay**.

pain /peɪn/ *s.* dor. • *v.* atormentar, afligir; magoar; doer. ♦ **a pain in the neck** pessoa chata. **No pain, no gain.** Sem esforço nada se consegue. **under pain of death** sob pena de morte. **painful** dolorido, doloroso. **painfully** dolorosamente. **painkiller** analgésico. **painless** indolor. **painlessly** sem dor, indolor.

paint /peɪnt/ *s.* pintura, tinta; cosmético. • *v.* pintar, colorir.

paintbrush /p'eɪntbrʌʃ/ *s.* pincel; brocha.

painter /p'eɪntər/ *s.* pintor.

painting /p'eɪntɪŋ/ *s.* pintura, tela. → Leisure

pair /per/ *s.* par; dupla; casal. • *v.* emparelhar; juntar, unir; casar; acasalar-se. ▪ *sin.* couple.

pajamas /pədʒ'æməz/ (*Brit.* ***pyjamas***) *s. pl.* pijama. ➔ Clothing

Pakistan /p'ækıstæn/ *s.* Paquistão. ➔ Countries & Nationalities

Pakistani /pækıst'æni/ *s.* ou *adj.* paquistanês. ➔ Countries & Nationalities

pal /pæl/ *s.* (*inf.*) colega; amigo.

palace /p'æləs/ *s.* palácio.

palate /p'ælət/ *s.* palato; paladar.

pale /peıl/ *adj.* pálido, lívido. ▪ *sin.* pallid, wan. ♦ **turn pale** empalidecer.

palm /pɑm/ *s.* palma da mão; palmo. • *v.* manusear; empurrar. ♦ **palm tree** coqueiro, palmeira.

palmtop /p'ɑmtɑp/ *s.* computador portátil de pequena dimensão, computador de bolso.

palpable /p'ælpəbəl/ *adj.* palpável.

palpitate /p'ælpıteıt/ *v.* palpitar, pulsar, bater; tremer.

palpitation /pælpıt'eıʃən/ *s.* palpitação; pulsação.

pamper /p'æmpər/ *v.* mimar. ▪ *sin.* spoil.

pamphlet /p'æmflət/ *s.* panfleto.

pan /pæn/ *s.* frigideira, panela, caçarola. • *v.* garimpar; fritar; criticar.

panacea /pænəs'i:ə/ *s.* panaceia.

Panama /p'ænəmɑ/ *s.* Panamá. ➔ Countries & Nationalities

Panamanian /pænəm'eıniən/ *s.* ou *adj.* panamenho. ➔ Countries & Nationalities

pancake /p'ænkeık/ *s.* panqueca.

panda /p'ændə/ *s.* panda. ➔ Animal Kingdom

pandemonium /pændəm'oʊniəm/ *s.* pandemônio, tumulto.

pane /peın/ *s.* vidraça; chapa, placa.

panel /p'ænəl/ *s.* painel. ♦ **panel discussion** mesa-redonda.

panic /p'ænık/ *s.* pânico. • *v.* (*pret.* e *p.p.* ***panicked***) apavorar(-se).

pansy /p'ænzi/ *s.* amor-perfeito.

pant /pænt/ *v.* arquejar; falar com voz ofegante.

panther /p'ænθər/ *s.* pantera, puma, suçuarana, onça-parda. ➔ Animal Kingdom

panties /p'æntiz/ (*Brit.* **knickers**) *s. pl.* calcinha. ➔ Clothing

pantomime /p'æntəmaım/ *s.* pantomima.

pantry /p'æntri/ *s.* despensa, copa.

pants /pænts/ *s. pl.* calças: She is wearing fancy *pants*. ➔ Clothing

pantyhose /p'æntihoʊz/ *s.* meia--calça. ➔ Clothing

papa /p'ɑpə/ *s.* papai.

papaya /pəp'aıə/ *s.* mamão. ➔ Fruit

paper /p'eıpər/ *s.* papel; folha; jornal. *pl.* ***papers*** documentos. • *v.* empapelar. ♦ **drawing paper** papel para desenho. **on paper** por escrito. **paper cutter** máquina de cortar papel. **paper money** papel-moeda. **paper napkin** guardanapo de papel. **toilet paper** papel higiênico. **wall-paper** papel de parede. **waste-paper** papel usado. **wrapping paper** papel de embrulho. **paper clip** clipe para papel. **paper-faced** pálido. **paper plant** papiro. **paperback** livro de bolso. **paperboard** papelão. **papering** empapelamento. **papermaker** fabricante de papel.

par /pɑr/ *s.* paridade. • *v.* colocar a par. • *adj.* a par. ♦ **(be) on a par with** estar em pé de igualdade com.

parable /p'ærəbəl/ *s.* parábola. ▪ *sin.* allegory.

parachute /p'ærəʃu:t/ *s.* paraquedas. ♦ **parachuting** paraquedismo. ➔ Sports

parade /pər'eıd/ *s.* parada, desfile; passeata. • *v.* desfilar.

paradigm /p'ærədaım/ paradigma. ♦ **paradigm shift** revolução científica.

paradise /p'ærədaıs/ *s.* paraíso.

paraffin /p'ærəfın/ *s.* parafina; querosene (*Brit.*).

paragliding /p'æræglaɪdɪŋ/ *s.* parapente. → Sports

paragon /p'ærəgɑn/ *s.* protótipo.

Paraguay /p'ærəgwaɪ/ *s.* Paraguai. → Countries & Nationalities

Paraguayan /pærəgw'aɪən/ *s.* ou *adj.* paraguaio. → Countries & Nationalities

parakeet /p'ærəkiːt/ (*tb.* ***parrakeet***) *s.* periquito. → Animal Kingdom

Paul's *parakeet* seems to be a little strange, don't you think?

parallel /p'ærəlel/ *s.* paralela; paralelo. • *v.* comparar.

paralyze /p'ærəlaɪz/ (*Brit.* ***paralyse***) *v.* paralisar.

paramount /p'ærəmaʊnt/ *adj.* superior, de grande importância. ▪ *sin.* supreme.

paratrooper /p'ærətruːpər/ *s.* paraquedista.

parcel /p'ɑrsəl/ *s.* pacote, embrulho (*Brit.*); remessa; lote. • *v.* parcelar.

parch /pɑrtʃ/ *v.* tostar; ressecar.

parched /pɑrtʃt/ *adj.* seco, ressequido; sedento.

parchment /p'ɑrtʃmənt/ *s.* pergaminho.

pardon /p'ɑrdən/ *s.* perdão, desculpa; indulto. • *v.* perdoar, desculpar.

parent /p'erənt/ *s.* pai ou mãe. *pl.* ***parents*** pais. ♦ **parental control** dispositivo de restrição de acesso a determinados sites da internet/ programas de televisão. → Deceptive Cognates

parentage /p'erəntɪdʒ/ *s.* ascendência.

parenthesis /pər'enθəsɪs/ (*s. pl.* ***parentheses***) *s.* parêntese.

parenthood /p'erənthʊd/ *s.* paternidade ou maternidade.

parish /p'ærɪʃ/ *s.* paróquia.

Parisian /pər'iːʒiən/ *s.* ou *adj.* parisiense.

parity /p'ærəti/ *s.* paridade.

park /pɑrk/ *s.* parque. • *v.* estacionar veículos.

parking /p'ɑrkɪŋ/ *s.* estacionamento. ♦ **No parking.** Proibido estacionar. **parking lot** área para estacionamento. **parking meter** parquímetro.

parliament /p'ɑrləmənt/ *s.* parlamento.

parlor /p'ɑrlər/ (*Brit.* ***parlour***) *s.* salão.

parlormaid /p'ɑrlərmeɪd/ (*Brit.* ***parlourmaid***) *s.* copeira.

parody /p'ærədi/ *s.* paródia. • *v.* parodiar. ▪ *sin.* caricature.

parole /pər'oʊl/ *s.* palavra, promessa verbal. ♦ **on parole** em liberdade condicional.

parquet /pɑːrk'eɪ/ *s.* assoalho de tacos.

parrot /p'ærət/ *s.* papagaio. → Animal Kingdom

parsley /p'ɑrsli/ *s.* salsa, salsinha. → Vegetables

part /pɑrt/ *s.* parte. • *v.* partir; dividir. ♦ **component parts** peças integrantes. **Do your part!** Faça a sua parte! **for the most part** na maioria dos casos. **He took my part.** Ele tomou meu partido. **in large part** em grande parte. **in part** em parte. **on my part** de minha parte. **part of speech** categoria gramatical. **play a part** ou **play a role** desempenhar um papel, representar. **sold in parts** vendido em fascículos. **spare parts** peças sobressalentes. **take part in** tomar parte em. **partake** participar de. **partaker** participante. **partial** parcial. **partial eclipse** eclipse parcial. **partiality** parcialidade. **partially** parcialmente. **partible** divisível. **particle** partícula. **parting** divisão, partilha.

participant /pɑːrt'ɪsɪpənt/ *s.* participante.

participate /pɑːrt'ɪsɪpeɪt/ *v.* participar.

participation /pɑːrtɪsɪp'eɪʃn/ *s.* participação.

particular /pərt'ɪkjələr/ *adj.* particular, específico, próprio. • *s. pl.* **particulars** pormenores.

particularly /pərt'ɪkjələrli/ *adv.* particularmente: *Particularly*, I do not care about sports.

partisan /p'ɑrtəzən/ *s.* partidário. ▪ *sin.* follower.

partition /pɑrt'ɪʃən/ *s.* divisão, divisória.

partly /p'ɑrtli/ *adv.* em parte: *Partly* it is also my fault.

partner /p'ɑrtnər/ *s.* sócio; parceiro.

partnership /p'ɑrtnərʃɪp/ *s.* sociedade. ▪ *sin.* association.

partridge /p'ɑrtrɪdʒ/ *s.* perdiz. → Animal Kingdom

party /p'ɑrti/ *s.* partido, grupo; festa. ♦ **throw a party** dar uma festa.

pass /pæs/ *s.* passagem; caminho estreito; passe; entrada, bilhete; aprovação. • *v.* passar; transpor, atravessar, percorrer. ♦ **Let me pass!** Deixe-me passar! **pass away** falecer. **Pass it over in silence.** Não conte para ninguém. **pass on** passar adiante. **pass out** desmaiar. **pass over** passar por cima (de um problema). **They passed through hard times.** Eles passaram por momentos difíceis. **pass a bill** aprovar uma lei. **passer-by** pedestre. **password** senha.

passage /p'æsɪdʒ/ *s.* passagem.

passenger /p'æsɪndʒər/ *s.* passageiro.

passing /p'æsɪŋ/ *s.* passagem: This is a new *passing* of the house. • *adj.* passageiro: It is a *passing* economical crisis.

passion /p'æʃən/ *s.* paixão.

passionate /p'æʃənət/ *adj.* apaixonado.

passive /p'æsɪv/ *adj.* passivo.

passport /p'æspɔːrt/ *s.* passaporte: You will need a *passport* to travel abroad.

past /pæst/ *s.* passado. • *adj.* passado, decorrido, findo. • *prep.* adiante de, mais de, além de. ▪ *sin.* beyond.

pasta /p'ɑstə/ *s.* massa, macarrão. → Deceptive Cognates

paste /peɪst/ *s.* cola, grude. • *v.* colar, grudar. ▪ *sin.* stick.

pastime /p'æstaɪm/ *s.* passatempo.

pastry /p'eɪstri/ *s.* massa (de bolo). ♦ **pastry shop** confeitaria.

pasture /p'æstʃər/ *s.* pastagem, pasto. • *v.* pastar.

pat /pæt/ *s.* pancadinha, tapinha. • *v.* bater de leve, afagar.

patch /pætʃ/ *s.* remendo; mancha. • *v.* remendar.

patchwork /p'ætʃwɜːrk/ *s.* trabalho feito de retalhos.

paternity /pət'ɜːrnəti/ *s.* paternidade.

path /pæθ/ *s.* caminho, trajetória.

patience /p'eɪʃəns/ *s.* paciência.

patient /p'eɪʃənt/ *s.* paciente, cliente. • *adj.* paciente, tolerante.

patriarch /p'eɪtriɑrk/ *s.* patriarca.

patrimony /p'ætrɪmoʊni/ *s.* patrimônio.

patriot /p'eɪtriət/ *s.* patriota.

patrol /pətr'oʊl/ *s.* patrulha, ronda. • *v.* patrulhar.

patron /p'eɪtrən/ *s.* patrono; (*form.*) cliente, freguês.

patronize /p'eɪtrənaɪz/ (*Brit.* ***patronise***) *v.* tratar com condescendência.

pattern /p'ætərn/ *s.* modelo; padrão.

paunch /pɔːntʃ/ *s.* pança, barriga.

pauperize /p'ɔːpəraɪz/ (*Brit.* ***pauperise***) *v.* empobrecer.

pause /pɔːz/ *s.* pausa, intervalo. • *v.* fazer uma pausa; hesitar.

pave /peɪv/ *v.* pavimentar, calçar.

pavement /p'eɪvmənt/ *s.* calçada. ▪ *sin.* sidewalk.

pavilion /pəv'ıliən/ *s.* pavilhão; tenda.

paw /pɔː/ *s.* pata. • *v.* dar patada.

pawn /pɔːn/ *s.* penhor; garantia; penhora. • *v.* penhorar, empenhar. ♦ **pawnbroker** agiota. **pawnshop** loja de penhores

pay /peı/ *s.* pagamento; salário. ▪ *sin.* payment. • *v.* (*pret.* e *p.p.* **paid**) pagar, recompensar. ♦ **It didn't pay a cent!** Isso não rendeu nada! **pay attention to** prestar atenção a. **pay a visit** fazer uma visita. **pay back** reembolsar, devolver, restituir. **pay in** depositar. **pay up** saldar, liquidar. **You'll pay for this!** Você vai pagar por isso! **payable** pagável. **paycheck** contracheque, holerite. **payer** pagador. **payroll** folha de pagamento. **well-paid** bem remunerado. **She was paid the sum.** A importância lhe foi paga. **accounts payable** contas a pagar. **down payment** sinal, entrada. **payment** pagamento. **payment by installments** pagamento a prestações. **payment in advance** pagamento adiantado. **payment in cash** pagamento à vista. → Irregular Verbs

payout /p'eıaʊt/ *s.* pagamento: Yesterday I got my *payout*.; prêmio: He will receive a big insurance *payout*.

PC /piːs'iː/ (*abrev.* de *Personal Computer; Police Constable; Politically Correct*) computador pessoal; policial; politicamente correto. → Abbreviations

PD /piːd'iː/ (*abrev.* de *Police Department*) Departamento de Polícia. → Abbreviations

PDA /piːdiː'eı/ (*abrev.* de *Personal Digital Assistant*) assistente pessoal digital. → Abbreviations

PDF /piːdiː'ef/ (*abrev.* de *Portable Document Format*) formato de documento portátil. → Abbreviations

P.E. /piː'iː/ (*abrev.* de *Physical Education*) educação física. → Abbreviations

pea /piː/ *s.* ervilha. ♦ **They are like two peas in a pod.** Eles são idênticos., Eles são farinha do mesmo saco. → Vegetables

peace /piːs/ *s.* paz; tranquilidade. ♦ **make peace** fazer as pazes. **peace of mind** paz de espírito.

peaceful /p'iːsfl/ *adj.* pacífico.

peach /piːtʃ/ *s.* pêssego. → Fruit

peacock /p'iːkɑk/ *s.* pavão. → Animal Kingdom

peak /piːk/ *s.* pico, cume. ▪ *sin.* summit.

peanut /p'iːnʌt/ *s.* amendoim. ♦ **work for peanuts** trabalhar quase de graça.

pear /peər/ *s.* pera. → Fruit

pearl /pɜːrl/ *s.* pérola.

peasant /p'ezənt/ *s.* camponês, lavrador, agricultor. ▪ *sin.* countryman.

pebble /p'ebəl/ *s.* pedrinha.

peck /pek/ *s.* bicada. • *v.* bicar.

peckish /p'ekıʃ/ *adj.* faminto. ▪ *sin.* hungry.

peculiarity /pıkjuːli'ærəti/ *s.* peculiaridade.

pedagogy /p'edəgɑdʒi/ *s.* pedagogia.

pedal /p'edəl/ *s.* pedal. • *v.* pedalar. ♦ **backpedal** pedalar para trás.

pedestrian /pəd'estriən/ *s.* pedestre. • *adj.* pedestre; comum, ordinário.

pediatrics /piːdi'ætrıks/ *s.* pediatria.

pee /piː/ *s.* urina, xixi. • *v.* fazer xixi.

peel /piːl/ *s.* casca (de fruta). • *v.* descascar. ▪ *sin.* skin.

peep /piːp/ *s.* olhadela; pio. • *v.* espreitar, espiar; piar.

peer /pır/ *s.* par; semelhante, igual.

peering /p'ırıŋ/ *s.* troca ou intercâmbio de tráfego (*informática*).

peg /peg/ *s.* prendedor de roupas, pregador (para varal). • *v.* fixar.

pellet /p'elıt/ *s.* bala (de chumbo).

pen /pen/ *s.* caneta. ♦ **pen name** pseudônimo literário. **pen friend** (*Brit.*) ou **pen pal** (*Am.*) correspondente. → Classroom

penalize /p'iːnəlaɪz/ (*Brit.* ***penalise***) *v.* penalizar, castigar.

penalty /p'enəlti/ *s.* multa; pena, penalidade. ▪ *sin.* fine. ♦ **penalty kick** pênalti.

penance /p'enəns/ *s.* penitência.

pencil /p'ensəl/ *s.* lápis. ♦ **pencil case** estojo. **pencil sharpener** apontador de lápis. → Classroom

pendant /p'endənt/ *s.* pingente.

pending /p'endɪŋ/ *adj.* pendente. • *prep.* à espera de.

pendulum /p'endʒələm/ *s.* pêndulo.

penetrate /p'enətreɪt/ *v.* penetrar.

penetration /p'enətreɪʃn/ *s.* penetração.

penguin /p'eŋgwɪn/ *s.* pinguim.

penicillin /penɪs'ɪlɪn/ *s.* penicilina.

penis /p'iːnɪs/ *s.* pênis. → Human Body

penitence /p'enɪtəns/ *s.* penitência.

penitentiary /penɪt'enʃəri/ *s.* penitenciária.

penknife /p'ennaɪf/ (*s. pl.* ***penknives***) *s.* canivete.

penniless /p'eniləs/ *adj.* sem dinheiro.

penny /p'eni/ (*s. pl.* ***pence***) *s.* pêni, moeda equivalente a um centavo de libra esterlina (*Brit.*). → Numbers

pension /p'enʃən/ *s.* aposentadoria: My father receives a *pension* since last year.; pensão: My mother lives on a poor *pension*.

pensioner /p'enʃənər/ *s.* pensionista.

penthouse /p'enthaʊs/ *s.* apartamento de cobertura.

people /p'iːpəl/ *s. pl.* povo; pessoas. • *v.* povoar, habitar. ♦ **people carrier** (*Brit.*) minivan. → Means of Transportation

pepper /p'epər/ *s.* pimenta. • *v.* apimentar. ♦ **bell pepper** pimentão. → Vegetables

peppermint /p'epərmɪnt/ *s.* hortelã.

per /pər/ *prep.* por, mediante; conforme, de acordo com.

perceive /pərs'iːv/ *v.* perceber; observar; distinguir. ▪ *sin.* distinguish, discern.

percentage /pərs'entɪdʒ/ *s.* porcentagem.

perch /pɜːrtʃ/ *s.* poleiro. • *v.* empoleirar(-se).

percolate /p'ɜːrkəleɪt/ *v.* filtrar, coar. ♦ **percolator** filtro (de café).

percussion /pərk'ʌʃən/ *s.* percussão.

perennial /pər'eniəl/ *adj.* perene.

perfect /p'ɜːrfɪkt/ *adj.* perfeito, primoroso. • /pərf'ekt/ *v.* aperfeiçoar; melhorar; completar.

perfection /pərf'ekʃən/ *s.* perfeição.

perfectly /p'ɜːrfɪktli/ *adv.* perfeitamente: I am *perfectly* prepared to win this competition.

perforate /p'ɜːrfəreɪt/ *v.* perfurar.

perform /pərf'ɔːrm/ *v.* realizar; efetuar.

performance /pərf'ɔːrməns/ *s.* desempenho; execução, interpretação, representação.

performer /pərf'ɔːrmər/ *s.* artista, intérprete.

perhaps /pərh'æps/ *adv.* talvez. ▪ *sin.* maybe.

peril /p'erəl/ *s.* perigo, risco. ▪ *sin.* danger, hazard.

perilous /p'erələs/ *adj.* perigoso. ▪ *sin.* dangerous, hazardous.

perimeter /pər'ɪmɪtər/ *s.* perímetro.

period /p'ɪriəd/ *s.* período; época, era; fase, ciclo; ponto-final.

periodical /pɪri'ɑdɪkəl/ *s.* ou *adj.* periódico.

peripheral /pər'ɪfərəl/ *adj.* periférico.

periscope /p'erɪskoʊp/ *s.* periscópio.

perish /p'erɪʃ/ *v.* perecer, falecer. ▪ *sin.* die, pass away.

perishable /p'erɪʃəbəl/ *adj.* perecível.

perjury /p'ɜːrdʒəri/ *s.* perjúrio.

perk /pɜːrk/ *s.* benefício: I have education assistance as a *perk* in my job. • *v.* animar-se, melhorar.

perky /p'ɜːrki/ *adj.* vivo.

permanent /p'ɜːrmənənt/ *adj.* permanente: No economic crisis is *permanent.*

permanently /p'ɜːrmənəntli/ *adv.* permanentemente: Her voice is *permanently* affected.

permeate /p'ɜːrmieɪt/ *v.* permear, penetrar.

permissible /pərm'ɪsəbəl/ *adj.* permissível.

permission /pərm'ɪʃən/ *s.* permissão, autorização, consentimento.

permissive /pərm'ɪsɪv/ *adj.* permissivo.

permit /p'ɜːrmɪt/ *s.* autorização. • /pərm'ɪt/ *v.* permitir, consentir, autorizar. ▪ *sin.* allow, consent.

perpetual /pərp'etʃuəl/ *adj.* perpétuo.

perpetuate /pərp'etʃueɪt/ *v.* perpetuar.

perplex /pərpl'eks/ *v.* desconcertar; tornar confuso. ▪ *sin.* puzzle.

perplexed /pərpl'ɛkst/ *adj.* perplexo, confuso, pasmo.

persevere /pɜːrsəv'ɪr/ *v.* perseverar.

persimmon /pərs'ɪmən/ *s.* caqui. ➔ Fruit

persistence /pərs'ɪstəns/ (*tb.* ***persistency***) *s.* persistência.

persistent /pərs'ɪstənt/ *adj.* persistente.

person /p'ɜːrsən/ (*s. pl.* ***people***) *s.* pessoa, indivíduo.

personal /p'ɜːrsənəl/ *adj.* pessoal; particular.

personality /pɜːrsən'æləti/ *s.* personalidade, individualidade.

personally /p'ɜːrsənəli/ *adv.* pessoalmente: I felt *personally* offended by his words.

personification /pərsɑnɪfɪk'eɪʃən/ *s.* personificação.

personify /pərs'ɑnɪfaɪ/ *v.* personificar.

personnel /pɜːrsən'el/ *s.* pessoal, grupo de funcionários.

perspective /pərsp'ektɪv/ *s.* perspectiva; visão.

perspiration /pɜːrspər'eɪʃən/ *s.* transpiração, suor.

perspire /pərsp'aɪər/ *v.* suar, transpirar.

persuade /pərsw'eɪd/ *v.* persuadir, convencer.

persuasion /pərsw'eɪʒən/ *s.* persuasão.

persuasive /pərsw'eɪsɪv/ *adj.* persuasivo, convincente.

pertinence /p'ɜːrtnəns/ (*tb.* ***pertinency***) *s.* pertinência.

pertinent /p'ɜːrtnənt/ *adj.* pertinente, oportuno.

perturb /pərt'ɜːrb/ *v.* (*form.*) perturbar. ▪ *sin.* disturb.

perturbation /pɜːrtərb'eɪʃən/ *s.* perturbação.

Peru /pər'u/ *s.* Peru. ➔ Countries & Nationalities

peruse /pər'uːz/ *v.* (*form.*) ler atentamente.

Peruvian /pər'uːviən/ *s.* ou *adj.* peruano. ➔ Countries & Nationalities

perverse /pərv'ɜːrs/ *adj.* perverso.

perversion /pərv'ɜːrʒən/ *s.* perversão.

pervert /p'ɜːrvɜːrt/ *s.* pervertido. • /pərv'ɜːrt/ *v.* deturpar; perverter.

pest /pest/ *s.* peste; praga; animal ou inseto nocivo.

pesticide /p'estɪsaɪd/ *s.* pesticida.

pestle /p'esəl/ *s.* pilão.

pet /pet/ *s.* animal de estimação; favorito, querido. • *v.* mimar, afagar.

petal /p'etəl/ *s.* pétala.

petition /pət'ɪʃən/ *s.* petição. • *v.* requerer; pedir.

petrify /p'etrɪfaɪ/ *v.* petrificar; paralisar.

petrol /p'etrəl/ (*Brit.*) *s.* gasolina. ▪ *sin.* gasoline, gas.

petroleum /pətr'oʊliəm/ *s.* petróleo.

petty /p'eti/ *adj.* insignificante, trivial; mesquinho. ♦ **petty crime** pequeno delito.

petulance /p'etʃələns/ (*tb.* ***petulancy***) *s.* petulância, impertinência.

petulant /p'etʃələnt/ *adj.* petulante.

pew /pju:/ *s.* banco (de igreja).

phantasy /f'æntəsi/ (*tb.* ***fantasy***) *s.* fantasia.

phantom /f'æntəm/ *s.* aparição, fantasma.

pharmacist /f'ɑrməsɪst/ *s.* farmacêutico. ▪ *sin.* druggist. ➔ Professions

pharmacy /f'ɑrməsi/ *s.* farmácia. ▪ *sin.* drugstore.

pharynx /f'ærɪŋks/ (*s. pl.* ***pharynges*** ou ***pharynxes***) *s.* faringe. ➔ Human Body

phase /feɪz/ *s.* fase; estágio, período.

phat /fæt/ *adj.* (*gír.*) ótimo, legal; irado, maneiro.

Ph.D. /pi:eɪtʃd'i:/ (*abrev.* de *Doctor of Philosophy*) Doutor em Filosofia. ➔ Abbreviations

pheasant /f'ezənt/ *s.* faisão. ➔ Animal Kingdom

phenomenon /fən'ɑmɪnən/ (*s. pl.* ***phenomena***) *s.* fenômeno.

philanthropy /fɪl'ænθrəpi/ *s.* filantropia.

Philippine /f'ɪlɪpi:n/ *s.* ou *adj.* filipino. ➔ Countries & Nationalities

Philippines /f'ɪlɪpi:nz/ *s.* Filipinas. ➔ Countries & Nationalities

philosopher /fəl'ɑsəfər/ *s.* filósofo.

philosophy /fəl'ɑsəfi/ *s.* filosofia.

phishing /f'ɪʃɪŋ/ *s.* crime de roubo de dados pessoais (*informática*).

phlegmatic /flegm'ætɪk/ (*tb.* ***phlegmatical***) *adj.* fleumático.

phone /foʊn/ (*abrev.* de ***telephone***) *s.* telefone; fonema. • *v.* telefonar. ♦ **phone booth** cabine telefônica. ➔ Numbers

phonetic /fən'etɪk/ *adj.* fonético.

phonetics /fən'etɪks/ *s.* fonética.

phony /f'oʊni/ *s.* impostor. • *adj.* falso. ▪ *sin.* fake.

photo /f'oʊtoʊ/ *s.* foto.

photocopy /f'oʊtoʊkɑpi/ *s.* fotocópia.

photograph /f'oʊtəgræf/ *s.* fotografia, retrato. • *v.* fotografar. ♦ **take a photograph** tirar uma fotografia.

photographer /fət'ɑgrəfər/ *s.* fotógrafo.

photographic /foʊtəgr'æfɪk/ *adj.* fotográfico.

photography /fət'ɑgrəfi/ *s.* fotografia (*arte*): He is interested in painting and *photography*. ➔ Leisure

phrase /freɪz/ *s.* frase; expressão, locução. • *v.* exprimir, expressar.

physical /f'ɪzɪkəl/ *adj.* físico, material.

physically /f'ɪzɪkli/ *adv.* fisicamente: He is *physically* weak but he is very courageous.

physician /fɪz'ɪʃən/ *s.* médico, clínico. ➔ Professions

physicist /f'ɪzɪsɪst/ *s.* físico. ➔ Professions

physics /f'ɪzɪks/ *s.* física.

physiologic /fɪziəl'ɑdʒɪk/ *adj.* fisiológico.

physiology /fɪzi'ɑlədʒi/ *s.* fisiologia.

physiotherapy /fɪzioʊθ'erəpi/ *s.* fisioterapia.

pianist /pi'ænɪst, p'ɪənɪst/ *s.* pianista.

piano /pi'ænoʊ/ *s.* piano: She can play the *piano* beautifully. ➔ Musical Instruments

piccolo /p'ɪkəloʊ/ *s.* flautim. ➔ Musical Instruments

pick /pɪk/ *s.* picareta (instrumento); escolha, seleção. • *v.* colher; selecionar. ▪ *sin.* choose. ♦ **Don't pick a fight with him!** Não procure encrenca com ele! **pick a lock** arrombar uma fechadura. **pick out**

escolher. **pick the teeth** palitar os dentes. **pick to pieces** picar; criticar severamente. **pick up** pegar; levantar. **I picked up my strength.** Eu recuperei minhas forças.

pickle /p'ɪkəl/ *s.* conserva. • *v.* conservar em salmoura.

pickpocket /p'ɪkpɑkɪt/ *s.* batedor de carteiras. • *v.* bater carteiras.

pickup /p'ɪkʌp/ (*tb.* ***pickup truck***) *s.* camionete. ➔ Means of Transportation

picnic /p'ɪknɪk/ *s.* piquenique. • *v.* fazer piquenique.

pictorial /pɪkt'ɔːriəl/ *adj.* ilustrado.

picture /p'ɪktʃər/ *s.* pintura, tela; cena; retrato; fotografia. • *v.* pintar, retratar. **picture frame** porta-retratos.

picturesque /pɪktʃər'esk/ *adj.* pitoresco.

pie /paɪ/ *s.* torta. ♦ **Don't have your finger in too many pies!** Não queira se meter em tudo!

piece /piːs/ *s.* peça, parte, pedaço. • *v.* remendar. ♦ **pièce de résistance** o item mais importante. **piecemeal** gradual; gradualmente.

pier /pɪr/ *s.* cais.

pierce /pɪrs/ *v.* furar, perfurar. ♦ **body piercing** ato de furar partes do corpo, além da orelha, para enfeitá-las com argolas e outros tipos de adorno.

pig /pɪg/ *s.* leitão, porco. ♦ **pig out on** empanturrar-se (*inf.*). ➔ Animal Kingdom

pigeon /p'ɪdʒɪn/ *s.* pombo. ➔ Animal Kingdom

piggish /p'ɪgɪʃ/ *adj.* sujo, imundo; ganancioso; teimoso.

piggy /p'ɪgi/ *s.* leitão. • *adj.* sujo, imundo; ganancioso; sórdido.

pigsty /p'ɪgstaɪ/ *s.* chiqueiro.

pigtail /p'ɪgteɪl/ *s.* trança.

pile /paɪl/ *s.* montão, monte, pilha. • *v.* empilhar, amontoar.

pilgrim /p'ɪlgrɪm/ *s.* peregrino; romeiro; viajante.

pilgrimage /p'ɪlgrɪmɪdʒ/ *s.* peregrinação; romaria.

piling /p'aɪlɪŋ/ *s.* empilhamento.

pill /pɪl/ *s.* pílula. ♦ **sleeping pill** sonífero.

pillage /p'ɪlɪdʒ/ *s.* pilhagem; saque. • *v.* saquear. ▪ *sin.* plunder.

pillar /p'ɪlər/ *s.* pilar, coluna.

pillow /p'ɪloʊ/ *s.* travesseiro. • *v.* apoiar a cabeça. ➔ Furniture & Appliances

pillowcase /p'ɪloʊkeɪs/ *s.* fronha.

pilot /p'aɪlət/ *s.* piloto: He used to be a great *pilot*. • *adj.* experimental: This is a *pilot* comic TV series. • *v.* pilotar; guiar, dirigir.

pimp /pɪmp/ *s.* (*inf.*) cafetão.

pimple /p'ɪmpəl/ *s.* espinha (pele).

PIN /pɪn/ (*abrev.* de *Personal Identification Number*) número de identificação pessoal. ➔ Abbreviations

pin /pɪn/ *s.* alfinete; pino; broche. • *v.* prender com alfinetes; fixar, segurar.

pinch /pɪntʃ/ *s.* beliscão; aperto; pitada. • *v.* beliscar; arrancar; apertar. ▪ *sin.* press.

pine /paɪn/ *s.* pinheiro. • *v.* definhar.

pineapple /p'aɪnæpəl/ *s.* abacaxi. ➔ Fruit

pink /pɪŋk/ *adj.* cor-de-rosa.

pinnacle /p'ɪnəkəl/ *s.* pináculo; apogeu, ápice.

pinpoint /p'ɪnpɔɪnt/ *v.* localizar com precisão.

pint /paɪnt/ *s.* pinta ou quartilho (medida de capacidade que equivale a 0,47 l nos Estados Unidos e a 0,57 l no Reino Unido).

pioneer /paɪən'ɪr/ *s.* pioneiro, precursor. • *v.* iniciar; ser o primeiro.

pipe /paɪp/ *s.* cano, tubo; cachimbo; flauta. • *v.* bombear, transportar; assobiar; piar.

pipeline /p'aɪplaɪn/ *s.* oleoduto.

piper /p'aɪpər/ *s.* flautista.

pirate /p'aɪrət/ *s.* pirata. • *v.* piratear.

piss /pɪs/ *s.* (*gír.*) urina. • *v.* urinar.

pissed /pɪst/ *adj.* bêbado. ♦ **pissed off** furioso, irado, irritado.

pistol /p'ɪstəl/ *s.* pistola.

pit /pɪt/ *s.* cova, fossa; mina, jazida. ♦ **armpit** axila. **coal pit** mina de carvão.

pitch /pɪtʃ/ *s.* piche; breu; lance, lançamento (*esporte*); tom (*mús.*): She sings in high *pitch*. • *v.* montar, armar, erigir; assentar, acampar; arremessar.

pitcher /p'ɪtʃər/ *s.* jarro, cântaro; arremessador.

pitfall /p'ɪtfɔːl/ *s.* alçapão; armadilha, cilada.

pitiable /p'ɪtiəbəl/ *adj.* (*form.*) lamentável.

pitiful /p'ɪtɪfəl/ *adj.* lamentável.

pity /p'ɪti/ *s.* piedade, compaixão, pena, dó. • *v.* ter pena de. ▪ *sin.* mercy. ♦ **What a pity!** Que pena!

pivot /p'ɪvət/ *s.* pivô; pino.

pixel /p'ɪksəl/ (*abrev.* de *picture element*) unidade de medida para imagens. → Abbreviations

placard /pl'ækɑrd/ *s.* cartaz; placar.

place /pleɪs/ *s.* lugar; espaço. • *v.* colocar. ♦ **Come to my place.** Venha à minha casa. **in place of** no lugar de. **in some place** ou **somewhere** em algum lugar. **in the first place** em primeiro lugar. **out of place** fora do lugar; inoportuno. **place of delivery** local de entrega. **take one's place** tomar o lugar de alguém. **take place** acontecer, ter lugar, ocorrer. **The right man in the right place.** O homem certo no lugar certo. **replace** ou **take the place of** substituir.

placid /pl'æsɪd/ *adj.* plácido, calmo.

plagiarize /pl'eɪdʒəraɪz/ (*Brit.* *plagiarise*) *v.* plagiar.

plague /pleɪg/ *s.* peste; praga. • *v.* infeccionar; infestar.

plaid /plæd/ *s.* tecido xadrez.

plain /pleɪn/ *s.* planície. • *adj.* plano, raso, liso; claro, evidente, simples. ♦ **plain chocolate** chocolate simples, sem recheio. **in plain clothes** à paisana.

plainness /pl'eɪnnəs/ *s.* lisura; clareza; simplicidade; pureza.

plait /plæt/ *s.* trança; prega, dobra. • *v.* trançar; preguear.

plan /plæn/ *s.* plano, projeto, esboço. • *v.* planejar; projetar, esboçar, delinear; tencionar. ♦ **plan ahead** planejar com antecedência.

I told you to *plan* ahead.

plane /pleɪn/ *s.* plano; superfície, nível; avião.

planet /pl'ænɪt/ *s.* planeta: Jupiter is the largest *planet* in the Solar System.

planetary /pl'ænəteri/ *adj.* planetário.

plank /plæŋk/ *s.* prancha, tábua.

planner /pl'ænər/ *s.* projetista; programador.

planning /pl'ænɪŋ/ *s.* planejamento: This project requires careful *planning*.

plant /plænt/ *s.* planta, vegetal; muda; fábrica, usina. • *v.* plantar, cultivar; implantar.

plantation /plænt'eɪʃən/ *s.* plantação; latifúndio.

planter /pl'æntər/ *s.* agricultor.

plaque /plæk/ *s.* placa; broche.

plaster /pl'æstər/ *s.* reboco; gesso; esparadrapo. ♦ **be in plaster** estar engessado.

plastic /pl'æstɪk/ *s.* plástico: *Plastic* is a synthetic material. • *adj.* (de) plástico: I need a *plastic* bag.

plate /pleɪt/ *s.* prato; chapa, lâmina, folha; placa. • *v.* chapear; laminar.

platform /pl'ætfɔːrm/ *s.* plataforma; estrado; arquitetura de computador. ♦ **cross-platform** multiplataforma (*informática*).

platinum /pl'ætɪnəm/ *s.* platina. • *adj.* platinado.

platoon /plət'uːn/ *s.* pelotão.

platter /pl'ætər/ *s.* travessa.

platypus /pl'ætɪpəs/ *s.* ornitorrinco. → Animal Kingdom

plausible /pl'ɔːzəbəl/ *adj.* plausível, razoável.

play /pleɪ/ *s.* jogo, disputa; divertimento, brincadeira; obra, peça teatral. • *v.* tocar; jogar; brincar; representar. ♦ **a play of (by) Shakespeare** uma peça de Shakespeare. **play a part** ou **play a role in a movie picture** desempenhar um papel em um filme. **play a trick on somebody** fazer uma brincadeira com alguém. **play-bill** programa (de teatro). **play debt** dívida de jogo. **play fair** agir honestamente. **play of colors** jogo de cores. **play safe** não correr riscos. **play soccer** jogar futebol. **play the fool** fazer papel de bobo. **play the guitar** tocar violão. **playground** área para brincar, parquinho. **playing cards** jogar cartas. **playmate** companheiro de jogo. **playroom** salão de jogos. **playtime** recreio. **playwright** dramaturgo. → Leisure

player /pl'eɪər/ *s.* competidor, jogador: You are a great cards *player*.; (*inf.*) participante: That company is a respectful *player* in South American business.

plea /pliː/ *s.* argumento, pretexto; apelo; defesa.

plead /pliːd/ *v.* (*pret.* e *p.p.* ***pleaded*** ou ***pled***) pleitear; defender, apelar. → Irregular Verbs

pleasant /pl'ezənt/ *adj.* agradável; divertido, alegre. ▪ *sin.* agreeable.

pleasantly /pl'ezəntli/ *adv.* agradavelmente: I was *pleasantly* surprised by his words.

please /pliːz/ *v.* agradar, contentar, satisfazer. • *interj.* por favor: *Please* be seated! ▪ *sin.* satisfy.

pleasing /pl'iːzɪŋ/ *adj.* agradável.

pleasure /pl'eʒər/ *s.* prazer, gosto, satisfação. ▪ *sin.* joy, delight.

It's always a *pleasure* to do business with you.

pleat /pliːt/ *s.* dobra, prega.

plebeian /pləb'iːən/ *s.* ou *adj.* plebeu.

pledge /pledʒ/ *s.* penhor, caução; garantia; promessa, compromisso; pacto. • *v.* empenhar; garantir; prometer.

plentiful /pl'entɪfəl/ *adj.* abundante. ▪ *sin.* abundant.

plenty /pl'enti/ *s.* abundância, fartura. • *adj.* abundante, farto.

pliers /pl'aɪərz/ *s. pl.* alicate.

plot /plɑt/ *s.* enredo; trama; conspiração. • *v.* conspirar.

plow /plaʊ/ (*Brit.* **plough**) *s.* arado. • *v.* arar, lavrar.

ploy /plɔɪ/ *s.* ardil, estratagema.

pluck /plʌk/ *s.* arrancada; puxão; coragem. • *v.* arrancar; depenar (ave); depilar (sobrancelhas); dedilhar instrumento.

plucky /pl'ʌki/ *adj.* corajoso.

plug /plʌg/ *s.* rolha; tampão; pino de tomada. • *v.* tampar, tapar.

plum /plʌm/ *s.* ameixa. → Fruit

plumb /plʌm/ *s.* sonda. • *v.* sondar.

plumber /pl'ʌmər/ *s.* encanador. → Professions

plumbing /pl'ʌmɪŋ/ *s.* encanamento.

plume /pluːm/ *s.* pluma, pena. • *v.* emplumar.

plump /plʌmp/ *s.* baque. • *v.* baquear. • *adj.* gordo, rechonchudo.

plunder /pl'ʌndər/ *s.* pilhagem, saque. • *v.* pilhar, saquear. ▪ *sin.* pillage.

plunge /plʌndʒ/ *s.* mergulho. • *v.* afundar, mergulhar, submergir. ▪ *sin.* dive. ♦ **take the plunge** tomar uma decisão.

plurality /plʊr'æləti/ *s.* pluralidade.

plus /plʌs/ *s.* sinal de adição (+). • *prep.* mais.

plush /plʌʃ/ *s.* pelúcia. • *adj.* de pelúcia.

ply /plaɪ/ *s.* dobra, prega, ruga. • *v.* dobrar, preguear.

p.m. /piː'em/ (*abrev.* de *post meridiem*) período que vai do meio-dia até a meia-noite, após o meio-dia, da tarde, da noite: I usually have lunch at 2 *p.m.* → Abbreviations

poach /poʊtʃ/ *v.* escaldar; invadir propriedade para caçar.

pocket /p'ɑkɪt/ *s.* bolso; bolsa. • *v.* embolsar, pôr no bolso. ♦ **pocketed shirt** camisa com bolso. **pocket-book** livro de bolso. **pocket-knife** canivete. **pocket lamp** lanterna. **pocket money** mesada. **pocket watch** relógio de bolso. **Save your pocket!** ou **Spare your pocket!** Poupe seu dinheiro!

podcasting /p'ɑdkæstɪŋ/ *s.* distribuição de mídia digital.

poem /p'oʊəm/ *s.* poema.

poet /p'oʊət/ *s.* poeta. *fem.* **poetess** /poʊət'es/.

poetic /poʊ'etɪk/ *adj.* poético.

poetry /p'oʊətri/ *s.* poesia.

poignant /p'ɔɪnjənt/ *adj.* comovente.

point /pɔɪnt/ *s.* ponta; ponto; sinal; circunstância; pormenor; posição; objetivo. • *v.* apontar; indicar, mostrar; evidenciar. ♦ **At the point of death.** Às portas da morte. **at this point** neste momento. **be on the point of** estar prestes a. **boiling point** ponto de ebulição. **cardinal points** pontos cardeais. **freezing point** ponto de congelamento. **Keep to the point!** Limite-se ao assunto! **Let's get to the point!** Vamos ao que interessa! **make a point of** fazer questão de. **point of controversy** ponto de divergência. **point of no return** ponto sem retorno. **point of origin** local de origem. **point of support** ponto de apoio. **point of view** ou **viewpoint** ponto de vista. **point out** destacar. **strong point** ponto forte. **That's the point!** Eis a questão! **up to a certain point** até certo ponto. **weak point** ponto fraco.

pointed /p'ɔɪntɪd/ *adj.* pontudo: The witch is wearing a *pointed* hat.

poison /p'ɔɪzən/ *s.* veneno, tóxico. • *v.* envenenar.

poisoning /p'ɔɪzənɪŋ/ *s.* envenenamento.

poisonous /p'ɔɪzənəs/ *adj.* venenoso: This is a *poisonous* plant.

poke /poʊk/ *s.* empurrão; cutucada. • *v.* empurrar; cutucar; atiçar.

poker /p'oʊkər/ *s.* pôquer.

Poland /p'oʊlənd/ *s.* Polônia. → Countries & Nationalities

polarize /p'oʊləraɪz/ (*Brit.* *polarise*) *v.* polarizar.

Pole /poʊl/ *s.* polonês. → Countries & Nationalities

pole /poʊl/ *s.* polo; poste, mastro. ♦ **pole vault** salto com vara.

police /pəl'iːs/ *s.* polícia. • *v.* policiar.

policeman /pəl'iːsmən/ (*s. pl.* *policemen*) *s.* policial. ▪ *sin.* cop.

policy /p'ɑləsi/ *s.* política; apólice. → Deceptive Cognates

Polish /p'oʊlɪʃ/ *s.* ou *adj.* polonês. → Countries & Nationalities

polish /p'ɑlɪʃ/ *s.* polimento. • *v.* polir, lustrar; engraxar.

polite /pəl'aɪt/ *adj.* educado, polido, cortês. ▪ *sin.* refined, polished. ▪ *ant.* impolite.

politeness /pəl'aɪtnəs/ *s.* polidez.

political /pəl'ɪtɪkəl/ *adj.* político: Terrorism is an important *political* issue.

politician /pɑlət'ɪʃən/ *s.* político.

politicize /pəl'ɪtɪsaɪz/ (*Brit.* ***politicise***) *v.* politizar.

politics /p'ɑlətɪks/ *s. pl.* política.

poll /poʊl/ *s.* votação; pesquisa de opinião, enquete. • *v.* votar.

pollen /p'ɑlən/ *s.* pólen. • *v.* polinizar.

pollute /pəl'uːt/ *v.* poluir.

polluter /pəl'uːtər/ *s.* poluidor.

pollution /pəl'uːʃən/ *s.* poluição.

polygamy /pəl'ɪgəmi/ *s.* poligamia.

polyglot /p'ɑliglɑt/ *s.* ou *adj.* poliglota.

polysyllable /p'ɑlisɪləbəl/ *s.* polissílabo.

pomegranate /p'ɑmɪgrænɪt/ *s.* romã. → Fruit

pomp /pɑmp/ *s.* pompa; ostentação.

pond /pɑnd/ *s.* tanque; lagoa.

ponder /p'ɑndər/ *v.* ponderar, deliberar. ▪ *sin.* think.

pontiff /p'ɑntɪf/ *s.* pontífice.

pony /p'oʊni/ *s.* pônei. • *v.* pagar, saldar. ♦ **ponytail** rabo de cavalo. **pony trekking** cavalgada. → Animal Kingdom

pool /puːl/ *s.* piscina; poça; bilhar. *pl.* ***pools*** bolo de apostas. → Leisure

poor /pʊr, pɔːr/ *adj.* pobre; fraco; indigente; infeliz. ♦ **Poor me!** Pobre de mim!

poorly /p'ʊrli, p'ɔːrli/ *adj.* mal, doente, indisposto. • *adv.* pobremente; miseravelmente.

pop /pɑp/ *s.* estouro. • *adj. pop*, popular. • *v.* estourar.

popcorn /p'ɑpkɔːrn/ *s.* pipoca.

pope /poʊp/ *s.* papa. ▪ *sin.* pontiff.

poppy /p'ɑpi/ *s.* papoula.

popular /p'ɑpjələr/ *adj.* popular: I like *popular* music.

popularity /pɑpjul'ærəti/ *s.* popularidade.

popularize /p'ɑpjələraɪz/ (*Brit.* ***popularise***) *v.* popularizar.

populate /p'ɑpjuleɪt/ *v.* povoar. ▪ *sin.* occupy.

population /pɑpjul'eɪʃən/ *s.* população.

porcelain /p'ɔːrsəlɪn/ *s.* porcelana.

porch /pɔːrtʃ/ *s.* alpendre, varanda.

porcupine /p'ɔːrkjupaɪn/ *s.* porco--espinho. → Animal Kingdom

pore /pɔːr/ *s.* poro. • *v.* olhar atentamente.

pork /pɔːrk/ *s.* carne de porco. ♦ **pork chop** costeleta de porco.

pornography /pɔːrn'ɑgrəfi/ *s.* pornografia.

porous /p'ɔːrəs/ *adj.* poroso.

porridge /p'ɔːrɪdʒ/ *s.* mingau de aveia.

port /pɔːrt/ *s.* porto, ancoradouro; vinho do Porto.

portal /p'ɔːrtəl/ *s.* portão; portal, site que agrega serviços.

portable /p'ɔːrtəbəl/ *adj.* portátil.

portent /p'ɔːrtent/ *s.* presságio, augúrio.

porter /p'ɔːrtər/ *s.* carregador. → Deceptive Cognates

portion /p'ɔːrʃən/ *s.* parte, porção, parcela. • *v.* repartir.

portrait /p'ɔːrtrət/ *s.* retrato.

portray /pɔːrtr'eɪ/ *v.* retratar, pintar.

portrayal /pɔːrtr'eɪəl/ *s.* representação.

Portugal /p'ɔːrtʃugəl/ *s.* Portugal. → Countries & Nationalities

Portuguese /pɔːrtʃug'iːz/ *s.* ou *adj.* português. → Countries & Nationalities

pose /poʊz/ *s.* pose. • *v.* posar; representar.

posh /paʃ/ *adj.* (*inf.*) chique, refinado.

position /pəz'ɪʃən/ *s.* posição; colocação; lugar. • *v.* situar; localizar.

positive /p'azətɪv/ *adj.* positivo; certo, indiscutível.

possess /pəz'es/ *v.* possuir; ter. ▪ *sin.* have, hold, own.

possession /pəz'eʃən/ *s.* posse.

possessive /pəz'esɪv/ *s.* ou *adj.* possessivo.

possessor /pəz'esər/ *s.* possuidor.

possibility /pasəb'ɪləti/ *s.* possibilidade.

possible /p'asəbəl/ *adj.* possível.

possibly /p'asəbli/ *adv.* possivelmente: My husband will *possibly* come home early.

post /poʊst/ *s.* poste; correio; posto; mensagem publicada em um grupo de discussão na internet (*informática*). • *v.* afixar cartazes; divulgar; postar. ▪ *sin.* mail. ♦ **postcard** cartão-postal. **post office** agência do correio. **postbox** caixa postal. **postcode** (*Brit.*) ou **zip code** (*Am.*) código postal. **postman** ou **mailman** carteiro. **postmark** carimbo postal. **postage** postagem, franquia postal. **postage-free** isento de selo. **postage stamp** selo. **postal order** vale postal.

poster /p'oʊstər/ *s.* pôster. → Furniture & Appliances

posterity /past'erəti/ *s.* posteridade.

posthumous /p'astʃəməs/ *adj.* póstumo.

postpone /poʊsp'oʊn/ *v.* adiar. ▪ *sin.* put off, delay.

posture /p'astʃər/ *s.* postura, atitude.

pot /pat/ *s.* pote; vaso; (*inf.*) penico, privada; (*gír.*) maconha; caçarola (panela): She has bought many *pots* and pans.

potato /pət'eɪtoʊ/ *s.* batata. → Vegetables

potent /p'oʊtənt/ *adj.* poter convincente.

potential /pət'enʃəl/ *adj.* p

potentially /pət'enʃəli/ *adv.* potencialmente: A gas station is a *potentially* dangerous place.

potion /p'oʊʃən/ *s.* poção.

pottery /p'atəri/ *s.* cerâmica.

pouch /paʊtʃ/ *s.* bolsa. • *v.* embolsar.

pouf /puːf/ (*tb.* **pouffe**) *s.* pufe; banqueta. → Furniture & Appliances

poultry /p'oʊltri/ *s.* aves domésticas.

pound /paʊnd/ *s.* libra (unidade monetária inglesa); libra (medida de peso equivalente a 453,59 g); canil ou gatil público. • *v.* triturar; bater. → Numbers

pour /pɔːr/ *v.* despejar, entornar; chover torrencialmente. ▪ *sin.* shed, spill.

pout /paʊt/ *v.* fazer beiço.

poverty /p'avərti/ *s.* pobreza.

POW /piːoʊd'ʌbəljuː/ (*abrev.* de *Prisoner Of War*) prisioneiro de guerra. → Abbreviations

powder /p'aʊdər/ *s.* pó; pólvora. • *v.* polvilhar; pulverizar; passar pó.

power /p'aʊər/ *s.* poder; autoridade; energia; força; comando; governo; influência; potência. ♦ **be in power** estar no poder (governo). **electric power** energia elétrica. **I will do all in my power.** Farei tudo que estiver ao meu alcance. **power consumption** consumo de energia. **power cut** ou **power failure** corte de energia. **power led** lâmpada piloto, luz piloto. **power point** tomada. **power source** fonte de energia. **power station** usina elétrica. **power switch** chave de força. **raise into the 3rd power** elevar à 3ª potência. **reasoning power** capacidade de raciocínio. **powerful** poderoso. **powerless** fraco, impotente. **powerlessness** impotência.

practical /pr'æktɪkəl/ *adj.* prático.

practically /pr'æktɪkli/ *adv.* praticamente: The problem is *practically* solved.

ctice /pr'æktɪs/ *s.* prática; uso, ɔ; experiência.

practitioner /prækt'ɪʃənər/ *s.* médico; clínico geral.
pragmatic /prægm'ætɪk/ *adj.* pragmático.
prairie /pr'eri/ *s.* pradaria, campina.
praise /preɪz/ *s.* louvor, elogio. • *v.* louvar, elogiar. ▪ *sin.* commend, applaud.
praiseworthy /pr'eɪzwɜːrði/ *adj.* louvável. ▪ *sin.* laudable.
prance /præns/ *v.* empinar; emproar(-se).
prank /præŋk/ *s.* brincadeira, trote.
prawn /prɔːn/ (*Brit.*) camarão (*Am.* ***shrimp***). → Animal Kingdom
pray /preɪ/ *v.* rezar, orar; rogar.
prayer /prer/ *s.* oração.
preach /priːtʃ/ *v.* pregar; recomendar.
preacher /pr'iːtʃər/ *s.* pregador.
preaching /pr'iːtʃɪŋ/ *s.* pregação.
preamble /pri'æmbl, pr'iːæmbl/ *s.* preâmbulo.
precaution /prɪk'ɔːʃən/ *s.* precaução.
precede /prɪs'iːd/ *v.* preceder.
precedence /pr'esɪdəns/ (*tb.* ***precedency***) *s.* precedência; primazia.
precept /pr'iːsept/ *s.* preceito.
precious /pr'eʃəs/ *adj.* precioso, valioso. ▪ *sin.* valuable.
precipice /pr'esəpɪs/ *s.* precipício.
precipitate /prɪs'ɪpɪteɪt/ *v.* precipitar(-se).
precipitous /prɪs'ɪpɪtəs/ *adj.* íngreme.
precis /preɪs'iː/ *s.* (*s. pl.* ***precis*** ou ***précis***) resumo, sumário.
precise /prɪs'aɪs/ *adj.* preciso, exato. ▪ *sin.* accurate. ▪ *ant.* inaccurate.
precisely /prɪs'aɪsli/ *adv.* precisamente, exatamente: I do not know *precisely* how much money we will need.
precision /prɪs'ɪʒən/ *s.* precisão.
precocious /prɪk'oʊʃəs/ *adj.* precoce.
preconceive /prikəns'iːv/ *v.* preconceber.
precursory /priːk'ɜːrsəri/ *adj.* precursor.
predator /pr'edətər/ *s.* predador.
predecessor /pr'edəsesər/ *s.* predecessor; antepassado.
predestination /priːdestɪn'eɪʃən/ *s.* predestinação; destino. ▪ *sin.* fate.
predetermine /priːdɪt'ɜːrmɪn/ *v.* predeterminar; predestinar.
predicate /pr'edɪkət/ *s.* predicado; atributo. • /pr'edɪkeɪt/ *v.* proclamar.
predict /prɪd'ɪkt/ *v.* predizer, prognosticar, prever. ▪ *sin.* foretell.
predispose /priːdɪsp'oʊz/ *v.* predispor.
predominant /prɪd'ɑmɪnənt/ *adj.* predominante.
predominate /prɪd'ɑmɪneɪt/ *v.* predominar; preponderar.
preface /pr'efəs/ *s.* prefácio. • *v.* prefaciar.
prefer /prɪf'ɜːr/ *v.* preferir.
preferable /pr'efərəbəl/ *adj.* preferível.
preference /pr'efərəns/ *s.* preferência.
preferential /prefər'enʃəl/ *adj.* preferencial.
prefix /pr'iːfɪks/ *s.* prefixo.
pregnancy /pr'egnənsi/ *s.* gravidez.
pregnant /pr'egnənt/ *adj.* grávida.
prejudge /priːdʒ'ʌdʒ/ *v.* prejulgar.
prejudice /pr'edʒudɪs/ *s.* preconceito. ▪ *sin.* bias. → Deceptive Cognates
preliminary /prɪl'ɪmɪneri/ *adj.* preliminar. ▪ *sin.* previous.
prelude /pr'eljuːd/ *s.* prelúdio. • *v.* introduzir.
premature /priːmətʃ'ʊr, priːmət'ʊr/ *adj.* prematuro; precoce.
premeditate /priːm'edɪteɪt/ *v.* premeditar.

premier /prɪm'ɪr, prɪmj'ɪr/ *s.* primeiro-ministro.
premise /pr'emɪs/ (*Brit.* **premiss**) *s.* premissa, pressuposto. *pl.* ***premises*** local, instalações.
premium /pr'iːmiəm/ *s.* extra, bônus, prêmio.
premonition /priːmən'ɪʃən, premən'ɪʃn/ *s.* premonição; presságio.
preoccupation /priɑːkjup'eɪʃn/ *s.* preocupação.
preoccupy /pri'ɑkjupaɪ/ *v.* preocupar. ▪ *sin.* worry
preparation /prepər'eɪʃən/ *s.* preparação: Mommy was busy with the *preparation* of my birthday party.
prepare /prɪp'er/ *v.* preparar.
preponderance /prɪp'ɑndərəns/ (*tb.* ***preponderancy***) *s.* preponderância, predomínio.
preposition /prepəz'ɪʃən/ *s.* preposição.
preposterous /prɪp'ɑstərəs/ *adj.* irracional; absurdo.
prerequisite /prɪr'ekwəzɪt/ *s.* pré-requisito.
prerogative /prɪr'ɑgətɪv/ *s.* regalia; prerrogativa.
preschool /pr'iːskuːl/ *s.* pré-escola.
prescribe /prɪskr'aɪb/ *v.* prescrever.
prescription /prɪskr'ɪpʃən/ *s.* prescrição; receita médica.
presence /pr'ezəns/ *s.* presença.
present /pr'ezənt/ *s.* presente. • /prɪz'ent/ *v.* apresentar; introduzir.
presentable /prɪz'entəbəl/ *adj.* apresentável.
presentation /priːzent'eɪʃən/ *s.* apresentação.
presentiment /prɪz'entɪmə˞ / *s.* pressentimento, presságio.
preservation /prezərv'eɪʃə preservação.
preservative /prɪz'ɜːrvətɪv conservante. ➔ Deceptive Cognates
preserve /prɪz'ɜːrv/ *s.* conserva, compota; reserva. • *v.* conservar, preservar; proteger.
preside /prɪz'aɪd/ *v.* presidir.
president /pr'ezɪdənt/ *s.* presidente.
press /pres/ *s.* aperto; pressão; imprensa. • *v.* apertar; empurrar; forçar; imprimir. ▪ *sin.* squeeze. ♦ **press conference** entrevista coletiva. **press for** reivindicar. **press release** comunicado, matéria liberada para publicação. **be hard pressed** estar em apuros.
pressing /pr'esɪŋ/ *s.* prensagem. • *adj.* urgente.
pressure /pr'eʃər/ *s.* pressão; compressão. ♦ **blood pressure** pressão sanguínea. **pressure cooker** panela de pressão.
pressurize /pr'eʃəraɪz/ (*Brit.* ***pressurise***) *v.* pressurizar.
prestige /prest'iːʒ/ *s.* prestígio.
presumable /prɪz'uːməbəl/ *adj.* presumível.
presumably /prɪz'uːməbli/ *adv.* presumivelmente: They are tired, so *presumably* they won't want to go out.
presume /prɪz'uːm/ *v.* presumir, supor; inferir, deduzir.
presumption /prɪz'ʌmpʃən/ *s.* presunção; arrogância.
presumptuous /prɪz'ʌmptʃuəs/ *adj.* presunçoso; arrogante.
presuppose /priːsəp'oʊz/ *v.* pressupor.
pretend /prɪt'end/ *v.* fingir. ➔ Deceptive Cognates
pretense /pr'iːtens/ *s.* pretensão; pretexto.
pretension /prɪt'enʃən/ *s.* pretensão.
pretentious /prɪt'enʃəs/ *adj.* pretensioso.
pretext /pr'iːtekst/ *s.* pretexto.
prettiness /pr'ɪtinəs/ *s.* beleza, graça; encanto.
pretty /pr'ɪti/ *adj.* bonito. • *adv.* bastante.

prevail /prɪv'eɪl/ *v.* prevalecer, predominar.

prevailing /prɪv'eɪlɪŋ/ *adj.* predominante.

prevent /prɪv'ent/ *v.* impedir. ▪ *sin.* obstruct.

preventable /prɪv'entəbəl/ *adj.* evitável.

prevention /prɪv'enʃən/ *s.* prevenção.

preventive /prɪv'entɪv/ *s.* ou *adj.* preventivo.

preview /pr'iːvjuː/ *s.* pré-estreia; pré-visualização.

previous /pr'iːviəs/ *adj.* prévio.

previously /pr'iːviəsli/ *adv.* previamente: The lawyer has *previously* talked to his client.

prey /preɪ/ *s.* presa, vítima. ♦ **bird of prey** ave de rapina.

price /praɪs/ *s.* preço. • *v.* pôr preço, avaliar. ♦ **at a high price** a um preço alto. **at a low price** a um preço baixo. **at any price** a qualquer preço. **go up in price** subir de preço. **Good health is beyond price.** A saúde não tem preço. **It's within my price.** Está dentro do meu preço/orçamento. **price control** controle de preços. **price list** tabela de preços. **price tag** etiqueta de preços. **price cutting** corte de preços. **priceless** impagável, inestimável, incalculável. **pricey** caro.

prick /prɪk/ *s.* furo; picada; ferroada; ferrão. • *v.* picar; furar.

prickle /p'rɪkəl/ *s.* espinho, ferrão.

pride /praɪd/ *s.* orgulho. • *v.* orgulhar-se. ▪ *sin.* vanity.

priest /priːst/ *s.* sacerdote, padre. ♦ **high priest** sumo sacerdote. **priesthood** sacerdócio.

priestess /pr'iːstəs/ *s.* sacerdotisa.

primacy /pr'aɪməsi/ *s.* primazia.

primary /pr'aɪmeri/ *adj.* primário; primitivo; principal, fundamental.

prime /praɪm/ *s.* início, primórdio; plenitude. • *v.* aprontar, preparar. • *adj.* primordial; principal. ♦ **prime time TV** horário nobre na TV.

Prime Minister *s.* primeiro-ministro, primeira-ministra: Margaret Thatcher was the *Prime Minister* of the United Kingdom in the eighties. *abrev.* **PM.**

primitive /pr'ɪmətɪv/ *s.* ou *adj.* primitivo.

primordial /praɪm'ɔːrdiəl/ *adj.* primordial, fundamental; original.

prince /prɪns/ *s.* príncipe.

princedom /pr'ɪnsdəm/ *s.* principado.

princess /prɪns'es/ *s.* princesa.

principal /pr'ɪnsəpəl/ *s.* chefe, dirigente; diretor (escola).

principle /pr'ɪnsəpəl/ *s.* princípio.

print /prɪnt/ *s.* impressão; cópia; estampa; marca, pegada; sinal. • *v.* estampar; gravar; publicar; imprimir. ♦ **a book out of print** um livro esgotado. **print file command** comando para impressão de arquivo. **print queue** fila ou ordem de impressão. **print ink** tinta para imprimir. **fingerprint** impressão digital. **footprint** pegada. **It is printed on his mind.** Está gravado na memória dele. **printable** imprimível. **printed matter** material impresso. **printer** impressora. **printing office** gráfica. **printing press** máquina de impressão. **write in print** escrever em letra de forma.

printing /pr'ɪntɪŋ/ *s.* impressão: I want to know more about the history of *printing*.

prior /pr'aɪər/ *adj.* anterior, prévio.

prioritize /praɪ'ɔːrətaɪz/ (*Brit.* ***prioritise***) *v.* priorizar: You must *prioritize* the urgent tasks.

priority /praɪ'ɔːrəti/ *s.* prioridade.

prism /pr'ɪzəm/ *s.* prisma.

prison /p'rɪzən/ *s.* prisão, cadeia.

prisoner /pr'ɪzənər/ *s.* preso, detento.

privacy /pr'aɪvəsi/ *s.* privacidade.

private /pr'aɪvət/ *s.* soldado raso. • *adj.* particular; pessoal; secreto. ♦ **in private** em particular. **private detective** ou **private eye** detetive particular. **private enterprise** empresa privada.

privately /pr'aɪvətli/ *adv.* privadamente, em particular: This is the kind of talk we must have *privately*.

privation /praɪv'eɪʃən/ *s.* privação.

privilege /pr'ɪvəlɪdʒ/ *s.* privilégio.

privileged /pr'ɪvəlɪdʒd/ *adj.* privilegiado.

prize /praɪz/ *s.* prêmio; recompensa. • *v.* estimar, valorizar.

proactive /proʊ'æktɪv/ *adj.* proativo, que age com antecedência.

probability /prɑbəb'ɪləti/ *s.* probabilidade.

probable /pr'ɑbəbəl/ *adj.* provável.

probably /pr'ɑbəbli/ *adv.* provavelmente.

You have *probably* heard of cleanliness and order, haven't you?

probation /proʊb'eɪʃən/ *s.* provação; liberdade condicional; período de experiência (no trabalho).

probe /proʊb/ *s.* sonda. • *v.* sondar, investigar. ♦ **space probe** sonda espacial.

problem /pr'ɑbləm/ *s.* problema.

procedure /prəs'iːdʒər/ *s.* procedimento.

proceed /prəs'iːd/ *v.* proceder.

proceeding /prəs'iːdɪŋ/ *s.* procedimento.

process /pr'ɑːses/ *s.* processo. • *v.* processar.

procession /prəs'eʃən/ *s.* procissão; cortejo, desfile; marcha.

proclaim /prəkl'eɪm/ *v.* proclamar.

procreation /proʊkri'eɪʃən/ *s.* procriação, geração; descendência.

procure /prəkj'ʊr/ *v.* (*form.*) obter, conseguir; adquirir. → Deceptive Cognates

prodigal /pr'ɑdɪgəl/ *s.* pródigo.

prodigality /prɑdɪg'æləti/ *s.* generosidade.

prodigious /prəd'ɪdʒəs/ *adj.* extraordinário; prodigioso.

produce /prəd'uːs/ *v.* produzir; exibir.

producer /prəd'uːsər/ *s.* produtor.

product /pr'ɑdʌkt/ *s.* produto; resultado. ♦ **Gross Domestic Product (GDP)** Produto Interno Bruto (PIB).

production /prəd'ʌkʃən/ *s.* produção: The movie *production* was poor.

profane /prəf'eɪn/ *v.* profanar; macular. • *adj.* profano; mundano. ▪ *sin.* sacrilegious.

profess /prəf'es/ *v.* (*form.*) professar.

profession /prəf'eʃən/ *s.* profissão.

Scan this QR code to learn more about **profession**. www.richmond.com.br/5lmprofession

professional /prəf'eʃənəl/ *s.* ou *adj.* profissional.

professor /prəf'esər/ *s.* professor de universidade ou faculdade.

proficient /prəf'ɪʃənt/ *s.* ou *adj.* competente; perito, hábil.

profile /pr'oʊfaɪl/ *s.* perfil; contorno. • *v.* traçar o perfil de.

profit /pr'ɑfɪt/ *s.* proveito; lucro, rendimento; benefício. • *v.* aproveitar, lucrar, render, ganhar. ♦ **gross profit** rendimento (lucro) bruto. **net profit** rendimento (lucro) líquido.

profitable /pr'ɑfɪtəbəl/ *adj.* lucrativo, rentável.

profiteer /prɑfət'ɪr/ *s.* especulador.

profiteering /prɑfət'ɪrɪŋ/ *s.* exploração; extorsão.

profound /prəf'aʊnd/ *adj.* profundo; sagaz; culto.

profundity /prəf'ʌndəti/ *s.* profundidade. ▪ *sin.* depth.

profuse /prəfj'uːs/ *adj.* pródigo; abundante. ▪ *sin.* plentiful.

prognostic /prɑgn'ɑstɪk/ *s.* prognóstico.

program /pr'oʊgræm/ *s.* programa; plano; roteiro. • *v.* programar.

programmer /pr'oʊgræmər/ *s.* programador. ➔ Professions

progress /pr'ɑgres, pr'ɑgrəs/ *s.* progresso. • /prəgr'es/ *v.* progredir; avançar, prosseguir. ♦ **in progress** em andamento, em curso.

progression /prəgr'eʃən/ *s.* progressão.

prohibit /proʊh'ɪbɪt, prəh'ɪbɪt/ *v.* proibir, vetar. ▪ *sin.* forbid, ban.

project /pr'ɑdʒekt/ *s.* projeto. • /prədʒ'ekt/ *v.* projetar. ▪ *sin.* design.

projectile /prədʒ'ektəl/ *s.* projétil.

projection /prədʒ'ekʃən/ *s.* projeção; planejamento.

proletarian /proʊlət'eriən/ *s.* ou *adj.* proletário.

proliferate /prəl'ɪfəreɪt/ *v.* proliferar.

prologue /pr'oʊlɔːg/ *s.* prólogo.

prolong /prəl'ɔːŋ/ (*tb.* ***prolongate***) *v.* prolongar.

prolongation /proʊlɔːŋg'eɪʃən/ *s.* prolongamento, prolongação.

promenade /prɑmən'eɪd/ *s.* passeio ao ar livre. • *v.* passear.

prominence /pr'ɑmɪnəns/ *s.* proeminência, protuberância; notoriedade, distinção.

prominent /pr'ɑmɪnənt/ *adj.* proeminente; saliente.

promiscuous /prəm'ɪskjuəs/ *adj.* promíscuo.

promise /pr'ɑmɪs/ *s.* promessa. • *v.* prometer.

promising /pr'ɑmɪsɪŋ/ *adj.* promissor.

promote /prəm'oʊt/ *v.* promover. ▪ *sin.* encourage.

promoter /prəm'oʊtər/ *s.* organizador; patrocinador.

promotion /prəm'oʊʃən/ *s.* promoção: She is waiting for a *promotion*.

prompt /prɑmpt/ *s.* lembrete. • *v.* incitar, induzir, impelir a. • *adj.* pronto, rápido; pontual.

promptly /pr'ɑmptli/ *adv.* prontamente: The police was *promptly* situated.

promptness /pr'ɑmptnəs/ *s.* presteza, prontidão; pontualidade.

promulgate /pr'ɑməlgeɪt/ *v.* promulgar; divulgar.

prone /proʊn/ *adj.* propenso.

proneness /pr'oʊnnəs/ *s.* propensão, inclinação.

prong /prɔːŋ/ *s.* dente (de garfo).

pronoun /pr'oʊnaʊn/ *s.* pronome.

pronounce /prən'aʊns/ *v.* pronunciar.

pronunciation /prənʌnsi'eɪʃən/ *s.* pronúncia.

proof /pruːf/ *s.* prova; demonstração, evidência. ♦ **bulletproof** à prova de bala. **soundproof** à prova de som. **waterproof** à prova de água.

prop /prɑp/ *s.* estaca; acessório (teatro, cinema).

propagate /pr'ɑpəgeɪt/ *v.* propagar.

propel /prəp'el/ *v.* propelir, impelir.

propeller /prəp'elər/ (*tb.* ***propellor***) *s.* hélice.

proper /pr'ɑpər/ *adj.* próprio, adequado. ▪ *sin.* adequate, right.

properly /pr'ɑpərli/ *adv.* adequadamente: Alice asked if she was dressed *properly*.

property /pr'ɑpərti/ *s.* propriedade. ▪ *sin.* estate.

prophecy /pr'ɑfəsi/ *s.* profecia.

prophet /pr'ɑfɪt/ *s.* profeta.

proportion /prəp'ɔːrʃən/ *s.* proporção. ▪ *sin.* rate.

proportional /prəp'ɔːrʃənəl/ *adj.* proporcional.

proposal /prəp'oʊzəl/ *s.* proposta.

propose /prəp'oʊz/ *v.* propor. ▪ *sin.* offer.

proposition /prɑpəz'ɪʃən/ *s.* proposição; proposta; projeto, plano.

propriety /prəpr'aɪəti/ *s.* decoro, decência.

propulsion /prəp'ʌlʃən/ *s.* propulsão.

prorogation /proʊrəg'eɪʃən/ *s.* prorrogação.

prose /proʊz/ *s.* prosa.

prosecute /pr'ɑsɪkjuːt/ *v.* prosseguir, continuar; processar. ♦ **prosecuting attorney** promotor público.

prosecution /prɑsɪkj'uːʃən/ *s.* prosseguimento, continuação; execução; denúncia, acusação.

prosecutor /pr'ɑsɪkjuːtər/ *s.* promotor público.

prospect /pr'ɑspekt/ *s.* prospecto, folheto; vista; panorama, perspectiva. • *v.* explorar em busca de minério; prospectar. ▪ *sin.* booklet. ♦ **career prospects** perspectivas de carreira.

prosper /pr'ɑspər/ *v.* prosperar. ▪ *sin.* flourish, succeed.

prosperity /prɑsp'erəti/ *s.* prosperidade; fortuna.

prosperous /pr'ɑspərəs/ *adj.* próspero. ▪ *sin.* fortunate.

prostitute /pr'ɑstətuːt/ *s.* prostituta. ▪ *sin.* whore.

prostitution /prɑstət'uːʃən/ *s.* prostituição.

prostrate /pr'ɑstreɪt/ *v.* prostrar. • *adj.* prostrado; abatido.

protagonist /prət'ægənɪst/ *s.* protagonista.

protect /prət'ekt/ *v.* proteger; defender.

protection /prət'ekʃən/ *s.* proteção.

protective /prət'ektɪv/ *adj.* protetor.

protector /prət'ektər/ *s.* protetor.

protein /pr'oʊtiːɪn/ *s.* proteína.

protest /pr'oʊtest/ *s.* protesto. • /prət'est/ *v.* protestar.

Protestant /pr'ɑtɪstənt/ *s.* ou *adj.* protestante.

protocol /pr'oʊtəkɑl, pr'oʊtəkɔːl/ *s.* protocolo. • *v.* protocolar.

prototype /pr'oʊtətaɪp/ *s.* protótipo.

protrude /proʊtr'uːd/ *v.* espichar.

protuberant /proʊt'uːbərənt/ *adj.* protuberante, saliente, proeminente.

proud /praʊd/ *adj.* orgulhoso, vaidoso.

proudly /pr'aʊdli/ *adv.* orgulhosamente: Daddy smiled *proudly* during my graduation.

prove /pruːv/ *v.* provar; testar.

proverb /pr'ɑvɜːrb/ *s.* provérbio, ditado.

provide /prəv'aɪd/ *v.* prover; abastecer; suprir. ▪ *sin.* furnish, supply.

provided /prəv'aɪdɪd/ *conj.* contanto que, desde que.

providence /pr'ɑvɪdəns/ *s.* providência.

province /pr'ɑvɪns/ *s.* província.

provision /prəv'ɪʒən/ *s.* provisão. • *v.* abastecer.

provocation /prɑvək'eɪʃən/ *s.* provocação.

provocative /prəv'ɑkətɪv/ *adj.* provocante.

provoke /prəv'oʊk/ *v.* provocar.

prow /praʊ/ *s.* proa.

prowess /pr'aʊəs/ *s.* coragem, bravura; perícia, destreza.

prowl /praʊl/ *s.* ronda; espreita. • *v.* rondar, espreitar.

proximity /prɑks'ɪməti/ *s.* proximidade.

proxy /pr'ɑksi/ *s.* procuração; procurador. ♦ **by proxy** por procuração.

prudence /pr'uːdəns/ *s.* prudência.

prudent /pr'uːdənt/ *adj.* prudente.

prune /pruːn/ *s.* ameixa seca. → Fruit
pry /praɪ/ *v.* bisbilhotar. ▪ *sin.* snoop.
psalm /sɑm/ *s.* salmo.
pseudonym /s'uːdənɪm/ *s.* pseudônimo.
psyche /s'aɪki/ *s.* psique, alma, mente.
psychedelic /saɪkəd'elɪk/ *adj.* psicodélico; alucinante.
psychiatric /saɪki'ætrɪk/ *adj.* psiquiátrico.
psychiatrist /saɪk'aɪətrɪst/ *s.* psiquiatra. → Professions
psychiatry /saɪk'aɪətri/ *s.* psiquiatria.
psychic /s'aɪkɪk/ *s.* médium. • *adj.* psíquico.
psychoanalysis /saɪkoʊən'æləsɪs/ *s.* psicanálise.
psychoanalyst /saɪkoʊ'ænəlɪst/ *s.* psicanalista. → Professions
psychology /saɪk'ɑlədʒi/ *s.* psicologia.
psychopath /s'aɪkəpæθ/ *s.* psicopata.
psychotherapy /saɪkoʊθ'erəpi/ *s.* psicoterapia.
PTA /piːtiː'eɪ/ (*abrev.* de *Parent-Teacher Association*) Associação de Pais e Mestres. → Abbreviations
pub /pʌb/ *s.* bar.
puberty /pj'uːbərti/ *s.* puberdade.
pubic /p'yubɪk/ *adj.* púbico. ♦ **pubic hair** pelos púbicos.
public /p'ʌblɪk/ *s.* público. ♦ **public domain** (de) domínio público: This is a *public* domain song.
publican /p'ʌblɪkən/ *s.* dono de bar.
publication /pʌblɪk'eɪʃən/ *s.* publicação.
publicity /pʌbl'ɪsəti/ *s.* publicidade.
publicize /p'ʌblɪsaɪz/ (*Brit.* *publicise*) *v.* dar publicidade a.
publicly /p'ʌblɪkli/ *adv.* publicamente: The president *publicly* disagreed with the deputies.
publish /p'ʌblɪʃ/ *v.* publicar; divulgar. ▪ *sin.* disclose.
publisher /p'ʌblɪʃər/ *s.* editor. → Professions
publishing /p'ʌblɪʃɪŋ/ *s.* mercado editorial: Technology is changing *publishing* and all its segments.
pudding /p'ʊdɪŋ/ *s.* pudim.
puddle /p'ʌdəl/ *s.* poça; lamaçal.
Puerto Rican /pɔrtə r'ikən/ *s.* ou *adj.* porto-riquenho. → Countries & Nationalities
Puerto Rico /pɔrtə r'ikoʊ/ *s.* Porto Rico. → Countries & Nationalities
puff /pʌf/ *s.* sopro, bafo, baforada; pompom. • *v.* soprar. ♦ **puff pastry** massa folhada. **puffed** ou **puffy** inchado; bufante (mangas).
pugilism /pj'uːdʒɪlɪzəm/ *s.* pugilismo, boxe.
pugilist /pj'uːdʒɪlɪst/ *s.* pugilista, boxeador.
puke /pjuːk/ *s.* (*inf.*) vômito. • *v.* (*inf.*) vomitar.
pull /pʊl/ *s.* puxão; arrancada; influência. • *v.* puxar; arrastar; tirar, remover; remar. ▪ *sin.* draw. ♦ **pull down** demolir. **pull oneself together** controlar-se. **pull over** encostar, parar o veículo à beira da estrada.
pulley /p'ʊli/ *s.* polia, roldana.
pulp /pʌlp/ *s.* polpa.
pulpit /p'ʊlpɪt/ *s.* púlpito.
pulsate /p'ʌlseɪt/ *v.* pulsar, palpitar.
pulse /pʌls/ *s.* pulso; pulsação. • *v.* pulsar, palpitar.
puma /p'uːmə/ *s.* onça-parda, suçuarana. → Animal Kingdom
pummel /p'ʌməl/ *v.* esmurrar.
pump /pʌmp/ *s.* bomba de ar ou de água. • *v.* bombear.
pumpkin /p'ʌmpkɪn/ *s.* abóbora. → Vegetables
pun /pʌn/ *s.* trocadilho. • *v.* fazer trocadilhos.
punch /pʌntʃ/ *s.* ponche; soco, murro. • *v.* esmurrar.
punctual /p'ʌŋktʃuəl/ *adj.* pontual.

punctuality /pʌŋktʃu'æləti/ *s.* pontualidade.

punctuation /pʌŋktʃu'eɪʃən/ *s.* pontuação.

puncture /p'ʌŋktʃər/ *s.* picada; furo. • *v.* perfurar, furar.

pundit /p'ʌndɪt/ *adj.* conhecedor, especialista. ▪ *sin.* expert.

punish /p'ʌnɪʃ/ *v.* punir; castigar.

punishment /p'ʌnɪʃmənt/ *s.* punição, castigo.

punt /pʌnt/ *v.* apostar.

pupil /pj'uːpəl/ *s.* pupila (do olho); aluno. → Human Body → Classroom

puppet /p'ʌpɪt/ *s.* marionete.

puppy /p'ʌpi/ (*tb.* ***pup***) *s.* filhote de cachorro. → Animal Kingdom

purchase /p'ɜːrtʃəs/ *s.* compra, aquisição. • *v.* comprar, adquirir. ▪ *sin.* buy. ♦ **purchasing power** poder aquisitivo.

purchaser /p'ɜːrtʃəsər/ *s.* comprador. ▪ *sin.* buyer.

pure /pjʊr/ *adj.* puro, genuíno. ♦ **pure-blooded** de raça pura. **pure-bred** puro-sangue.

purely /pj'ʊrli/ *adv.* puramente: The crash was *purely* accidental.

purgative /p'ɜːrgətɪv/ *s.* ou *adj.* purgante.

purgatory /p'ɜːrgətɔːri/ *s.* purgatório.

purify /pj'ʊrɪfaɪ/ *v.* purificar.

purity /pj'ʊrəti/ *s.* pureza.

purple /p'ɜːrpəl/ *s.* púrpura; roxo. • *adj.* purpúreo; arroxeado.

purport /p'ɜːrpɔːrt/ *s.* sentido, significado; intenção, propósito. • /pərp'ɔːrt/ *v.* significar.

purpose /p'ɜːrpəs/ *s.* propósito; finalidade; determinação. • *v.* tencionar, pretender. ♦ **on purpose** de propósito. **purpose-built** construído especialmente para.

purposeful /p'ɜːrpəsfəl/ *adj.* proposital.

purse /pɜːrs/ (*tb.* ***handbag***) *s.* bolsa, carteira.

pursue /pərs'uː/ *v.* procurar; seguir; perseguir; ocupar-se com.

pursuit /pərs'uːt/ *s.* perseguição, busca, caça. ♦ **in pursuit of** em busca de.

push /pʊʃ/ *s.* empurrão. • *v.* empurrar; pressionar, apertar. ♦ **push on** continuar. **pushchair** (*Brit.*) ou **stroller** (*Am.*) carrinho de criança. → Deceptive Cognates

pushing /p'ʊʃɪŋ/ *adj.* ativo, empreendedor; ambicioso.

pussy /p'ʊsi/ *s.* bichano; gatinha; (*gír.*) vagina; (*gír.*) covarde.

put /pʊt/ *v.* (*pret.* e *p.p.* ***put***) pôr; colocar; guardar; depositar. ♦ **Don't put the cart before the horses.** Não coloque o carro na frente dos bois. **How shall I put it?** Como direi? **put a question to someone** fazer uma pergunta a alguém. **put aside** pôr de lado. **put in practice** pôr em prática. **put into English** traduzir para o inglês. **put off** apagar; adiar. **put on** acender; vestir, calçar. **put two and two together** chegar à conclusão. **Put yourself in my shoes.** Coloque-se no meu lugar. **She put an end to her life.** Ela se suicidou. **She put me wise.** Ela me abriu os olhos. **They put it well.** Eles se expressaram muito bem. **We put an end to the matter.** Nós encerramos a questão. → Irregular Verbs

puzzle /p'ʌzəl/ *s.* quebra-cabeça, enigma. • *v.* confundir, complicar.

puzzler /p'ʌzlər/ *s.* problema difícil.

puzzling /p'ʌzlɪŋ/ *adj.* enigmático.

pygmy /p'ɪgmi/ (*tb.* ***pigmy***) *s.* ou *adj.* pigmeu.

pyramid /p'ɪrəmɪd/ *s.* pirâmide.

python /p'aɪθɑn/ *s.* píton (cobra). → Animal Kingdom

Q, q /kjuː/ *s.* décima sétima letra do alfabeto inglês.

quack /kwæk/ *s.* grasnido, grasnada. • *v.* grasnar.

quadruped /kw'ɑdruped/ *s.* ou *adj.* quadrúpede.

quadruple /kwɑːdr'uːpl/ *s.* ou *adj.* quádruplo. • *v.* quadruplicar.

quadruplets /kwɑdr'uːpləts, kw'ɑːdrʊpləts/ *s. pl.* quadrigêmeos. *abrev.* **quad**.

quagmire /kw'ægmaɪər/ *s.* atoleiro, pântano, lamaçal; situação difícil, problema.

quail /kweɪl/ *s.* codorna. • *v.* acovardar-se, recuar. → Animal Kingdom

quaint /kweɪnt/ *adj.* pitoresco, curioso.

quake /kweɪk/ *s.* tremor. • *v.* tremer, estremecer. ▪ *sin.* quiver, shake. ♦ **earthquake** terremoto. → Weather

Quaker /kw'eɪkər/ *s.* *Quaker* (grupo protestante "Sociedade dos Amigos", fundado por George Fox em 1652).

qualification /kwɑlɪfɪk'eɪʃən/ *s.* qualificação; requisito; habilitação, aptidão.

qualified /kw'ɑlɪfaɪd/ *adj.* apto, capacitado, qualificado.

qualify /kw'ɑlɪfaɪ/ *v.* qualificar, classificar; habilitar, capacitar.

quality /kw'ɑləti/ *s.* qualidade; característica.

qualm /kwɑːm, kwɔːm/ *s.* dúvida, receio; enjoo, mal-estar.

quandary /kw'ɑndəri/ *s.* dilema, problema; perplexidade.

quantitative /kw'ɑntəteɪtɪv/ *adj.* quantitativo.

quantity /kw'ɔːntəti/ *s.* quantidade, soma.

quarantine /kw'ɔːrəntiːn/ *s.* quarentena. • *v.* isolar.

quark /kwɑːrk/ *s.* *quark* (elemento constituinte das partículas atômicas).

quarrel /kw'ɔːrəl/ *s.* disputa, briga, discórdia, discussão. • *v.* discutir, brigar. ▪ *sin.* feud.

quarrelsome /kw'ɔːrəlsəm/ *adj.* briguento.

quarry /kw'ɔːri/ *s.* pedreira; presa (em uma caça).

quarter /kw'ɔːrtər/ *s.* um quarto; trimestre; quarteirão; distrito; moeda de 25 centavos (EUA). *pl.* **quarters** quartel. • *num.* um quarto, a quarta parte. ♦ **no quarter** sem piedade. → Numbers

quarterfinal /kwɔːrtər f'aɪnl/ *s.* quarta de final.

quarterly /kw'ɔːrtərli/ *s.* periódico publicado trimestralmente. • *adj.* trimestral. • *adv.* trimestralmente.

quartet /kwɔːrt'et/ *s.* quarteto.

quartz /kwɔːrts/ *s.* quartzo.

quash /kwɑʃ/ *v.* anular, cancelar; invalidar.

quaver /kw'eɪvər/ *v.* tremular, tremer.

quay /kiː/ (*tb.* **quayside**) *s.* cais.
queen /kwiːn/ *s.* rainha; dama (xadrez, cartas). • *v.* coroar.
queer /kwɪr/ *adj.* esquisito, ridículo; (*gír.*) efeminado. • *v.* arruinar; embaraçar, constranger.
quell /kwel/ *v.* dominar, subjugar.
quench /kwentʃ/ *v.* extinguir; satisfazer, saciar.
query /kw'ɪri/ *s.* questão, pergunta; dúvida; ponto de interrogação. • *v.* perguntar, indagar.
quest /kwest/ *s.* indagação, pesquisa, busca.
question /kw'estʃən/ *s.* pergunta, questão; dúvida; debate. • *v.* questionar, indagar; duvidar, desconfiar.
questionable /kw'estʃənəbəl/ *adj.* duvidoso, discutível.
questioning /kw'estʃənɪŋ/ *s.* interrogatório.
questionnaire /kwestʃən'er/ *s.* questionário.
queue /kjuː/ (*Brit.*) *s.* fila. • *v.* fazer fila; ficar na fila.
quick /kwɪk/ *adj.* vivo, ligeiro, rápido. ▪ *sin.* fast, sudden, swift. ▪ *ant.* slow. ♦ **quick-tempered** irritadiço. **quick-witted** esperto.
quicken /kw'ɪkən/ *v.* apressar.
quickly /kw'ɪkli/ *adv.* rapidamente.
quickness /kw'ɪknəs/ *s.* rapidez, velocidade.
quicksand /kw'ɪksænd/ *s.* areia movediça.
quicksilver /kw'ɪksɪlvər/ *s.* mercúrio.
quid /kwɪd/ (*Brit. inf.*) *s.* libra esterlina.
quiet /kw'aɪət/ *v.* acalmar. • *adj.* quieto, calmo, sossegado; imóvel. • *s.* silêncio; tranquilidade.
quietly /kw'aɪətli/ *adv.* calmamente.
quietness /kw'aɪətnəs/ *s.* tranquilidade, calma, sossego.
quilt /kwɪlt/ *s.* acolchoado, colcha.
quince /kwɪns/ *s.* marmelo. ➔ Fruit
quintet /kwɪnt'et/ *s.* quinteto.
quintuplets /kw'ɪntʊpləts, kwɪnt'ʌpləts/ *s. pl.* quíntuplos. *abrev.* **quin**.
quirk /kwɜːrk/ *s.* idiossincrasia, peculiaridade.
quit /kwɪt/ *v.* (*pret.* e *p.p.* **quitted** ou **quit**) deixar, abandonar; renunciar, desistir; pedir demissão. ▪ *sin.* leave, stop. ➔ Irregular Verbs
quite /kwaɪt/ *adv.* completamente; bastante, razoavelmente. • *interj.* (*Brit. form.*) de fato. ♦ **She's quite a woman!** Ela é uma mulher e tanto!
quiver /kw'ɪvər/ *s.* estremecimento. • *v.* tremer. ▪ *sin.* quake, shake.
quiz /kwɪz/ *s.* problema; exame, prova; jogo de perguntas e respostas.

My students love it when I give them a surprise *quiz*!

quorum /kw'ɔːrəm/ *s.* quórum.
quota /kw'oʊtə/ *s.* cota, parte.
quotation /kwoʊt'eɪʃən/ *s.* citação; cotação. ♦ **quotation marks** aspas.
quote /kwoʊt/ *v.* citar. ▪ *sin.* cite.
quotient /kw'oʊʃənt/ *s.* quociente.

R

R, r /ɑr/ *s.* décima oitava letra do alfabeto inglês.

rabbit /r'æbɪt/ *s.* coelho. → Animal Kingdom

rabble /r'æbəl/ *s.* plebe; multidão.

rabies /r'eɪbiːz/ *s.* raiva, hidrofobia.

raccoon /ræk'uːn/ *s.* guaxinim. → Animal Kingdom

race /reɪs/ *s.* corrida; competição; raça. • *v.* competir; correr. ♦ **foot race** corrida a pé. **horse race** corrida de cavalos. **race boat** barco de corridas. **race course** ou **race track** hipódromo, pista de corridas. **race cup** taça (prêmio) de corrida. **race horse** cavalo de corrida. **racer** corredor. **racing car** carro de corrida. **speed race** corrida de velocidade. **yacht race** corrida de iates.

racial /r'eɪʃəl/ *adj.* racial.

racing /r'eɪsɪŋ/ *s.* corrida: That was a great car *racing*.

racism /r'eɪsɪzəm/ *s.* racismo.

rack /ræk/ *s.* prateleira, estante.

racket /r'ækɪt/ (*tb.* ***racquet***) *s.* raquete; barulho, algazarra; (*inf.*) extorsão.

radar /r'eɪdɑːr/ *s.* radar.

radiant /r'eɪdiənt/ *s.* ponto luminoso. • *adj.* brilhante; radiante; exultante.

radiate /r'eɪdieɪt/ *v.* irradiar. ▪ *sin.* shine.

radiator /r'eɪdieɪtər/ *s.* radiador; aquecedor. → Furniture & Appliances

radical /r'ædɪkəl/ *adj.* radical.

radio /r'eɪdioʊ/ *s.* rádio.

radioactivity /reɪdioʊækt'ɪvəti/ *s.* radioatividade.

radiologist /reɪdi'ɑlədʒɪst/ *s.* radiologista. → Professions

radiology /reɪdi'ɑlədʒi/ *s.* radiologia.

radish /r'ædɪʃ/ *s.* rabanete. → Vegetables

radius /r'eɪdiəs/ *s.* raio (*geometria*).

raffle /r'æfəl/ *s.* rifa, sorteio. • *v.* rifar, sortear.

raft /ræft/ *s.* jangada, balsa. • *v.* andar em balsa.

rafter /r'æftər/ *s.* viga.

rag /ræg/ *s.* trapo, farrapo.

rage /reɪdʒ/ *s.* raiva, ira; violência. • *v.* enfurecer-se, encolerizar-se. ▪ *sin.* anger.

ragged /r'ægɪd/ *adj.* esfarrapado; recortado, irregular.

raging /r'eɪdʒɪŋ/ *adj.* raivoso, violento.

raid /reɪd/ *s.* ataque surpresa; batida. • *v.* invadir.

raider /r'eɪdər/ *s.* assaltante.

rail /reɪl/ *s.* grade, parapeito; corrimão; trilho. • *v.* xingar, ralhar.

railing /r'eɪlɪŋ/ *s.* grade.

railroad /r'eɪlroʊd/ *s.* ferrovia. ▪ *sin.* railway.

rain /reɪn/ *s.* chuva. • *v.* chover. ♦ **a rainy day** um dia chuvoso. **heavy rain** chuva forte. **It's likely to rain.** É provável que chova. **keep/save for a rainy day** economizar para uma eventualidade. **rain forest** floresta tropical. **rain buckets** ou **rain cats and dogs** chover torrencialmente. **rain or shine** faça chuva ou faça sol. **rain gauge** pluviômetro. **rainbow** arco-íris. **raincoat** capa de chuva. **raindrop** pingo de chuva. **raininess** pluviosidade. → Weather

And now the weather forecast: absolutely no *rain* for this Sunday...

rainfall /r'eɪnfɔːl/ *s.* precipitação, chuva.

raise /reɪz/ *s.* aumento; elevação. • *v.* levantar; aumentar; criar; cultivar; educar; ressuscitar; erguer; angariar. ▪ *sin.* lift. ♦ **be raised in Brazil** ser criado no Brasil. **raise a monument** erguer um monumento. **raise an army** formar um exército. **raise a point** levantar uma questão. **raise a shout** dar um grito. **raise cattle** criar gado. **raise funds** levantar fundos. **raise one's eyes to** levantar os olhos para. **raise one's glass to somebody** brindar a alguém. **raise one's hat to somebody** cumprimentar alguém. **raise prices** aumentar os preços. **raise somebody out of sleep** acordar alguém. **raise someone's spirits** levantar o moral de alguém. **raise the salary** aumentar o salário.

raisin /r'eɪzən/ *s.* uva-passa. → Fruit

rake /reɪk/ *s.* ângulo; ancinho. • *v.* limpar, ajuntar; revolver, remexer.

rally /r'æli/ *s.* reunião; comício, assembleia; rali. • *v.* agrupar(-se), ajuntar(-se).

ram /ræm/ *s.* carneiro. → Animal Kingdom

RAM /ræm/ (*abrev.* de *Random-Access Memory*) memória de acesso aleatório. → Abbreviations

ramble /r'æmbəl/ *s.* caminhada, passeio. • *v.* vaguear, perambular; divagar.

rampage /r'æmpeɪdʒ/ *s.* alvoroço. • /r'æmpeɪdʒ, ræmp'eɪdʒ/ *v.* mover-se furiosamente, comportar--se agressivamente.

rampant /r'æmpənt/ *adj.* excessivo; desenfreado.

rampart /r'æmpɑrt/ *s.* defesa, trincheira.

ramshackle /r'æmʃækəl/ *adj.* arruinado, despedaçado, em ruínas.

ran /ræn/ *v. pret.* de **run**.

ranch /ræntʃ/ *s.* fazenda, granja.

rancid /r'ænsɪd/ *adj.* rançoso.

rancor /r'æŋkər/ (*Brit.* **rancour**) *s.* rancor. ▪ *sin.* hatred.

random /r'ændəm/ *adj.* fortuito, casual. ♦ **at random** ao acaso, aleatoriamente.

rang /ræŋ/ *v. pret.* de **ring**.

range /reɪndʒ/ *s.* extensão, distância; alcance, calibre; percurso; limite; área; pasto; cordilheira; classe, ordem; variação; âmbito. • *v.* percorrer, caminhar; enfileirar, classificar, agrupar; alcançar; variar. ▪ *sin.* wander. → Deceptive Cognates

ranger /r'eɪndʒər/ *s.* guarda-florestal.

rank /ræŋk/ *s.* fila; grau, graduação, posto; ordem, classe; posição. • *v.* enfileirar; classificar, graduar; ordenar.

ransack /r'ænsæk/ *v.* revistar, vasculhar; roubar.

ransom /r'ænsəm/ *s.* resgate. • *v.* resgatar, libertar. ▪ *sin.* redeem.

rap /ræp/ *s.* golpe seco; *rap* (*música*). • *v.* bater (rapidamente). ▪ *sin.* knock.

rape /reɪp/ *s.* estupro. • *v.* violar, estuprar.

rapid /r'æpɪd/ *s. pl.* **rapids** corredeira. • *adj.* rápido, ligeiro.

rapidly /r'æpɪdli/ *adv.* rapidamente: The environment problems evolute *rapidly*.

rapist /r'eɪpɪst/ *s.* estuprador.

rappel /ræp'el/ *s.* rapel. → Sports

rapport /ræp'ɔːr/ *s.* entrosamento.

rapt /ræpt/ *adj.* entretido, fascinado.

rapture /r'æptʃər/ *s.* êxtase, arrebatamento. • *v.* extasiar. ▪ *sin.* ecstasy.

rare /rer/ *adj.* raro; rarefeito; excepcional; malpassado.

rarely /r'erli/ *adv.* raramente. ▪ *sin.* seldom. ▪ *ant.* often.

rascal /r'æskəl/ *s.* patife; maroto.

rash /ræʃ/ *s.* erupção da pele. • *adj.* precipitado, impulsivo. ▪ *sin.* reckless.

raspberry /r'æzberi/ *s.* framboesa. → Fruit

rat /ræt/ *s.* rato. → Animal Kingdom

rate /reɪt/ *s.* razão, taxa, índice. • *v.* avaliar; taxar; fixar preço ou taxa; classificar. ♦ **birth rate** taxa de natalidade. **death rate** taxa de mortalidade. **exchange rate** taxa de câmbio. **heart rate** frequência cardíaca. **inflation rate** taxa de inflação. **rating** avaliação, classificação. **unemployment rate** taxa de desemprego.

rather /r'æðər/ *adv.* um tanto, um pouco; preferivelmente, mais propriamente; em vez de, ao invés.

ratio /r'eɪʃioʊ/ *s.* razão; proporção.

ration /r'æʃən/ *s.* ração. • *v.* racionar.

rational /r'æʃənəl/ *adj.* racional; razoável, justo. ▪ *sin.* reasonable.

rattle /r'ætəl/ *s.* chocalho, guizo. • *v.* aturdir; irritar; chacoalhar.

rattlesnake /r'ætəlsneɪk/ *s.* cascavel. → Animal Kingdom

ravage /r'ævɪdʒ/ *s.* devastação, ruína. • *v.* saquear; devastar, assolar. ▪ *sin.* devastation, desolation.

rave /reɪv/ *s. rave,* festa dançante com música eletrônica; elogio entusiasmado. • *v.* delirar; entusiasmar-se.

raven /r'eɪvən/ *s.* corvo. ▪ *sin.* crow. → Animal Kingdom

ravine /rəv'iːn/ *s.* desfiladeiro, garganta.

raw /rɔː/ *adj.* cru; inexperiente, novo. ♦ **raw material** matéria-prima. **raw sugar** açúcar mascavo.

ray /reɪ/ *s.* raio; raia. ▪ *sin.* beam. → Animal Kingdom

razor /r'eɪzər/ *s.* navalha; aparelho de barbear. ♦ **razor blade** lâmina de barbear.

Rd. /roʊd/ (*abrev.* de *road*) rua; estrada. → Abbreviations

reach /riːtʃ/ *s.* alcance. • *v.* alcançar; chegar; estender; tocar; entrar em contato. ▪ *sin.* extend.

react /ri'ækt/ *v.* reagir.

reaction /ri'ækʃən/ *s.* reação.

reactionary /ri'ækʃəneri/ *s.* ou *adj.* reacionário, retrógrado.

reactor /ri'æktər/ *s.* reator.

read /riːd/ *v.* (*pret.* e *p.p.* ***read***) ler; interpretar; decifrar. ♦ **read aloud** ou **read out** ler em voz alta. **read between the lines** ler nas entrelinhas. **read on** continuar a ler. **read over** ou **read through** ler do começo ao fim. **read-only** apenas de leitura. **readable** legível. **readably** legivelmente. **reader** leitor. **reading** leitura. **reading book** livro de leitura. **reading desk** escrivaninha. **reading room** sala de leitura. → Irregular Verbs → Leisure

readiness /r'edinəs/ *s.* prontidão.

readjust /riːədʒ'ʌst/ *v.* reajustar(-se).

ready /r'edi/ *adj.* pronto; disposto. ♦ **ready-made** previamente preparado. **ready money** dinheiro vivo. **ready-to-use** pronto para usar.

real /r'iːəl/ *adj.* real, verídico; genuíno; sincero. ♦ **real estate** bens imóveis, patrimônio.

realism /r'iːəlɪzəm/ *s.* realismo.
realist /r'iːəlɪst/ *s.* realista.
realistic /riəl'ɪstɪk/ *adj.* realista.
reality /ri'æləti/ *s.* realidade, verdade.
realization /riːələz'eɪʃən/ (*Brit.* ***realisation***) *s.* compreensão; realização.
realize /r'iːəlaɪz/ (*Brit.* **realise**) *v.* perceber, notar. ➔ Deceptive Cognates
really /r'iːəli/ *adv.* realmente: I do not *really* want to go to Bahia next year.
realm /relm/ *s.* reino; domínio.
reap /riːp/ *v.* colher, ceifar.
reappear /riːəp'ɪr/ *v.* reaparecer.
rear /rɪr/ *s.* a parte traseira, o fundo; retaguarda. • *v.* educar; erigir; criar. • *adj.* traseiro, posterior.
reason /r'iːzən/ *s.* razão, motivo. • *v.* raciocinar. ♦ **it stands to reason that** é lógico que. **reasonable** racional, sensato, razoável. **reasonably** razoavelmente. **reasoning** raciocínio. **reasonless** irracional.
reassure /riːəʃ'ʊr/ *v.* tranquilizar, acalmar.
rebate /r'iːbeɪt/ *s.* abatimento, desconto; reembolso. • /rɪb'eɪt/ *v.* abater, descontar.
rebel /r'ebəl/ *s.* ou *adj.* rebelde. • /rɪb'el/ *v.* rebelar-se.
rebellion /rɪb'eljən/ *s.* rebelião.
rebirth /riːb'ɜːrθ/ *s.* renascimento.
reboot /riːb'uːt/ *v.* reiniciar (*informática*).
rebound /r'iːbaʊnd/ *s.* ricochete, rebote (*basquetebol*). • /rɪb'aʊnd/ *v.* ricochetear.
rebuff /rɪb'ʌf/ *s.* repulsa, recusa. • *v.* repelir, recusar. ▪ *sin.* refuse.
rebuke /rɪbj'uːk/ *s.* repreensão, censura. • *v.* repreender.
recall /rɪk'ɔːl, r'iːkɔːl/ *s.* recordação; *recall.* • /rɪk'ɔːl/ *v.* recordar(-se); recolher.
recapture /riːk'æptʃər/ *v.* recapturar.
recede /rɪs'iːd/ *v.* retroceder, recuar. ▪ *sin.* retreat, withdraw.
receipt /rɪs'iːt/ *s.* recibo.
receive /rɪs'iːv/ *v.* receber.
receiver /rɪs'iːvər/ *s.* aparelho receptor; telefone; caixa; receptador.
recent /r'iːsənt/ *adj.* recente, novo.
recently /r'iːsəntli/ *adv.* recentemente: I have been to Paris *recently.*
reception /rɪs'epʃən/ *s.* recepção; acolhida.
receptionist /rɪs'epʃənɪst/ *s.* recepcionista. ➔ Professions
recess /rɪs'es, r'iːses/ *s.* recanto; recesso; intervalo, recreio. • /rɪs'es/ *v.* fazer uma pausa, descansar.
recharge /riːtʃ'ɑrdʒ/ *v.* recarregar.
recipe /r'esəpi/ *s.* receita.
recipient /rɪs'ɪpiənt/ *s.* destinatário (de uma carta).
reciprocal /rɪs'ɪprəkəl/ *adj.* recíproco.
reciprocity /resɪpr'ɑːsəti/ *s.* (*form.*) reciprocidade; intercâmbio, troca.
recital /rɪs'aɪtəl/ *s.* recital.
recite /rɪs'aɪt/ *v.* recitar; relatar, narrar, contar.
reckless /r'ekləs/ *adj.* imprudente, descuidado, precipitado.
reckon /r'ekən/ *v.* contar, calcular; pensar, supor. ▪ *sin.* count, calculate.
reckoning /r'ekənɪŋ/ *s.* conta, cálculo; acerto de contas; opinião, ponto de vista.
reclaim /rɪkl'eɪm/ *v.* recuperar; reivindicar.
recline /rɪkl'aɪn/ *v.* reclinar, recostar.
recognition /rekəgn'ɪʃən/ *s.* reconhecimento.
recognize /r'ekəgnaɪz/ (*Brit.* ***recognise***) *v.* reconhecer, confessar; admitir. ▪ *sin.* acknowledge.
recoil /r'iːkɔɪl/ *s.* recuo. • /rɪk'ɔɪl/ *v.* recuar.

recollect /rekəl'ekt/ *v.* reunir, juntar novamente; recordar(-se), lembrar(-se).

recollection /rekəl'ekʃən/ *s.* lembrança, recordação. ▪ *sin.* memory.

recommend /rekəm'end/ *v.* recomendar, aconselhar.

recommendation /rekəmend'eɪʃən/ *s.* recomendação.

recompense /r'ekəmpens/ *s.* recompensa. • *v.* recompensar.

reconcile /r'ekənsaɪl/ *v.* reconciliar(-se); harmonizar(-se). ▪ *sin.* appease.

reconciliation /rekənsɪli'eɪʃən/ *s.* reconciliação.

reconsider /riːkəns'ɪdər/ *v.* reconsiderar.

reconstruct /riːkənstr'ʌkt/ *v.* reconstruir, reedificar.

record /r'ekərd/ *s.* registro; ata, protocolo; cadastro, arquivo; recorde; disco. • /rɪk'ɔːd/ *v.* registrar; protocolar; arquivar; gravar; anotar. ▪ *sin.* register, archive. ♦ **record-breaking** quebra de recorde, sem precedentes. **recorder** flauta-doce. → Deceptive Cognates → Musical Instruments

recording /rɪk'ɔːrdɪŋ/ *s.* gravação.

recount /rɪk'aʊnt/ *v.* contar, relatar; contar novamente. ▪ *sin.* relate.

recoup /rɪk'uːp/ *v.* recuperar.

recourse /riːk'ɔːrs/ *s.* recurso.

recover /rɪk'ʌvər/ *v.* recuperar(-se). ▪ *sin.* recuperate, retrieve.

recovery /rɪk'ʌvəri/ *s.* recuperação.

recreation /rekri'eɪʃən/ *s.* recreação. ▪ *sin.* amusement.

recriminate /rɪkr'ɪmɪneɪt/ *v.* recriminar.

recruit /rɪkr'uːt/ *s.* recruta. • *v.* recrutar.

rectangle /r'ektæŋgəl/ *s.* retângulo.

rectangular /rekt'æŋgjələr/ *adj.* retangular.

rectify /r'ektɪfaɪ/ *v.* retificar, emendar. ▪ *sin.* correct.

rector /r'ektər/ *s.* reitor; pároco.

red /red/ *s.* ou *adj.* vermelho. ♦ **be in the red** estar endividado, estar no vermelho. **dark red** ou **deep red** vermelho-escuro. **grow red** ou **turn red** corar. **red blood cell** célula vermelha do sangue (hemácia). **Red Cross** Cruz Vermelha. **red pepper** pimenta vermelha. **red tape** burocracia, papelada. **see red** ficar bravo, enfurecer-se. **red cap** carregador de bagagem. **red-haired** ou **redhead** ruivo. **redden** avermelhar. **reddish** avermelhado. **redwood** sequoia. **redskin** pele-vermelha (índio).

red currant /red k'ɜːrənt, r'ed kɜːrənt/ (*Brit.* ***redcurrant***) *s.* groselha vermelha. → Fruit

redeem /rɪd'iːm/ *v.* redimir; libertar; amortizar; resgatar. ♦ **Christ, the Redeemer** Cristo Redentor.

redemption /rɪd'empʃən/ *s.* redenção; resgate. ▪ *sin.* salvation.

redo /riːd'uː/ *v.* refazer.

redress /rɪdr'es, r'iːdres/ *s.* compensação. • /rɪdr'es/ *v.* compensar; remediar.

reduce /rɪd'uːs/ *v.* reduzir, abreviar; rebaixar; emagrecer. ▪ *sin.* lower.

reduction /rɪd'ʌkʃən/ *s.* redução; abatimento; decréscimo.

reed /riːd/ *s.* cana, junco; palheta (para instrumento musical).

reef /riːf/ *s.* recife; banco de areia.

reefer /r'iːfər/ *s.* contêiner (de caminhão, trem, navio) para transporte de produtos perecíveis (*inf.*); cigarro de maconha (*gír.*).

reek /riːk/ *s.* fedor, cheiro desagradável. • *v.* cheirar mal, feder.

reel /riːl/ *s.* carretel, bobina, rolo. • *v.* enrolar, bobinar; vacilar, cambalear. ▪ *sin.* stagger.

re-enter /riː'entər/ *v.* reentrar.

reestablish /riːɪst'æblɪʃ/ *v.* restabelecer.

refer /rɪf'ɜːr/ *v.* referir(-se); encaminhar.

referee /refər'iː/ *s.* árbitro, juiz (*esporte*). *abrev.* **ref**.

reference /r'efrəns/ *s.* referência; alusão, menção. ♦ **reference book** obra de referência. **reference library** biblioteca de consulta.

refill /r'iːfɪl/ *s.* carga. • /riːf'ɪl/ *v.* reabastecer.

refine /rɪf'aɪn/ *v.* refinar; polir; aperfeiçoar; educar.

refined /rɪf'aɪnd/ *adj.* refinado; culto. ▪ *sin.* polite, well-bred.

refinement /rɪf'aɪnmənt/ *s.* refinamento; melhoria.

refinery /rɪf'aɪnəri/ *s.* refinaria.

reflect /rɪfl'ekt/ *v.* refletir; meditar.

reflection /rɪfl'ekʃən/ *s.* reflexão.

reflex /r'iːfleks/ *s.* reflexo. • *adj.* reflexivo, reflexo.

reflexive /rɪfl'eksɪv/ *adj.* reflexivo.

reform /rɪf'ɔːrm/ *s.* reforma, melhoria. • *v.* reformar(-se), melhorar, corrigir.

reformer /rɪf'ɔːrmər/ *s.* reformador.

refrain /rɪfr'eɪn/ *s.* estribilho, refrão. • *v.* abster-se de, refrear(-se), reprimir(-se). ▪ *sin.* abstain from.

refresh /rɪfr'eʃ/ *v.* refrescar; revigorar. ▪ *sin.* revive.

refreshing /rɪfr'eʃɪŋ/ *adj.* refrescante; restaurador, reconfortante.

refreshment /rɪfr'eʃmənt/ *s.* refresco; lanche, refeição rápida.

refrigeration /rɪfrɪdʒər'eɪʃən/ *s.* refrigeração.

refrigerator /rɪfr'ɪdʒəreɪtər/ *s.* refrigerador, geladeira. ▪ *sin.* ice-box, fridge. → Furniture & Appliances

refuel /riːfj'uːəl/ *v.* reabastecer.

refuge /r'efjuːdʒ/ *s.* refúgio; asilo; abrigo.

refugee /refjudʒ'iː/ *s.* refugiado.

refund /r'ɪfʌnd/ *s.* devolução, reembolso. • /rɪf'ʌnd/ *v.* devolver, reembolsar.

refusal /rɪfj'uːzəl/ *s.* recusa.

refuse /rɪfj'uːz/ *v.* recusar, rejeitar. ▪ *sin.* decline, reject, rebuff.

regain /rɪg'eɪn/ *v.* recuperar, reaver.

regal /r'iːgəl/ *adj.* real, régio, majestoso.

regard /rɪg'ɑrd/ *s.* consideração, respeito. *pl.* **regards** cumprimentos, atenciosamente (encerramento de cartas). • *v.* considerar, respeitar; referir-se a. ▪ *sin.* consideration, care.

regarding /rɪg'ɑrdɪŋ/ *prep.* a respeito de, com referência a.

regardless /rɪg'ɑrdləs/ *adj.* descuidado, negligente; indiferente. ♦ **regardless of** independentemente de.

regenerate /rɪdʒ'enəreɪt/ *adj.* regenerado. • *v.* regenerar(-se).

regent /r'iːdʒənt/ *s.* ou *adj.* regente.

regime /reɪʒ'iːm/ (*tb.* **régime**) *s.* regime.

regiment /r'edʒɪmənt/ *s.* regimento. • *v.* arregimentar.

region /r'iːdʒən/ *s.* região.

register /r'edʒɪstər/ *s.* registro, inscrição, matrícula; arquivo. • *v.* registrar, inscrever-se; matricular-se. ▪ *sin.* enroll, book, record.

registration /redʒɪstr'eɪʃən/ *s.* registro; matrícula.

regret /rɪgr'et/ *s.* pesar; remorso. • *v.* lamentar, lastimar; arrepender-se.

regrettable /rɪgr'etəbəl/ *adj.* lamentável.

regular /r'egjələr/ *s.* soldado; cliente. • *adj.* regular, comum, normal.

regularly /r'egjələrli/ *adv.* regularmente: I take my medicines *regularly*.

regulate /r'egjuleɪt/ *v.* regular, ajustar.

regulation /regjul'eɪʃn/ *s.* regulamento, regra: It is important to create a *regulation* for new technologies.

rehearsal /rɪh'ɜːrsəl/ *s.* ensaio.

rehearse /rɪh'ɜːrs/ *v.* ensaiar.

reign /reɪn/ *s.* reinado; domínio. • *v.* reinar, imperar; prevalecer. ▪ *sin.* rule.

reimburse /riːɪmb'ɜːrs/ *v.* reembolsar. ▪ *sin.* compensate, repay.

rein /reɪn/ *s.* rédea.

reincarnation /riːɪnkɑrn'eɪʃən/ *s.* reencarnação.

reindeer /r'eɪndɪr/ *s.* rena. → Animal Kingdom

reinforce /riːɪnf'ɔːrs/ *v.* reforçar.

reinforcement /riːɪnf'ɔːrsmənt/ *s.* reforço.

reinstate /riːɪnst'eɪt/ *v.* reintegrar.

reject /rɪdʒ'ekt/ *v.* rejeitar, recusar. ▪ *sin.* refuse.

rejection /rɪdʒ'ekʃən/ *s.* rejeição.

rejoice /rɪdʒ'ɔɪs/ *v.* exultar, alegrar(-se).

relapse /rɪl'æps, r'iːlæps/ *s.* recaída. • /rɪl'aps/ *v.* ter uma recaída.

relate /rɪl'eɪt/ *v.* relatar, narrar; referir(-se), dizer respeito; relacionar(-se) a. ▪ *sin.* describe.

related /rɪl'eɪtɪd/ *adj.* relacionado a; aparentado.

relation /rɪl'eɪʃən/ *s.* relação; alusão; parentesco.

relationship /rɪl'eɪʃənʃɪp/ *s.* parentesco; relacionamento; relação. ▪ *sin.* relation.

I think it's time for us to discuss our *relationship*.

relative /r'elətɪv/ *s.* parente. • *adj.* relativo.

relatively /r'elətɪvli/ *adv.* relativamente: This magazine is *relatively* old.

relax /rɪl'æks/ *v.* relaxar, descansar; afrouxar.

relaxation /riːlæks'eɪʃən/ *s.* relaxamento; descanso.

relaxed /rɪl'ækst/ *adj.* relaxado, descontraído: Even though he was very nervous, he seemed *relaxed*.

relaxing /rɪl'æksɪŋ/ *adj.* relaxante: Women enjoy *relaxing* baths.

relay /r'iːleɪ/ *s.* revezamento; retransmissão. • /r'iːleɪ, rɪl'eɪ/ *v.* revezar; retransmitir.

release /rɪl'iːs/ *s.* soltura, libertação: He got his *release* due to his lawyer's effort.; liberação; cessão; divulgação; lançamento (filme): The movie *release* is next Saturday.; quitação. • *v.* soltar, libertar, livrar: They will *release* the prisoner.; ceder; permitir; divulgar; lançar.

relegate /r'elɪgeɪt/ *v.* rebaixar.

relent /rɪl'ent/ *v.* abrandar, ceder.

relentless /rɪl'entləs/ *adj.* implacável. ▪ *sin.* implacable.

relevant /r'eləvənt/ *adj.* relevante.

reliable /rɪl'aɪəbəl/ *adj.* confiável.

relic /r'elɪk/ *s.* relíquia; lembrança. *pl.* ***relics*** restos mortais.

relief /rɪl'iːf/ *s.* alívio; assistência, auxílio; relevo; contraste.

relieve /rɪl'iːv/ *v.* aliviar; isentar; auxiliar; substituir. ▪ *sin.* alleviate, help.

religion /rɪl'ɪdʒən/ *s.* religião.

religious /rɪl'ɪdʒəs/ *adj.* religioso. ▪ *sin* holy.

relinquish /rɪl'ɪŋkwɪʃ/ *v.* abandonar; renunciar a.

relish /r'elɪʃ/ *s.* sabor; tempero. • *v.* saborear, apreciar. ▪ *sin.* taste.

reluctance /rɪl'ʌktəns/ *s.* relutância, resistência.

reluctant /rɪl'ʌktənt/ *adj.* relutante. ▪ *sin.* unwilling.

rely /rɪl'aɪ/ *v.* confiar em, contar com. ▪ *sin.* count on.

REM /ɑriː'em/ (*abrev.* de *Rapid Eye Movement*) movimento rápido dos olhos (durante o sono). → Abbreviations

remain /rɪm'eɪn/ *s. pl.* ***remains*** sobra; restos mortais; despojos: The archeologists dug for prehistoric *remains*. • *v.* sobrar; permanecer; persistir. ▪ *sin.* continue.

remainder /rɪm'eɪndər/ *s.* resto, sobra, restante. ▪ *sin.* rest.

remark /rɪm'ɑrk/ *s.* observação, reparo. • *v.* observar, reparar, mencionar. ▪ *sin.* observation, comment, note.

remarkable /rɪm'ɑrkəbəl/ *adj.* notável, extraordinário. ▪ *sin.* outstanding, extraordinary.

remedial /rɪm'iːdiəl/ *adj.* terapêutico; reparador, corretor.

remedy /r'emədi/ *s.* remédio; recurso. • *v.* curar, remediar. ▪ *sin.* cure, solven.

remember /rɪm'embər/ *v.* lembrar(-se), recordar(-se); ter em mente.

remembrance /rɪm'embrəns/ *s.* lembrança, recordação. ▪ *sin.* memory.

remind /rɪm'aɪnd/ *v.* lembrar, trazer à memória.

reminder /rɪm'aɪndər/ *s.* lembrança, lembrete.

reminiscence /remɪn'ɪsəns/ *s.* reminiscência.

remiss /rɪm'ɪs/ *adj.* desleixado. ▪ *sin.* negligent.

remit /rɪm'ɪt/ *v.* remeter dinheiro; cancelar; perdoar.

remittance /rɪm'ɪtəns/ *s.* remessa de dinheiro; dinheiro remetido.

remnant /r'emnənt/ *s.* sobra, resto.

remorse /rɪm'ɔːrs/ *s.* remorso. ▪ *sin.* self-reproach.

remote /rɪm'oʊt/ *adj.* remoto, distante. ▪ *sin.* distant.

removal /rɪm'uːvəl/ *s.* remoção: The *removal* of this tree must be legally authorized.

remove /rɪm'uːv/ *s.* remoção, transferência. • *v.* remover, transferir; retirar, afastar; destituir; eliminar. ▪ *sin.* transfer.

remunerate /rɪmj'uːnəreɪt/ *v.* remunerar.

remuneration /rɪmjuːnər'eɪʃən/ *s.* remuneração; salário, ordenado. ▪ *sin.* payment.

Renaissance /r'enəsɑns/ *s.* Renascimento. ♦ **Renaissance man** intelectual, pessoa com ótimo nível cultural.

rend /rend/ *v.* (*pret.* e *p.p.* ***rended*** ou ***rent***) rasgar, despedaçar. ▪ *sin.* tear apart. ➔ Irregular Verbs

render /r'endər/ *v.* prestar; traduzir, verter; interpretar.

rendezvous /r'ɑndeɪvuː, r'ɑndɪvuː/ *s.* (*fr.*) encontro, reunião.

renegade /r'enɪgeɪd/ *adj.* renegado.

renew /rɪn'uː/ *v.* renovar; reanimar; substituir; recomeçar; reabastecer. ▪ *sin.* revive.

renewal /rɪn'uːəl/ *s.* renovação.

renounce /rɪn'aʊns/ *v.* renunciar a, desistir. ▪ *sin.* quit, abandon.

renovate /r'enəveɪt/ *v.* renovar. ▪ *sin.* renew.

renown /rɪn'aʊn/ *s.* renome. ▪ *sin.* fame.

renowned /rɪn'aʊnd/ *adj.* famoso, renomado. ▪ *sin.* famous, well-known.

rent /rent/ *s.* aluguel. • *v.* alugar.

rep /rep/ (*abrev.* de *representative*) representante. ➔ Abbreviations

repair /rɪp'er/ *s.* conserto. • *v.* consertar.

repay /rɪp'eɪ/ *v.* reembolsar; retribuir, compensar; indenizar.

repeal /rɪp'iːl/ *s.* revogação, anulação. • *v.* revogar, anular, rescindir. ▪ *sin.* revoke.

repeat /rɪp'iːt/ *s.* repetição. • *v.* repetir, reiterar.

repeated /rɪp'iːtɪd/ *adj.* repetido: John was trying to find a *repeated* number on our list of requirements.

repel /rɪp'el/ *v.* repelir, rejeitar, recusar. ▪ *sin.* refuse.

repent /rɪp'ent/ *v.* arrepender-se. ▪ *sin.* regret.

repentance /rɪp'entəns/ *s.* arrependimento.

repercussion /riːpərk'ʌən/ *s.* repercussão.

repertory /r'epərtɔːri/ *s.* repertório.

repetition /repət'ɪʃən/ *s.* repetição.

replace /rɪpl'eɪs/ *v.* repor, substituir.

replacement /rɪpl'eɪsmənt/ *s.* substituição, reposição.

replay /r'iːpleɪ/ *s.* repetição. • /riːpl'eɪ/ *v.* repetir.

replenish /rɪpl'enɪʃ/ *v.* encher, reabastecer.

replete /rɪpl'iːt/ *adj.* repleto, cheio.

replica /r'eplɪkə/ *s.* réplica, cópia.

replicate /r'eplɪkeɪt/ *v.* reproduzir de forma idêntica.

reply /rɪpl'aɪ/ *s.* resposta. • *v.* responder. ▪ *sin.* answer.

report /rɪp'ɔːrt/ *s.* relatório; notícia. • *v.* relatar; noticiar.

reporter /rɪp'ɔːrtər/ *s.* repórter. → Professions

repose /rɪp'oʊz/ *s.* repouso, descanso. • *v.* repousar, descansar. ▪ *sin.* rest.

reprehend /reprɪh'end/ *v.* repreender, censurar.

represent /reprɪz'ent/ *v.* simbolizar; retratar; encenar; representar.

representation /reprɪzent'eɪʃən/ *s.* representação. ▪ *sin.* show.

representative /reprɪz'entətɪv/ *s.* representante; deputado. • *adj.* representativo.

repress /rɪpr'es/ *v.* reprimir, conter. ▪ *sin.* restrain.

repression /rɪpr'eʃən/ *s.* repressão.

reprieve /rɪpr'iːv/ *s.* suspensão temporária. • *v.* suspender temporariamente.

reprimand /r'eprɪmænd/ *s.* reprimenda. • *v.* repreender, censurar.

reprint /r'iːprɪnt/ *s.* reimpressão, reedição. • /riːpr'ɪnt/ *v.* reimprimir, reeditar.

reprisal /rɪpr'aɪzəl/ *s.* represália. ▪ *sin.* retaliation, revenge.

reproach /rɪpr'oʊtʃ/ *s.* repreensão; censura. • *v.* repreender; censurar. ▪ *sin.* reproof.

reproduce /riːprəd'uːs/ *v.* reproduzir; multiplicar.

reproduction /riːprəd'ʌkʃən/ *s.* reprodução.

reprove /rɪpr'uːv/ *v.* repreender, reprovar; censurar. ▪ *sin.* reproach.

reptile /r'eptəl, r'eptaɪl/ *s.* réptil.

republic /rɪp'ʌblɪk/ *s.* república.

republican /rɪp'ʌblɪkən/ *s.* ou *adj.* republicano.

repulse /rɪp'ʌls/ *s.* repulsa. • *v.* repelir; rejeitar.

repulsive /rɪp'ʌlsɪv/ *adj.* repulsivo.

reputable /r'epjətəbəl/ *adj.* respeitado, respeitável, conceituado.

reputation /repjut'eɪʃən/ *s.* reputação. ▪ *sin.* name, repute.

repute /rɪpj'uːt/ *s.* reputação. • *v.* reputar, julgar.

request /rɪkw'est/ *s.* petição, requerimento, requisição; solicitação, pedido. • *v.* requerer; solicitar, pedir. ▪ *sin.* ask. ♦ **on request** a pedidos.

require /rɪkw'aɪər/ *v.* requerer, exigir. ▪ *sin.* demand.

requirement /rɪkw'aɪərmənt/ *s.* requisito, exigência: One year experience in this area is the minimum *requirement* for the job.

requisition /rekwɪz'ɪʃən/ *s.* requisição.

rescue /r'eskjuː/ *s.* resgate, salvamento. • *v.* livrar, salvar, socorrer. ▪ *sin.* salvation.

research /rɪs'ɜːrtʃ, r'iːsɜːrtʃ/ *s.* pesquisa. • /rɪs'ɜːrtʃ/ *v.* pesquisar. ▪ *sin.* analysis.

researcher /rɪs'ɜːrtʃər/ *s.* pesquisador/a. → Professions

resemblance /rɪz'embləns/ *s.* semelhança. ▪ *sin.* likeness.

resemble /rɪz'embəl/ *v.* assemelhar-se.

resent /rɪz'ent/ *v.* ressentir-se de; ofender-se, indignar-se.

resentful /rɪz'entfəl/ *adj.* ressentido.

resentment /rɪz'entmənt/ *s.* ressentimento. ▪ *sin.* anger.

reservation /rezərv'eɪʃən/ *s.* reserva.

reserve /rɪz'ɜːrv/ *s.* reserva. • *v.* reservar, guardar.

reserved /rɪz'ɜːrvd/ *adj.* reservado, guardado; cauteloso, circunspecto.

reservoir /r'ezərvwɑr/ *s.* reservatório.

reset /riːs'et/ *v.* recomeçar, reiniciar; restaurar.

reshape /riːʃ'eɪp/ *v.* reformar, remodelar: This government program will *reshape* the agriculture sector.

reshuffle /riːsʃ'ʌfəl/ *s.* remanejamento (governo). • *v.* embaralhar novamente; remanejar; reorganizar.

reside /rɪz'aɪd/ *v.* residir, morar.

residence /r'ezɪdəns/ *s.* residência; domicílio. ▪ *sin.* domicile.

resident /r'ezɪdənt/ *s.* ou *adj.* residente.

residue /r'ezɪduː/ *s.* resíduo.

resign /rɪz'aɪn/ *v.* renunciar; demitir-se. ▪ *sin.* give up, quit.

resignation /rezɪgn'eɪʃən/ *s.* renúncia, demissão; resignação.

resilient /rɪz'ɪliənt/ *adj.* elástico, retrátil; resiliente.

resin /r'ezən/ *s.* resina.

resist /rɪz'ɪst/ *v.* resistir.

resistance /rɪz'ɪstəns/ *s.* resistência.

resolute /r'ezəluːt/ *adj.* resoluto, decidido, firme.

resolution /rezəl'uːʃən/ *s.* resolução, determinação. ▪ *sin.* decision.

resolve /rɪz'ɑlv, rɪz'ɔːlv/ *s.* determinação, resolução. • *v.* resolver, decidir.

resonance /r'ezənəns/ *s.* ressonância.

resort /rɪz'ɔːrt/ *s.* local turístico; recurso. • *v.* frequentar; valer-se de.

resound /rɪz'aʊnd/ *v.* ressoar, ecoar; proclamar.

resource /r'iːsɔːrs/ *s.* recurso, meio.

resourceful /rɪs'ɔːrsfəl/ *adj.* desembaraçado; criativo, engenhoso.

respect /rɪsp'ekt/ *s.* respeito, deferência. • *v.* respeitar.

respectable /rɪsp'ektəbəl/ *adj.* respeitável.

respectful /rɪsp'ektfəl/ *adj.* respeitoso.

respecting /rɪsp'ektɪŋ/ *prep.* (*form.*) com respeito a, em relação a. ▪ *sin.* concerning.

respective /rɪsp'ektɪv/ *adj.* respectivo.

respiration /respər'eɪʃən/ *s.* respiração.

respite /r'espɪt/ *s.* repouso; pausa; adiamento. • *v.* prorrogar. ▪ *sin.* break.

respond /rɪsp'ɑnd/ *v.* (*form.*) responder; reagir. ▪ *sin.* answer.

response /rɪsp'ɑns/ *s.* resposta, réplica; reação.

responsibility /rɪspɑnsəb'ɪləti/ *s.* responsabilidade.

responsible /rɪsp'ɑnsəbəl/ *adj.* responsável; confiável.

rest /rest/ *s.* descanso, repouso; folga, pausa; sossego; resto, sobra. • *v.* descansar; apoiar(-se).

restaurant /r'estrɑnt, r'estərɑnt/ *s.* restaurante: I often go to that Italian *restaurant*.

restful /r'estfəl/ *adj.* tranquilo, quieto.

restitution /restɪt'uːʃən/ *s.* restituição.

restless /r'estləs/ *adj.* impaciente, inquieto, intranquilo.

restoration /restər'eɪʃən/ *s.* restauração; reparação; restabelecimento.

restore /rɪst'ɔːr/ *v.* restaurar; restituir; restabelecer.

restrain /rɪstr'eɪn/ *v.* conter, reprimir; impedir.

restrained /rɪstr'eɪnd/ *adj.* contido, controlado.

restraint /rɪstr'eɪnt/ *s.* restrição; obstáculo; reclusão.

restrict /rɪstr'ɪkt/ *v.* restringir, limitar.

restricted /rɪstr'ɪktɪd/ *adj.* restrito: Some chemical substances have *restricted* circulation in the USA.

restriction /rɪstr'ɪkʃən/ *s.* restrição, limitação.

restroom /r'estruːm, r'estrʊm/ *s.* banheiro público.

result /rɪz'ʌlt/ *s.* resultado, consequência. • *v.* resultar.

resume /rɪz'uːm/ *v.* recomeçar, retomar; prosseguir; reassumir. → Deceptive Cognates

résumé /r'ezəmeɪ/ *s.* resumo; currículo.

resurrection /rezər'ekʃən/ *s.* ressurreição; renovação.

resuscitate /rɪs'ʌsɪteɪt/ *v.* ressuscitar.

retail /r'iːteɪl/ *s.* varejo. • *v.* vender no varejo.

retailer /r'iːteɪlər/ *s.* varejista.

retain /rɪt'eɪn/ *v.* reter, conservar, manter; segurar. ▪ *sin.* hold.

retaliate /rɪt'æliеɪt/ *v.* retaliar, revidar.

retaliation /rɪtæli'eɪʃən/ *s.* retaliação; represália, vingança. ▪ *sin.* reprisal, revenge.

retard /rɪt'ɑːrd/ *v.* retardar.

retarded /rɪt'ɑːrdɪd/ *adj.* retardado.

retention /rɪt'enʃən/ *s.* retenção; memória.

reticence /r'etɪsəns/ *s.* reticência; reserva, discrição.

retire /rɪt'aɪər/ *v.* aposentar-se; recolher-se; recuar.

retired /rɪt'aɪərd/ *adj.* aposentado. → Deceptive Cognates

retirement /rɪt'aɪərmənt/ *s.* aposentadoria.

retort /rɪt'ɔːrt/ *s.* réplica. • *v.* replicar.

retouch /riːt'ʌtʃ/ *s.* retoque. • *v.* retocar; aperfeiçoar.

retrace /rɪtr'eɪs/ *v.* remontar à origem; voltar, retroceder.

retract /rɪtr'ækt/ *v.* retrair, recolher; retratar-se.

retreat /rɪtr'iːt/ *s.* retirada; abrigo. • *v.* retirar-se; retroceder. ▪ *sin.* recede, retire, withdraw.

retribution /retrɪbj'uːʃən/ *s.* punição; vingança. → Deceptive Cognates

retrieval /rɪtr'iːvəl/ *s.* recuperação.

retrieve /rɪtr'iːv/ *v.* recuperar, reaver; restabelecer. ▪ *sin.* recover.

retrograde /r'etrəgreɪd/ *adj.* conservador, retrógrado.

retrospect /r'etrəspekt/ *s.* retrospecto.

retrospective /retrəsp'ektɪv/ *s.* ou *adj.* retrospectiva.

retry /riːtr'aɪ/ *v.* tentar novamente.

return /rɪt'ɜːrn/ *s.* volta, regresso; devolução; retribuição; lucro; remessa. • *v.* voltar, regressar; replicar; devolver; reverter; retribuir; lucrar. ♦ **in return** em troca, em contrapartida. **Many happy returns of the day!** Parabéns! **on sale or return** em consignação. **return a favor** retribuir um favor. **return game** jogo de revanche. **return journey** viagem de volta. **return of payment** reembolso. **return ticket** passagem de volta. **returned letter** carta devolvida.

reunion /riːj'uːnɪən/ *s.* reunião.

reunite /riːjuːn'aɪt/ *v.* reunir(-se).

rev /rev/ (*abrev.* de *revolution*) revolução, rotação. → Abbreviations

revalue /riːv'æljuː/ *v.* reavaliar; revalorizar.

revamp /riːv'æmp/ *v.* modernizar, reformar.

reveal /rɪv'iːl/ *v.* revelar. ▪ *sin.* publish, unveil.

revel /r'evəl/ *s.* folia. • *v.* divertir-se, deleitar-se, festejar.

revelation /revəl'eɪʃən/ *s.* revelação.

revenge /rɪv'endʒ/ *s.* vingança, desforra. • *v.* vingar-se, ir à desforra. ▪ *sin.* reprisal, retaliation.

revengeful /rɪv'endʒfəl/ *adj.* vingativo.

revenue /r'evənuː/ *s.* rendimento, receita.

revere /rɪv'ɪr/ *v.* honrar, respeitar, reverenciar.

reverence /r'evərəns/ *s.* reverência; respeito.

reverend /r'evərənd/ *s.* reverendo.

reverie /r'evəri/ *s.* devaneio, sonho.

reversal /rɪv'ɜːrsəl/ *s.* mudança; reversão, inversão.

reverse /rɪv'ɜːrs/ *s.* contrário, avesso, inverso; revés, contratempo; marcha a ré. • *v.* inverter; revogar. • *adj.* inverso; anulado. ▪ *sin.* overturn.

reversible /rɪv'ɜːrsəbəl/ *adj.* reversível.

revert /rɪv'ɜːrt/ *v.* reverter; voltar.

review /rɪv'juː/ *s.* revisão; análise; resenha. • *v.* rever, recapitular; revisar; escrever ou publicar críticas ou resenhas. ▪ *sin.* analysis.

revise /rɪv'aɪz/ *v.* revisar (*Brit.*); rever, reexaminar.

revision /rɪv'ɪʒən/ *s.* ação de revisar ou de rever.

revival /rɪv'aɪvəl/ *s.* restabelecimento, recuperação, renovação; ressurgimento, renascimento.

revive /rɪv'aɪv/ *v.* ressuscitar; despertar; reanimar; ressurgir. ▪ *sin.* renovate, renew.

revoke /rɪv'oʊk/ *v.* revogar.

revolt /rɪv'oʊlt/ *s.* revolta, levante, insurreição. • *v.* revoltar-se, rebelar-se; enojar.

revolution /revəl'uːʃən/ *s.* revolução; ciclo, rotação, giro.

revolutionary /revəl'uːʃəneri/ *s.* ou *adj.* revolucionário.

revolve /rɪv'ɑːlv, rɪv'ɔːlv/ *v.* revolver, girar. ♦ **revolving door** porta giratória.

reward /rɪw'ɔːrd/ *s.* recompensa; prêmio. • *v.* recompensar; premiar. ▪ *sin.* compensation.

reword /riːw'ɜːrd/ *v.* reformular, dizer com outras palavras.

rhapsody /r'æpsədi/ *s.* rapsódia.

rhea /r'iːə/ *s.* ema. → Animal Kingdom

rhetoric /r'etərɪk/ *s.* retórica. ▪ *sin.* oratory.

rheumatism /r'uːmətɪzəm/ *s.* reumatismo.

rhinoceros /raɪn'ɑsərəs/ (*s. pl.* ***rhinoceros*** ou ***rhinoceroses***) *s.* rinoceronte. *abrev.* ***rhino***. → Animal Kingdom

rhyme /raɪm/ *s.* rima, verso. • *v.* rimar, versificar.

rhythm /r'ɪðəm/ *s.* ritmo, cadência, harmonia.

rib /rɪb/ *s.* costela. → Human Body

ribbon /r'ɪbən/ *s.* fita.

rice /raɪs/ *s.* arroz.

rich /rɪtʃ/ *adj.* rico. • /r'ɪtʃɪz/ *s. pl.* ***riches*** riquezas; bens; opulência. ▪ *sin.* wealthy, affluent. ▪ *ant.* poor.

richness /r'ɪtʃnəs/ *s.* riqueza. ▪ *sin.* wealth.

rickety /r'ɪkəti/ *adj.* raquítico, fraco; vacilante, sem firmeza.

rid /rɪd/ *v.* (*pret.* e *p.p.* ***rid*** ou ***ridded***) libertar, livrar. ♦ **get rid of** livrar-se de, desfazer-se de.

ridden /r'ɪdən/ *v. p.p.* de ***ride***.

riddle /r'ɪdəl/ *s.* enigma, charada.

ride /raɪd/ *s.* passeio (a cavalo, de bicicleta, de motocicleta); transporte; carona. • *v.* (*pret.* ***rode***, *p.p.* ***ridden***) cavalgar; viajar; percorrer, andar a/de. → Irregular Verbs

rider /r'aɪdər/ *s.* ciclista, motociclista; cavaleiro, amazona: The mysterious *rider* disappeared in the distance.

ridge /rɪdʒ/ *s.* cume. • *v.* sulcar a terra.

ridiculous /rɪd'ɪkjələs/ *adj.* ridículo.

riding /r'aɪdɪŋ/ *s.* passeio (a cavalo, de carro): They have paid for a horseback *riding* around the neighborhood.; equitação: She loves (horseback) *riding*.

rife /raɪf/ *adj.* abundante, cheio; predominante.

rifle /r'aɪfəl/ *s.* rifle. • *v.* roubar, pilhar.

rift /rɪft/ *s.* fenda.

rig /rɪg/ *s.* fraude, burla; equipamento. ♦ **turn a rig** pregar uma peça.

right /raɪt/ *s.* direito; justiça; reivindicação; prerrogativa. • *adj.* direito, reto; correto; adequado, conveniente; exato; de direita (*política*). • *adv.* corretamente, de acordo, verdadeiramente, propriamente; exatamente. ♦ **All right!** Tudo bem! **go right** dar certo. **have the right** ter o direito. **It serves you right!** Bem feito! **right angle** ângulo reto. **right away** ou **right now** imediatamente. **right wing** direita (partido político). **You're right!** Você está certo! **He's my right-hand man.** Ele é meu braço direito. **righteous** correto, honrado, justo. **right-handed** destro. **rightful** legítimo. **rightfully** legalmente, legitimamente. **All rights reserved.** Todos os direitos reservados. **by rights** por direito. **human rights** direitos humanos.

rightly /r'aɪtli/ *adv.* corretamente: Sorry, I could not understand it *rightly*.

rigid /r'ɪdʒɪd/ *adj.* rígido; severo. ▪ *sin.* austere, harsh.

rigidity /rɪdʒ'ɪdəti/ *s.* rigidez.

rigorous /r'ɪgərəs/ *adj.* rigoroso.

rim /rɪm/ *s.* borda, margem, limite; aro. ▪ *sin.* border, boundary.

rind /raɪnd/ *s.* casca, crosta. ▪ *sin.* skin.

ring /rɪŋ/ *s.* anel, argola, círculo; picadeiro (circo); ringue; arena; toque (de campainha, sino); ressonância; chamada (de telefone). • *v.* (*pret.* ***rang***, *p.p.* ***rung***) cercar; tocar, retinir, repicar, tanger (sinos); ressoar; zumbir (dos ouvidos). → Irregular Verbs

ringlet /r'ɪŋlət/ *s.* argolinha.

rink /rɪŋk/ *s.* rinque, pista de patinação.

rinse /rɪns/ *v.* enxaguar.

riot /r'aɪət/ *s.* distúrbio; desordem, tumulto, revolta. • *v.* provocar distúrbios, desordens; revoltar-se.

rip /rɪp/ *s.* rasgo, ruptura. • *v.* rasgar, dilacerar. ♦ **RIP** *abrev. rest in peace* descanse em paz. → Abbreviations

ripe /raɪp/ *adj.* maduro; desenvolvido, moderno. ▪ *sin.* mature.

ripen /r'aɪpən/ *v.* amadurecer; aprimorar, desenvolver(-se).

ripeness /r'aɪpnəs/ *s.* maturidade; amadurecimento.

rip-off /r'ɪpɔːf/ *s.* roubo, trapaça.

ripple /r'ɪpəl/ *s.* ondulação, agitação. • *v.* ondular; murmurar.

ripsaw /r'ɪpsɔː/ *s.* serrote.

rise /raɪz/ *s.* ascensão; ressurreição; promoção; subida; lance de escadas; aumento (de salário); ponto elevado; origem. • *v.* (*pret.* ***rose***, *p.p.* ***risen***) subir; levantar(-se); ressuscitar; promover; aumentar. ♦ **a rise in prices** um aumento nos preços. **give rise to** dar origem a. **He rises from his seat.** Ele se levanta do seu assento. **on the rise** em alta. **rise to the bait** morder a isca. **the sun rises** o Sol se levanta. **early riser** madrugador. → Irregular Verbs

risen /r'ɪzən/ *v. p.p.* de ***rise***.

rising /r'aɪzɪŋ/ *s.* insurreição; amadurecimento.

risk /rɪsk/ *s.* risco, perigo. • *v.* arriscar(-se). ▪ *sin.* danger, hazard. ♦ **at my own risk** por minha conta e risco. **at the risk of** sob o risco de. **I risked my neck.** Arrisquei meu pescoço. **risky** arriscado. **take the risk** correr o risco.

rite /raɪt/ *s.* rito, ritual, cerimônia.

rival /r'aɪvəl/ *s.* ou *adj.* rival, concorrente, competidor. • *v.* rivalizar, concorrer, disputar.

rivalry /r'aɪvəlri/ *s.* rivalidade, concorrência.

river /r'ɪvər/ *s.* rio. ♦ **river bed** leito do rio. **riverside** margem do rio.

RNA /ɑren'eɪ/ (*abrev.* de *ribonucleic acid*) ácido ribonucleico. → Abbreviations

roach /roʊtʃ/ (*tb.* ***cockroach***) *s.* barata. → Animal Kingdom

road /roʊd/ *s.* estrada, rodovia; rua, via; caminho, curso. ▪ *sin.* route. ♦ **road map** mapa rodoviário. **roadside** beira da estrada, acostamento.

roadhouse /r'oʊdhaʊs/ *s.* estalagem.

roam /roʊm/ *v.* vagar, perambular. ▪ *sin.* wander.

roaming /r'oʊmɪŋ/ *adv.* itinerância; *roaming* (telefone celular).

roar /rɔːr/ *s.* rugido, urro. • *v.* rugir; urrar.

roast /roʊst/ *s.* assado. • *v.* assar, tostar.

rob /rɑb/ *v.* assaltar.

robber /r'ɑbər/ *s.* assaltante.

robbery /r'ɑbəri/ *s.* assalto.

robe /roʊb/ *s.* manto; toga, beca; roupão.

robust /roʊb'ʌst/ *adj.* robusto, forte.

rock /rɑk/ *s.* rocha, rochedo; pedra; penhasco. • *v.* balançar(-se); embalar; agitar, sacudir, tremer. ♦ **rocking chair** cadeira de balanço.

rocket /r'ɑkɪt/ *s.* foguete; rojão. • *v.* subir rapidamente.

rocky /r'ɑki/ *adj.* duro, firme; instável (situação); rochoso; trêmulo.

rod /rɑd/ *s.* vara, haste. ♦ **fishing rod** vara de pesca.

rode /roʊd/ *v. pret.* de ***ride***.

rodent /r'oʊdənt/ *s.* roedor.

rodeo /r'oʊdioʊ, roʊd'eɪoʊ/ *s.* rodeio.

roe /roʊ/ *s.* ova (de peixe).

rogue /roʊg/ *s.* velhaco, mentiroso; vigarista.

role /roʊl/ *s.* papel, função; parte.

roll /roʊl/ *s.* rolo; rol, lista; pãozinho. • *v.* rolar; enrolar(-se); girar; embrulhar(-se); ressoar; fluir; alisar/abrir com rolo. ♦ **call the roll** fazer a chamada.

rollerblading /r'oʊlərbleɪdɪŋ/ *s.* patinação *in-line*. → Leisure

roller coaster /r'oʊlər koʊstər/ *s.* montanha-russa.

roller skate /r'oʊlər skeɪt/ *s.* patins de roda.

rolling pin /r'oʊlɪŋ pɪn/ *s.* rolo (de massa ou doce).

ROM /rɑm/ (*abrev.* de *Read-Only Memory*) memória apenas de leitura. → Abbreviations

romance /r'oʊmæns, roʊm'æns/ *s.* romance; romantismo. • *v.* romancear; cortejar; exagerar.

Romania /rum'eɪniə/ *s.* Romênia. → Countries and Nationalities

Romanian /rum'eɪniən/ *s.* ou *adj.* romeno. → Countries and Nationalities

romantic /roʊm'æntɪk/ *adj.* romântico.

This is not *romantic* at all.

romanticism /roʊm'æntɪsɪzəm/ *s.* romantismo.

romp /rɑmp/ *s.* brincadeira, folia. • *v.* brincar.

roof /ruːf/ *s.* telhado, teto. • *v.* cobrir com telhas.

room /ruːm, rʊm/ *s.* quarto, dependência; espaço, lugar. ♦ **roommate** companheiro de quarto.

roomy /r'uːmi, r'ʊmi/ *adj.* espaçoso. • *s.* (*inf.*) companheiro de quarto. ▪ *sin.* roommate.

roost /ruːst/ *s.* poleiro; alojamento. • *v.* empoleirar(-se); alojar, pernoitar.

rooster /r'uːstər/ *s.* galo. → Animal Kingdom

root /ruːt/ *s.* raiz; causa, origem. • *v.* enraizar; erradicar, extirpar, arrancar. ♦ **square root** raiz quadrada.

rope /roʊp/ *s.* corda, cabo. • *v.* amarrar; laçar. ♦ **rope ladder** escada de corda, "teresa".

rose /roʊz/ *s.* rosa; roseira. • *adj.* rosado. • *v. pret.* de **rise**.

rosebud /r'oʊzbʌd/ *s.* botão de rosa.

rosemary /r'oʊzmeri/ *s.* alecrim.

Rosh Hashanah /rɑʃ həʃ'ɑnə/ (*tb.* **Rosh Hashana**) *s.* Ano-Novo judeu.

rosy /r'oʊzi/ *adj.* róseo, rosado.

rot /rɑt/ *s.* podridão, putrefação. • *v.* apodrecer. ▪ *sin.* putrefy.

rotary /r'oʊtəri/ *s.* rotativa. • *adj.* rotativo, giratório.

rotate /r'oʊteɪt/ *v.* girar, rodar.

rotation /roʊt'eɪʃən/ *s.* rotação.

rotten /r'ɑtən/ *adj.* podre, estragado. ▪ *sin.* putrid.

rough /rʌf/ *adj.* áspero; rude, descortês; tempestuoso; bruto; duro, difícil; pesado; grosseiro, sem sofisticação. ▪ *sin.* harsh.

roughly /r'ʌfli/ *adv.* asperamente: The security guard treated some guests *roughly*.

roughness /r'ʌfnəs/ *s.* aspereza, rudeza.

roulette /ruːl'et/ *s.* roleta.

round /raʊnd/ *s.* círculo; rodada; ronda. • *v.* arredondar, curvar; contornar. • *adj.* redondo, circular; corpulento; completo. • *prep.* em torno de. ♦ **round trip** viagem de ida e volta.

roundabout /r'aʊndəbaʊt/ *s.* (*Brit.*) rotatória; carrossel. • *adj.* desvio; vago, indireto.

rouse /raʊz/ *v.* despertar; incitar. ▪ *sin.* awaken.

rout /raʊt/ *s.* derrota; tumulto. • *v.* derrotar, aniquilar. ▪ *sin.* defeat.

route /ruːt, raʊt/ *s.* rota, direção; caminho, via.

routine /ruːt'iːn/ *s.* rotina. • *adj.* rotineiro, costumeiro.

row /roʊ/ *s.* fila, fileira; série, coluna; travessa, rua curta; passeio de bote, barco a remo. • *v.* enfileirar; remar. ♦ **rowing** remo. → Sports

row /raʊ/ *s.* barulho; disputa, briga.

rowboat /r'oʊboʊt/ *s.* bote, barco a remo. → Means of Transportation

royal /r'ɔɪəl/ *adj.* real, régio; nobre.

Royal Highness /r'ɔɪəl h'aɪnəs/ *s.* Alteza Real.

royalist /r'ɔɪəlɪst/ *s.* monarquista.

royalty /r'ɔɪəlti/ *s.* realeza. *pl.* ***royalties*** direitos autorais.

RSVP /ɑresviːp'iː/ (*abrev.* de *répondez s'il vous plaît*) responda, por favor. → Abbreviations

rub /rʌb/ *v.* esfregar, friccionar. ♦ **rub out** matar. **rub shoulders with** conviver com.

rubber /r'ʌbər/ *s.* borracha; galocha; pneumático; (*Brit. inf.*) camisinha. ♦ **rubber band** elástico. **rubber check** cheque sem fundo. **rubber stamp** carimbo. **rubber tape** fita isolante. **rubber tree** seringueira. **rubberneck** observar, virar a cabeça com curiosidade; turista, espectador.

rubbish /r'ʌbɪʃ/ (*Brit.*) *s.* refugo, lixo, entulho; porcaria; bobagem, tolice, asneira.

rubble /r'ʌbəl/ *s.* entulho.

ruby /r'uːbi/ *s.* rubi.

rucksack /r'ʌksæk/ *s.* mochila.

rudder /r'ʌdər/ *s.* leme. ▪ *sin.* helm.

ruddy /r'ʌdi/ *adj.* vermelho; rosado, corado.

rude /ruːd/ *adj.* rude, grosseiro.

ruffle /r'ʌfəl/ *s.* franzido; irritação; desordem. • *v.* franzir, amarrotar, enrugar; irritar; embaralhar.

rug /rʌg/ *s.* tapete, capacho. → Furniture & Appliances

rugby /r'ʌgbi/ *s.* rúgbi. → Sports

rugged /r'ʌgɪd/ *adj.* áspero; desigual; severo, austero; rude; acidentado.

rug rats /r'ʌg ræts/ *s.* (*inf.*) crianças que ainda não andam.

ruin /r'uːɪn/ *s.* ruína; decadência; aniquilamento. *pl.* ***ruins*** ruínas. • *v.* arruinar.

rule /ruːl/ *s.* regra, regulamento; controle; lei; regime, governo. • *v.* ordenar, decretar; regulamentar; governar, administrar; traçar. ♦ **a hard and fast rule** uma regra fixa. **as a rule** geralmente, via de regra. **lay down a rule** estabelecer uma regra. **rule of three** regra de três. **rule out** excluir. **ruled paper** papel pautado. **There's no rule without an exception.** Não há regra sem exceção.

ruler /r'uːlər/ *s.* governador, dirigente; soberano; régua. → Classroom

rum /rʌm/ *s.* rum.

rumble /r'ʌmbəl/ *s.* ruído. • *v.* resmungar.

ruminate /r'uːmɪneɪt/ *v.* ruminar; ponderar, meditar.

rummage /r'ʌmɪdʒ/ *v.* vistoriar, investigar; remexer à procura de.

rumor /r'uːmər/ (*Brit.* ***rumour***) *s.* rumor, boato.

rump /rʌmp/ *s.* garupa; nádega, anca.

rumpus /r'ʌmpəs/ *s.* balbúrdia, confusão, comoção.

run /rʌn/ *s.* corrida; jornada, excursão; período, curso (dos acontecimentos); caminho; desfiado (em malha). • *v.* (*pret.* ***ran***, *p.p.* ***run***) correr; apressar; fugir; perseguir; competir; incorrer em; funcionar; dirigir; contrabandear; publicar; escorrer. ♦ **a run of bad luck** uma fase de azar. **a run of 3 months** uma exibição de 3 meses (*teatro*). **go for a run** dar uma voltinha. **have a runny nose** estar com coriza. **How your tongue runs out!** Como você fala! **in the long run** a longo prazo. **It runs in the blood.** Está no sangue. **Let things run their course.** Deixe as coisas acontecerem. **on the run** em fuga. **run across** encontrar por acaso. **run away** fugir. **run into debt** endividar-se. **run its course** evoluir normalmente. **run the office** administrar o escritório. **run wild** ficar furioso. **run-in** bate-boca, briga. **runaway** fugitivo. **runner** corredor. **running** corrida. **the general run of things** a tendência geral. **We'll run out of gas.** Vamos ficar sem gasolina. → Irregular Verbs

rung /rʌŋ/ *v. p.p.* de ***ring***.

runt /rʌnt/ *s.* (*pej.*) tampinha.

rupture /r'ʌptʃər/ *s.* ruptura; hérnia. • *v.* romper(-se).

rural /r'ʊrəl/ *adj.* rural: Our *rural* enterprise did not succeed.

rush /rʌʃ/ *s.* ímpeto, investida; pressa; fúria, torrente. • *v.* impelir, empurrar; apressar. ♦ **a rush of orders** uma enxurrada de pedidos. **Don't rush me!** Não me apresse! **rush hour** horário de pico. **rush job** feito às pressas.

Russia /r'ʌʃə/ *s.* Rússia. → Countries & Nationalities

Russian /r'ʌʃən/ *s.* ou *adj.* russo. → Countries & Nationalities

rust /rʌst/ *s.* ferrugem. • *v.* enferrujar.

rustic /r'ʌstɪk/ *adj.* rústico, rural.

rustle /r'ʌsəl/ *s.* sussurro, ruído. • *v.* sussurrar; roubar (gado).

rut /rʌt/ *s.* cio; trilho, sulco; rotina.

ruthless /r'uːθləs/ *adj.* cruel, implacável.

ruthlessness /r'uːθləsnəs/ *s.* crueldade.

RV /ɑːrv'iː/ (*abrev.* de *Recreational Vehicle*) *trailer*. → Means of Transportation

rye /raɪ/ *s.* centeio.

S

S, s /es/ *s.* décima nona letra do alfabeto inglês.

S /es/ (*abrev.* de *South*) sul. → Abbreviations

Sabbath (the) /s'æbəθ/ *s.* dia de descanso (domingo cristão e sábado judeu).

sabotage /s'æbətɑʒ/ *s.* sabotagem. • *v.* sabotar.

saccharin /s'ækərɪn/ *s.* sacarina.

sack /sæk/ *s.* saco; demissão; saque, roubo, pilhagem. • *v.* ensacar; demitir; saquear. ▪ *sin.* dismiss. ♦ **be sacked** ser despedido.

sacrament /s'ækrəmənt/ *s.* sacramento; juramento.

sacred /s'eɪkrɪd/ *adj.* sagrado. ▪ *sin.* holy.

sacrifice /s'ækrɪfaɪs/ *s.* sacrifício; renúncia. • *v.* sacrificar; renunciar.

sacrilege /s'ækrəlɪdʒ/ *s.* sacrilégio.

sacrilegious /sækrəl'ɪdʒəs/ *adj.* profano. ▪ *sin.* profane.

sad /sæd/ *adj.* triste, melancólico. ▪ *sin.* unhappy, blue. ▪ *ant.* happy, glad.

sadden /s'ædən/ *v.* entristecer.

saddle /s'ædəl/ *s.* sela, selim, assento (bicicleta). • *v.* selar.

sadly /s'ædli/ *adv.* lamentavelmente, tristemente.

sadness /s'ædnəs/ *s.* tristeza.

safari /səf'ɑri/ *s.* safári.

safe /seɪf/ *s.* cofre, caixa-forte. • *adj.* seguro, protegido. ♦ **better (to be) safe than sorry** melhor prevenir do que remediar. **safe and sound** são e salvo. **safeguard** proteção, salvaguarda.

safely /s'eɪfli/ *adv.* seguramente, de maneira segura: The hostages were *safely* rescued.

safety /s'eɪfti/ *s.* segurança. ♦ **safety belt** ou **seat belt** cinto de segurança. **safety catch** trava de segurança, pega-ladrão. **safety chain** corrente de segurança. **safety glass** vidro temperado. **safety net** rede de segurança. **safety pin** alfinete de segurança. **safety valve** válvula de segurança.

sag /sæg/ *v.* vergar, ceder; afundar.

sage /seɪdʒ/ *s.* sábio; salva (erva). • *adj.* sábio, inteligente. ▪ *sin.* wise.

said /sed/ *v. pret.* e *p.p.* de **say**.

sail /seɪl/ *s.* vela (barco). • *v.* velejar.

sailboat /s'eɪlbout/ *s.* barco à vela, veleiro. → Means of Transportation

sailing /s'eɪlɪŋ/ *s.* navegação.

sailor /s'eɪlər/ *s.* marinheiro. ▪ *sin.* mariner, seaman.

saint /seɪnt/ *s.* santo.

sake /seɪk/ *s.* causa, motivo, fim. ▪ *sin.* reason. ♦ **For heaven's/God's sake!** Pelo amor de Deus! **for the sake of** em consideração a, por causa de.

salad /s'æləd/ *s.* salada: I do not like yogurt dressing in my *salad*.

salary /s'æləri/ *s.* salário, ordenado. ▪ *sin.* wage.

sale /seɪl/ *s.* venda; liquidação. ♦ **be for sale** estar à venda. **be on sale** estar em liquidação. **sales commission** comissão de vendas. **sales department** departamento de vendas. **sale's note** nota de venda. **sales tax** imposto sobre as vendas. **sale price** preço de venda. **saleable** vendável. **salesclerk** vendedor. → Professions

saliva /səl'aɪvə/ *s.* saliva.

salivate /s'ælɪveɪt/ *v.* salivar.

salmon /s'æmən/ *s.* salmão. → Animal Kingdom

saloon /səl'uːn/ *s.* salão; bar.

salt /sɔːlt/ *s.* sal. • *v.* salgar. ♦ **salt mine** salina. **salt to taste** sal a gosto. **salt water** água salgada. **She's lacking salt and pepper.** Ela é sem-sal. **salt shaker** saleiro. **saltiness** salinidade. **saltless** sem sal, insípido. **saltpeter** salitre. **salty** salgado.

salutary /s'æljəteri/ *adj.* salutar. ▪ *sin.* healthy, wholesome.

salute /səl'uːt/ *s.* saudação; continência; salva. • *v.* saudar. ▪ *sin.* greeting.

salvage /s'ælvɪdʒ/ *s.* salvamento.

salvation /sælv'eɪʃən/ *s.* salvação.

same /seɪm/ *adj.* mesmo.

sample /s'æmpəl/ *s.* amostra; prova. • *v.* provar. ♦ **free sample** amostra grátis.

sanatorium /sænət'ɔːriəm/ (*tb.* ***sanitarium***) *s.* sanatório.

sanctify /s'æŋktɪfaɪ/ *v.* santificar.

sanction /s'æŋkʃən/ *s.* sanção, confirmação. • *v.* sancionar; ratificar.

sanctuary /s'æŋktʃueri/ *s.* santuário.

sand /sænd/ *s.* areia.

sandal /s'ændəl/ *s.* sandália. → Clothing

sandcastle /s'ændkæsəl/ *s.* castelo de areia.

sandpaper /s'ændpeɪpər/ *s.* lixa. •*v.* lixar.

sandstorm /s'ændstɔrm/ *s.* tempestade de areia. → Weather

sandwich /s'ænwɪtʃ/ *s.* sanduíche. • *v.* colocar entre, imprensar.

sandy /s'ændi/ *adj.* arenoso.

sane /seɪn/ *adj.* são, sadio; sensato.

sang /sæŋ/ *v. pret.* de **sing**.

sanitary /s'ænəteri/ *adj.* limpo, higiênico. ♦ **sanitary bag** saco higiênico. **sanitary napkin** ou **sanitary pad** (*Brit.*) absorvente íntimo.

sanitation /sænɪt'eɪʃn/ *s.* saneamento.

sanity /s'ænəti/ *s.* sanidade mental.

sank /sæŋk/ *v. pret.* de **sink**.

Santa Claus /s'æntə klɔːz/ (*tb.* ***Santa***) *s.* Papai Noel. ▪ *sin.* Father Christmas.

sap /sæp/ *s.* seiva; energia, vitalidade. • *v.* minar; consumir, gastar. ▪ *sin.* undermine.

sapphire /s'æfaɪər/ *s.* safira.

sarcasm /s'ɑrkæzəm/ *s.* sarcasmo.

sarcastic /sɑrk'æstɪk/ *adj.* sarcástico, irônico. ▪ *sin.* sardonic.

sarcophagus /sɑrk'ɑfəgəs/ (*s. pl.* ***sarcophagi***) *s.* sarcófago.

sardine /sɑrd'iːn/ *s.* sardinha. → Animal Kingdom

sash /sæʃ/ *s.* cinto, faixa; armação.

sat /sæt/ *v. pret.* e *p.p.* de **sit**.

satchel /s'ætʃəl/ *s.* mochila escolar. → Classroom

satellite /s'ætəlaɪt/ *s.* satélite. ♦ **satellite link** conexão ou ligação por satélite.

satin /s'ætən/ *s.* cetim.

satire /s'ætaɪər/ *s.* sátira; crítica.

satirical /sət'ɪrɪkəl/ *adj.* satírico, mordaz.

satisfaction /sætɪsf'ækʃn/ *s.* satisfação.

satisfied /s'ætɪsfaɪd/ *adj.* satisfeito: The carpinter is *satisfied* with his job.

satisfy /s'ætɪsfaɪ/ *v.* satisfazer. ▪ *sin.* please.

satisfying /s'ætɪsfaɪŋ/ *adj.* satisfatório: My daughter's grades are *satisfying.*

saturate /s'ætʃəreɪt/ *v.* saturar. • *adj.* saturado.

Saturday /s'ætərdeɪ, s'ætərdi/ *s.* sábado.

Saturn /s'ætərn/ *s.* Saturno.

sauce /sɔːs/ *s.* molho.

saucepan /s'ɔːspæn/ *s.* panela, caçarola.

saucer /s'ɔːsər/ *s.* pires. ♦ **flying saucer** disco voador.

Saudi /s'ɔdi/ *s.* ou *adj.* saudita. ➔ Countries & Nationalities

Saudi Arabia /sɔdiər'eɪbiə/ *s.* Arábia Saudita. ➔ Countries & Nationalities

sauna /s'ɔːnə/ *s.* sauna.

saunter /s'ɔːntər/ *v.* passear.

sausage /s'ɔːsɪdʒ/ *s.* salsicha, linguiça.

savage /s'ævɪdʒ/ *s.* selvagem; bárbaro; bruto. • *adj.* selvagem. • *v.* atacar. ▪ *sin.* wild.

savagery /s'ævɪdʒri/ *s.* selvageria, ferocidade.

save /seɪv/ *v.* salvar; guardar, proteger; poupar, economizar. • *prep.* exceto, salvo. ♦ **save appearances** salvar as aparências. **Save our ship. (SOS)** Salvem nosso navio. **Save our souls. (SOS)** Proteja nossas almas. **She saves me a maid.** Ela me poupa uma empregada. **bank saving account** poupança. **savings** economias.

savior /s'eɪvjər/ (*Brit.* **saviour**) *s.* salvador.

savory /s'eɪvəri/ (*Brit.* **savoury**) *adj.* saboroso; condimentado. ▪ *sin.* tasty.

saw /sɔː/ *s.* serra, serrote. • *v.* (*pret.* **sawed**, *p.p.* **sawed** ou **sawn**) serrar, cortar; *pret.* de **see**. ➔ Irregular Verbs

sawn /sɔːn/ *v. p.p.* de **saw**.

saxophone /s'æksəfoun/ (*tb.* **sax**) *s.* saxofone. ➔ Musical Instruments

say /seɪ/ *v.* (*pret.* e *p.p.* **said**) falar, dizer, afirmar; exprimir, declarar, anunciar. ♦ **As I was about to say...** Como eu ia dizendo... **If you say so...** Se você diz... **say mass** celebrar missa. **say the prayers** dizer as preces. **Say the word.** É só falar. **so to say** por assim dizer. **that is to say** isto é. **What do you say to this?** O que você me diz sobre isto? **you can never say** nunca se pode dizer. **Easier said than done.** É mais fácil falar que fazer. **No sooner said than done!** Dito e feito! ➔ Irregular Verbs

saying /s'eɪɪŋ/ *s.* dito, provérbio.

scab /skæb/ *s.* casca, crosta de ferida; sarna; fura-greve.

scaffold /sk'æfould/ *s.* andaime; palanque, cadafalso.

scald /skɔːld/ *s.* queimadura. • *v.* queimar; escaldar.

scale /skeɪl/ *s.* balança; escama; crosta; escala; tártaro (dos dentes). • *v.* escalar; pesar.

scalp /skælp/ *s.* couro cabeludo; escalpo. • *v.* escalpar.

scalpel /sk'ælpəl/ *s.* bisturi.

scamper /sk'æmpər/ *v.* safar-se.

scan /skæn/ *v.* esquadrinhar; examinar ponto por ponto; escanear.

scandal /sk'ændəl/ *s.* escândalo.

scandalize /sk'ændəlaɪz/ (*Brit.* **scandalise**) *v.* escandalizar.

scandalous /sk'ændələs/ *adj.* escandaloso; vergonhoso. ▪ *sin.* shocking.

Scandinavian /skændɪn'eɪviən/ *s.* ou *adj.* escandinavo.

scanty /sk'ænti/ *adj.* escasso.

scapegoat /sk'eɪpgout/ *s.* bode expiatório. ▪ *sin.* whipping boy, fall guy.

scar /skɑr/ *s.* sinal, cicatriz. • *v.* cicatrizar; marcar.

scarce /skers/ *adj.* raro, incomum; escasso. ▪ *sin.* rare.

scarcely /sk'ersli/ *adv.* raramente; dificilmente; mal.

scarcity /sk'ersəti/ *s.* falta, escassez; carência. ▪ *sin.* dearth.

scare /sker/ *s.* susto, pânico, medo. • *v.* assustar, amedrontar.

scarecrow /sk'erkroʊ/ *s.* espantalho.

scared /skerd/ *adj.* assustado.

scarf /skɑrf/ *s.* cachecol, echarpe. → Clothing

scarlet /sk'ɑrlət/ *s.* ou *adj.* escarlate.

scary /sk'eri/ *adj.* assustador.

scathing /sk'eɪðɪŋ/ *adj.* mordaz; nocivo; feroz.

scatter /sk'ætər/ *s.* dispersão. • *v.* dispersar(-se), espalhar(-se). ▪ *sin.* spread.

scattered /sk'ætərd/ *adj.* espalhado.

scenario /sən'æriou/ (*s. pl.* ***scenarios***) *s.* hipótese, cenário.

scene /si:n/ *s.* cenário, cena; exibição, espetáculo; situação.

scenery /s'i:nəri/ *s.* cenário; vista.

scent /sent/ *s.* cheiro, perfume. • *v.* cheirar; farejar, sentir pelo olfato; perfumar. ▪ *sin.* smell.

schedule /sk'edʒu:l/ *s.* lista, relação; itinerário; tabela de horário; programação. • *v.* tabelar; fixar; programar, agendar. → Classroom

scheme /ski:m/ *s.* esquema, plano, projeto; trama; sistema, método; diagrama. • *v.* planejar, maquinar, tramar.

schizophrenia /skɪtsəfr'i:niə/ *s.* esquizofrenia.

scholar /sk'ɑlər/ *s.* pessoa culta; erudito, sábio; bolsista.

scholarship /sk'ɑlərʃɪp/ *s.* bolsa de estudos; erudição.

school /sku:l/ *s.* escola, instituto, universidade. ♦ **school bag** mochila escolar. **go to school** ir para a escola. **high school** escola secundária. **old-school** tradicional, antigo. **preparatory school** escola preparatória. **public school** escola pública. **school is over** as aulas terminaram. **school of fish** cardume. **technical school** escola técnica. **schoolbook** livro escolar. **school fee** taxa escolar. **school treat** festa escolar. **schoolwork** trabalho, lição. **schoolfellow** ou **schoolmate** colega de escola. **schoolable** em idade escolar. **schooling** escolaridade; educação, ensino. **schoolmaster** (*Brit.*) professor. **schoolmistress** (*Brit.*) professora. **schoolroom** sala da aula. → Classroom

science /s'aɪəns/ *s.* ciência; sabedoria. ▪ *sin.* knowledge.

scientific /saɪənt'ɪfɪk/ *adj.* científico.

scientist /s'aɪəntɪst/ *s.* cientista; pesquisador.

sci-fi /s'aɪfaɪ/ (*abrev.* de *Science Fiction*) ficção científica. → Abbreviations

scintillate /s'ɪntɪleɪt/ *v.* cintilar, faiscar.

scissors /s'ɪzərz/ *s. pl.* tesoura. ▪ *sin.* shears. → Classroom

scold /skoʊld/ *v.* ralhar; repreender.

scoop /sku:p/ *s.* pá; concha; bola (sorvete); furo jornalístico. • *v.* tirar com concha; cavar, escavar.

scooter /sk'u:tər/ *s.* lambreta; patinete. → Means of Transportation

scope /skoʊp/ *s.* escopo; finalidade; alvo, alcance.

scorch /skɔ:rtʃ/ *s.* queimadura. • *v.* chamuscar.

score /skɔ:r/ *s.* contagem, número de pontos feitos num jogo, placar; dívida, débito; partitura. • *v.* marcar pontos, suceder; registrar, anotar; ganhar.

scoreboard /sk'ɔ:rbɔ:rd/ *s.* quadro, placar.

scorn /skɔ:rn/ *s.* desprezo, escárnio, desdém. • *v.* desprezar, desdenhar.

scornful /sk'ɔ:rnfl/ *adj.* desdenhoso.

scorpion /sk'ɔ:rpiən/ *s.* escorpião. → Animal Kingdom

Scotch /skɑtʃ/ *s.* escocês; uísque escocês. ♦ **Scotch tape™** durex®, fita adesiva. → Countries & Nationalities → Classroom

Scotland /sk'ɑtlənd/ *s.* Escócia. → Countries & Nationalities

Scottish /sk'ɑtɪʃ/ *s.* ou *adj.* escocês; língua escocesa. → Countries & Nationalities

scoundrel /sk'aʊndrəl/ *s.* ou *adj.* canalha, patife, tratante. ▪ *sin.* scamp.

scour /sk'aʊər/ *v.* polir, esfregar, arear; procurar, esquadrinhar.

scourge /skɜːrdʒ/ *s.* açoite, flagelo; tormento, castigo. • *v.* açoitar, flagelar; castigar.

scout /skaʊt/ *s.* escoteiro; batedor. • *v.* espiar, espionar, patrulhar. ▪ *sin.* spy (on).

scowl /skaʊl/ *s.* carranca; olhar zangado. • *v.* fazer carranca, franzir a testa, olhar feio.

scrabble /skr'æbəl/ *v.* arranhar, raspar; lutar; rabiscar.

scramble /skr'æmbəl/ *s.* subida; luta. • *v.* lutar, brigar; escalar; misturar, mexer (ovos). ♦ **scrambled eggs** ovos mexidos.

scrap /skræp/ *s.* pedaço, fragmento; sobras; briga. • *v.* jogar no lixo; brigar. ♦ **scrap iron** sucata, ferro-velho. **scrapbook** álbum de recortes.

scrape /skreɪp/ *s.* aperto, dificuldade. • *v.* raspar; arranhar; economizar. ♦ **scrape a living** viver com dificuldade.

scratch /skrætʃ/ *s.* arranhão; unhada. • *v.* arranhar, riscar; coçar.

scrawl /skrɔːl/ *s.* rabisco, letra ilegível. • *v.* rabiscar.

scream /skriːm/ *s.* berro, grito. • *v.* berrar, gritar. ▪ *sin.* cry, bellow, yell.

screech /skriːtʃ/ *s.* grito, urro. • *v.* gritar, urrar.

screen /skriːn/ *s.* biombo, separação, anteparo, tapume; grade, tela; tela de cinema. • *v.* proteger; projetar; filmar; esconder.

screw /skruː/ *s.* parafuso; aperto. • *v.* atarraxar; parafusar; torcer, rosquear; obrigar, oprimir; (*gír.*) sacanear. ♦ **screw up** estragar, atrapalhar: He intended to *screw up* the game.

screwdriver /skr'uːdraɪvər/ *s.* chave de fenda.

scribble /skr'ɪbl/ *s.* rabisco. • *v.* rabiscar.

script /skrɪpt/ *s.* manuscrito, escrita; enredo, roteiro, argumento de filme.

Scripture /skr'ɪptʃər/ *s.* Sagrada Escritura, Bíblia.

scroll /skroʊl/ *s.* rolo de papel ou pergaminho. • *v.* mover rolando (para cima ou para baixo). ♦ **scroll bar** barra de rolagem. **scroll lock** trava de rolagem.

scrub /skrʌb/ *s.* moita, arbusto; esfregação, limpeza. • *v.* esfregar; lavar.

scruff /skrʌf/ *s.* pescoço, nuca. → Human Body

scruffy /skr'ʌfi/ *adj.* descuidado, desleixado.

scruple /skr'uːpəl/ *s.* hesitação; escrúpulo. • *v.* hesitar; ter escrúpulos.

scrupulous /skr'uːpjələs/ *adj.* escrupuloso, honesto.

scrutinize /skr'uːtənaɪz/ (*Brit.* ***scrutinise***) *v.* escrutinar.

scrutiny /skr'uːtəni/ *s.* escrutínio, exame minucioso. ▪ *sin.* examination.

scuba /sk'uːbə/ (*abrev.* de *Self-contained Underwater Breathing Apparatus*) dispositivo autônomo para respiração subaquática (tanques ou cilindros de oxigênio). ♦ **scuba diving** mergulho com tanques ou cilindros de oxigênio. → Abbreviations → Sports

scuff /skʌf/ *v.* arrastar os pés; arranhar, desgastar.

scuffle /sk'ʌfəl/ *s.* briga, tumulto.

sculptor /sk'ʌlptər/ *s.* escultor. *fem.* ***sculptress***.

sculpture /sk'ʌlptʃər/ *s.* escultura. • *v.* esculpir, entalhar.

scum /skʌm/ *s.* espuma; ralé, escória. • *v.* formar espuma.

scurry /sk'ɜːri/ *s.* pressa, correria. • *v.* apressar(-se), correr. ▪ *sin.* hurry, haste.

scythe /saɪð/ *s.* foice. • *v.* ceifar, cortar.

sea /siː/ *s.* mar; oceano. ♦ **sea bank** dique. **sea breeze** brisa marinha. **seacoast** costa marítima. **sea cucumber** pepino--do-mar. **sea fight** batalha naval. **sea horse** cavalo-marinho. **sea level** nível do mar. **sealine** horizonte. **sea lion** leão-marinho. **sea maid** ou **mermaid** sereia. **sea mile** milha marítima (1 milha marítima = 1.853 m). **sea pad** ou **starfish** estrela-do--mar. **seaplane** hidroavião. **sea robber** pirata. **seaside** orla, costa. **sea shore** litoral. **sea tang** ou **seaweed** alga. **sea urchin** ouriço-do-mar. **seafood** frutos do mar. **seagull** gaivota. **seaman** marinheiro. **seasick** enjoado, mareado. **the high seas** o alto-mar. → Animal Kingdom

seal /siːl/ *s.* selo; lacre; foca. • *v.* autenticar; lacrar, selar. ▪ *sin.* stamp. → Animal Kingdom

seam /siːm/ *s.* costura, sutura; junção. • *v.* costurar.

seamstress /s'iːmstrəs/ *s.* costureira.

sear /sɪr/ *v.* queimar, cauterizar.

search /sɜːrtʃ/ *s.* procura, busca; pesquisa. • *v.* procurar, buscar; investigar, explorar. ▪ *sin.* seek. ♦ **searchlight** holofote. **search engine** ferramenta de busca.

searcher /s'ɜːrtʃər/ *s.* pesquisador.

season /s'iːzən/ *s.* estação do ano; época; temporada. • *v.* temperar (alimentos). ♦ **an animal in season** um animal no cio.

seasonal /s'iːzənəl/ *adj.* periódico, sazonal.

seasoning /s'iːzənɪŋ/ *s.* tempero.

seat /siːt/ *s.* assento, cadeira, poltrona; traseiro; lugar, local; sede. • *v.* assentar, sentar; caber. ♦ **seat belt** cinto de segurança.

sebaceous /sɪb'eɪʃəs/ *adj.* sebáceo, de sebo.

secession /sɪs'eʃən/ *s.* separação.

seclude /sɪkl'uːd/ *v.* excluir, apartar, segregar.

secluded /sɪkl'uːdɪd/ *adj.* recluso, solitário.

second /s'ekənd/ *s.* ou *num.* segundo. • *v.* apoiar. • *adj.* segundo; secundário, inferior. ▪ *sin.* support. → Numbers

secondary /s'ekənderi/ *adj.* secundário; subalterno.

second best /s'ekənd best/ *adj.* segunda escolha, segunda opção.

second-class /sekənd kl'æs/ *adj.* de segunda classe.

second hand /sekənd h'ænd/ *adj.* de segunda mão, usado.

secrecy /s'iːkrəsi/ *s.* sigilo, segredo; discrição, reserva.

secret /s'iːkrət/ *s.* segredo, mistério. • *adj.* secreto. ▪ *sin.* hidden, occult, mysterious.

secretary /s'ekrəteri/ *s.* secretário/a; escrivão; escrivaninha. → Professions

Secretary of State *s.* Secretário/a de Estado.

secrete /sɪkr'iːt/ *v.* guardar segredo, esconder; secretar.

secretion /sɪkr'iːʃən/ *s.* secreção.

secretive /s'iːkrətɪv/ *adj.* reservado, sigiloso; reticente.

secretly /s'iːkrətli/ *adv.* em segredo, secretamente.

sect /sekt/ *s.* seita; partido; facção.

sectarian /sekt'eriən/ *s.* ou *adj.* sectário, partidário.

section /s'ekʃən/ *s.* seção, divisão, fatia; departamento; parágrafo; distrito; parte (de uma cidade). • *v.* cortar, dividir.

sector /s'ektər/ *s.* setor.

secular /s'ekjələr/ *adj.* leigo, mundano, profano. ▪ *sin.* profane.

secure /səkj'ʊr/ *v.* segurar, guardar, proteger, defender. • *adj.* seguro, protegido. ▪ *sin.* safe.

security /səkj'ʊrəti/ *s.* segurança; garantia; certeza. ▪ *sin.* safety. ♦ **security guard** guarda, segurança.

sedate /sɪd'eɪt/ *adj.* descansado, tranquilo, calmo; sóbrio. • *v.* sedar.

sedative /s'edətɪv/ *s.* ou *adj.* sedativo.

sedentary /s'edənteri/ *adj.* sedentário.

sediment /s'edɪmənt/ *s.* sedimento, depósito.

seduce /sɪd'uːs/ *v.* seduzir; persuadir. ▪ *sin.* allure.

seductive /sɪd'ʌktɪv/ *adj.* sedutor, tentador, atraente, cativante.

see /siː/ *v.* (*pret.* **saw**, *p.p.* **seen**) ver, enxergar, olhar; observar, espiar; compreender. ♦ **He sees things differently now.** Agora ele está vendo as coisas com outros olhos. **I'll see about that!** Eu vou cuidar disto! **see a doctor** consultar um médico. **see off** despedir-se. **see over** inspecionar. **See you later!** ou **See you!** Até logo! **She'll never see 30 again.** Ela já passou dos 30. **We will see.** Vamos ver. **What the eyes do not see, the heart does not grieve over.** O que os olhos não veem, o coração não sente. → Irregular Verbs

seed /siːd/ (*s. pl.* **seed** ou **seeds**) *s.* semente, grão; esperma, sêmen. ▪ *sin.* germ. ♦ **seed capital** capital inicial.

seedtime /s'iːdtaɪm/ *s.* época de plantio.

seedy /s'iːdi/ *adj.* decadente; abatido; desanimado.

seek /siːk/ *v.* (*pret.* e *p.p.* **sought**) procurar, buscar; visar; tentar, empenhar-se, pretender, aspirar. ▪ *sin.* search. ♦ **hide-and-seek** esconde-esconde. → Irregular Verbs

seem /siːm/ *v.* parecer, dar a impressão de. ▪ *sin.* appear.

seeming /s'iːmɪŋ/ *adj.* aparente.

seemingly /s'iːmɪŋli/ *adv.* aparentemente.

Seemingly you did quit smoking.

seen /siːn/ *v. p.p.* de **see**.

seesaw /s'iːsɔː/ *s.* gangorra.

seethe /siːð/ *v.* ferver; agitar-se.

see-through /s'iːθruː/ *adj.* transparente, visível.

segment /s'egmənt/ *s.* segmento, parte, seção. • /segm'ent/ *v.* segmentar.

segregate /s'egrɪgeɪt/ *v.* segregar. ▪ *sin.* separate.

segregated /s'egrɪgeɪtɪd/ *adj.* segregado, isolado, separado.

seize /siːz/ *v.* pegar, agarrar, apanhar; capturar, prender; aproveitar (oportunidade). ▪ *sin.* nab, catch.

seizure /s'iːʒər/ *s.* apreensão, confisco, sequestro; convulsão. ▪ *sin.* capture.

seldom /s'eldəm/ *adv.* raramente. ▪ *sin.* rarely. ▪ *ant.* often.

select /sɪl'ekt/ *v.* selecionar, escolher. • *adj.* seleto, escolhido; superior, fino, selecionado; exclusivo, restrito.

selection /sɪl'ekʃən/ *s.* seleção: I want to hear the DJ's new electronic music *selection*.

self /self/ (*s. pl.* **selves** /selvz/) *s.* a própria pessoa, personalidade.

• *pron.* si mesmo. ♦ **The picture is your very self.** O retrato é "igualzinho" a você. **self-centered** egocêntrico. **self-conceited** convencido, presunçoso. **self-confidence** autoconfiança. **self-contained** retraído. **self-control** autocontrole. **self-criticism** autocrítica. **self-defense** autodefesa. **self-determination** autodeterminação, livre-arbítrio. **self-educated** ou **self-taught** autodidata. **self-esteem** autoestima. **self-explanatory** óbvio, evidente. **self-love** amor-próprio. **self-made man** homem que se fez sozinho. **self-murder** suicídio. **self-reproach** remorso. **self-service** autosserviço. **self-sufficient** autossuficiente. **self-willed** obstinado, de vontade própria. **selfish** egoísta. **unselfish** altruísta. **selfishness** egoísmo. **unselfishness** altruísmo. **He is kindness itself.** Ele é a gentileza em pessoa. **She did it herself.** Ela o fez sozinha.

sell /sel/ *v.* (*pret.* e *p.p.* ***sold***) vender; negociar. ♦ **sell off** liquidar. **bestseller** o (livro ou autor) mais vendido. **sellout** vender todo o estoque; trair. → Irregular Verbs

semantics /sɪm'æntɪks/ *s.* semântica.

semester /sɪm'estər/ *s.* semestre.

semicircle /s'emisɜːrkl/ *s.* semicírculo.

semicolon /s'emikoʊlən/ *s.* ponto e vírgula.

semi-detached /semidɪt'ætʃt/ *adj.* geminada (residência).

seminar /s'emɪnɑr/ *s.* seminário, curso, estudo.

senate /s'enət/ *s.* senado, assembleia legislativa.

senator /s'enətər/ *s.* senador/a.

send /send/ *v.* (*pret.* e *p.p.* ***sent***) mandar, enviar, remeter; forçar; expedir, despachar; jogar, lançar. ♦ **Send for a doctor!** Chame o médico! **Send him in!** Faça-o entrar! **send-off** festa de despedida, bota-fora. **sender** remetente. → Irregular Verbs

Senegal /senɪg'ɔːl/ *s.* Senegal. → Countries & Nationalities

Senegalese /senɪgəl'iːz/ *s.* ou *adj.* senegalês. → Countries & Nationalities

senile /s'iːnaɪl/ *adj.* senil, caduco.

senior /s'iːniər/ *s.* ou *adj.* o mais velho, pessoa mais velha; profissional experiente. *abrev.* ***Snr.***, ***Sr.*** ou ***Sen.*** ▪ *sin.* elderly. → Deceptive Cognates

senior citizen *s.* idoso.

senior high school *s.* escola de ensino médio.

sensation /sens'eɪʃən/ *s.* sensação. ▪ *sin.* feeling.

sensational /sens'eɪʃənəl/ *adj.* sensacional.

sense /sens/ *s.* sensatez, senso; sentido; percepção, sensação, sentimento; apreensão, compreensão; juízo. • *v.* sentir, perceber; compreender, entender. ♦ **It makes sense.** Faz sentido. **sense of humor** senso de humor.

senseless /s'ensləs/ *adj.* inconsciente; insensato; sem sentido.

sensibility /sensəb'ɪləti/ *s.* sensibilidade; sensatez.

sensible /s'ensəbəl/ *adj.* ajuizado, sensato, razoável. → Deceptive Cognates

sensitive /s'ensətɪv/ *adj.* sensível, sensitivo.

sensitiveness /sensət'ɪvnəs/ *s.* sensibilidade.

sensual /s'enʃuəl/ *adj.* sensual.

sensuality /senʃu'æləti/ *s.* sensualidade.

sensuous /s'enʃuəs/ *adj.* sensual.

sent /sent/ *v. pret.* e *p.p.* de ***send***.

sentence /s'entəns/ *s.* sentença, frase, locução; decisão; pena. • *v.* sentenciar, condenar.

sentiment /s'entɪmənt/ *s.* sentimento; sentimentalismo.

sentry /s'entri/ *s.* sentinela, guarda.

separate /s'eprət/ *adj.* separado; isolado; distinto. • /s'epəreɪt/ *v.* apartar, separar.

separately /s'eprətli/ *adv.* separadamente: Anna and Frank used to travel *separately*.

separation /sepər'eɪʃən/ *s.* separação.

September /sept'embər/ *s.* setembro.

sequel /s'iːkwəl/ *s.* sequência; sequela, consequência.

sequence /s'iːkwəns/ *s.* sequência, sucessão.

serenade /serən'eɪd/ *s.* serenata.

serene /sər'iːn/ *adj.* sereno, calmo. ▪ *sin.* calm, quiet.

sergeant /s'ɑrdʒənt/ *s.* sargento.

serial /s'ɪriəl/ *s.* publicação em série, revista periódica. • *adj.* em série, periódico.

series /s'ɪriːz/ (*s. pl.* **series**) *s.* série.

serious /s'ɪriəs/ *adj.* sério; grave. ▪ *sin.* grave.

seriously /s'ɪriəsli/ *adv.* seriamente: My father has talked to me *seriously*.

sermon /s'ɜːrmən/ *s.* sermão; repreensão.

serum /s'ɪrəm/ (*s. pl.* **serums** ou **sera**) *s.* soro.

servant /s'ɜːrvənt/ *s.* empregado, criado; funcionário.

serve /s3ːrv/ *v.* servir, trabalhar para; servir à mesa; servir o exército; suprir, fornecer; ajudar; cumprir; sacar.

server /s'ɜːrvər/ *s.* servidor; garçom, garçonete; sacador (*esporte*).

service /s'ɜːrvɪs/ *s.* serviço, préstimo; suprimento; ocupação, emprego; trabalho, exercício; revisão (do carro); cerimônia religiosa, ritual; louça.

serviceman /s'ɜːrvɪsmən/ (*s. pl.* **servicemen**) *s.* militar, membro das Forças Armadas.

servile /s'ɜːrvaɪl, 'sɜːrvəl/ *adj.* servil.

session /s'eʃən/ *s.* sessão, reunião.

set /set/ *s.* grupo, conjunto, coleção, série; cenário; aparelho, receptor, emissor. • *v.* (*pret.* e *p.p.* **set**) pôr, assentar, plantar; endireitar; regular; fixar, estabelecer; determinar; dar; usar; preparar; marcar. ♦ **set an example** dar um exemplo. **set apart** pôr de lado. **set a poem to music** musicar um poema. **set back** atrasar (relógio). **set down to somebody's account** debitar na conta de alguém. **set fire to** pôr fogo em. **set forth** partir. **set free** libertar. **set in motion** pôr em movimento. **set one's hand to** colocar mãos à obra. **set one's house in order** pôr a casa em ordem. **set on foot** começar algo. **set pen to paper** começar a redigir. **set somebody at ease** acalmar alguém. **set the table** pôr a mesa. **set up for oneself** fazer por conta própria, para si mesmo. **setback** revés, contratempo, atraso.
→ Irregular Verbs

settle /s'etəl/ *v.* assentar, estabelecer; determinar, decidir, fixar; pôr em ordem, arranjar; (seguido de ***up***) pagar, liquidar; (seguido de ***in***) estabelecer(-se), fixar residência, casar; colonizar; (seguido de ***down***) acalmar(-se).

settlement /s'etəlmənt/ *s.* indenização; instalação; acordo; pagamento, liquidação (de dívidas); colonização, colônia; legado, doação.

settler /s'etlər/ *s.* colono, colonizador.

setup /s'etʌp/ *s.* configuração, estruturação.

seven /s'evən/ *s.* ou *num.* sete. → Numbers

seventeen /sevənt'iːn/ *s.* ou *num.* dezessete. → Numbers

seventeenth /sevənt'iːnθ/ *s.* ou *num.* décimo sétimo, dezessete avos. → Numbers

seventh /s'evənθ/ *s.* ou *num.* sétimo. ➔ Numbers

seventieth /s'evəntiəθ/ *s.* ou *num.* septuagésimo; setenta avos. ➔ Numbers

seventy /s'evənti/ *s.* ou *num.* setenta. ♦ **the seventies** a década de 1970; os anos 1970. ➔ Numbers

sever /s'evər/ *v.* partir, separar, dividir, rachar; cortar. ▪ *sin.* separate.

several /s'evrəl/ *adj.* vários, diversos.

severe /səv'ɪr/ *adj.* severo, austero; rigoroso; sério, grave; difícil; rígido. ▪ *sin.* harsh.

sew /soʊ/ *v.* (*pret.* **sewed**, *p.p.* **sewn** ou **sewed**) coser; costurar; cerzir. ➔ Irregular Verbs

sewage /s'uːɪdʒ/ *s.* água de esgoto.

sewer /s'uːər/ *s.* esgoto.

sewing /s'oʊɪŋ/ *s.* costura. ♦ **sewing machine** máquina de costura.

sewn /soʊn/ *v. p.p.* de **sew**.

sex /seks/ *s.* sexo.

sexism /s'eksɪzəm/ *s.* sexismo.

sexist /s'ɛksɪst/ *adj.* sexista.

sextuple /s'ekstʊpəl/ *s.* ou *adj.* sêxtuplo.

sexual /s'ekʃuəl/ *adj.* sexual.

Sgt. /s'ɑrdʒənt/ (*abrev.* de *sergeant*) sargento. ➔ Abbreviations

shabby /ʃ'æbi/ *adj.* gasto, roto, surrado, usado.

shack /ʃæk/ *s.* cabana, barracão, choupana. ▪ *sin.* shanty.

shackle /ʃ'ækəl/ *s.* algema; corrente. • *v.* algemar.

shade /ʃeɪd/ *s.* sombra; penumbra; cortina, veneziana; guarda-sol; tonalidade; espírito, fantasma; proteção. *pl.* **shades** óculos escuros. • *v.* abrigar da luz; escurecer, tornar sombrio. ▪ *sin.* sunglasses.

shadow /ʃ'ædoʊ/ *s.* sombra; vulto. • *v.* proteger, abrigar da luz, escurecer; seguir (alguém).

shadowy /ʃ'ædoʊi/ *adj.* irreal, ilusório; vago; sombrio, escuro.

shady /ʃ'eɪdi/ *adj.* na sombra, sombrio; duvidoso, suspeito.

shaft /ʃæft/ *s.* cabo, haste; flecha, seta, lança, dardo; raio, feixe de luz; poço (elevador).

shaggy /ʃ'ægi/ *adj.* felpudo, peludo; áspero.

shake /ʃeɪk/ *s.* abalo, agitação, sacudida, vibração; tremor, abalo; bebida batida. • *v.* (*pret.* **shook**, *p.p.* **shaken**) sacudir, agitar, acenar; apertar a mão; tremer; abalar; trepidar, estremecer, vibrar. ♦ **in a shake** num segundo. **shake down** buscar, procurar. **shake hands** apertar as mãos. **shake up** remexer. **He's not to be shaken.** Ele é impassível. **I shook all over.** Tremi da cabeça aos pés. **I shook my head.** Sacudi a cabeça. **I shook my sides with laughter.** Eu "rolei" de tanto rir. ➔ Irregular Verbs

shaken /ʃ'eɪkən/ *v. p.p.* de **shake**.

shall /ʃæl, ʃəl/ *v. aux.* utilizado na formação dos tempos do futuro, normalmente com os pronomes *I* e *we*.

shallow /ʃ'æloʊ/ *adj.* raso.

shambles /ʃ'æmbəlz/ *s.* matadouro; bagunça, desordem. ▪ *sin.* mess.

shame /ʃeɪm/ *s.* vergonha, humilhação, degradação. • *v.* envergonhar, humilhar. ♦ **Shame on you!** Você deveria se envergonhar! **What a shame!** Que vergonha! **shamefaced** tímido, acanhado. **shamefacedly** timidamente. **shameful** vergonhoso. **shamefully** vergonhosamente. **shameless** sem-vergonha. **be ashamed** ficar envergonhado.

shampoo /ʃæmp'uː/ *s.* xampu.

shank /ʃæŋk/ *s.* canela, parte da perna abaixo do joelho. ▪ *sin.* ankle. ➔ Human Body

shan't /ʃænt/ forma contraída de *shall not.*

shanty /ʃ'ænti/ *s.* cabana, barracão, choupana. ▪ *sin.* shack. ♦ **shanty town** favela.

shape /ʃeɪp/ *s.* forma, figura, configuração; molde, modelo, aspecto. • *v.* dar forma, formar, modelar; adaptar. ♦ **be in shape** estar em forma. **put something out of shape** deformar. **take shape** tomar forma. **shapeless** disforme. **shapelessness** deformidade.

share /ʃer/ *s.* parte, porção, cota; ação, fração. • *v.* compartilhar; dividir, repartir. ▪ *sin.* divide. ♦ **shareware** programas de computador compartilhados (grátis).

shareholder /ʃ'erhoʊldər/ *s.* acionista. ▪ *sin.* stockholder.

shark /ʃɑrk/ *s.* tubarão. ♦ **loan shark** agiota. → Animal Kingdom

sharp /ʃɑrp/ *adj.* afiado, agudo; pontudo; cortante; nítido; brusco; severo, sarcástico; dolorido, cruciante; perspicaz, esperto; atento, vigilante; astuto, inteligente; sustenido; acima do tom. • *adv.* pontualmente. ▪ *sin.* acute, keen. ♦ **7 o'clock sharp** 7 horas em ponto. **sharp-eyed** perspicaz. **sharp-nosed** de nariz pontudo. **sharp-pointed** pontiagudo. **sharpen** apontar. **sharpener** apontador. **sharpness** perspicácia.

shatter /ʃ'ætər/ *v.* quebrar em pedaços, despedaçar(-se); fragmentar, rachar, estilhaçar(-se); perturbar, abalar; danificar.

shave /ʃeɪv/ *v.* (*pret.* ***shaved***, *p.p.* ***shaved*** ou ***shaven***) barbear(-se).

shaven /ʃ'eɪvən/ *adj.* barbeado. • *v. p.p.* de **shave**.

shawl /ʃɔːl/ *s.* xale. → Clothing

she /ʃiː/ *pron.* ela: *She* is a beautiful lady.

shear /ʃɪr/ *s.* tosquia, tosa. • *v.* (*pret.* ***sheared***, *p.p.* ***sheared*** ou ***shorn***) tosquiar, tosar; ceifar. *pl.* ***shears*** tesoura. ▪ *sin.* scissors.

shed /ʃed/ *s.* barracão. • *v.* (*pret.* e *p.p.* ***shed***) derramar, verter; irradiar, espalhar; soltar. ▪ *sin.* pour. → Irregular Verbs

she'd /ʃiːd/ forma contraída de *she had* ou *she would*.

sheep /ʃiːp/ (*s. pl.* ***sheep***) *s.* ovelha(s), carneiro(s). ♦ **John is a wolf in sheep's clothing.** John é um lobo em pele de cordeiro. **the black sheep of the family** a ovelha negra da família. **a sheepish person** pessoa tímida. → Animal Kingdom

sheer /ʃɪr/ *v.* desviar, virar, mudar de rumo. • *adj.* absoluto, puro; perpendicular, íngreme.

sheet /ʃiːt/ *s.* lençol; folha de papel; lâmina, superfície larga e plana.

shelf /ʃelf/ (*s. pl.* ***shelves*** /ʃelvz/) *s.* estante, prateleira.

shell /ʃel/ *s.* casca; concha; casco; granada, bomba, cartucho. • *v.* descascar; bombardear.

she'll /ʃiːl/ forma contraída de *she will*.

shellfish /ʃ'elfɪʃ/ (*s. pl.* ***shellfish***) *s.* marisco(s), molusco(s), crustáceo(s). → Animal Kingdom

shelter /ʃ'eltər/ *s.* abrigo, proteção, refúgio. • *v.* abrigar. ▪ *sin.* harbor.

shelve /ʃelv/ *v.* colocar na prateleira; encostar, pôr de lado, protelar; engavetar (planos).

shepherd /ʃ'epərd/ *s.* pastor (de ovelhas). *fem.* ***shepherdess***. • *v.* guiar, conduzir. ♦ **German Shepherd** cão pastor alemão.

sheriff /ʃ'erɪf/ *s.* xerife, delegado.

sherry /ʃ'eri/ *s.* licor; xerez.

shield /ʃiːld/ *s.* escudo; proteção, defesa, amparo. • *v.* proteger; servir de escudo, servir de proteção.

shift /ʃɪft/ *s.* substituição; mudança, troca; turno. • *v.* mudar, variar, transferir.

shifty /ʃ'ɪfti/ *adj.* evasivo; duvidoso.

shimmer /ʃ'ɪmər/ *s.* vislumbre; luz fraca. • *v.* vislumbrar; cintilar, tremeluzir.

shin /ʃɪn/ *s.* canela; pé (boi). ▪ *sin.* shank. ♦ **shin bone** tíbia. ➔ Human Body

shindy /ʃ'ɪndi/ *s.* barulho, tumulto.

shine /ʃaɪn/ *s.* luz, claridade, brilho, resplendor. • *v.* (*pret.* e *p.p.* ***shone*** ou ***shined***) brilhar; destacar-se; lustrar. ▪ *sin.* glitter, sparkle. ♦ **rain or shine** chova ou faça sol. ➔ Irregular Verbs

shingle /ʃ'ɪŋgl/ *s.* cascalho; telha.

shining /ʃ'aɪnɪŋ/ *adj.* lustroso, claro, brilhante; ilustre.

shiny /ʃ'aɪni/ *adj.* brilhante: I saw a *shiny* light into the darkness.

ship /ʃɪp/ *s.* navio, embarcação. • *v.* embarcar. ♦ **shipbuilding** construção naval. **shipload** carga de navio. **shipmaster** capitão de navio. **shipping** embarque, despacho; valor do frete. **shipping company** companhia de navegação. **shipwreck** naufrágio. **shipyard** estaleiro.

shirk /ʃɜːrk/ *v.* faltar ao dever, fugir do trabalho; esquivar-se de.

shirt /ʃɜːrt/ *s.* camisa.

shit /ʃɪt/ *s.* (*gír. vulg.*) excremento, merda.

shiver /ʃ'ɪvər/ *s.* tremor, calafrio, arrepio. • *v.* tremer (de frio), arrepiar(-se).

shoal /ʃoʊl/ *s.* banco de areia; cardume.

shock /ʃɑk/ *s.* choque, impacto; colisão; abalo; colapso, paralisia. • *v.* chocar; escandalizar(-se).

shocking /ʃ'ɑkɪŋ/ *adj.* chocante; terrível.

shod /ʃɑd/ *v. pret.* e *p.p.* de ***shoe***. • *adj.* calçado.

shoddy /ʃ'ɑdi/ *adj.* de má qualidade, malfeito.

shoe /ʃuː/ *s.* sapato. • *v.* (*pret.* ***shod*** e *p.p.* ***shod*** ou ***shoden***) calçar. ♦ **Everybody knows best where the shoe pinches.** Cada um sabe dos seus problemas. **If I were in your shoes...** Se eu fosse você..., Se eu estivesse em seu lugar... **I wouldn't like to be in your shoes.** Eu não gostaria de estar em seu lugar. **That's another pair of shoes.** Isso é outro assunto. **horseshoe** ferradura. **shoeblack** ou **shoeshine** engraxate. **shoehorn** calçadeira. **shoelace** ou **shoestring** cadarço. **shoeless** descalço. **shoemaker** sapateiro. ➔ Irregular Verbs ➔ Clothing

shone /ʃoʊn/ *v. pret.* e *p.p.* de ***shine***.

shook /ʃʊk/ *v. pret.* de ***shake***.

shoot /ʃuːt/ *s.* tiro; chute; broto. • *v.* (*pret.* e *p.p.* ***shot***) atirar, matar, lançar; dar tiro; fotografar, filmar. ➔ Irregular Verbs

shooting /ʃ'uːtɪŋ/ *s.* caça; tiroteio; filmagem. ♦ **shooting star** meteoro, estrela cadente.

shop /ʃɑp/ *s.* loja. • *v.* fazer compras. ♦ **set up a shop** abrir uma loja. **shop assistant** balconista, vendedor. **shopwindow** vitrine. **do shopping** fazer compras. **go shopping** ir às compras. **go window-shopping** sair para ver vitrines (sem comprar). **shopgirl** balconista. **shopkeeper** lojista. **shoplifter** ladrão de loja. **shopper** comprador. **shopwalker** (*Brit.*) ou **floorwalker** supervisor de loja. ➔ Professions

shopping /ʃ'ɑpɪŋ/ *s.* compras. ♦ **shopping cart** carrinho de compras. **shopping center** centro comercial.

shore /ʃɔːr/ *s.* costa, praia; litoral.

shorn /ʃɔːrn/ *v. p.p.* de ***shear***.

short /ʃɔːrt/ *adj.* curto; breve; baixo, pequeno. • *adv.* brevemente; repentinamente; resumidamente. ♦ **a short time ago** pouco tempo atrás. **I'm short of cash.** Estou sem dinheiro. **in short** em resumo. **long story short** encurtar a história. **She cut me short.** Ela interrompeu o que eu estava dizendo. **She was short with me.** Ela me tratou mal. **short and sweet** curto e grosso.

S

short drink aperitivo. **short of breath** ofegante. **shortsighted** míope. **short story** conto. **We are short of sugar.** Estamos sem açúcar. **short-circuit** curto-circuito. **short-dated (term)** a curto prazo. **short-tempered** irritadiço. **short-wave** onda curta (rádio). **shortage** falta, déficit. **shortchange** enganar no troco. **shortcoming** falha. **shortcut** atalho. **shorten** encurtar. **shortening** redução. **shorthand** taquigrafia. **short-lived** de vida curta. **shortly after** pouco depois.

shortly /ʃ'ɔːrtli/ *adv.* logo: I had left the room *shortly* before he came in.

shorts /ʃɔːrts/ *s.* calção, *shorts.* → Clothing

shot /ʃɑt/ *s.* tiro; projétil; descarga de arma de fogo; palpite; jogada; dose: The man took a *shot* of tequila. • *v. pret.* e *p.p.* de **shoot**.

shotgun /ʃ'ɑtgʌn/ *s.* arma de fogo, espingarda.

should /ʃʊd, ʃəd/ *v.* deveria.

shoulder /ʃ'oʊldər/ *s.* ombro. ♦ **shoulder bag** bolsa tiracolo. **shoulder blade** omoplata. → Clothing → Human Body

shout /ʃaʊt/ *s.* grito, berro. • *v.* gritar, berrar. ▪ *sin.* cry, bellow.

shove /ʃʌv/ *s.* impulso, empurrão. • *v.* empurrar. ▪ *sin.* push.

shovel /ʃ'ʌvəl/ *s.* pá.

show /ʃoʊ/ *s.* mostra, exibição; espetáculo; exposição; aparência, demonstração. • *v.* (*pret.* **showed**, *p.p.* **showed** ou **shown**) mostrar, expor, exibir; demonstrar; aparecer. ▪ *sin.* point out, indicate. ♦ **give the show away** abrir o jogo. **showcase** vitrine. **showground** área de exposições. **showroom** salão de exposições. → Irregular Verbs

show business *s.* mundo do espetáculo.

showdown /ʃ'oʊdaʊn/ *s.* confronto.

shower /ʃ'aʊər/ *s.* aguaceiro, temporal; chuveiro, banho de chuveiro. ♦ **showerproof** impermeável.

shown /ʃoʊn/ *v. p.p.* de **show**.

shrank /ʃræŋk/ *v. pret.* de **shrink**.

shred /ʃred/ *s.* tira estreita; trapo, farrapo; fragmento. • *v.* (*pret.* e *p.p.* **shred** ou **shredded**) rasgar em tiras ou pedaços, retalhar. → Irregular Verbs

shrew /ʃruː/ *s.* megera.

shrewd /ʃruːd/ *adj.* astuto, perspicaz. ▪ *sin.* acute.

shriek /ʃriːk/ *s.* guincho, grito. • *v.* guinchar, gritar. ▪ *sin.* cry.

shrill /ʃrɪl/ *s.* som agudo, guincho. • *v.* guinchar, emitir som agudo. • *adj.* estridente, agudo, penetrante.

shrimp /ʃrɪmp/ *s.* camarão. → Animal Kingdom

shrine /ʃraɪn/ *s.* santuário; capela. • *v.* santificar.

shrink /ʃrɪŋk/ *v.* (*pret.* **shrank** ou **shrunk**, *p.p.* **shrunk** ou **shrunken**) retrair; encolher; diminuir; recuar. → Irregular Verbs

shroud /ʃraʊd/ *s.* mortalha; manto, véu; coberta. • *v.* cobrir, esconder.

shrub /ʃrʌb/ *s.* arbusto. ▪ *sin.* bush.

shrug /ʃrʌg/ *s.* ação de dar de ombros, não se importar. • *v.* dar de ombros.

shrunk /ʃrʌŋk/ *v. pret.* ou *p.p.* de **shrink**.

shrunken /ʃr'ʌŋkən/ *adj.* encolhido.

shudder /ʃ'ʌdər/ *s.* tremor, estremecimento, arrepio. • *v.* tremer, estremecer. ▪ *sin.* shake.

shuffle /ʃ'ʌfəl/ *s.* ação de arrastar os pés. • *v.* arrastar os pés; esquivar-se; misturar, embaralhar.

shun /ʃʌn/ *v.* evitar, afastar-se de.

shut /ʃʌt/ *v.* (*pret.* e *p.p.* **shut**) fechar, tapar, tampar; cerrar; trancar; prender, confinar. • *adj.* fechado. ▪ *sin.* close. ♦ **shut down** encerrar, fechar. **Shut up!** Cale a boca! → Irregular Verbs

shutter /ʃ'ʌtər/ *s.* veneziana, persiana.

shuttle /ʃ'ʌtəl/ *s.* viagens curtas de ida e volta (ponte aérea, trens de subúrbio). • *v.* viajar frequentemente.

shy /ʃaɪ/ *adj.* tímido, modesto; carente.

shyly /ʃ'aɪli/ *adv.* timidamente.

shyness /ʃ'aɪnəs/ *s.* acanhamento, timidez.

sick /sɪk/ *adj.* doente, enfermo; enjoado, com náuseas; aborrecido, farto; (*inf.*) pervertido. ▪ *sin.* ill.

sicken /s'ɪkən/ *v.* adoecer; enjoar.

sickly /s'ɪkli/ *adj.* doentio.

sickness /s'ɪknəs/ *s.* doença; indisposição; mal-estar.

side /saɪd/ *s.* lado; aspecto; face; superfície; beira, encosta. • *v.* tomar partido, favorecer. ♦ **by my side** ao meu lado. **on all sides** de todos os lados. **on my side** da minha parte. **side by side** lado a lado. **side entrance** entrada lateral. **side street** rua lateral, beco. **side with** apoiar. **take sides** tomar partido. **sideboard** aparador. **sideburns** costeletas. **side dish** guarnição, acompanhamento do prato principal. **side effect** efeito colateral. **sideslip** derrapagem. **inside** do lado de dentro. **outside** do lado de fora. **sideman** acompanhante (*mús.*). **sidewalk** calçada. → Furniture & Appliances

sidetrack /s'aɪdtræk/ *v.* desviar: She was trying to *sidetrack* the subject. • *s.* acostamento: The car was parked on the *sidetrack*.

sideways /s'aɪdweɪz/ *adv.* de lado: My boss looked at me *sideways*. • *adj.* de lado: The boy was learning about the *sideways* walk of the crabs.

siege /siːdʒ/ *s.* sítio, cerco. • *v.* sitiar. ♦ **state of siege** estado de sítio.

sieve /sɪv/ *s.* peneira. • *v.* peneirar.

sift /sɪft/ *v.* peneirar; examinar, analisar, inspecionar.

sigh /saɪ/ *s.* suspiro. • *v.* suspirar.

sight /saɪt/ *s.* visão, vista; visibilidade, mira. • *v.* ver, avistar; observar, olhar; visar, mirar. ♦ **Out of sight, out of mind.** O que os olhos não veem, o coração não sente. **go sightseeing** ir/visitar pontos turísticos.

sightless /s'aɪtləs/ *adj.* cego; invisível.

sightseer /s'aɪtsiər/ *s.* excursionista, turista.

sign /saɪn/ *s.* sinal, marca; movimento, gesto; quadro, tabuleta; indício, manifestação, traço, vestígio; signo do zodíaco. • *v.* assinar, rubricar; contratar; fazer sinal ou gestos.

signal /s'ɪgnəl/ *s.* aviso, notícia; sinal; indício. • *v.* sinalizar, fazer sinal; comunicar por meio de sinal. • *adj.* destacado, notável, marcante.

signature /s'ɪgnətʃər/ *s.* assinatura.

significance /sɪgn'ɪfɪkəns/ *s.* importância, valor; significado, sentido. ▪ *sin.* importance.

significant /sɪgn'ɪfɪkənt/ *adj.* significante, significativo.

signify /s'ɪgnɪfaɪ/ *v.* significar, expressar. ▪ *sin.* mean.

sign language *s.* linguagem de sinais.

silence /s'aɪləns/ *s.* silêncio, quietude. • *v.* silenciar, calar.

silent /s'aɪlənt/ *adj.* silencioso, quieto, calado.

silhouette /sɪlu'et/ *s.* silhueta, perfil.

silk /sɪlk/ *s.* seda.

silkworm /s'ɪlkwɜːrm/ *s.* bicho-da--seda. → Animal Kingdom

silky /s'ɪlki/ *adj.* sedoso; macio.

sill /sɪl/ *s.* peitoril (janela).

silly /s'ɪli/ *s.* ou *adj.* bobo, simplório. ▪ *sin.* fool.

silver /s'ɪlvər/ *s.* prata. • *v.* pratear. ♦ **silver alloy** liga de prata. **silver wedding** bodas de prata. **silver-haired** grisalho. **silver plate** baixela de prata. **silverware** prataria. **silvery** prateado.

similar /s'ɪmələr/ *adj.* similar, parecido, semelhante.

similarity /sɪməl'ærəti/ *s.* similaridade, semelhança. ▪ *sin.* likeness.

similarly /s'ɪmələrli/ *adv.* semelhantemente: The twins used to dress themselves *similarly*.

simile /s'ɪməli/ *s.* símile (figura de linguagem); comparação.

simmer /s'ɪmər/ *v.* cozinhar (lentamente).

simple /s'ɪmpəl/ *adj.* simples, fácil; elementar, básico; puro; modesto; inocente, ingênuo; comum. ♦ **simple equation** equação de 1º grau. **simple hearted** pessoa honesta. **simple-minded** pessoa simplória. **simplicity** simplicidade.

simplify /s'ɪmplɪfaɪ/ *v.* simplificar. ♦ **simplification** simplificação.

simply /s'ɪmpli/ *adv.* simplesmente: I am *simply* suggesting you a new uniform.

simulate /s'ɪmjuleɪt/ *v.* simular, aparentar; imitar.

simultaneous /saɪməlt'eɪniəs/ *adj.* simultâneo.

sin /sɪn/ *s.* pecado. • *v.* pecar.

since /sɪns/ *prep.* desde. • *adv.* desde então. • *conj.* desde que, já que, visto que, uma vez que.

sincere /sɪns'ɪr/ *adj.* sincero, franco. ▪ *sin.* frank, honest.

sincerely /sɪns'ɪrli/ *adv.* sinceramente: He showed his emotions *sincerely*.

sincerity /sɪns'erəti/ *s.* sinceridade.

sinful /s'ɪnfəl/ *adj.* pecaminoso.

sing /sɪŋ/ *v.* (*pret.* **sang**, *p.p.* **sung**) cantar; entoar. → Irregular Verbs

singe /sɪndʒ/ *v.* chamuscar, tostar.

singer /s'ɪŋər/ *s.* cantor.

singing /s'ɪŋɪŋ/ *s.* canto: The movie was full of *singing* and dancing. • *adj.* que canta: Nightingales are night-*singing* birds.

single /s'ɪŋgəl/ *v.* separar, escolher. • *adj.* único, individual; solteiro. ♦ **a single day (hour, week, etc.)** um único dia (hora, semana, etc.). **a single man (woman)** um homem (mulher) solteiro(a); um único homem (mulher). **only-child** filho único. **single eyeglass** monóculo. **single line** fila indiana. **single price** preço único. **single-minded** determinado. **single-phase** monofásico (em eletricidade).

singular /s'ɪŋgjələr/ *s.* singular. • *adj.* singular, único; peculiar; extraordinário.

sinister /s'ɪnɪstər/ *adj.* sinistro, ameaçador. ▪ *sin.* threatening.

sink /sɪŋk/ *s.* pia. • *v.* (*pret.* **sank**, *p.p.* **sunk**) descer, cair, declinar; depositar; afundar, submergir; reduzir, diminuir; deprimir-se; levar à ruína. ▪ *sin.* fall. → Irregular Verbs → Furniture & Appliances

sinner /s'ɪnər/ *s.* pecador.

sip /sɪp/ *v.* bebericar, sorver, beber aos poucos.

siphon /s'aɪfən/ (*Brit.* **syphon**) *s.* sifão.

sir /sɜːr, sər/ *pron.* senhor; (*Brit.* **Sir**) título de nobreza: *Sir* Sean Connery played James Bond movies.

siren /s'aɪrən/ *s.* sereia; ninfa; sirene.

sirloin /s'ɜːrlɔɪn/ *s.* contrafilé; lombo.

sissy /s'ɪsi/ (*Brit.* **cissy**) *s.* ou *adj.* homem efeminado; covarde.

sister /s'ɪstər/ *s.* irmã; freira. ♦ **foster sister** irmã adotiva. **sister company** companhia associada. **sister of charity** ou **sister of mercy** irmã de caridade. **sister-in-law** cunhada. **sisterhood** irmandade. **sisterless** sem irmã.

sit /sɪt/ *v.* (*pret.* e *p.p.* **sat**) sentar. → Irregular Verbs

sitar /sɪt'ɑr, s'ɪtɑr/ *s.* cítara. → Musical Instruments

sitcom /s'ɪtkɑm/ (*abrev.* de *situation comedy*) *s.* comédia (TV), seriado: Friends was a successful *sitcom*.

site /saɪt/ *s.* posição, lugar, local; sítio; *site*, coleção de páginas na internet. ▪ *sin.* place.

sitting room *s.* sala de estar.

situate /s'ɪtʃueɪt/ *v.* colocar; situar.

situated /s'ɪtʃueɪtɪd/ *adj.* situado.

situation /sɪtʃu'eɪʃən/ *s.* condição, situação; posição, localização. ▪ *sin.* condition.

six /sɪks/ *s.* ou *num.* seis. ➔ Numbers

sixteen /sɪkst'iːn/ *s.* ou *num.* dezesseis. ➔ Numbers

sixteenth /sɪkst'iːnθ/ *s.* ou *num.* décimo sexto; dezesseis avos. ➔ Numbers

sixth /sɪksθ/ *s.* ou *num.* sexto. ➔ Numbers

sixtieth /s'ɪkstiəθ/ *s.* ou *num.* sexagésimo; sessenta avos. ➔ Numbers

sixty /s'ɪksti/ *s.* ou *num.* sessenta. ♦ **the sixties** a década de 1960; os anos 1960. ➔ Numbers

size /saɪz/ *s.* tamanho, área; medida. • *v.* arranjar, classificar. ♦ **size up** avaliar, formar opinião sobre.

skate /skeɪt/ *s.* patim, patinete. • *v.* patinar. ♦ **skateboard** *skate*. **skateboarder** skatista. **skateboarding** andar de *skate*. ➔ Leisure

skeleton /sk'elɪtən/ *s.* esqueleto; estrutura; armação. ➔ Human Body

skeptic /sk'eptɪk/ (*Brit.* **sceptic**) *adj.* cético, descrente.

skeptical /sk'eptikəl/ (*Brit.* **sceptical**) *adj.* cético.

skepticism /sk'eptɪsɪzəm/ (*Brit.* **scepticism**) *s.* ceticismo.

sketch /sketʃ/ *s.* esboço; desenho rápido; história curta; comédia em um ato. • *v.* esboçar. ▪ *sin.* outline.

ski /skiː/ *s.* esqui. • *v.* esquiar.

skid /skɪd/ *s.* escorregão, derrapagem. • *v.* escorregar, derrapar; deslizar.

skiing /sk'iːɪŋ/ *s.* esqui. ➔ Sports

skill /skɪl/ *s.* habilidade, destreza; perícia.

Don't worry about Jim; his swimming *skills* are highly developed.

skilled /skɪld/ *adj.* hábil, perito. ♦ **skilled labor** mão de obra especializada.

skillful /sk'ɪlfəl/ (*Brit.* **skilful**) *adj.* hábil, destro.

skim /skɪm/ *v.* desnatar; folhear, ler rapidamente.

skim milk (*Brit.* **skimmed milk**) *s.* leite desnatado.

skimp /skɪmp/ *v.* restringir; economizar.

skin /skɪn/ *s.* pele; couro; casca, crosta. • *v.* tirar a pele, descascar. ▪ *sin.* peel. ♦ **be in somebody's skin** estar na pele de alguém. **be skin and bones** ser pele e osso. **soaked to the skin** ficar totalmente molhado. **skin diving** mergulho com *snorkel*. **under the skin** no íntimo; por trás das aparências. **skin-deep** superficial. **skin grafting** transplante de pele. **skinless** sem pele, sem casca. **skinny** magricela. ➔ Human Body

skinhead /sk'ɪnhed/ *s.* cabeça raspada, careca; membro de grupo neonazista.

skip /skɪp/ *s.* pulo, salto. • *v.* pular, saltar; omitir; passar por cima de.

skipper /sk'ɪpər/ *s.* capitão.

skirt /skɜːrt/ *s.* saia. ➔ Clothing

skull /skʌl/ *s.* crânio. ➔ Human Body

skunk /skʌŋk/ *s.* gambá. → Animal Kingdom

sky /skaɪ/ *s.* céu.

skydive /sk'aɪdaɪv/ *v.* saltar de paraquedas.

skylark /sk'aɪlɑrk/ *s.* cotovia. → Animal Kingdom

skyline /sk'aɪlaɪn/ *s.* horizonte.

skyrocket /skaɪr'ɑkɪt/ *s.* foguete. ♦ **Prices are skyrocketing.** Os preços estão aumentando muito.

skyscraper /sk'aɪskreɪpər/ *s.* edifício muito alto, arranha-céu.

slab /slæb/ *s.* pedaço grosso e chato (de madeira, pão, etc.); tora; laje.

slack /slæk/ *v.* soltar, afrouxar. • *adj.* solto, frouxo; negligente, indolente; lento, folgado; calmo. • *s. pl.* ***slacks*** calças compridas. ♦ **cut some slack** pegar leve.

slacken /sl'ækən/ *v.* afrouxar; reduzir.

slag /slæg/ *s.* escória.

slain /sleɪn/ *v. p.p.* de ***slay***.

slam /slæm/ *v.* fechar com força e com barulho, bater; criticar severamente.

slander /sl'ændər/ *s.* difamação. • *v.* difamar, caluniar, maldizer.

slanderous /sl'ændərəs/ *adj.* calunioso.

slang /slæŋ/ *s.* gíria. ▪ *sin.* buzzword.

slant /slænt/ *s.* ladeira, inclinação; ponto de vista. • *v.* inclinar.

slap /slæp/ *s.* tapa, palmada, bofetada. • *v.* estapear, esbofetear.

slash /slæʃ/ *s.* golpe cortante; corte; barra. • *v.* lascar, talhar, cortar.

slate /sleɪt/ *s.* ardósia; lousa. • *v.* criticar duramente, arrasar.

slaughter /sl'ɔːtər/ *s.* matança, carnificina, massacre; abate. • *v.* matar, abater, massacrar. ♦ **slaughterhouse** matadouro.

slave /sleɪv/ *s.* escravo.

slavery /sl'eɪvəri/ *s.* escravidão.

slay /sleɪ/ *v.* (*pret.* ***slew***, *p.p.* ***slain***) assassinar, matar, chacinar. ▪ *sin.* murder, kill. → Irregular Verbs

slayer /sl'eɪər/ *s.* matador, assassino. ▪ *sin.* murderer, killer.

sleazy /sl'iːzi/ *adj.* sacana, sórdido.

sledge /sledʒ/ *s.* trenó. ▪ *sin.* sleigh.

sleek /sliːk/ *v.* alisar, lustrar. • *adj.* macio; lustroso, brilhante.

sleep /sliːp/ *s.* sono, soneca. • *v.* (*pret.* e *p.p.* ***slept***) dormir, pernoitar. ♦ **not to sleep a wink all night** não "pregar os olhos" a noite toda. **sleep like a log** dormir como uma pedra. **be fast asleep** ou **be sound asleep** estar profundamente adormecido. **fall asleep** adormecer. **be a heavy sleeper** ter sono pesado. **be a light sleeper** ter sono leve. **sleepiness** sonolência. **sleeping bag** saco de dormir. **sleeping drug** ou **sleeping pill** sonífero (pílula para dormir). **sleeping sickness** doença do sono. **sleepless** insone. **sleeplessness** insônia. **sleepwalker** sonâmbulo. **sleepy** sonolento, dorminhoco. **Sleeping Beauty** Bela Adormecida. → Irregular Verbs

sleet /sliːt/ *s.* neve parcialmente derretida. • *v.* chover com neve. → Weather

sleeve /sliːv/ *s.* manga (camisa); embalagem (para CD, DVD, etc.): She designed the album *sleeve*.

sleigh /sleɪ/ *s.* trenó. ▪ *sin.* sledge.

slender /sl'endər/ *adj.* esbelto, delgado, magro, fino; escasso. ▪ *sin.* thin.

slept /slept/ *v. pret.* e *p.p.* de ***sleep***.

slew /sluː/ *v. pret.* de ***slay***.

slice /slaɪs/ *s.* fatia. • *v.* fatiar.

slick /slɪk/ *s.* mancha de óleo. • *v.* alisar; lustrar; amaciar. • *adj.* liso; lustroso; esperto, astuto; jeitoso, ágil; escorregadio.

slid /slɪd/ *v. p.p.* de ***slide***.

slide /slaɪd/ *s.* escorregão; escorregador. • *v.* (*pret.* ***slid***, *p.p.* ***slid*** ou ***slidden***) deslizar, escorregar, patinar. ▪ *sin.* slip. → Irregular Verbs

sliding /sl'aɪdɪŋ/ *adj.* deslizante, escorregadio.

sliding door *s.* porta deslizante, de correr.

slight /slaɪt/ *s.* desprezo, desfeita, desconsideração, menosprezo. • *v.* desprezar, não dar importância. • *adj.* pouco, não importante, leve, pequeno; fraco, débil, delicado, delgado; inadequado.

slightly /sl'aɪtli/ *adv.* levemente: I am feeling *slightly* tired.

slim /slɪm/ *v.* emagrecer, afinar. • *adj.* delgado, fino. ▪ *sin.* slender, thin.

slime /slaɪm/ *s.* lodo, lama.

sling /slɪŋ/ *s.* estilingue; tipoia. • *v.* (*pret.* e *p.p.* **slung**) atirar (com estilingue), arremessar.

slip /slɪp/ *s.* escorregão, tropeço; erro, lapso; tira de papel. • *v.* escorregar; escapar; deslizar; cometer um lapso; luxar (osso). ▪ *sin.* slide.

slipper /sl'ɪpər/ *s.* pantufa.

slippery /sl'ɪpəri/ *adj.* escorregadio; incerto, enganoso.

slipshod /sl'ɪpʃɑd/ *adj.* relaxado, desalinhado.

slit /slɪt/ *s.* fenda, racha. • *v.* (*pret.* e *p.p.* **slit**) fender, rachar; cortar. → Irregular Verbs

slither /sl'ɪðər/ *s.* deslizamento. • *v.* escorregar, deslizar.

sliver /sl'ɪvər/ *s.* estilhaço.

slob /slɑb/ *adj.* desleixado.

slog /slɑg/ *s.* trabalho duro. • *v.* espancar; trabalhar arduamente.

slogan /sl'oʊgən/ *s.* *slogan*, frase de marca.

slop /slɑp/ *s.* poça, lama, lodo. • *v.* derramar, transbordar.

slope /sloʊp/ *s.* declive, ladeira, rampa; inclinação. • *v.* estar inclinado; inclinar; fugir, escapar.

sloppy /sl'ɑpi/ *adj.* molhado; informal, casual; desleixado.

slot /slɑt/ *s.* ranhura; fenda, abertura para colocar moedas. ♦ **slot machine** caça-níquel.

sloth /slɔθ, slɑθ/ *s.* bicho-preguiça. → Animal Kingdom

sloven /sl'ʌvən/ *s.* pessoa suja, relaxada.

slovenly /sl'ʌvənli/ *adj.* sujo, relaxado. ▪ *sin.* dirty, untidy. ▪ *ant.* clean, tidy, neat.

slow /sloʊ/ *v.* reduzir a velocidade, diminuir. • *adj.* lento, vagaroso; brando; inativo.

slowly /sl'oʊli/ *adv.* lentamente: She used to talk *slowly* and clearly.

slowness /sl'oʊnəs/ *s.* lentidão, demora.

slug /slʌg/ *s.* lesma. → Animal Kingdom

sluggish /sl'ʌgɪʃ/ *adj.* lento.

sluice /sluːs/ *s.* represa, comporta, eclusa; canal.

slum /slʌm/ *s.* bairro pobre, favela.

slumber /sl'ʌmbər/ *s.* soneca, sono. • *v.* dormir, tirar soneca. ▪ *sin.* sleep.

slump /slʌmp/ *s.* queda brusca (de preços), baixa, depressão, colapso. • *v.* cair, baixar; despencar.

slung /slʌŋ/ *v. pret.* e *p.p.* de **sling**.

slur /slɜːr/ *s.* pronúncia indistinta, som indistinto; mancha; insulto, calúnia, crítica. • *v.* passar por cima, desprezar; borrar, sujar, manchar; insultar.

sly /slaɪ/ *adj.* astuto, malicioso; maldoso, dissimulado. ▪ *sin.* crafty, cunning.

smack /smæk/ *s.* beijoca; palmada.

small /smɔːl/ *adj.* pequeno, diminuto. ▪ *sin.* tiny. ▪ *ant.* big, enormous, huge.

smallpox /sm'ɔːlpɑks/ *s.* varíola.

smart /smɑrt/ *v.* sofrer, sentir dor aguda; doer, arder. • *adj.* elegante; esperto.

smartness /sm'ɑrtnəs/ *s.* esperteza, elegância.

smash /smæʃ/ *s.* quebra, rompimento; choque, colisão; estrondo. • *v.* quebrar, esmagar, estraçalhar, despedaçar; arruinar.

smashing /sm'æʃɪŋ/ (*Brit.*) *adj.* estupendo, fantástico.

smear /smɪr/ *s.* sujeira, mancha; difamação. • *v.* lambuzar, manchar.

smell /smel/ *s.* olfato; cheiro. • *v.* (*pret.* e *p.p.* ***smelt*** ou ***smelled***) cheirar, farejar. ▪ *sin.* scent, fragrance. → Irregular Verbs

smelt /smelt/ *v. p.p.* de **smell**.

smile /smaɪl/ *s.* sorriso. • *v.* sorrir.

smiley /sm'aɪli/ *s. emoticon*, carinha sorridente: This *smiley* was recently downloaded.

smite /smaɪt/ *v.* (*pret.* ***smote***, *p.p.* ***smote*** ou ***smitten***) bater, golpear; atingir; castigar. ▪ *sin.* strike. → Irregular Verbs

smith /smɪθ/ *s.* ferreiro.

smitten /sm'ɪtən/ *v. p.p.* de ***smite***.

smock /smɑk/ *s.* avental, guarda-pó. • *v.* adornar.

smog /smɑg/ *s.* mistura de neblina e fumaça; névoa pesada. → Weather

smoke /smoʊk/ *s.* fumaça. • *v.* fumar.

smoked /smoʊkt/ *adj.* defumado.

smoker /sm'oʊkər/ *s.* fumante.

smoking /sm'oʊkɪŋ/ *s.* tabagismo: *Smoking* causes several health problems.

smoky /sm'oʊki/ *adj.* enfumaçado.

smolder /sm'oʊldər/ (*Brit.* ***smoulder***) *s.* combustão lenta. • *v.* arder, queimar lentamente.

smooth /smu:ð/ *adj.* plano, liso; suave, macio; homogêneo; sereno; insinuante.

smoothen /sm'u:ðən/ *v.* alisar, suavizar.

smoothly /sm'u:ðli/ *adv.* suavemente; (*inf.*) de modo sossegado, tranquilo, na boa: The Board meeting went on very *smoothly*.

smote /smoʊt/ *v. pret.* de ***smite***.

smother /sm'ʌðər/ *v.* abafar, sufocar, asfixiar; reprimir, suprimir. ▪ *sin.* suffocate.

SMS /esem'es/ (*abrev.* de *short message service*) serviço de troca de mensagens curtas em rede móvel. → Abbreviations

smudge /smʌdʒ/ *s.* mancha. • *v.* sujar, manchar.

smug /smʌg/ *s.* pessoa afetada. • *adj.* afetado, convencido.

smuggle /sm'ʌgəl/ *v.* contrabandear.

smuggler /sm'ʌglər/ *s.* contrabandista.

smuggling /sm'ʌglɪŋ/ *s.* contrabando.

smut /smʌt/ *s.* sujeira; obscenidade. • *v.* sujar, manchar.

snack /snæk/ *s.* lanche, refeição leve. ♦ **snack bar** lanchonete.

snag /snæg/ *s.* empecilho; fio puxado.

snail /sneɪl/ *s.* lesma, caracol. ♦ **snail mail** correio postal. → Animal Kingdom

snake /sneɪk/ *s.* cobra, serpente. → Animal Kingdom

snap /snæp/ *s.* estalo, estalido. • *v.* estalar, trincar. • *adj.* súbito.

snapshot /sn'æpʃɑt/ *s.* foto instantânea.

snare /sner/ *s.* laço, armadilha. • *v.* pegar em laço ou armadilha.

snarl /snɑrl/ *s.* grunhido. • *v.* rosnar.

snatch /snætʃ/ *s.* tentativa de agarrar; fragmento (de texto, música, etc.). • *v.* pegar, agarrar.

sneak /sni:k/ *s.* andar leve ou furtivo; delator, dedo-duro. • *v.* (*pret.* e *p.p.* ***sneaked*** ou ***snuck***) sair de fininho; esgueirar-se. → Irregular Verbs

sneakers /sn'i:kərz/ *s. pl.* tênis (calçado).

sneer /snɪr/ *s.* olhar ou riso de escárnio; desprezo. • *v.* olhar com desprezo; zombar, escarnecer.

sneeze /sni:z/ *s.* espirro. • *v.* espirrar.

sniff /snɪf/ *s.* fungada; inalação. • *v.* fungar; farejar.

snip /snɪp/ *s.* corte com tesoura; apara; pechincha (*Brit.*). • *v.* cortar em pedacinhos com a tesoura.

sniper /sn'aɪpər/ *s.* atirador de elite, franco-atirador.

snob /snɑb/ *s.* esnobe.

snobbery /sn'ɑbəri/ *s.* esnobismo.

snooker /sn'uːkər/ *s.* sinuca (jogo). ➔ Leisure

snoop /snuːp/ *s.* bisbilhoteiro; bisbilhotice. • *v.* bisbilhotar. ▪ *sin.* pry.

snore /snɔːr/ *s.* ronco. • *v.* roncar.

snorkeling /sn'ɔrkəlɪŋ/ *s.* mergulho com *snorkel.* ➔ Sports

snort /snɔːrt/ *s.* bufada. • *v.* bufar.

snout /snaʊt/ *s.* focinho, tromba.

snow /snoʊ/ *s.* neve; nevada. • *v.* nevar. ♦ **snow-capped** coberto de neve. **snowplow** máquina para limpar a neve. **snowslide** avalanche de neve. **snowstorm** nevasca. **Snow White** Branca de Neve. **snowball** bola de neve. **snowfall** nevada. **snowmobile** veículo de neve. **snowman** boneco de neve. **snowboard** prancha de neve. **snowboarding** *snowboard,* surfe na neve. ➔ Weather ➔ Sports ➔ Means of Transportation

snub /snʌb/ *s.* desdém, repulsa. • *v.* esnobar, desprezar, tratar friamente.

snuff /snʌf/ *s.* rapé, tabaco em pó. • *v.* aspirar pelo nariz; extinguir.

snuffle /sn'ʌfəl/ *v.* cheirar; fungar; farejar.

snug /snʌg/ *v.* acomodar. • *adj.* confortável, aconchegante; abrigado, protegido; justo (roupa).

snuggle /sn'ʌgəl/ *v.* aconchegar-se.

so /soʊ/ *adv.* tão, tanto; assim, desse modo; muito; por essa razão, então; também. • *conj.* de maneira que, para que. ♦ **and so on** e assim por diante. **He'll stay a month or so.** Ele vai ficar aproximadamente um mês. **I hope so.** Espero que sim. **Is he sad? So am I.** Ele está triste? Eu também. **Is that so?** É verdade? **I think so.** Acho que sim. **Mr. so-and-so.** Fulano de tal. **So far, so good.** Até agora, tudo bem. **So long!** Até logo! **so much the better (or the worse)** tanto melhor (ou pior). **so to speak** por assim dizer. **So what?** E daí?, O que tenho eu com isso? **so-so** mais ou menos.

soak /soʊk/ *v.* encharcar, embeber; deixar de molho; beber muito. ♦ **It's soaking.** Está de molho.

soaked /soʊkt/ *adj.* molhado, encharcado, embebido.

soap /soʊp/ *s.* sabão. • *v.* ensaboar.

soap opera *s.* novela de televisão.

soapy /s'oʊpi/ *adj.* ensaboado, escorregadiço.

sob /sɑb/ *s.* soluço. • *v.* chorar, soluçar. ▪ *sin.* weep, cry.

sober /s'oʊbər/ *adj.* sóbrio; racional; discreto.

sobriety /səbr'aɪəti/ *s.* sobriedade.

soccer /s'ɑkər/ *s.* futebol.➔ Sports

sociable /s'oʊʃəbəl/ *adj.* sociável.

social /s'oʊʃəl/ *s.* reunião social. • *adj.* social. ♦ **Social Security** Previdência Social. **Social Work** Assistência Social.

socialism /s'oʊʃəlɪzəm/ *s.* socialismo.

socialize /s'oʊʃəlaɪz/ (*Brit.* ***socialise***) *v.* socializar.

society /səs'aɪəti/ *s.* sociedade, associação, clube; alta sociedade.

sociology /soʊsi'ɑlədʒi/ *s.* sociologia.

sock /sɑk/ *s.* meia curta. ➔ Clothing

sod /sɑd/ *s.* gramado. • *v.* cobrir com grama. ♦ **He's under the sod.** Ele está morto e enterrado.

sodden /s'ɑdən/ *v.* encharcar. • *adj.* encharcado. ▪ *sin.* soaked

sodium /s'oʊdiəm/ *s.* sódio.

sofa /s'oʊfə/ *s.* sofá. ▪ *sin.* couch. ➔ Furniture & Appliances

soft /sɔːft/ *adj.* macio; suave. ▪ *sin.* mild, tender.
softball /s'ɔfbɔl/ *s.* softbol. → Sports
soft drink *s.* bebida não alcoólica, refrigerante.
soften /s'ɔːfən/ *v.* suavizar.
softly /s'ɔːftli/ *adv.* suavemente: The cat was moving *softly*.
softness /s'ɔːftnəs/ *s.* suavidade, maciez.
software /s'ʃːftwer/ *s.* programa de computador, *software* (*informática*). ♦ **software house** empresa que desenvolve *softwares*. **public domain software** *software* de domínio público. **freeware** *software* gratuito. **open source software** *software* livre.
soggy /s'ɑgi/ *adj.* ensopado, encharcado.
soil /sɔɪl/ *s.* terra, solo. • *v.* sujar, manchar. ▪ *sin.* stain. ♦ **native soil** pátria.
sojourn /s'oʊdʒɜːrn/ *s.* permanência (curta).
solace /s'ɑləs/ *s.* consolo.
solar /s'oʊlər/ *adj.* solar.
sold /soʊld/ *v. pret.* e *p.p.* de **sell**.
soldier /s'oʊldʒər/ *s.* soldado. ♦ **foot soldier** soldado raso.
sole /soʊl/ *s.* sola do pé ou de sapato; linguado (peixe). • *adj.* só, sozinho, único.
solemn /s'ɑləm/ *adj.* solene, sério. ▪ *sin.* grave.
solicit /səl'ɪsɪt/ *v.* (*form.*) solicitar.
solicitor /səl'ɪsɪtər/ *s.* requerente; advogado.
solid /s'ɑlɪd/ *s.* sólido. • *adj.* sólido, maciço; firme; estável.
solidarity /sɑlɪd'ærəti/ *s.* solidariedade, união.
solidify /səl'ɪdɪfaɪ/ *v.* solidificar; unir.
solitary /s'ɑləteri/ *adj.* solitário. ▪ *sin.* lonely, lonesome.
soloist /s'oʊloʊɪst/ *s.* solista.
soluble /s'ɑljəbəl/ *adj.* solúvel.
solution /səl'uːʃən/ *s.* solução.
solve /sɑlv/ *v.* resolver.
solvency /s'ɑlvənsi/ *s.* solvência.
solvent /s'ɑlvənt/ *s.* solvente.
some /sʌm, səm/ *adj.* ou *pron.* alguns, algumas. • *adv.* um pouco.
somebody /s'ʌmbədi/ *pron.* alguém.
somehow /s'ʌmhaʊ/ *adv.* de algum modo.
someone /s'ʌmwʌn/ *pron.* alguém.
somersault /s'ʌmərsɔːlt/ *s.* cambalhota, salto mortal. • *v.* dar cambalhota.
something /s'ʌmθɪŋ/ *pron.* alguma coisa, algo.
sometime /s'ʌmtaɪm/ *adv.* algum dia. ♦ **sometimes** às vezes.
somewhat /s'ʌmwʌt/ *adv.* algo; um tanto quanto; um pouco.
somewhere /s'ʌmwer/ *adv.* em algum lugar.
son /sʌn/ *s.* filho. ♦ **son-in-law** genro.
song /sɔːŋ/ *s.* canção.
soon /suːn/ *adv.* logo, brevemente; cedo. ♦ **as soon as** assim que, logo que, no momento em que. **as soon as possible** assim que for possível. **soon after** logo depois. **No sooner said than done!** Dito e feito! **sooner or later** mais cedo ou mais tarde. **the sooner the better** quanto antes melhor.
soot /sʊt/ *s.* fuligem.
soothe /suːð/ *v.* acalmar; suavizar, aliviar.
sophisticated /səf'ɪstɪkeɪtɪd/ *adj.* sofisticado, refinado.
sophomore /s'ɑfəmɔːr/ *s.* aluno do 2º ano de faculdade ou do ensino médio.
soporific /sɑpər'ɪfɪk/ *s.* ou *adj.* soporífico, soporífero.
soppy /s'ɑpi/ *adj.* encharcado; tolo; piegas.
sorcerer /s'ɔːrsərər/ *s.* mágico, feiticeiro, bruxo. ▪ *sin.* wizard.
sorcery /s'ɔːrsəri/ *s.* magia, feitiçaria.

sordid /s'ɔːrdɪd/ *adj.* sórdido, vil; imundo. ▪ *sin.* mean.

sore /sɔːr/ *s.* ferida. • *adj.* dolorido; ferido; inflamado; aborrecido, zangado.

sorrow /s'ɑroʊ/ *s.* tristeza, mágoa, pesar. • *v.* entristecer-se. ▪ *sin.* affliction.

sorrowful /s'ɑroʊfəl/ *adj.* triste.

sorry /s'ɔːri, s'ɑri/ *adj.* arrependido, triste, desolado. • *interj.* Desculpe!, Perdão! ♦ **feel sorry for** ter pena de. **be sorry** sentir muito.

sort /sɔːrt/ *s.* espécie, tipo. • *v.* classificar. ▪ *sin.* kind. ♦ **all sorts of** todos os tipos de. **in some sort** em algum tipo. **I sort of remembered him.** Lembrei-me vagamente dele. **Nothing of the sort!** Nada disso! **out of sorts** indisposto, de mau humor. **She's sort of clumsy.** Ela é meio desajeitada. **something of the sort** algo parecido.

SOS /esoʊ'es/ (*abrev.* de *save our souls* ou *save our ship*) pedido de socorro. ➔ Abbreviations

sot /sɑt/ *s.* beberrão, alcoólatra.

sought /sɔːt/ *v. pret.* e *p.p.* de **seek**.

sought after *adj.* cobiçado, procurado.

soul /soʊl/ *s.* alma, espírito.

sound /saʊnd/ *s.* som, ruído. • *v.* soar; tocar. • *adj.* são, sadio; idôneo; seguro; profundo; forte; pesado, sólido, consistente. ♦ **sound film** filme sonoro. **sound wave** onda sonora. **soundless** silencioso, sem som. **soundly** solidamente. **soundness** solidez; sanidade. **soundproof** à prova de som. **soundtrack** trilha sonora.

soup /suːp/ *s.* sopa. ♦ **duck soup** fácil, moleza.

sour /s'aʊər/ *v.* azedar. • *adj.* azedo, ácido.

source /sɔːrs/ *s.* fonte, nascente (rio); origem.

south /saʊθ/ *s.* sul.

South Africa /saʊθ 'æfrɪkə/ *s.* África do Sul. ➔ Countries & Nationalities

South African /saʊθ 'æfrɪkən/ *s.* ou *adj.* sul-africano. ➔ Countries & Nationalities

South America /saʊθ əm'erɪkə/ *s.* América do Sul.

South American /saʊθ əm'erɪkən/ *s.* ou *adj.* sul-americano.

southeast /saʊθ'iːst/ *s.* ou *adj.* sudeste.

southern /s'ʌðərn/ *adj.* meridional, do sul, sulista.

South Korea /saʊθ kər'iə/ *s.* Coreia do Sul. ➔ Countries & Nationalities

South Korean /saʊθ kər'iən/ *s.* ou *adj.* sul-coreano. ➔ Countries & Nationalities

southward /s'aʊθwərd/ (*tb.* ***southwards***) *adv.* em direção ao sul.

southwest /saʊθw'est/ *s.* ou *adj.* sudoeste.

souvenir /s'uːvənɪr, suːvən'ɪr/ *s.* lembrança.

sovereign /s'ɑvrən/ *s.* soberano.

sow /saʊ/ *s.* porca. • /soʊ/ *v.* (*pret.* ***sowed***, *p.p.* ***sown*** ou ***sowed***) semear; espalhar, disseminar. ➔ Irregular Verbs ➔ Animal Kingdom

sown /soʊn/ *v. p.p.* de **sow**.

soy /sɔɪə/ *s.* soja. ➔ Vegetables

spa /spɑ/ *s.* *spa*, clínica especial.

space /speɪs/ *s.* espaço, lugar. • *v.* espaçar.

spacecraft /sp'eɪskræft/ *s.* nave espacial.

spaceman /sp'eɪsmən/ *s.* astronauta.

spaceship /sp'eɪsʃɪp/ *s.* nave espacial.

spacious /sp'eɪʃəs/ *adj.* espaçoso, amplo, vasto.

spade /speɪd/ *s.* pá. *pl.* ***spades*** naipe de espadas (baralho).

spaghetti /spəg'eti/ *s.* espaguete.

Spain /speɪn/ *s.* Espanha. ➔ Countries & Nationalities

spam /spæm/ *s.* mensagem enviada sem autorização do receptor, lixo eletrônico (*informática*).

span /spæn/ *s.* palmo; envergadura; período curto de tempo, duração; vão. • *v.* abranger, abarcar; *pret.* de **spin**.

Spaniard /sp'ænjərd/ *s.* espanhol. → Countries & Nationalities

Spanish /sp'ænɪʃ/ *s.* ou *adj.* espanhol. → Countries & Nationalities

spank /spæŋk/ *s.* tapa, palmada. • *v.* bater.

spanking /sp'æŋkɪŋ/ *s.* surra.

spanner /sp'ænər/ *s.* chave inglesa.

spare /sper/ *s.* objeto de reserva, sobressalente. • *v.* dispensar; poupar, economizar. • *adj.* excedente, de sobra; de reserva. ♦ **Can you spare me a second?** Você tem um segundo para mim? **I try to spare no pains.** Eu tento não poupar esforços. **She hasn't got a minute to spare.** Ela não tem um minuto de sobra. **Spare her life!** Poupe a vida dela! **Spare me all this!** Poupe-me de tudo isto! **spare money** dinheiro poupado. **spare parts** peças sobressalentes. **spare room** quarto de hóspede. **spare time** tempo livre. **spare tire** pneu estepe.

spark /spɑrk/ *s.* faísca.

sparkle /sp'ɑrkəl/ *s.* cintilação, brilho. • *v.* cintilar, brilhar.

sparkling /sp'ɑrklɪŋ/ *adj.* cintilante, vivo; espumante.

sparrow /sp'ærou/ *s.* pardal. → Animal Kingdom

sparse /spɑrs/ *adj.* esparso, escasso, raro.

spasm /sp'æzəm/ *s.* espasmo.

spat /spæt/ *v. pret.* e *p.p.* de **spit**.

spate /speɪt/ *s.* inundação; enorme quantidade.

spatial /sp'eɪʃəl/ *adj.* espacial.

spatter /sp'ætər/ *v.* respingar, salpicar.

spawn /spɔːn/ *s.* ova, desova. • *v.* gerar, criar, desovar.

speak /spiːk/ *v.* (*pret.* **spoke**, *p.p.* **spoken**) dizer; falar, conversar; discursar. ♦ **I can speak for myself.** Posso falar por mim. **Not to speak of other difficulties.** Para não falar de outras dificuldades. **so to speak** por assim dizer. **speak about** falar sobre. **Speak your mind!** Desabafe! **speaker** locutor. **speaking** discurso. **spokesman** porta-voz. → Irregular Verbs

spear /spɪr/ *s.* lança; arpão.

special /sp'eʃəl/ *adj.* especial.

specialist /sp'eʃəlɪst/ *s.* especialista.

specialize /sp'eʃəlaɪz/ (*Brit.* **specialise**) *v.* especializar-se.

specially /sp'eʃəli/ *adv.* especialmente: I made it *specially* for you.

specialty /sp'eʃəlti/ *s.* especialidade.

species /sp'iːʃiːz/ (*s. pl.* **species**) *s.* espécie.

specific /spəs'ɪfɪk/ *adj.* específico.

specifically /spəs'ɪfɪkli/ *adv.* especificamente: Tell me *specifically* what you need.

specify /sp'esɪfaɪ/ *v.* especificar, detalhar; particularizar.

specimen /sp'esɪmən/ *s.* espécime.

speck /spek/ *s.* pinta; mancha; respingo; partícula (grão).

speckled /sp'ekəld/ *adj.* manchado.

spectacle /sp'ektəkəl/ *s.* espetáculo. *pl.* **spectacles** óculos. *abrev.* **specs**. ▪ *sin.* glasses.

spectator /sp'ekteɪtər/ *s.* espectador.

specter /sp'ektər/ (*Brit.* **spectre**) *s.* fantasma.

spectrum /sp'ektrəm/ (*s. pl.* **spectrums**, **spectra**) *s.* espectro.

speculate /sp'ekjuleɪt/ *v.* especular.

speculation /spekjul'eɪʃən/ *s.* especulação.

speculative /sp'ekjələtɪv, sp'ekjəleɪtɪv/ *adj.* especulativo.

speculator /sp'ekjuleɪtər/ *s.* especulador.

sped /sped/ *v. pret.* e *p.p.* de **speed**.

speech /spiːtʃ/ *s.* conversa; fala; discurso.

speechless /sp'iːtʃləs/ *adj.* calado, mudo; estupefato. ▪ *sin.* silent, dumb.

speed /spiːd/ *s.* velocidade, rapidez. • *v.* (*pret.* e *p.p.* **speeded** ou **sped**) apressar-se, correr; acelerar. ▪ *sin.* hasten, accelerate. ♦ **at full speed** em velocidade máxima. **average speed** velocidade média. **speedboat** lancha. **speed limit** limite de velocidade. **speed up** acelerar. **speedometer** velocímetro. **speed race** corrida. **speed racer** corredor. **speedway** autopista. **speedy** veloz. → Irregular Verbs → Means of Transportation

spell /spel/ *s.* palavra mágica; encanto, feitiço; período de trabalho, turno. • *v.* (*pret.* e *p.p.* **spelled** ou **spelt**) soletrar.

spellbound /sp'elbaʊnd/ *adj.* encantado, fascinado. ▪ *sin.* bewitched.

spelling /sp'elɪŋ/ *s.* grafia, ortografia.

spelt /spelt/ *pret.* e *p.p.* de **spell**.

spend /spend/ *v.* (*pret.* e *p.p.* **spent**) gastar, pagar; passar (tempo). → Irregular Verbs

spendthrift /sp'endθrɪft/ *s.* pessoa que esbanja, perdulário.

spent /spent/ *adj.* esgotado, usado.

sperm /spɜːrm/ *s.* esperma, sêmen.

sphere /sfɪr/ *s.* esfera.

spherical /sf'ɪrɪkəl, sf'erɪkəl/ *adj.* esférico, redondo.

sphinx /sfɪŋks/ *s.* esfinge.

spice /spaɪs/ *s.* tempero, condimento. • *v.* condimentar, temperar.

spicy /sp'aɪsi/ *adj.* condimentado; apimentado.

spider /sp'aɪdər/ *s.* aranha. → Animal Kingdom

spike /spaɪk/ *s.* ponta; espiga; ferrão; estaca. • *v.* pregar; estacar, furar; cravar, perfurar, espetar.

spill /spɪl/ *v.* (*pret.* e *p.p.* **spilled** ou **spilt**) derramar, entornar, transbordar. ▪ *sin.* pour.

spin /spɪn/ *s.* rotação, giro. • *v.* (*pret.* **spun** ou **span**, *p.p.* **spun**) fiar, tecer; girar. ▪ *sin.* weave. ♦ **spin-drier** secadora de roupas. → Irregular Verbs

spinach /sp'ɪnɪtʃ/ *s.* espinafre. → Vegetables

spinal /sp'aɪnəl/ *adj.* espinhal.

spinal cord /sp'aɪnəl kɔːrd/ *s.* medula espinhal. → Human Body

spindle /sp'ɪndəl/ *s.* fuso. • *v.* alongar-se.

spine /spaɪn/ *s.* espinha dorsal. → Human Body

spinner /sp'ɪnər/ *s.* fiandeiro; máquina de fiar.

spinning /sp'ɪnɪŋ/ *s.* fiação.

spinster /sp'ɪnstər/ *s.* (*pej.*) solteirona.

spiral /sp'aɪrəl/ *s.* espiral.

spire /sp'aɪər/ *s.* pináculo; cone; pico, ponta.

spirit /sp'ɪrɪt/ *s.* espírito, alma; fantasma. *pl.* **spirits** bebida alcoólica forte; ânimo, humor.

spirited /sp'ɪrɪtɪd/ *adj.* vivo, esperto, animado; vigoroso; corajoso.

spiritless /sp'ɪrɪtləs/ *adj.* abatido, deprimido, triste.

spiritual /sp'ɪrɪtʃuəl/ *s.* hino ou canção religiosa dos negros norte-americanos. • *adj.* espiritual, religioso.

spit /spɪt/ *s.* saliva, cuspe; espeto para grelhar. • *v.* (*pret.* e *p.p.* **spit** ou **spat**) cuspir. → Irregular Verbs

spite /spaɪt/ *s.* ódio, rancor. • *v.* ofender, magoar; contrariar; irritar. ♦ **in spite of** apesar de.

spiteful /sp'aɪtfəl/ *adj.* malvado; rancoroso.

splash /splæʃ/ *s.* mancha; ação de espirrar ou esguichar. • *v.* espirrar, esguichar, salpicar.

spleen /spliːn/ *s.* baço; mau humor; melancolia. → Human Body

spleenful /spl'iːnfəl/ *adj.* rabugento.

splendid /spl'endɪd/ *adj.* esplêndido, excelente.

splendor /spl'endər/ (*Brit.* **splendour**) *s.* esplendor, magnificência; brilho; pompa.

splint /splɪnt/ *s.* tala (para fratura). • *v.* entalar.

splinter /spl'ɪntər/ *s.* lasca, farpa, estilhaço. • *v.* lascar(-se), estilhaçar(-se).

split /splɪt/ *s.* divisão, cisão; rachadura. • *v.* (*pret.* e *p.p.* **split**) rachar, partir, lascar; separar. • *adj.* dividido, separado. ▪ *sin.* separate. ♦ **split up** romper (um relacionamento). → Irregular Verbs

spoil /spɔɪl/ *v.* (*pret.* e *p.p.* **spoiled** ou **spoilt**) estragar, arruinar, danificar; mimar. ♦ **spoiled child** criança mimada. → Irregular Verbs

spoke /spoʊk/ *v. pret.* de **speak**.

spoken /sp'oʊkən/ *v. p.p.* de **speak**.

spokesman /sp'oʊksmən/ *s.* porta-voz.

sponge /spʌndʒ/ *s.* esponja. • *v.* esfregar. ♦ **sponge cake** pão de ló.

sponsor /sp'ɑnsər/ *s.* fiador; patrocinador. • *v.* responsabilizar-se, patrocinar.

spontaneous /spɑnt'eɪniəs/ *adj.* espontâneo.

spook /spuːk/ *s.* assombração, fantasma. • *v.* assustar.

spooky /sp'uːki/ *adj.* assombrado, assustador; fantasmagórico.

spool /spuːl/ *s.* carretel; bobina.

spoon /spuːn/ *s.* colher.

sport /spɔːrt/ s. esporte; diversão, brincadeira.

Scan this QR code to learn more about **sport**.
www.richmond.com.br/5lmsport

sportsman /sp'ɔːrtsmən/ *s.* esportista.

sportsmanship /sp'ɔːrtsmənʃɪp/ *s.* espírito esportivo.

spot /spɑt/ *s.* marca, mancha, pinta; ponto, local, lugar: I was in the wrong *spot*. • *v.* avistar, enxergar, ver; reconhecer; localizar: The police will *spot* the missing child. • *adj.* pronto, instantâneo, imediato. ♦ **on the spot** imediatamente.

spotlight /sp'ɑtlaɪt/ *s.* holofote, refletor.

spotty /sp'ɑti/ *adj.* manchado.

spouse /spaʊz/ *s.* marido ou esposa. ▪ *sin.* consort.

spout /spaʊt/ *s.* jato, jorro; tubo; bico. • *v.* jorrar, esguichar.

sprain /spreɪn/ *s.* deslocamento, mau jeito, entorse. • *v.* torcer.

sprang /spræŋ/ *v. pret.* de **spring**.

sprawl /sprɔːl/ *v.* espreguiçar-se, esparramar-se.

spray /spreɪ/ *v.* aspergir, borrifar.

spread /spred/ *s.* expansão, difusão; extensão. • *v.* (*pret.* e *p.p.* **spread**) expandir, espalhar, difundir; cobrir; estender; desenrolar. • *adj.* estendido, espalhado. ▪ *sin.* scatter. → Irregular Verbs

spree /spriː/ *s.* farra, bebedeira.

spring /sprɪŋ/ *s.* pulo, salto; mola; primavera; fonte, nascente; origem, causa. • *v.* (*pret.* **sprang** ou **sprung**, *p.p.* **sprung**) pular, saltar; brotar, nascer. → Irregular Verbs → Weather

springboard /spr'ɪŋbɔːrd/ *s.* trampolim.

springtime /spr'ɪŋtaɪm/ *s.* época de primavera.

sprinkle /spr'ɪŋkəl/ *v.* espalhar; chuviscar, borrifar; salpicar.

sprinkler /spr'ɪŋklər/ *s.* irrigador, regador; extintor de incêndio.

sprint /sprɪnt/ *s.* corrida (curta distância). • *v.* correr a toda velocidade.

sprite /spraɪt/ *s.* duende. ▪ *sin.* elf.

sprout /spraʊt/ *s.* broto, rebento. • *v.* brotar, germinar; criar.

sprung /sprʌŋ/ *v. p.p.* de **spring**.

spry /spraɪ/ *adj.* esperto, ativo, animado.

spun /spʌn/ *v. pret.* e *p.p.* de **spin**.

spur /spɜːr/ *s.* espora; esporão; incentivo, estímulo. • *v.* estimular, incitar. ♦ **on the spur of the moment** de modo repentino, impulsivamente.

spurn /spɜːrn/ *v.* rejeitar, refutar.

spurt /spɜːrt/ *s.* jato, jorro. • *v.* esguichar, jorrar.

spy /spaɪ/ *s.* espião. • *v.* espiar; espionar, vigiar.

squabble /skw'ɑbəl/ *s.* briga, barulho. • *v.* brigar, disputar. ▪ *sin.* fight.

squad /skwɑd/ *s.* pelotão; equipe.

squadron /skw'ɑdrən/ *s.* esquadrão.

squalid /skw'ɑlɪd/ *adj.* sujo; esquálido. ▪ *sin.* dirty.

squander /skw'ɑndər/ *v.* desperdiçar, esbanjar. ▪ *sin.* spend, waste.

square /skwer/ *s.* quadrado; praça. • *adj.* quadrado. ♦ **a square chin** um queixo quadrado. **a square meal** uma refeição reforçada. **out of square** fora do normal. **square dance** quadrilha (dança). **square meter** metro quadrado. **square root** raiz quadrada. **a square-built boy** um rapaz de ombros largos. **square-ruled paper** papel quadriculado.

squash /skwɑʃ/ *s.* abóbora; polpa; aperto; *squash*. • *v.* esmagar, espremer, amassar. ➔ Vegetables ➔ Sports

squat /skwɑt/ *v.* agachar(-se). • *adj.* agachado.

squeak /skwiːk/ *s.* grito, chiado, rangido. • *v.* ranger, chiar. ▪ *sin.* squeal.

squeamish /skw'iːmɪʃ/ *adj.* melindroso, delicado.

squeegee /skw'iːdʒiː/ *s.* rodo.

squeeze /skwiːz/ *s.* aperto, abraço, pressão; compressão; suco espremido. • *v.* comprimir; apertar; espremer. ▪ *sin.* press.

squid /skwɪd/ *s.* lula. ➔ Animal Kingdom

squint /skwɪnt/ *s.* estrabismo; olhadela.

squirm /skwɜːrm/ *s.* torção, torcedura. • *v.* retorcer(-se), contorcer(-se).

squirrel /skw'ɜːrəl/ *s.* esquilo. ➔ Animal Kingdom

squirt /skwɜːrt/ *v.* esguichar, espremer.

stab /stæb/ *s.* punhalada, facada. • *v.* apunhalar, esfaquear.

stabilize /st'eɪbəlaɪz/ (*Brit.* ***stabilise***) *v.* estabilizar, firmar; equilibrar.

stable /st'eɪbəl/ *s.* estábulo; estrebaria. • *adj.* estável, firme, fixo. ▪ *sin.* firm.

stack /stæk/ *s.* monte (feno, palha); pilha. • *v.* empilhar, amontoar. ▪ *sin.* huddle.

stadium /st'eɪdiəm/ (*s. pl.* ***stadium*** ou ***stadia***) *s.* estádio.

staff /stæf/ *s.* pauta musical; bastão, vara; mastro; funcionários.

stage /steɪdʒ/ *s.* palco; etapa. • *v.* encenar.

stagger /st'ægər/ *s.* tontura, vertigem. • *v.* cambalear; ficar confuso.

stagnancy /st'ægnənsi/ *s.* estagnação.

stagnant /st'ægnənt/ *adj.* estagnado; podre.

stagnate /st'ægneɪt/ *v.* estagnar, paralisar.

stain /steɪn/ *s.* mancha. • *v.* manchar; tingir.

stainless /st'eɪnləs/ *adj.* imaculado; inoxidável.

stair /ster/ *s.* degrau. *pl.* ***stairs*** escada.

staircase /st'erkeɪs/ *s.* escada, escadaria.

stake /steɪk/ *s.* estaca, poste; aposta, dinheiro apostado; risco. • *v.* apostar, arriscar. ♦ **at stake** em jogo. **stakeholder** acionista, parte interessada.

stale /steɪl/ *adj.* passado, velho, amanhecido (pão); estragado.

stalk /stɔːk/ *s.* talo, haste; suporte. • *v.* avançar; acuar; espreitar, seguir.

stall /stɔːl/ *s.* estábulo, cocheira; banca, tenda. • *v.* enguiçar (motor); esquivar(-se); protelar.

stallion /st'æliən/ *s.* garanhão. → Animal Kingdom

stalwart /st'ɔːlwərt/ *adj.* fiel, confiável, dedicado. ▪ *sin.* loyal.

stamina /st'æmɪnə/ *s.* força, poder, resistência.

stammer /st'æmər/ *s.* gagueira. • *v.* gaguejar. ▪ *sin.* stutter.

stamp /stæmp/ *s.* carimbo; marca, impressão, selo. • *v.* estampar, gravar, cunhar; selar; pisar, bater o pé. ♦ **put a stamp on the letter** selar uma carta. **stamp album** álbum de selos. **stamp collection** coleção de selos. **stamped envelope** envelope selado. **This is stamped on his mind.** Isto está gravado na memória dele.

stampede /stæmp'iːd/ *s.* estouro, debandada (de rebanho). • *v.* estourar, debandar.

stance /stæns/ *s.* postura.

stand /stænd/ *s.* parada; posto; posição; ponto; tribuna, estrado; arquibancada; suporte; estande, barraca, tenda, banca. • *v.* (*pret.* e *p.p.* ***stood***) levantar, ficar em pé; estar localizado, encontrar-se; resistir; aguentar. ♦ **as matters stand** do jeito que as coisas estão. **I can't stand her!** Não a suporto! **I can't stand it any longer!** Não aguento mais! **stand a good chance** ter boas possibilidades. **stand for** significar, querer dizer. **standpoint** ponto de vista. **standstill** paralisação, pausa. **take a firm stand** ter uma posição firme. **What stand do you take?** Qual a sua opinião? → Irregular Verbs

standard /st'ændərd/ *s.* padrão, escala; nível; estandarte, bandeira.

standardize /st'ændərdaɪz/ (*Brit.* ***standardise***) *v.* padronizar.

standby /st'ændbaɪ/ *s.* em espera.

stank /stæŋk/ *v. pret.* de ***stink***.

staple /st'eɪpəl/ *s.* grampo; produto básico, de primeira necessidade. • *v.* grampear.

stapler /st'eɪplər/ *s.* grampeador.

star /stɑr/ *s.* estrela; astro; asterisco; ator, atriz. • *v.* estrelar.

starboard /st'ɑrbərd/ *s.* estibordo.

starch /stɑrtʃ/ *s.* amido; goma. • *v.* engomar.

starchy /st'ɑrtʃi/ *adj.* engomado; afetado.

stardom /st'ɑrdəm/ *s.* estrelato, mundo dos famosos.

stare /ster/ *s.* olhar fixo. • *v.* fitar. ▪ *sin.* gaze.

starfish /st'ɑrfɪʃ/ *s.* estrela-do-mar. → Animal Kingdom

starfruit /st'ɑrfruːt/ *s.* carambola. → Fruit

stark /stɑrk/ *adj.* total, completo; rígido, duro; severo.

starry /st'ɑri/ *adj.* estrelado.

start /stɑrt/ *s.* começo, início, princípio; impulso; dianteira, largada. • *v.* partir, zarpar; levantar voo; embarcar; sair de viagem; começar, iniciar; pôr em movimento, dar partida (motor); fundar (negócio).

starter /st'ɑrtər/ *s.* autor, iniciador; iniciante; motor de arranque; prato de entrada, petisco (*Brit.*).

starting point *s.* ponto de partida.

startle /st'ɑrtəl/ *v.* assustar, amedrontar; alarmar, chocar, surpreender, sobressaltar.

starvation /stɑrv'eɪʃən/ *s.* inanição; regime de fome.

starve /stɑrv/ *v.* morrer de fome, passar fome.

starving /st'ɑrvɪŋ/ *adj.* faminto, esfomeado. ▪ *sin.* hungry, ravenous.

state /steɪt/ *s.* estado, condição, situação, circunstância; nação, país; governo. • *v.* declarar, afirmar. ♦ **state control** controle estatal. **state of mind** estado de espírito. **state of siege** estado de sítio. **state-of-the-art** o mais recente, o melhor que existe. **stateless** apátrida. **statement** declaração. **statesman** estadista. **The States** os Estados Unidos. **bank statement** extrato bancário.

stately /st'eɪtli/ *adj.* imponente, majestoso.

static /st'ætɪk/ *adj.* estático, parado, imóvel.

station /st'eɪʃən/ *s.* lugar, posto; estação. • *v.* estacionar, colocar.

stationery /st'eɪʃəneri/ *s.* artigos de papelaria.

statistics /stət'ɪstɪks/ *s.* estatística.

statue /st'ætʃuː/ *s.* estátua.

stature /st'ætʃər/ *s.* estatura, altura.

status /st'eɪtəs, st'ætəs/ *s.* condição; posição social. ♦ **marital status** estado civil.

stave /steɪv/ *s.* verso, estrofe; pauta (*mús.*); bastão, vara.

stay /steɪ/ *s.* permanência, estadia. • *v.* permanecer, ficar; morar; parar. ♦ **Stay away!** Fique afastado! **stay behind** ficar para trás. **Stay for lunch!** Fique para o almoço! **stay home** ficar em casa. **stay over** passar a noite fora. **stay single** ficar solteiro. **stay up** ficar acordado. **I'm staying with my brother.** Estou morando com meu irmão.

steadiness /st'edinəs/ *s.* firmeza, estabilidade. ▪ *sin.* constancy.

steady /st'edi/ *s.* namorado(a) fixo(a). • *v.* fixar, estabilizar, equilibrar; acalmar. • *adj.* fixo, firme; constante; regular.

steak /steɪk/ *s.* bife.

steal /stiːl/ *v.* (*pret.* **stole**, *p.p.* ***stolen***) roubar, furtar. → Irregular Verbs

stealthy /st'elθi/ *adj.* secreto, furtivo.

steam /stiːm/ *s.* vapor; fumaça; força, energia (a vapor). • *v.* emitir fumaça ou vapor; mover-se, andar, navegar; cozinhar com vapor.

steamer /st'iːmər/ *s.* navio a vapor.

steamroller /st'iːmroʊlər/ *s.* rolo compressor.

steel /stiːl/ *s.* aço. ♦ **stainless steel** aço inoxidável. **steel concrete** concreto armado. **steel helmet** capacete de aço. **steel mill** usina siderúrgica. **steel wool** palha de aço. **steel-clad** blindado.

steep /stiːp/ *adj.* íngreme; excessivo (preço). • *v.* empapar, embeber.

steeple /st'iːpəl/ *s.* campanário, torre de igreja.

steeply /st'iːpli/ *adv.* abruptamente: The sales are falling *steeply*.

steer /stɪr/ *s.* boi, novilho. • *v.* guiar, pilotar, dirigir, conduzir. → Animal Kingdom

steering /st'ɪrɪŋ/ *s.* pilotagem; direção. ♦ **steering wheel** volante.

stem /stem/ *s.* caule, tronco, talo; haste, suporte, base. • *v.* originar-se de; estancar; deter.

stench /stentʃ/ *s.* mau cheiro.

step /step/ *s.* passo; degrau; pegada. • *v.* andar, caminhar; pisar. ♦ **get out of step** perder o passo. **step back** recuar. **step by step** passo a passo. **step down** descer. **step in** entrar. **step out a cigarette** apagar um cigarro (no chão). **Watch your step!** ou **Mind your step!** Tome cuidado com o degrau!

stepchild /st'eptʃaɪld/ (*s. pl.* ***stepchildren***) *s.* enteado/a.

stepfather /st'epfɑðər/ *s.* padrasto.

stepmother /st'epmʌðər/ *s.* madrasta.

stepson /st'epsʌn/ *s.* enteado.

stereo /st'erioʊ/ *s.* aparelho de som, estéreo.

stereotype /st'eriətaɪp/ *s.* estereótipo.

sterile /st'erəl/ *adj.* estéril; árido, infecundo.

sterility /stər'ɪləti/ *s.* esterilidade.

sterilize /st'erəlaɪz/ (*Brit.* **sterilise**) *v.* esterilizar.

sterling /st'ɜːrlɪŋ/ *s.* libra esterlina. • *adj.* excelente.

stern /stɜːrn/ *s.* popa. • *adj.* severo, rigoroso; duro. ▪ *sin.* harsh, severe, austere.

sternness /st'ɜːrnnəs/ *s.* severidade; rigor; dureza.

stethoscope /st'eθəskoʊp/ *s.* estetoscópio.

stew /stuː/ *s.* carne cozida; ensopado; confusão, agitação. • *v.* cozinhar. ▪ *sin.* cook.

steward /st'uːərd/ *s.* comissário de bordo; organizador. *fem.* **stewardess**.

stick /stɪk/ *s.* galho, graveto; vara, bastão; haste; bengala; barra; batuta. • *v.* (*pret.* e *p.p.* **stuck**) fixar; enfiar, perfurar, furar, espetar, picar; inserir; colocar; colar, grudar. ▪ *sin.* adhere. ♦ **I stick to my principles.** Sou fiel aos meus princípios. **She sticks to her work.** Ela se dedica ao seu trabalho. **stick indoors** ficar em casa, ser caseiro. **Stick it!** Aguente aí! **Stick no bills!** É proibido colocar cartazes! **Stick to the point!** Não fuja do assunto! **sticker** adesivo; pessoa perseverante. **sticking plaster** (*Brit.*) curativo adesivo. **sticky** grudento, pegajoso. **The word stuck in my throat.** Eu engasguei (perdi a fala). → Irregular Verbs

stiff /stɪf/ *adj.* duro, rijo; forte; inflexível; difícil; espesso, denso; formal.

stiffen /st'ɪfən/ *v.* endurecer.

stiffness /st'ɪfnəs/ *s.* dureza, inflexibilidade, rigidez.

stifle /st'aɪfəl/ *v.* abafar, sufocar; suprimir, reprimir. ▪ *sin.* supress.

still /stɪl/ *adj.* quieto, calmo, tranquilo, sossegado. • *adv.* ainda; mesmo assim.

stillness /st'ɪlnəs/ *s.* silêncio; calma, quietude, tranquilidade.

stimulant /st'ɪmjələnt/ *adj.* estimulante.

stimulate /st'ɪmjuleɪt/ *v.* estimular, encorajar. ▪ *sin.* encourage.

sting /stɪŋ/ *s.* picada, ferroada; ferrão, espinho; dor aguda. • *v.* (*pret.* e *p.p.* **stung**) picar, ferroar; atormentar. → Irregular Verbs

stinginess /st'ɪndʒinəs/ *s.* mesquinhez, avareza.

stingy /st'ɪndʒi/ *adj.* mesquinho, pão-duro, avarento. ▪ *sin.* tight-fisted.

stink /stɪŋk/ *s.* fedor. • *v.* (*pret.* **stank** ou **stunk**, *p.p.* **stunk**) feder, ter mau cheiro. → Irregular Verbs

stipulate /st'ɪpjuleɪt/ *v.* estipular, combinar, convencionar.

stir /stɜːr/ *s.* movimento, agitação, vibração. • *v.* mover, mexer; misturar, agitar; comover, inflamar. ▪ *sin.* move.

stirring /st'ɜːrɪŋ/ *adj.* excitante, comovente.

stirrup /st'ɪrəp/ *s.* estribo.

stitch /stɪtʃ/ *s.* ponto (costura), pontada, dor aguda. • *v.* costurar, coser.

stock /stɑk/ *s.* estoque, suprimento, reserva; mercadoria; títulos, apólices; linhagem, raça; tora; caldo. • *v.* estocar, armazenar, suprir. ♦ **floating stock** dinheiro em circulação. **have in stock** ter em estoque. **out of stock** em falta. **Stock**

Company Sociedade Anônima. **Stock Exchange** Bolsa de Valores. **stockbroker** corretor de ações. **stockholder** acionista.

stocking /st'ɑkɪŋ/ *s.* meia-calça.

stodgy /st'ɑdʒi/ *adj.* enfadonho; indigesto.

stoke /stoʊk/ *v.* atiçar: Corruption *stokes* social movements.; (seguido de ***up***) alimentar (algo): It is good to *stoke* up the fire.

stole /stoʊl/ *s.* estola. • *v. pret.* de ***steal***.

stolen /st'oʊlən/ *v. p.p.* de ***steal***.

stolid /st'ɑlɪd/ *adj.* apático, impassível.

stomach /st'ʌmək/ *s.* estômago; abdome. → Human Body

stone /stoʊn/ *s.* pedra, rocha; pedregulho; caroço, cálculo. • *v.* apedrejar. ♦ **a stony person** uma pessoa desumana, fria, cruel. **cast the first stone** atirar a primeira pedra. **He left no stone standing.** Ele não deixou pedra sobre pedra. **People who live in glass houses shouldn't throw stones.** Quem tem telhado de vidro não atira pedras no do vizinho. **Stone Age** Idade da Pedra. **stone-breaker** ou **stone-cutter** pessoa cuja profissão é quebrar pedras. **stone-deaf** totalmente surdo. **stone fruit** fruta com caroço. **stoneless** sem caroço. **stone pit** ou **stone quarry** pedreira.

stood /stʊd/ *v. pret.* e *p.p.* de ***stand***.

stooge /stuːdʒ/ *s.* pateta; ajudante, subalterno.

stool /stuːl/ *s.* assento, banquinho. → Furniture & Appliances

stoop /stuːp/ *s.* inclinação. • *v.* inclinar, curvar; abaixar.

stop /stɑp/ *s.* parada, interrupção; ponto, estação. • *v.* parar, interromper, obstruir; tapar; deter; abolir. ♦ **full stop** ponto-final. **stopcock** válvula reguladora, registro (torneira). **stoplight** sinal (de trânsito) fechado. **stop-watch** cronômetro. **stoppage** parada, interrupção. **stopping place** ponto de parada (de trem, de metrô). **stopping train** trem de subúrbio, trem que para em todas as estações.

Would you please *stop* feeding the pigeons close to our house?

stopgap /st'ɑpgæp/ *adj.* paliativo.

stopover /st'ɑpoʊvər/ *s.* escala ou parada (em viagens).

storage /st'ɔːrɪdʒ/ *s.* armazenagem.

store /stɔːr/ *s.* loja, armazém; estoque, suprimento. • *v.* armazenar, estocar.

storekeeper /st'ɔːrkiːpər/ *s.* dono de loja.

storeroom /st'ɔːrʊm, st'ɔːruːm/ *s.* depósito, armazém.

store window *s.* vitrine.

stork /stɔːrk/ *s.* cegonha. → Animal Kingdom

storm /stɔːrm/ *s.* tempestade, temporal; tumulto. • *v.* esbravejar; precipitar-se. → Weather

stormy /st'ɔːrmi/ *adj.* tempestuoso; violento.

story /st'ɔːri/ *s.* conto; relato; narrativa; crônica; novela; lenda; história; fábula; andar, piso. ▪ *sin.* tale.

storyboard /st'ɔːribɔːrd/ *s.* sequência de esboços (filme): The director of *Star Wars* also drew a *storyboard* for his movie.

stout /staʊt/ *adj.* corpulento, robusto; firme, resistente; resoluto, determinado.

stove /stoʊv/ *s.* fogão, estufa, fornalha.

straight /streɪt/ *adj.* reto, plano; direto; sério, franco, honesto; direito, correto. ♦ **Go straight ahead!** Siga em frente! **keep a straight face** tentar parecer sério. **straight angle** ângulo reto. **straight away** imediatamente. **straight line** linha reta. **think straight** pensar com lógica. **straighten** endireitar(-se). **straightforward** direto; em frente. **straightness** retidão.

straightjacket /str'eɪtdʒækɪt/ (*tb.* ***straitjacket***) *s.* camisa de força.

strain /streɪn/ *s.* esforço; luxação, deslocamento; tensão, pressão; melodia, composição; procedimento; raça, linhagem; tendência. • *v.* puxar com força, esticar; esforçar-se; torcer, deslocar; coar, filtrar.

strained /streɪnd/ *adj.* cansado; tenso; coado, peneirado. ▪ *sin.* tired.

strainer /str'eɪnər/ *s.* coador, filtro; peneira.

strait /streɪt/ *s.* estreito; istmo. • *adj.* estreito, apertado.

straits /streɪts/ *s.* dificuldade, penúria. ♦ **in dire straits** em situação de extrema dificuldade.

strand /strænd/ *s.* praia, costa; fio, cordão. • *v.* encalhar; ficar desamparado.

strange /streɪndʒ/ *adj.* estranho, esquisito; desconhecido.

stranger /str'eɪndʒər/ *s.* forasteiro; desconhecido. ▪ *sin.* foreigner, alien. → Deceptive Cognates

strangle /str'æŋgəl/ *v.* estrangular, sufocar.

strap /stræp/ *s.* tira, correia; alça. • *v.* amarrar; açoitar.

strategy /str'ætədʒi/ *s.* estratégia.

stratosphere /str'ætəsfɪr/ *s.* estratosfera.

straw /strɔː/ *s.* palha; canudo (para beber líquidos).

strawberry /str'ɔːberi/ *s.* morango. → Fruit

stray /streɪ/ *s.* pessoa ou animal perdido. • *v.* perder-se, desviar-se; trair. • *adj.* perdido. ▪ *sin.* deviate.

streak /striːk/ *s.* faixa, risca, traço, linha, listra; filão.

streaky /str'iːki/ *adj.* listrado, riscado.

stream /striːm/ *s.* córrego, riacho; corrente, torrente, fluxo. • *v.* fluir, correr. ▪ *sin.* flow, torrent.

streamer /str'iːmər/ *s.* fita, faixa, serpentina; flâmula.

streaming /str'iːmɪŋ/ *s.* relativo à informação transmitida ao vivo pela internet: *Streaming* requires a fast connection.

streamline /str'iːmlaɪn/ *v.* melhorar; aerodinamizar. ▪ *sin.* improve.

streamlined /str'iːmlaɪnd/ *adj.* aerodinâmico.

street /striːt/ *s.* rua. ♦ **street corner** esquina. **street crossing** cruzamento. **street door** porta de entrada. **street orderly (sweeper)** varredor de rua. **street organ** realejo. **street refuge** ilha (em avenida). **streetcar** bonde.

strength /streŋθ/ *s.* força, vigor, energia; poder; resistência. ▪ *sin.* power.

strengthen /str'eŋθən/ *v.* fortalecer. ▪ *sin.* fortify, invigorate.

strenuous /str'enjuəs/ *adj.* árduo; ativo, esforçado.

stress /stres/ *s.* pressão; tensão, estresse; esforço; ênfase; acento. • *v.* exercer pressão sobre; enfatizar, salientar, acentuar.

stretch /stretʃ/ *s.* extensão, trecho, período; distância; área, superfície. • *v.* esticar, estender; alongar. ▪ *sin.* extend.

stretcher /str'etʃər/ *s.* maca, padiola.

strew /struː/ *v.* (*pret.* ***strewed***, *p.p.* ***strewn***) espalhar. → Irregular Verbs

stricken /str'ɪkən/ *v. p.p.* de ***strike***. • *adj.* acometido, abatido, golpeado.

strict /strɪkt/ *adj.* rigoroso, meticuloso, exato. ▪ *sin.* severe.

strictly /str'ɪktli/ *adv.* estritamente, rigorosamente: The identification is *strictly* necessary.

stride /straɪd/ *s.* passo largo. • *v.* (*pret.* ***strode***, *p.p.* ***stridden***) andar a passos largos. ➔ Irregular Verbs

strife /straɪf/ *s.* briga, conflito, disputa. ▪ *sin.* fight, contention.

strike /straɪk/ *s.* greve; golpe; sucesso. • *v.* (*pret.* ***struck***, *p.p.* ***struck*** ou ***stricken***) bater, golpear; atacar, desferir; acender (fósforo); atingir, abalroar; impressionar; soar, bater as horas; fazer greve. ➔ Irregular Verbs

striker /str'aɪkər/ *s.* grevista.

striking /str'aɪkɪŋ/ *adj.* surpreendente, notável.

string /strɪŋ/ *s.* barbante, fio, corda; fileira, colar; cordão; série, carreira. • *v.* (*pret.* e *p.p.* ***strung***) enfileirar; enfiar. ➔ Irregular Verbs

strip /strɪp/ *s.* tira, faixa; pista (de avião). • *v.* despir, desnudar.

stripe /straɪp/ *s.* faixa, listra, risca.

striped /straɪpt/ *adj.* listrado: I am wearing a *striped* pajamas.

stripling /str'ɪplɪŋ/ *s.* garoto, moleque. ▪ *sin.* lad.

strive /straɪv/ *v.* (*pret.* ***strove***, *p.p.* ***striven*** ou ***strived***) esforçar-se, empenhar-se. ➔ Irregular Verbs

strode /stroʊd/ *v. pret.* de ***stride***.

stroke /stroʊk/ *s.* batida, golpe; pancada; afago, carícia; derrame (*medicina*): Physical activities can reduce *strokes* and heart attacks. • *v.* acariciar, afagar.

stroll /stroʊl/ *s.* passeio, volta. • *v.* passear; perambular. ▪ *sin.* wander, ramble, walk.

stroller /str'oʊlər/ *s.* carrinho de bebê.

strong /strɔːŋ/ *adj.* forte, poderoso, resistente.

stronghold /str'ɔːŋhoʊld/ *s.* fortaleza.

strongly /str'ɔːŋli/ *adv.* fortemente: The economic crisis *strongly* affected Latin America.

strove /stroʊv/ *v. pret.* de ***strive***.

struck /strʌk/ *v. pret.* e *p.p.* de ***strike***.

structure /str'ʌktʃər/ *s.* construção, prédio; estrutura.

struggle /str'ʌgəl/ *s.* esforço; luta, conflito. • *v.* esforçar(-se), lutar; debater(-se). ▪ *sin.* endeavor, strive.

strung /strʌŋ/ *v. pret.* e *p.p.* de ***string***.

strut /strʌt/ *s.* suporte, esteio, escora. • *v.* andar de modo afetado.

stub /stʌb/ *s.* toco (de lápis, cigarro, etc.); canhoto (de cheque).

stubborn /st'ʌbərn/ *adj.* obstinado, teimoso. ▪ *sin.* obstinate.

stuck /stʌk/ *v. pret.* e *p.p.* de ***stick***.

student /st'uːdənt/ *s.* estudante. ▪ *sin.* pupil. ➔ Classroom

studio /st'uːdioʊ/ *s.* estúdio: That room is used as a music *studio*.; quitinete: I used to live in a *studio*.

studious /st'uːdiəs/ *adj.* estudioso.

study /st'ʌdi/ *s.* estudo. • *v.* estudar; investigar; considerar.

stuff /stʌf/ *s.* material, matéria-prima; tecido; coisa, substância; traste, bugiganga. • *v.* encher, rechear.

stuffing /st'ʌfɪŋ/ *s.* enchimento; recheio.

stuffy /st'ʌfi/ *adj.* abafado.

stumble /st'ʌmbəl/ *v.* tropeçar, pisar em falso; errar.

stump /stʌmp/ *s.* toco (de cigarro, lápis).

stun /stʌn/ *v.* atordoar, chocar, pasmar.

stung /stʌŋ/ *v. pret.* e *p.p.* de ***sting***.

stunk /stʌŋk/ *v. p.p.* de ***stink***.

stunning /st'ʌnɪŋ/ *adj.* impressionante, maravilhoso.

stunt /stʌnt/ *s.* golpe, truque, façanha, proeza, feito. • *v.* atrofiar. ♦ **stuntman** dublê.

stunted /st'ʌntɪd/ *adj.* raquítico, mirrado, atrofiado.

stupefy /st'u:pɪfaɪ/ *v.* entorpecer; espantar, atordoar.

stupid /st'u:pɪd/ *adj.* tolo, simplório.

stupidity /stu:p'ɪdəti/ *s.* tolice.

sturdy /st'ɜ:rdi/ *adj.* forte, vigoroso, robusto; firme, resoluto, inflexível. ▪ *sin.* strong.

stutter /st'ʌtər/ *s.* gagueira. • *v.* gaguejar. ▪ *sin.* hesitate, stammer.

stutterer /st'ʌtərər/ *s.* gago.

sty /staɪ/ *s.* chiqueiro; terçol.

style /staɪl/ *s.* modo, método; estilo.

stylish /st'aɪlɪʃ/ *adj.* elegante, estiloso, chique, na moda. ▪ *sin.* fashionable.

subconscious /sʌbk'ɑnʃəs/ *s.* subconsciente.

subdivide /sʌbdɪv'aɪd/ *v.* subdividir.

subdue /səbd'u:/ *v.* conquistar, subjugar; vencer, dominar. ▪ *sin.* conquer.

subheading /s'ʌbhedɪŋ/ *s.* subtítulo.

subject /s'ʌbdʒɪkt, s'ʌbdʒekt/ *s.* assunto; matéria, tema, motivo; tópico; súdito; sujeito. • /səbdʒ'ekt/ *v.* subjugar, dominar, sujeitar; submeter. ♦ **subject matter** assunto, tema.

subjective /səbdʒ'ektɪv/ *adj.* subjetivo.

subjugate /s'ʌbdʒugeɪt/ *v.* subjugar, conquistar.

sublime /səbl'aɪm/ *adj.* sublime.

submarine /s'ʌbməri:n, sʌbmər'i:n/ *s.* ou *adj.* submarino. → Means of Transportation

submerge /səbm'ɜ:rdʒ/ *v.* afundar, submergir, mergulhar.

submission /səbm'ɪʃən/ *s.* submissão; obediência.

submissive /səbm'ɪsɪv/ *adj.* submisso.

submit /səbm'ɪt/ *v.* submeter, enviar; render-se a, sujeitar-se.

subordinate /səb'ɔ:rdɪnət/ *s.* ou *adj.* subordinado. •/səb'ɔ:rdɪneɪt/ *v.* subordinar, subjugar, sujeitar.

subscribe /səbskr'aɪb/ *v.* assinar (jornal, revista).

subscriber /səbskr'aɪbər/ *s.* assinante (de publicações).

subscription /səbskr'ɪpʃən/ *s.* assinatura (de publicações, serviços).

subsequent /s'ʌbsɪkwənt/ *adj.* subsequente, seguinte, posterior.

subside /səbs'aɪd/ *v.* ceder, baixar; diminuir, acalmar(-se).

subsidy /s'ʌbsədi/ *s.* subsídio.

subsist /səbs'ɪst/ *v.* subsistir, sobreviver.

subsistence /səbs'ɪstəns/ *s.* subsistência, manutenção.

substance /s'ʌbstəns/ *s.* substância, matéria, essência.

substandard /sʌbst'ændərd/ *adj.* abaixo do padrão.

substantial /səbst'ænʃəl/ *adj.* substancial, essencial; sólido.

substantially /səbst'ænʃəli/ *adv.* substancialmente, consideravelmente: Pollution has increased *substantially* in the last decade.

substantiate /səbst'ænʃieɪt/ *v.* fundamentar, embasar.

substitute /s'ʌbstɪtu:t/ (*inf.* **sub**) *s.* substituto. • *v.* substituir.

subterfuge /s'ʌbtərfju:dʒ/ *s.* subterfúgio, evasiva.

subterranean /sʌbtər'eɪniən/ *adj.* subterrâneo.

subtitle /s'ʌbtaɪtl/ *s.* legenda (de filmes): I cannot read the *subtitles*, they are all blurred.

subtle /s'ʌtəl/ *adj.* sutil, delicado, discreto; agudo, perspicaz; refinado.

subtlety /s'ʌtəlti/ *s.* sutileza.

subtract /səbtr'ækt/ *v.* subtrair. ▪ *sin.* deduct.

subtraction /səbtr'ækʃən/ *s.* subtração.

suburb /s'ʌbɜːrb/ *s.* subúrbio.

subversive /səbv'ɜːrsɪv/ *adj.* subversivo.

subvert /səbv'ɜːrt/ *v.* subverter.

subway /s'ʌbweɪ/ *s.* metrô; via ou passagem subterrânea. ▪ *sin.* underground (*Brit.*). → Means of Transportation

succeed /səks'iːd/ *v.* ter êxito, conseguir; suceder, substituir.

success /səks'es/ *s.* sucesso, êxito. ▪ *sin.* triumph.

successful /səks'esfəl/ *adj.* bem--sucedido.

succession /səks'eʃən/ *s.* sucessão, sequência, série; transmissão de bens, herança. ▪ *sin.* series, order.

successor /səks'esər/ *s.* sucessor.

succinct /səks'ɪŋkt/ *adj.* sucinto, resumido. ▪ *sin.* short.

succulent /s'ʌkjələnt/ *adj.* suculento.

succumb /sək'ʌm/ *v.* sucumbir.

such /sʌtʃ/ *adj.* semelhante; tal, de modo que; desta maneira. • *adv.* assim, tão. ♦ **such as** por exemplo, tal como.

suck /sʌk/ *v.* sugar, chupar, aspirar; ser uma droga.

sucker /s'ʌkər/ *s.* broto; ventosa; pirulito; bobo, trouxa.

suckle /s'ʌkəl/ *v.* amamentar.

sudden /s'ʌdən/ *adj.* repentino, inesperado, súbito. ▪ *sin.* abrupt. ♦ **all of a sudden** de repente.

suddenly /s'ʌdənli/ *adv.* repentinamente, inesperadamente: The governor was *suddenly* interrupted.

suds /sʌdz/ *s. pl.* espuma (de sabão); cerveja (*gír.*).

sue /suː/ *v.* processar, acionar; solicitar, requerer, demandar.

suede /sweɪd/ *s.* camurça.

suffer /s'ʌfər/ *v.* sofrer; experimentar; padecer; suportar, tolerar.

sufferance /s'ʌfərəns/ *s.* tolerância, permissão.

suffering /s'ʌfərɪŋ/ *s.* sofrimento.

suffice /səf'aɪs/ *v.* bastar, satisfazer.

sufficient /səf'ɪʃənt/ *adj.* suficiente, bastante. ▪ *sin.* enough.

suffix /s'ʌfɪks/ *s.* sufixo.

suffocate /s'ʌfəkeɪt/ *v.* sufocar; asfixiar, abafar. ▪ *sin.* choke.

suffrage /s'ʌfrɪdʒ/ *s.* voto.

sugar /ʃ'ʊgər/ *s.* açúcar. • *v.* adoçar. ♦ **sugar beet** beterraba açucareira. **refined sugar** açúcar refinado. **sugar cane** cana-de-açúcar. **the Sugar Loaf** o Pão de Açúcar. **sugar basin** açucareiro. **lump sugar** torrão de açúcar. **raw/brown sugar** açúcar mascavo. **sugar mill** engenho, refinaria. **sugary** açucarado, doce.

suggest /sədʒ'est, səgdʒ'est/ *v.* sugerir; aconselhar. ▪ *sin.* advise.

suggestion /sədʒ'estʃən, səgdʒ'estʃən/ *s.* sugestão.

suggestive /sədʒ'estɪv, səgdʒ'estɪv/ *adj.* sugestivo: This menu is very *suggestive*.

suicide /s'uːɪsaɪd/ *s.* suicídio; suicida.

suit /suːt/ *s.* terno ou conjunto; processo, caso jurídico; petição; naipe de baralho. • *v.* adaptar, ajustar. ▪ *sin.* fit. → Clothing

suitable /s'uːtəbəl/ *adj.* adequado, conveniente, acessível. ▪ *sin.* appropriate, proper, convenient.

suitcase /s'uːtkeɪs/ *s.* maleta.

suite /swiːt/ *s.* apartamento, suíte; séquito, comitiva.

suited /s'uːtɪd/ *adj.* apropriado: These shoes are *suited* to the party.

suitor /s'uːtər/ *s.* noivo, admirador, pretendente. ▪ *sin.* lover.

sulfur /s'ʌlfər/ (*Brit.* **sulphur**) *s.* enxofre.
sulk /sʌlk/ *v.* emburrar, fazer cara feia.
sulky /s'ʌlki/ *adj.* mal-humorado. ▪ *sin.* ill-tempered.
sullen /s'ʌlən/ *adj.* emburrado.
sultan /s'ʌltən/ *s.* sultão.
sultry /s'ʌltri/ *adj.* abafado, sufocante, ardente.
sum /sʌm/ *s.* soma, total; quantia. • *v.* somar. ♦ **sum up** resumir.
summarize /s'ʌməraɪz/ (*Brit.* ***summarise***) *v.* resumir.
summary /s'ʌməri/ *s.* sumário, resumo. ▪ *sin.* summing-up.
summer /s'ʌmər/ *s.* verão. → Weather
summer squash *s.* abobrinha. → Vegetables
summit /s'ʌmɪt/ *s.* cume, topo; vértice. ▪ *sin.* peak.
summon /s'ʌmən/ *v.* chamar, convocar; intimar; reunir, concentrar. ▪ *sin.* call.
sumptuosity /sʌmptʃə'ɔːsəti/ *s.* suntuosidade.
sumptuous /s'ʌmptʃuəs/ *adj.* suntuoso.
sun /sʌn/ *s.* sol. ♦ **sun heat** calor do sol. **sunbath** banho de sol. **sunbeam** raio de sol. **sunblind** veneziana. **sunburn** queimadura solar. **sunflower** girassol. **sunglasses** óculos escuros. **sunlamp** lâmpada ultravioleta. **sunny** ensolarado. **sunrise** nascer do sol. **sunshine** brilho do sol. **sunstroke** insolação. **suntanned** bronzeado de sol. → Clothing
Sunday /s'ʌndeɪ, s'ʌndi/ *s.* domingo.
sundial /s'ʌndaɪəl/ *s.* relógio de sol.
sundry /s'ʌndri/ *adj.* vários, diversos.
sung /sʌŋ/ *v. p.p.* de ***sing***.
sunk /sʌŋk/ *v. p.p.* de ***sink***.
sunken /s'ʌŋkən/ *adj.* afundado, submerso; baixo, fundo.
sunset /s'ʌnset/ *s.* pôr do sol. → Weather
superb /suːp'ɜːrb/ *adj.* soberbo, magnífico; excelente. ▪ *sin.* magnificent.
supercilious /suːpərs'ɪliəs/ *adj.* orgulhoso, arrogante. → Deceptive Cognates
superfluous /suːp'ɜːrfluəs/ *adj.* supérfluo.
superimpose /suːpərɪmp'oʊz/ *v.* sobrepor; adicionar.
superintend /suːpərɪnt'end/ *v.* superintender, gerenciar, supervisionar.
superintendent /suːpərɪnt'endənt/ *s.* superintendente, diretor.
superior /suːp'ɪriər/ *s.* superior: He is the *superior* of this department. • *adj.* superior: A *superior* court will judge the crime.
superlative /suːp'ɜːrlətɪv/ *s.* superlativo. • *adj.* superlativo, insuperável, supremo.
supermarket /s'uːpərmɑrkət/ *s.* supermercado.
supernatural /suːpərn'ætʃərəl/ *s.* ou *adj.* sobrenatural.
superpower /s'uːpərpaʊər/ *s.* superpotência.
supersonic /suːpərs'ɑnɪk/ *adj.* supersônico.
superstition /suːpərst'ɪʃən/ *s.* superstição, crendice.
supervise /s'uːpərvaɪz/ *v.* supervisionar.
supervision /suːpərv'ɪʒən/ *s.* supervisão; controle.
supper /s'ʌpər/ *s.* jantar, ceia.
supple /s'ʌpəl/ *adj.* flexível; macio. ▪ *sin.* flexible.
supplement /s'ʌplɪmənt/ *s.* suplemento. • /s'ʌplɪment/ *v.* suplementar, acrescentar.
suppleness /s'ʌpəlnəs/ *s.* flexibilidade.
supplicate /s'ʌplɪkeɪt/ *v.* suplicar, rogar, pedir. ▪ *sin.* beg.
supplier /səpl'aɪər/ *s.* fornecedor.

supply /səpl'aɪ/ *s.* suprimento, provisão; fornecimento. • *v.* fornecer, abastecer. ▪ *sin.* provide.

support /səp'ɔːrt/ *s.* assistência; amparo, apoio. • *v.* sustentar; ajudar, apoiar, defender; torcer por.

supporter /səp'ɔːrtər/ *s.* protetor, defensor; torcedor; partidário.

suppose /səp'oʊz/ *v.* supor. ▪ *sin.* think.

supposing /səp'oʊzɪŋ/ *conj.* se, caso.

supposition /sʌpəz'ɪʃən/ *s.* suposição, hipótese.

suppress /səpr'es/ *v.* suprimir; oprimir; reprimir, conter. ▪ *sin.* stifle.

suppression /səpr'eʃən/ *s.* supressão.

supreme /suːpr'iːm/ *adj.* supremo, superior. ♦ **Supreme Court** Supremo Tribunal.

surcharge /s'ɜːrtʃɑrdʒ/ *s.* sobrecarga, sobretaxa.

sure /ʃʊr/ *adj.* certo, seguro. • *adv.* certamente. ▪ *sin.* certain. ♦ **for sure** claro. **to make sure** certificar-se.

surely /ʃ'ʊrli/ *adv.* certamente: He will *surely* eat all the brownie.

surf /sɜːrf/ *v.* surfar. ♦ **surf the Net** navegar na internet.

surface /s'ɜːrfɪs/ *s.* superfície. • *v.* vir à tona.

surfing /s'ɜːrfɪŋ/ *s.* surfe. → Sports

surge /sɜːrdʒ/ *s.* onda; ressaca. • *v.* mover-se (como ondas); agitar-se, arremessar-se. ▪ *sin.* wave.

surgeon /s'ɜːrdʒən/ *s.* cirurgião. → Professions

surgery /s'ɜːrdʒəri/ *s.* cirurgia.

surly /s'ɜːrli/ *adj.* mal-humorado, rude, ríspido.

surmount /sərm'aʊnt/ *v.* sobrepujar; vencer, superar.

surname /s'ɜːrneɪm/ *s.* sobrenome. ▪ *sin.* family name.

surpass /sərp'æs/ *v.* superar, exceder, ultrapassar. ▪ *sin.* excel.

surpassing /sərp'æsɪŋ/ *adj.* excelente, incomparável.

surplus /s'ɜːrpləs/ *s.* excesso, excedente; superávit.

surprise /sərpr'aɪz/ *s.* surpresa; perplexidade. • *v.* espantar, surpreender.

surprised /sərpr'aɪzd/ *adj.* surpreso: I got *surprised* by your reaction.

surprising /sərpr'aɪzɪŋ/ *adj.* surpreendente. ▪ *sin.* amazing, astonishing.

surrender /sər'endər/ *s.* rendição. • *v.* capitular, render-se. ▪ *sin.* give up.

surrogate /s'ɜːrəgət/ *adj.* substituto. ♦ **surrogate mother** barriga de aluguel.

surround /sər'aʊnd/ *v.* cercar, rodear.

surrounding /sər'aʊndɪŋ/ *adj.* circundante: The *surrounding* countries made a pact.

surtax /s'ɜːrtæks/ *s.* sobretaxa.

surveillance /sɜːrv'eɪləns/ *s.* vigilância, supervisão.

survey /s'ɜːrveɪ/ *s.* pesquisa, levantamento; inspeção. • /sərv'eɪ/ *v.* inspecionar; pesquisar, examinar, estudar.

surveyor /sərv'eɪər/ *s.* inspetor, topógrafo.

survival /sərv'aɪvəl/ *s.* sobrevivência.

survive /sərv'aɪv/ *s.* sobreviver. ▪ *sin.* endure.

susceptible /səs'eptəbəl/ *adj.* suscetível; sensível.

suspect /s'ʌspekt/ *s.* suspeito. • *adj.* suspeito, duvidoso. • /səsp'ekt/ *v.* imaginar; suspeitar, desconfiar.

suspend /səsp'end/ *v.* suspender, pendurar; suspender, interromper.

suspense /səsp'ens/ *s.* incerteza, dúvida, indecisão, hesitação; suspense, expectativa. ▪ *sin.* doubt.

suspension /səsp'enʃən/ *s.* suspensão.

suspicion /səsp'ɪʃən/ *s.* desconfiança, suspeita.

suspicious /səsp'ɪʃəs/ *adj.* suspeito: That man looks *suspicious.*

sustain /səst'eɪn/ *v.* sustentar, manter; suportar, amparar. ▪ *sin.* maintain, support.

sustenance /s'ʌstənəns/ *s.* sustento, subsistência.

SUV /ɛsyuv'i/ (*abrev.* de *sport utility vehicle*) veículo 4x4. → Means of Transportation

swab /swɑb/ *s.* esfregão; coleta (*medicina*). ♦ **cotton swab** cotonete.

swag /swæg/ *s.* grinalda.

swallow /sw'ɑloʊ/ *s.* gole, trago; andorinha. • *v.* engolir, tragar. ▪ *sin.* absorb, ingest. → Animal Kingdom

swam /swæm/ *v. pret.* de **swim**.

swamp /swɑmp/ *s.* brejo, pântano.

swan /swɑn/ *s.* cisne. → Animal Kingdom

swarm /swɔːrm/ *s.* enxame; multidão. • *v.* aglomerar-se.

swat /swɑt/ *s.* golpe violento, tapa. • *v.* esmagar.

swathe /sweɪð/ (*tb.* **swath**) *s.* faixa; atadura, bandagem. • *v.* enfaixar.

sway /sweɪ/ *v.* balançar, oscilar; influenciar. ▪ *sin.* influence.

swear /swer/ *v.* (*pret.* **swore**, *p.p.* **sworn**) jurar, prometer; xingar, praguejar. → Irregular Verbs

sweat /swet/ *s.* suor; transpiração. • *v.* (*pret.* e *p.p.* **sweat** ou **sweated**) suar, transpirar. → Irregular Verbs

sweater /sw'etər/ *s.* suéter, pulôver. → Clothing

sweatshirt /sw'ɛtʃərt/ *s.* moletom. → Clothing

Swede /swiːd/ *s.* sueco. → Countries & Nationalities

Sweden /sw'iːdən/ *s.* Suécia. → Countries & Nationalities

Swedish /sw'iːdɪʃ/ *s.* ou *adj.* sueco. → Countries & Nationalities

sweep /swiːp/ *s.* varredura; limpeza. • *v.* (*pret.* e *p.p.* **swept**) varrer; remover. ♦ **make a clean sweep** fazer limpeza geral. **sweep a low bow** fazer uma reverência. **sweeper** gari, varredor de rua. **sweepings** sujeira, lixo. → Irregular Verbs

sweet /swiːt/ *s.* doce; sobremesa. • *adj.* doce, adocicado; perfumado, cheiroso; atraente, meigo, suave. ♦ **I have a sweet tooth.** Gosto muito de doces. **sweet pepper** pimentão. **a sweet-natured girl** uma garota meiga. **sweet-and-sour** agridoce. **sweet potato** batata-doce. **sweet shop** (*Brit.*) confeitaria. **sweeten** adoçar. **sweetener** adoçante. **sweetheart** querido(a). **sweetish** adocicado. **sweetly** docemente. **sweetness** doçura. **sweetsop** fruta-do-conde. → Vegetables → Fruit

swell /swel/ *s.* aumento; inchaço; protuberância. • *v.* (*pret.* **swelled**, *p.p.* **swollen** ou **swelled**) inchar, dilatar; alargar-se; avolumar-se; ficar arrogante. • *adj.* excelente. → Irregular Verbs

swelling /sw'elɪŋ/ *s.* inchaço: I do not care about my legs *swelling.*

swelter /sw'eltər/ *v.* sofrer com o calor, sufocar.

swerve /swɜːrv/ *s.* desvio. • *v.* desviar. ▪ *sin.* stray, deviate.

swift /swɪft/ *adj.* rápido, veloz, ligeiro. ▪ *sin.* quick, fast.

swim /swɪm/ *s.* natação. • *v.* (*pret.* **swam**, *p.p.* **swum**) nadar. ♦ **go for a swim** ir nadar. **swimming lesson** aula de natação. **swimming pool** piscina. **swimming suit** maiô, traje de banho. **swimmer** nadador. **swimming** natação. → Irregular Verbs → Sports

swindle /sw'ɪndəl/ *s.* fraude, trapaça. • *v.* enganar, trapacear, calotear.

swindler /sw'ɪndlər/ *s.* caloteiro; vigarista, trapaceiro.

swine /swaɪn/ (*s. pl.* ***swine*** ou ***swines***) *s.* porco; canalha.

swing /swɪŋ/ *s.* balanço; inclinação, propensão, tendência; mudança, virada. • *v.* (*pret.* e *p.p.* ***swung***) balançar, oscilar; girar. ▪ *sin.* wag. → Irregular Verbs

swirl /swɜːrl/ *s.* redemoinho. • *v.* rodar, rodopiar.

swish /swɪʃ/ *s.* zunido, silvo. • *v.* zunir, sibilar.

Swiss /swɪs/ *s.* ou *adj.* suíço. → Countries & Nationalities

switch /swɪtʃ/ *s.* chave, interruptor. • *v.* ligar, desligar; mudar, trocar.

switchboard /sw'ɪtʃbɔːrd/ *s.* painel de controle.

Switzerland /sw'ɪtsərlənd/ *s.* Suíça. → Countries & Nationalities

swivel /sw'ɪvəl/ *s.* girador; suporte giratório. • *v.* girar.

swollen /sw'oʊlən/ *v. p.p.* de ***swell***.

swoon /swuːn/ *s.* desmaio. • *v.* desmaiar. ▪ *sin.* faint.

swoop /swuːp/ *s.* queda, descida rápida; ataque.

sword /sɔːrd/ *s.* espada.

swordfish /s'ɔːrdfɪʃ/ *s.* peixe-espada. → Animal Kingdom

swordplay /s'ɔːrdpleɪ/ *v.* esgrima. → Sports

swordsman /s'ɔːrdzmən/ *s.* esgrimista.

swore /swɔːr/ *v. pret.* de ***swear***.

sworn /swɔːrn/ *v. p.p.* de ***swear***.

swum /swʌm/ *v. p.p.* de ***swim***.

swung /swʌŋ/ *v. pret.* e *p.p.* de ***swing***.

syllable /s'ɪləbəl/ *s.* sílaba.

syllabus /s'ɪləbəs/ *s.* programa (curso).

symbiosis /sɪmbaɪ'oʊsɪs/ *s.* simbiose.

symbol /s'ɪmbəl/ *s.* símbolo.

symbolic /sɪmb'ɑlɪk/ *adj.* simbólico.

symbolize /s'ɪmbəlaɪz/ (*Brit.* ***symbolise***) *v.* simbolizar.

symmetrical /sɪm'etrɪkəl/ (*tb.* ***symmetric***) *adj.* simétrico.

symmetry /s'ɪmətri/ *s.* simetria; harmonia.

sympathetic /sɪmpəθ'etɪk/ *adj.* solidário; compreensivo. → Deceptive Cognates

sympathize /s'ɪmpəθaɪz/ (*Brit.* ***sympathise***) *v.* compadecer-se, solidarizar-se; simpatizar.

sympathy /s'ɪmpəθi/ *s.* compaixão, solidariedade; compreensão; simpatia. ▪ *sin.* compassion, condolence. ♦ **My sympathy!** Meus pêsames!

symptom /s'ɪmptəm/ *s.* sintoma.

symptomatic /sɪmptəm'ætɪk/ *adj.* sintomático.

synagogue /s'ɪnəgɑg/ *s.* sinagoga.

syndicate /s'ɪndɪkət/ *s.* sindicato.

synergy /s'ɪnərdʒi/ *s.* sinergia.

synod /s'ɪnəd/ *s.* sínodo; assembleia. ▪ *sin.* assembly.

synonym /s'ɪnənɪm/ *s.* sinônimo.

synopsis /sɪn'ɑpsɪs/ (*s. pl.* ***synopses***) *s.* sinopse, resumo.

syntactic /sɪnt'æktɪk/ *adj.* sintático.

syntax /s'ɪntæks/ *s.* sintaxe.

synthesis /s'ɪnθəsɪs/ (*s. pl.* ***syntheses***) *s.* síntese.

synthesizer /s'ɪnθəsaɪzər/ *s.* sintetizador. → Musical Instruments

syphilis /s'ɪfɪlɪs/ *s.* sífilis.

Syria /s'ɪriə/ *s.* Síria. → Countries & Nationalities

Syrian /s'ɪriən/ *s.* ou *adj.* sírio. → Countries & Nationalities

syringe /sɪr'ɪndʒ/ *s.* seringa.

syrup /s'ɪrəp/ *s.* xarope; calda.

system /s'ɪstəm/ *s.* sistema. ▪ *sin.* method. ♦ **system requirements** requisitos do sistema.

systematic /sɪstəm'ætɪk/ *adj.* sistemático, metódico.

T

T, t /tiː/ *s.* vigésima letra do alfabeto inglês.

tab /tæb/ *s.* conta, aba; etiqueta; alça.

table /t'eɪbəl/ *s.* mesa; tabela, lista. • *v.* colocar na mesa; fazer lista ou tabela. ♦ **clear the table** tirar a mesa. **lay the table** ou **set the table** pôr a mesa. **multiplication table** tabuada. **sit at the table** sentar-se à mesa. **table of contents** sumário; índice de assuntos. **table of interest** tabela de juros. **table tennis** tênis de mesa, pingue-pongue. **The Lord's Table** A Santa Ceia (A Última Ceia). **table cloth** toalha de mesa. **table lifting** levitação (fenômeno paranormal). **table water** água filtrada. **tablespoon** colher de sopa. **tableware** louças, talheres. → Sports → Furniture & Appliances → Numbers

tablet /t'æblət/ *s.* bloco de papel; placa, chapa, tabuleta; comprimido, tablete, pastilha, barra; computador portátil, dispositivo eletrônico: I can take my *tablet* anywhere.

taboo /təb'uː/ *s.* tabu.

tacit /t'æsɪt/ *adj.* tácito, implícito. ▪ *sin.* silent.

taciturn /t'æsɪtɜːrn/ *adj.* taciturno, calado.

tack /tæk/ *s.* tacha, prego; rumo, direção; conduta; corda, cabo; alinhavo. • *v.* pregar; alinhavar; adicionar.

tackle /t'ækəl/ *s.* equipamento, aparelhagem. • *v.* manejar; enfrentar; desarmar o oponente (no jogo).

tacky /t'æki/ *adj.* grudento, pegajoso; cafona.

tact /tækt/ *s.* tato, diplomacia.

tactful /t'æktfəl/ *adj.* diplomático, discreto.

tactics /t'æktɪks/ *s. pl.* tática. ▪ *sin.* strategy.

tactless /t'æktləs/ *adj.* indelicado, grosseiro, sem tato.

tadpole /t'ædpoʊl/ *s.* girino. → Animal Kingdom

tag /tæg/ *s.* etiqueta, rótulo; rabo, ponta, trapo; final, fim; refrão; chapa, placa de veículo. • *v.* etiquetar; juntar, acrescentar. ♦ **tag along** seguir de perto. **tag on** acrescentar.

tail /teɪl/ *s.* rabo; verso de moeda. • *v.* perseguir, seguir. ♦ **hair in tails** cabelo com tranças. **heads or tails?** cara ou coroa? **tailcoat** fraque. **taillight** ou **taillamp** luz traseira (carro). **tail of the eye** canto do olho.

tailor /t'eɪlər/ *s.* alfaiate. • *v.* costurar. ♦ **a tailor-made suit** um terno feito sob medida. **tailoring** feitio.

taint /t'eɪnt/ *s.* mancha, nódoa; corrupção; infecção. • *v.* manchar, sujar; estragar; envenenar; contaminar; corromper. ▪ *sin.* contaminate.

take /teɪk/ *v.* (*pret.* **took**, *p.p.* **taken**) tomar, pegar; alcançar, agarrar, apropriar-se; prender; arrebatar, levar; receber, aceitar, obter, acolher; suportar; tomar; comer; beber; engolir, consumir; usar, tomar (um veículo); aproveitar (oportunidade); tirar; submeter-se, sofrer, aguentar; subtrair, extrair, extorquir; guiar, levar, transportar; andar; vencer; colecionar.
♦ **How long does it take?** Quanto tempo leva? **It takes two to make a quarrel.** Quando um não quer, dois não brigam. **take advantage of** tirar vantagem de. **Take care!** Tome cuidado! **take down** anotar; derrubar; trazer para baixo; desmontar. **take effect** entrar em vigor. **take for a walk** levar para passear. **Take it for granted!** subestimar, tomar como certo. **take into account** levar em conta. **Take it easy!** Calma! **Take it or leave it.** É pegar ou largar. **take over** assumir. **take place** acontecer, ocorrer, ter lugar. **take to the air** ou **take off** decolar. **The vaccine did not take.** A vacina não pegou, não fez efeito. **What do you take me for?** Quem você pensa que sou? **takeaway** ou **takeout** refeição para viagem.
→ Irregular Verbs

tale /teɪl/ *s.* narrativa, história, conto. ▪ *sin.* fable, story.

talent /t'ælənt/ *s.* talento, aptidão, habilidade. ▪ *sin.* ability, gift.

talk /tɔːk/ *v.* falar, conversar, dizer; discutir; conferenciar. ♦ **Don't talk of it!** Nem fale nisso! **Let's talk it over!** Vamos discutir o assunto seriamente! **talk big** contar vantagem. **Talk is cheap.** Falar é fácil. **talk nineteen to the dozen** falar pelos cotovelos, tagarelar. **talk of the town** assunto principal, fofocas. **talk show** programa de entrevistas. **talkative** tagarela, falante.

tall /tɔːl/ *adj.* alto, grande; elevado. ♦ **a tall order** uma tarefa difícil. **a tall story** uma história inverossímil.

tally /t'æli/ *s.* registro (de contas); conta, cálculo. • *v.* marcar, registrar; etiquetar.

tamarind /t'æmərɪnd/ *s.* tamarindo.
→ Fruit

tambourine /tæmbər'iːn/ *s.* pandeiro.
→ Musical Instruments

tame /teɪm/ *v.* amansar, domesticar, domar; submeter. • *adj.* manso, domesticado; dócil; subjugado, humilde. ▪ *sin.* gentle.

tamper /t'æmpər/ *v.* mexer indevidamente, falsificar.

tan /tæn/ *s.* ou *adj.* cor bronzeada. • *v.* bronzear(-se).

tangerine /tændʒəriːn/ *s.* tangerina, mexerica. → Fruit

tangible /t'ændʒəbəl/ *adj.* tangível, palpável.

tangle /t'æŋgəl/ *s.* emaranhado; confusão. • *v.* entrelaçar, embaraçar; envolver; confundir.

tank /tæŋk/ *s.* tanque, reservatório; aquário; carro de combate.

tanker /t'æŋkər/ *s.* carro-tanque, petroleiro.

tanned /tænd/ *adj.* bronzeado, moreno.

tantalize /t'æntəlaɪz/ (*Brit.* ***tantalise***) *s.* atormentar, perturbar.

tap /tæp/ *s.* palmadinha, batida leve; torneira. • *v.* bater de leve; interceptar, grampear (telefone). ▪ *sin.* faucet. ♦ **tap dancing** sapateado.

I wish our neighbor would quit practicing his *tap dancing* every night.

tape /teɪp/ *s.* fita; cadarço; fita adesiva. • *v.* colocar fita, amarrar com fita; gravar em fita magnética.

♦ **insulation tape** fita isolante. **magnetic tape** fita magnética. **tape recorder** gravador. **tape recording** gravação. **tape deck** toca-fitas. **tape measure** ou **tapeline** fita métrica; trena.

tapestry /t'æpəstri/ *s.* tapeçaria.

tar /tɑr/ *s.* piche; alcatrão. • *v.* pichar.

tardy /t'ɑrdi/ *adj.* (*form.*) atrasado, tardio; lento, vagaroso. ▪ *sin.* slow.

target /t'ɑrgɪt/ *s.* alvo, objetivo.

tariff /t'ærɪf/ *s.* tarifa; tabela de preços; taxa alfandegária.

tarnish /t'ɑrnɪʃ/ *v.* embaçar, perder o brilho; manchar, sujar. ▪ *sin.* stain.

tart /tɑrt/ *s.* torta doce; "periguete" (*inf.*); prostituta (*gír.*). • *adj.* azedo, picante; sarcástico.

tartan /t'ɑrtən/ *s.* tecido (ou padrão) xadrez do tipo escocês.

task /tæsk/ *s.* tarefa, incumbência, dever; lição. • *v.* sobrecarregar.

taste /teɪst/ *s.* gosto; sabor; paladar. • *v.* experimentar, provar, saborear. ▪ *sin.* flavor, savor.

tasteful /t'eɪstfəl/ *adj.* de bom gosto.

tasteless /t'eɪstləs/ *adj.* insípido, insosso, sem gosto; de mau gosto.

tasty /t'eɪsti/ *adj.* saboroso.

tatter /t'ætər/ *s.* farrapo.

tattered /t'ætərd/ *adj.* esfarrapado, em pedaços, maltrapilho.

tattoo /tæt'ɔuː/ *s.* tatuagem. • *v.* tatuar.

taught /tɔːt/ *v. pret.* e *p.p.* de ***teach***.

taunt /tɔːnt/ *s.* insulto, escárnio. • *v.* escarnecer, tratar com sarcasmo, zombar.

taut /tɔːt/ *adj.* esticado, tenso.

tavern /t'ævərn/ *s.* taverna; estalagem; bar.

tax /tæks/ *s.* imposto, taxa; fardo. • *v.* taxar, tributar; acusar, sobrecarregar, esforçar. ♦ **Income Tax** Imposto de Renda. **tax-free** isento de impostos. **taxable** tributável. **taxation** taxação. **taxing** desgastante. **taxpayer** contribuinte.

taxi /t'æksi/ *s.* táxi: I took a *taxi* to go to the airport. ♦ **taxi driver** taxista: He works as a *taxi driver*. → Means of Transportation → Professions

tea /tiː/ *s.* chá. ♦ **tea bag** saquinho de chá. **teacup** xícara de chá. **teapot** bule de chá. **tea towel** pano de prato.

teach /tiːtʃ/ *v.* (*pret.* e *p.p.* ***taught***) ensinar, instruir; lecionar. → Irregular Verbs

teacher /t'iːtʃər/ *s.* professor/a. → Classroom → Professions

teaching /t'iːtʃɪŋ/ *s.* magistério; ensino.

team /tiːm/ *s.* equipe, grupo; time. • *v.* emparelhar, trabalhar em conjunto.

teamwork /t'iːmwɜːrk/ *s.* trabalho de equipe.

Tea Party *s.* Partido do Chá (movimento constitucionalista norte-americano surgido em 2009): The *Tea Party* has sponsored a lot of protests. ♦ **Boston Tea Party** (*história*) movimento político de 1773 contrário aos impostos de importação do chá advindo do Reino Unido: The *Boston Tea Party* was an important opposition to the United Kingdom tea monopoly.

tear /tɪr/ *s.* lágrima; gota. • /ter/ *v.* (*pret.* ***tore***, *p.p.* ***torn***) dilacerar, romper, rasgar(-se); arrancar; ferir, cortar. → Irregular Verbs

tearful /t'ɪrfəl/ *adj.* choroso, lacrimoso; lastimoso, triste.

tease /tiːz/ *v.* importunar, amolar; provocar, irritar. ▪ *sin.* vex, taunt.

teaser /t'iːzər/ *s.* quebra-cabeça (*inf.*); provocador; *trailer* (cinema).

teaspoon /t'iːspuːn/ *s.* colher de chá. → Numbers

technical /t'eknɪkəl/ *adj.* técnico.

technician /tekn'ɪʃən/ *s.* técnico; perito. → Professions

technique /tekn'iːk/ *s.* técnica.

technogeek /t'eknəugiːk/ *s.* pessoa hábil ou viciada em computador.

technology /tekn'ɑlədʒi/ *s.* tecnologia.

Scan this QR code to learn more about **technology**.
www.richmond.com.br/5lmtechnology

teddy bear /t'edi ber/ *s.* ursinho de pelúcia.

tedious /t'iːdiəs/ *adj.* tedioso, monótono.

tedium /t'iːdiəm/ *s.* tédio.

teem /tiːm/ *v.* abundar.

teen /tiːn/ (*abrev.* de *teenager*) *s.* adolescente. • *s. pl.* **teens** adolescência, idade entre 13 e 19 anos. ➔ Abbreviations

teenage /t'iːneɪdʒ/ *adj.* adolescente.

teenager /t'iːneɪdʒər/ *s.* adolescente.

teething /t'iːðɪŋ/ *s.* dentição.

telecommunications /telikəmjuːnɪk'eɪʃənz/ *s. pl.* telecomunicações.

teleconference /t'elikɑnfərəns/ *s.* teleconferência.

telegram /t'elɪgræm/ *s.* telegrama.

telegraph /t'elɪgræf/ *s.* telégrafo. • *v.* telegrafar.

telepathy /təl'epəθi/ *s.* telepatia.

telephone /t'elɪfoʊn/ *s.* telefone. *abrev.* **phone**. • *v.* telefonar. ♦ **be on the telephone** estar ao telefone. **telephone booth** ou **telephone box** cabine telefônica. **telephone call** chamada telefônica. **telephone directory** lista telefônica. **telephone operator** telefonista. **telephone tapping** escuta telefônica (grampo). **tell something over the telephone** dizer algo pelo telefone. ➔ Professions

teleprocessing /telɪpr'ɑsesɪŋ/ *s.* teleprocessamento.

teleprompter /t'eliprɑmptər/ *s.* dispositivo eletrônico para leitura de texto pelo apresentador (televisão): The TV showman complained that the *teleprompter* was running too fast.

telescope /t'elɪskoʊp/ *s.* telescópio.

televise /t'elɪvaɪz/ *v.* televisionar.

television /t'elɪvɪʒən / *s.* televisão (ver ***TV***).

tell /tel/ *v.* (*pret.* e *p.p.* ***told***) dizer, contar, narrar, informar; falar, mencionar; comunicar; saber, distinguir, reconhecer; declarar; mandar, ordenar. ♦ **Don't tell me!** Não diga! **tell a joke** contar uma piada. **tell a lie** contar uma mentira. **tell a secret** contar um segredo. **tell a story** contar uma história. **tell someone's fortune** prever a sorte de alguém. **tell one from the other** distinguir um do outro. **tell the right time** dizer a hora certa. **tell the truth** contar a verdade. **This tells against you.** Isto depõe contra você. **You can never tell!** Nunca se sabe! **I told you so.** Eu bem que avisei. ➔ Irregular Verbs

telly /t'eli/ *s.* (*Brit. inf.*) televisão.

temp /temp/ (*abrev.* de *temporary*) temporário (funcionário ou empregado). ➔ Abbreviations

temper /t'empər/ *s.* humor, temperamento; gênio forte, fúria. • *v.* moderar; ajustar. ▪ *sin.* disposition, humor. ♦ **bad temper** mau humor. **good temper** bom humor. **I lost my temper.** Eu perdi o controle. **Keep your temper!** Controle-se!

temperament /temprəm'ent/ *s.* temperamento.

temperamental /temprəm'entəl/ *adj.* temperamental.

temperance /t'empərəns/ *s.* moderação, sobriedade. ▪ *sin.* moderation.

temperate /t'empərət/ *adj.* brando, temperado.

temperature /t'emprətʃər, t'emprətʃʊr/ *s.* temperatura; febre.

tempest /t'empɪst/ *s.* tempestade.

template /t'empleɪt/ *s.* molde, modelo.

temple /t'empəl/ *s.* templo; têmpora. ▪ *sin.* church. → Human Body

tempo /t'empoʊ/ *s.* tempo (musical).

temporarily /tempər'erəli/ *adv.* temporariamente: The store is *temporarily* closed.

temporary /t'empəreri/ *adj.* temporário, provisório. ▪ *sin.* transitory, fleeting.

tempt /tempt/ *v.* tentar, atrair, seduzir. ▪ *sin.* allure.

temptation /tempt'eɪʃən/ *s.* tentação.

tempting /t'emptɪŋ/ *adj.* tentador, atraente, convidativo, sedutor.

ten /ten/ *s.* ou *num.* dez. → Numbers

tenacious /tən'eɪʃəs/ *adj.* tenaz; persistente. ▪ *sin.* pertinacious.

tenant /t'enənt/ *s.* locatário, inquilino. • *v.* habitar, ocupar. → Deceptive Cognates

tend /tend/ *v.* tender a; cuidar de.

tendency /t'endənsi/ *s.* tendência, inclinação. ▪ *sin.* trend.

tender /t'endər/ *s.* proposta, oferta. • *v.* oferecer, ofertar. • *adj.* tenro; delicado; carinhoso, afável; meigo; sensível. ▪ *sin.* offer.

tenderness /t'endərnəs/ *s.* ternura.

tendon /t'endən/ *s.* tendão. → Human Body

tenement /t'enəmənt/ *s.* habitação; conjunto habitacional.

tenner /t'enər/ *s.* (*Brit. inf.*) nota de 10 libras.

tennis /t'enɪs/ *s.* tênis (esporte). → Sports

tenor /t'enər/ *s.* tenor.

tense /tens/ *s.* tempo de verbo. • *v.* esticar, tensionar. • *adj.* esticado, tenso.

tension /t'enʃən/ *s.* tensão.

tent /tent/ *s.* barraca, tenda.

tentacle /t'entəkəl/ *s.* tentáculo.

tentative /t'entətɪv/ *adj.* experimental. → Deceptive Cognates

tenth /tenθ/ *s.* ou *num.* décimo; a décima parte. → Numbers

tenuous /t'enjuəs/ *adj.* tênue.

tenure /t'enjər/ *s.* direito (de posse); mandato.

tepid /t'epɪd/ *adj.* tépido; morno.

term /tɜːrm/ *s.* termo, prazo, duração, limite; período do ano escolar. *pl.* ***terms*** condições; termo. • *v.* chamar, designar. ♦ **come to terms** chegar a um acordo; adaptar-se a. **in terms of** em termos de, sob o ponto de vista de.

terminal /t'ɜːrmɪnəl/ *s.* e *adj.* terminal.

terminate /t'ɜːrmɪneɪt/ *v.* (*form.*) terminar; acabar, findar. ▪ *sin.* finish, end. ▪ *ant.* begin, start.

terminology /tɜːrmən'ɑlədʒi/ *s.* terminologia.

terminus /t'ɜːrmɪnəs/ (*s. pl.* ***terminuses*** ou ***termini***) *s.* ponto final (ônibus); terminal (trem), última estação.

termite /t'ɜːrmaɪt/ *s.* cupim. → Animal Kingdom

terrace /t'erəs/ *s.* varanda, sacada. ▪ *sin.* porch.

terrain /tər'eɪn/ *s.* terreno.

terrapin /t'erəpɪn/ *s.* cágado. → Animal Kingdom

terrible /t'erəbəl/ *adj.* terrível, horrível. ▪ *sin.* awful, fearful.

terribly /t'erəbli/ *adv.* terrivelmente, extremamente: I feel *terribly* scared.

terrific /tər'ɪfɪk/ *adj.* esplêndido, magnífico, sensacional.

terrify /t'erɪfaɪ/ *v.* aterrorizar, apavorar.

territorial /terət'ɔːriəl/ *adj.* territorial.

territory /t'erət'ɔːri/ *s.* região, área, território.

terror /t'erər/ *s.* terror, pavor, horror.

terrorism /t'erərɪzəm/ *s.* terrorismo.

terrorist /t'erərɪst/ *s.* terrorista.

terrorize /t'erəraɪz/ (*Brit.* ***terrorise***) *v.* aterrorizar.

terse /tɜːrs/ *adj.* conciso, sucinto, resumido, breve.

test /test/ *s.* prova; critério, indício; análise, ensaio; processo, método; teste, exame (médico). • *v.* testar; examinar, analisar; provar; ensaiar. ♦ **test paper** folha de prova. **test pilot** piloto de provas. **test tube** tubo de ensaio. **test-tube baby** bebê de proveta.

testament /t'estəmənt/ *s.* testamento. ▪ *sin.* will.

testicle /t'estɪkəl/ *s.* testículo.
➔ Human Body

testify /t'estɪfaɪ/ *v.* afirmar, comprovar; testemunhar. ▪ *sin.* declare, swear.

testimony /t'estɪmoʊni/ *s.* testemunho, depoimento. ▪ *sin.* evidence.

testy /t'esti/ *adj.* irritável, impaciente, rabugento.

text /tekst/ *s.* texto, matéria escrita; tema.

textbook /t'eksbʊk/ *s.* livro escolar.
➔ Classroom

textile /t'ekstaɪl/ *s.* tecido. • *adj.* têxtil.

texture /t'ekstʃər/ *s.* textura.

Thai /taɪ/ *s.* ou *adj.* tailandês.
➔ Countries & Nationalities

Thailand /t'aɪlænd/ *s.* Tailândia.
➔ Countries & Nationalities

than /ðæn, ðən/ *conj.* que, do que.

thank /θæŋk/ *s.* agradecimento, gratidão. • *v.* agradecer. ♦ **She may thank herself for it.** Ela deve isso a si mesma. **Thank God.** Graças a Deus. **Thank you all the same.** Mesmo assim, obrigado. **Thank you very much.** ou **Thanks a lot.** Muito obrigado. **Thanks.** Obrigado. **thanks to** graças a. **Thanks to your kindness.** Graças à sua bondade. **thankful** grato. **thankfulness** gratidão. **Thanking you in antecipation.** Agradeço antecipadamente. **thankless** ingrato. **thanklessness** ingratidão. **Thanksgiving Day** Dia de Ação de Graças.

that /ðæt/ *det.* ou *pron.* esse, essa; isso; aquele, aquela, aquilo; que, o que. • /ðət, ðæt/ *conj.* que. • *adv.* assim, de tal maneira.

thatch /θætʃ/ *s.* palha, sapê.

thaw /θɔː/ *s.* degelo. • *v.* descongelar, degelar.

the /ðə/ *art. def.* o, a, os, as.

theater /θ'iːətər/ (*Brit.* **theatre**) *s.* teatro. ♦ **movie theater** cinema.

theatrical /θi'ætrɪkəl/ *adj.* teatral; artificial.

theft /θeft/ *s.* roubo, furto.

their /ðer/ *adj. poss.* seu, sua, seus, suas; deles, delas.

theirs /ðerz/ *pron. poss.* o seu, a sua, os seus, as suas, deles, delas.

them /ðem, ðəm/ *pron. pess.* os, as, lhes, a eles, a elas.

theme /θiːm/ *s.* tema. ▪ *sin.* topic.

themselves /ðəms'elvz/ *pron.* se: The children enjoyed *themselves* at the park.; si mesmos, si mesmas: They are proud of *themselves*.

then /ðen/ *adv.* então, naquele tempo; depois, em seguida; em outra ocasião. • *conj.* por conseguinte, então, portanto, nesse caso, por isso, pois.

theological /θiːəl'ɑdʒɪkəl/ *adj.* teológico.

theology /θi'ɑlədʒi/ *s.* teologia.

theory /θ'ɪri, θ'iːəri/ *s.* teoria. ▪ *sin.* speculation.

therapeutic /θerəpj'uːtɪk/ *adj.* terapêutico.

therapist /θ'erəpɪst/ *s.* terapeuta.
➔ Professions

therapy /θ'erəpi/ *s.* terapia.

there /ðer/ *adv.* aí, ali, lá; para lá; nesse lugar, nesse ponto.

thereabout /ðerəb'aʊts/ (*tb.* ***thereabouts***) *adv.* por aí, mais ou menos assim, mais ou menos tanto; nos arredores.

thereafter /ðer'æftər/ *adv.* depois disso, depois, mais tarde; consequentemente.

thereby /ðerb'aɪ/ *adv.* (*form.*) assim, desse modo; com isso; nas adjacências, nas imediações.

therefore /ð'erfɔːr/ *adv.* consequentemente. • *conj.* portanto, logo, por conseguinte; por isso; pois, então. ▪ *sin.* so, thus, consequently.

therein /ðer'ɪn/ *adv.* (*form.*) nisto, naquilo, naquele lugar; neste sentido, desta maneira; neste ponto.

thereon /ðer'ɑːn, ðer'ɔːn/ *adv.* (*form.*) nisso; após isso; sobre isso.

thermal /θ'ɜːrməl/ *adj.* térmico.

thermometer /θərm'ɑmɪtər/ *s.* termômetro.

thermos /θ'ɜːrməs/ *s.* garrafa térmica. ▪ *sin.* vacuum bottle, vacuum flask.

thermostat /θ'ɜːrməstæt/ *s.* termostato.

these /ðiːz/ *det.* ou *pron.* estes, estas.

thesis /θ'iːsɪs/ (*s. pl.* **theses**) *s.* tese.

they /ðeɪ/ *pron. pess.* eles, elas.

they'd /ðeɪd/ (forma contraída de *they would* ou *they had*) eles iriam ou eles tinham.

they'll /ðeɪl/(forma contraída de *they will*) eles irão.

they're /ðer/ (forma contraída de *they are*) eles são; eles estão.

they've /ðeɪv/ forma contraída de *they have.*

thick /θɪk/ *adj.* espesso, grosso; compacto; numeroso. ▪ *sin.* dense.

thicken /θ'ɪkən/ *v.* engrossar.

thicket /θ'ɪkɪt/ *s.* mata.

thickly /θ'ɪkli/ *adv.* espessamente: The slices of the cake were *thickly* cut.; densamente: China is *thickly* populated.

thickness /θ'ɪknəs/ *s.* espessura, grossura; densidade.

thief /θiːf/ (*s. pl.* **thieves**) *s.* ladrão. ♦ **Stop thief!** Pega ladrão!

thigh /θaɪ/ *s.* coxa. ♦ **thigh bone** fêmur. → Human Body

thimble /θ'ɪmbəl/ *s.* dedal.

thin /θɪn/ *adj.* fino, estreito, delgado; magro, esbelto. ▪ *sin.* slender, slim.

thing /θɪŋ/ *s.* coisa, objeto; negócio; assunto, acontecimento, fato, ideia; ser, criatura. ♦ **above all things** antes de mais nada. **other things being equal** em circunstâncias similares. **That is quite another thing.** Isto é outro assunto. **the latest thing** a última novidade. **The thing is...** A questão é... **Things as they are.** Como são as coisas.

think /θɪŋk/ *v.* (*pret.* e *p.p.* **thought**) pensar; imaginar; julgar; supor; refletir, considerar; especular, ponderar; achar. ♦ **Do you think so?** Você acha mesmo? **I can't think of her name.** Não me lembro do nome dela. **She thinks no harm.** Ela não pretende fazer mal. **Think it over!** Pense bem! **What do you think of it?** O que você acha disto? **thinkable** imaginável. **unthinkable** inimaginável. **thinker** pensador. **way of thinking** modo de pensar. **on second thoughts** pensando bem. **thought** pensamento. **thoughtful** pensativo; solícito. **thoughtfulness** consideração. → Irregular Verbs

thinking /θ'ɪŋkɪŋ/ *s.* pensamento, opinião: I do not agree with your *thinking.*

third /θɜːrd/ *s.*, *adj.* e *num.* terceiro; a terceira parte. ♦ **third party** terceiros. **Third World** Terceiro Mundo. **third generation (3G)** terceira geração. → Numbers

thirst /θɜːrst/ *s.* sede; desejo.

thirsty /θ'ɜːrsti/ *adj.* sedento; ansioso.

thirteen /θɜːrt'iːn/ *s.* ou *num.* treze. → Numbers

thirty /θ'ɜːrti/ *s.* ou *num.* trinta. ♦ **the thirties** a década de 1930; os anos 1930. → Numbers

this /ðɪs/ *det.* ou *pron.* este, esta, isto.

thorax /θ'ɔːræks/ *s.* tórax, peito. ▪ *sin.* chest. → Human Body

thorn /θɔːrn/ *s.* espinho.

thorny /θ'ɔːrni/ *adj.* espinhoso, cheio de espinhos; penoso.

thorough /θ'ɜːroʊ/ *adj.* completo, inteiro; perfeito.

thoroughbred /θ'ɜːroʊbred/ *adj.* puro-sangue (animal); perfeito; bem-educado.

thoroughly /θ'ɜːrəli/ *adv.* completamente, exaustivamente: We've searched the house *thoroughly*.

those /ðoʊz/ *det.* ou *pron.* esses, essas; aqueles, aquelas; os quais.

though /ðoʊ/ *conj.* ainda que, embora, não obstante, contudo. ♦ **as though** como se.

thought /θɔːt/ *s.* pensamento. • *v. pret.* e *p.p.* de **think**.

thousand /θ'aʊzənd/ *s.* ou *num.* mil. → Numbers

thrash /θræʃ/ *s.* espancamento, sova. • *v.* espancar, bater.

thread /θred/ *s.* linha, fio. • *v.* enfiar (fio na agulha).

threadbare /θr'edber/ *adj.* puído, gasto.

threat /θret/ *s.* ameaça. ▪ *sin.* menace.

threaten /θ'retən/ *v.* ameaçar. ♦ **threatening** ameaçador.

three /θriː/ *s.* ou *num.* três. → Numbers

threshold /θr'eʃhoʊld/ *s.* soleira; entrada; limiar.

threw /θruː/ *v. pret.* de **throw**.

thrift /θrɪft/ *s.* economia.

thrifty /θr'ɪfti/ *adj.* econômico. ▪ *sin.* economical.

thrill /θrɪl/ *s.* vibração; emoção. • *v.* emocionar, excitar; vibrar, tremer. ▪ *sin.* vibrate, stir.

thriller /θr'ɪlər/ *s.* livro, filme ou peça de suspense.

thrilling /θr'ɪlɪŋ/ *adj.* emocionante.

thrive /θraɪv/ *v.* (*pret.* **throve** ou **thrived**, *p.p.* **thriven** ou **thrived**) prosperar; florescer. ▪ *sin.* flourish. → Irregular Verbs

thriving /θr'aɪvɪŋ/ *adj.* próspero, bem-sucedido; florescente.

throat /θroʊt/ *s.* garganta; gargalo; passagem estreita, entrada. ♦ **sore throat** dor de garganta. → Human Body

throb /θrɑb/ *s.* batimento; pulsação. • *v.* pulsar, palpitar, bater; latejar; vibrar, tremer.

throne /θroʊn/ *s.* trono. ♦ **heir to the throne** herdeiro do trono.

throttle /θr'ɑtəl/ *s.* válvula, regulador de pressão; afogador. • *v.* sufocar, estrangular; suprimir; controlar; diminuir. ▪ *sin.* choke.

through /θruː/ *adj.* direto. • *adv.* através; de uma extremidade a outra, de lado a lado, até o fim, do princípio ao fim; completamente. • *prep.* dentro de, por intermédio de; por meio de, através de. ♦ **all through my life** por toda a minha vida. **carry through** levar a cabo. **Monday through Friday.** De segunda à sexta-feira. **Put me through to Mr. Jones.** Coloque o senhor Jones na linha. **She read the letter through.** Ela leu a carta toda. **soaked through** ou **wet through** encharcado. **through and through** totalmente; de ponta a ponta. **through train** trem expresso (direto). **through your help** por meio de sua ajuda.

throughout /θruː'aʊt/ *adv.* por tudo, em toda parte, do começo ao fim, completamente, inteiramente, por toda parte. • *prep.* através de.

throve /θroʊv/ *v. pret.* de **thrive**.

throw /θroʊ/ *s.* lance, arremesso. • *v.* (*pret.* **threw**, *p.p.* **thrown**) atirar, jogar; derrubar. ▪ *sin.* cast. ♦ **Drinks are thrown in.** As bebidas estão incluídas. **throw a party** dar uma festa. **throw away** jogar fora, desperdiçar. **throw kisses** mandar beijos. **throw out** rejeitar. **throw up (the game)** desistir (do jogo). **throw up** vomitar. → Irregular Verbs

thrust /θrʌst/ *s.* empurrão; facada. • *v.* (*pret.* e *p.p.* **thrust**) empurrar; esfaquear; furar. ▪ *sin.* push. → Irregular Verbs

thud /θʌd/ *s.* golpe, baque.

thug /θʌg/ *s.* matador, assassino.

thumb /θʌm/ *s.* polegar. • *v.* (*inf.*) pedir carona. ♦ **thumb through** folhear (revista, livro). → Human Body

thumbnail /θ'ʌmneɪl/ *s.* imagem reduzida.

thumbtack /θ'ʌmtæk/ *s.* percevejo, tacha.

thump /θʌmp/ *s.* baque, golpe, pancada; som surdo. • *v.* golpear, bater; espancar.

thunder /θ'ʌndər/ *s.* trovão. • *v.* trovejar. → Weather

thunderbolt /θ'ʌndərboʊlt/ *s.* raio. ▪ *sin.* lightning.

thunderous /θ'ʌndərəs/ *adj.* estrondoso; trovejante; violento.

thunderstorm /θ'ʌndərstɔːrm/ *s.* temporal.

thunderstruck /θ'ʌndərstrʌk/ *adj.* fulminado; atordoado, assombrado.

Thursday /θ'ɜːrzdeɪ, θ'ɜːrzdi/ *s.* quinta-feira.

thus /ðʌs/ *adv.* (*form.*) desse modo, dessa maneira, assim. • *conj.* portanto.

thwart /θwɔːrt/ *v.* impedir, frustrar (um plano).

thyroid /θ'aɪrɔɪd/ (*tb.* **thyroid gland**) *s.* tireoide. → Human Body

tiara /ti'ɑːrə/ *s.* tiara; grinalda.

tic-tac-toe /tɪk tæk t'oʊ/ *s.* jogo da velha.

tick /tɪk/ *s.* tique, sinal que se coloca em trabalho conferido; carrapato. • *v.* ticar, conferir, assinalar. → Animal Kingdom

ticket /t'ɪkɪt/ *s.* bilhete, ingresso, entrada; multa. • *v.* rotular, marcar; multar.

tickle /t'ɪkɪl/ *v.* fazer cócegas, coçar.

tide /taɪd/ *s.* maré. ▪ *sin.* stream. ♦ **tidal wave** maremoto, *tsunami*.

tidiness /t'aɪdinəs/ *s.* meticulosidade; cuidado, ordem; asseio, limpeza.

tidy /t'aɪdi/ *adj.* asseado, limpo, arrumado; meticuloso.

tie /taɪ/ *s.* laço; nó; gravata; ligação. • *v.* ligar, amarrar; fixar, juntar; dar nó, dar laço. ▪ *sin.* bind. → Clothing

tier /tɪr/ *s.* fileira; camada.

tiger /t'aɪgər/ *s.* tigre. *fem.* **tigress**. → Animal Kingdom

tight /taɪt/ *adj.* firme, compacto, comprimido; esticado; apertado; fechado.

tighten /t'aɪtən/ *v.* apertar(-se); esticar(-se); endurecer.

tightly /t'aɪtli/ *adv.* firmemente: Our expenses must be *tightly* controlled.

tightrope /t'aɪtroup/ *s.* corda bamba.

tights /taɪts/ *s. pl. collant*, meia--calça. → Clothing

tile /taɪl/ *s.* telha; azulejo; ladrilho. • *v.* colocar telhas; colocar azulejos; ladrilhar.

till /tɪl/ *s.* caixa registradora. • *v.* cultivar (terra). • *prep.* (*inf.*) até. ▪ *sin.* until.

tilt /tɪlt/ *s.* inclinação. • *v.* inclinar.

timber /t'ɪmbər/ *s.* madeira; tora, viga. ▪ *sin.* wood. ♦ **Timber!** Madeira!

time /taɪm/ *s.* tempo; época, período; hora, ocasião, momento; prazo. • *v.* medir, cronometrar. ♦ **a few times** algumas vezes. **a long time** um tempo longo. **a short time** um tempo curto. **all the time** o tempo todo. **at another time** numa outra hora. **at the same time** ao mesmo tempo. **at times** às vezes. **daylight saving time (DST)** horário de verão. **dinnertime** hora do jantar. **each time** cada vez. **every time** toda vez. **for the first time** pela primeira vez. **from time to time** de vez em quando, de tempos em tempos. **good/bad times** bons/maus tempos.

Have a good time! Divirta-se! **in its proper time** no seu devido tempo. **in the meantime** nesse ínterim. **in the old times** nos velhos tempos. **in time** a tempo de (antes da hora). **It's high time you learned English.** Está mais que na hora de você aprender inglês. **last time** última vez. **lunchtime** hora do almoço. **many times** muitas vezes. **ten times better** muito melhor. **next time** na próxima vez, da próxima vez. **No time for joking.** Não é hora de brincar. **on time** na hora certa, em tempo, a tempo. **prime time TV** horário nobre na TV. **Save your time!** Poupe seu tempo! **several times** diversas vezes. **standard time** hora local. **Take your time!** Calma! (Não se apresse!) **There's a time for everything.** Há tempo para tudo. **this time** desta vez. **this time next week** daqui a exatamente uma semana. **time after time** frequentemente. **time clock** relógio de ponto. **time enough** tempo suficiente. **time fuse** fuso horário. **Time has come.** Chegou a hora. **time loan** empréstimo a prazo fixo. **time of delivery** prazo de entrega. **time off** tempo livre. **time sharing** compartilhamento de tempo. **Time will show.** O tempo vai mostrar. **kill time** matar o tempo. **tell the right time** dizer a hora certa. **too much time** tempo demais. **two times three is six** 2 x 3 = 6. **waste time** perder tempo. **What time is it?** Que horas são? **sometimes** às vezes. **timecard** cartão de ponto. **timekeeper** cronometrista. **timeless** eterno. **timetable** horário. **timing** cronometragem. → Numbers

timid /t'ɪmɪd/ *adj.* tímido. ▪ *sin.* shy.

tin /tɪn/ *s.* estanho; lata. • *v.* enlatar.

tinge /tɪndʒ/ *s.* cor, tom; toque, traço. • *v.* tingir. ▪ *sin.* color.

tingle /t'ɪŋgəl/ *s.* comichão; formigamento; picada. • *v.* latejar; formigar; excitar.

tinker /t'ɪŋkər/ *s.* funileiro. → Professions

tinkle /t'ɪŋkəl/ *s.* tinido. • *v.* tinir, tilintar; (*inf.*) fazer xixi.

tinsel /t'ɪnsəl/ *s.* lantejoula, bugiganga. • *v.* enfeitar.

tint /tɪnt/ *s.* matiz, tonalidade; tintura (cabelo). • *v.* tingir.

tiny /t'aɪni/ *adj.* minúsculo.

tip /tɪp/ *s.* ponta (dos dedos), extremidade; pico; gorjeta, gratificação; palpite, sugestão, dica, aviso. • *v.* colocar ponta em; dar gorjeta; informar; aconselhar. ▪ *sin.* gratuity.

tiptoe /t'ɪptoʊ/ *s., adj.* ou *adv.* ponta do pé. • *v.* andar nas pontas dos pés.

tire /t'aɪər/ *s.* pneu; aro, arco (*Brit.* ***tyre***). • *v.* cansar(-se), fatigar(-se); aborrecer(-se). ▪ *sin.* irk.

tired /t'aɪərd/ *adj.* cansado, exausto, fatigado; farto de; gasto. ▪ *sin.* weary.

tireless /t'aɪərləs/ *adj.* incansável.

tiresome /t'aɪərsəm/ *adj.* cansativo, fatigante, irritante, chato.

tiring /t'aɪərɪŋ/ *adj.* cansativo, exaustivo: Last week was full and *tiring*.

tissue /t'ɪʃuː/ *s.* tecido; toalha de papel, lenço de papel. → Human Body

tit /tɪt/ *s.* (*inf.*) teta, peito (de mulher).

titbit /t'ɪtbɪt/ (*tb.* ***tidbit***) *s.* petisco, guloseima.

title /t'aɪtəl/ *s.* título; documento; epíteto, cognome.

titled /t'aɪtəld/ *adj.* nobre; intitulado.

titter /t'ɪtər/ *s.* risadinha nervosa.

to /tə, tu/ *prep.* para (direção): I am going *to* bed right now.; até: He can count *to* ten.; a (comparativo): I prefer summer *to* winter.; para (hora): It is ten *to* eight.; com: Be nice *to* me.

toad /toʊd/ *s.* sapo. → Animal Kingdom

toast /toʊst/ *s.* torrada; brinde. • *v.* torrar, tostar; brindar.

toaster /t'oʊstər/ *s.* torradeira; grelha.

tobacco /təb'ækoʊ/ *s.* fumo, tabaco.

today /təd'eɪ/ *adv.* hoje.

toddle /t'ɑdəl/ *v.* andar como criança; cambalear, vacilar.

toddler /t'ɑdlər/ *s.* criança que começou a andar.

toe /toʊ/ *s.* dedo do pé. → Human Body

toenail /t'oʊneɪl/ *s.* unha do pé. → Human Body

together /təg'eðər/ *adv.* junto, em companhia de; em conjunto, ao mesmo tempo.

toil /tɔɪl/ *s.* trabalho pesado, labuta. • *v.* labutar. ▪ *sin.* work.

toilet /t'ɔɪlət/ *s.* banheiro; vaso sanitário; toucador; vestuário, roupa. ♦ **toilet paper** papel higiênico.

token /t'oʊkən/ *s.* símbolo, sinal; recordação, lembrança; prova; vale. ▪ *sin.* mark, symbol.

told /toʊld/ *v. pret.* e *p.p.* de ***tell***.

tolerable /t'ɑlərəbəl/ *adj.* tolerável.

tolerance /t'ɑlərəns/ *s.* tolerância.

tolerant /t'ɑlərənt/ *adj.* tolerante.

tolerate /t'ɑləreɪt/ *v.* tolerar; permitir. ▪ *sin.* stand, bear, endure.

toll /toʊl/ *s.* badalada de sino; tarifa, taxa; pedágio; tributo. • *v.* soar, dobrar sinos. ▪ *sin.* tax. ♦ **toll-free** livre de taxa, grátis.

tollbooth /t'oʊlbu:θ/ *s.* cabine de pedágio.

tomato /təm'eɪtoʊ/ *s.* tomate. → Fruit

tomb /tu:m/ *s.* túmulo. ▪ *sin.* grave.

tombstone /t'u:mstoʊn/ *s.* lápide.

tomcat /t'ɑmkæt/ *s.* gato macho. → Animal Kingdom

tomorrow /təm'ɑroʊ/ *adv.* amanhã.

ton /tʌn/ (*Brit.* ***tonne***) *s.* tonelada: How many *tons* of wheat will they import? → Numbers

tone /toʊn/ *s.* tom, som; tonalidade. • *v.* harmonizar, combinar. ▪ *sin.* sound.

tongs /tɑ:ŋz/ *s. pl.* pinça.

tongue /tʌŋ/ *s.* língua; idioma. ▪ *sin.* language. → Human Body

tonic /t'ɑnɪk/ *s.* tônico.

tonight /tən'aɪt/ *s.* ou *adv.* hoje à noite.

tonsil /t'ɑnsəl/ *s.* amígdala. ♦ **tonsillitis** amigdalite. → Human Body

too /tu:/ *adv.* também; muito, demais; excessivamente. ▪ *sin.* also.

took /tʊk/ *v. pret.* de ***take***.

tool /tu:l/ *s.* ferramenta. ▪ *sin.* instrument. ♦ **toolbox** caixa de ferramentas. **tool kit** jogo de ferramentas.

toolbar /t'u:lbɑr/ *s.* barra de ferramentas.

tooth /tu:θ/ (*s. pl.* ***teeth***) *s.* dente. ♦ **baby tooth** ou **milk tooth** dente de leite. **have a sweet tooth** ter um fraco por doces. **having a tooth pulled** ter um dente arrancado. **wisdom tooth** dente do siso. **toothache** dor de dente. **toothbrush** escova de dente. **toothing** dentição. **toothless** banguela, desdentado. **toothpaste** pasta de dente. **toothpick** palito de dentes. **armed to the teeth** armado até os dentes. **She clenched her teeth.** Ela cerrou os dentes. → Human Body

top /tɑp/ *s.* cume, topo; superfície; cargo mais alto; pessoa mais importante, cabeça; máximo, ápice; tampa; pião. • *v.* cobrir, tampar; alcançar, subir ao topo; elevar-se; superar; exceder. • *adj.* superior, primeiro; maior; principal. ♦ **top floor** último andar. **top secret** altamente sigiloso, secreto. **tops** no máximo.

top-down /tɑpd'aʊn/ *adj.* do geral para o específico, do geral ao detalhe.

top hat /t'ɑp hæt/ *s.* cartola.

topic /t'ɑpɪk/ *s.* assunto, tema; objeto; tópico.

topless /t'ɑpləs/ *adj.* sem a parte de cima (do biquíni).

topmost /t'ɑpmoʊst/ *adj.* o mais alto.

topple /t'ɑpel/ *v.* cair para a frente, tombar; derrubar, perder o equilíbrio.

topsy-turvy /tɑpsi t'ɜːrvi/ *adj.* confuso, em desordem. • *adv.* às avessas, em confusão, de ponta--cabeça. ▪ *sin.* upside down.

torch /tɔːrtʃ/ *s.* tocha; lanterna. ▪ *sin.* flashlight.

tore /tɔːr/ *v. pret.* de **tear**.

torn /tɔːrn/ *v. p.p.* de **tear**.

tornado /tɔːrn'eɪdoʊ/ *s.* tornado; tufão. → Weather

torpedo /tɔːrp'iːdoʊ/ *s.* torpedo. • *v.* torpedear; destruir.

torrent /t'ɔːrənt, t'ɑrənt/ *s.* torrente, corrente; temporal, pé-d'água.

tortoise /t'ɔːrtəs/ *s.* tartaruga terrestre; cágado. ▪ *sin.* turtle. → Animal Kingdom

tortuous /t'ɔːrtʃuəs/ *adj.* tortuoso.

torture /t'ɔːrtʃər/ *s.* tortura; tormento. • *v.* torturar; atormentar. ▪ *sin.* torment.

toss /tɔːs/ *s.* lance, arremesso; sacudida, agitação. • *v.* jogar para cima, lançar; chacoalhar, sacudir, agitar. ▪ *sin.* shake. ♦ **toss a coin** jogar cara ou coroa.

total /t'oʊtəl/ *s.* total, soma. • *v.* somar, totalizar. • *adj.* total, inteiro, global, completo. ▪ *sin.* whole.

totalitarian /toʊtælət'eriən/ *adj.* totalitário.

totally /t'oʊtəli/ *adv.* totalmente: The fog made drivers *totally* blind on the highway.

touch /tʌtʃ/ *s.* tato; jeito; vestígio; retoque, toque; pequena quantidade; pitada. • *v.* tocar, apalpar; alcançar; esbarrar, estar em contato; bater levemente; comover. ♦ **a touch of red** um toque avermelhado. **finishing touch** toque final. **get in touch with** entrar em contato com. **keep in touch** manter contato. **lose touch** perder contato. **out of touch** fora de contato. **The car touches the pocket.** O carro é muito caro. **Touch wood!** (*Brit.*) ou **Knock (on) wood!** (*Am.*) Isola! **touchable** palpável. **touched** emocionado, comovido. **touching** ou **moving** emocionante, comovente. **touchy** ou **touchy-feely** vulnerável, delicado. **touch screen** tela tátil, tela sensível a toque.

tough /tʌf/ *adj.* robusto, forte; duro, resistente; difícil, árduo; desagradável; rude.

toughen /t'ʌfən/ *v.* endurecer.

toughness /t'ʌfnəs/ *s.* dureza, resistência; agressividade, violência; obstinação, firmeza, tenacidade.

tour /tʊr/ *s.* viagem; roteiro; excursão, passeio; turnê. • *v.* viajar; excursionar; sair em turnê. ▪ *sin.* excursion.

tourism /t'ʊrɪzəm/ *s.* turismo.

tourist /t'ʊrɪst/ *s.* turista.

tournament /t'ʊərnəmənt/ *s.* torneio.

tow /toʊ/ *s.* reboque. • *v.* rebocar.

toward /tɔːrd/ (*tb.* ***towards***) *prep.* para, em direção a, rumo a; com respeito a, sobre; a fim de: He walked *toward* the police car.

towel /t'aʊəl/ *s.* toalha.

tower /t'aʊər/ *s.* torre; fortaleza. • *v.* elevar(-se), subir, ascender.

towering /t'aʊərɪŋ/ *adj.* muito alto, grande; importante.

town /taʊn/ *s.* cidade. ♦ **town council** câmara municipal. **town hall** prefeitura. **townsfolks** ou **townspeople** cidadãos. **downtown** centro da cidade.

toxic /t'ɑksɪk/ *adj.* tóxico, venenoso.

toy /tɔɪ/ *s.* brinquedo.

trace /treɪs/ *s.* rastro, vestígio; traço; desenho. • *v.* rastrear, investigar; observar; reconhecer; determinar; traçar, desenhar.

track /træk/ *s.* pegada, trilha, pista; caminho; linha férrea. • *v.* deixar impressões, deixar rastro; localizar. ♦ **track and field** atletismo. → Sports

tracksuit /tr'æksuːt/ *s.* agasalho, conjunto de moletom. → Clothing

tractor /tr'æktər/ *s.* trator.

trade /treɪd/ *s.* comércio, negócio; ofício, profissão, ocupação; ramo (de negócio); tráfico; troca, permuta. • *v.* comercializar, negociar; trocar, permutar; pechinchar. ♦ **Board of Trade** (*Brit.*) Ministério do Comércio. **do a good trade** fazer um bom negócio. **domestic trade** comércio interno. **foreign trade** comércio exterior. **jack of all trades** pau para toda obra (*inf.*); polivalente. **Trade and Industry** Comércio e Indústria. **trade fair** feira comercial. **barter trade** comércio à base de troca. **trade secret** segredo profissional. **trade union** sindicato dos comerciantes. **trademark** ou **trade name** marca registrada. **trader** ou **tradesman** comerciante.

trading /tr'eɪdɪŋ/ *s.* comércio: *Trading* is blocked in Cuba. • *adj.* comercial: India has become a *trading* partner.

tradition /trəd'ɪʃən/ *s.* tradição.

traditional /trəd'ɪʃənəl/ *adj.* tradicional. ▪ *sin.* conventional.

traffic /tr'æfɪk/ *s.* tráfico; tráfego, trânsito. • *v.* traficar. ♦ **traffic jam** congestionamento. **traffic light** semáforo. **traffic warden** (*Brit.*) guarda de trânsito.

tragedy /tr'ædʒədi/ *s.* tragédia.

tragic /tr'ædʒɪk/ *adj.* trágico.

trail /treɪl/ *s.* rastro, traço, vestígio; trilho, trilha, picada. • *v.* puxar, arrastar(-se); seguir; rastejar.

trailer /tr'eɪlər/ *s.* *trailer*. ➔ Means of Transportation

train /treɪn/ *s.* trem; comboio; série, sucessão, continuação. • *v.* educar, ensinar, adestrar, treinar. ▪ *sin.* procession. ➔ Means of Transportation

trainee /treɪn'iː/ *s.* estagiário.

trainer /tr'eɪnər/ *s.* treinador, instrutor; adestrador.

training /tr'eɪnɪŋ/ *s.* treino; instrução; estágio.

trait /treɪt/ *s.* característica, feição, traço.

traitor /tr'eɪtər/ *s.* traidor.

tram /træm/ *s.* bonde.

tramp /træmp/ *s.* vagabundo. • *v.* andar a esmo.

trample /tr'æmpəl/ *v.* pisotear, esmagar.

trance /træns/ *s.* transe.

tranquil /tr'æŋkwɪl/ *adj.* (*form.*) tranquilo.

tranquility /træŋkw'ɪləti/ *s.* tranquilidade, calma, placidez. ▪ *sin.* peace.

tranquilize /tr'æŋkwəlaɪz/ (*Brit.* ***tranquilise***) *v.* acalmar.

tranquilizer /tr'æŋkwəlaɪzər/ (*Brit.* ***tranquiliser***) *s.* tranquilizante.

transaction /trænz'ækʃən/ *s.* transação; negociação.

transatlantic /trænzətl'æntɪk/ *adj.* transatlântico.

transcend /træns'end/ *v.* transcender, exceder. ▪ *sin.* exceed.

transcribe /trænskr'aɪb/ *v.* transcrever.

transcription /trænskr'ɪpʃən/ *s.* transcrição, cópia.

transfer /tr'ænsfɜːr/ *s.* transferência; remoção; baldeação. • /trænsf'ɜːr/ *v.* transferir; transmitir; baldear.

transference /trænsf'ɜːrəns/ *s.* transferência.

transform /trænsf'ɔːrm/ *v.* transformar.

transfusion /trænsfj'uːʒən/ *s.* transfusão.

transgress /trænzgr'es/ *v.* transgredir, violar, infringir. ▪ *sin.* violate.

transgression /trænzgr'eʃən/ *s.* transgressão. ▪ *sin.* offense.

transient /tr'ænʃənt/ *adj.* passageiro, transitório, breve. ▪ *sin.* temporary.

transit /tr'ænsɪt/ *s.* trânsito. • *v.* transitar.

transition /træns'ɪʃən/ *s.* transição.

transitive /tr'ænsətɪv/ *adj.* transitivo (verbo).

transitory /tr'ænsətɔːri/ *adj.* transitório. ▪ *sin.* temporary.
translate /trænsl'eɪt/ *v.* traduzir.
translation /trænsl'eɪʃən/ *s.* tradução.
translator /trænsl'eɪtər/ *s.* tradutor. ➔ Professions
transmission /trænzm'ɪʃən/ *s.* transmissão.
transmit /trænzm'ɪt/ *v.* transmitir.
transmitter /trænzm'ɪtər/ *s.* transmissor, emissor.
transparent /trænsp'ærənt/ *adj.* transparente.
transplant /trænspl'ænt/ *s.* transplante. • *v.* transplantar.
transport /tr'ænspɔːrt/ *s.* transporte. • /trænsp'ɔːrt/ *v.* transportar, conduzir, levar.
transportation /trænspɔːrt'eɪʃən/ *s.* transporte.
transverse /tr'ænzvɜːrs/ *adj.* transversal.
transvestite /trænzv'estaɪt/ *s.* travesti.
trap /træp/ *s.* armadilha; cilada; alçapão; charrete.
trapdoor /tr'æpdɔːr/ *s.* alçapão.
trapeze /træp'iːz/ *s.* trapézio.
trash /træʃ/ *s.* refugo, lixo; bobagem, conversa tola. ♦ **trash can** cesto de lixo. ➔ Classroom
travel /tr'ævəl/ *s.* viagem. • *v.* viajar. ▪ *sin.* journey, trip. ♦ **travel agency** ou **travel bureau** agência de viagem. **travel agent** agente de viagem. **travel brochure** prospecto de agência de viagem. **traveler's check** cheque de viagem.
traveler /tr'ævələr/ (*Brit.* **traveller**) *s.* viajante.
traverse /tr'ævɜːrs/ *s.* travessia. • /trəv'ɜːrs/ *v.* atravessar.
travesty /tr'ævəsti/ *s.* caricatura. • *v.* parodiar, ridicularizar. ▪ *sin.* caricature, parody.
tray /treɪ/ *s.* bandeja.
treacherous /tr'etʃərəs/ *adj.* traiçoeiro.
treachery /tr'etʃəri/ *s.* traição. ▪ *sin.* betrayal.
tread /tred/ *s.* passo. • *v.* (*pret.* **trod**, *p.p.* **trodden** ou **trod**) andar; pisar; pisotear. ➔ Irregular Verbs
treadle /tr'edəl/ *s.* pedal.
treason /tr'iːzən/ *s.* traição.
treasure /tr'eʒər/ *s.* tesouro. • *v.* valorizar.
treasurer /tr'eʒərər/ *s.* tesoureiro.
treat /triːt/ *s.* agrado, mimo, presente. • *v.* tratar.
treatise /tr'iːtɪs, tr'iːtɪz/ *s.* (*form.*) dissertação; obra.
treatment /tr'iːtmənt/ *s.* tratamento.
treaty /tr'iːti/ *s.* tratado, acordo.
treble /tr'ebəl/ *s.* soprano; som ou tom alto, agudo. • *v.* triplicar. • *adj.* triplo, tríplice. ♦ **treble clef** clave de sol (música).
tree /triː/ *s.* árvore.
trek /trek/ *s.* viagem longa e difícil. • *v.* viajar em circunstâncias difíceis.
tremble /tr'embəl/ *s.* tremor. • *v.* tremer. ▪ *sin.* shake.
trembling /tr'emblɪŋ/ *adj.* trêmulo.
tremendous /trəm'endəs/ *adj.* tremendo, enorme; fantástico.
trench /trentʃ/ *s.* trincheira; valeta. • *v.* entrincheirar.
trend /trend/ *s.* direção, tendência. • *v.* tender, inclinar-se. ▪ *sin.* tendency. ♦ **trend-setting** lançar uma moda, dar o tom.
trendy /tr'endi/ *adj.* estiloso, na moda.
trespass /tr'espəs/ *v.* invadir (propriedade).
trespasser /tr'espəsər/ *s.* transgressor, invasor, intruso.
tress /tres/ *s.* trança; cacho.
trial /tr'aɪəl/ *s.* julgamento, acusação; prova, tentativa, ensaio, teste; sofrimento, aflição. *pl.* **trials** eliminatórias. ▪ *sin.* attempt,

experience. ♦ **trial and error** tentativa e erro.

triangle /tr'aɪæŋgəl/ *s.* triângulo.
→ Musical Instruments

triangular /traɪ'æŋgjələr/ *adj.* triangular.

triathlon /trɑɪ'æθlɑn/ *s.* triátlon.
→ Sports

tribe /traɪb/ *s.* tribo.

tribulation /trɪbjul'eɪʃən/ *s.* atribulação.

tribunal /traɪbj'uːnəl/ *s.* tribunal. ▪ *sin.* bar, law court, bench.

tributary /tr'ɪbjəteri/ *s.* ou *adj.* tributário; afluente (rio).

tribute /tr'ɪbjuːt/ *s.* tributo; imposto; homenagem.

trick /trɪk/ *s.* engano, trapaça; mágica; travessura; subterfúgio, artimanha. • *v.* enganar, trapacear. ▪ *sin.* cheat. ♦ **a trick of the light** uma ilusão de óptica. **a tricky question** uma pergunta capciosa. **play a trick on** pregar uma peça em.

trickery /tr'ɪkəri/ *s.* artifício, malandragem, trapaça, ardil, astúcia.

trickle /tr'ɪkəl/ *s.* gota, pingo. • *v.* gotejar.

tricky /tr'ɪki/ *adj.* complicado, difícil.

tricycle /tr'ɑɪsɪkəl/ *s.* triciclo.
→ Means of Transportation

trifle /tr'aɪfəl/ *s.* ninharia, bagatela; pavê. • *v.* brincar, gracejar; esbanjar.

trifling /tr'aɪflɪŋ/ *adj.* insignificante. ▪ *sin.* trivial, futile.

trigger /tr'ɪgər/ *s.* gatilho. • *v.* engatilhar, provocar. ♦ **quick on the trigger** rápido no gatilho.

trigonometry /trɪgən'ɑmətri/ *s.* trigonometria.

trill /trɪl/ *s.* gorjeio, trinado.

trim /trɪm/ *s.* decoração, ornamento. • *v.* pôr em ordem, arranjar, preparar; podar (plantas), cortar ou aparar (cabelo, unhas); enfeitar; equipar, guarnecer. • *adj.* elegante; bem tratado, em ordem. ▪ *sin.* adorn, decorate, garnish.

trinity /tr'ɪnəti/ *s.* trindade.

trip /trɪp/ *s.* viagem, excursão; tropeço. • *v.* tropeçar, cambalear.

tripe /traɪp/ *s.* tripa; bucho (dobradinha); (*inf.*) bobagem.

triple /tr'ɪpəl/ *adj.* triplo.

triplets /tr'ɪpləts/ *s.* trigêmeos.

triplicate /tr'ɪplɪkət/ *v.* triplicar.

tripod /tr'aɪpɑd/ *s.* tripé.

tripper /tr'ɪpər/ *s.* turista, excursionista.

triumph /tr'aɪʌmf/ *s.* triunfo. • *v.* triunfar; vencer. ▪ *sin.* conquest, success, victory.

triumphant /traɪ'ʌmfənt/ *adj.* triunfante, vitorioso.

trivial /tr'ɪviəl/ *adj.* frívolo; trivial, insignificante, sem importância. ▪ *sin.* trifling.

trod /trɑd/ *v. pret.* de **tread**.

trodden /tr'ɑdən/ *v. p.p.* de **tread**.

trolley /tr'ɑli/ *s.* carrinho (*Brit.*); bonde; trólebus.

trombone /trɑmb'oʊn/ *s.* trombone.
→ Musical Instruments

troop /truːp/ *s.* grupo, bando; tropa. • *v.* agrupar. ▪ *sin.* group, company.

trophy /tr'oʊfi/ *s.* troféu.

tropic /tr'ɑpɪk/ *s.* ou *adj.* trópico.

tropical /tr'ɑpɪkəl/ *adj.* tropical.

trot /trɑt/ *s.* trote. • *v.* trotar; correr.

trouble /tr'ʌbəl/ *s.* problema; aborrecimento, preocupação, dificuldade; encrenca; desgraça; distúrbio. • *v.* aborrecer; atormentar; incomodar. ♦ **I am sorry to give you so much trouble.** Sinto causar-lhe tantos problemas. **I took the trouble of doing the work.** Eu me esforcei para fazer o trabalho. **I won't get into trouble.** Eu não vou me meter em problemas. **Save yourself the trouble!** Não se dê o trabalho! **She is in trouble.** Ela está em dificuldades. **trouble-free** sem problemas. **troubled** agitado, perturbado; problemático. **a troubled look** um olhar preocupado. **troublemaker**

encrenqueiro. **troublesome** problemático.

troubleshooting /tr'ʌbəlʃu:tɪŋ/ *s.* diagnóstico de erro ou problema, erro ao iniciar.

trough /trɔ:f/ *s.* cocho; vala; depressão.

trousers /tr'aʊzərz/ (*Brit.*) *s. pl.* calças.

trousseau /tr'u:soʊ/ (*s. pl.* ***trousseaus*** ou ***trousseaux***) *s.* enxoval.

trout /traʊt/ *s.* truta. → Animal Kingdom

trowel /tr'aʊəl/ *s.* espátula, pá de jardinagem.

truant /tr'u:ənt/ *s.* ocioso; vadio. • *v.* vadiar; faltar às aulas, cabular. • *adj.* cabulador. ▪ *sin.* idle.

truce /tru:s/ *s.* trégua. ▪ *sin.* armistice.

truck /trʌk/ *s.* caminhão. • *v.* barganhar, trocar. ▪ *sin.* exchange. ♦ **truck driver** caminhoneiro. → Means of Transportation

truculent /tr'ʌkjələnt/ *adj.* truculento, briguento.

true /tru:/ *adj.* verdadeiro, verídico; real, legítimo; sincero; leal, fiel; correto, autêntico, legal, seguro, confiante. ▪ *sin.* sincere. ♦ **come true** realizar-se. **It's true.** É verdade. **true to life** realista.

truly /tr'u:li/ *adj.* verdadeiramente; de fato. ♦ **yours truly** atenciosamente (em correspondência).

trump /trʌmp/ *s.* trunfo. • *v.* forjar; falsificar.

trumpet /tr'ʌmpɪt/ *s.* trompa; trombeta, corneta; clarim. → Musical Instruments

trunk /trʌŋk/ *s.* tronco; baú, mala; tromba (de elefante); porta-malas (de carro). → Human Body

trust /trʌst/ *s.* confiança; crença, fé; crédito; guarda, responsabilidade, cargo, dever; monopólio. • *v.* confiar, ter fé, esperar, acreditar. ▪ *sin.* believe; confide, hope.

Trust me; this car is in excellent condition!

trustee /trʌst'i:/ *s.* administrador, procurador, curador.

trustful /tr'ʌstfəl/ *adj.* confiante.

trustworthy /tr'ʌstwɜ:rði/ *adj.* confiável.

truth /tru:θ/ *s.* verdade, realidade, autenticidade, fato; sinceridade, veracidade; exatidão, precisão; fidelidade. ▪ *sin.* veracity.

truthful /tr'u:θfəl/ *adj.* sincero, honesto; verídico, real.

try /traɪ/ *v.* tentar, ensaiar; julgar; investigar, processar; esforçar, cansar; experimentar; provar. ▪ *sin.* attempt. ♦ **try on** provar roupas.

trying /tr'aɪɪŋ/ *adj.* penoso, árduo, difícil, desgastante, cansativo.

T-shirt /t'i:ʃɜ:rt/ *s.* camiseta. → Clothing

tsunami /tsu:n'ɑmi/ *s.* onda gigante, *tsunami.* → Weather

tub /tʌb/ *s.* tina; banheira; barrica.

tube /tu:b/ *s.* tubo, cano; metrô de Londres (*Brit.*). ▪ *sin.* underground (*Brit.*), subway (*Am.*). → Means of Transportation

tuberculosis /tu:bɜ:rkjəl'oʊsɪs/ *s.* tuberculose.

tuck /tʌk/ *s.* dobra, prega, bainha; doces, guloseimas. • *v.* comprimir, enfiar; cobrir; preguear; encolher-se; enrolar-se. ♦ **tuck in** colocar alguém na cama, aconchegar.

Tuesday /t'u:zdeɪ, t'u:zdi/ *s.* terça-feira.

tuft /tʌft/ *s.* topete; tufo, maço, ramo.

tug /tʌg/ *s.* puxão; esforço; rebocador. • *v.* puxar com força;

esforçar-se; rebocar. ▪ *sin.* draw. ♦ **tug of war** cabo de guerra.

tuition /tu'ɪʃən/ *s.* instrução, ensino; mensalidade.

tulip /t'uːlɪp/ *s.* tulipa.

tumble /t'ʌmbəl/ *s.* queda, tombo; confusão. • *v.* cair, tombar; virar; dar saltos, fazer acrobacias. ▪ *sin.* fall. ♦ **tumble dryer** (*Brit.*) secadora de roupas.

tumbler /t'ʌmblər/ *s.* copo; acrobata.

tummy /t'ʌmi/ *s.* (*inf.*) barriga. → Human Body

tuna /t'uːnə/ *s.* atum. → Animal Kingdom

tune /tuːn/ *s.* melodia, cantiga; tom; harmonia. • *v.* soar, cantar; compor; estar em harmonia, afinar; sintonizar. ♦ **in tune** afinado, em harmonia. **out of tune** desafinado. **tune in** sintonizar. **tuneful** melodioso. **tuneless** desarmônico.

tunic /t'uːnɪk/ *s.* túnica.

tunnel /t'ʌnəl/ *s.* túnel; galeria. • *v.* abrir ou cavar túnel.

turban /t'ɜːrbən/ *s.* turbante.

turbine /t'ɜːrbaɪn/ *s.* turbina.

turbulent /t'ɜːrbjələnt/ *adj.* turbulento.

turf /tɜːrf/ *s.* relva, gramado; turfe, corrida de cavalos. • *v.* cobrir com grama. → Sports

Turk /tɜːrk/ *s.* turco. → Countries & Nationalities

Turkey /t'ɜːrki/ *s.* Turquia. → Countries & Nationalities

turkey /t'ɜːrki/ *s.* peru. → Animal Kingdom

Turkish /t'ɜːrkɪʃ/ *s.* ou *adj.* turco. → Countries & Nationalities

turmoil /t'ɜːrmɔɪl/ *s.* tumulto.

turn /tɜːrn/ *s.* rotação, volta, giro; mudança de direção; crise; curva, alteração; torção; vez, período; favor; curso, caminho; passeio, excursão. • *v.* girar, rodar, virar(-se), mover(-se); retornar; desviar; inverter, mudar de posição, mudar de assunto; transformar, alterar, virar às avessas. ♦ **an unexpected turn** uma mudança inesperada. **at every turn** a cada momento. **a turn for the better/worse** uma mudança para melhor/pior. **Wait your turn!** Espere a sua vez! **by turns** alternadamente. **It's your turn!** É a sua vez! **Right about turn!** Meia-volta, volver! **She has a turn for math.** Ela tem uma queda pela matemática. **take turns** revezar-se. **the turn of the century** a virada do século. **This turns my stomach.** Isto vira meu estômago. **turn a blind eye to** fechar os olhos para algo; fazer-se de bobo. **turn a curve** fazer uma curva. **turn a deaf ear** fazer-se de surdo. **turn against** voltar-se contra. **turn back** retroceder. **turn Christian** converter--se ao cristianismo. **turn left** virar à esquerda. **turn into** converter(-se) em, transformar(-se) em. **turn off** desligar. **turn on** ligar. **turn the corner** dobrar a esquina. **turn the key** virar a chave. **turn the nose at** torcer o nariz para. **turn right** virar à direita. **turn things upside down** virar as coisas de cabeça para baixo. **turnaround** ou **turnabout** reviravolta. **turnover** rotatividade (de funcionários). **He has just turned 21.** Ele acabou de completar 21 anos de idade. **He has turned up at last.** Finalmente, ele apareceu. **He turned his coat.** Ele mudou de opinião., Ele virou a casaca. **turning point** ponto crítico, momento decisivo.

turnip /t'ɜːrnɪp/ *s.* nabo. → Vegetables

turnpike /t'ɜːrnpaɪk/ *s.* rodovia com pedágio.

turnstile /t'ɜːrnstaɪl/ *s.* catraca.

turpentine /t'ɜːrpəntaɪn/ *s.* aguarrás.

turquoise /t'ɜːrkwɔɪz/ *s.* ou *adj.* turquesa.

turret /t'ɜːrət/ *s.* pequena torre. ▪ *sin.* tower.

turtle /t'ɜːrtəl/ *s.* tartaruga. ▪ *sin.* tortoise. ♦ **turtle neck** gola rolê. → Animal Kingdom

tusk /tʌsk/ *s.* presa (de elefante).

tutor /t'uːtər/ *s.* professor particular.

tuxedo /tʌks'iːdoʊ/ *s.* *smoking* (roupa masculina). → Clothing

TV /tiːv'iː/ (*abrev.* de *television*) televisão: I watch *TV* every night. → Abbreviations → Furniture & Appliances

twang /twæŋ/ *s.* som metálico; som nasal. • *v.* vibrar, ressoar.

tweed /twiːd/ *s.* pano ou tecido de lã.

tweezers /tw'iːzərz/ *s. pl.* pinça.

twelfth /twelfθ/ *s.* ou *num.* décimo segundo; décima segunda parte. ♦ **Twelfth Day** dia de Reis (décimo segundo dia após o Natal). → Numbers

twelve /twelv/ *s.* ou *num.* doze. → Numbers

twenty /tw'enti/ *s.* ou *num.* vinte. ♦ **the twenties** a década de 1920; os anos 1920. → Numbers

twice /twaɪs/ *adv.* duas vezes.

twig /twɪg/ *s.* galho fino, ramo, graveto.

twilight /tw'aɪlaɪt/ *s.* crepúsculo; decadência. ▪ *sin.* gloaming.

twin /twɪn/ *s.* ou *adj.* gêmeo. ♦ **twin-bedded room** quarto com duas camas. **twin beds** camas separadas.

twine /twaɪn/ *s.* barbante, corda. • *v.* entrelaçar; enlaçar, enroscar(-se); trançar.

twinge /twɪndʒ/ *s.* pontada, dor; remorso.

twinkle /tw'ɪŋkəl/ *s.* cintilação; lampejo; brilho. • *v.* cintilar, brilhar; lampejar.

twirl /twɜːrl/ *s.* giro, rodopio; enfeite. • *v.* virar, rodar, rodopiar; enrolar.

twist /twɪst/ *s.* curva, curvatura; giro, volta, rotação; torção; trança; fio torcido, retrós, cordel, corda; trançado. • *v.* torcer; trançar, tecer; enrolar; rodear; curvar, virar; desfigurar; mudar.

twisted /tw'ɪstɪd/ *adj.* torto, torcido; distorcido; maluco, doido (*gír. pej.*).

twit /twɪt/ *s.* crítica. • *v.* criticar, zombar, censurar.

twitch /twɪtʃ/ *s.* puxão; contração muscular; beliscão, tique nervoso. • *v.* contrair-se; puxar, arrancar; agarrar; beliscar. ▪ *sin.* tweak.

Twitter™ /tw'ɪtər/ *s.* rede social que permite envio de mensagens curtas.

twitter /tw'ɪtər/ *s.* gorjeio. • *v.* cantar, gorjear; tuitar.

two /tuː/ *s.* ou *num.* número dois. ♦ **two-faced** falso. **two-way** de mão dupla. → Numbers

twofold /t'uːfoʊld/ *adj.* duplo, dobrado, duplicado. • *adv.* duplamente, em dobro.

tycoon /taɪk'uːn/ *s.* magnata.

type /taɪp/ *s.* fonte, classe, espécie; modelo, protótipo; símbolo; estilo, forma, caráter. • *v.* datilografar, digitar. ▪ *sin.* kind.

typeface /t'aɪpfeɪs/ *s.* fonte (letra). ♦ **typeset** compor para imprimir.

typewriter /t'aɪpraɪtər/ *s.* máquina de escrever.

typewriting /t'aɪpraɪtɪŋ/ *s.* datilografia.

typewritten /t'aɪprɪtən/ *adj.* datilografado.

typhoid /t'aɪfɔɪd/ *s.* tifo. ▪ *sin.* typhus.

typhoon /taɪf'ɔːn/ *s.* tufão, furacão. → Weather

typical /t'ɪpɪkəl/ *adj.* típico.

typically /t'ɪpɪkəli/ *adv.* tipicamente: Cowboys *typically* come from Texas.

typist /t'aɪpɪst/ *s.* datilógrafo, digitador. → Professions

typographer /taɪp'ɑgrəfər/ *s.* tipógrafo. → Professions

tyrannical /tɪr'ænɪkəl/ *adj.* tirânico, injusto, cruel.

tyranny /t'ɪrəni/ *s.* tirania, opressão.

tyrant /t'aɪrənt/ *s.* tirano, ditador, déspota.

tyre /t'aɪər/ (*Brit.*) *s.* pneu: I had to buy a new *tyre* for my car.

U, u /juː/ *s.* vigésima primeira letra do alfabeto inglês.

ubiquitous /juːb'ɪkwɪtəs/ *adj.* (*form.*) onipresente.

UFO /juːef'oʊ, j'uːfoʊ/ *s.* (*abrev.* de *Unidentified Flying Object*) objeto voador não identificado. (OVNI) → Abbreviations

ugliness /'ʌglinəs/ *s.* feiura. ▪ *ant.* beauty.

ugly /'ʌgli/ *adj.* feio; perigoso.

ukulele /juːkəl'eɪli/ *s.* guitarra havaiana. → Musical Instruments

ulcer /'ʌlsər/ *s.* úlcera.

ultimate /'ʌltɪmət/ *adj.* último, final; definitivo; fundamental.

ultimately /'ʌltɪmətli/ *adv.* no final, finalmente, enfim: We *ultimately* agreed with our children as to spend their vacations abroad. → Deceptive Cognates

ultrasonic /ʌltrəs'ɑnɪk/ *adj.* supersônico.

umbrella /ʌmbr'elə/ *s.* guarda--chuva.

umpire /'ʌmpaɪər/ *s.* árbitro, juiz (tênis, beisebol, críquete). • *v.* arbitrar, julgar. ▪ *sin.* referee.

unable /ʌn'eɪbəl/ *adj.* incapaz.

unabridged /ʌnəbr'ɪdʒd/ *adj.* não abreviado; completo, integral.

unacceptable /ʌnəks'eptəbəl/ *adj.* inaceitável.

unaccustomed /ʌnək'ʌstəmd/ *adj.* desacostumado, desabituado, insólito.

unacquainted /ʌnəkw'eɪntɪd/ *adj.* alheio; estranho, desconhecido.

unadapted /ʌnəd'æptɪd/ *adj.* inadaptado, mal-adaptado.

unaffected /ʌnəf'ektɪd/ *adj.* não afetado, inalterado; simples, natural, sincero. ▪ *sin.* genuine.

unanimity /juːnən'ɪməti/ *s.* unanimidade.

unanimous /juːn'ænɪməs/ *adj.* unânime.

unarmed /ʌn'ɑrmd/ *adj.* desarmado, indefeso.

unashamed /ʌnəʃ'eɪmd/ *adj.* desavergonhado, sem-vergonha.

unassuming /ʌnəs'uːmɪŋ/ *adj.* modesto, despretensioso.

unattached /ʌnət'ætʃt/ *adj.* solto, separado; descomprometido, solteiro.

unattended /ʌnət'endɪd/ *adj.* desacompanhado; negligenciado.

unattractive /ʌnətr'æktɪv/ *adj.* sem atrativos, sem graça.

unavailable /ʌnəv'eɪləbəl/ *adj.* indisponível, ocupado.

unavoidable /ʌnəv'ɔɪdəbəl/ *adj.* inevitável.

unaware /ʌnəw'er/ *adj.* inconsciente; desavisado.

unbalanced /ʌnb'ælənst/ *adj.* desequilibrado, desbalanceado.

unbearable /ʌnb'erəbəl/ *adj.* insuportável, intolerável.

unbeatable /ʌnb'iːtəbəl/ *adj.* imbatível, invencível, inigualável.

unbeaten /ʌnb'iːtən/ *adj.* invicto.

unbecoming /ʌnbɪk'ʌmɪŋ/ *adj.* impróprio; que não fica bem.

unbelievable /ʌnbɪl'iːvəbəl/ *adj.* inacreditável, incrível. ▪ *sin.* incredible.

unbending /ʌnb'endɪŋ/ *adj.* inflexível, irredutível.

unborn /ʌnb'ʃɔːrn/ *adj.* por nascer, em gestação.

unbounded /ʌnb'aʊndɪd/ *adj.* ilimitado, imenso, irrestrito; desmedido.

unbridled /ʌnbr'aɪdəld/ *adj.* fora de controle, desenfreado.

unbroken /ʌnbr'oʊkən/ *adj.* intacto, inteiro; mantido.

uncalled-for /ʌnk'ɔːldfɔːr/ *adj.* desnecessário; inoportuno.

uncanny /ʌnk'æni/ *adj.* esquisito, estranho; misterioso, fantástico.

unceasing /ʌns'iːsɪŋ/ *adj.* incessante.

uncertain /ʌns'ɜːrtən/ *adj.* incerto, duvidoso; indeterminado; indeciso. ▪ *sin.* doubtful.

uncertainness /ʌns'ɜːrtənəs/ *s.* incerteza, dúvida.

unchangeable /ʌntʃ'eɪndʒəbl/ *adj.* inalterável, imutável, invariável.

unchanged /ʌntʃ'eɪndʒd/ *adj.* inalterado, intacto.

uncharged /ʌntʃ'ɑrdʒd/ *adj.* descarregado.

uncharitable /ʌntʃ'ærɪtəbəl/ *adj.* não caridoso, não generoso.

unchecked /ʌntʃ'ekt/ *adj.* incontrolado.

uncivilized /ʌns'ɪvəlaɪzd/ (*Brit.* ***uncivilised***) *adj.* incivilizado, bárbaro, primitivo.

unclaimed /ʌnkl'eɪmd/ *adj.* não reclamado, não retirado.

uncle /'ʌŋkəl/ *s.* tio.

unclean /ʌnkl'iːn/ *adj.* sujo, imundo; impuro.

unclear /ʌnkl'ɪr/ *adj.* confuso, pouco claro.

uncomfortable /ʌnk'ʌmfərtəbəl, ʌnk'ʌmftəbəl/ *adj.* incômodo; desconfortável; desagradável.

uncommon /ʌnk'ɑmən/ *adj.* raro, incomum; notável, excepcional.

uncompleted /ʌnkəmpl'iːtɪd/ *adj.* incompleto, inacabado.

unconcerned /ʌnkəns'ɜːrnd/ *adj.* despreocupado; indiferente.

unconditional /ʌnkənd'ɪʃənəl/ *adj.* incondicional.

unconquerable /ʌnk'ʃɑŋkərəbəl/ *adj.* inconquistável, indomável.

unconscious /ʌnk'ɑnʃəs/ *s.* o inconsciente. • *adj.* inconsciente, não intencional; desacordado, desmaiado.

unconsciousness /ʌnk'ɑnʃəsnəs/ *s.* inconsciência.

uncontrollable /ʌnkəntr'oʊləbəl/ *adj.* incontrolável, ingovernável.

uncontrolled /ʌnkəntr'oʊld/ *adj.* descontrolado, desenfreado.

unconventional /ʌnkənv'enʃənəl/ *adj.* não convencional.

unconvincing /ʌnkənv'ɪnsɪŋ/ *adj.* não convincente.

uncover /ʌnk'ʌvər/ *v.* descobrir, revelar; destampar. ▪ *sin.* disclose.

unction /'ʌŋkʃən/ *s.* unção. ♦ **extreme unction** extrema-unção.

uncut /ʌnk'ʌt/ *adj.* sem cortes, integral, completo.

undecided /ʌndɪs'aɪdɪd/ *adj.* pendente; indeciso, indeterminado.

undefined /ʌndɪf'aɪnd/ *adj.* indefinido.

undeniable /ʌndɪn'aɪəbəl/ *adj.* inegável, incontestável, indiscutível. ▪ *sin.* indubitable.

under /'ʌndər/ *prep.* debaixo de, embaixo de, sob; inferior a; segundo, de acordo com. • *adv.* embaixo, por baixo; sujeito a.

underage /ʌndər'eɪdʒ/ *s.* menoridade. • *adj.* menor (de idade).

underarm /'ʌndərɑrm/ *s.* axila. ➔ Human Body

underclothes /'ʌndərkloʊðz/ *s. pl.* roupa íntima. ▪ *sin.* underwear, undergarment.

undercover /ʌndərk'ʌvər/ *s.* espião. • *adj.* secreto, clandestino.

undercurrent /'ʌndərkɜːrənt/ *s.* fator (motivo ou razão) oculto; tendência.

underdeveloped /ʌndərdɪv'eləpt/ *adj.* subdesenvolvido.

underdog /'ʌndərdɔːg/ *s.* inferior, ralé, desfavorecido.

underdone /ʌndərd'ʌn/ *adj.* malpassado (cozido ou assado).

underemployment /ʌndərɪmpl'ɔɪmənt/ *s.* subemprego.

underestimate /ʌndər'estɪmɪt/ *v.* subestimar.

underfed /ʌndərf'ed/ *adj.* mal alimentado, subnutrido. ▪ *sin.* undernourished.

underfoot /ʌndərf'ʊt/ *adv.* sob os pés; no chão.

undergo /ʌndərg'oʊ/ *v.* (*pret.* **underwent**, *p.p.* **undergone**) passar por, ser submetido a; sofrer; aguentar, resistir a, suportar, tolerar. ▪ *sin.* bear, tolerate, endure, suffer.

undergraduate /ʌndərgr'ædʒuət/ *s.* estudante universitário.

underground /'ʌndərgraʊnd, ʌndərgr'aʊnd/ *adj.* subterrâneo; clandestino. • *adv.* subterrâneo, abaixo da superfície. ♦ **underground** (*Brit.*) ou **subway** metrô.

undergrowth /'ʌndərgroʊθ/ *s.* mato, vegetação rasteira.

underline /'ʌndərlaɪn/ *v.* sublinhar; realçar, destacar.

underlying /ʌndərl'aɪɪŋ/ *adj.* básico; implícito.

undermine /ʌndərm'aɪn/ *v.* minar; abalar, corroer; solapar; sabotar. ▪ *sin.* sap.

underneath /ʌndərn'iːθ/ *prep.* embaixo de, por baixo de. • *adv.* embaixo, por baixo, debaixo.

undernourishment /ʌndərn'ɜːrɪʃmənt/ *s.* subnutrição.

underpaid /ʌndərp'eɪd/ *adj.* mal pago, mal remunerado.

underpants /'ʌndərpænts/ *s. pl.* roupa íntima; cueca (*Brit.*).

underpay /ʌndərp'eɪ/ *v.* (*pret.* e *p.p.* **underpaid**) pagar insuficientemente, pagar pouco ou mal. ➔ Irregular Verbs

underscore /ʌndərsk'ɔːr/ *v.* sublinhar.

undershirt /'ʌndərʃɜːrt/ *s.* camiseta (tipo regata).

undersign /ʌndərs'aɪn/ *v.* assinar, subscrever. ♦ **We, the undersigned.** Nós, abaixo assinados.

understand /ʌndərst'ænd/ *v.* (*pret.* e *p.p.* **understood**) compreender, entender. ➔ Irregular Verbs

understandable /ʌndərst'ændəbəl/ *adj.* compreensível.

understanding /ʌndərst'ændɪŋ/ *s.* compreensão; conhecimento. • *adj.* compreensivo.

understate /ʌndərst'eɪt/ *v.* atenuar, abrandar (os fatos).

understatement /ʌndərst'eɪtmənt/ *s.* atenuação.

understood /ʌndərst'ʊd/ *adj.* entendido, subentendido, implícito. • *v. pret.* e *p.p.* de **understand**.

undertake /ʌndərt'eɪk/ *v.* (*pret.* **undertook** e *p.p.* **undertaken**) empreender; experimentar, ocupar-se com; encarregar-se de, responsabilizar-se.

undertaker /'ʌndərteɪkər/ *s.* (*Brit.*) agente funerário. ▪ *sin.* mortician.

undertaking /'ʌndərteɪkɪŋ/ *s.* tarefa, compromisso.

underwater /ʌndərw'ɔːtər/ *adj.* subaquático.

underwear /'ʌndərwer/ *s.* roupa íntima. ▪ *sin.* underclothes, undergarment.

underweight /ʌndərw'eɪt/ *adj.* magro, abaixo do peso normal.

underworld /'ʌndərwɜːrld/ *s.* submundo.

undesirable /ʌndɪz'aɪərəbəl/ *s.* ou *adj.* indesejável.

undisguised /ʌndɪsg'aɪzd/ *adj.* franco, claro, aberto.

undisturbed /ʌndɪst'ɜːrbd/ *adj.* imperturbado, inalterado; tranquilo, calmo, sereno.

undivided /ʌndɪv'aɪdɪd/ *adj.* não dividido, completo, íntegro.

undo /ʌnd'uː/ *v.* (*pret.* **undid**, *p.p.* **undone**) desfazer; desatar; anular. ➔ Irregular Verbs

undone /ʌnd'ʌn/ *adj.* incompleto, não terminado.

undoubted /ʌnd'aʊtɪd/ *adj.* indubitável, evidente.

undoubtedly /ʌnd'aʊtɪdli/ *adv.* indubitavelmente.

undress /ʌndr'es/ *v.* despir(-se).

undressed /ʌndr'est/ *adj.* despido.

undue /ʌnd'uː/ *adj.* exagerado, excessivo.

undying /ʌnd'aɪɪŋ/ *adj.* imortal, eterno.

unearth /ʌn'ɜːrθ/ *v.* desenterrar; revelar.

unearthly /ʌn'ɜːrθli/ *adj.* sobrenatural.

unease /ʌn'iːz/ *s.* mal-estar.

uneasiness /ʌn'iːzinəs/ *s.* preocupação, apreensão; inquietação, intranquilidade. ▪ *sin.* worry.

uneasy /ʌn'iːzi/ *adj.* inquieto.

uneducated /ʌn'edʒukeɪtɪd/ *adj.* sem instrução, inculto, sem educação.

unemployed /ʌnɪmpl'ɔɪd/ *adj.* desempregado.

unemployment /ʌnɪmpl'ɔɪmənt/ *s.* desemprego.

unending /ʌn'endɪŋ/ *adj.* interminável. ▪ *sin.* endless.

unequal /ʌn'iːkwəl/ *adj.* desigual, desproporcional; injusto; parcial.

uneven /ʌn'iːvən/ *adj.* desigual; irregular, acidentado.

uneventful /ʌnɪv'entfəl/ *adj.* sem incidentes.

unexhausted /ʌnɪgz'ɔːstɪd/ *adj.* não esgotado.

unexpected /ʌnɪksp'ektɪd/ *adj.* inesperado, imprevisto.

unfailing /ʌnf'eɪlɪŋ/ *adj.* infalível; confiável; incansável; fiel, leal.

unfair /ʌnf'er/ *adj.* injusto, desleal.

unfaithful /ʌnf'eɪθfəl/ *adj.* infiel, inexato. ▪ *sin.* faithless.

unfamiliar /ʌnfəm'ɪliər/ *adj.* pouco conhecido, desconhecido, fora do comum, estranho.

unfashionable /ʌnf'æʃənəbəl/ *adj.* fora de moda. ▪ *sin.* old-fashioned.

unfasten /ʌnf'æsən/ *v.* desatar(-se), soltar(-se), desprender(-se).

unfavorable /ʌnf'eɪvərəbl/ (*Brit.* **unfavourable**) *adj.* desfavorável, contrário, adverso.

unfinished /ʌnf'ɪnɪʃt/ *adj.* inacabado.

unfit /ʌnf'ɪt/ *v.* incapacitar; estragar. • *adj.* inadequado, impróprio; sem preparo físico.

unfold /ʌnf'oʊld/ *v.* abrir(-se), desdobrar(-se); revelar.

unforeseen /ʌnfɔːrs'iːn/ *adj.* imprevisto.

unforgettable /ʌnfərg'etəbəl/ *adj.* inesquecível.

unforgivable /ʌnfərg'ɪvəbəl/ *adj.* imperdoável.

unfortunate /ʌnf'ɔːrtʃənət/ *adj.* infeliz, azarado; desastroso; lamentável.

unfortunately /ʌnf'ɔːrtʃənətli/ *adv.* infelizmente.

unfounded /ʌnf'aʊndɪd/ *adj.* infundado.

unfriendly /ʌnfr'endli/ *adj.* descortês, pouco amável, hostil.

unfurl /ʌnf'ɜːrl/ *v.* desfraldar (bandeira); abrir (guarda-chuva).

ungraceful /ʌngr'eɪsfəl/ *adj.* deselegante, desajeitado.

ungrateful /ʌngr'eɪtfəl/ *adj.* ingrato.

unhappiness /ʌnh'æpinəs/ *s.* infelicidade: Hate brings *unhappiness.*

unhappy /ʌnh'æpi/ *adj.* infeliz, desventurado; triste. ▪ *sin.* sad, miserable, regrettable.

unharmed /ʌnh'ɑrmd/ *adj.* intato, ileso. ▪ *sin.* unhurt.

unhealthy /ʌnh'elθi/ *adj.* prejudicial, nocivo; insalubre; doentio.

unheard /ʌnh'ɜːrd/ *adj.* desconhecido.

unidentified /ʌnaɪd'entɪfaɪd/ *adj.* não identificado. ♦ **unidentified flying object (UFO)** objeto voador não identificado (OVNI).

uniform /j'uːnɪfɔːrm/ *s.* uniforme, farda. • *adj.* uniforme.

uniformness /j'uːnɪfɔːrmnəs/ *s.* uniformidade.

unify /j'uːnɪfaɪ/ *v.* unificar, unir.

unimportant /ʌnɪmp'ɔːrtənt/ *adj.* insignificante, trivial.

uninhabited /ʌnɪnh'æbɪtɪd/ *adj.* inabitado, desabitado.

uninstall /ʌnɪnst'ɔːl/ (*Brit.* ***uninstal***) *v.* desativar, desinstalar.

uninstructed /ʌnɪnstr'ʌktɪd/ *adj.* inculto, não instruído.

unintelligible /ʌnɪnt'elɪdʒəbəl/ *adj.* ininteligível, incompreensível; enigmático.

unintentionally /ʌnɪnt'entʃənəli/ *adv.* sem querer.

uninterested /ʌn'ɪntrəstɪd/ *adj.* desinteressado; indiferente.

uninteresting /ʌn'ɪntrəstɪŋ/ *adj.* desinteressante.

union /j'uːniən/ *s.* união; associação, sindicato.

unique /jun'iːk/ *adj.* único, ímpar; raro, extraordinário.

unison /j'uːnɪsən/ *s.* acordo, concordância, harmonia; uníssono.

unit /j'uːnɪt/ *s.* unidade.

unitary /j'uːnəteri/ *adj.* unitário.

unite /jun'aɪt/ *v.* unir(-se), aderir, reunir(-se).

United Kingdom /jun'aɪtɪd k'ɪŋdəm/ *s.* Reino Unido.

United Nations /jun'aɪtɪd n'eɪʃənz/ *s.* (Organização das) Nações Unidas.

United States /jun'aɪtɪd steɪts/ *s.* Estados Unidos da América.
➔ Countries & Nationalities

unity /j'uːnəti/ *s.* unidade; uniformidade, homogeneidade; união, harmonia.

universal /juːnɪv'ɜːrsəl/ *adj.* universal.

universe /j'uːnɪvɜːrs/ *s.* universo.

university /juːnɪv'ɜːrsəti/ *s.* universidade.

unjust /ʌndʒ'ʌst/ *adj.* injusto. ▪ *sin.* unfair.

unjustifiable /ʌndʒ'ʌstɪfaɪəbəl/ *adj.* injustificável.

unkempt /ʌnk'empt/ *adj.* despenteado; desleixado, descuidado.

unkind /ʌnk'aɪnd/ *adj.* indelicado, descortês, grosseiro; cruel, maldoso.

unknown /ʌnn'oʊn/ *s.* ou *adj.* desconhecido, ignorado, anônimo.

unlawful /ʌnl'ɔːfəl/ *adj.* ilegal. ▪ *sin.* illegal.

unleash /ʌnl'iːʃ/ *v.* liberar, soltar.

unless /ənl'es/ *conj.* a menos que, a não ser que, senão, exceto se.

unlike /ʌnl'aɪk/ *adj.* diferente. • *prep.* de modo diferente de, ao contrário de.

unlikely /ʌnl'aɪkli/ *adj.* improvável.

unlimited /ʌnl'ɪmɪtɪd/ *adj.* ilimitado.

unload /ʌnl'oʊd/ *v.* descarregar.

unlock /ʌnl'ɑk/ *v.* destrancar, abrir.

unluckily /ʌnl'ʌkɪli/ *adv.* infelizmente, desafortunadamente.

unlucky /ʌnl'ʌki/ *adj.* infeliz, desventurado, desafortunado.

unmanageable /ʌnm'ænɪdʒəbəl/ *adj.* intratável; incontrolável; difícil.

unmarried /ʌnm'ærid/ *adj.* solteiro.

unmask /ʌnm'æsk/ *v.* desmascarar, revelar.

unmerciful /ʌnm'ɜːrsɪfəl/ *adj.* cruel, impiedoso.

unmistakable /ʌnmɪst'eɪkəbəl/ *adj.* inconfundível, inequívoco.

unmoved /ʌnm'uːvd/ *adj.* impassível, indiferente.

unnatural /ʌnn'ætʃərəl/ *adj.* artificial, falso, anormal.

unnecessary /ʌnn'esəseri/ *adj.* desnecessário, inútil, dispensável.

unnoticed /ʌnn'oʊtɪst/ *adj.* despercebido, imperceptível.

unobserved /ʌnəbz'ɜːrvd/ *adj.* despercebido.

unobtainable /ʌnəbt'eɪnəbl/ *adj.* inadquirível, inalcançável.

unobtrusive /ʌnəbtr'uːsɪv/ *adj.* discreto.

unoccupied /ʌn'ɑkjupaɪd/ *adj.* desocupado; vazio; desempregado.

unofficial /ʌnəf'ɪʃəl/ *adj.* extraoficial, informal.

unpack /ʌnp'æk/ *v.* desfazer as malas; desempacotar, desembrulhar, desencaixotar.

unpaid /ʌnp'eɪd/ *adj.* não remunerado.

unpleasant /ʌnpl'ezənt/ *adj.* desagradável; antipático.

unplug /ʌnpl'ʌg/ *v.* desconectar, desligar.

unpopular /ʌnp'ɑpjələr/ *adj.* impopular.

unprecedented /ʌnpr'esɪdentɪd/ *adj.* sem precedente.

unpredictable /ʌnprɪd'ɪktəbəl/ *adj.* imprevisível.

unprotected /ʌnprət'ektɪd/ *adj.* desprotegido, desamparado.

unpublished /ʌnp'ʌblɪʃt/ *adj.* inédito, não publicado.

unpunished /ʌnp'ʌnɪʃt/ *adj.* impune.

unqualified /ʌnkw'ɑlɪfaɪd/ *adj.* inadequado, impróprio; desqualificado, não qualificado, incompetente.

unquestionable /ʌnkw'estʃənəbəl/ *adj.* inquestionável, indiscutível. ▪ *sin.* indubitable, undeniable.

unravel /ʌnr'ævəl/ *v.* desemaranhar(-se), desembaraçar(-se).

unreadable /ʌnr'iːdəbəl/ *adj.* ilegível.

unreal /ʌnr'iːəl/ *adj.* irreal, imaginário.

unrealistic /ʌnriːəl'ɪstɪk/ *adj.* irreal, não factível.

unreasonable /ʌnr'iːzənəbəl/ *adj.* irracional, insensato.

unrecognizable /ʌnrekəgn'aɪzəbəl/ (*Brit.* ***unrecognisable***) *adj.* irreconhecível.

unrefined /ʌnrɪf'aɪnd/ *adj.* não refinado; grosseiro.

unrehearsed /ʌnrɪh'ɜːrst/ *adj.* improvisado, sem ensaio.

unreliable /ʌnrɪl'aɪəbəl/ *adj.* não confiável.

unrest /ʌnr'est/ *s.* desassossego, agitação, inquietação.

unrestrained /ʌnrɪstr'eɪnd/ *adj.* desenfreado, irrestrito.

unrestricted /ʌnrɪstr'ɪktɪd/ *adj.* irrestrito, ilimitado.

unrewarded /ʌnrɪw'ɔːrdɪd/ *adj.* malsucedido, não recompensado. ▪ *sin.* unsuccessful.

unripe /ʌnr'aɪp/ *adj.* verde; imaturo; precoce.

unrivaled /ʌnr'aɪvəld/ (*Brit.* ***unrivalled***) *adj.* incomparável, inigualável.

unruly /ʌnr'uːli/ *adj.* teimoso; indisciplinado; incontrolável, indomável, rebelde.

unsafe /ʌns'eɪf/ *adj.* inseguro, arriscado, perigoso.

unsatisfactory /ʌnsætɪsf'æktəri/ *adj.* insatisfatório.

unsavory /ʌns'eɪvəri/ (*Brit.* ***unsavoury***) *adj.* detestável; desagradável; moralmente ofensivo.

unschooled /ʌnsk'u:ld/ *adj.* sem instrução, ignorante.
unscrew /ʌnskr'u:/ *v.* desparafusar, desenroscar.
unseasoned /ʌns'i:zənd/ *adj.* verde, fora de época (frutas); sem tempero (comida).
unseen /ʌns'i:n/ *adj.* despercebido, não visto.
unsettle /ʌns'etəl/ *v.* inquietar, perturbar.
unsettled /ʌns'etəld/ *adj.* incerto, vago; inquieto, alterado, agitado; inconstante, não estabelecido; desabitado.
unsettling /ʌns'etlɪŋ/ *adj.* perturbador, inquietante.
unshaved /ʌnʃ'eɪvd/ *adj.* não barbeado.
unshrinkable /ʌnʃr'ɪŋkəbəl/ *adj.* que não encolhe.
unsightly /ʌns'aɪtli/ *adj.* de má aparência, feio. ▪ *sin.* ugly.
unskilled /ʌnsk'ɪld/ *adj.* inapto, não qualificado.
unsolvable /ʌns'ɑlvəbəl/ *adj.* insolúvel.
unsound /ʌns'aʊnd/ *adj.* insalubre; em mau estado; sem embasamento.
unspeakable /ʌnsp'i:kəbəl/ *adj.* indizível, indescritível. ▪ *sin.* inexpressible.
unspoiled /ʌnsp'ɔɪld/ (*Brit.* ***unspoilt***) *adj.* intacto, incólume; que não é mimado.
unspoken /ʌnsp'oʊkən/ *adj.* não dito, não expresso.
unsteady /ʌnst'edi/ *adj.* oscilante, inseguro, instável.
unsuccessful /ʌnsəks'esfəl/ *adj.* malsucedido, fracassado, frustrado.
unsuitable /ʌns'u:təbəl/ *adj.* impróprio, inadequado, inconveniente; inapto.
unsure /ʌnʃ'ʊr/ *adj.* inseguro, incerto.
unsuspected /ʌnsəsp'ektɪd/ *adj.* inesperado; insuspeito.
unsuspicious /ʌnsəsp'ɪʃəs/ *adj.* ingênuo.
untangle /ʌnt'æŋgəl/ *v.* desembaraçar, desemaranhar.
unthinkable /ʌnθ'ɪŋkəbəl/ *adj.* impensável, inimaginável; inconcebível.
unthoughtful /ʌnθ'ɔ:tfəl/ *adj.* irrefletido; desatento; sem consideração.
untidy /ʌnt'aɪdi/ *adj.* desordenado, desmazelado, desleixado, desarrumado.
untie /ʌnt'aɪ/ *v.* desamarrar.
until /ənt'ɪl/ *prep.* até. • *conj.* até que. ▪ *sin.* till.
untimely /ʌnt'aɪmli/ *adj.* intempestivo; prematuro, antecipado; inoportuno, impróprio.
untiring /ʌnt'aɪərɪŋ/ *adj.* incansável.
untold /ʌnt'oʊld/ *adj.* não contado, inédito.
untouched /ʌnt'ʌtʃt/ *adj.* intato.
untried /ʌntr'aɪd/ *adj.* inexperiente.
untroubled /ʌntr'ʌbəld/ *adj.* imperturbado, calmo.
untrue /ʌntr'u:/ *adj.* falso. ▪ *sin.* false. ▪ *ant.* true, correct.
unused /ʌnj'u:zd/ *adj.* não usado, novo; /ʌnj'u:st/ (com ***to***) não acostumado.
unusual /ʌnj'u:ʒuəl, ʌnj'u:ʒəl/ *adj.* raro, incomum.
unusually /ʌnj'u:ʒuəli, ʌnj'u:ʒəli/ *adv.* raramente, extraordinariamente, excepcionalmente: *Unusually* you will see a movie like that.
unveil /ʌnv'eɪl/ *v.* desvendar; descobrir, revelar, divulgar. ▪ *sin.* disclose, reveal, show.
unwanted /ʌnw'ɑ:ntɪd, ʌnw'ɔ:ntɪd/ *adj.* indesejado.
unwary /ʌnw'eri/ *adj.* descuidado, imprudente.
unwelcome /ʌnw'elkəm/ *adj.* mal-acolhido, mal recebido; inoportuno, indesejado.

unwell /ʌnw'el/ *adj.* indisposto.

unwilling /ʌnw'ɪlɪŋ/ *adj.* relutante.

unwillingness /ʌnw'ɪlɪŋnəs/ *s.* má vontade, relutância.

unwind /ʌnw'aɪnd/ *v.* (*pret.* e *p.p.* ***unwound***) descansar, relaxar.

unwise /ʌnw'aɪz/ *adj.* insensato, tolo, imprudente.

unwitting /ʌnw'ɪtɪŋ/ *adj.* inconsciente, involuntário, despercebido.

unwittingly /ʌnw'ɪtɪŋli/ *adv.* inconscientemente.

unworthy /ʌnw'ɜːrði/ *adj.* indigno, sem valor. ▪ *sin.* worthless.

unwrap /ʌnr'æp/ *v.* desembrulhar, abrir.

unwritten /ʌnr'ɪtən/ *adj.* não escrito, oral; tácito.

unyielding /ʌnj'iːldɪŋ/ *adj.* inflexível.

up /ʌp/ *adv.* em cima, acima; para cima; cá, para cá; expirado, terminado; todo, completamente. • *prep.* em cima de, para cima, acima de; em, sobre. ♦ **be up to** tramar, "aprontar". **Get up!** ou **Up with you!** Levante-se! **His blood is up.** Ele está nervoso. **Hurry up!** Apresse-se! **Is anything up?** Está acontecendo alguma coisa? **It's up to you.** Você é quem sabe., Você decide. **keep up** manter-se atualizado. **keep up with** acompanhar, manter o mesmo ritmo de alguém. **Prices are up.** Os preços subiram. **She's not up yet.** Ela ainda não se levantou. **Speak up!** Fale mais alto! **stand up** ficar em pé. **This side up.** Este lado para cima. **Time is up.** O tempo acabou. **up and down** para cima e para baixo. **up there** lá em cima. **up till now** até agora. **up to** até. **up-to-date** atual; na moda. **ups and downs** altos e baixos. **What's up?** O que há? **Who is up?** De quem é a vez?

upbringing /'ʌpbrɪŋɪŋ/ *s.* criação, educação.

update /ʌpd'eɪt/ *v.* atualizar.

upheaval /ʌph'iːvəl/ *s.* agitação; motim, levante, revolta; transtorno (emocional); elevação (do chão, da terra). ▪ *sin.* uprising.

uphill /ʌph'ɪl/ *adj.* ascendente, íngreme. • *adv.* para cima, para o alto; morro acima.

uphold /ʌph'oʊld/ *v.* (*pret.* e *p.p.* ***upheld***) segurar, sustentar, apoiar; manter; confirmar, aprovar. ▪ *sin.* maintain, support.

upholster /ʌph'oʊlstər/ *v.* estofar.

upholstery /ʌph'oʊlstəri/ *s.* tapeçaria, estofamento.

upkeep /'ʌpkiːp/ *s.* manutenção.

uplift /'ʌplɪft/ *s.* elevação. • /ʌpl'ɪft/ *v.* tornar algo mais leve.

uplifting /ʌpl'ɪftɪŋ/ *adj.* inspirador, motivador.

upload /ʌpl'oʊd/ *v.* carregar dados (*informática*).

upon /əp'ɑn/ *prep.* sobre, em. ♦ **Upon my word!** Palavra de honra!

upper /'ʌpər/ *adj.* superior, de cima, mais alto. ♦ **upper class** classe alta, aristocracia.

uppermost /'ʌpərmoʊst/ *adj.* principal, superior; de cima, mais alto.

upright /'ʌpraɪt/ *s.* coluna, pilar. • *adj.* perpendicular, ereto, vertical; direto, honesto, justo. • *adv.* verticalmente, perpendicularmente. ▪ *sin.* virtuous.

uprising /'ʌpraɪzɪŋ/ *s.* levante, revolta, motim. ▪ *sin.* upheaval.

uproar /'ʌprɔːr/ *s.* distúrbio, tumulto, alvoroço.

upset /'ʌpset/ *s.* queda, capotagem; reviravolta, desordem; perturbação. • /ʌps'et/ *v.* (*pret.* e *p.p.* ***upset***) tombar, capotar; desarranjar, desordenar; preocupar, angustiar; aborrecer, perturbar. • /ʌps'et/ *adj.* capotado, tombado; perturbado, aborrecido, chateado. → Irregular Verbs

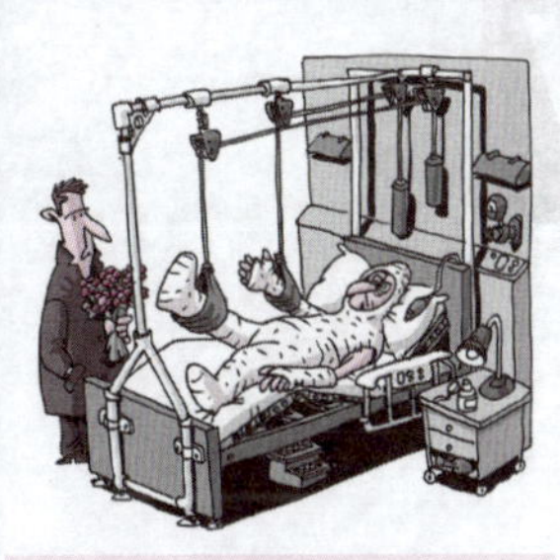

Why are you so *upset?*

upside down /ʌpsaɪd d'aʊn/ *adv.* de cabeça para baixo, de pernas para o ar.

upstairs /ʌpst'erz/ *s.* o andar superior. • *adj.* do andar superior. • *adv.* em cima, para cima, escada acima.

upstart /'ʌpstɑrt/ *s.* novo-rico, emergente; arrogante, convencido.

upstream /ʌpstr'iːm/ *adv.* rio acima; contra a corrente.

upward /'ʌpwərd/ *adj.* ascendente.

upwards /'ʌpwərdz/ *adv.* para cima, acima, por cima.

uranium /jur'eɪniəm/ *s.* urânio.

urban /'ɜːrbən/ *adj.* urbano.

urchin /'ɜːrtʃɪn/ *s.* ouriço; criança pobre, maltrapilha. ➔ Animal Kingdom

urge /ɜːrdʒ/ *s.* desejo, impulso, ímpeto. • *v.* apressar; persuadir, incitar, obrigar. ▪ *sin.* encourage.

urgency /'ɜːrdʒənsi/ *s.* urgência.

urgent /'ɜːrdʒənt/ *adj.* urgente: The baby needs *urgent* care.

urinate /j'ʊrəneɪt/ *v.* urinar. ▪ *sin.* pee.

urine /j'ʊrən/ *s.* urina.

urn /ɜːrn/ *s.* urna.

Uruguay /j'ʊrəgwaɪ/ *s.* Uruguai. ➔ Countries & Nationalities

Uruguayan /jʊrəgw'aɪən/ *s.* ou *adj.* uruguaio. ➔ Countries & Nationalities

us /əs, ʌs/ *pron.* nós: They are waiting for *us.*; nos: He gave *us* many presents.

usage /j'uːsɪdʒ/ *s.* uso, costume.

use /juːs/ *s.* uso; prática; costume; função; utilidade, finalidade; tratamento; vantagem. • /juːz/ *v.* usar; praticar; habituar. ♦ **It's no use.** ou **There's no use.** É inútil. **ready for use** pronto para ser usado. **used to** costumava.

used /juːzd/ *adj.* usado: That is just an *used* object.; /juːst/ (com *to*) acostumado: I am *used* to this situation.

useful /j'uːsfəl/ *adj.* útil.

useless /j'uːsləs/ *adj.* inútil.

user /j'uːzər/ *s.* usuário. ♦ **user-generated content** conteúdo gerado pelo usuário.

user-friendly /juːzər fr'endli/ *adj.* de fácil utilização pelo usuário.

usher /'ʌʃər/ *s.* porteiro, lanterninha (cinema); oficial de justiça. • *v.* conduzir, acompanhar; anunciar.

usual /j'uːʒuəl, j'uːʒəl/ *adj.* comum: She does not wear *usual* clothes to sleep. • *s.* usual: She expected the *usual* from him.

usually /j'uːʒuəli, j'uʒəli/ *adv.* normalmente.

usurer /j'uːʒərər/ *s.* agiota, usurário.

usurp /juːz'ɜːrp/ *v.* usurpar.

usurper /juːz'ɜːrpər/ *s.* usurpador.

utensil /juːt'ensəl/ *s.* utensílio.

uterus /j'uːtərəs/ *s.* útero. ▪ *sin.* womb. ➔ Human Body

utility /juːt'ɪləti/ *s.* utilidade; serviço público.

utilize /j'uːtəlaɪz/ (*Brit.* **utilise**) *v.* (*form.*) utilizar.

utmost /'ʌtmoʊst/ *s.* ou *adj.* máximo, maior; extremo.

utopian /juːt'oʊpiən/ *adj.* utópico.

utter /'ʌtər/ *v.* proferir, pronunciar. • *adj.* total, completo, absoluto.

V, v /viː/ *s.* vigésima segunda letra do alfabeto inglês.

vacancy /v'eɪkənsi/ *s.* vaga; lacuna. ♦ **No vacancies.** Lotado.

vacant /v'eɪkənt/ *adj.* vago, desocupado; distraído. ▪ *sin.* empty.

vacantly /v'eɪkəntli/ *adv.* vagamente. ▪ *sin.* dimly.

vacation /vək'eɪʃən, veɪk'eɪʃən/ *s.* férias. ♦ **be on vacation** estar em férias. **take a vacation** tirar férias.

vaccination /væksɪn'eɪʃən/ *s.* vacinação, vacina.

vaccine /væks'iːn/ *s.* vacina. ♦ **The vaccine did not take.** A vacina não fez efeito. **get a vaccine** ser vacinado.

vacuum /v'ækjuəm/ *s.* vácuo. • *v.* aspirar, limpar com aspirador de pó. ♦ **in a vacuum** totalmente isolado do mundo. **vacuum cleaner** aspirador de pó. **vacuum flask** ou **vacuum bottle** garrafa térmica. **vacuum packed** embalado a vácuo.

vagabond /v'ægəbɒnd/ *s.* ou *adj.* vagabundo, vadio.

vagina /vədʒ'aɪnə/ *s.* vagina. → Human Body

vagrancy /v'eɪgrənsi/ *s.* vadiagem.

vagrant /v'eɪgrənt/ *s.* (*form.*) errante. • *adj.* vadio, vagabundo.

vague /veɪg/ *adj.* vago; distraído.

vain /veɪn/ *adj.* convencido, vaidoso; fútil. ▪ *sin.* conceited, fruitless. ♦ **in vain** em vão. **take one's name in vain** dizer o nome em vão.

valentine /v'æləntaɪn/ *s.* namorado ou namorada; cartão ou presente de Dia dos Namorados. ♦ **Valentine's Day** Dia dos Namorados.

valet /v'æleɪ, v'ælɪt/ *s.* criado, camareiro. • /v'ælɪt/ *v.* limpar/lavar o carro de alguém (*Brit.*). ♦ **valet parker** manobrista. **valet parking** estacionamento com manobrista. **valet service** serviço de lavagem ou limpeza completa. → Professions

valiant /v'æliənt/ *adj.* valente, corajoso.

valid /v'ælɪd/ *adj.* válido.

valley /v'æli/ *s.* vale.

valuable /v'æljuəbəl/ *adj.* valioso, precioso. ▪ *sin.* precious.

valuation /vælju'eɪʃən/ *s.* avaliação.

value /v'æljuː/ *s.* valor; preço; importância. • *v.* avaliar, estimar, valorizar.

valve /vælv/ *s.* válvula. ♦ **safety valve** válvula de segurança.

vampire /v'æmpaɪər/ *s.* vampiro.

I don't know about you, but I don't believe in *vampires*.

van /væn/ *s.* furgão. → Means of Transportation
vandal /v'ændəl/ *s.* ou *adj.* vândalo.
vanguard /v'ængɑrd/ *s.* vanguarda.
vanilla /vən'ɪlə/ *s.* baunilha.
vanish /v'ænɪʃ/ *v.* desaparecer, sumir. ▪ *sin.* disappear.
vanity /v'ænəti/ *s.* vaidade; orgulho.
vanquish /v'æŋkwɪʃ/ *v.* vencer, dominar. ▪ *sin.* conquer.
vantage /v'æntɪdʒ/ *s.* vantagem. ♦ **vantage point** posição estratégica.
vapor /v'eɪpər/ (*Brit.* **vapour**) *s.* vapor, nevoeiro; fumaça.
variable /v'eriəbəl, v'æriəbəl/ *s.* variável (*matemática*). • *adj.* variável; inconstante; irregular. ▪ *sin.* changeable.
variance /v'eriəns, v'æriəns/ *s.* (*form.*) diferença, discrepância, divergência; discórdia.
variant /v'eriənt, v'æriənt/ *s.* ou *adj.* variante.
variation /veri'eɪʃən/ *s.* variação; mudança.
varied /v'erid, v'ærid/ *adj.* variado: The flag has *varied* colors.
variety /vər'aɪəti/ *s.* variedade.
various /v'eriəs, v'æriəs/ *adj.* vários; variado, diferente.
varnish /v'ɑrnɪʃ/ *s.* verniz. • *v.* envernizar; pintar com esmalte; disfarçar. ♦ **nail varnish** ou **nail polish** esmalte para as unhas.
vary /v'eri, v'æri/ *v.* variar, modificar, alterar; diversificar. ▪ *sin.* change, differ.
vase /veɪs, veɪz/ *s.* vaso.
Vaseline™ /v'æsəli:n/ *s.* vaselina.
vast /væst/ *adj.* vasto. ▪ *sin.* huge, enormous. ♦ **the vast majority** a vasta maioria.
vastness /v'æstnəs/ *s.* imensidão.
VAT /væt, vi:eɪt'i:/ (*abrev.* de *Value-Added Tax*) imposto sobre o valor agregado (espécie de ICMS – Imposto sobre Circulação de Mercadorias e Prestação de Serviços). → Abbreviations
vat /væt/ *s.* barril, tonel.
vault /vɔ:lt/ *s.* abóbada; catacumba; caverna; cofre; salto. • *v.* saltar, pular (por cima de).
vaunt /vɔ:nt/ *v.* exaltar, gabar, louvar. ▪ *sin.* brag.
VCR /vi:si:'ɑr/ (*abrev.* de *video cassette recorder*) *s.* aparelho de videocassete. → Abbreviations
veal /vi:l/ *s.* carne de vitela.
veer /vɪr/ *v.* virar; mudar (de direção).
vegetable /v'edʒtəbəl/ *s.* planta, legume, verdura, hortaliça; vegetal.
vegetarian /vedʒət'eriən/ *s.* ou *adj.* vegetariano.
vegetate /v'edʒəteɪt/ *v.* vegetar.
vegetation /vedʒət'eɪʃən/ *s.* vegetação.
vehemence /v'i:əməns/ *s.* veemência.
vehement /v'i:əmənt/ *adj.* veemente, impetuoso.
vehicle /v'i:ɪkəl/ *s.* veículo.
veil /veɪl/ *s.* véu. • *v.* encobrir, esconder.
vein /veɪn/ *s.* veia; veio, filão. → Human Body
velocity /vəl'ɑsəti/ *s.* velocidade, rapidez, celeridade. ▪ *sin.* speed.
velvet /v'elvɪt/ *s.* veludo.
vendor /v'endər/ *s.* vendedor (especialmente de rua), mascate. ♦ **street vendor** camelô. **vending machine** máquina automática para a venda de doces, selos, etc.
venerate /v'enəreɪt/ *v.* venerar, honrar.
venereal /vən'ɪriəl/ *adj.* venéreo.
Venezuela /venəzw'eɪlə/ *s.* Venezuela. → Countries & Nationalities
Venezuelan /venəzw'eɪlən / *s.* ou *adj.* venezuelano. → Countries & Nationalities
vengeance /v'endʒəns/ *s.* vingança. ▪ *sin.* revenge.
venom /v'enəm/ *s.* veneno; ódio, raiva. ▪ *sin.* poison.

venomous /v'enəməs/ *adj.* venenoso; ruim, malvado. ▪ *sin.* poisonous.
vent /vent/ *s.* abertura, orifício, passagem; respiradouro. • *v.* soltar, expelir; desabafar, expressar. ♦ **give vent to** dar vazão a.
ventilate /v'entɪleɪt/ *v.* ventilar; arejar.
ventilation /ventɪl'eɪʃən/ *s.* ventilação.
ventilator /v'entɪleɪtər/ *s.* ventilador. ▪ *sin.* fan.
venture /v'entʃər/ *s.* aventura, risco, perigo; empresa arriscada. • *v.* aventurar(-se), arriscar(-se); ousar.
venue /v'enju:/ *s.* local; ponto de encontro. ▪ *sin.* meeting place.
veracity /vər'æsɪti/ *s.* veracidade.
veranda /vər'ændə/ (*tb.* ***verandah***) *s.* varanda. ▪ *sin.* porch.
verb /vɜːrb/ *s.* verbo.
verdict /v'ɜːrdɪkt/ *s.* veredicto.
verge /vɜːrdʒ/ *s.* beira, margem; divisa. ▪ *sin.* border. ♦ **to be on the verge of death** estar à beira da morte.
verification /vərɪfɪk'eɪʃən/ *s.* verificação.
verify /v'erɪfaɪ/ *v.* verificar, examinar. ▪ *sin.* check, examine.
vermin /v'ɜːrmɪn/ *s.* gentalha. *pl.* animais nocivos, parasitas. → Deceptive Cognates
vermouth /vərm'uːθ/ *s.* vermute (bebida).
vernacular /vərn'ækjələr/ *s.* vernáculo, idioma nativo, língua corrente de um país. • *adj.* vernacular.
versatile /v'ɜːrsətəl/ *adj.* versátil; hábil, jeitoso.
verse /vɜːrs/ *s.* poesia; estrofe.
versed /vɜːrst/ *adj.* versado, experimentado.
version /v'ɜːrʒn/ *s.* versão; tradução.
versus /v'ɜːrsəs/ *prep.* versus (*esporte*). *abrev.* **vs.**
vertebra /v'ɜːrtɪbrə/ (*s. pl.* ***vertebrae***) *s.* vértebra. → Human Body
vertebrate /v'ɜːrtɪbrət/ *s.* ou *adj.* vertebrado.
vertical /v'ɜːrtɪkəl/ *adj.* vertical.
vertigo /v'ɜːrtɪgoʊ/ *s.* vertigem, tontura.
verve /vɜːrv/ *s.* entusiasmo, empolgação.
very /v'eri/ *adj.* mesmo; exato; próprio; mero, simples. • *adv.* muito, bastante. ♦ **at the very beginning** bem no início. **at the very moment** no exato momento. **He's the very picture of his father.** Ele é o retrato fiel do pai. **the very thought** o simples pensamento. **very late** muito tarde. **very little** muito pouco. **very sick** muito doente. **very well** muito bem.
vessel /v'esəl/ *s.* vaso; recipiente; navio, embarcação. ♦ **blood vessel** vaso sanguíneo.
vest /vest/ *s.* colete; camiseta regata (*Brit.*). → Clothing
vestibule /v'estɪbjuːl/ *s.* vestíbulo.
vestige /v'estɪdʒ/ *s.* vestígio, pegada. ▪ *sin.* trace.
veteran /v'etərən/ *s.* ou *adj.* veterano.
veterinarian /vetərɪn'eriən/ *s.* veterinário. *abrev.* **vet.** → Professions
veto /v'iːtoʊ/ *s.* veto. • *v.* vetar.
VGA /viːdʒiː'eɪ/ (*abrev.* de *Video Graphics Array*) adaptador gráfico de vídeo. → Abbreviations
via /v'aɪə, v'iːə/ *prep.* por, por meio de, via, através de.
viable /v'aɪəbəl/ *adj.* viável.
viaduct /v'aɪədʌkt/ *s.* viaduto.
vibrate /v'aɪbreɪt/ *v.* vibrar; pulsar; mover. ▪ *sin.* quiver, shake.
vibration /vaɪbr'eɪʃən/ *s.* vibração.
vicar /v'ɪkər/ *s.* vigário.
vicarage /v'ɪkərɪdʒ/ *s.* casa paroquial.
vice /vaɪs/ *s.* vício; mau hábito.
vice- /vaɪs/ *pref.* vice-.
vice versa /vaɪsiv'ɜːrsə/ *adv.* vice-versa, reciprocamente.
vicinity /vəs'ɪnəti/ *s.* vizinhança, arredores. ▪ *sin.* neighborhood.
vicious /v'ɪʃəs/ *adj.* vicioso, viciado; depravado; mau; incorreto (estilo). ♦ **vicious circle** círculo vicioso.

victim /v'ɪktɪm/ *s.* vítima.
victor /v'ɪktər/ *s.* (*form.*) vencedor. ▪ *sin.* conqueror, winner.
victorious /vɪkt'ɔːriəs/ *adj.* vitorioso.
victory /v'ɪktəri/ *s.* vitória, conquista; triunfo. ▪ *sin.* triumph.
video /v'ɪdioʊ/ *s.* vídeo: We recorded a *video* last night.; videocassete: We used to watch movies on *video* when we were children.
Vietnam /viːetn'ɑm/ *s.* Vietnã. → Countries & Nationalities
Vietnamese /viːetnəm'iːz/ (*s. pl.* **Vietnamese**) *s.* ou *adj.* vietnamita. → Countries & Nationalities
view /vjuː/ *s.* vista; visão; opinião. • *v.* ver; observar, enxergar; examinar, averiguar; julgar; considerar. ♦ **an overall view** uma visão geral. **at first view** ou **at first sight** à primeira vista. **disappear from view** desaparecer da vista. **in her view** na opinião dela. **in view of** em vista de, devido a. **on view** em exposição. **point of view** ou **viewpoint** ponto de vista. **take a view of** examinar, olhar. **viewable** visível. **viewer** espectador; visor.
vigil /v'ɪdʒɪl/ *s.* vigília; insônia.
vigilance /v'ɪdʒɪləns/ *s.* vigilância.
vigilant /v'ɪdʒɪlənt/ *adj.* vigilante, alerta.
vigorous /v'ɪgərəs/ *adj.* vigoroso.
vile /vaɪl/ *adj.* vil, desprezível.
vilify /v'ɪlɪfaɪ/ *v.* difamar, caluniar.
villa /v'ɪlə/ *s.* casa ou palacete de campo.
village /v'ɪlɪdʒ/ *s.* vila, aldeia, povoado.
villager /v'ɪlɪdʒər/ *s.* aldeão.
villain /v'ɪlən/ *s.* vilão.
vindicate /v'ɪndɪkeɪt/ *v.* justificar, defender; defender(-se). ▪ *sin.* absolve.
vindictive /vɪnd'ɪktɪv/ *adj.* vingativo.
vine /vaɪn/ *s.* videira, parreira; trepadeira.
vinegar /v'ɪnɪgər/ *s.* vinagre.
vineyard /v'ɪnjərd/ *s.* vinha, vinhedo.
vintage /v'ɪntɪdʒ/ *s.* vindima, safra (de bom vinho). • *adj.* de ótima qualidade; clássico.
vinyl /v'aɪnəl/ *s.* vinil.
viola /vi'oʊlə/ *s.* viola. → Musical Instruments
violate /v'aɪəleɪt/ *v.* violar; transgredir, infringir; estuprar. ▪ *sin.* transgress, infringe; rape.
violation /vaɪəl'eɪʃən/ *s.* violação.
violence /v'aɪələns/ *s.* violência.
violent /v'aɪələnt/ *adj.* violento.
violet /v'aɪələt/ *s.* ou *adj.* violeta.
violin /vaɪəl'ɪn/ *s.* violino. → Musical Instruments
violinist /vaɪəl'ɪnɪst/ *s.* violinista. ▪ *sin.* fiddler.
viper /v'aɪpər/ *s.* víbora. ▪ *sin.* snake. → Animal Kingdom
virgin /v'ɜːrdʒɪn/ *s.* virgem; novato, inexperiente. • *adj.* casto, virgem; intato, novo. ▪ *sin.* chaste, novice.
virginity /vərdʒ'ɪnəti/ *s.* virgindade.
virile /v'ɪrəl/ *adj.* viril.
virility /vər'ɪləti/ *s.* virilidade.
virtual /v'ɜːrtʃuəl/ *adj.* virtual. ♦ **virtual community** comunidade virtual.
virtually /v'ɜːrtʃuəli/ *adv.* virtualmente: We met each other *virtually*.
virtue /v'ɜːrtʃuː/ *s.* virtude, mérito, valor; castidade.
virtuous /v'ɜːrtʃuəs/ *adj.* virtuoso. ▪ *sin.* righteous.
virulent /v'ɪrələnt/ *adj.* virulento; mortal.
virus /v'aɪrəs/ *s.* vírus.
visa /v'iːzə/ *s.* visto (em passaporte).
visage /v'ɪzɪdʒ/ *s.* rosto, semblante. ▪ *sin.* face.
vis-à-vis /viːzɑv'iː/ *prep.* comparado a, em relação a.
visible /v'ɪzəbəl/ *adj.* visível; evidente.
vision /v'ɪʒən/ *s.* visão; vista.
visionary /v'ɪʒəneri/ *s.* ou *adj.* visionário.
visit /v'ɪzɪt/ *s.* visita. • *v.* visitar.
visitor /v'ɪzɪtər/ *s.* visitante, visita; turista. ▪ *sin.* guest.
visor /v'aɪzər/ *s.* viseira, visor.

visual /v'ɪʒuəl/ *adj.* visual; visível. ♦ **visual aid** recurso audiovisual.
visualize /v'ɪʒuəlaɪz/ (*Brit.* ***visualise***) *v.* visualizar.
vital /v'aɪtəl/ *adj.* vital, essencial, crucial. ♦ **vital organs** órgãos vitais (coração, pulmão, etc.). **vital signs** sinais vitais.
vitality /vaɪt'æləti/ *s.* vitalidade.
vivacious /vɪv'eɪʃəs, vaɪv'eɪʃəs/ *adj.* vivaz, animado.
vivacity /vɪv'æsəti, vaɪv'æsəti/ *s.* vivacidade.
vivid /v'ɪvɪd/ *adj.* vívido, vivo, vivaz.
VJ /viːdʒ'eɪ/ (*abrev.* de *video jockey* ou *veejay*) videojóquei. → Abbreviations
vocabulary /vək'æbjəleri/ *s.* vocabulário.
vocal /v'oʊkəl/ *adj.* vocal, oral; eloquente. ▪ *sin.* outspoken. ♦ **vocal cords** cordas vocais. → Human Body
vocalist /v'oʊkəlɪst/ *s.* vocalista.
vocation /voʊk'eɪʃən/ *s.* vocação, dom.
vociferate /voʊs'ɪfəreɪt/ *v.* vociferar, berrar.
vociferous /voʊs'ɪfərəs/ *adj.* vociferante.
vogue /voʊg/ *s.* voga, moda. ♦ **in vogue** em voga.
voice /vɔɪs/ *s.* voz. • *v.* falar. ♦ **active voice** voz ativa. **He raised his voice.** Ele levantou a voz. **in a loud voice** em voz alta. **in a low voice** em voz baixa. **passive voice** voz passiva. **voice mail** correio de voz. **voice recognition technology** tecnologia de identificação ou reconhecimento de voz. **with one voice** unanimemente. **voiceful** sonoro. **voiceless** rouco, afônico. **voicelessness** rouquidão, afonia.
void /vɔɪd/ *s.* vácuo, lacuna, vazio. • *v.* anular, suspender; desocupar, esvaziar. • *adj.* nulo; vazio, oco. ▪ *sin.* empty. ♦ **fill a void** preencher o vazio.
VoIP /vɔɪp/ *s.* (*abrev.* de *Voice-over Internet Protocol*) voz sobre protocolo de internet.
volatile /v'ɑlətəl/ *adj.* volátil; transitório; inconstante; instável.
volcanic /vɑlk'ænɪk/ *adj.* vulcânico.
volcano /vɑlk'eɪnoʊ/ *s.* vulcão.
volition /vəl'ɪʃən, voʊl'ɪʃən/ *s.* (*form.*) vontade própria.
volleyball /v'ɑlibɔːl/ *s.* voleibol. → Sports
volt /voʊlt/ *s.* volt (unidade de medida de tensão elétrica).
voltage /v'oʊltɪdʒ/ *s.* voltagem.
voluble /v'ɑːljəbl/ *adj.* (*form.*) loquaz; eloquente; falador, fluente.
volume /v'ɑljuːm, v'ɑljəm/ *s.* volume.
voluminous /vəl'uːmɪnəs/ *adj.* volumoso.
voluntary /v'ɑlənteri/ *adj.* voluntário.
volunteer /vɑlənt'ɪr/ *s.* ou *adj.* voluntário. • *v.* oferecer(-se) como voluntário; servir voluntariamente.
voluptuous /vəl'ʌptʃuəs/ *adj.* voluptuoso, sensual.
vomit /v'ɑmɪt/ *s.* vômito. • *v.* vomitar. ▪ *sin.* throw up.
voracious /vər'eɪʃəs/ *adj.* voraz, faminto.
vote /voʊt/ *s.* voto, sufrágio; votação. • *v.* votar; eleger; aprovar. ♦ **vote for** votar em.
voter /v'oʊtər/ *s.* eleitor.
vouch /vaʊtʃ/ *v.* afirmar, confirmar, assegurar, garantir.
voucher /v'aʊtʃər/ *s.* comprovante, prova (de pagamento); recibo, vale.
vow /vaʊ/ *s.* voto, promessa, juramento. • *v.* jurar. ▪ *sin.* swear. ♦ **vow of chastity** voto de castidade.
vowel /v'aʊəl/ *s.* vogal.
voyage /v'ɔɪɪdʒ/ *s.* viagem. ▪ *sin.* journey.
vulgar /v'ʌlgər/ *adj.* vulgar; grosseiro, de mal gosto.
vulgarity /vʌlg'ærəti/ *s.* vulgaridade.
vulnerability /vʌlnərəb'ɪləti/ *s.* vulnerabilidade, sensibilidade.
vulnerable /v'ʌlnərəbəl/ *adj.* vulnerável.
vulture /v'ʌltʃər/ *s.* abutre, urubu. → Animal Kingdom

W

W

W, w /d'ʌbəlju:/ *s.* vigésima terceira letra do alfabeto inglês.

W /d'ʌbəlju:/ (*abrev.* de *West*) oeste. ➔ Abbreviations

wacky /w'æki/ *adj.* excêntrico, esquisito. ▪ *sin.* odd, queer, weird.

wade /weɪd/ *v.* mover(-se) com dificuldade.

waffle /w'ɑfl/ *s. waffle.*

wag /wæg/ *s.* sacudidela, abano. • *v.* sacudir, abanar, balançar.

wage /weɪdʒ/ *s.* salário, ordenado. • *v.* travar. ♦ **minimum wage** salário mínimo.

wagon /w'ægən/ (*Brit.* **waggon**) *s.* carroça; vagão.

wail /weɪl/ *s.* gemido, lamentação. • *v.* gemer, lamentar(-se), lamuriar(-se). ▪ *sin.* cry, lament. ♦ **Wailing Wall** Muro das Lamentações.

waist /weɪst/ *s.* cintura. ➔ Human Body

waistcoat /w'eskət, w'eɪskoʊt/ (*Brit.*) *s.* colete. ➔ Clothing

waistline /w'eɪstlaɪn/ *s.* medida da cintura (roupa).

wait /weɪt/ *s.* espera, demora. • *v.* esperar. ♦ **Wait and see!** Espere e verá! **wait in line** esperar na fila. **in waiting** à espera. **waiting list** lista de espera. **waiting room** sala de espera.

waiter /w'eɪtər/ *s.* garçom. *fem.* ***waitress***. ➔ Professions

waive /weɪv/ *v.* desistir de, renunciar.

wake /weɪk/ *s.* velório, vigília; esteira; rastro. • *v.* (*pret.* **woke** ou **waked**, *p.p.* **woken** ou **waked**) acordar, despertar (seguido de **up**). ♦ **wakeboarding** *wakeboard.* ➔ Sports

Wales /weɪlz/ *s.* País de Gales. ➔ Countries & Nationalities

walk /wɔ:k/ *s.* passeio; excursão a pé; caminhada; caminho, rota; jeito de andar. • *v.* caminhar, andar a pé, perambular, acompanhar. ♦ **go for a walk** ou **take a walk** dar uma volta. **walk back/backwards** retroceder. **WO (walkover)** vitória fácil ou por não comparecimento do adversário. **walks of life** níveis ou posições sociais. **walking stick** bengala. **nightwalker** noctívago. **sleepwalker** sonâmbulo. **walker** andarilho; andador.

walking /w'ɔ:kɪŋ/ *s.* caminhada: I am dedicated to my *walking* nowadays. • *adj.* ambulante: It is a *walking* machine.

wall /wɔ:l/ *s.* parede, muro; paredão, muralha. • *v.* murar, cercar.

wallet /w'ɑlɪt/ *s.* carteira (de dinheiro).

wallpaper /w'ɔ:lpeɪpər/ *s.* papel de parede.

walnut /w'ɔ:lnʌt/ *s.* noz; nogueira. ➔ Fruit

waltz /wɔ:lts/ *s.* valsa. • *v.* valsar.

wand /wɑnd/ *s.* varinha; batuta (de maestro); bastão, cetro. ♦ **magic wand** varinha mágica.

wander /w'ɑndər/ *v.* passear, perambular; perder(-se) em pensamentos. ▪ *sin.* stroll, rove.

wanderer /w'ɑndərər/ *s.* viajante, andarilho.

wane /weɪn/ *s.* minguante (lua); declínio. • *v.* minguar, diminuir; declinar.

want /wɑnt/ *s.* falta; necessidade, miséria; desejo. • *v.* necessitar, precisar de; desejar, querer; exigir. ♦ **Her hair wants cutting.** Ela precisa cortar o cabelo. **He's not wanted.** Ele não é benquisto. **He's wanted by the police.** Ele é procurado pela polícia. **I want you to do me a favor.** Quero que você me faça um favor. **want ads** classificados. **Maid wanted.** Precisa-se de empregada. **unwanted** indesejado.

war /wɔːr/ *s.* guerra. ♦ **be at war with** estar em pé de guerra com. **wage war on** declarar guerra a. **war cry** grito de guerra. **war of nerves** guerra de nervos. **warfare** beligerância. **warlike** bélico, militar. **warrior** guerreiro. **warship** navio de guerra.

ward /wɔːrd/ *s.* vigia, guarda; tutela, custódia; defesa; sala, ala ou divisão (de hospital ou presídio); bairro, distrito; pupilo. • *v.* precaver-se.

warden /wɔːrdən/ *s.* diretor (de colégio); administrador; carcereiro, guarda. ➔ Professions

wardrobe /w'ɔːrdroʊb/ *s.* guarda-roupa, armário. ➔ Furniture & Appliances

ware /wer/ *s.* artigo, produto. ♦ **chinaware** porcelana. **hardware** ferragens, ferramentas. **smallware** miudeza. **warehouse** armazém, loja, almoxarifado. **warehouseman** almoxarife. **warehousing** armazenagem.

warm /wɔːrm/ *v.* aquecer. • *adj.* quente, morno; cordial, entusiasmado. ♦ **warm-up** animar-se; aquecer-se. **warm-blooded** sangue quente, temperamento quente. **warm-hearted** caloroso, afetuoso. **warmed-over food** comida requentada. **warmer** ou **heater** aquecedor. **warming** aquecimento. **warmly** cordialmente. **warmth** calor.

warn /wɔːrn/ *v.* advertir, chamar a atenção, avisar; prevenir.

warning /w'ɔːrnɪŋ/ *s.* advertência; conselho; aviso.

warrant /w'ɔːrənt/ *s.* garantia; procuração; mandado de busca. • *v.* autorizar; justificar; garantir, certificar. ▪ *sin.* guarantee.

warranty /w'ɔːrənti/ *s.* garantia; autorização, procuração.

wart /wɔːrt/ *s.* verruga.

wary /w'eri/ *adj.* cuidadoso, prudente, precavido; alerta. ▪ *sin.* cautious.

was /wɑz, wʌz, wəz/ *v. pret.* de ***am*** e ***is*** (***be***).

wash /wɑʃ/ *s.* lavagem. • *v.* lavar(-se). ♦ **wash up** lavar a louça (*Brit.*); lavar as mãos. **wash-and-wear (clothes)** roupas que não precisam ser passadas. **washbasin** ou **washbowl** pia. **washed-out** desbotado. **washable** lavável. **washing machine** máquina de lavar. **washing powder** sabão em pó. **washstand** lavatório. **washerwoman** lavadeira.

washing /w'ɑʃɪŋ, w'ɔːʃɪŋ/ *s.* lavagem: The laundry is separated for its *washing*.

wasn't /w'ʌznt/ (forma contraída de *was not*) *v.* não era; não estava.

wasp /wɑsp/ *s.* vespa. ➔ Animal Kingdom

waste /weɪst/ *s.* desperdício, perda; gasto, desgaste, estrago; resíduo, lixo. • *v.* desperdiçar, gastar. • *adj.* supérfluo; baldio; inaproveitado. ♦ **waste of time** perda de tempo. **wastebasket** ou **wastepaper basket** (*Brit.*) cesto de lixo. **wasteful** esbanjador. **wasting disease** doença devastadora. ➔ Classroom

watch /wɑtʃ/ *s.* cuidado, atenção; guarda, vigilância; sentinela; vigília; relógio de pulso. • *v.* assistir a; estar atento; vigiar; olhar, observar; espreitar. ♦ **keep watch** montar guarda. **Watch out!** Cuidado! **watch over** cuidar, tomar conta (de). **Watch your step!** Tenha cuidado (com o degrau)! **watchband** ou **watchstrap** (*Brit.*) pulseira do relógio. **watchdog** cão de guarda. **watcher** ou **watchman** vigia. **watchful** atento. **watchfully** atentamente. **watchmaker** relojoeiro. **watchtower** torre de observação.

water /w'ɔːtər/ *s.* água. • *v.* molhar; irrigar; regar; salivar; lacrimejar. ♦ **be in hot water** estar em apuros. **high water** maré alta. **low water** maré baixa. **water blister** bolha de água. **water bottle** cantil. **water polo** polo aquático. **hot-water bottle** bolsa de água quente. **water-bed** colchão de água. **water closet (WC)** banheiro, sanitário. **watercolor** aquarela. **waterfall** queda-d'água, cachoeira. **water heater** ou **boiler** aquecedor central. **water hose** mangueira. **waterlogged** alagado. **waterproof** impermeável, à prova d'água. **waterskiing** esqui aquático. **waterspout** tromba d'água; esguicho. **watery** úmido. ➔ Sports

watercress /w'ɔːtərkres/ *s.* agrião. ➔ Vegetables

watermelon /w'ɔːtərmelən/ *s.* melancia. ➔ Fruit

watt /wɑt/ *s.* watt (unidade de medida de potência elétrica).

wave /weɪv/ *s.* onda; ondulação; aceno; oscilação. • *v.* mover(-se) (como ondas); acenar; ondular. ♦ **the new wave** a nova onda (música, cinema, etc.).

waver /w'eɪvər/ *v.* fraquejar; hesitar. ▪ *sin.* vacillate.

wavy /w'eɪvi/ *adj.* ondulado, ondulante.

wax /wæks/ *s.* cera. • *v.* encerar.

way /weɪ/ *s.* modo, maneira, jeito; direção, rumo; distância; passagem, caminho; condição, aspecto, estado. ♦ **ask the way** perguntar o caminho. **by the way** a propósito. **half the way** metade do caminho. **lose the way** perder o caminho. **Way of the Cross** via-crúcis. **one-way street** rua de mão única.

we /wiː/ *pron. pess.* nós.

we'd /wiːd/ (forma contraída de *we would* ou *we had*) nós iríamos; nós tínhamos.

we'll /wiːl/ (forma contraída de *we will*) nós iremos.

we're /wɪr/ (forma contraída de *we are*) nós somos; nós estamos.

we've /wiːv/ (forma contraída de *we have*) nós temos.

weak /wiːk/ *adj.* fraco; frágil. ▪ *sin.* feeble. ▪ *ant.* strong. ♦ **have a weak spot for somebody** ter um fraco por alguém. **weak currency** moeda fraca. **weak point** ponto fraco. **weak-kneed** indeciso. **the weaker sex** o sexo frágil. **weakly** fracamente. **weakness** fraqueza, ponto fraco.

weaken /w'iːkən/ *v.* enfraquecer(-se).

wealth /welθ/ *s.* prosperidade, riqueza, fortuna. ▪ *sin.* riches.

wealthy /w'elθi/ *adj.* rico. ▪ *sin.* rich, affluent. ▪ *ant.* poor.

weapon /w'epən/ *s.* arma.

wear /wer/ *v.* (*pret.* **wore**, *p.p.* **worn**) usar, vestir. ➔ Irregular Verbs

weariness /w'ɪrinəs/ *s.* cansaço, fadiga. ▪ *sin.* fatigue.

wearisome /w'ɪrisəm/ *adj.* aborrecido, tedioso; enfadonho, desgastante. ▪ *sin.* tiresome.

weary /w'ɪri/ *adj.* cansado, fatigado, exausto. ▪ *sin.* tired.

weasel /w'iːzəl/ *s.* fuinha, furão, doninha. ➔ Animal Kingdom

weather /w'eðər/ *s.* tempo, clima. ♦ **a pleasant weather** um tempo agradável. **make heavy weather (of)** fazer cavalo de batalha. **Weather permitting...** Se o tempo permitir... **weather forecast** previsão do tempo. **weather-beaten** castigado pelo tempo, curtido. **weatherglass** barômetro. **weatherman** meteorologista. **weatherproof** resistente, à prova de intempéries. **weatherworn** gasto pelo tempo (desgastado). **What's the weather like?** Como está o tempo?

weave /wiːv/ *v.* (*pret.* ***wove***, *p.p.* ***woven***) tecer; trançar, tramar; criar. ➔ Irregular Verbs

weaver /w'iːvər/ *s.* tecelão.

Web /web/ *s.* a internet, a rede. ♦ **webmaster** administrador da *web*. **Web page** página na internet.

web /web/ *s.* tecido; tela; trama; teia (aranha). • *v.* tecer.

webcam /w'ebkæm/ *s.* câmera para computador e comunicação via internet.

weblog /w'eblɑg/ Ver ***blog***.

website /w'ebsaɪt/ *s.* local ou *site* na internet.

wed /wed/ *v.* (*pret.* ***wedded*** e *p.p.* ***wedded*** ou ***wed***) casar(-se). ▪ *sin.* marry. ➔ Irregular Verbs

wedding /w'edɪŋ/ *s.* casamento, matrimônio. ♦ **golden wedding** bodas de ouro. **silver wedding** bodas de prata. **wedding cake** bolo de casamento. **wedding dress** vestido de noiva. **wedding ring** aliança.

Wednesday /w'enzdeɪ, w'enzdi/ *s.* quarta-feira.

weed /wiːd/ *s.* erva daninha; (*gír.*) maconha. • *v.* capinar; eliminar.

week /wiːk/ *s.* semana. ♦ **every other week** semana sim, semana não. **every week** todas as semanas. **for weeks** durante semanas. **last week** semana passada. **next week** semana que vem. **this day week** há/daqui a exatamente uma semana. **week in, week out** entra semana, sai semana. **weekday** dia útil. **weekend** fim de semana. **weekly** semanalmente.

weep /wiːp/ *s.* choro. • *v.* (*pret.* e *p.p.* ***wept***) chorar; lamentar. ▪ *sin.* cry. ➔ Irregular Verbs

weigh /weɪ/ *v.* pesar. ♦ **Weigh your words!** Meça suas palavras! **weighing machine** balança.

weight /weɪt/ *s.* peso. ♦ **dead weight** peso morto. **gross weight** peso bruto. **lose weight** emagrecer. **net weight** peso líquido. **weightlifting** levantamento de peso. **weights and measures** pesos e medidas. **weighty** pesado, importante. ➔ Sports

weird /wɪrd/ *adj.* estranho, esquisito; sinistro.

His girlfriend is a little *weird*, isn't she?

welcome /w'elkəm/ *s.* saudação; boa acolhida. • *v.* dar as boas-vindas a; recepcionar. • *adj.* bem-vindo.

weld /weld/ *s.* solda. • *v.* soldar.

welfare /w'elfer/ *s.* bem-estar.

well /wel/ *s.* poço. • *v.* jorrar, brotar. • *adj.* bom, com saúde, feliz. • *adv.* bem; perfeitamente; adequadamente. ♦ **as well** também. **as well as** assim como. **Well done!** Parabéns!, Muito bem! **well enough** nada mal. **well-balanced** equilibrado. **well-behaved** bem-comportado. **well-being** bem-estar. **well-beloved** benquisto. **well-born** bem-nascido. **well-bred** bem-educado, bem-criado. **well-connected** bem relacionado. **well-disposed** bem-disposto. **well-doer** benfeitor. **well-done** benfeito; bem passado (bife). **well-dressed** bem-vestido. **well-earned** bem-merecido. **well-educated** instruído, culto. **well-fed** bem nutrido. **well-groomed** bem-

-arrumado. **well-informed** bem informado. **well-intentioned** bem--intencionado. **well-known** famoso, conhecido. **well-planned** bem planejado. **well-preserved** bem conservado. **well-thought** bem pensado. **well-timed** oportuno (em boa hora). **well-to-do person** pessoa rica, abastada.

Welsh /welʃ/ *s.* ou *adj.* galês; celta. → Countries & Nationalities

went /went/ *v. pret.* de **go**.

wept /wept/ *v. pret.* e *p.p.* de **weep**.

were /wɜːr, wər/ *v. pret.* de **are** (**be**).

weren't /wɜːrnt/ (forma contraída de *were not*) não eram; não estavam.

west /west/ *s.* oeste; ocidente.

western /w'estərn/ *adj.* ocidental; faroeste: Clint Eastwood made lots of *western* movies during his career.

wet /wet/ *v.* (*pret.* e *p.p.* **wet** ou **wetted**) molhar(-se). • *adj.* molhado; úmido. ♦ **be wet through** estar completamente molhado (encharcado). **wet paint** tinta fresca. **wet-blanket** desmancha--prazeres. **wetness** umidade. **wettish** umedecido. → Irregular Verbs

whack /wæk/ *s.* tapa. • *v.* esbofetear.

whale /weɪl/ *s.* baleia. → Animal Kingdom

wharf /wɔːrf/ *s.* cais.

what /wɑt/ *adj.* (interrogativo e exclamativo) que, qual, quais. • *adv.* em que, de que maneira. • *pron.* (interrogativo) quê?; (relativo) o que, aquilo que. • *interj.* quê!, como! ♦ **I'll tell you what!** Quer saber de uma coisa? **Mrs. … what's her name?** A sra. … qual é mesmo o nome dela? **What about?** Que tal? **What a fool I was!** Como fui bobo! **What a pity!** Que pena! **What are you laughing at?** Do que você está rindo? **What is your father?** O que faz seu pai? **What is your father like?** Como é o seu pai? **What next?** O que mais? **What's the matter with you?** O que há com você?

whatever /wɑt'evər/ *adj.* ou *pron.* qualquer que; o que quer que.

wheat /wiːt/ *s.* trigo. ♦ **wheat flour** farinha de trigo.

wheel /wiːl/ *s.* roda. • *v.* rodar; girar. ♦ **wheelchair** cadeira de rodas.

when /wen/ *adv.* ou *conj.* quando.

whenever /wen'evər/ *adv.* ou *conj.* quando quer que, sempre que.

where /wer/ *adv.* ou *conj.* onde, aonde.

whereabouts /w'erəbauts/ *s.* paradeiro. • /werəb'auts/ *adv.* por onde.

whereas /wer'æz/ *conj.* enquanto; ao passo que. ▪ *sin.* while, whilst.

whereby /werb'aɪ/ *adv.* pelo qual.

wherever /wer'evər/ *adv.* ou *conj.* onde quer que.

whet /wet/ *v.* estimular (o apetite); afiar.

whether /w'eðər/ *conj.* se, quer: It will happen *whether* you want it or not.

which /wɪtʃ/ *adj.* ou *pron.* qual, quais; que.

whichever /wɪtʃ'evər/ *adj.* ou *pron.* qualquer que (seja).

whiff /wɪf/ *s.* brisa; baforada, sopro.

while /waɪl/ *s.* tempo. • *conj.* durante, enquanto; embora. ▪ *sin.* whilst, whereas. ♦ **a little while** um pouco (de tempo). **for a while** por enquanto. **in a while** daqui a pouco. **in the meanwhile** nesse ínterim **once in a while** de vez em quando. **While there's life, there's hope.** Enquanto há vida, há esperança. **worthwhile** que vale a pena.

whilst /waɪlst/ *conj.* enquanto. ▪ *sin.* while, whereas.

whim /wɪm/ *s.* capricho.

whimper /w'ɪmpər/ *v.* choramingar, lastimar(-se). ▪ *sin.* cry, complain.

whimsical /w'ɪmzɪkəl/ *adj.* caprichoso; excêntrico, esquisito.

whine /waɪn/ *s.* lamento, choro. • *v.* lamentar(-se), choramingar.

W

whip /wɪp/ *s.* chicote; chicotada. • *v.* chicotear; arrasar; bater (creme). ♦ **whipped cream** creme batido (chantili). **whipping boy** ou **scapegoat** bode expiatório.

whirl /wɜːrl/ *s.* rodopio; turbilhão. • *v.* girar; ficar tonto.

whirlpool /w'ɜːrlpuːl/ *s.* remoinho de água; redemoinho.

whirlwind /w'ɜːrlwɪnd/ *s.* furacão, vendaval. ▪ *sin.* tornado. ➔ Weather

whisk /wɪsk/ *s.* movimento rápido e repentino; batedor de ovos. • *v.* varrer, espanar; mover rapidamente; bater (ovos).

whiskers /w'ɪskərz/ *s. pl.* bigode de animais; bigode ou costeletas.

whiskey /w'ɪski/ (*Brit.* **whisky**) *s.* uísque.

whisper /w'ɪspər/ *s.* cochicho, sussurro. • *v.* sussurrar, cochichar.

whistle /w'ɪsəl/ *s.* apito, assobio. • *v.* apitar, assobiar.

white /waɪt/ *s.* a cor branca. • *adj.* branco; pálido; claro, transparente; grisalho. ♦ **as white as a sheet** pálido como cera. **Snow White and the Seven Dwarfs** Branca de Neve e os Sete Anões. **The White House** A Casa Branca. **turn white** ou **go white** ficar pálido ou ficar grisalho. **white bear** urso branco. **whiteboard** quadro branco. **whiteboard marker** caneta para quadro branco. **white light** luz branca. **egg white** clara de ovo. **white of the eye** esclera, branco do olho. **white sauce** molho branco. **white-collar** funcionário de escritório, funcionário graduado. **white ware** roupa branca (de cama). **whiteness** brancura. **whitewash** cal. **whitewater rafting** praticar *rafting*. ➔ Sports ➔ Classroom

whiten /w'aɪtən/ *v.* branquear, alvejar, clarear.

who /huː/ *pron.* (interrogativo) quem?; (relativo) quem, que, o qual.

whoever /huː'evər/ *pron.* quem quer que.

whole /hoʊl/ *s.* todo, total, totalidade. • *adj.* completo, todo; intacto; inteiro, total. ▪ *sin.* entire. ♦ **as a whole** como um todo. **in whole or in part** inteiro ou em partes. **three whole months** três meses inteiros. **whole bread** pão integral. **whole milk** leite integral. **whole number** número inteiro. **whole wheat** farinha de trigo integral. **a whole-colored shirt** uma camisa de uma cor só. **a whole-lenght portrait** um retrato de corpo inteiro. **wholehearted** sincero. **wholly** totalmente.

wholesale /h'oʊlseɪl/ *s.* venda por atacado.

wholesome /h'oʊlsəm/ *adj.* sadio; benéfico, proveitoso. ▪ *sin.* healthy.

whom /huːm/ *pron.* (interrogativo) quem?; (relativo) quem, o qual.

whore /hɔːr/ *s.* (*pej.*) prostituta. ▪ *sin.* hooker.

whose /huːz/ *pron.* (interrogativo) de quem?; (relativo) de quem, cujo.

why /waɪ/ *adv.* por quê?; por que, motivo pelo qual. • *conj.* por que. • *interj.* ora!

wick /wɪk/ *s.* pavio.

wicked /w'ɪkɪd/ *adj.* mau, ruim; travesso.

wickedly /w'ɪkɪdli/ *adv.* maldosamente.

wickedness /w'ɪkɪdnəs/ *s.* maldade.

wicker /w'ɪkər/ *s.* vime.

wide /waɪd/ *adj.* largo; extenso, amplo. ▪ *sin.* broad. ▪ *ant.* narrow. ♦ **far and wide** por toda parte. **Open your mouth wide!** Abra bem a boca! **wide band** banda larga. **wide-awake** bem acordado. **wide-eyed** de olhos arregalados. **wide-open** escancarado, arregalado. **wide-ranging** abrangente, variado. **widely** amplamente. **widemouthed** boquiaberto. **widening** ampliação. **widespread** difundido.

widen /w'aɪdən/ *v.* alargar(-se), ampliar(-se).

widget /w'ɪdʒɪt/ *s.* dispositivo (*informática*): Remove all contents from the *widgets*.

widow /w'ɪdoʊ/ *s.* viúva.

widower /w'ɪdoʊər/ *s.* viúvo.

width /wɪdθ, wɪtθ/ *s.* largura, amplitude, extensão. ▪ *sin.* breadth. ♦ **widthways** transversalmente.

wield /wi:ld/ *v.* manejar, empunhar; exercer. ▪ *sin.* handle.

wife /waɪf/ (*s. pl.* **wives** /waɪvz/) *s.* esposa. ♦ **midwife** parteira.

wig /wɪg/ *s.* peruca.

wild /waɪld/ *adj.* selvagem. ♦ **the wilds** regiões agrestes. **wild boar** javali. **wild flower** ou **wildflower** flor do campo. **wild fowl** aves selvagens. **wilderness** selva, sertão, deserto. **wildlife** fauna selvagem. **wildness** selvageria. **wildwood** floresta virgem. → Animal Kingdom

wildly /w'aɪldli/ *adv.* selvagemente, furiosamente: The audience *wildly* booed the congressman.

will /wɪl/ *s.* vontade; testamento. • *v.* querer; desejar; legar; auxiliar de futuro: I *will* travel to Paris next year. ♦ **against my will** contra a minha vontade. **good will** boa vontade. **ill will** má vontade. **last will** testamento. **of one's own free will** de livre e espontânea vontade. **Where there is a will, there is a way.** Querer é poder. **iron will** vontade de ferro. **willful** ou **wilful** (*Brit.*) obstinado. **willing** disposto (a fazer algo). **willingly** voluntariamente. **unwillingly** involuntariamente.

willingness /w'ɪlɪŋnəs/ *s.* boa vontade: I am showing you my *willingness* to cooperate.

willow /w'ɪloʊ/ *s.* salgueiro.

willpower /w'ɪlpaʊər/ *s.* força de vontade.

wilt /wɪlt/ *v.* murchar; definhar.

win /wɪn/ *v.* (*pret.* e *p.p.* **won**) vencer, ganhar. → Irregular Verbs

wind /wɪnd/ *s.* vento; brisa; ventania. • /waɪnd/ *v.* (*pret.* e *p.p.* **wound**) dar voltas; girar; torcer; enrolar. ♦ **wind instrument** instrumento de sopro. **"Gone with the wind"** "E o vento levou". **fair wind** vento favorável. **wind rose** rosa dos ventos. **wind-borne** levado pelo vento. **windbreak** quebra-vento. **windmill** moinho de vento. **windpipe** traqueia. **windshield** ou **windscreen** para-brisa. **windstorm** vendaval. **windsurfing** windsurfe. → Weather → Sports → Irregular Verbs

winding /w'aɪndɪŋ/ *adj.* sinuoso; enrolado, torcido, em espiral.

window /w'ɪndoʊ/ *s.* janela, vidraça; vitrine; guichê. ♦ **a window that faces onto the street** uma janela que dá para a rua. **window sill** ou **window ledge** parapeito. **go window-shopping** sair para ver as vitrines, sem comprar. **window blind** persiana. **window box** jardineira. **window dresser** vitrinista. **windowpane** vidro (de janela), vidraça. **pop-up window** janela instantânea (*informática*).

windy /w'ɪndi/ *adj.* ventoso.

wine /waɪn/ *s.* vinho.

wing /wɪŋ/ *s.* asa; pá de ventilador; paralama. *pl.* ***wings*** bastidores de teatro.

wink /wɪŋk/ *s.* piscada, piscadela. • *v.* piscar.

winner /w'ɪnər/ *s.* vencedor, campeão.

winning /w'ɪnɪŋ/ *adj.* vitorioso. • **winnings** *s. pl.* ganhos, lucros.

winter /w'ɪntər/ *s.* inverno. → Weather

wipe /waɪp/ *v.* esfregar, limpar; secar. ♦ **wipers** limpadores de para-brisa.

wire /w'aɪər/ *s.* arame; fio elétrico; linha telegráfica ou telefônica; telégrafo; telegrama. • *v.* amarrar ou prender com arame; fazer ligação; proteger; telegrafar a. ♦ **barbed wire** arame farpado. **wire brush** escova de aço. **high-wire** corda bamba.

wireless /w'aɪərləs/ *adj.* sem fio.

wiring /w'aɪərɪŋ/ *s.* instalação elétrica.

wisdom /w'ɪzdəm/ *s.* sabedoria, prudência; bom senso.

wise /waɪz/ *adj.* sábio, inteligente; compreensivo; instruído, culto; sensato. ♦ **be none the wiser** ficar na mesma; não entender nada. **put someone wise** deixar alguém a par. **wisecrack** gracejo, brincadeira. **wise guy** sabichão; (*gír. Am.*) mafioso.

wish /wɪʃ/ *s.* desejo, anseio; pedido. • *v.* desejar. ♦ **Wish me luck.** Deseje-me boa sorte. **Wishful thinking!** Doce ilusão! **With best wishes.** Cordialmente.

wit /wɪt/ *s.* sagacidade; perspicácia; imaginação; graça, humor; pessoa espirituosa. ▪ *sin.* humor, irony, satire.

witch /wɪtʃ/ *s.* bruxa. ♦ **witch hunt** caça às bruxas.

witchcraft /w'ɪtʃkræft/ *s.* feitiçaria.

with /wɪð, wɪθ/ *prep.* com.

withdraw /wɪðdr'ɔː, wɪθdr'ɔː/ *v.* (*pret.* **withdrew**, *p.p.* **withdrawn**) retirar(-se), sacar; remover; voltar atrás. ▪ *sin.* recede, retreat. ➔ Irregular Verbs

withdrawal /wɪðdr'ɔːəl, wɪθdr'ɔːəl/ *s.* retirada, saque (dinheiro).

withdrawn /wɪðdr'ɔːn, wɪθdr'ɔːn/ *v. p.p.* de **withdraw**. • *adj.* retraído, reservado.

withdrew /wɪðdr'uː, wɪθdr'uː/ *v. pret.* de **withdraw**.

wither /w'ɪðər/ *v.* murchar, secar.

withhold /wɪðh'oʊld, wɪθh'oʊld/ *v.* (*pret.* e *p.p.* **withheld**) segurar, deter; negar, recusar. ➔ Irregular Verbs

within /wɪð'ɪn/ *prep.* dentro de, ao alcance de; no interior de; no prazo de.

without /wɪð'aʊt/ *prep.* sem.

withstand /wɪðst'ænd, wɪθst'ænd/ *v.* (*pret.* e *p.p.* **withstood**) opor-se; resistir. ▪ *sin.* oppose.

witness /w'ɪtnəs/ *s.* testemunha. • *v.* testemunhar. ▪ *sin.* deponent. ♦ **witness stand** banco das testemunhas. **eyewitness** testemunha ocular.

witty /w'ɪti/ *adj.* espirituoso; satírico.

wizard /w'ɪzərd/ *s.* mágico, feiticeiro.

wobble /w'ɑbəl/ *v.* cambalear; oscilar.

woe /woʊ/ *s.* aflição; desgraça; mágoa.

woke /woʊk/ *v. pret.* de **wake**.

woken /w'oʊkən/ *v. p.p.* de **wake**.

wolf /wʊlf/ (*s. pl.* **wolves** /wʊlvz/) *s.* lobo. ➔ Animal Kingdom

woman /w'ʊmən/ (*s. pl.* **women** /w'ɪmɪn/) *s.* mulher. ♦ **a married woman** uma mulher casada. **a single woman** uma mulher solteira. **woman doctor** médica. **womanish** feminino. **womanishness** feminilidade. **women's disease** doença feminina. **women's rights** direitos das mulheres. **women's team** equipe feminina.

womb /wuːm/ *s.* ventre; útero. ➔ Human Body

won /wʌn/ *v. pret.* e *p.p.* de **win**.

won't /woʊnt/ forma contraída de *will not.*

wonder /w'ʌndər/ *s.* milagre; assombro; maravilha. • *v.* perguntar-se; admirar-se, surpreender-se. ▪ *sin.* amaze, surprise, astonish. ♦ **it's no wonder that** não é de admirar que. **The seven wonders of the world.** As sete maravilhas do mundo.

wonderful /w'ʌndərfəl/ *adj.* maravilhoso.

wood /wʊd/ *s.* madeira, lenha; floresta, bosque. ♦ **be out of the wood** estar fora de perigo. **wood alcohol** álcool metílico, metanol.

wood coal carvão vegetal. **wood-carver** xilógrafo. **redwood** sequoia. **wood-carving** escultura em madeira, entalhe. **woodcutter** lenhador. **wooded** ou **woody** arborizado. **wooden** de madeira. **woodpecker** pica-pau. **woods** floresta. **woodworker** marceneiro. → Animal Kingdom

woodwind /w'ʊdwɪnd/ *s.* instrumentos de sopro.

wool /wʊl/ *s.* lã. ♦ **wooly hat** gorro de lã. → Clothing

woollen /w'ʊlən/ *adj.* de lã.

word /wɜːrd/ *s.* palavra; expressão. ♦ **A word to the wise is sufficient/enough.** Para bom entendedor, meia palavra basta. **bad word** palavrão. **compound word** palavra composta. **give the word** dar a palavra. **have words with somebody** discutir com alguém. **I keep my word.** Eu mantenho a minha palavra. **in other words** em outras palavras. **the last word** a última palavra. **word for word** palavra por palavra. **word of honor** palavra de honra. **watchword** ou **password** senha. **wordy** prolixo.

wore /wɔːr/ *v. pret.* de **wear**.

work /wɜːrk/ *s.* trabalho: I'm late for *work*.; ocupação, profissão; tarefa, serviço; obra; atividade, esforço. *pl.* ***works*** mecanismo. • *v.* trabalhar: I *work* as a nurse.; funcionar. ♦ **out of work** desempregado. **work of art** obra de arte. **work hard** trabalhar muito. **workaholic** pessoa viciada em trabalho: Apparently she is a *workaholic*. **worked by electricity** movido a eletricidade. **worker** ou **workman** trabalhador. **working conditions** condições de trabalho. **working class** classe operária. **working day** dia útil. **working party** mutirão. **workmanship** habilidade. **workmate** colega de trabalho. **workout** exercício físico, malhação. **workshop** oficina. **workstation** estação de trabalho. **workflow** fluxo de trabalho. → Leisure

working /w'ɜːrkɪŋ/ *s.* funcionamento: He came to analyze the *working* of the washing machine. • *adj.* de trabalho: I brought your *working* clothes.; que trabalha: She is a *working* mother.

world /wɜːrld/ *s.* mundo. ♦ **all over the world** ou **worldwide** no mundo todo. **around the world** pelo mundo. **bring into the world** trazer ao mundo. **give the world to know** dar tudo para saber. **not for all the world** por nada deste mundo. **out of this world** de outro mundo. **What in the world are you doing?** O que, por Deus, você está fazendo? **World Cup** Copa do Mundo. **World War I** Primeira Guerra Mundial. **World War II** Segunda Guerra Mundial. **world-famous** mundialmente famoso. **worldly** mundano.

worm /wɜːrm/ *s.* verme. • *v.* insinuar-se.

worn /wɔːrn/ *v. p.p.* de **wear**.

worried /w'ɜːrid/ *adj.* preocupado.

worry /w'ɜːri/ *s.* preocupação. • *v.* atormentar(-se), preocupar(-se), afligir(-se); incomodar. ▪ *sin.* anxiety.

worrying /w'ɜːriɪŋ/ *adj.* preocupante: The traffic situation is *worrying*.

worse /wɜːrs/ *adj.* ou *adv.* pior. ♦ **from bad to worse** de mal a pior.

worsen /w'ɜːrsən/ *v.* piorar.

worship /w'ɜːrʃɪp/ *s.* adoração, veneração; culto. • *v.* adorar, venerar. ▪ *sin.* adore.

worshipper /w'ɜːrʃɪpər/ *s.* adorador, venerador.

worst /wɜːrst/ *s. adj.* ou *adv.* (o) pior. ♦ **At the worst!** Na pior das hipóteses! **Prepare for the worst!** Prepare-se para o pior! **The worst is yet to come.** O pior ainda está por vir.

worth /wɜːrθ/ *s.* valor. • *adj.* digno. ♦ **The house is worth buying.** Vale a pena comprar a casa.

worthless /w'ɜːrθləs/ *adj.* sem valor.

worthwhile /wɜːrθw'aɪl/ *adj.* que vale a pena.

worthy /w'ɜːrði/ *adj.* valioso; digno, conceituado.

would /wʊd, wəd/ *v. aux.* do condicional.

wouldn't /w'ʊdənt/ forma contraída de *would not.*

wound /wuːnd/ *s.* ferida; ferimento. • /waʊnd/ *v.* ferir, machucar; *pret.* e *p.p.* de **wind**.

wounded /w'uːndɪd/ *adj.* ferido: The soldier was *wounded* during the war.

wove /woʊv/ *v. pret.* de **weave**.

woven /w'oʊvən/ *v. p.p.* de **weave**.

wrangle /r'æŋgəl/ *s.* briga, discussão. • *v.* disputar, discutir; brigar. ▪ *sin.* argue.

wrap /ræp/ *s.* xale, cachecol; capa; tipo de sanduíche. • *v.* enrolar, agasalhar, envolver; cobrir; embrulhar; ocultar; dissimular.

wrapper /r'æpər/ *s.* pacote; envoltório.

wrapping /r'æpɪŋ/ *s.* embalagem, invólucro, caixa. ♦ **wrapping paper** papel de embrulho.

wrath /ræθ/ *s.* ira, fúria, cólera. ▪ *sin.* anger.

wrathful /r'æθfəl/ *adj.* furioso, raivoso, colérico, zangado.

wreath /riːθ/ *s.* grinalda; guirlanda; coroa de flores.

wreck /rek/ *s.* destruição; ruína; naufrágio; destroços. • *v.* naufragar; arruinar; danificar.

wreckage /r'ekɪdʒ/ *s.* destroços, escombros.

wrench /rentʃ/ *s.* chave-inglesa; arranco, puxão violento. • *v.* arrancar com puxão violento; deslocar.

wrestle /r'esəl/ *s.* luta, disputa. • *v.* lutar, brigar.

wrestler /r'eslər/ *s.* lutador.

wrestling /r'eslɪŋ/ *s.* luta livre. → Sports

wretch /retʃ/ *s.* patife, miserável, desgraçado.

wretched /r'etʃɪd/ *adj.* deplorável; desprezível; ruim. ▪ *sin.* unhappy.

wriggle /r'ɪgəl/ *s.* movimento sinuoso. • *v.* contorcer(-se), esquivar-se.

wring /rɪŋ/ *v.* (*pret.* e *p.p.* **wrung**) torcer(-se); prensar; apertar (a mão); distender. → Irregular Verbs

wrinkle /r'ɪŋkəl/ *s.* dobra, prega; ruga. • *v.* dobrar; enrugar, franzir.

wrist /rɪst/ *s.* pulso. ♦ **wristband** punho de camisa. **wristwatch** relógio de pulso. → Human Body

write /raɪt/ *v.* (*pret.* **wrote**, *p.p.* **written**) escrever; redigir; compor. ♦ **write down** anotar. **write (down) in full** escrever por extenso. **handwriting** caligrafia, letra. **typewriter** máquina de escrever. **writer** escritor. **writing** escrita. **writing paper** papel de carta. **writing table** escrivaninha. → Irregular Verbs → Professions

writhe /raɪð/ *v.* contorcer-se, debater-se.

written /r'ɪtən/ *v. p.p.* de **write**.

wrong /rɔːŋ/ *adj.* errado, falso, indevido. ♦ **do wrong** fazer mal (a), tratar injustamente. **Get off on the wrong foot.** Começar com o pé esquerdo. **Get out of bed on the wrong side.** Levantar-se com o pé esquerdo. **go wrong** dar errado. **I can prove you wrong.** Posso provar que você está errado. **Sorry, wrong number!** Desculpe, foi engano! **What's wrong?** O que há? **wrong guess** palpite ("chute") errado. **You are wrong!** Você está errado!

wrongly /r'ɔːŋli/ *adv.* erroneamente: This is the book I had *wrongly* referred to as a Dickens novel.

wrongdoer /r'ɔːŋduːər/ *s.* malfeitor, transgressor.

wrote /roʊt/ *v. pret.* de **write**.

wrought /rɔːt/ *adj.* trabalhado, enfeitado, bordado.

wrung /rʌŋ/ *v. pret.* e *p.p.* de **wring**.

wryneck /r'aɪnek/ *s.* torcicolo.

www /dʌbəljuːdʌbəljuːd'ʌbəljuː/ (*abrev.* de *World Wide Web*) rede mundial (de computadores) → Abbreviations

X, x /eks/ *s.* vigésima quarta letra do alfabeto inglês.

xerox /z'ɪrɑks/ *s.* copiadora; cópia, reprodução, xerox • *v.* copiar, reproduzir. ♦ **Xerox™** marca registrada Xerox.

Xmas /kr'ɪsməs, 'eksməs/ (*abrev.* de *Christmas*) Natal. ♦ **Merry Xmas!** Feliz Natal! → Abbreviations

X-ray /'eksreɪ/ *s.* raios X; radiografia. • *v.* radiografar. ♦ **X-ray machine** aparelho de raios X. **X-ray technician** radiógrafo, técnico em raios X. **X-ray vision** visão raios X.

xylophone /z'aɪləfoʊn/ *s.* xilofone. → Musical Instruments

Y, y /waɪ/ *s.* vigésima quinta letra do alfabeto inglês.

yacht /jɑt/ *s.* iate. • *v.* navegar em iate. → Means of Transportation

yachting /j'ɑtɪŋ/ *s.* iatismo. → Sports

Yankee /j'æŋki/ *s.* (*pej.*) ianque (norte-americano).

yard /jɑrd/ *s.* jarda (1 jarda = 91,4 cm); pátio, quintal; cercado, curral, viveiro; depósito ♦ **backyard** quintal dos fundos. **front yard** jardim; quintal da frente. **junk yard** ferro-velho. → Numbers

yarn /jɑrn/ *s.* fio (de lã, algodão, etc.); (*inf.*) lorota.

yawn /jɔːn/ *s.* bocejo. • *v.* bocejar.

yeah! /jeə/ *interj.* sim!

year /jɪr/ *s.* ano. ♦ **all year long** o ano todo. **a year and a day** daqui a exatamente um ano. **every other year** ano sim, ano não. **leap year** ano bissexto. **New Year** Ano-Novo. **next year** no ano que vem. **the following year** no ano seguinte. **year by year** ou **year in, year out** entra ano, sai ano. **half-year** semestre. **yearbook** agenda; anuário, almanaque. **yearly** anual, anualmente.

yearn /jɜːrn/ *v.* ansiar, desejar, aspirar. ▪ *sin.* long (for).

yeast /jiːst/ *s.* levedura, fermento.

yell /jel/ *s.* grito, berro, urro. • *v.* gritar, berrar, urrar; (*Am.*) pedir ajuda.

yellow /j'eloʊ/ *s.* ou *adj.* amarelo. • *v.* amarelar, tornar(-se) amarelo. ♦ **yellow fever** febre amarela. **yellowish** amarelado.

yelp /jelp/ *s.* latido. • *v.* latir.

yes /jes/ *s.* ou *adv.* sim. ♦ **yes-man** pessoa servil, puxa-saco.

yesterday /j'estərdeɪ, j'estərdi/ *s.* ou *adv.* ontem.

yet /jet/ *adv.* ainda, já. • *conj.* contudo, mas, porém, não obstante, todavia. ▪ *sin.* however, but. ♦ **not yet** ainda não.

Yiddish /j'ɪdɪʃ/ *s.* ídiche (idioma falado por muitos judeus).

yield /jiːld/ *s.* rendimento, lucro; produção. • *v.* render; produzir; (com ***to***) dar preferência (no trânsito).

yoga /j'oʊgə/ *s.* ioga.

What about quitting this *yoga* thing and getting back to work?

yogurt /j'oʊgərt/ (*tb.* ***yoghurt*** ou ***yoghourt***) *s.* iogurte.

yoke /joʊk/ *s.* jugo; opressão; cós (da roupa). • *v.* unir; casar.

yolk /joʊk/ *s.* gema de ovo.

you /juː/ *pron. pess.* tu, você, vocês.

you'd /juːd/ (forma contraída de *you would* ou *you had*) você iria, vocês iriam; você tinha, vocês tinham.

you'll /juːl/ (forma contraída de *you will*) você irá; vocês irão.

you're /jʊr, jər/ (forma contraída de *you are*) você é, você está; vocês são, vocês estão.

you've /juːv/ (forma contraída de *you have*) você tem; vocês têm.

young /jʌŋ/ *s.* os jovens; filhote(s) de animal. • *adj.* novo; moço, jovem; juvenil.

youngster /j'ʌŋstər/ *s.* criança; jovem, adolescente.

your /jʊr, jər/ *adj. poss.* teu(s), tua(s), seu(s), sua(s), de você(s), vosso(s), vossa(s).

yours /jʊrz, jɔːrz/ *pron. poss.* o(s) teu(s), a(s) tua(s), o(s) seu(s), a(s) sua(s), o/a/os/as de você(s), o(s) vosso(s), a(s) vossas(s).

yourself /jərs'elf, jɔːrs'elf, jʊrs'elf/ (*pl.* **yourselves**) *pron. reflex.* você mesmo(a), (a) si mesmo(a), (a) si próprio(a), consigo, se.

youth /juːθ/ *s.* mocidade, juventude; os jovens. ♦ **in my youth** na minha juventude.

youthful /j'uːθfəl/ *adj.* juvenil, jovem.

Z

Z, z /ziː/ *s.* vigésima sexta e última letra do alfabeto inglês.

zeal /ziːl/ *s.* (*form.*) fervor, zelo, entusiasmo.

zealous /z'eləs/ *adj.* fervoroso, zeloso, entusiasmado.

zebra /z'iːbrə/ *s.* zebra. → Animal Kingdom

zebra crossing (*Brit.*) *s.* faixa de pedestre (*Am.* **crosswalk**).

zenith /z'enɪθ/ *s.* zênite.

zero /z'ɪroʊ, z'iːroʊ/ (*Brit.* **nought**) *s.* ou *num.* zero. → Numbers

zest /zest/ *s.* gosto, prazer, satisfação, deleite; pedaço da camada mais externa da laranja ou do limão, usado para dar sabor a bebidas e pratos.

zinc /zɪŋk/ *s.* zinco.

zip /zɪp/ *s.* apito, assobio, zumbido; (*gír.*) zero, nada. • *v.* apitar, zumbir; fechar com zíper. ♦ **Zip it!** Cale-se!

zip code *s.* Código de Endereçamento Postal (CEP).

zipper /z'ɪpər/ (*Brit.* **zip**) *s.* zíper.

zodiac /z'oʊdiæk/ *s.* zodíaco.

zombie /z'ɑmbi/ (*tb.* **zombi**) *s.* zumbi.

zone /zoʊn/ *s.* zona. ♦ **combat zone** zona de combate. **time zone** fuso horário. **twilight zone** lugar sombrio, misterioso.

zoo /zuː/ (*s. pl.* **zoos**) *s.* zoológico. *abrev.* de **zoological garden**.

zoology /zoʊ'ɑlədʒi/ *s.* zoologia.

zoom /zuːm/ *s.* lente fotográfica, ampliação de imagem. • *v.* zumbir; usar uma lente *zoom;* mover(-se) rapidamente; aumentar de repente. ♦ **zoom in** ampliar. **zoom out** diminuir.

zucchini /zuk'iːni/ (*Am.*) *s.* abobrinha (*Brit.* **courgette**). → Vegetables

Glossário temático

Countries & nationalities

Países e nacionalidades

Country (Portuguese)	Country (English)	Nationality	Capital	Currency	Language
Afeganistão	Afghanistan	Afghan	Kabul	afghani	Pashto/Dari
África do Sul	South Africa	South African	Pretoria*	South African rand	Afrikaans/English
Alemanha	Germany	German	Berlin	euro	German
Arábia Saudita	Saudi Arabia	Saudi	Riyadh	Saudi riyal	Arabic
Argentina	Argentina	Argentine/Argentinian	Buenos Aires	Argentine peso	Spanish
Austrália	Australia	Australian	Canberra	Australian dollar	English
Áustria	Austria	Austrian	Vienna	euro	German
Bangladesh	Bangladesh	Bangladeshi	Dhaka	taka	Bengali
Bélgica	Belgium	Belgian	Brussels	euro	Dutch/German/French/Flemish
Bolívia	Bolivia	Bolivian	La Paz**	boliviano	Spanish/Aymara/Quechua
Brasil	Brazil	Brazilian	Brasilia	real	Portuguese
Bulgária	Bulgaria	Bulgarian	Sofia	lev	Bulgarian
Camboja	Cambodia	Cambodian	Phnom Penh	riel	Khmer
Canadá	Canada	Canadian	Ottawa	Canadian dollar	English/French
Chile	Chile	Chilean	Santiago	Chilean peso	Spanish
China	China	Chinese	Beijing	yuan	Chinese
Colômbia	Colombia	Colombian	Bogota	Colombian peso	Spanish
Coreia do Norte	North Korea	North Korean	Pyongyang	North Korean won	Korean
Coreia do Sul	South Korea	South Korean	Seoul	South Korean won	Korean
Cuba	Cuba	Cuban	Havana	Cuban peso/ Convertible peso	Spanish
Dinamarca	Denmark	Danish/Dane	Copenhagen	Danish krone	Danish
Egito	Egypt	Egyptian	Cairo	Egyptian pound	Arabic
Equador	Ecuador	Ecuadorian	Quito	US dollar	Spanish

* There are three capitals in South Africa: Pretoria, the executive capital; Bloemfontein, the judicial one; and Cape Town, the legislative one.
** There are two capitals in Bolivia: La Paz, the administrative capital; and Sucre, the judicial one.

Country (Portuguese)	Country (English)	Nationality	Capital	Currency	Language
Escócia	Scotland	Scottish	Edinburgh	pound sterling	English/Gaelic
Espanha	Spain	Spaniard/Spanish	Madrid	euro	Spanish
Estados Unidos	(The) United States	American	Washington, D.C.	US dollar	English
Etiópia	Ethiopia	Ethiopian	Addis Ababa	birr	Amharic
Filipinas	(The) Philippines	Philippine	Manila	peso	English/Philippine
Finlândia	(The) Finland	Finnish/Finn	Helsinki	euro	Finnish/Swedish
França	France	French	Paris	euro	French
Grã-Bretanha	Great Britain	British/Briton	London	pound sterling	English
Grécia	Greece	Greek	Athens	euro	Greek
Holanda	(The) Netherlands	Dutch	Amsterdam	euro	Dutch
Hungria	Hungary	Hungarian	Budapest	forint	Hungarian
Índia	India	Indian	New Delhi	Indian rupee	Hindi/English
Indonésia	Indonesia	Indonesian	Jakarta	rupiah	Indonesian
Inglaterra	England	English	London	pound sterling	English
Irã	Iran	Iranian	Tehran	Iranian rial	Persian
Iraque	Iraq	Iraqi	Baghdad	Iraqi dinar	Arabic/Kurdish/Neo-Aramaic
Irlanda	Ireland	Irish	Dublin	euro	English/Irish
Irlanda do Norte	Northern Ireland	Northern Irish	Belfast	pound sterling	English/Irish
Israel	Israel	Israeli	Jerusalem	Israeli new shekel	Hebrew/Arabic
Itália	Italy	Italian	Rome	euro	Italian
Jamaica	Jamaica	Jamaican	Kingston	Jamaican dollar	English
Japão	Japan	Japanese	Tokyo	yen	Japanese
Líbano	Lebanon	Lebanese	Beirut	Lebanese pound	Arabic/French
Lituânia	Lithuania	Lithuanian	Vilnius	Lithuanian litas	Lithuanian

Country (Portuguese)	Country (English)	Nationality	Capital	Currency	Language
Marrocos	Morocco	Moroccan	Rabat	Moroccan dirham	Arabic/French
México	Mexico	Mexican	Mexico City	peso	Spanish
Mônaco	Monaco	Monacan	Monaco	euro	French
Noruega	Norway	Norwegian	Oslo	Norwegian krone	Norwegian
Nova Zelândia	New Zealand	New Zealander/Kiwi	Wellington	New Zealand dollar	English
País de Gales	Wales	Welsh	Cardiff	pound sterling	English/Welsh
Panamá	Panama	Panamanian	Panama City	balboa	Spanish
Paquistão	Pakistan	Pakistani	Islamabad	Pakistani rupee	English/Urdu
Paraguai	Paraguay	Paraguayan	Asuncion	guarani	Spanish/Guarani
Peru	Peru	Peruvian	Lima	nuevo sol	Spanish/Aymara/Quechua
Polônia	Poland	Polish/Pole	Warsaw	zloty	Polish
Porto Rico	Puerto Rico	Puerto Rican	San Juan	US dollar	Spanish/English
Portugal	Portugal	Portuguese	Lisbon	euro	Portuguese
Quênia	Kenya	Kenyan	Nairobi	Kenyan shilling	English/Swahili
República Dominicana	Dominican Republic	Dominican	Santo Domingo	Dominican peso	Spanish
República Tcheca	Czech Republic	Czech	Prague	Czech koruna	Czech
Romênia	Romania	Romanian	Bucharest	Romanian New Leu	Romanian
Rússia	Russia	Russian	Moscow	Russian ruble	Russian
Senegal	Senegal	Senegalese	Dakar	CFA franc	French
Síria	Syria	Syrian	Damascus	Syrian pound	Arabic
Suécia	Sweden	Swedish/Swede	Stockholm	Swedish krona	Swedish
Suíça	Switzerland	Swiss	Berna	Swiss franc	French/Italian/German/Romansh
Tailândia	Thailand	Thai	Bangkok	baht	Thai
Turquia	Turkey	Turkish	Ankara	lira	Turkish
Uruguai	Uruguay	Uruguayan	Montevideo	Uruguayan peso	Spanish
Venezuela	Venezuela	Venezuelan	Caracas	bolivar fuerte	Spanish
Vietnã	Vietnam	Vietnamese	Hanoi	dong	Vietnamese

The United States of America & Canada

Estados Unidos da América e Canadá

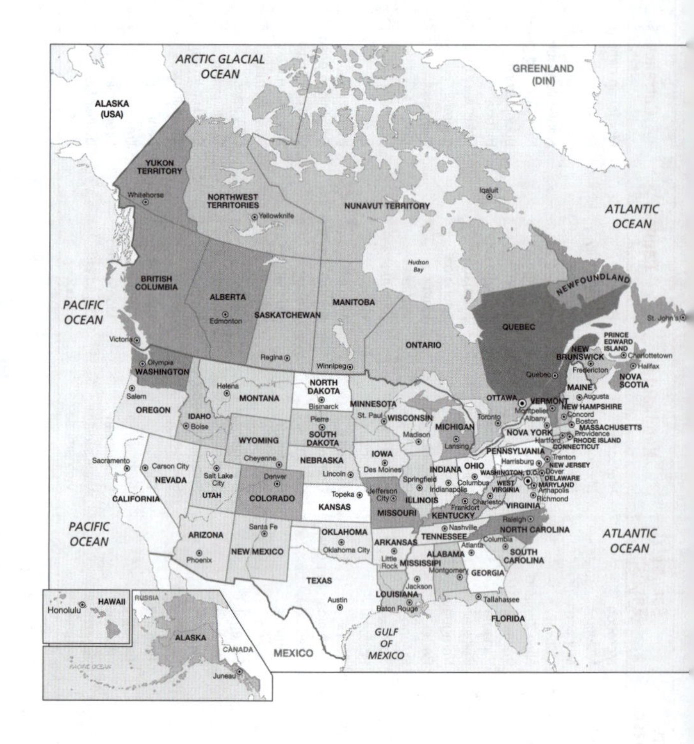

The British isles

As ilhas britânicas

Australia & New Zealand

Austrália e Nova Zelândia

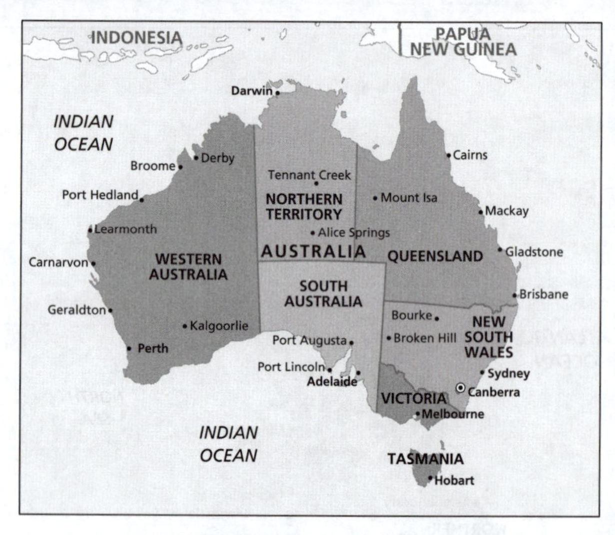

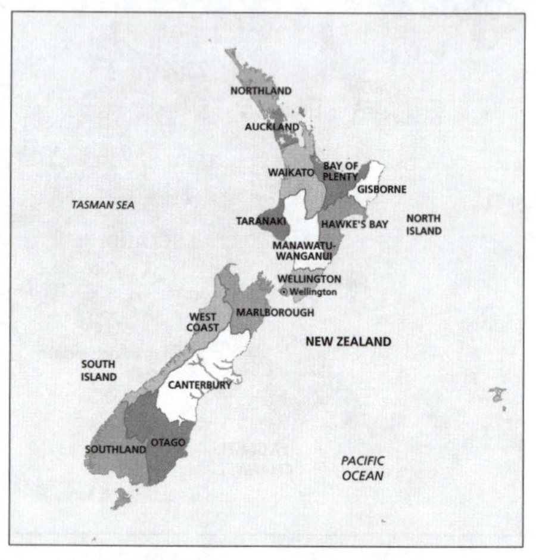

Weather
Clima

blizzard nevasca
cold front frente fria
cyclone ciclone
dew orvalho
drizzle garoa
drought seca
fall, autumn (*Brit.*) outono ⓐ
fine tempo bom, agradável
flood enchente
fog neblina
gale vendaval
hail granizo
hurricane furacão, tufão
lightning relâmpago, raio
mist névoa, bruma
rain chuva
rainbow arco-íris
sandstorm tempestade de areia
sleet chuva com neve
smog neblina com poluição
snow neve
spring primavera ⓑ
storm tempestade
summer verão ⓒ
sunset pôr do sol
thunder trovão
tornado tornado
wind vento
winter inverno ⓓ

Sports
Esportes

baseball
beisebol

ice hockey
hóquei sobre gelo

badminton *badminton*
basketball basquetebol
bobsled, bobsleigh (*Brit.*) *bobsled*
body boarding *body-board*
boxing boxe ⓐ
bungee jumping *bungee jump*
climbing alpinismo
cricket críquete
cycling ciclismo
cyclocross ciclocross
decathlon decátlon
diving mergulho ⓑ
fencing esgrima
football futebol americano
golf golfe
gymnastics ginástica
handball handebol
hockey hóquei
horseback riding equitação
hurling *hurling*
ice skating patinação no gelo
jogging corrida
judo judô
kayaking andar de caiaque
kickboxing *kick boxing* ⓒ
kite surfing kitesurfe

hang gliding
voar de asa-delta

surfing
surfe

lacrosse lacrosse
marathon maratona
mountain biking praticar *mountain bike*
mountaineering alpinismo
parachuting paraquedismo
paragliding parapente
rappel, abseiling (*Brit.*) rapel
rowing remo (d)
rugby rúgbi
scuba diving mergulho com cilindro de ar
skiing esqui (e)
snorkeling mergulho com *snorkel*
snowboarding *snowboard*, surfe na neve
soccer, football (*Brit.*) futebol
softball softbol
squash *squash*
swimming natação
table tennis tênis de mesa
tennis tênis (f)
track and field atletismo
triathlon triátlon
volleyball voleibol
wakeboarding *wakeboard*
waterskiing esqui aquático
weightlifting levantamento de peso
whitewater rafting *rafting* (g)
windsurfing windsurfe
wrestling luta livre
yachting iatismo

luge
luge

Leisure
Lazer

billiards, pool bilhar
blogging manter um blogue
bowling boliche ⓐ
camping acampar
checkers, draughts (*Brit.*) damas
chess xadrez
clubbing ir a casas noturnas
collecting colecionar
cookery culinária
dancing dançar
darts dardos
dice dados
DIY (do-it-yourself) artesanato do tipo faça você mesmo
dominoes dominó
drawing desenhar
flying a kite soltar pipa ⓑ
hanging out passar o tempo com amigos
hiking fazer caminhada, trilha
knitting tricô ⓒ
meeting friends encontrar amigos
needlework bordado
painting pintar
photography fotografia
playing cards jogar cartas ⓓ
playing the guitar tocar violão
reading leitura
rollerblading patinação *in-line*
snooker sinuca
working out malhar

skateboarding
andar de *skate*

backpacking
fazer mochilão

Musical instruments

Instrumentos musicais

organ
órgão

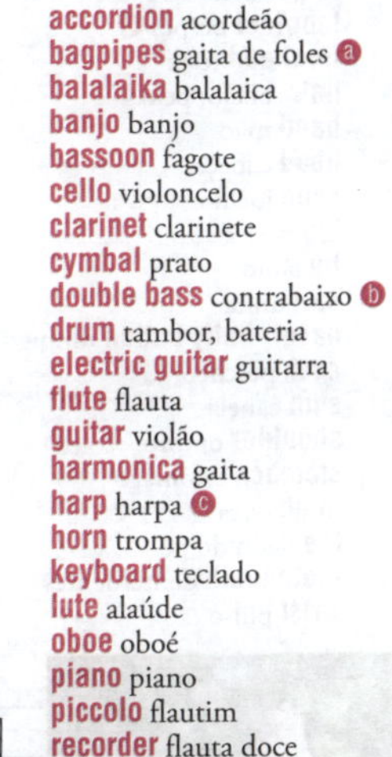

accordion acordeão
bagpipes gaita de foles ⓐ
balalaika balalaica
banjo banjo
bassoon fagote
cello violoncelo
clarinet clarinete
cymbal prato
double bass contrabaixo ⓑ
drum tambor, bateria
electric guitar guitarra
flute flauta
guitar violão
harmonica gaita
harp harpa ⓒ
horn trompa
keyboard teclado
lute alaúde
oboe oboé
piano piano
piccolo flautim
recorder flauta doce
sitar cítara
synthesizer sintetizador
triangle triângulo
trombone trombone
trumpet trompete ⓓ
ukulele guitarra havaiana
viola viola
violin violino
xylophone xilofone

saxophone
saxofone

Human body

Corpo humano

ankle tornozelo
arm braço ⓐ
back costas
bottom, buttocks nádegas
breast peito (colo)
cheek bochecha
chin queixo
ear orelha ⓑ
elbow cotovelo
eye olho
finger dedo da mão
foot/feet pé/pés ⓒ
forehead testa
hair cabelo; pelo
hand mão
head cabeça
knee joelho
leg perna
lip lábio
nail unha
navel, belly button umbigo
neck pescoço
shin canela
shoulder ombro
stomach estômago
thigh coxa
toe dedo do pé
tooth/teeth dente/dentes
wrist pulso

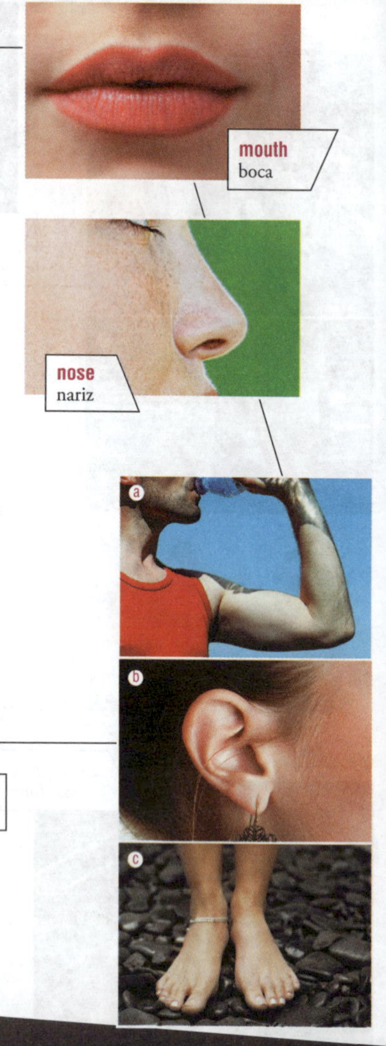

Clothing

Vestuário

hoody moletom com capuz

baseball cap boné ⓐ
belt cinto
blouse camisa feminina
bra sutiã
briefs cueca, calcinha
coat casaco
denim jacket jaqueta *jeans*
dress vestido
glove luva
hat chapéu
jacket jaqueta; paletó
jeans calça *jeans* ⓑ
leather jacket jaqueta de couro
pajamas, pyjamas (*Brit.*) pijama
panties calcinha
pants calças
pantyhose, stockings meia-calça
scarf cachecol; echarpe
shoe sapato
shorts *short*
shoulder bag bolsa tiracolo
skirt saia ⓒ
sock meia
suit terno
sunglasses óculos escuros
sweater suéter
sweatshirt moletom
tie gravata ⓓ
T-shirt camiseta
vest colete; camiseta regata (*Brit.*)
wooly hat gorro de lã

boot bota

Classroom

Sala de aula

ballpoint pen caneta esferográfica
blackboard lousa, quadro-negro ⓐ
bulletin board quadro de avisos
calculator calculadora
chalk giz
eraser borracha
felt-tip pen caneta hidrográfica
file pasta; arquivo
glue cola
map mapa
notebook caderno
overhead projector retroprojetor
pen caneta
pencil lápis
pencil case estojo
pencil sharpener apontador ⓑ
pupil aluno(a)
ruler régua
satchel mochila escolar (estilo bolsa carteiro)
schedule horário
school bag mochila escolar ⓒ
scissors tesoura
Scotch tape™ fita adesiva, durex®
student estudante
teacher professor
textbook livro didático ⓓ
trash can, wastebasket cesto de lixo
whiteboard quadro branco
whiteboard marker caneta para quadro branco

desk
carteira; mesa

highlighter
caneta marca-texto

Professions

Profissões

architect arquiteto(a)

pilot piloto(a) (de avião)

accountant contador(a)
analyst analista
apprentice aprendiz
auditor auditor(a)
baker padeiro(a)
bank clerk caixa; bancário(a) (a)
barber barbeiro(a)
carpenter carpinteiro(a)
CEO (Chief Executive Officer) presidente (de uma empresa)
consultant consultor(a)
designer projetista
director diretor(a)
doctor médico(a) (b)
economist economista
electrician eletricista
engineer engenheiro(a)
firefighter bombeiro(a)
hairdresser cabeleireiro(a)
lawyer advogado(a) (c)
manager gerente
mechanic mecânico(a)
nurse enfermeiro(a)
pharmacist farmacêutico(a)
plumber encanador(a)
programmer programador(a)
researcher pesquisador(a)
salesclerk vendedor(a)
secretary secretária(a)
surgeon cirurgião/cirurgiã
technician técnico(a)

teacher professor(a)

Means of transportation

Meios de transporte

bicycle bicicleta
bus ônibus
cab, taxi táxi
canoe canoa
car carro (a)
ferry balsa
fire truck carro de bombeiros
garbage truck caminhão de lixo
glider planador
helicopter helicóptero (b)
minibus micro-ônibus
moped mobilete
motorcycle motocicleta
oil tanker petroleiro
people carrier minivan
pick-up truck camionete
rowboat barco a remo
RV (recreational vehicle), trailer *trailer*
scooter lambreta
ship navio
snowmobile veículo de neve (c)
speedboat lancha
submarine submarino
subway, underground (*Brit.*) metrô
SUV (sport utility vehicle) veículo 4x4
tricycle triciclo
truck caminhão
van furgão

Furniture & appliances

Móveis e eletrodomésticos

desk escrivaninha

table mesa

armchair poltrona (a)
bed cama
bookcase estante
buffet aparador, bufê
carpet carpete
chair cadeira
closet, wardrobe armário; guarda-roupa
coffee table mesa de centro
cooker, stove fogão
couch, sofa sofá (b)
counter balcão
cupboard armário de cozinha
curtain cortina
cushion almofada
dresser cômoda, penteadeira; aparador (*Brit.*)
freezer congelador
microwave micro-ondas (c)
mirror espelho
picture frame moldura
pillow travesseiro
poster pôster
pouf, pouffe banqueta; pufe
radiator aquecedor; radiador (d)
refrigerator, fridge (*Brit.*) geladeira
rug tapete
sideboard aparador
sink pia
stool banquinho
TV televisão

Animal kingdom

Reino animal

chimpanzee
chimpanzé

alligator jacaré
anteater tamanduá
armadillo tatu
bear urso
bison bisão (a)
boar javali
buffalo búfalo
calf bezerro
camel camelo
carp carpa
cat gato
chameleon camaleão (b)
coral coral
cow vaca
crab caranguejo, siri
crocodile crocodilo
deer veado
dog cachorro
dolphin golfinho
donkey burro
eel enguia
elephant elefante (c)
ferret furão
foal potro
fox raposa (d)
frog rã
gecko lagartixa
giraffe girafa
goat bode, cabra (e)
gorilla gorila
guinea pig
porquinho-da-índia

goldfish
peixe-dourado,
kinguio

kangaroo
canguru

koala
coala

hamster *hamster*
hare lebre
hippopotamus, hippo hipopótamo
horse cavalo
jaguar jaguar, onça-pintada
jellyfish água-viva
kid cabrito
kitten gatinho
lamb cordeiro
leopard leopardo
lion leão
lizard lagarto
llama lhama (f)
lobster lagosta
mole toupeira
monkey macaco
mouse camundongo
mule mula
mussel mexilhão
octopus polvo (g)
ostrich avestruz
otter lontra
ox boi
oyster ostra
panda panda
panther, cougar pantera; puma, suçuarana, onça-parda (h)
pony pônei
pup, puppy cachorrinho

(f)

(g)
(h)

polar bear
urso-polar

reindeer rena

rabbit coelho
rat rato
ray raia
rhinoceros, rhino rinoceronte
salmon salmão (i)
sardine sardinha
sea cucumber pepino-do-mar
sea horse cavalo-marinho
sea urchin ouriço-do-mar
seal foca
sea lion leão-marinho
sheep ovelha
shrimp, prawn (*Brit.*) camarão
skunk gambá
sloth bicho-preguiça
snake cobra
squid lula
squirrel esquilo
starfish estrela-do-mar
tiger tigre
terrapin cágado
toad sapo (j)
tortoise tartaruga terrestre
trout truta
tuna atum
turtle tartaruga
whale baleia (k)
wolf lobo
zebra zebra

(i)

(j)

(k)

shark tubarão

Fruit

Frutas

apricot
damasco, abricó

almond amêndoa
apple maçã
banana banana
black currant cassis, groselheira-preta
blueberry mirtilo
Brazil nut castanha-do-pará (a)
cherry cereja
chestnut castanha
coconut coco
date tâmara
grape uva
grapefruit toranja
guava goiaba
hazelnut avelã
lemon limão-siciliano (b)
mango manga
melon melão
mulberry amora
orange laranja
papaya mamão (c)
peach pêssego
pear pera
pineapple abacaxi
plum ameixa
raspberry framboesa
red currant groselha
starfruit carambola
strawberry morango (d)
tomato tomate
walnut noz
watermelon melancia

lime
limão-taiti

Vegetables

Legumes e verduras

eggplant, aubergine (*Brit.*) berinjela

asparagus aspargo
bean feijão
beet, beetroot (*Brit.*) beterraba
broccoli brócolis
cabbage repolho
carrot cenoura
cassava, yam mandioca
cauliflower couve-flor
celery salsão
chayote chuchu (a)
corn milho
corncob espiga de milho
cucumber pepino
garlic alho
green beans vagem
leek alho-poró
lentil lentilha
lettuce alface (b)
mushroom cogumelo
okra quiabo
onion cebola
parsley salsa, salsinha
pea ervilha
potato batata
radish rabanete
spinach espinafre
squash, marrow (*Brit.*) abóbora
zucchini abobrinha (c)

pumpkin abóbora

bell pepper pimentão

Português

Inglês

A, a the first letter of the Portuguese alphabet.
A the sixth musical note.
a the. • her, it. • that, the one. • to, at, in, on, by. **as** the. • them. • those, the ones.
à contraction of the preposition *a* with the article or pronoun *a*. ♦ **à direita** on/to the right. **à disposição** at your disposal. **à força** by force. **à solta** on the loose.
aba brim (hat), rim; edge; border.
abacate avocado, avocado pear, alligator pear. ➔ Fruit
abacaxi pineapple. ➔ Fruit
abade abbot.
abadessa abbess.
abadia abbey, monastery.
abafado stuffy, airless, sultry; kept secret, oppressed.
abafamento choking; breathlessness.
abafar choke; suffocate; hush up.
abaixar lower; decrease; turn down (volume), reduce.
abaixo down, below. ♦ **Abaixo o(a)...!** Down with...! **abaixo--assinado** petition.
abajur table lamp, bedside lamp.
abalado shaky; moved, touched; shattered, upset.
abalar shake, move, touch, affect; shock; stir up.
abalizado authoritative; distinguished.
abalizar signal; delimit, demarcate.
abalo commotion; shock; grief. ♦ **abalo sísmico** earthquake.
abalroar run into, collide (with), crash into.
abanador fan.
abanar fan; wag ♦ **O cachorro abanou o rabo.** The dog wagged its tail. **com as mãos abanando** empty-handed.
abandonado abandoned; deserted; forsaken, helpless; alone, friendless; disregarded, despised; uninhabited. ♦ **criança abandonada** waif.
abandonar abandon; neglect; forsake; disregard; renounce; let go of.
abandono abandonment, disregard; dereliction, desertion.
abarcar monopolize; comprise; embrace.
abarrotado overfull, overfilled, overloaded, overcrowded.
abarrotar overfill; overload; overcrowd.
abastado rich, wealthy, well-off.
abastecedor supplier. • supplying, catering, providing.
abastecer supply, provide with; furnish; cater; fill up; refuel.
abastecimento supply, provision; refueling.
abate discount; slaughter; felling.
abater abate; lower, discount; lessen; fell; kill; weaken; depress; sadden.
abatido abated; exhausted; discouraged, low, depressed; weakened, downcast.
abatimento abatement; low spirits; felling; depression; discount.
abaulamento camber.

abaular arch, bulge; protrude.
abdicação abdication, renunciation.
abdicar abdicate; relinquish, abandon, desist, renounce.
abdômen abdomen. ➔ Human Body
abdominal abdominal.
abecedário alphabet, ABC.
abelha bee. ♦ **abelha-rainha** queen bee. ➔ Animal Kingdom
abelhudo curious; interfering; nosy.
abençoar bless; wish well; protect.
aberração aberration; deviation. ♦ **aberração da natureza** a freak of nature.
abertamente openly.
aberto open; exposed, frank; broad. ♦ **deixar em aberto** leave open.
abertura opening; overture, inauguration. ♦ **abertura de acesso** access hole.
abismado stupefied, shocked, astonished, flabbergasted.
abismar stun, stupefy, shock, surprise greatly.
abismo abyss; precipice.
abissal abyssal.
abjeção abjection, debasement, degradation, vileness.
abjeto abject, vile, despicable, low.
abnegação abnegation, self-denial, renunciation.
abnegado unselfish, self-sacrificing.
abnegar abnegate, renounce.
abóbada arch, vault, arched roof, dome.
abobado foolish, silly; senseless, crazy, stupid.
abóbora pumpkin; squash. ➔ Vegetables
abobrinha summer squash, zucchini; nonsense, foolishness. ➔ Vegetables
abocanhar bite (off); snap; accomplish; win.
abolição abolition; abrogation; cancelation.
abolicionista abolitionist.
abolir abolish; suppress.
abominar abominate, loathe, detest.
abominável abominable, repulsive.
abonado well-off; creditworthy.
abonar declare good or true; guarantee.
abono bonus, surplus; remuneration; approval; justification; manure.
abordagem approach.
abordar approach; board.
aborígine native; aborigine.
aborrecer bore, hassle; get on someone's nerves; annoy. ***aborrecer-se*** become disgusted, get upset.
aborrecido disgusted, bored, boring, annoyed.
aborrecimento disgust, nuisance, bind, boredom.
abortar abort; miscarry.
abortivo abortive.
aborto abortion; miscarriage.
abotoadura cufflink.
abotoar button (up).
abraçar embrace, hold, hug.
abraço embrace, hug.
abrandar soften; appease; subside; calm (down).
abrangente inclusive, comprehensive.
abranger include; contain; reach; cover.
abrasador burning, scorching.
abrasar burn; devastate; kindle.
abrasileirar adopt Brazilian ways and manners.
abrasivo abrasive.
abreviação abbreviation.
abreviado abbreviated; reduced; abridged, condensed.
abreviar abbreviate; shorten.
abreviatura abbreviation; shortening, short form. ♦ **abreviatura de** short for.
abricó apricot. ➔ Fruit
abridor opener.
abrigado sheltered, well-protected.
abrigar shelter, harbor; cover, hide, conceal.
abrigo shelter; sanctuary; covering, haven.

abril April. ♦ **Primeiro de Abril** April Fools' Day.
abrilhantar embellish; highlight.
abrir open, unlock; uncover; unbutton; unfold; unwrap. ♦ **abrir mão** give up, renounce. **abrir o apetite** whet one's appetite. **abrir parágrafo** indent.
abruptamente abruptly; steeply.
abrupto sudden, abrupt.
abrutalhado brutalized, rude.
abscesso abscess.
abscissa abscissa.
absenteísmo absenteeism.
absolutamente absolutely; entirely. • nothing of the sort, indeed not.
absoluto absolute; total.
absolver absolve; forgive; acquit; excuse; free.
absolvição absolution.
absorção absorption.
absorto absorbed; engrossed; distracted.
absorvente absorbent. • absorbing, attractive; dominating. ♦ **absorvente íntimo** sanitary pad, tampon.
absorver absorb; captivate.
abstêmio abstemious; teetotal.
abstenção abstention.
abster forbear; restrain, refrain; abstain. ***abster-se de*** refrain from.
abstinência abstinence, forbearance; abstemiousness; withdrawal.
abstração abstraction; distraction.
abstrair abstract; take from.
abstrato abstract.
absurdo absurdity, folly, nonsense. • absurd, nonsensical.
abundância abundance, plenty; wealth, riches; glut.
abundante abundant, plentiful.
abundar abound; be rich in.
abusado insolent; nosy.
abusar abuse, misuse, mistreat; cause damage or harm; violate.
abusivo abusive; outrageous.
abuso abuse, misuse; overuse; annoyance.
abutre vulture. → Animal Kingdom
acabado finished, accomplished, over, through; worn, debilitated, used; worn-out.
acabamento finish, completion, final touch; end, conclusion.
acabar finish; end; conclude; cease; consume; give the final touch.
acabrunhado humiliated; distressed; feeble; ashamed.
acabrunhar distress; embarrass, humiliate.
academia academy. ♦ **academia de ginástica** gym.
acadêmico academician. • academic(al).
açafrão saffron, crocus. → Vegetables
acaipirado shy, bashful.
acaju mahogany.
acalentar lull or rock to sleep; soothe; cherish, nurse.
acalmar calm; appease; quiet; tranquilize; soothe. ***acalmar-se*** calm down. ♦ **Acalme-se! (Calma!)** Cool off!, Chill!
acalorar heat; agitate, excite.
acamado abed, bedridden.
acamar fall ill; stay in bed.
açambarcar monopolize, forestall.
acampamento camp, camping.
acampar camp, go camping. → Leisure
acanhado timid, shy; narrow.
acanhamento timidity, shyness, bashfulness; tightness.
acanhar restrict; lessen; shame. ***acanhar-se*** be ashamed or shy; get discouraged.
ação action, movement, activity; act; deed; feat; event; operation. ♦ **Ação de Graças** Thanksgiving. **ação de ponta (Bolsa de Valores)** blue chips. **ação judicial** lawsuit. **ação negociável na Bolsa de Valores** share. **ação preferencial** preference share.
acareação confrontation (of witnesses).
acarear contrast, compare; confront (witnesses).
acariciar caress, pet; cherish.
acarinhar caress, cherish.
acarretar cause, involve, bring about, result in.
acasalamento mating.
acasalar mate, couple.

acaso chance, hazard, fortune, luck. ♦ **ao acaso** at random. **por acaso** by chance, incidentally, by accident.
acatamento acceptance, obedience.
acatar respect, regard, follow, obey.
acautelado cautious, careful.
acautelar warn, caution. ***acautelar-se*** be careful, be on the watch; beware.
aceder conform, comply with; consent, agree.
aceitação acceptance, reception; approval.
aceitar accept; receive, take; admit; consent. ♦ **Não aceito um "não" como resposta.** I won't take "no" for an answer.
aceitável acceptable; admissible.
aceito accepted; received.
aceleração acceleration; speed.
acelerador accelerator. • accelerating.
acelerar accelerate; speed up; hasten.
acenar beckon; wave.
acendedor lighter, igniter.
acender light, ignite; set on fire; switch on, turn (the light) on. ***acender-se*** light up, flare up.
aceno nod; calling or invitation; wave.
acento accent, emphasis given to a syllable or word; diacritic.
acentuação accentuation.
acentuar accentuate, accent; emphasize, stress.
acepção meaning, sense.
acerca near, about, circa; almost. • concerning, regarding, as for, as to, as regards.
acercar surround, enclose. ***acercar-se*** approach, draw (or come) near.
acertar adjust, arrange; hit (target); set up, get right. ♦ **acertar as contas** even the score, get even. **acertar em cheio** hit the bull's-eye; hit the nail on the head.
acerto hit, success.
acervo heap, pile; a great many, a lot; collection, collection catalog.
aceso lighted, lit, kindled, burning; switched on (light).
acessar access. ♦ **acessar um sistema** log in.
acessível accessible, affordable; approachable; handy, easy.
acesso access, admittance, admission, entrance; approach. ♦ **acesso aleatório** random access. **acesso negado** access denied.
acessório accessory; complement, appendage. • accessory; additional; secondary; extra. ***acessórios*** accessories.
acetinado satiny, silky.
acetona acetone; nail polish remover.
achado finding; find; invention, discovery; good bargain. ♦ **achados e perdidos** lost and found.
achar find, meet; think; come across; find out, discover; invent, devise. ♦ **achar o caminho de** find one's way to. **achar-se em grandes dificuldades** find oneself in great trouble. **Não achei graça!** I'm not amused! **Você acha?** Do you think so?
achatado flattened, flat; crushed.
achatar flatten, squash; crush.
achincalhar ridicule; jest, mock, lower, degrade.
acidentado casualty, victim (of an accident). • uneven, irregular; bumpy.
acidental accidental, unexpected, casual, occasional; eventual.
acidentalmente accidentally.
acidentar cause an accident; make irregular. ***acidentar-se*** get injured.
acidente accident; misfortune; disaster; mishap; unevenness, roughness (ground).
acidez acidity, sourness.
acidificar acidify.
ácido acid. • acid, sour.
acima above, up. ♦ **acima (abaixo) da média** above (below) the standard/average. **acima do nível do mar** above sea level.
acinte provocation; deliberate offence. • intentionally.
acintoso purposeful, spiteful.
acionar put into action; sue at law; set in motion. ♦ **acionador** drive. **acionador de disco** disk drive.

acionista shareholder.
aclamação acclamation, applause, cheers.
aclamar acclaim, applaud.
aclarar clear; clarify; elucidate, explain; purify.
aclive acclivity, slope.
acne acne, pimple.
aço steel. ♦ **aço inoxidável** stainless steel.
acobertado protected, shielded; concealed.
acobertar cover; hide, conceal, disguise; protect, shield.
açodar urge, hasten, speed; incite, instigate.
açoitamento whipping.
açoitar whip, lash; beat.
açoite whip, lash.
acolá there, over there, to that place. ♦ **aqui e acolá** here and there.
acolchoar wad, pad.
acolhedor welcomer. • welcoming, sheltering, warm.
acolher welcome, receive; shelter, lodge, house.
acolhida reception, welcome.
acometer attack, assault.
acomodação accommodation; arrangement; room, lodging.
acomodado accommodated; settled; adjusted.
acomodar accommodate, put in order, arrange; make easy or comfortable. ***acomodar-se*** make oneself comfortable; settle.
acompanhamento accompaniment, follow-up.
acompanhante companion, follower, escort. • accompanying. ♦ **acompanhante de pessoa idosa** caregiver.
acompanhar accompany, go along with; escort; follow.
aconchegar approximate, draw near, cuddle.
aconchego shelter; comfort.
acondicionado packed; wrapped.
acondicionar pack, box.
aconselhar advise; counsel; recommend. ***aconselhar-se*** take advice, consult.
aconselhável advisable.
acontecer happen, take place, come about, occur. ♦ **Aconteça o que acontecer.** Come what may.
acontecido past, done, bygone.
acontecimento occurrence, happening, incident; event.
acordado awake; alert, watchful; agreed.
acórdão sentence, judgment.
acordar wake up, awake, awaken; agree upon, harmonize, resolve.
acorde chord, accord. • accordant.
acordeão accordion. → Musical Instruments
acordo agreement, harmony; accord, accordance; treaty, pact; settlement. ♦ **chegar a um acordo** reach an agreement. **acordo amigável** amicable settlement. **acordo de cavalheiros** gentlemen's agreement.
acorrentar chain; enslave.
acossar pursue, chase; torment, annoy.
acostamento emergency stopping lane, shoulder.
acostumado accustomed, used to.
acostumar accustom, habituate. ***acostumar-se (a)*** accustom oneself (to), get used (to).
acotovelar elbow, thrust; push; jostle.
açougue butcher's, butcher shop.
açougueiro butcher. → Professions
acre acre. • acrid, acid; nasty, sarcastic.
acreditar believe; trust; have faith in. ♦ **Acredite se quiser.** Believe it or not.
acrescentar add; increase, enlarge, tag on.
acrescer add, increase; grow.
acréscimo addition, increase.
acrílico acrylic.
acrobacia acrobatics.
acrobata acrobat; tightrope walker; gymnast.
acrobático acrobatic.
acuado cornered, humiliated, hard-pressed.
acuar corner; humiliate.
açúcar sugar. ♦ **açúcar de beterraba** beet sugar. **engenho de açúcar** sugar cane mill.

açucarado sugary, sugared; sweet; mellifluous.
açucarar sugar.
açucareiro sugar basin, sugar bowl.
açude dam, weir, sluice.
acudir help, assist; attend.
acuidade sharpness, acuteness.
acumulador accumulator.
acumular accumulate, amass; heap, pile up; collect, gather.
acúmulo accumulation, storage; formation of cumulus clouds.
acupuntura acupuncture.
acurado accurate, exact; precise.
acurar perfect, improve, polish.
acusação accusation, charge, indictment; prosecution; imputation.
acusado accused, offender, defendant. • accused (of), charged (with).
acusar accuse, charge with, press charges against, indict.
acústica acoustics.
acústico acoustic.
adaga dagger.
adágio proverb, saying.
adaptabilidade adaptability.
adaptação adaptation.
adaptador adaptor.
adaptar adapt, adjust, suit; conform; fit.
adaptável adaptable, suitable.
adega cellar; wine cellar.
adentro inwards, inwardly.
adepto follower. → Deceptive Cognates
adequadamente properly.
adequado adequate, fit, suitable, proper, appropriate. ♦ **adequado a** in keeping with.
adequar adjust, adapt, accommodate; fit.
aderência adherence; adhesion.
aderente adherent.
aderir adhere; join, unite; obey; stand by.
adesão adhesion, adherence.
adesivo sticker, adhesive tape or bandage. • adhesive, sticking. ♦ **fita adesiva** adhesive tape; Scotch tape™. → Classroom
adestrado disciplined; trained.
adestrar instruct, teach; train, coach.
adeus goodbye, farewell. • goodbye, bye, bye-bye, farewell, so long!
adiamento postponement.
adiantado advanced; fast (watch/clock).
adiantamento advancement; progress; improvement.
adiantar advance; progress, improve; set forward (watch/clock). ♦ **De que adianta...?** What's the use of (in)...?
adiante before; in front of; past; ahead (of); onward(s), forward(s); farther on, further on. • Go on! ♦ **levar adiante** carry on. **mais adiante** later on; farther on; further on. **passar adiante** pass on.
adiar postpone; delay; put off.
adição addition; sum; increase.
adicional extra, supplement. • additional, extra, supplementary.
adicionar add.
aditivo additive.
adivinhação riddle, puzzle.
adivinhar predict, foretell; guess.
adjacência adjacency.
adjacente adjacent, adjoining; neighboring.
adjetivo adjective.
adjunto assistant; aggregate. • joined, contiguous.
administração administration; management.
administrador administrator; manager, executive. • administrative; executive, managerial. → Professions
administrar manage, direct, conduct, govern, administer.
administrativo administrative.
admiração admiration; astonishment; wonder.
admirador admirer; fan. • admiring.
admirar admire; appreciate; cause admiration. ***admirar-se*** wonder, be surprised, be astonished. → Deceptive Cognates
admirável admirable; wonderful.
admissão admission; admittance; entrance; intake.

admitir admit; acknowledge; accept; agree; allow; confess.
admoestação admonition, warning.
admoestar admonish, warn.
adoção adoption.
adoçar sweeten; soften; sugar.
adocicado sweetened, sweetish.
adoecer become (or fall) sick or ill, be taken ill; sicken.
adoentado indisposed, sick, ill.
adolescência adolescence, teens.
adolescente adolescent, teenager. • adolescent, youthful.
adoração adoration, veneration, worship.
adorador worshipper, admirer. • adoring, worshipping.
adorável adorable; charming, enchanting, lovely.
adormecer fall asleep.
adornar adorn, embellish; garnish; decorate.
adorno adornment.
adotar adopt; accept; use; follow.
adquirir acquire; get, obtain; attain.
adrenalina adrenalin.
aduana customs, custom house.
aduaneiro custom house officer. • of or referring to customs or to the custom house.
adubação fertilization; manuring.
adubar manure, fertilize.
adubo manure, fertilizer.
adulação flattery.
adulador flatterer.
adular flatter, fawn.
adulterador falsifier, counterfeiter, forger. • falsifying.
adulterar adulterate, falsify; counterfeit.
adultério adultery.
adúltero(a) adulterer (man), adulteress (woman). • adulterous.
adulto adult, grown-up. ♦ **idade adulta** adulthood.
advento advent, arrival, approach.
advérbio adverb.
adversário adversary, opponent. • adverse, opposing.
adversidade adversity, misfortune, mishap; hardship.
adverso adverse, contrary.
advertência warning; admonition.
advertir warn; admonish; censure.
advir happen, come upon, occur; follow.
advocacia advocacy, attorneyship.
advogado lawyer, attorney. → Professions
advogar act as a lawyer; plead a cause (at court); defend.
aéreo air, aerial; living in the air; daydreaming. ♦ **correio aéreo** airmail. **espaço aéreo** airspace. **terminal aéreo** air terminal.
aerobarco hovercraft, airboat. → Means of Transportation
aerodinâmico aerodynamic; streamlined.
aeromoça flight attendant. → Professions
aeronáutica aeronautics; aviation; Air Force.
aeronave aircraft. → Means of Transportation
aeroplano airplane.
aeroporto airport.
aeroviário person employed in the air service. • of or referring to air service transportation. → Professions
afã anxiety, eagerness; effort, diligence.
afabilidade affability, politeness, kindness; suavity, friendliness.
afagar caress, pet.
afago caress, stroke.
afamado famous; remarkable; distinguished, renowned, well-known.
afastado remote, distant, far-off; apart; removed.
afastamento removal, dismissal; separation.
afastar remove, dismiss; separate; repel; back off, withdraw.
afável polite, courteous, friendly.
afazeres task, work, business, occupation, affairs.
Afeganistão Afghanistan. → Countries & Nationalities
afegão Afghan. → Countries & Nationalities
afeição affection, love, fondness.

afeiçoar shape, form, mold, adapt, make appropriate. ***afeiçoar-se*** take a fancy to, feel inclined towards.
afeito accustomed to; used to.
afeminado effeminate.
aferição gage, calibraton.
aferido gaged, calibrated.
aferir gage, calibrate; check.
afetação presumption; vanity.
afetado affected, unnatural; vain, conceited, pretentious.
afetar affect; pretend to have or feel, simulate.
afetivo affective; dedicated, devoted, loving, fond.
afeto friendship; affection.
afetuoso affectionate, kind, affable.
afiado sharpened, sharp; well-trained.
afiador sharpener.
afiançar warrant, bail, guarantee; assure.
afiar sharpen; improve, perfect.
afigurar represent; imagine; seem, appear.
afilhado(a) godson (man), goddaughter (woman).
afiliação affiliation.
afiliar affiliate, incorporate, join.
afim relative. • similar, alike.
afinado tuned, in tune.
afinal finally, at last. ♦ **afinal de contas** after all, all in all.
afinar make fine; tune. ***afinar-se*** adjust, agree.
afinco tenacity, perseverance, persistence.
afinidade affinity; fondness.
afirmação affirmation, claim, assertion.
afirmar affirm, assert; say, claim.
afirmativo affirmative, positive.
afivelar buckle; fasten.
afixação use of affixes, affixation.
afixar fix, fasten, make firm; affix, put up; stick.
afixo affix.
aflição affliction, trouble, grief, anguish, distress.
afligir afflict, trouble, distress, grieve.
aflito afflicted, distressed, grieved; anxious.
aflorar level; emerge; appear.
afluência affluence; abundance, influx.
afluente tributary (stream). • abundant.
afobação hurry, haste.
afobado flustered; flurried.
afobar hurry, bustle.
afogado drowned.
afogador choke.
afogar suffocate, asphyxiate; stifle; drown; choke.
afoito fearless, bold, daring, audacious.
afora except; save; excepting.
afortunado lucky, fortunate, happy.
África Africa.
África do Sul South Africa.
→ Countries & Nationalities
africano African.
afronta insult, offense.
afrontar affront, insult, outrage.
afrouxamento loosening; release.
afrouxar relax; loosen; release; weaken.
afugentar repel; drive away, scare away.
afundamento sinking.
afundar(-se) sink; submerge; plunge.
afunilado funneled.
agachar-se crouch, squat, cower.
agarrado caught or held tightly, firmly clinging.
agarramento seizing, holding, catching.
agarrar catch, snatch, cling, seize; clasp, grasp, grip; hold (firmly). ♦ **Agarre o que puder.** Catch as catch can.
agasalhar shelter, warm. ***agasalhar-se*** dress warmly; keep oneself warm.
agasalho shelter; coat, sweater.
→ Clothing
ágata agate.
agência agency; bureau. ♦ **agência de correio** post office. **agência de empregos** employment agency.
agenciar negotiate; work as an agent or representative.

agenda agenda (schedule); diary.
agente agent.
agigantar augment; enlarge greatly.
ágil agile, fast, rapid, quick.
agilidade agility, quickness, liveliness.
agilizar move fast; speed up, hasten, get going.
ágio agio, surcharge.
agiota usurer, moneylender, loan shark. • usurious.
agiotagem agiotage; usury.
agir act, do, proceed; operate.
agitação agitation, disturbance; stir; perturbation, trouble; conflict.
agitado edgy, busy, agitated.
agitador agitator. • agitating.
agitar agitate; stir, shake; excite, wave. ***agitar-se*** be anxious. ♦ **Agite antes de usar.** Shake before using.
aglomeração agglomeration; gathering; mass, heap; crowd, huddle.
aglomerar agglomerate, cluster.
aglutinar agglutinate.
agonia agony; anguish.
agoniar agonize; afflict, distress, worry.
agonizante agonizing, dying.
agonizar agonize; afflict, distress, worry; be dying.
agora now, at the present time; by this time. ♦ **agora mesmo** right now, only just now, just now. **agora ou nunca** now or never. **até agora** up till now. **de agora em diante** from now on. **E agora?** Well then?
agosto August.
agouro omen, foreboding, prediction.
agradar please.
agradável pleasant, agreeable, enjoyable, good, nice.
agradavelmente pleasantly.
agradecer thank, acknowledge, express gratitude.
agradecido grateful, thankful. ♦ **mal-agradecido** ungrateful.
agradecimento thanking, acknowledgment.
agrado pleasure, contentment, delight.
agrário agrarian. ♦ **reforma agrária** agrarian reform.
agravar aggravate; make heavy or heavier; worsen.
agravo offense; loss, damage; injury.
agredir attack, assault, strike, beat, assail.
agregação aggregation; association; agglomeration.
agregado aggregate, reunion. • aggregated, reunited; adjoined.
agregador aggregator.
agregar aggregate; join, associate.
agremiação association, fellowship.
agressão aggression; attack, assault.
agressivo aggressive, offensive; provocative; threatening.
agressor aggressor, assailant, attacker. • aggressive.
agreste dry area in the Northeast of Brazil. • rural; wild; rough.
agrião watercress. → Vegetables
agrícola agricultural.
agricultor agriculturist, farmer. • agricultural. → Professions
agricultura agriculture.
agridoce sweet and sour, bittersweet.
agronomia agronomy.
agrônomo agronomist. → Professions
agrupamento grouping; assembly, gathering; group.
agrupar group; cluster, gather; arrange, classify.
água water. ♦ **água-de-colônia** toilet water, cologne water. **água-marinha** aquamarine. **água-viva** jellyfish. **água com gás** sparkling water. → Animal Kingdom
aguaceiro storm, torrent; cloudburst, downpour.
aguado watery.
aguar water.
aguardar expect; await, wait for.
aguarrás turpentine.
aguçar grind, sharpen, stimulate (appetite).

A

agudeza sharpness; keenness; ability; edge; acuteness.
agudo sharp. • pointed; sharpened.
aguentar support, bear; stand, sustain; endure; put up with. ♦ **Não aguento mais isso!** I can't stand it anymore.
águia eagle. → Animal Kingdom
agulha needle. ♦ **agulha descartável** disposable needle. **procurar uma agulha no palheiro** look for a needle in a haystack.
ai ouch.
aí there, in that place; in this respect. ♦ **Aí!** Splendid!, Good!, Fine! **aí mesmo** in that very place, right there.
aids AIDS (Acquired Immune Deficiency Syndrome). → Abbreviations
ainda even, still, yet. ♦ **ainda agora** just now. **ainda assim** nevertheless, for all that, even so. **ainda bem que** fortunately. **Ainda mais essa!** And now (still) that! **ainda menos** still less. **Não, ainda não.** No, not (as) yet.
aipim cassava. → Vegetables
aipo celery. → Vegetables
ajardinado with a garden.
ajardinar garden.
ajeitar arrange, set, dispose; accommodate, adapt, fit; manage, adjust.
ajoelhar(-se) kneel.
ajuda help, assistance, subsidy, support, aid, hand, grant. ♦ **ajuda de custo** expense allowance.
ajudante assistant, auxiliary, helper.
ajudar help, aid, assist, support, give a hand, lend assistance.
ajuizado reasonable, wise; sensible.
ajuizar judge; form an opinion; assess.
ajuntamento reunion, meeting, gathering.
ajuntar gather; accumulate; compile; add; collect. ***ajuntar-se*** meet, crowd; unite, join.
ajustar adjust, regulate, order, dispose; adapt; fit, suit.
ajustável adjustable.
ajuste agreement, understanding, pact; settlement (accounts or questions); adjustment; arrangement.
ala line, row, file; wing. ♦ **abrir alas** make way.
alado winged.
alagado swampy. • flooded; under water.
alagar inundate, overflow, flood.
alameda lane, grove.
alaranjado orange.
alarde ostentation; pomp; vanity.
alardear boast, show off.
alargamento widening.
alargar widen, broaden.
alarido clamor, uproar.
alarmante alarming.
alarmar alarm; frighten.
alarme alarm.
alastramento spreading, expansion, diffusion, scattering.
alastrar spread; diffuse; scatter.
alaúde lute. → Musical Instruments
alavanca lever, crowbar.
alazão sorrel, chestnut (horse). • chestnut. → Animal Kingdom
albatroz albatross. → Animal Kingdom
albergue inn, lodging; shelter.
álbum album. ♦ **álbum de recortes** scrapbook.
alça handle, holder; strap.
alcachofra artichoke. → Vegetables
alçada competence; jurisdiction; sphere of influence. ♦ **Isso é da minha alçada.** That comes within my scope.
alcançar reach, hit, attain; obtain, get, succeed; catch; catch up. ♦ **alcançar a fama** reach stardom. **até onde a vista alcança** as far as the eye can see.
alcance reach, range, grasp, scope. ♦ **ao alcance de** within one's grasp. **de longo alcance** long-range. **fora do alcance de** beyond one's grasp, out of reach.
alçapão trapdoor, hatch.

alcaparra caper. → Vegetables
alçar raise; lift, elevate; heave.
alcateia pack of wolves; herd (of wild animals).
alcatrão tar; pitch.
alce moose, elk. → Animal Kingdom
álcool alcohol, booze; spirit(s). ♦ **álcool etílico** ethyl alcohol.
alcoólatra alcoholic, drunkard. • alcoholic.
alcoólico alcoholic.
alcoolismo alcoholism.
alcoolizar alcoholize; intoxicate.
Alcorão Koran.
alcunha nickname.
aldeão countryman, peasant; villager. • rustic, rural.
aldeia village.
aleatoriamente randomly.
aleatório incidental, random.
alecrim rosemary.
alegação allegation; assertion.
alegar allege; cite, plead; argue.
alegrar make happy, rejoice, cheer.
alegre happy, gay, cheerful, blithe, chirpy, glad, joyful, joyous, merry.
alegria joy, cheerfulness, happiness, gaiety, gladness, jolliness.
aleijado cripple. • crippled.
aleijar cripple; deform, mutilate, disfigure.
aleitar nurse; feed on milk; breastfeed.
além there, in that place; over there; farther on; on the other side; beyond; far; farther; further. • hereafter. ♦ **além de** aside from; beyond, on the other side of; over; apart from; besides, in addition to. **além disso** moreover. **além-mar** overseas (country, territories).
Alemanha Germany. → Countries & Nationalities
alemão German. → Countries & Nationalities
alentar encourage, cheer; cheer up.
alento courage, effort.
alergia allergy.
alérgico allergic.
alerta alert; warning. • alert. ♦ **Alerta!** Attention!
alertar alert, alarm, warn.
alfabetizar teach to read and write.
alfabeto alphabet.
alface lettuce. → Vegetables
alfaiate tailor. → Professions
alfândega customs, custom house.
alfandegário of or referring to customs.
alfazema lavender.
alfinete pin. ♦ **alfinete de segurança** safety pin.
alforria emancipation, release from slavery; liberation.
alga alga. ***algas*** algae. ♦ **alga marinha** seaweed.
algarismo figure, numeral; number.
algazarra clamor, uproar; shouting; tumult.
álgebra algebra.
algema manacle, shackle, handcuff.
algemar shackle; fetter; handcuff.
algo somewhat, rather, a bit, a little. • something, anything.
algodão cotton. ♦ **algodão-doce** cotton candy.
algoz executioner, hangman; torturer.
alguém somebody, someone; anybody, anyone; someone or other; important person.
algum some; any; a few, several. ♦ **algum dia** some day. **algum lugar** some place, somewhere. **algum tempo (atrás)** sometime (ago). **alguns deles** several, some of them.
alheamento alienation.
alhear alienate, separate. ***alhear-se*** ignore, take no notice.
alheio strange; foreign, alien; distant; absent-minded, inattentive.
alho garlic. ♦ **dente de alho** clove of garlic. **alho-poró** leek. → Vegetables
ali there, in that place. ♦ **até ali** as far as there. **dali a dois dias** two days hence, in two days. **por ali** that way.

aliado ally. • allied, associated.
aliança alliance; ring. ♦ **aliança de compromisso** promise ring. **aliança de noivado** engagement ring. **aliança de casamento** wedding ring.

alliance

wedding ring

aliar ally; join; harmonize; connect.
aliás besides, otherwise, moreover; by the way; as a matter of fact. → Deceptive Cognates
álibi alibi.
alicate (a pair of) pliers.
alicerçar lay the foundation; found, base.
alicerce foundation, base, basis.
aliciar allure, bait, attract; seduce.
alienação alienation; madness.
alienado lunatic, madman. • alienated; mad, insane; transferred (assets).
alienar alienate; madden.
alienígena alien.
alimentação nourishment; food.
alimentar feed; nourish. • alimentary. ♦ **alimentador de papel** sheet feeder.
alimento food.
alinhado aligned, lined up; elegant, spruce.
alinhamento alignment; arrangement.
alinhar align, line up; dress up.
alisar smooth (out); level, equal, stroke.
alistamento enlistment, recruitment; enrollment.
alistar enlist, recruit; list, enroll; inventory. ♦ **alistar-se no exército** join the Army.
aliviar lighten; ease; lessen; soften; relieve.
alívio relief, ease.
alma soul; spirit. ♦ **alma gêmea** soulmate. **alma penada** wandering soul. **de corpo (coração) e alma** with body (heart) and soul. **nenhuma alma** not a soul.
almanaque almanac.
almeirão chicory. → Vegetables
almejar long for, desire, intend, yearn.
almirante admiral.
almoçar lunch (*form.*), have lunch.
almoço lunch.
almofada cushion. → Furniture & Appliances
almôndega meatball.
alô hi, hello.
alocar allocate, earmark.
alojamento lodgings, lodgment; shelter; accommodation.
alojar shelter, lodge, house.
alongamento extension, expansion; delay; stretch.
alongar prolong, extend; stretch.
alopatia allopathy.
alpendre porch.
alpinismo climbing, mountaineering. → Sports
alpinista alpinist, climber.
alquebrar weaken, debilitate.
alquimista alchemist.
alta raising, rise, boom; increase. ♦ **alta do hospital** discharge from hospital. **alta-roda** high society. **em alta** on the rise. **pressão alta** high blood pressure.

altar altar. ♦ **levar ao altar** marry.
alteração alteration, change.
alterado changed; angry; uneasy.
alterar change, modify, alter; disturb. ***alterar-se*** get excited, upset or uneasy.
alternar alternate; interchange.
alternativa alternative.
Alteza Highness. ♦ **Alteza Real** Royal Highness.
Altíssimo The Almighty, God.
altivez haughtiness, arrogance, loftiness, lordliness.
altivo high; noble, generous; haughty, arrogant.
alto high, elevated, tall; loud. ♦ **Alto!** Stop!, Halt! **alto-falante** loudspeaker. **alto-forno** blast furnace. **alto-mar** high seas. **altos e baixos** ups and downs.
altruísmo altruism, unselfishness.
altruísta altruist. • altruistic.
altura height, tallness; altitude. ♦ **à altura das exigências** up to the mark. **nessa altura** at that time. **Qual é a sua altura?** How tall are you?
alucinação hallucination; delusion, illusion.
alucinar hallucinate.
aludir mention, refer to.
alugar hire out, rent, let, lease.
aluguel rental, hire; rent.
alumínio aluminum.
aluno pupil, student; disciple. → Classroom
alusão allusion, reference.
alvará permit, charter.
alvejar whiten; bleach; aim at; hit the mark.
alvéolo alveolus; cell (of a honeycomb).
alvissareiro bearer of good news. • auspicious.
alvitre reminder, hint; proposal, suggestion; opinion, judgment.
alvo target, aim; purpose, objective, end. • white; clear.

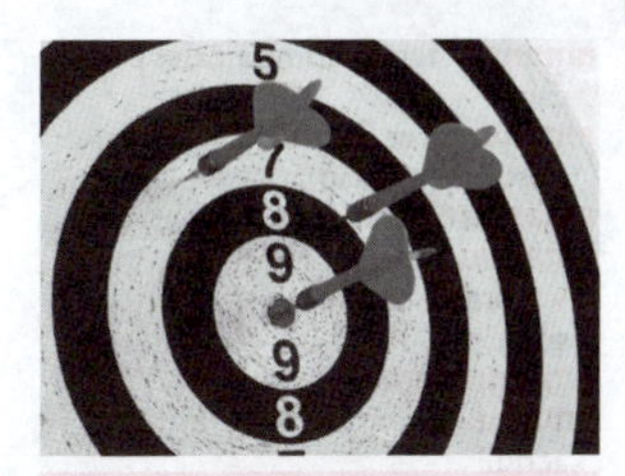

target

white

alvorada dawn (of day).
alvorecer dawn (of day), daybreak. • dawn.
alvoroçado restless; flustered, uproarious.
alvoroçar agitate, stir up, fluster.
alvoroço agitation, fluster; haste; turmoil, uproar.
amabilidade friendliness; kindness; politeness, pleasantness.
amaciar smooth, soften; soothe, ease.
amado sweetheart, lover. • loved, beloved.
amador amateur.
amadurecer ripen; mature.
amadurecimento ripening, maturation.
amaldiçoar curse, execrate; damn.
amálgama amalgam; mixture.
amamentação breast-feeding, lactation, nursing.
amamentar breastfeed; nurse.
amanhã tomorrow.
amanhecer dawn, break of day. • dawn.

A

amansar tame, domesticate; pacify; calm.
amante lover; boyfriend; girlfriend; mistress (woman).
amar love, be in love; be fond of.
amarelo yellow; pale; faded. ♦ **sorriso amarelo** half-hearted smile.
amargamente bitterly.
amargar embitter, make bitter or acrid.
amargo bitter, acrid; distressing, sad.
amargura bitterness; acridity; grief.
amargurar cause grief or sorrow.
amarra cable.
amarração fastening, tying.
amarrado fastened, bound, stringed, tied.
amarrar bind, fasten, lash, tie (down).
amarrotar crumple, wrinkle, ruffle, crease.
amassar squash, crush, crease, crumple. → Deceptive Cognates
amável lovely, friendly, kind.
amazona horsewoman; rider.
ambição ambition; greed.
ambicioso ambitious.
ambidestro ambidextrous.
ambiental environmental.
ambientar adapt, accustom to an environment. ***ambientar-se*** adapt; get used to an environment.
ambiente environment, surrounding.
ambiguidade ambiguity, ambiguousness.
ambíguo ambiguous; dubious.
âmbito ambit, extent, scope; sphere of action, range.
ambos both.
ambulância ambulance.
ambulante walking. ♦ **vendedor ambulante** street vendor.
ambulatório clinic, polyclinic.
ameaça threat, menace.
ameaçador threatening, menacing.
ameaçar threaten, menace; give a forewarning.
amedrontado frightened.
amedrontar frighten, scare.
ameixa plum. ♦ **ameixa seca** prune. → Fruit
amém amen.
amêndoa almond. → Fruit
amendoim peanut. ♦ **manteiga de amendoim** peanut butter.
amenidade amenity, pleasantness.
amenizar soften, ease, soothe, appease.
ameno mild; agreeable; delicate; pleasant.
América do Sul South America.
americano American. → Countries & Nationalities
amerrissar alight on the water.
amestrar instruct, teach, train.
ametista amethyst.
amianto asbestos.
amigar-se live together without being married.
amigável friendly, amicable.
amígdala tonsil, amygdala. → Human Body
amigdalite tonsillitis.
amigo friend; buddy, chum, pal. • friendly. ♦ **amigo da onça** snake in the grass. **amigo do peito** bosom friend.
amistoso friendly.
amizade friendship, friendliness; association.
amolação sharpening; vexation, nuisance, bother, annoyance.
amolado sharpened; vexed, bored, annoyed, worried.
amolador sharpener.
amolar sharpen; vex, annoy, bother, tease.
amolecer soften; weaken; touch, affect.
amolecimento softening; weakening.
amônia ammonia.
amontoado heap, mass, conglomeration, pile. • heaped up, piled up.
amontoar heap, pile; bank, bunch, accumulate; amass. ***amontoar-se*** huddle, pile up.
amor love, affection, attachment, devotion; passion. ♦ **amor à primeira vista** love at first sight. **Não morremos de amores um pelo outro.** There's no love lost

between us. **Pelo amor de Deus!** For God's sake! **amor-perfeito** pansy. **amor-próprio** self-esteem, self-respect. **amorzinho** babe (*inf.*).
amora mulberry. → Fruit
amordaçar gag; shut (someone) up.
amoroso loving, affectionate, fond; gentle, kind; amorous.
amortecedor shock absorber.
amortecer weaken, lessen; dampen (sound, vibration, etc.).
amortecimento weakening; damping.
amortização amortization, paying off.
amortizar amortize, pay off, weaken.
amostra sample; specimen. ♦ **amostra grátis** free sample.
amparar support; sustain; protect, assist.
amparo support; protection, shelter, assistance, help.
amperagem amperage.
amplamente broadly, widely.
ampliação amplification, enlargement.
ampliador amplifier, enlarger. • amplifying, increasing.
ampliar amplify, enlarge, extend.
amplificação amplification; enlargement.
amplificador amplifier. • amplifying. ♦ **amplificador de áudio** audio amplifier.
amplificar amplify; enlarge; widen.
amplitude amplitude; largeness, breadth.
amplo ample; wide, broad, sweeping, vast.
ampola ampule.
ampulheta hourglass.
amputação amputation.
amputar amputate, cut off.
amuado sulky, huffy.
amuleto charm, amulet, talisman.
anais annals.
anal anal.
analfabetismo illiteracy.
analfabeto illiterate.
analgésico analgesic, painkiller.
analisar analyze.
análise analysis.
analista analyst. → Professions
analítico analytic(al).
analogia analogy.
analógico analogic.
análogo analogous, resembling.
anão dwarf, midget. • dwarf.
anarquia anarchy, disorder, confusion.
anarquista anarchist. • anarchistic.
anatomia anatomy.
anca buttock; hindquarters; rump; hip. → Human Body
ancestral ancestral; very old.
ancião old man. • ancient, old.
âncora anchor.
ancoradouro wharf, quay.
ancorar anchor.
andaime scaffold, scaffolding.
andamento process, proceeding, course.
andar floor, level. • go, walk. ♦ **andar a pé** walk, go on foot, stroll. **andar de caiaque** kayaking. **andar de patins** rollerblade. **andar de *skate*** skateboarding. **andar superior** upstairs. **andar térreo** ground floor. → Leisure
andarilho walker.
andorinha swallow. → Animal Kingdom
anedota anecdote; joke.
anel ring; circle.
anelar annular, ring-shaped. • curl, shape like a ring.
anemia anemia.
anêmico anemic; bloodless; weak; pale.
anêmona anemone, windflower. ♦ **anêmona-do-mar** sea anemone. → Animal Kingdom
anestesia anesthesia.
anestesiar anesthetize.
anestésico anesthetic.
anexação annexation.
anexar annex, join, attach, append.
anexo appendage, attachment, enclosure, annex. • enclosed, joined.
anfíbio amphibian (animal or plant). • amphibious.
anfiteatro amphitheater.
anfitrião host.
angariar collect, enlist, tout, recruit, engage. ♦ **angariar fundos** raise funds. **angariar votos** canvass.

angelical angelic; pure.
anglicano Anglican.
anglo-saxão Anglo-Saxon.
angular form an angle. • angular; cornered.
ângulo angle; corner.
angústia anguish, affliction, angst, anxiety, distress.
angustiado afflicted, anguished, distressed; annoyed.
angustiante distressing, annoying.
angustiar afflict, torment, distress.
anil anil, blue, indigo. • blue; anile.
animação liveliness; enthusiasm; exhilaration; animation (cinema).
animado animated; encouraged, lively.
animal animal. ♦ **animal de estimação** pet. **reino animal** animal kingdom.
animar animate; enliven, exhilarate, encourage. ***animar-se*** cheer up; come to life, perk up, warm-up. ♦ **animar uma festa** liven up a party.
ânimo courage, animation, vitality. ♦ **Ânimo!** Cheer up! **perder o ânimo** lose heart.
animosidade animosity.
aninhar nestle, put in a nest; shelter.
aniquilação annihilation.
aniquilado annihilated.
aniquilar annihilate.
anistia amnesty.
anistiar grant amnesty to.
aniversariante birthday boy; birthday girl. • referring to a birthday.
aniversariar have one's birthday.
aniversário anniversary; birthday.
anjo angel.
ano year. ♦ **ano bissexto** leap year. **Ano-Novo** New Year. **Ano-Novo judeu** Rosh Hashanah. **dia de Ano-Novo** New Year's day. **véspera de Ano-Novo** New Year's eve. **Ele é 5 anos mais novo que eu.** He is 5 years my junior. **fazer anos** have one's birthday. **os anos 1920 (1930, 1940...)** the twenties (thirties, forties...). **Quantos anos você tem?** How old are you? **uma vez por ano** once a year.
anoitecer evening, nightfall. • darken, grow dark.
anomalia abnormality, anomaly.
anonimato anonymity.
anônimo anonym. • anonymous, faceless, nameless, unnamed.
anormal abnormal, anomalous, irregular.
anormalidade abnormality, anomaly; abnormity, malformation.
anotação annotation, note; comment.
anotar annotate, take notes, write down.
anseio longing, craving, yearning.
ânsia anguish, anxiety.
ansiar crave, desire earnestly, yearn.
ansiedade anxiety, apprehension, anguish, eagerness.
ansiosamente anxiously.
ansioso anxious; uneasy.
anta tapir. → Animal Kingdom
ante before. • before, in the face of, in the presence of; in view of.
antebraço forearm. → Human Body
antecedência antecedence. ♦ **com antecedência** in advance.
antecedente antecedent. • antecedent, preceding, foregoing, before. ♦ **sem antecedentes** unprecedented.
anteceder antecede; precede.
antecessor predecessor.
antecipação anticipation; advance.
antecipar anticipate; bring forward, advance (time or date). ***antecipar-se*** do or happen earlier or beforehand.
antemão beforehand; previously.
antena antenna; aerial.
anteontem the day before yesterday.
antepassado ancestor.
antepenúltimo antepenultimate, the last but two.
anteprojeto draft, plan, preliminary sketch.
anterior former, foregoing; previous. ♦ **anteriormente** previously.
antes before, formerly, previously; sooner. ♦ **antes de tudo** first of all, above all. **o quanto antes** as soon as possible.

antever foresee.
antiaéreo antiaircraft.
antibiótico antibiotic.
anticoncepcional contraceptive.
anticonstitucional unconstitutional.
anticorpo antibody, antitoxin.
antiderrapante nonskid. ♦ **pneus antiderrapantes** nonskid tires.
antídoto antidote.
antigamente formerly, in the past.
antigo ancient, old, antique; old-fashioned, former.
antiguidade antique, antiquity, ancient times.
anti-higiênico antihygienic; unsanitary.
anti-horário anticlockwise.
antílope antelope.
antiofídico antiophidic. ♦ **soro antiofídico** antivenom.
antipatia antipathy, dislike, aversion. ♦ **ter antipatia por** have an antipathy toward(s).
antipático antipathetic, averse; unpleasant, unfriendly, disagreeable.
antipatizar dislike; feel antipathy towards.
antipatriótico unpatriotic.
antiquado antiquated, antique, old-fashioned.
antiquário antiquary, antiquarian.
antisséptico antiseptic.
antissocial antisocial, unsocial.
antítese antithesis
antologia anthology.
antônimo antonym. • antonymous.
antropófago cannibal, man-eater. • anthropophagous, man-eating.
antropologia anthropology.
antropólogo anthropologist. → Professions
anual annual, yearly.
anualmente annually.
anuência approval.
anuidade annuity, yearly payment.
anulação annulment, nullification; voidance.
anular ring finger. • annul, nullify, cancel. → Human Body
anunciante announcer, advertiser. • advertising.
anunciar announce, advertise; proclaim.
anúncio advertisement, bill, announcement, notice.
ânus anus; ass. → Human Body
anzol fishhook, hook.
ao in the, for the, at the, to the, by the. ♦ **ao acaso** at random. **ao amanhecer** at dawn. **ao lado de** close to. **ao todo** in all.
aonde where. ♦ **aonde quer que você vá** wherever you go.
apagado extinguished, extinct, erased.
apagador eraser.
apagar extinguish, erase, eliminate, blow out, delete, wipe out, rub out.
apaixonado lover; enthusiast. • passionate, impassioned.
apaixonar impassion, infatuate. *apaixonar-se* fall in love, lose one's heart to.
apalermado imbecile, stupid.
apalpar touch, feel.
apanhado résumé, summary, abstract. • caught.
apanhar pick, collect, scoop, pluck; gather, harvest; catch; be beaten up.
aparador buffet; dresser; sideboard. → Furniture & Appliances
aparafusar bolt, screw.
aparar trim, cut, smoothen.
aparato apparatus, device.
aparecer appear, show up, turn up, come to sight, arise.
aparecimento emergence, appearance.
aparelhagem implement, equipment.
aparelhamento equipment.
aparelhar equip, outfit, furnish.
aparelho equipment; device, apparatus, gear. ♦ **aparelho de escuta** bug. **aparelho de surdez** hearing aid.
aparência appearance, aspect. ♦ **As aparências enganam.** Appearances are deceptive., Still waters run deep. **manter as aparências** keep appearances.
aparentado kin, related.

aparentar pretend, simulate; have the appearance of, look like.
aparente apparent.
aparentemente apparently.
aparição phantom, specter, ghost.
apartamento flat, apartment.
apartar separate, set apart.
aparte aside, interruption.
apassivar passivize.
apatia apathy, indifference, lethargy.
apático apathetic, torpid, indifferent.
apavorado panic-stricken, scared, frightened, terrified.
apavorar frighten, terrify.
apaziguar pacify, appease; calm.
apear get off, get down from, dismount.
apedrejar stone; throw stones (at).
apegado attached.
apegar attach. ***apegar-se*** stick to; cling to; be very fond of.
apego affection, fondness.
apelação appeal.
apelar appeal, plead; ask for help.
apelidar nickname.
apelido nickname.
apelo appeal, plea.
apenas only, just; scarcely, barely, merely.
apêndice appendix; supplement. → Human Body
aperceber perceive, observe, notice.
aperfeiçoado improved.
aperfeiçoamento enhancement, improvement.
aperfeiçoar improve; perfect, better, amend, polish, enhance.
aperitivo appetizer.
apertado narrow; pressed; tight.
apertão squeeze.
apertar squeeze, press, fasten, narrow, tighten. ♦ **apertar a mão** shake hands. **apertar o cinto** fasten one's belt.
aperto squeeze; grip, press. ♦ **Estou num aperto.** I am in a fix.
apesar (de) in spite (of), despite, although, notwithstanding. ♦ **apesar de tudo** nevertheless. **apesar disso** nonetheless.
apetecer have an appetite for; desire; hunger for.
apetite appetite, hunger.
apetitoso appetizing, savory.
ápice apex, top, summit.
apicultor apiculturist, beekeeper. → Professions
apicultura apiculture, beekeeping.
apiedar-se pity; feel sorry for.
apimentar pepper, spice.
apinhar pile, heap, crowd, pack.
apitar whistle; blow the whistle.
apito whistle (instrument and sound).
aplainar level, smooth, plane; even.
aplaudir applaud, clap; acclaim, cheer.
aplauso applause; acclamation, cheering.
aplicação investment. → Deceptive Cognates
aplicar apply, put into practice; enforce.
aplicável applicable, applicative.
apoderar-se take possession; seize, take hold of, grab.
apodrecer putrefy, rot.
apodrecimento putrefaction.
apogeu apogee; summit; peak.
apoiar support; sustain. ***apoiar-se*** rest, lean (on, against); rely on, depend on.
apoio base, basis, foundation; support; backing.
apólice policy, bond, stock, share. ♦ **apólice de seguro** insurance policy.
apontado pointed; indicated; sharpened.
apontador pencil sharpener. → Classroom
apontamento annotation, note. → Deceptive Cognates
apontar point, sharpen; indicate, show, aim.
apor juxtapose; appose; attach, enclose.
após after, thereafter, behind. • after, behind.
aposentado pensioner, senior citizen. • retired.
aposentadoria pension; retirement.
aposentar-se retire.
aposento room.
apossar-se take possession of; take over; seize.

aposta bet, betting.
apostar bet, make a bet; risk.
aposto apposition. • apposed, appositional.
apóstolo apostle; disciple.
apóstrofo apostrophe.
apoteose apotheosis, glorification.
aprazível pleasant, delightful; amusing.
apreçar price; appraise.
apreciação judgment; assessment. → Deceptive Cognates
apreciar appreciate; value; estimate; enjoy, esteem.
apreciável praiseworthy.
apreço valuation; regard, consideration, esteem.
apreender apprehend; understand, perceive.
apreensão apprehension, fear; misgiving, uneasiness; understanding.
apreensivo apprehensive, fearful; uneasy.
aprender learn, study; come to know. ♦ **aprender de cor** learn by heart.
aprendiz apprentice, beginner, learner, trainee. → Professions
aprendizagem learning, apprenticeship. ♦ **aprendizagem eletrônica** e-learning.
apresar capture; seize.
apresentação presentation; introduction; exhibition.
apresentar present; introduce; show; display. ***apresentar-se*** show up, introduce yourself.
apresentável presentable; good-looking.
apressado in a hurry, hurried; hasty.
apressar speed up, hurry, quicken, make haste. ***apressar-se*** bustle, make haste; get moving.
aprimorar perfect, improve, refine.
aprisionar arrest; capture, imprison.
aprofundar deepen, make deeper.
aprontar prepare, ready; put in order; fit out. ***aprontar-se*** get ready.
apropriação appropriation. ♦ **apropriação indébita** undue appropriation.
apropriado appropriate, proper, suitable.
apropriar appropriate; make suitable. ***apropriar-se*** take; confiscate. ♦ **apropriar-se das ideias de alguém** pick someone's brains.
aprovação approval, assent, praise.
aprovar approve.
aproveitamento utilization, use; performance.
aproveitar use to advantage, make good use of; utilize; enjoy; profit by/from. ***aproveitar-se (de)*** avail oneself (of), take advantage (of).
aproveitável profitable, useful.
aproximação approximation, ballpark figure; approach.
aproximadamente approximately.
aproximado approximate; close, nearby.
aproximar approach, approximate, bring near. ***aproximar-se*** come near or close to; reach. ♦ **Estou me aproximando dos 50 anos.** I'm pushing my fifties.
aprumado upright.
aprumar put in an upright position, erect.
aptidão aptitude, ability, knack, skill, capability, capacity; talent.
apto able, capable, qualified, apt, good. ♦ **apto para o trabalho** fit for work. **inapto** unskilled.
apunhalar stab. ♦ **apunhalar (alguém) pelas costas** stab (someone) in the back.
apupo jeer, boo.
apuração examination, verification. ♦ **apuração de votos** vote, count.
apurado refined, select.
apurar count; perfect, improve; clean, purify, refine; check, investigate.
apuro refinement; purification. ♦ **em apuros** in trouble.
aquarela watercolor.
aquário aquarium.
aquático aquatic.
aquecedor radiator, heater. • heating. → Furniture & Appliances
aquecer heat, warm.

aquecimento heating, warming. ♦ **aquecimento global** global warming.
aquele(a) that, that one, the one. *aqueles(as)* those. ♦ **àquele(a)** to that, to that one. **àqueles(as)** to those, to those ones.
aquém on this side; beneath, below; less.
aqui here, in this place. ♦ **até aqui** up till now; up to this point.
aquietar appease, quiet, calm.
aquilatar appraise.
aquilino aquiline.
aquilo that. ♦ **àquilo** thereto, to that.
aquisição acquisition.
aquisitivo acquisitive.
aquoso waterish.
ar air; atmosphere. ♦ **ao ar livre** in the open air, outdoors. **ar comprimido** compressed air. **ar--condicionado** air conditioning.
árabe Arab, Arabic. • Arabic, Arabian. → Countries & Nationalities
Arábia Saudita Saudi Arabia. → Countries & Nationalities
aracnídeo arachnid.
arado plow.
aragem gentle breeze.
arame wire. ♦ **arame farpado** barbed wire.
aranha spider. → Animal Kingdom
arapuca bird trap; pitfall, trap.
arar plow.
arara macaw (a Brazilian parrot). → Animal Kingdom
araucária araucaria; Brazilian pine.
arbitragem arbitration.
arbitrar arbitrate; mediate; referee.
arbitrariedade abuse; despotism.
arbitrário arbitrary, despotic.
arbítrio will, discretion, judgment; decision, choice. ♦ **livre-arbítrio** free will.
árbitro judge; referee (soccer).
arbóreo arboreous, treelike.
arborização arborization.
arborizar plant trees; afforest.
arbusto shrub, bush.
arca ark.
arcada arcade, arch. ♦ **arcada dentária** dental arch.
arcaico archaic, antique.
arcar bend, curve, arch. ♦ **arcar com as consequências** take responsibility. **arcar com as despesas** pay the bill, pick up the check. **arcar com os prejuízos** stand the loss.
arcebispo archbishop.
arco arch; bow. ♦ **arco e flecha** bow and arrow.

arch

bow

arco-íris rainbow. → Weather
ardente ardent, burning, hot-blooded, torrid, flaming.
arder burn, flame, blaze, smolder.
ardil cunning, slyness, trickiness, trickery, ruse, ploy.
ardiloso cunning, artful, crooked, tricky, slippery.
ardor heat, burning, itching (skin).
árduo difficult; hard; troublesome.
are are, metric land measure equal to 100 square meters.
área area, surface; ground.
areia sand.
arejar air, ventilate.
arena arena.
arenoso sandy.
arenque herring. → Animal Kingdom
aresta corner; edge; ridge; intersecting line.
arfante gasping.
arfar puff, pant; gasp, breathe with difficulty.
argamassa mortar.
argênteo silvery; argentine.
Argentina Argentina. → Countries & Nationalities
argentino Argentinian, Argentine. → Countries & Nationalities
argila clay, potter's clay.

argola ring, hoop.
argúcia astuteness, smartness.
arguição arguing; argument.
arguir interrogate; ask, refute.
argumentação argumentation, reasoning; controversy.
argumentar argue; plead.
argumento reasoning, point, argument. ♦ **sem argumento** not have a leg to stand on.
ária aria, tune, melody.
aridez dryness, aridity, dullness.
árido arid, dry, desert; dull, monotonous, barren.
arisco skittish; shy; wild.
aristocracia aristocracy, nobility.
aristocrata aristocrat, noble.
aristocrático aristocratic.
aritmética arithmetic.
aritmético arithmetician. • arithmetic.
arlequim harlequin.
arma weapon, gun. ***armas*** arms.
armação equipment; framework.
armada armada, fleet, navy.
armadilha pitfall, trick, cheat; trap.
armado armed.
armador shipowner; trapper.
armadura armor.
armamento armament.
armar arm, put in arms, equip.
armário cabinet, cupboard, wardrobe, locker. ♦ **armário de cozinha** cupboard. **armário embutido** closet. → Furniture & Appliances
armazém warehouse, depot.
armazenagem storage, warehousing.
armazenar store, stock.
aro hoop; rim (of a wheel).
aroma flavor; smell, scent.
aromático aromatic.
aromatizar aromatize.
arpão harpoon, spear.
arpoador harpooner.
arpoar harpoon.
arqueiro archer; goalkeeper (soccer).
arquejar puff, pant, gasp for breath.
arqueologia archeology.
arqueológico archeological.
arquibancada stands, bleachers.
arquidiocese archdiocese.
arquitetar project, plan.
arquiteto architect. → Professions
arquitetura architecture; structure; project. ♦ **arquitetura de computador** computer architecture.
arquivar file.
arquivo archive; file, record. ♦ **arquivo de acesso** access file. **arquivo de áudio** audio file. **arquivo de lotes** batch file. **arquivo de origem** source file. **arquivo de transferência** swap file. **atualização de arquivo** file update. **cópia de segurança de arquivo** file backup. **dados do arquivo** file data. **endereço de arquivo** file address. **formato do arquivo** file format. **opções do arquivo** file menu. **registro de arquivos** log file. → Classroom
arraia ray. → Animal Kingdom
arraial camp, camping ground.
arraigar root; settle.
arrancada jolt, jerk; sprint.
arrancar pull or tear away violently; pluck out; snatch; drive off; extract.
arranha-céu skyscraper.
arranhão scratch.
arranhar scratch; scrape.
arranjar arrange; obtain, get; fix, manage.
arranjo arrangement, settling, disposition.
arranque push, thrust.
arrasado destroyed; devastated; crushed; depressed.
arrasador devastating.
arrasar humiliate; destroy; devastate.
arrastar drag, pull; induce into. ***arrastar-se*** creep, crawl, move slowly and with difficulty. ♦ **arrastar e soltar (*informática*)** drag and drop.
arrazoar plead, defend; reason, argue, discuss.
arrebanhar herd; assemble, bring together.
arrebatador ravishing; charming.
arrebatamento ecstasy; hastiness; overjoy.

arrebatar snatch, grab, carry off, sweep.
arrebentação breaking of the waves.
arrebentar tear; burst, crush, break, snap.
arrebitado turned up (nose); petulant.
arrebitar turn up, raise, lift.
arrecadação collection of taxes.
arrecadar collect duties or taxes; raise (money).
arredar remove, withdraw; pull, move away, draw back; put aside. ♦ **não arredar pé** stand one's ground.
arredio withdrawn, reserved; lonesome.
arredondar round.
arredores surroundings, outskirts.
arrefecer cool, chill; moderate.
arrefecimento cooling (off).
arregaçar roll up (sleeves).
arregalar goggle (open one's eyes wide). ♦ **de olhos arregalados** wide-eyed, goggle-eyed.
arrematar finish up; give the final touch to; accomplish; buy or sell (at auctions); conclude.
arremate end, conclusion.
arremedar resemble, imitate, mimic, mock; parody.
arremedo imitation, mimicry; mockery.
arremessar fling, throw, cast, pelt. ***arremessar-se*** hurl oneself, surge.
arremesso throw, cast, pitch.
arremeter attack, assault, charge; go around (plane).
arrendamento renting, lease, hire.
arrendar let, rent, lease, hire.
arrendatário tenant, renter, leaseholder.
arrepender-se repent, be sorry for, regret.
arrependido contrite, repentant, sorry.
arrependimento regret, repentance, remorse.
arrepiante creepy, shivery; terrible.
arrepiar ruffle, fluff up (hair, feathers), bristle. ***arrepiar-se*** shudder, shiver with cold or fear. ♦ **de arrepiar os cabelos** hair-raising.
arrepio shiver, chill, shudder. ♦ **Isso me dá arrepios.** It gives me the creeps.
arriar lower; collapse, flop.
arrimo support; protection. ♦ **arrimo de família** breadwinner.
arriscado risky, hazardous, dangerous, dicey.
arriscar risk, dare, hazard, endanger, chance, venture.
arroba unit of weight (about 15 kg); at (in e-mails).
arrochar tighten; oppress.
arrocho tightening. ♦ **arrocho salarial** pay squeeze.
arrogância arrogance, haughtiness.
arrogante arrogant, disdainful, haughty.
arrojado bold, daring, courageous.
arrojo boldness, audacity.
arrolar make an inventory; list.
arrolhar cork, put corks on bottles.
arrombador housebreaker; safe-breaker; cracker.
arrombar break into; burst, force, crack open (a safe).
arrotar burp.
arroto burp.
arroz rice. ♦ **arroz-doce** rice pudding.
arruaça uproar, riot, tumult, disorder.
arruaceiro rioter, rowdy, mobber.
arruda rue, herb-of-grace.
arruela washer.
arruinado ramshackle.
arruinar ruin; destroy, devastate.
arrumação arrangement, disposition.
arrumadeira housemaid; chamber maid; cleaning lady.
arrumar arrange, dispose, clear up, sort out, organize. ***arrumar-se*** get ready.
arsênico arsenic.
arte art; skill, craft.
artefato artifact.
artelho anklebone. → Human Body
artéria artery, blood vessel. → Human Body
arterial arterial. ♦ **pressão arterial** blood pressure.

artesanato workmanship, craftsmanship, handicraft. → Leisure
artesão artisan, craftsman.
ártico arctic.
articulação articulation, joint; link; enunciation.
articular articular. • articulate, link; enunciate.
artificial artificial; unnatural.
artifício artifice, device; cunning; fraud.
artigo article; product; item. ***artigos*** goods.
artilharia artillery; gunnery.
artimanha artifice, trick.
artista artist.
artístico artistic.
artrite arthritis.
árvore tree. ♦ **árvore genealógica** family tree.
arvoredo grove, stand of trees.
ás ace; star.
asa wing. ♦ **asa-delta** hang-glider. → Sports
ascendência ascendancy, ancestry, origin, parentage.
ascender ascend, rise, climb.
ascensão ascension; ascent.
asco loathing, aversion, disgust, repugnance.
ascórbico ascorbic.
asfaltar cover with asphalt.
asfalto asphalt.
asfixia asphyxia, suffocation.
asfixiar asphyxiate, suffocate, stifle, choke.
asiático Asiatic, Asian.
asilar shelter, give asylum.
asilo asylum; refuge, haven. ♦ **asilo de idosos** retirement home.
asma asthma.
asmático asthmatic.
asneira foolishness, nonsense, bullshit.
asno ass, donkey; stupid, ignorant; fool. → Animal Kingdom
aspargo asparagus. → Vegetables
aspas inverted commas, quotation marks.
aspecto aspect, look, appearance; form, shape; side.
asperamente roughly.
aspereza roughness; rudeness, harshness.
aspergir sprinkle, spray.
áspero abrasive, rough; rude; crusty.
aspersão sprinkling.
aspiração breathing; aspiration, longing.
aspirador aspirating, sucking; inhaling. ♦ **aspirador de pó** vacuum cleaner.
aspirar breathe in, inhale; aspire to, be a candidate.
aspirina aspirin.
asqueroso loathsome, nasty, sickening, filthy, disgusting, repulsive.
assadeira roasting or baking pan.
assado roast. • roasted, baked.
assadura rash or chafing (especially in babies, caused by dirty diapers).
assalariado wage earner. • salaried, hired, wage-earning.
assaltante burglar; robber.
assaltar assault, attack, rob, assail, burglarize, mug.
assalto burglary, mugging, robbery; attack. ♦ **assalto à mão armada** armed robbery.
assanhado excited; restless.
assanhamento excitement.
assanhar provoke, stir up, excite.
assar roast; bake; grill, broil.
assassinar murder, assassinate, kill.
assassinato murder, homicide, killing.
assassino murderer, killer. • murderous.
asseado clean, neat, tidy.
assediar importune, annoy, harass.
assédio siege; insistence, harassment.
assegurar insure; assure, ensure, secure, make sure. ***assegurar-se*** verify, check.
asseio cleanliness, neatness. ♦ **falta de asseio** untidiness.
assembleia assembly, meeting, gathering, council, convention.
assentar lay, settle; place; base.
assentimento consent, permission.
assentir agree, consent.

assento seat; place to sit; chair. ♦ **assento ejetável** ejection seat.
asserção assertion; allegation.
assessor assessor, advisor, assistant.
assessoramento assistance.
assessorar advise, assist, aid.
assíduo assiduous, constant, steady.
assim thus, so; in this manner, like this, such, like that, then. ♦ **assim assim** so so, more or less. **assim como** as well as, just as. **assim mesmo** exactly like that; notwithstanding; anyway, in any case, even so. **assim que** as soon as. **e assim por diante** and so on. **sendo assim** in such case, in this case.
assimilação assimilation; absorption.
assimilar assimilate; absorb.
assinado signed; subscribed.
assinalar mark, distinguish, point out, signal.
assinante subscriber (to a newspaper, magazine, etc.).
assinar sign; subscribe.
assinatura signature; subscription. ♦ **assinatura digital** digital signature.

England, 04 March 2005,

On behalf of the Le Petit Editions,

On behalf of Editora Moderna Ltda.,

Ms. Camila D'Angelo

Head of Publications Division,

Public Affairs and Communications Directorate

signature

subscription

assistência assistance.
assistente assistant, helper.
assistir attend; watch (a game, a play); assist, aid; comfort, nurse, protect.
assoalho floor.
assoar wipe or blow one's nose.
assobiar whistle; hiss.
assobio whistle (instrument and sound); hiss.
associação association; community, society, partnership.
associado associate, member, partner. • associated, allied.
associar associate, join. ***associar-se (a)*** form a partnership; associate with.
assolar desolate, devastate, destroy, overrun.
assombração spook, apparition, ghost.
assombrado haunted; amazed.
assombrar shade, shadow; terrify, scare, haunt; astonish.
assombro astonishment, surprise, wonder; fright.
assombroso amazing, astonishing; frightful, spooky.
assumir assume (*form.*); take over, accept, admit.
assunto topic, subject; matter, issue; business. ♦ **direto ao assunto** straight to the point.
assustado scared; frightened, fearful, afraid.
assustador scary, spooky.
assustar scare; frighten, terrify.
asterisco asterisk.
astro star. ♦ **astro do cinema** movie star.
astrologia astrology.
astronomia astronomy.
astrônomo astronomer.
→ Professions
astúcia astuteness, smartness, shrewdness; slyness; cleverness.
astuto astute, smart, shrewd, clever, ingenious; foxy.
atabalhoado helter-skelter, clumsy.
atacadista wholesaler. • wholesale.
atacado wholesale. • attacked; worked up; hot under the collar.

♦ **comércio por atacado** wholesale business.
atacante aggressor; lineman; forward, striker.
atacar attack, assault, seize, strike.
atado tied, bound.
atadura gauze, bandage.
atalho bypass; shortcut.
ataque attack, assault, aggression; fit. ♦ **ataque de raiva** fit of anger. **ataque de tosse** fit of coughing. **ataque aéreo** air raid.
atar tie, fasten, lace, bind, attach. ♦ **não atar nem desatar** waver; be irresolute.
atarefado busy.
atarracado stout, squat, stocky.
ataúde coffin, casket.
atazanar molest; afflict; annoy.
até till, until, as far as, by, to, up to, up till. • thus, even, likewise; not only, but also. • bye, see you. ♦ **até agora** until now, hitherto, as yet. **até amanhã** until tomorrow. **Até a vista!** See you later! **Até breve!** See you soon!
ateísmo atheism, godlessness.
atemorizante alarming, frightening, intimidating.
atemorizar intimidate; scare, frighten.
atenção attention, concentration; care; courtesy. ♦ **Atenção!** Watch out! **falta de atenção** heedlessness. **prestar atenção** pay attention.
atencioso attentive; kind, polite, courteous.
atender answer; serve; wait for. → Deceptive Cognates
atentado criminal assault; attack, attempt.
atentar attempt (against); undertake; pay attention.
atento alert, careful, observant, heedful.
atenuação attenuation, lessening, diminishing, reduction.
atenuante attenuating. • attenuant.
atenuar attenuate; lessen, diminish, reduce, weaken, soften.
aterrado embanked; frightened; grounded.
aterrador frightening; terrifying.
aterrar frighten, terrify; embank.
aterrissagem landing. ♦ **aterrissagem forçada** forced landing.
aterrissar land.
aterro embankment.
aterrorizar terrify, terrorize, appall, horrify, frighten. ***aterrorizar-se*** be horrified, be shocked.
ater-se stick to.
atestado certificate, certification. • certified. ♦ **atestado de saúde** sick note, medical statement.
atestar witness, bear witness to, certify; testify.
ateu atheist. • atheistic(al).
atiçar poke, instigate, incite, stroke.
atinar guess right; discover, find out.
atingir reach; attain; arrive at; touch; gain.
atirado bold, daring; impudent.
atirador shooter. ♦ **atirador de elite** sniper.
atirar shoot, fire; cast. ♦ **atirar a primeira pedra** cast the first stone. **atirar para matar** shoot to kill.
atitude attitude, posture; mood.
ativar activate, start.
atividade activity.
ativo active, dynamic, alert, alive, busy. ♦ **ativo e passivo (contabilidade)** assets and liabilities.
atlântico Atlantic Ocean. • atlantic.
atlas atlas.
atleta athlete.
atlético athletic.
atletismo athletic, track and field. → Sports
atmosfera atmosphere.
atmosférico atmospheric.
ato act, action; deed.
atolar stick in the dirt, mud or mire; bog down, stall.
atoleiro slough, bog, mudhole, puddle, quagmire; difficulty.
atômico atomic.
átomo atom.
atônito aghast, stupefied; amazed, astonished.
ator actor. ♦ **ator principal** leading actor. **ator coadjuvante** supporting actor. → Professions

A

atordoado stunned, dizzy, dazed.
atordoante dizzying.
atordoar stun, stupefy, dizzy, daze, bewilder.
atormentado tormented; uneasy, disturbed.
atormentar torment, tease, tantalize, badger, afflict; worry, harass. ***atormentar-se*** worry, bother, grieve.
atração attraction; interest, appeal.
atraente attractive.
atraiçoado betrayed.
atraiçoar betray, deceive, double-cross.
atrair attract; captivate; fascinate; draw. ♦ **atrai tanto os meninos quanto as meninas** it appeals to boys and girls alike.
atrapalhação confusion, fluster.
atrapalhar confuse, disturb, upset, perturb, muddle; get in the way. ***atrapalhar-se*** get mixed up.
atrás behind, back, after; ago; astern, aback. ♦ **anos atrás** years ago. **atrás das grades** behind bars. **Ele não fica atrás de ninguém.** He is inferior to no one. **Ele está atrás de você.** He is after you.
atrasado late, overdue; slow (watch).
atrasar set back (watch); delay, retard, postpone, put off. ***atrasar-se*** stay or fall behind; be late; lag.
atraso delay; tardiness, lateness; lag.
atrativo attractive; charming.
atravancar block, obstruct.
através through, over, cross, across. ♦ **através dos séculos** down the ages.
atravessado crossed; traversed, laid across.
atravessar cross (over), pass over.
atrelar leash, link.
atrever-se dare, adventure.
atrevido daring, bold, insolent, impudent, audacious.
atrevimento daringness; boldness, impudence, insolence, nerve.
atribuição attribution; duty, power.
atribuir attribute, impute, assign, credit.
atribular afflict, trouble, grieve.
atributo attribute, characteristic; feature, quality.
atrito attrition, friction, rubbing; disagreement, quarrel.
atriz actress. ♦ **atriz principal** leading actress. **atriz coadjuvante** supporting actress. → Professions
atrocidade atrocity, cruelty.
atrofia atrophy.
atrofiado stunted, atrophic.
atrofiar atrophy; grow weak.
atropelar step on, jostle, tread on; overrun, run over.
atroz atrocious, cruel, outrageous.
atuação performance, acting.
atual modern, trendy; present, current.
atualidade present time or situation. ***atualidades*** news of recent events.
atualizado up-to-date, updated.
atualizar update.
atualmente currently, nowadays. → Deceptive Cognates
atuar function, act, do, perform.
atum tuna. → Animal Kingdom
aturar endure, put up with, bear, withstand.
aturdido dizzy, stunned.
aturdir stun, daze.
audácia audacity, audaciousness, courage, boldness, daring.
audacioso audacious, bold, daring.
audição audition; hearing; performance.
audiência audience; listeners, hearers; hearing; (court) session.
áudio audio.
auditar audit.
auditivo auditive, auditory.
auditor auditor. → Professions
auditoria audit.
auditório audience; spectators; auditorium.
audível audible.
auferir gain, profit, obtain.
auge summit, the highest point, top; peak; culmination.
aula lecture, lesson, class.
aumentar enlarge, increase; grow; intensify, raise, expand.
aumento enlargement, increase, raise, growth, gain, rise.

áureo golden.
auréola aureole; halation, halo.
aurora dawn.
ausência absence, nonattendance; lack.
ausentar-se go away, keep away.
ausente absentee. • absent.
auspicioso auspicious, fortunate, promising.
austeridade austerity, strictness, severity.
austero severe, rigid, strict.
Austrália Australia. → Countries & Nationalities
australiano Australian. → Countries & Nationalities
Áustria Austria. → Countries & Nationalities
austríaco Austrian. → Countries & Nationalities
autarquia autarchy.
autenticar authenticate, legalize.
autenticidade authenticity; legitimacy.
autêntico authentic, legitimate, genuine, sincere, true.
autobiográfico autobiographical.
autocontrole self-control.
autocracia autocracy.
autocrata autocrat, despot.
autocrítica self-criticism.
autoestrada highway, freeway.
autografar autograph.
autógrafo autograph. • autographic.
automação automation.
automaticamente automatically.
automático automatic.
automatizar automate.
automobilismo car racing, auto racing.
automóvel automobile, auto, car, vehicle. → Means of Transportation
autonomia autonomy.
autônomo autonomous, independent, self-governing; freelance.
autópsia autopsy.
autor(a) author (man), authoress (woman), maker; inventor, creator. ♦ **autor intelectual** the brains.
autorretrato self-portrait.
autoria authorship.
autoridade authority; jurisdiction; power.
autoritário authoritarian, despotic, overbearing.
autorização authorization, permission; approval.
autorizado authorized, approved, licensed.
autorizar authorize; approve; permit, allow.
autossuficiente self-sufficient, independent.
autossugestão self-suggestion.
auxiliar assistant. • auxiliary; helpful. • help, aid, assist, lend a hand. ♦ **auxiliar de escritório** office clerk. → Professions
auxílio help, aid, assistance, relief.
avacalhar demoralize, depress.
avaliação valuation, evaluation.
avaliado appraised, rated, valued.
avaliador appraiser.
avaliar evaluate, value, appraise, estimate, assess, rate.
avalizar guarantee.
avançado advanced, onward, progressive, forward.
avançar attack; bring forward; advance; proceed.
avanço advance, advancement; development, progress, headway, breakthrough.
avantajado advantageous; superior; big, huge, stout.
avante forward, onward. ♦ **Avante!** Go ahead!
avarento miser, Scrooge, greedy.
avareza avarice, avariciousness, greed.
avariado broken, damaged.
avariar damage; break; impair.
ave bird, fowl. ♦ **ave de mau agouro** bird of ill omen. **ave de rapina** bird of prey. → Animal Kingdom
aveia oat, oats, oatmeal.
avelã hazelnut. → Fruit
ave-maria Ave Maria, Hail Mary.
avenca maidenhair; silver fern.
avenida avenue, boulevard.
avental apron.
aventura adventure, risk.

aventurar risk, venture, chance.
aventureiro adventurer, venturer. • venturesome, venturous.
averiguação inquiry, investigation.
averiguar inquire, investigate.
avermelhado reddish.
aversão aversion, hatred; dislike.
avessas opposite, contrary. ♦ **às avessas** inside out.
avesso contrary, reverse, back; the wrong side. • opposite, converse. ♦ **do avesso** inside out.
avestruz ostrich. → Animal Kingdom
aviação aviation, flying.
aviamento dispatch; execution; making, finishing.
avião airplane, plane, aircraft. → Means of Transportation
aviar dispatch, execute, conclude. ♦ **aviar uma receita** fill a prescription.
avidez avidity, greed, eagerness; impatience.
ávido eager, grasping, greedy.
aviltamento abasement, abjection, disgrace.
aviltante degrading.
aviltar abase, debase, disgrace, degrade.
avisado prudent; warned.
avisar advise, let know, inform; warn, forewarn; admonish.
aviso notice, advice, communication; warning. ♦ **aviso de tela** prompt. **aviso prévio** advance notice.
avistar see from a distance, come in sight of, catch sight of.
avivar give life to, revive, vivify.
avizinhar approach, approximate.
avô(ó) grandfather, granddaddy, grandpa (man); grandmother, granny, grandma (woman). ***avós*** grandparents. ♦ **meu avô por parte de pai** my grandfather on my father's side.
avoado absent-minded.
avolumar increase the volume of, enlarge. ***avolumar-se*** bulk up, mount, swell.
avulso detached; single; odd.
avultar increase, make bigger, enlarge; amount to.
axila armpit. → Human Body
azar misfortune, bad luck, mischance, mishap. ♦ **Que azar!** What rotten luck!, Too bad! → Deceptive Cognates
azarar cause misfortune to.
azedar sour; curdle.
azedo sour; grumpy.
azedume sourness, tartness, acidity, bitterness.
azeite olive oil.
azeitona olive. → Vegetables
azevinho holly.
azia heartburn, acid indigestion.
azucrinar worry, plague, annoy, importune.
azul blue (color); the sky, the firmament. ♦ **azul-celeste** azure, cerulean, sky-blue. **azul-marinho** navy blue.
azulado bluish.
azular blue; make or turn blue.
azulejar tiles.
azulejo wall tile.

B

B, b the second letter of the Portuguese alphabet.
B the seventh musical note.
baba saliva, dribble.
babá nanny, babysitter.
babaçu babassu palm.
babador bib.
babaquice stupidity, silliness, foolishness.
babar dribble, drool.
baboseira nonsense.
babuíno baboon. ➔ Animal Kingdom
bacalhau cod, codfish. ➔ Animal Kingdom
bacana good, splendid, excellent, great, cool.
bacharel bachelor.
bacia bowl, basin; pelvis. ➔ Human Body

basin

pelvis

baço spleen. ➔ Human Body
bactéria bacterium.
bactericida bactericidal.
bacteriologista bacteriologist.
badalada clang of a bell, toll.
badalado famous, renowned.
badalar ring, toll.
baderna frolic; riot, turmoil; mess.
badernar frolic; make a mess.
badulaque ornament; odds and ends.
bafafá quarrel, strife, fuss.
bafejar warm (by breathing on); breathe softly; exhale.
bafo breath, exhalation.
baforada exhalation, whiff; puff of smoke.
baforar exhale, breathe forth, blow.
baga berry. ➔ Fruit
bagaceira brandy made of grapes.
bagaço bagasse (crushed sugar-cane); marcs. ♦ **estar um bagaço** be rundown.
bagageiro luggage rack.
bagagem baggage, luggage.
bagatela bagatelle; trifle, fleabite.
bago each fruit of a bunch of grapes or any grapelike fruit; grape; berry. ➔ Fruit
bagre catfish. ➔ Animal Kingdom
baguete baguette.
bagulho piece of junk.
bagunça disorder, mess, confusion; noisy feast. ♦ **Que bagunça!** What a mess!
bagunceiro hooligan, rowdy. • disorderly; noisy, rowdy.
baía bay.
baia stall, box.
baiacu globefish, pufferfish. ➔ Animal Kingdom
baiano native or inhabitant of the State of Bahia. • pertaining to Bahia.
bailado ballet, choreography; ball.
bailar dance; perform a ballet.
bailarino dancer, ballet dancer.
baile dance, ball. ♦ **baile de máscaras** masked ball, masquerade ball. **baile à fantasia** costume party.

bainha sheath, scabbard; hem (of a skirt).
baioneta bayonet.
bairrismo localism, local patriotism, sectionalism.
bairro district; neighborhood; ward, precinct, quarter. ♦ **bairro pobre** slum, the slums.
baita large, great.
baixa reduction (in price or value); casualty (in war).
baixada slope, lowlands, depression.
baixar lower; shorten; stoop; come down; lessen; dip; cast down (eyes); fall (temperature).
baixaria vulgarity, cheap trick.
baixela tableware.
baixeza lowness; wickedness; indignity.
baixinho short person. • in a low voice or tone; stealthily.
baixo low; inferior; cheap; poor (in quality); vulgar, mean; short. • below; low; quietly. • bass (guitar). ♦ **baixo-astral** bad vibes. **baixo--relevo** bas-relief, low relief. **estar num baixo-astral** be at a low ebb. **para baixo** down, downwards, downstairs. → Musical Instruments

low

short

bass/bass guitar

baixote shorty.
bajulação flattery, cajoling, adulation, smarminess.
bajulador flatterer, bootlicker. • coaxing, servile, smarmy.
bajular flatter; fawn.
bala bullet; cannon ball; sweet, candy. ♦ **bala de festim** blank cartridge. **bala de chumbo** pellet.

bullet

cannon ball

candy

balada ballad.
balalaica balalaika. → Musical Instruments
balança balance (weighing); scales.
balançar swing, oscillate, sway, rock; hesitate.
balancete balance sheet.
balanço swing, sway; balance sheet.

balão balloon. ♦ **balão de ensaio** volumetric flask.
balbuciação stuttering, stammering, babble.
balbuciante stammering, stuttering.
balbuciar stutter; babble, falter.
balbúrdia disorder, confusion, tumult.
balcão balcony; counter. ➔ Furniture & Appliances
balconista shop assistant; (sales) clerk; barman, barmaid, bartender. ➔ Professions
baldar frustrate.
balde bucket.
baldeação transfer, connection.
baldear transfer; change.
baldio uncultivated; purposeless.
balear shoot.
baleeira whaleboat, whaler.
baleeiro whale fisher, whaler.
baleia whale. ➔ Animal Kingdom
balela hearsay, rumor; lie.
balística ballistics.
baliza mark, landmark, sign; boundary, buoy.
balneário health resort, seaside resort town, spa.
balofo puffy, flabby, flaccid; fat, chubby.
balsa raft, ferryboat. ➔ Means of Transportation
bálsamo balsam, balm.
bamba expert; very good.
bambear weaken; slacken; vacillate; hesitate.
bambo loose; feeble, weak; floppy; hesitating.
bambolê hula hoop.
bambu bamboo.
bambuzal bamboo thicket, bamboo grove.
banal common, trivial; vulgar, trite.
banalidade triviality, vulgarity, triteness.
banalizar vulgarize, make or become common.
banana banana. • coward, stupid fellow. ➔ Fruit
bananeira banana tree.
banca stall; table, stand, desk, bureau. ♦ **banca de jornais** newsstand. **banca examinadora** examination board.
bancada row of seats; bench, workbench.
bancar finance, pay; pretend, dissimulate. ♦ **bancar o palhaço** play the fool.
bancário bank clerk. • bank, of or concerning banks. ➔ Professions
bancarrota bankruptcy, insolvency. ♦ **ir à bancarrota** go bankrupt.
banco bank; seat, bench; stool. ♦ **banco de dados** database. **banco de sangue** blood bank. **banco de igreja** pew.

bank

bench

stool

banda side, flank; band; strip. ♦ **banda de rodagem** tread (of a tire). **banda larga** broadband. **largura de banda** bandwidth.

bandagem dressing; compress.
bandalheira debauchery; illicit business.
bandear change sides; cross.
bandeira flag, colors, banner. ♦ **arriar a bandeira** lower the flag. **virar bandeira** change sides.
bandeirante member of the expeditions called *bandeiras*. • of or related to *bandeiras*; Girl Scout.
bandeirinha bunting; linesman or assistant referee (soccer).
bandeja tray.
bandido bandit, outlaw, gangster; criminal; villain.
bando group; gang; band; crew, flock.
bandolim mandolin. ➔ Musical Instruments
bangalô bungalow.
Bangladesh Bangladesh. ➔ Countries & Nationalities
banguela toothless.
banha fat, grease.
banhar bathe, take/give a bath, wash.
banheira bathtub, tub.
banheiro bathroom; toilet; restroom. ♦ **banheiro feminino** ladies' room.
banhista bather.
banho bath, wash, shower. ♦ **banho-maria** water bath. **Vá tomar banho!** Get lost!
banimento banishment, exile, proscription; expulsion.
banir banish, exile; outlaw, proscribe.
banjo banjo. ➔ Musical Instruments
banqueiro banker.
banqueta pouf. ➔ Furniture & Appliances
banquete banquet, feast. ♦ **dar um banquete** banquet.
banquinho stool. ➔ Furniture & Appliances
baque collision; collapse; bump, thud.
baquear fall, collapse, thud.
bar bar, pub; saloon.
baralhar shuffle (cards); mix, confuse. ***baralhar-se*** become confused or embarrassed.
baralho cards, deck (of playing cards).
barão baron.
barata cockroach, roach. ➔ Animal Kingdom
baratear cheapen; bargain; undervalue.
barato cheap, inexpensive. • cheaply. ♦ **muito barato** dirt-cheap.
barba beard. ♦ **pôr as barbas de molho** beware of; take precautions; take care. ➔ Human Body
barbada walkover, easy victory.
barbante twine, string.
barbaridade cruelty, inhumanity; absurdity.
bárbaro barbarian. • barbarous, uncivilized, rude, coarse.
barbatana fin (of a fish); flipper.
barbeador shaver, electric razor.
barbear(-se) shave. ♦ **lâmina de barbear** razor blade.
barbearia barber's shop, barbershop.
barbeiro barber; bad driver (*inf.*). ➔ Professions
barbitúrico barbituric.
barbudo bearded.
barcaça barge.
barco boat, craft, ship, vessel. ♦ **barco a motor** motor boat. **barco a remo** rowboat. **barco a vela** sailing boat. **barco de pesca** fishing boat. **deixar o barco correr** let things take their course. **estar no mesmo barco** be in the same boat. **tocar o barco (para a frente)** struggle on. ➔ Means of Transportation
barganha barter, exchange; bargain.
barganhar bargain, negotiate; trade. ♦ **poder de barganha** leverage.
barítono baritone.
baronesa baroness.
barqueiro boatman, ferryman.
barra hem (of a skirt); slash; border; bar (of chocolate, soap, etc.). ♦ **barra de ferramentas** toolbar. **forçar a barra** force the issue; push it. **segurar a barra** hold out. **ser uma barra** be tough.
barraca tent, hut. ➔ Deceptive Cognates
barraco hut, shanty.
barrado striped; barred.
barragem barrier; barrage, dam.
barranco bank; ravine; slope. ♦ **aos trancos e barrancos** in fits and starts; by leaps and bounds.

barrar hem; hinder, obstruct.
barreira barricade; block, obstacle, barrier; limit.
barrento muddy.
barrica barrel, keg, cask.
barricada barricade, roadblock.
barriga belly, tummy, stomach. ♦ **barriga da perna** calf. **barriga/mãe de aluguel** surrogate mother. → Human Body
barrigudo potbellied, paunchy.
barril barrel, cask, keg, vat.
barro clay; mud.
barroco baroque.
barulheira uproar, noise.
barulhento loud, noisy.
barulho noise, uproar. ♦ **Muito barulho por nada.** Much ado about nothing.
basbaquice silliness, foolishness, stupidity.
basculante inclinable, tilting. ♦ **caminhão basculante** dump truck.
base base, basis; grounds, support. *bases* grass roots. ♦ **base aérea** air base. **com base em** based on. **sem base** groundless.
baseado joint. ♦ **baseado em** based on.
basear base, put on a base or basis. *basear-se* be based on; rest on, rely on; found.
basicamente basically.
básico basic, fundamental, bare.
basquetebol basketball. → Sports
bastante enough, sufficient; satisfactory; plenty, pretty, quite, fairly.
bastão stick.
bastar be enough, be sufficient, suffice. ♦ **Agora basta!** Enough is enough! **Basta!** Enough!, That's enough!, Stop!
bastardo bastard. • illegitimate.
bastidor embroidery frame. *bastidores* backstage (theater). ♦ **por detrás dos bastidores** behind the scenes.
batalha battle, fight.
batalhão battalion.
batata potato. ♦ **batata-doce** sweet potato, yam. **batatas fritas** fries, French fries, French-fried potatoes; (potato) chips. **fécula de batata** potato starch. → Vegetables
bate-boca quarrel, squabble, argument.
batedeira food mixer.
bate-estaca(s) pile driver.
batelada boatload; great number (of things).
batente jamb (of a door or window); hard work.
bate-papo chat. ♦ **sala de bate--papo** chat room.
bater hit, bang, beat (down), knock (about); defeat; flap (wings); whip (cream); strike (hour); collide. ♦ **bater à porta** knock on/at the door. **bater as botas** die, kick the bucket. **bater o carro** crash. **bater o ponto** punch the clock. **bater palmas** clap. **Ele não bate bem.** He's not all there.
bateria battery; drums. → Musical Instruments
batida beat, stroke; police raid; shake, drink; crash, collision, shock.
batimento beat, throb. ♦ **batimento cardíaco** heartbeat.
batina cassock.
batismo baptism.
batizado baptism.
batizar baptize, christen; name; adulterate (wine, gas, etc.).
batom lipstick.
batucar hammer, drum.
batuta conductor's baton. • intelligent; lively.
baú trunk.
baunilha vanilla.
bazar bazaar.
beabá the ABC, the alphabet; fundamentals.
beatice piousness.
beato pious.
bêbado drunk, drunkard. • drunk.
bebê baby. ♦ **carrinho de bebê** baby carriage, stroller.
bebedeira binge.
bebedouro drinking fountain.
beber drink.
bebericar sip.

beberrão drunkard, boozer.
bebida drink, beverage. ♦ **bebida alcoólica** booze. **bebida alcoólica forte** spirits. **bebida forte** strong drink. **bebida gasosa** carbonated beverage. **bebida não alcoólica** soft drink.
beco alley. ♦ **beco sem saída** cul-de-sac; dead end.
bedel school attendant.
beiço lip, pout.
beiçudo thick-lipped.
beija-flor hummingbird. → Animal Kingdom
beijar kiss.
beijo kiss. ♦ **beijoca** peck.
beira edge, shore; rim; border, brink.
beirada margin, border, edging.
beira-mar seashore, waterfront.
beisebol baseball. → Sports
belamente beautifully.
belas-artes the fine arts.
beleza beauty, prettiness, handsomeness. ♦ **salão de beleza** beauty salon, beauty shop.
belga Belgian. → Countries & Nationalities
Bélgica Belgium. → Countries & Nationalities
beliche bunk (bed).
bélico warlike, belligerent.
belicoso warlike, quarrelsome, fiery.
beliscão pinch.
beliscar nip, peck, pinch; pick at (food).
belo beautiful, handsome, pretty. ♦ **Bela Adormecida** Sleeping Beauty.
bel-prazer pleasure, one's own liking.
beltrano so-and-so; John Doe.
bem good; benefit. • well, very. • nicely. • Well... ***bens*** possessions; assets; goods. ♦ **bem-amado** ou **bem-aventurado** blessed. **bem-criado** well-bred. **bem-educado** well-educated, well-mannered. **bem-estar** comfort, welfare, well-being. **bem informado** in the know, well-informed, well up in. **bem-sucedido** successful. **bem-vestido** well-groomed. **bem-vindo** welcome. **bens imóveis** real estate. **pagar o bem com o mal** repay evil for good. **por bem ou por mal** willy-nilly.
bemol flat.
bênção blessing.
bendito blessed, praised.
beneficência beneficence, charity.
beneficente beneficent, charitable, voluntary.
beneficiar benefit, be beneficial to; improve.
beneficiário beneficiary.
benefício benefit; perk.
benéfico beneficial, profitable.
benevolência benevolence, goodwill.
benevolente benevolent, charitable.
benfeitor benefactor.
benfeitoria improvement, betterment.
bengala cane, walking stick.
bengalês Bangladeshi. → Countries & Nationalities
benigno benign, benevolent; goodhearted.
benquisto beloved, esteemed, respected.
bento sacred.
benzer bless, consecrate.
berçário nursery.
berço cradle, cot, crib; origin. ♦ **Nasci em berço de ouro.** I was born with a silver spoon in my mouth.
berinjela eggplant, aubergine (*Brit.*). → Vegetables
berrar cry, scream, shout, yell.
berreiro screams, uproar.
berro shout, scream, yell.
besouro beetle. → Animal Kingdom
besta beast; a stupid person. • stupid.
bestalhão blockhead, fool. • silly, stupid, moron.
besteira nonsense, foolishness, bullshit.
bestialidade bestiality, atrocity.
bestializar bestialize, brutalize, animalize.
besuntar grease, smear.
beterraba beet, beetroot. → Vegetables

betoneira concrete mixer.
betume asphalt; putty.
bexiga balloon; bladder. → Human Body
bexiguento pockmarked, pitted (with pustule scars).
bezerro bull calf, male calf. → Animal Kingdom
bibelô trinket, bibelot.
Bíblia the Bible, the Holy Scriptures.
bíblico biblical.
bibliografia bibliography.
biblioteca library.
bibliotecário librarian. → Professions
bica springlet, fountain.
bicada peck.
bicar peck.
bicarbonato bicarbonate, hydrogen carbonate.
bíceps biceps. → Human Body
bicha worms, leech; gay, queer, fag (*vulg.*). → Animal Kingdom
bichado wormy, maggoty, buggy.
bichano kitten, puss, pussy. → Animal Kingdom
bicho animal; beast. ♦ **bicho-da--seda** silkworm. **bicho-papão** boogeyman. **bicho-preguiça** sloth. → Animal Kingdom
bicicleta bicycle, bike. → Means of Transportation
bico beak; spout; casual earnings. ♦ **Bico calado!** Hush!, Be silent! **calar o bico** hold one's mouth. **levar alguém no bico** lead someone up the garden path. **fazer bico** moonlight.
biconvexo biconvex, convex-convex.
bidê bidet.
bidirecional two-way.
bife steak, beefsteak.
bifurcação bifurcation, fork.
bifurcar bifurcate, fork.
biga chariot.
bigamia bigamy.
bígamo bigamist. • bigamous.
bigode m(o)ustache.
bijuteria trinkets; trifles.
bilhão billion.
bilhar billiards, snooker, pool; billiards room. → Leisure
bilhete note, line, short letter; ticket. ♦ **bilhete de ida e volta** two-way ticket, return ticket, round-trip ticket.
bilheteria booking office, box office.
bilíngue bilingual.
bílis bile.
bimensal bimonthly; twice a month.
bimestre bimester, a two-month period.
binário binary, dual.
binóculo binoculars.
biografia biography.
biográfico biographical.
biologia biology.
biólogo biologist. → Professions
biombo folding screen; blind.
biópsia biopsy.
bioquímica biochemistry.
bioquímico biochemist. • biochemical. → Professions
biosfera biosphere.
biotecnologia biotechnology.
bipartido bipartite; split into two.
bípede biped, two-footed animal.
biquinho little beak or bill. ♦ **fazer biquinho** pout, sulk.
birra obstinacy, stubbornness. ♦ **fazer birra** have a tantrum.
birrento stubborn, obstinate.
biruta nuts, daft, crazy.
bis bis, again, twice. • encore.
bisão bison. → Animal Kingdom
bisavô(ó) great-grandfather (man); great-grandmother (woman).
bisbilhotar gossip, snoop, pry.
bisbilhoteiro intriguer, snooper, gossiper.
bisbilhotice gossip.
biscate odd-job, casual earnings; casual work.
biscateiro odd-jobber, odd-job man.
biscoito cookie.
bisnaga tube; squirt.
bisneto(a) great-grandson (man); great-granddaughter (woman).
bispado bishopric.
bispo bishop.
bissexual bisexual.
bisturi scalpel.

bitola gage; standard measure, norm.
bitolar gage; establish a norm or standard.
bivalente bivalent.
bivalve bivalve.
bizarro extravagant, bizarre.
blasfemar damn, curse.
blasfêmia blasphemy, irreverence, profanity.
blefar bluff, cheat.
blefe bluff.
blindagem shield, armor; casing.
blindar armor; coat, cover, protect.
bloco block. ♦ **bloco de anotações** writing pad, notepad.

block

notepad

blogue blog. → Leisure
blogosfera blogosphere.
bloquear block, obstruct.
bloqueio blockage, siege; obstruction. ♦ **bloqueio de arquivos** file locking.
blusa blouse. → Clothing
blusão jacket, jumper. → Clothing
boato rumor, hearsay. ♦ **Eu soube disso através dos boatos.** I heard it through the grapevine.
bobagem nonsense, rot, foolishness; bullshit.
bobalhão fool, blockhead, stupid.
bobear play the fool; miss a chance.
bobina bobbin; reel; roll.
bobo fool, imbecile, stupid. • foolish, silly, stupid. ♦ **bobo da corte** jester.
boca mouth. ♦ **boca de siri** mum's the word. **boca do estômago** pit of the stomach. **botar a boca no mundo/no trombone** make a fuss. **Cale a boca!** Shut up! **pegar alguém com a boca na botija** catch someone in the very act, catch someone red-handed. **ter a boca suja** be foul-mouthed. → Human Body
bocadinho dab, little bit.
bocado mouthful, bit; small portion, nibble.
boçal stupid, rude, idiot.
bocejar yawn.
bocejo yawn.
bochecha cheek. → Human Body
bochechar rinse the mouth.
bochecho mouthwash; rinsing of the mouth.
bochechudo fat cheeked.
bode goat, he-goat, billy goat. ♦ **bode expiatório** scapegoat, fall guy, whipping boy. → Animal Kingdom
bofetada slap (in the face); insult, clip.
boi ox, bull. → Animal Kingdom
boia buoy; lifebuoy.
boiada herd of oxen.
boiadeiro herdsman, cowboy; cattle dealer.
boiar float, buoy, drift.
boicotar boycott; repress, restrict.
boicote boycott.
boina beret. → Clothing
bojo bulge, bowl.
bola ball, globe, sphere. ♦ **bola de gude** marble. **bola de neve** snowball. **bola de sorvete** scoop. **dar bola** take notice. **não dar a menor bola para algo** not care less about something. **pisar na bola** blunder. **trocar as bolas** get mixed up.

bolacha biscuit, cracker; slap on the face.
bolada a hit with a ball; a lot of money.
bolar plan, scheme.
bolchevismo bolshevism, communism.
bolchevista Bolshevist, Communist.
boletim bulletin; report, school report (report card).
bolha blister; bubble.

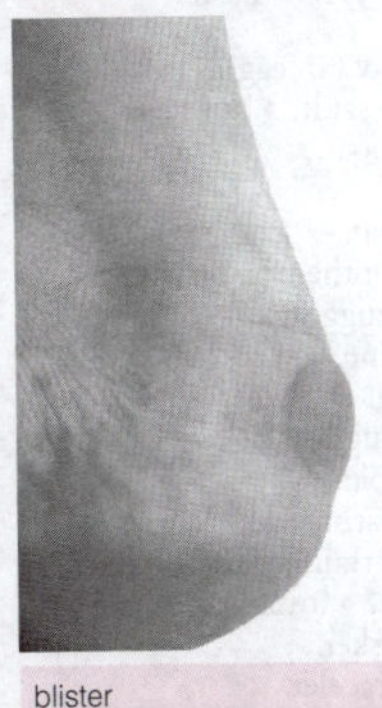
blister

bubble

boliche bowling. ➔ Leisure
bolinar touch someone sexually.
Bolívia Bolivia. ➔ Countries & Nationalities
boliviano Bolivian. ➔ Countries & Nationalities
bolo cake. ♦ **bolo de apostas** pools, jackpot. **bolo de casamento** bridecake, wedding cake.
bolor mold.
bolorento moldy; musty.
bolsa purse; handbag. ♦ **bolsa de estudos** scholarship. **Bolsa de Valores** Stock Exchange. **bolsa tiracolo** shoulder bag. ➔ Clothing
bolso pocket.
bom, boa good. • good, fine, right. ♦ **boa noite** good night. **boa sorte** good luck. **boa tarde** good afternoon. **boa vontade** goodwill. **boa-vida** easy-going. **bom dia** good morning. **bom humor** high spirits (good mood). **bom senso** common sense. **bom-tom** politeness. **bonzinho** good guy. **Muito bom!** Very good! **Que bom!** Splendid!, That's nice (Fine., Well., etc.)!
bomba bomb; bombshell; pump. ♦ **bomba-relógio** time bomb. **bombinha** cracker. **levar bomba** fail, flunk.

bomb

pump

bombardear shell, bombard, bomb.
bombardeio shelling, bombing.

bombardeiro bombardier, bomber.
bombeiro fireman, firefighter.
♦ **corpo de bombeiros** fire brigade.
→ Professions
bonança calm, peace, tranquility.
bondade goodness, kindness, graciousness.
bondoso kind-hearted; charitable.
boné baseball cap. → Clothing
boneca doll.
bonificação premium; bonus.
bonito pretty, handsome, beautiful, nice, good-looking, attractive.
bônus bonus, bond.
boqueirão estuary.
boquiaberto astonished, amazed.
borboleta butterfly. → Animal Kingdom
borbulha bubble.
borbulhante bubbling.
borbulhar bubble.
borda border, edge, brim, lip, rim.
bordadeira embroiderer.
bordado embroidery; needlework. • embroidered. → Leisure
bordar embroider.
bordel brothel.
bordo board (ship). ♦ **a bordo** on board.
bordoada stroke, punch.
boreal boreal, northern.
borracha rubber; eraser. → Classroom
borracheiro tire fitter.
borrachudo gnat. → Animal Kingdom
borrado blurry, fuzzy, smudgy.
borrão blob, blot, stain. ♦ **mata-borrão** blotting paper.
borrar stain, blur, smear, smudge.
borrasca tempest, storm.
borrifar sprinkle, spray.
borrifo sprinkling, spray.
bosque woods, forest.
bosta shit (*vulg.*), crap.
bota boot. ♦ **onde Judas perdeu as botas** in a faraway place; where God left his shoes. → Clothing
bota-fora farewell party, send-off party.
botânica botany.
botânico botanist. • botanic(al).
botão bud; button. ♦ **botão de reinicialização** reset button.

bud

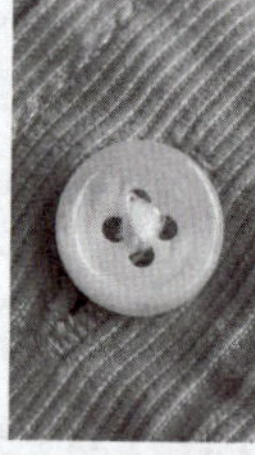
button

botar put, lay (an egg).
bote boat; assault. ♦ **bote salva-vidas** lifeboat.
boteco bar.
botequim bar.
boticário apothecary, pharmacist, chemist, druggist.
bovino bovine.
boxe boxing. → Sports
boxeador pugilist, boxer.
braçada stroke.
braçadeira armband; clamp.
braçal of, pertaining to or relative to the arms. ♦ **trabalhador braçal** manual worker.
bracelete bracelet.
braço arm; branch (river). ♦ **Ele é meu braço direito.** He's my right-hand man. **de braços cruzados** arms crossed, arms folded. **ficar de braços cruzados** not lift a finger. **não dar o braço a torcer** not give in. → Human Body
bradar shout; scream, yell, whoop.
brado cry, shout, scream, whoop.
braguilha fly.
branco white. ♦ **Ela está branca como cera.** She's as white as a sheet., She's (as) pale as a ghost.
brancura whiteness.
brandir shake, swing; vibrate.
brando tender, soft, mild.
brandura softness, tenderness, mildness, kindness.
branquear whiten.
brânquias gills.
brasa ember. ♦ **ferro em brasa** red-hot iron. **puxar a brasa para a sua sardinha** seek one's own advantage.

brasão coat of arms.
braseiro fire remains, burning coal.
Brasil Brazil. → Countries & Nationalities
brasileiro Brazilian. → Countries & Nationalities
braveza rage, fury, wrath.
bravio wild, savage; fierce.
bravo brave, bold; furious. ♦ **Bravo!** Bravo!
bravura bravery, courage, boldness.
brecar brake, stop.
brecha gap, fissure, rupture.
brejo swamp, bog, slough.
breu pitch, tar; darkness.
breve short, brief; quick; concise. • soon, before long. ♦ **Em breve, num cinema perto de você.** Coming soon to a screen near you. **em breve** soon.
brevemente briefly.
brevidade shortness; conciseness; briefness.
briga brawl, strife, quarrel, fight.
brigada brigade.
brigadeiro brigadier-general; a Brazilian kind of chocolate truffle, soft and creamy.
brigar quarrel, fight.
briguento quarrelsome; troublemaker.
brilhante diamond. • brilliant, bright, sparkling, shiny.
brilhantemente brightly.
brilhantina brilliantine.
brilhar shine, glitter, sparkle, flash.
brilho brightness, splendor, sparkle, glamor.
brim canvas, denim, sailcloth.
brincadeira entertainment, fun, game, joke, play. ♦ **de brincadeira** for fun. **Deixe de brincadeira!** Stop fooling! **brincadeiras à parte** joking apart. **Isto não é brincadeira!** It's no joke!
brincalhão joker, prankster. • funny, frolicsome; cheerful.
brincar play, joke, kid. ♦ **Você deve estar brincando!** You must be kidding!
brinco(s) earring(s).
brindar toast; drink to a person's health.
brinde toast.
brinquedo toy.
brio sense of dignity or honor, self-respect, pride.
brioso proud, self-reliant.
brisa breeze; fresh wind.
britânico British. → Countries & Nationalities
broca drill.
broche pin, brooch.
brochura brochure, paperback edition.
brócolis broccoli. → Vegetables
bronca reprimand. ♦ **dar uma bronca em alguém** tell somebody off. **levar uma bronca** get told off.
bronco rude; stupid.
bronquite bronchitis.
bronze bronze.
bronzeador suntan lotion.
bronzear(-se) tan, sunbathe.
brotar arise; bud, sprout.
broto bud, sprout; shoot.
brotoeja rash, skin eruption.
broxa stock brush.
bruma fog, mist, haze. → Weather
brumoso foggy, misty, hazy.
brutal brutal, cruel; rough.
brutalidade brutality, atrocity.
brutamontes beast, brute.
bruto rude, rough; raw.
bruxa witch, sorceress. ♦ **caça às bruxas** witch-hunt. **Dia das Bruxas** Halloween.
bruxaria witchcraft, sorcery.
Bruxelas Brussels.
bruxo sorcerer, wizard.
bruxuleante flickering, flaring.
bucha dowel; sleeve, filler.
buço fuzz; first growth of a beard.
bucólico bucolic, pastoral.
budismo Buddhism.
budista Buddhist.
bueiro sewer, drainpipe.
búfalo buffalo. → Animal Kingdom
bufante baggy.
bufar blow, puff; breathe hard; grow furious, snort.
bufê buffet. → Furniture & Appliances
bufo puff, blast; snort.
bugiganga(s) trifles, gadgets, trinket, odds and ends.

bugio ape, monkey. ➔ Animal Kingdom
bula bull (papal or imperial edict). ♦ **bula de remédio** package insert (for the use of medicine).
bule coffeepot, teapot.
Bulgária Bulgaria. ➔ Countries & Nationalities
búlgaro Bulgarian. ➔ Countries & Nationalities
buliçoso restless; noisy, turbulent, uproarious.
bulir agitate, move slightly; stir; throb.
bunda buttock, butt, bum (*Brit.*). ➔ Human Body
buquê bouquet; fragrance (wine).
buraco hole, gap, hollow. ♦ **buraco da agulha** eye of the needle. **buraco da fechadura** keyhole.
burburinho murmur; disorder, confusion.
burguês bourgeois.
burguesia bourgeoisie.
burilar perfect, adorn; improve.
burla trick; cheat, fraud.
burlar cheat, trick.
burlesco burlesque; comical.
burocracia bureaucracy, red tape.
burocrata bureaucrat; red-tapist.
burocrático bureaucratic; formal.
burrada foolish act, nonsense, stupid thing.
burrice stupidity, foolishness.
burrico young donkey. ➔ Animal Kingdom
burro donkey, mule; idiot; dolt, blockhead. • stupid, foolish. ♦ **burro de carga** beast of burden. ➔ Animal Kingdom
busca search; inquiry, quest; research; hunt. ♦ **ferramenta de busca** search engine.
buscar search, seek, look for; inquire, quest; investigate, hunt.
bússola compass.
busto bust; bosom. ➔ Human Body
buzina horn, honk.
buzinar sound a horn, honk.

C

C, c the third letter of the Portuguese alphabet; one hundred in Roman numerals. • third in a class.
C the first musical note.
cá here. ♦ **cá entre nós** just between us. **de lá para cá** since then. **para lá e para cá** back and forth.
caatinga caatinga.
cabal complete, whole.
cabalístico cabalistic; enigmatical.
cabana hut, cottage.
cabaré cabaret, honky-tonk.
cabeça head; top; chief, leader. ♦ **andar com a cabeça na lua** be absent-minded. **andar de cabeça erguida** go about proudly. **cabeça de alfinete** pinhead. **cabeça de vento** scatterbrain. **cabeça-dura** obstinate, stubborn. **cabeça fria** easy-minded. **cabeça oca** empty-headed. **de cabeça para baixo** upside down. **dor de cabeça** headache. **Quebrei a cabeça com isto!** I've racked my brains on this! **cabeça careca** bald head. → Human Body
cabeçada a bump with the head; header (soccer). ♦ **dar uma cabeçada (fazer algo errado)** make a blunder.
cabeçalho letterhead, heading, header.
cabecear head (soccer).
cabeceira head; headboard.
cabeleira hair. → Human Body
cabeleireiro hairdresser, hair stylist. ♦ **salão de cabeleireiro** beauty parlor. → Professions
cabelo hair. ♦ **arrumar os cabelos** do the hair. **cabelo encaracolado** curly hair. **cabelo crespo** frizzy hair. **cabelo curto** bob, crop. **corte de cabelo** haircut. **secador de cabelos** hairdryer. → Human Body
cabeludo hairy.
caber fit in; be proper; be compatible with. ♦ **Cabe a você decidir.** It's up to you to decide.
cabide hanger.
cabimento relevancy, pertinence.
cabine cabin; booth.
cabisbaixo downcast, crestfallen, depressed.
cabível reasonable, sensible; fitting, appropriate. ♦ **uma resposta cabível** a fitting reply.
cabo cable; corporal; cape. ♦ **cabo coaxial** coaxial cable. **cabo de aço** steel cable. **cabo de vassoura** broomstick. **cabo eleitoral** canvasser. **de cabo a rabo** from beginning to end. **cabo de guerra** tug of war.

cable

corporal

cabra female goat, nanny goat. → Animal Kingdom
cabresto halter. ♦ **trazer pelo cabresto** dominate, hold down.
cabrito kid. → Animal Kingdom
cabular cut classes.
caca dirt, filth, shit.
caça hunt, hunting, chase; pursuit. ♦ **caça ao tesouro** treasure hunt. **caça às bruxas** witch-hunt. **caça-minas** minesweeper. **cão de caça** hunting dog; hunter.
caçada hunt; safari.
caçador hunter, huntsman.
caça-níquel slot machine.
cação shark, dogfish. → Animal Kingdom
caçar hunt, chase; pursue.
cacarejar cackle, cluck.
cacarejo cackle, cluck.
caçarola casserole, pot, saucepan.
cacau cocoa, cacao. ♦ **manteiga de cacau** cocoa butter. → Fruit
cachaça sugar cane rum.
cacheado curly. ♦ **cabelo cacheado** curly hair.
cachear curl (hair).
cachecol scarf. → Clothing
cachimbo pipe.
cacho cluster; curl; ringlet; bunch (of grapes).
cachoeira waterfall.
cachorrinho puppy. → Animal Kingdom
cachorro dog. ♦ **Cachorro que late não morde.** Barking dogs never bite. **cachorro-quente** hot dog. **Cuidado com o cachorro!** Beware of the dog! **levar uma vida de cachorro** lead a dog's life. → Animal Kingdom
cacique Indian chief, political boss, big shot.
caco bit of broken objects; fragment. ♦ **fazer em cacos** or **reduzir a cacos** break into pieces.
caçoar mock, tease, kid; make fun of.
cacoete nervous tic; mania.
cacofonia cacophony.
cacto cactus.
caçula youngest (child).
cada every, each. ♦ **a cada passo** frequently. **cada dia** every day. **cada um** each one. **cada vez mais** more and more. **cada vez melhor** better and better. **cada vez que...** whenever...
cadarço shoestring, shoelace.
cadastrar register.
cadáver dead body, corpse.
cadavérico cadaveric.
cadeado padlock, lock.
cadeia jail, prison; network. ♦ **cadeia de montanhas** mountain range. **reação em cadeia** chain reaction.
cadeira seat, chair. ***cadeiras (anca)*** hips. ♦ **cadeira de balanço** rocking chair. **cadeira de rodas** wheelchair. **cadeira elétrica** electric chair. **cadeira estofada** upholstered chair. → Furniture & Appliances
cadela female dog; bitch. → Animal Kingdom
cadência cadence; rhythm.
cadenciado rhythmic; harmonious.
cadenciar harmonize.
cadente falling. ♦ **estrela cadente** shooting star.
caderno copybook, notebook; exercise book. ♦ **caderno de rascunho** sketchbook. → Classroom
caducar grow too old, age; decay; expire.
caduco decrepit, senile.
cafajeste scum, scoundrel.
café coffee. ♦ **café da manhã** breakfast. **café expresso (de máquina)** espresso.
cafeicultor coffee planter.
cafeicultura coffee planting.
cafeína caffeine.
cafetão pimp.
cafeteira coffeepot.
cafeteria coffee shop.
cafezal coffee plantation.
cafuné a soft scratching or stroking on the head.
cafuzo the offspring of Black and Indian parents.
cágado terrapin. → Animal Kingdom
caiaque kayak. → Means of Transportation
caiar whitewash; whiten.
cãibra cramp.
caída fall; decay, decadence.

caído fallen; decayed.
caipira hayseed, yokel, redneck (country), bumpkin.
cair fall; decline, decay; collapse; surrender. ♦ **ao cair da noite** at nightfall. **cair como uma luva** fit like a glove. **cair do céu** happen unexpectedly. **cair em tentação** yield to temptation. **cair fora** be out. **cair nas garras de alguém** fall into somebody's clutches. **cair no mundo** run away. **cair no sono** nod off. **deixar cair** drop.
cais wharf; dock, pier.
caixa box; case; cashier. ♦ **caixa da direção** steering box. **caixa-d'água** water tank. **caixa de câmbio** gearbox. **caixa de correio** mailbox, postbox, letterbox. **caixa de descarga** flushing tank. **caixa de entrada** inbox. **caixa de fósforos** matchbox. **caixa de lista suspensa** drop-down list box. **caixa de metal** canister. **caixa de papelão** carton. **caixa econômica** savings bank. **caixa-forte** bank vault, strong room. **caixa postal** P.O. box. **fechar o caixa** cash out. **fluxo de caixa** cash flow. → Professions

box

cashier

caixão coffin.
caixeiro salesclerk; salesperson. ♦ **caixeiro-viajante** traveling salesman. → Professions
caixinha tip.
caixote box; crate; packing case.
cajadada a blow with a stick. ♦ **matar dois coelhos com uma cajadada só** kill two birds with one stone.
caju cashew-nut, cashew. → Fruit
cajueiro cashew tree.
cal whitewash.
calabouço dungeon; prison.
calada stillness; silence. ♦ **na calada da noite** in the still of the night.
calado silent, quiet; reserved.
calafetar caulk, calk.
calafrio chill, shiver, shakes.
calamidade calamity.
calamitoso calamitous; disastrous; wretched, dire; tragic.
calão slang, jargon.
calar not to speak; shut up, silence, stay silent. ***calar-se*** be silent. ♦ **calar-se sobre** keep quiet about. **Quem cala consente.** Silence gives consent.
calçada sidewalk, pavement.
calçado footwear; shoe(s). • shod; paved. → Clothing
calcanhar heel. → Human Body
calção trunks, shorts. → Clothing
calçar put on (stockings, socks, trousers, gloves); pave.
calcar squeeze, compress; model, shape.
calcário limestone. • calcareous, limy.
calças trousers, pants. ♦ **ser pego de calças curtas** be caught off guard. → Clothing
calcificação calcification.
calcificar calcify.
calcinha briefs, panties, knickers. → Clothing
calço wedge, skid.
calcular calculate, compute, reckon, count; estimate. ♦ **calcular mal** miscalculate. **máquina de calcular** (calculadora) calculator. → Classroom
cálculo calculation, calculus. ♦ **cálculo aproximado** rough estimate. **cálculo biliar** gallstone.

calda syrup, sauce, gravy.
caldeira boiler.
caldeirão caldron.
caldo soup, broth, stock. ♦ **caldo de carne** consommé. **caldo de galinha** chicken broth. **caldo verde** typical Portuguese potato and cabbage soup.
calefação heating.
caleidoscópio kaleidoscope.
calejado experienced, skilled.
calejar form a calosity.
calendário calendar.
calha gutter.
calhambeque jalopy, old car.
calibrador gauge.
calibrar gauge.
calibre caliber; standard.
cálice cup, glass, goblet.
cálido hot; burning.
caligrafia handwriting, calligraphy.
calma calm, calmness, serenity, silence, peace. ♦ **Calma!** Take it easy!, Steady! **Ela perdeu a calma.** She lost her temper.
calmante sedative, tranquilizer. • calming, soothing, tranquilizing.
calmo calm, still, quiet; cool. ♦ **Fique calmo!** Keep calm!, Keep your temper!
calo callus, callosity.
calombo swelling, lump.
calor heat, warmth.
caloria calorie, heat.
caloroso warm; enthusiastic.
calota cap. ♦ **calota glacial polar** polar ice cap.
calote unpaid debt; swindle, cheat.
caloteiro deadbeat; swindler.
calouro rookie, freshman; beginner.
calúnia libel; calumny.
caluniar slander, defame, calumniate.
calvície baldness.
calvo bald, bald-headed.
cama bed. ♦ **arrumar a cama** make the bed. **ficar de cama** fall sick. **cama beliche** bunk bed. **cama de casal** double bed. → Furniture & Appliances
camada layer; tier. ♦ **pessoas de todas as camadas sociais** people from all walks of life.
camafeu cameo.
camaleão chameleon. → Animal Kingdom
câmara chamber; camera. ♦ **câmara de ar** inner tube (of a tire). **câmara de eco** echo chamber. **câmara de gás** gas chamber. **câmara lenta** slow motion. **Câmara dos Comuns** House of Commons (*Brit.*). **Câmara dos Deputados** House of Representatives. **Câmara dos Lordes** House of Lords (*Brit.*).
camarada comrade; mate; fellow; pal, colleague, brother.
camaradagem solidarity, brotherhood, fellowship.
camarão shrimp, prawn. → Animal Kingdom
camareira chambermaid, housekeeper.
camarim dressing room (in a theater, etc.).
camarote box, box seat; a ship cabin.
cambada gang, mob.
cambaleante tottering; groggy, dizzy.
cambalear sway, stagger, totter.
cambalhota somersault.
cambial of or relative to the exchange of money or bills.
cambiar exchange; barter, trade.
câmbio exchange; gearbox.
cambista moneychanger, foreign exchange agent; scalper (*inf.*).
Camboja Cambodia. → Countries & Nationalities
cambojano Cambodian. → Countries & Nationalities
cambraia cambric.
camburão police van.
camélia camellia.
camelo camel. → Animal Kingdom
camelô street vendor, hawker.
caminhada walk, walking; ride, stroll.
caminhante walker, pedestrian. • walking, traveling.
caminhão lorry, truck, van. → Means of Transportation
caminhar walk; hike.
caminho way, path, route, lane, track, trail. ♦ **abrir caminho** make way. **a meio caminho** halfway. **cortar**

caminho take a shortcut. **Estou a caminho.** I'm on my way. **no caminho errado** on the wrong track.
camionete pickup truck, van. → Means of Transportation
camisa shirt. ♦ **camisa de força** straitjacket. **em mangas de camisa** in shirtsleeves. → Clothing
camisaria shirt factory; shirt shop.
camiseiro shirtmaker.
camiseta undershirt, T-shirt. → Clothing
camisinha condom.
camisola nightshirt; nightgown. → Clothing
camomila chamomile.
campainha bell; doorbell.
campanha campaign. ♦ **campanha eleitoral** electoral campaign.
campeão champion, champ.
campeonato championship.
campestre rural, rustic, bucolic.
campina prairie; plain.
campo field; prairie, camp, countryside. ♦ **campo de batalha** battlefield. **campo magnético** magnetic field. **campo petrolífero** oil field. **campo-santo** cemetery, graveyard. **campo de beisebol** ballpark.
camponês peasant.
camuflagem camouflage, disguise.
camundongo mouse. → Animal Kingdom
camurça chamois; suede.
cana cane; prison, jail. ♦ **cana-de--açúcar** sugar cane.
Canadá Canada. → Countries & Nationalities
canadense Canadian. → Countries & Nationalities
canal channel; waterway, stream. ♦ **Canal da Mancha** English Channel.
canalha scum; scoundrel, crook.
canalização plumbing, piping.
canalizar channel, pipe.
canapé appetizer.
canário canary. → Animal Kingdom
canavial canebrake.
canção song. ♦ **canção de amor** love song. **canção de Natal** Christmas carol. **canção de ninar** lullaby.
cancela level-crossing gate.
cancelado canceled.
cancelamento cancelation; annulment.
cancelar cancel, put off.
câncer cancer.
cancerígeno carcinogen(ic).
canceroso cancerous.
cancha field, court. ♦ **ter cancha** be experienced in.
candeeiro oil lamp; old-fashioned gas lamp.
candelabro chandelier; candelabrum.
candidatar-se run for, apply for.
candidato candidate; applicant, nominee.
candidatura candidature, candidacy.
cândido white; pure, innocent; sincere; ingenuous; simple.
candura whiteness; pureness; sincerity; fairness.
caneca mug, cup.
caneco jug.
canela cinnamon; shin. ♦ **esticar as canelas** die. → Human Body
caneta pen. ♦ **caneta esferográfica** ballpoint pen. **caneta hidrográfica** felt-tip pen. **caneta óptica** light pen. **caneta-tinteiro** fountain pen. **caneta marca-texto** highlighter. → Classroom
cânfora camphor.
cangote nape, neck.
canguru kangaroo. → Animal Kingdom
canhão cannon. ♦ **bala de canhão** cannonball.
canhestro clumsy, awkward; unskillful.
canhoto stub (of a checkbook). • left-handed.
canibal cannibal.
canibalismo cannibalism.
caniço fishing rod.
canil kennel, doghouse.
canino canine tooth, eye tooth, fang. • canine; doglike.
canivete pocketknife, jackknife.
canja chicken soup; easy to do. ♦ **É canja!** It's a piece of cake!
cano tube, pipe. ♦ **cano de água** water pipe. **cano de descarga**

flushing pipe. **cano de esgoto** drainpipe. **entrar pelo cano** get one's fingers burned.
canoa canoe. → Means of Transportation
cânon rule, precept; church law; canon.
canônico canonic(al).
canonização canonization.
canonizar canonize.
cansaço fatigue, weariness; tiredness; exhaustion.
cansado tired, fatigued; weary, spent; worn-out, exhausted; fed up.
cansar tire; weary. ***cansar-se*** tire oneself out; wear oneself out.
cansativo tiresome, tiring, wearisome, tedious; stressful.
cantão territorial division; canton; part of a province.
cantar sing, chant; make passes at someone; hit on someone (*gír.*).
cântaro jar, jug, pitcher. ♦ **Está chovendo a cântaros.** It's raining cats and dogs., It's pouring., It's raining buckets.
cantarolar hum, croon.
canteiro flower bed. ♦ **canteiro de obras** building site, construction site.
cântico hymn; chant; canticle. ♦ **cântico de Natal** Christmas carol.
cantiga ditty. ♦ **cantiga de ninar** lullaby.
cantil canteen, flask.
cantina cafeteria.
canto corner; angle; singing; song, chant. ♦ **canto da boca** corner of the mouth.
cantor singer; crooner. → Professions
canudo tube, pipe; drinking straw, straw.
cão dog; hound. ♦ **cão de busca** retriever. **cão de caça** hound. **cão de estimação** pet dog. **cão de guarda** guard dog. **cão pastor** sheepdog. → Animal Kingdom
caolho one-eyed; cross-eyed.
caos chaos; mess.
caótico chaotic.
capa coat, cloak, overcoat; cover; case; binding. ♦ **capa de chuva** raincoat. **contracapa** back cover. **filmes de capa e espada** cloak and dagger movies.

cover

raincoat

capacete helmet.
capacho doormat; rug; abiding, obeying, yes-man.
capacidade capacity; content, volume; ability; capability, competence.
capacitado capable, competent, able, qualified.
capacitar qualify; enable; empower, authorize.
capado castrated.
capanga crime associate, mobster, henchman.
capar castrate.
capataz foreman.
capaz capable, able; apt, fit. ♦ **capaz de** capable of, able to.
capcioso catchy; tricky, deceitful.
capela chapel.
capelão chaplain, priest.
capenga crippled, limping.
capengar limp.
capeta devil; naughty child.
capilar capillary, hairlike.
capilaridade capillarity.

capim grass; hay. ♦ **capim-cidreira** lemon grass.
capinar weed.
capinzal pasture, hayfield.
capital capital; funds, wealth. • essential; primary; vital. ♦ **capital circulante** floating capital. **ganhos de capital** capital gains. **pena de morte** death sentence, capital punishment. **capital inicial** seed capital.
capitalismo capitalism.
capitalista capitalist.
capitalização capitalization.
capitalizar capitalize; accumulate; amass (money or wealth).
capitanear command, lead, captain, skipper.
capitão captain; commander; leader, chief, skipper.
capitulação capitulation; surrender.
capitular capitulate, surrender; yield.
capítulo chapter.
capivara capybara. → Animal Kingdom
capô hood.
capota cap, hood.
capotagem capsizal; overturn.
capotar capsize; overturn.
caprichar excel; perfect, elaborate, do with care.
capricho fancy, extravagance, whim; care.
caprichoso fanciful, extravagant; obstinate; careful.
capricórnio Capricorn.
caprino caprine, goatlike.
capsula capsule.
captar catch; collect; pick up.
capturar capture; seize; conquer, catch; arrest.
capuchinho Capuchin, Capuchin friar.
capuz hood; cap.
cáqui khaki.
caqui persimmon. → Fruit
cara face; appearance; looks; boldness. ♦ **cara a cara** face to face. **cara amarrada** long face. **cara de pau** brazen. **cara de poucos amigos** unfriendly countenance. **cara ou coroa** heads or tails. **dar de cara com** bump into. **Está na cara!** It's obvious! **não ir com a cara de alguém** not to be very keen on someone. **pagar os olhos da cara** pay through the nose. **Quem vê cara não vê coração.** You can't judge from appearances., Signs may be deceiving. **ser a cara de** be the spitting image of. **fazer cara feia** sulk.
carabina carbine, rifle.
caracol snail; spiral; winding way. → Animal Kingdom
caracolado spiral-shaped.
caracteres characters; signs, marks; printing types.
característica characteristic; trait; feature; mark.
característico characteristic; distinctive; peculiar; proper.
caracterização characterization; make-up.
caracterizar characterize; describe; distinguish, individualize.
caramba gosh!
carambola starfruit. → Fruit
caramelo caramel.
caramujo snail. → Animal Kingdom
caranguejeira tarantula. → Animal Kingdom
caranguejo crab. → Animal Kingdom
carapaça carapace; shell.
carapuça cap, hood. ♦ **Se a carapuça lhe serve...** If the hat fits, wear it. **vestir a carapuça** take the hint.
caratê karate. → Sports
caráter character, make-up; mark; feature. ♦ **caráter distintivo** characteristic trait. **sem caráter** unprincipled, dishonest.
caravana caravan.
carboidrato carbohydrate.
carboneto carbide. ♦ **carboneto de cálcio** calcium carbide.
carbonífero the Carboniferous period. • carboniferous, carbonaceous.
carbonizar carbonize, burn out, char.
carbono carbon. ♦ **papel-carbono** carbon paper.
carburação carburation.
carburador carburetor.

carcaça carcass; skeleton; framework.
cárcere prison, jail.
carcereiro prison guard, jailer.
carcomido rotten; worn-out, eroded.
cardápio menu.
cardeal cardinal. • cardinal. ♦ **pontos cardeais** cardinal points, cardinal directions.
cardíaco cardiac.
cardinal cardinal; fundamental, basic. ♦ **número cardinal** cardinal number.
cardiologista cardiologist.
cardume shoal, school of fish.
careca baldness. • bald, bald-headed.
carecer lack, require; be in need of.
carência lack, need, necessity, shortage, scarcity. ♦ **carência de** need for, shortage of.
carente wanting, abandoned; needy.
carestia costliness.
careta grimace. ♦ **fazer caretas** make grimaces, make faces.
carga load, burden; cargo. ♦ **Caiu uma carga-d'água** It poured down. **carga elétrica** electric charge. **trem de carga** freight train. **voltar ao assunto à carga toda** insist.
cargo job, function, position. ♦ **a cargo de** under the responsibility of. **cargo de confiança** position of trust. **o cargo foi ocupado** the position has been filled.
cariar decay, rot.
caricatura caricature.
caricaturista caricaturist.
carícia caress.
caridade charity; mercy. ♦ **um ato de caridade** an act of mercy.
caridoso charitable; kind; benevolent.
cárie cavity.
carimbar stamp; seal, cancel.
carimbo stamp; seal.
carinho caress, tenderness. ♦ **criado com amor e carinho** brought up with love and care.
carinhoso kind; loving, tender.
carisma charisma.
carismático charismatic.
carmim crimson.
carnal fleshly, carnal; bodily; libidinous.
carnaval carnival.
carnavalesco carnival organizer. • carnival-like.
carne flesh; meat. ♦ **carne assada** roasted meat. **carne bem-passada** well-done meat. **carne de porco** pork. **carne de vaca** beef. **carne malpassada** rare meat. **carne ao ponto** medium-rare meat. **carne-seca** jerked beef. **em carne e osso** in the flesh. → Human Body
carneiro sheep. ♦ **carne de carneiro** mutton. → Animal Kingdom
carniceiro butcher, slaughterer.
carnificina bloodshed; massacre; slaughter.
carnívoro carnivorous. • carnivore
caro dear; costly, expensive.
carochinha witch. ♦ **conto ou história da carochinha** cock-and-bull story, old wives' tale.
caroço stone, pit, kernel, lump. ♦ **caroço de algodão** cotton seed.
carola pietist, devotee. • fanatic, pietistic.
carona lift, ride. ♦ **caroneiro** hitchhiker. **dar carona a alguém** give someone a ride. **pegar carona** hitch a ride. **viajar pedindo carona** hitchhike.
carpa carp. → Animal Kingdom
carpete carpet. → Furniture & Appliances
carpintaria carpentry, woodwork.
carpinteiro carpenter. → Professions
carranca frown, scowl.
carrancudo sullen, sulky; moody.
carrapato tick. → Animal Kingdom
carrasco hangman, hanger; executioner.
carregado cloudy (sky); loaded; full.
carregamento loading, cargo, load; shipment.
carregar burden; load; carry; transport; charge (a battery).
carreira profession; career.
carreta cart, wagon.
carretel reel, spool.
carreto freight.
carrinho cart. ♦ **carrinho de compras** shopping cart. **carrinho de criança** stroller, pushchair.
carro car; automobile; cart. ♦ **carro blindado** armored car. **carro**

conversível convertible. **carro de bombeiros** fire engine, fire truck. **carro de corrida** racing car. **carro de passeio** passenger car. **carro de segunda mão** second-hand car. **colocar o carro na frente dos bois** put the cart before the horse. **carro-tanque** tanker. → Means of Transportation
carroça wagon, cart. → Means of Transportation
carroceria body (of car), bodywork.
carrossel merry-go-round, carousel, roundabout.
carruagem carriage, coach, chariot. → Means of Transportation
carta letter; map, chart; playing card. ♦ **carta aberta** open letter. **carta-bomba** letter bomb. **carta branca** free hand. **carta de apresentação** letter of introduction/application. **carta de crédito** letter of credit. **carta de motorista** driver's license. **carta registrada** registered letter. **colocar as cartas na mesa** lay one's cards on the table.
cartada blow, hit; attempt, effort.
cartão card. ♦ **cartão bancário** bank card. **cartão de crédito** credit card. **cartão de embarque** boarding pass. **cartão de ponto** timecard. **cartão de visita** calling card. **cartão-postal** postcard. → Deceptive Cognates
cartaz poster, placard; billboard. ♦ **É proibido colocar cartazes.** Stick no bills.
carteira wallet. ♦ **batedor de carteira** pickpocket. **carteira de identidade** identity card. **carteira escolar** school desk. → Classroom
carteiro mailman, postman.
cartilagem cartilage, gristle.
cartilha primer, spelling book.
cartografia cartography, mapping.
cartola top hat, topper.
cartolina cardstock.
cartomante fortune teller.
cartório register office, registry office.
cartucho cartridge, shell. ♦ **cartucho de tinta** ink cartridge.
cartunista cartoonist.
carvalho oak, oak tree.
carvão coal. ♦ **carvão vegetal** charcoal.
casa house; residence; household. ♦ **A casa é sua!** Please, make yourself at home!, Feel at home! **casa da moeda** mint. **casa de botão** buttonhole. **casa de cachorro** kennel. **casa de câmbio** bureau de change. **casa de campo** cottage, country house. **casa de repouso** nursing home. **casa de saúde** hospital. **casa e comida (hospedagem)** room and board, board and lodging. **casa paroquial** vicarage. **casa pré-fabricada** prefabricated house. **casa ao lado** next door.
casaco coat, overcoat. ♦ **casaco de peles** fur coat. → Clothing
casado married.
casal couple; pair; twosome.
casamento marriage, wedding; matrimony, match. ♦ **casamento civil** civil marriage. **casamento religioso** church wedding.
casar(-se) marry, wed.
casarão large house or building.
casca peel, rind, skin, shell. ♦ **casca de árvore** bark. **casca de limão** lemon peel. **casca-grossa** rude, uneducated, thick-skinned.
cascalho gravel; grit, shingle.
cascão thick bark, peel or shell; dirt, crust.
cascata waterfall, cascade; lie.
cascavel rattlesnake. → Animal Kingdom
casco hoof; hull; empty bottle.
casear sew buttonholes; furnish with buttonholes.
caseiro caretaker; farm manager. • homemade, domestic; homely.
caserna barracks.
casmurro obstinate, stubborn, sullen.
caso affair; case; event; fact; story, tale. ♦ **caso de amor** love affair. **caso de consciência** a matter of conscience. **caso encerrado** case closed. **caso jurídico** (law) suit. **caso particular** private

affair. **de caso pensado** on purpose; deliberately. **em caso de necessidade** in case of need. **em qualquer caso** at all events, at any rate, anyway. **em todo caso** just in case. **fazer pouco-caso** belittle. **Não faça caso disto.** Don't take any notice. **neste caso** thus, if so, in that case. **no caso de** in the event of. **no seu caso** in your instance. **um caso perdido** a lost case. **Vamos ao caso.** Let's get to the point. **vir ao caso** be suitable, be important.
caspa dandruff.
casquinha ice-cream cone.
cassar revoke.
cassetete club, stick.
cassino casino.
cassis black currant. → Fruit
castanha chestnut. ♦ **castanha-de-caju** cashew nut. **castanha-do-pará** Brazil nut. → Fruit
castanho brown.
castanholas castanets.
castelhano Castilian; Spanish.
castelo castle; fortress. ♦ **castelo de areia** sandcastle.
castiçal candlestick, candleholder.
castiço pure; genuine.
castidade chastity, purity, chasteness.
castigar punish; discipline.
castigo punishment, penalty. ♦ **de castigo** grounded.
casto pure, virginal; virtuous.
castor beaver. → Animal Kingdom
castrar castrate.
casual casual; occasional, incidental; fortuitous, accidental.
casualidade chance, fortuity; accident, mishap; hazard. → Deceptive Cognates
casuísmo casuistry.
casuístico casuistic(al).
casulo cocoon.
cataclismo cataclysm; catastrophe, disaster.
catacumba catacomb.
catalisador catalyzer.
catalisar catalyze, accelerate a reaction.
catalogação cataloguing.
catalogado catalogued, registered.
catalogar catalog; classify; register.
catálogo catalog; inventory, directory.
cataplasma cataplasm.
catapora chickenpox.
catapulta catapult.
catar collect; pick up.
catarata waterfall, cascade; cataract.
catarro catarrh.
catástrofe catastrophe; calamity; disaster.
catastrófico catastrophic; calamitous; disastrous.
catecismo catechism; religious instruction.
cátedra cathedra, chair.
catedral cathedral.
catedrático professor; lecturer.
categoria category, class; grade, degree; rank; type.
categórico categorical; adamant; explicit.
categorizado competent, distinguished; categorized.
catequizar catechize, give religious instruction; convince; indoctrinate.
cateter catheter.
catinga fetid smell.
cativante charming; attractive; bewitching, enthralling.
cativar captivate; charm, fascinate; bewitch.
cativeiro captivity.
cativo prisoner; captive.
catolicismo Catholicism.
católico Catholic.
catorze fourteen. → Numbers
catraca turnstile.
caução security; guarantee. ♦ **sob caução** on bail.
caucionar bail; guarantee.
cauda tail.
caudaloso torrential; mighty; abundant.
caudilhismo autocratic leadership; despotism.
caudilho military leader, commander.
caule stalk, stem.
causa cause; ground; motive, agent, reason; lawsuit, legal action, case; origin; concern.
causar cause; motivate; provoke; bring about. ♦ **causar dano a** do harm to. **causar boa impressão** make a good impression.

causídico lawyer, attorney.
cáustico caustic; burning, corrosive.
cautela caution; watchfulness; vigilance; care, prudence; stock certificate.
cauteloso cautious; careful; prudent; vigilant.
cauterizar cauterize.
cavala mackerel. → Animal Kingdom
cavalaria cavalry; chivalry.
cavalariço stableboy, groom.
cavaleiro horseman, cavalryman; knight, rider.
cavalete rack, stand; trestle. ♦ **cavalete de pintura** easel.
cavalgada cavalcade, pony-trekking.
cavalgadura beast; horse.
cavalgar ride (on horseback).
cavalheiro gentleman. • noble, gentlemanly.
cavalo horse; knight (chess). ♦ **a cavalo** on horseback. **A cavalo dado não se olham os dentes.** Don't look a gift horse in the mouth. **cavalo de batalha** warhorse; difficulty. **cavalo de corridas** racehorse. **cavalo-marinho** sea horse. **cavalo puro-sangue** full-blood horse. **cavalo-vapor** horsepower. **corrida de cavalos** horse racing. **rabo de cavalo** ponytail. **ser um cavalo** be rude. **tirar o cavalo da chuva** drop the idea. **cavalo de Troia** Trojan horse. → Animal Kingdom
cavanhaque goatee. → Human Body
cavar dig, excavate; burrow.
caveira skull.
caverna cave, cavern.
cavernoso cavernous; hollow.
cavidade cavity; hole.
cavoucar dig, excavate.
caxumba mumps.
cear have supper; dine.
cebola onion. → Vegetables
cebolinha chives. → Vegetables
cê-dê-efe swot, grind, nerd.
cedente grantor, transferor.
ceder give, assign, transfer; yield. ♦ **ceder à razão** yield to reason. **ceder direitos** assign.
cedilha cedilla (ç).
cedinho very early, at daybreak.
cedo early; soon. ♦ **cedo ou tarde** sooner or later.
cedro cedar.
cédula note; document. ♦ **cédula eleitoral** ballot.
cegar blind; fascinate, charm; make blunt (knife).
cego blind person. • blind; blunt (knife).
cegonha stork. → Animal Kingdom
cegueira blindness; passion; fanatism; ignorance, stupidity.
ceia supper, evening meal. ♦ **Santa Ceia** the Last Supper.
ceifadeira reaping machine, harvester.
ceifar harvest; reap; crop; kill; destroy.
cela cell.
celebração celebration, commemoration.
celebrado celebrated.
celebrar celebrate; commemorate.
célebre famous; renowned; well-known.
celebridade celebrity; idol, star.
celeiro barn, granary.
celerado criminal, felon. • criminal, perverted, corrupt.
célere swift, quick; hasty.
celeridade celerity; swiftness; agility; haste.
celeste celestial; heavenly, divine. ♦ **Pai Celeste** Father in Heaven.
celeuma noise; uproar; tumult.
celibatário celibate; bachelor.
celibato celibacy; bachelorhood.
celofane cellophane.
célula cell. → Human Body
celular cellular.
celuloide celluloid.
celulose cellulose.
cem a hundred, one hundred. → Numbers
cemitério cemetery, graveyard; burial ground.
cena scene; scenery; picture. ♦ **diretor de cena** stage director. **Não faça cena!** Don't make a fuss!
cenário scenery; set; landscape; view.
cenógrafo scenographer.

cenoura carrot. → Vegetables
censo census.
censor censor; controller.
censura censorship.
censurar censure; control; condemn; admonish; reproach. ♦ **censurar publicamente** decry.
centauro centaur; Centaurus, Centaur.
centavo cent; penny. ♦ **Não vale um centavo.** It is not worth a dime.
centeio rye.
centelha spark; sparkle. ♦ **a centelha da vida** the spark of life.
centena hundred. ♦ **às centenas** by the hundreds.
centenário centennial; centenary.
centésimo centesimal, hundredth. • centesimal.
centígrado centigrade.
centímetro centimeter. ♦ **centímetro cúbico** cubic centimeter. **centímetro quadrado** square centimeter.
cento hundred.
centopeia centipede. → Animal Kingdom
central headquarters. • central. ♦ **central elétrica** power station. **central telefônica** telephone exchange.
centralizar centralize; concentrate.
centrífuga centrifuge.
centrifugar centrifuge; spin in a centrifuge.
centrífugo centrifugal.
centro center, middle; nucleus; core. ♦ **centro da cidade** downtown. ♦ **centro comercial** shopping center, mall. **centro de atendimento** call center.
cera wax.
cerâmica ceramics; pottery, earthenware.
cerca fence, hedge. ♦ **cerca de** around, about. **cerca de arame** wire fence. **cerca viva** hedgerow.
cercado enclosed, hedged, fenced, seized. • enclosure, pound, pen.
cercanias outskirts; surroundings.
cercar surround; fence in, enclose; encircle; seize, hedge.
cercear lessen; restrict.
cerco circle, siege.
cerda bristle.
cereal cereal; grain.
cerebral cerebral. ♦ **lavagem cerebral** brainwash.
cérebro brain. → Human Body
cereja cherry. ♦ **cor de cereja** cherry-red. → Fruit
cerimônia ceremony; rite. ♦ **Não faça cerimônia.** Don't stand on ceremony. **sem cerimônia** at ease; informal.
cerimonial ceremonial. • ceremonial, ritual.
cerimonioso ceremonious, ceremonial; formal, solemn.
cerne core; center, kernel.
ceroulas underpants, long johns. → Clothing
cerração fog; mist, haze.
cerrado savannah. • compact; dense; bushy, thick.
cerrar close, shut; clench; grit (teeth). ♦ **cerrar fileiras** close ranks. **cerrar o punho** clench the fist.
certamente certainly; exactly; indeed; surely.
certeiro adequate, convenient; correct; accurate.
certeza certainty; conviction; confidence. ♦ **com certeza** for sure.
certidão certificate. ♦ **certidão de casamento** marriage certificate.
certificado certificate; certification. • certified.
certificar certify; attest; confirm; make sure.
certo certain; right, true; exact, accurate; correct; positive. ♦ **até certo ponto** to some extent. **Certo!** All right! **certo dia** one day. **tomar por certo** take for granted. **Você pode estar certo de que...** You may be sure that…
cerveja beer, ale. ♦ **cerveja sem álcool** nonalcoholic beer.
cervejaria beerhouse; brewery.
cervo deer. → Animal Kingdom
cerzir darn; mend.
cessação cessation.
cessão cession.
cessar cease; stop; discontinue; interrupt; break off. ♦ **cessar-fogo** cease-fire.

cesta basket, hamper. ♦ **cesta de costura** workbasket.
cesto basket. ♦ **cesto de lixo** wastebasket. **cesto de vime** hamper, pannier. ➔ Classroom
cetáceo cetacean.
ceticismo skepticism.
cético skeptic; doubting, cynical.
cetim satin.
céu sky, heaven; firmament; paradise. ♦ **cair do céu** come at the right time. **céu da boca** palate, roof of the mouth. **Céus!** Heavens!, Good heavens!
cevada barley.
cevar fatten; bait; feed.
chá tea; tea party. ♦ **chá de cozinha** or **chá de panela** bridal shower, wedding shower. **chá de bebê** baby shower. **hora do chá** teatime.
chacal jackal.
chacina slaughter; massacre.
chacinar slaughter; massacre.
chacoalhar shake; stir.
chacota mockery; joke.
chafariz fountain.
chaga an open wound, sore; ulcer.
chalé cottage, lodge.
chaleira kettle.
chama flame, blaze, fire. ♦ **em chamas** on fire, ablaze. **irromper em chamas** burst into flames.
chamada call; roll call. ♦ **chamada a cobrar** collect call. **chamada interurbana** long-distance call. **fazer a chamada** call the roll.
chamado call.
chamar call; convoke, call up; be named; denominate. ♦ **chamar a atenção** catch someone's eye. **chamar a atenção de (repreender) alguém** tell off, scold.
chamariz bait, lure, decoy.
chamativo eye-catching; lurid.
chamejar flame; flare; glitter; flash.
chaminé chimney. ♦ **limpador de chaminé** chimney sweeper.
chamuscado scorched.
chamuscar singe; scorch.
chance chance; opportunity; possibility.
chancela seal (of approval); signature.
chancelar seal; stamp.
chancelaria chancellorship; chancellery.
chanceler chancellor.
chantagem blackmail, extortion. ♦ **fazer chantagem** blackmail.
chantagista blackmailer, extortionist.
chão ground; earth; floor.
chapa plate; list of candidates. ♦ **chapa de aço** steel plate. **chapa de automóvel** license plate.
chapéu hat. ♦ **chapéu-coco** bowler hat. ➔ Clothing
charada charade; riddle.
charco bog, slough, everglade.
charlatão charlatan; faker, cheat, fraud.
charutaria tobacco shop.
charuto cigar.
chassi chassis; frame, body.
chateação bother, annoyance, drag, a pain in the ass.
chatear annoy; bother; bore.
chato crabs. • smooth; even, flat, plain; bore, boring. ♦ **pé chato** flat foot. ➔ Deceptive Cognates
chauvinismo chauvinism.
chavão cliché, household word.
chave key; keynote; switch. ♦ **chave de fenda** screwdriver. **chave de ignição** ignition key. **chave geral** master switch. **chave inglesa** spanner. **chave mestra** master key. **fechar a sete chaves** put under lock and key. **um molho de chaves** a bunch of keys. **chave de força** power switch. **chave criptográfica** cryptographic key. **chave privada** private key. **chave pública** public key.
chaveiro key ring; locksmith.
chefão boss; top manager; big shot, big guy.
chefe chief; leader; boss; head. ♦ **chefe da casa** householder. **chefe de família** the head of the family. **chefe supremo** overlord.
chefia leadership; command, management.
chefiar direct, manage; head, command.
chegada arrival; approach; finish.

chegado near, close, intimate; proximate; fond of. ♦ **Eles são chegados a brincadeiras.** They are given to jests.
chegar come, arrive; be enough. *chegar-se* approach, draw nearer. ♦ **Chega!** That's enough!, Stop that! **chegar a uma conclusão** reach a conclusion, come to a conclusion. **chegar a um acordo** come to terms, reach an agreement. **Chegue para cá!** Come closer! **Chegue para lá!** Move over! **Para mim chega!** I've had enough!
cheia inundation, flood.
cheio full, filled up; crowded, packed; fed up. ♦ **cheio de dedos** all fingers and thumbs. **cheio de si** proud, self-important. **estar cheio de algo/alguém** be fed up with something/someone. **lua cheia** full moon.
cheirar smell, sniff; scent. ♦ **cheirar mal** reek, stink. **Isto não me cheira bem.** There's something fishy about this.
cheiro smell; scent; odor. ♦ **cheiro forte** tang. **mau cheiro** fetidness. **sem cheiro** odorless.
cheiroso fragrant; scented.
cheiro-verde a bunch of parsley and chives. → Vegetables
cheque check. ♦ **cheque ao portador** check to the bearer. **cheque de viagem** traveler's check. **cheque sem fundo** check that bounces, dud check. **cheque visado** certified check. **trocar um cheque por dinheiro** cash a check.
chiar creak, squeak; shriek; complain.
chiclete chewing gum, bubble gum.
chicória endive, chicory. → Vegetables
chicote whip, lash.
chifrar horn.
chifre horn.
Chile Chile. → Countries & Nationalities
chileno Chilean. → Countries & Nationalities
chilique faint, fit; syncope.
chimpanzé chimpanzee. → Animal Kingdom
China China. → Countries & Nationalities
chinelo slippers, flip-flops.
chinês Chinese. → Countries & Nationalities
chique elegant; fashionable; posh; smart, chic.
chiqueiro pigsty.
chocadeira hatchery. ♦ **chocadeira elétrica** incubator.
chocalhar shake; rattle.
chocalho rattle.
chocante shocking, striking; lurid.
chocar shock; brood, hatch; incubate. ♦ **chocar-se contra** run into, crash into.
chocho trifling, trivial; empty, hollow.
chocolate chocolate.
chofer driver. → Professions
choque crash, clash; impact, shock. ♦ **à prova de choque** shockproof. **choque cultural** culture shock. **choque elétrico** electric discharge.
choradeira weeping; cry.
choramingar cry, weep; moan.
chorão willow. • crybaby.
chorar weep, cry; sob. ♦ **Não adianta chorar.** Crying won't help. **Quem não chora não mama.** Nothing ventured, nothing gained. **chorar de alegria** cry from joy. **chorar sobre o leite derramado** cry over spilt milk.
choro weeping, cry; sobbing.
choroso weeping, tearful.
choupana lodge, hut.
chover rain. ♦ **chove não molha** shilly-shallying, hesitation. **chover forte** pelt down, pour. **chover granizo** hail. **Está chovendo muito.** It's raining hard., It's raining in buckets., It's raining cats and dogs.
chuchu chayote. → Vegetables
chulo vulgar.
chumbo lead.
chupada suck.
chupar suck.
chupeta pacifier.
churrascaria steakhouse.
churrasco barbecue.
chutar kick.

chute kick.
chuteira soccer boot, soccer shoe. ♦ **pendurar a chuteira** retire.
chuva rain, rainfall, shower. ♦ **chuva fina** drizzle. **chuva forte** downpour. **chuva de pedra** hailstorm. **chuva ácida** acid rain. **chuva com neve** sleet. → Weather
chuveiro shower.
chuviscar drizzle.
chuvisco drizzle.
chuvoso rainy; showery. ♦ **tempo chuvoso** rainy weather.
cianureto cyanide.
ciática sciatica.
ciático sciatic nerve. • sciatic.
ciberespaço cyberspace.
cicatriz scar.
cicatrizado cured, healed.
cicatrizar scar, heal.
cíclico cyclic(al); recurrent; regular.
ciclismo cycling. → Sports
ciclista cyclist, biker.
ciclo cycle.
ciclone cyclone, hurricane, tornado. → Weather
cidadania citizenship.
cidadão citizen. ♦ **concidadãos** fellow countrymen.
cidade city, town.
cidra Persian apple, citron. → Fruit
ciência science; knowledge.
ciente aware; conscious.
cientificar inform; notify.
científico scientific.
cientista scientist. → Professions
cifra cipher; figure.
cifrão money sign ($).
cifrar cipher; code, encode; codify.
cigano gypsy.
cigarra cicada. → Animal Kingdom
cigarro cigarette. → Deceptive Cognates
cilada ambush; trap; pitfall.
cilíndrico cylindrical.
cilindro cylinder.
cílios eyelashes. → Human Body
cima top, summit. ♦ **acima** above. **dar em cima de alguém** hit on someone. **de cima** from above. **de cima para baixo** from top to bottom. **em cima** over, on, up, high up. **em cima de** on top of. **estar por cima** be better off. **lá em cima** up there. **para cima** up.
cimentar cement.
cimento cement; concrete.
cimo top; summit.
cinco five. → Numbers
cinema cinema; movie theater.
cinética kinematics, kinetics.
cinético kinetic.
cingir gird, surround, encompass; restrict, limit.
cínico cynical.
cinismo cynicism.
cinquenta fifty. → Numbers
cinquentão a man in his fifties.
cinquentenário the fiftieth anniversary.
cinta girdle, belt.
cintilar sparkle; flash, glitter.
cinto belt; girdle. ♦ **cinto de segurança** seat belt, safety belt. → Clothing
cintura waist. ♦ **medida da cintura** waistline. → Human Body
cinza ash(es); gray. ***cinzas*** ashes, mortal remains. ♦ **quarta-feira de cinzas** Ash Wednesday. **reduzir a cinzas** turn to dust.

ash

gray

cinzeiro ashtray.
cinzel chisel; graver.
cinzento gray; cloudy.
cio rut; mating season.
cipreste cypress.
circo circus.
circuito course; circuit. ♦ **circuito integrado** integrated circuit.
circulação circulation; flow; transit.
circular circular. • circulate; circle; go around, move along.
círculo circle, ring. ♦ **círculo de amigos** set of friends. **círculo vicioso** vicious circle.
circuncisão circumcision.
circundante surrounding.
circundar circle, surround; move along.
circunferência circumference; circle.
circunflexo circumflex, bent.
circunscrever encircle; confine; bound, limit.
circunspecto circumspect; cautious; silent.
circunstância circumstance; state, condition.
circunstancial circumstantial.
cirrose cirrhosis.
cirurgia surgery. ♦ **cirurgia plástica facial** facelift.
cirurgião surgeon. → Professions
cirúrgico surgical.
cisão split; dissension; division.
ciscar peck.
cisco smut, speck.
cisma suspicion, doubt.
cismado suspicious, distrustful.
cismar get into someone's head, suspect.
cisne swan. → Animal Kingdom
cisto cyst.
citação citation, quotation.
citadino city-bred, civic, urban.
citado summoned; quoted, cited.
citar cite, quote; summon; mention.
cítara sitar. → Musical Instruments
citologia cytology.
citologista cytologist.
citoplasma cytoplasm.
cítrico citric. ♦ **ácido cítrico** citric acid.
ciúme jealousy. ♦ **ter ciúme de alguém** be jealous of someone.
ciumento jealous.
cível civil.
cívico civic, civil; patriotic.
civil civilian. ♦ **ano civil** calendar year. **defesa civil** civil defense. **direito civil** civil law.
civilidade civility; courtesy.
civilização civilization.
civilizado civilized.
civilizar civilize; instruct, teach, educate.
civismo civism, patriotism, public spirit.
clã clan; family.
clamar cry, shout. ♦ **clamar aos céus** cry out.
clamor clamor; outcry.
clamoroso clamorous; shouting; noisy, loud.
clandestino clandestine; illegal; underhand, undercover.
clara egg white; white of an egg.
claramente clearly.
clarão flash, gleam.
clarear clear, clarify; brighten.
clareira clearing, glade, opening.
clareza clearness, clarity; explicitness.
claridade clarity, brightness, lightness.
clarificar clarify; explain, elucidate.
clarinete clarinet. → Musical Instruments
claro clear; bright; shining, intelligible; sunny. • clearly; brightly. ♦ **Claro!** Sure! **Está claro.** It is quite clear. **uma noite em claro** a sleepless night.
classe class; category; group; kind, sort, variety; degree; type. ♦ **classe alta** upper class. **classe operária** working class. **de primeira classe** first-class. **de segunda classe** second-class.
clássico classic(al).
classificação classification, ranking; arrangement; grouping, sorting.
classificado classified, assorted.
classificador classifying; assorting.
classificar classify; categorize; class; arrange, sort; catalog; qualify; rate; label, grade.

classudo classy.
claustrofobia claustrophobia.
cláusula clause; condition.
clausura seclusion, retirement; monastic life.
clave clef, key. ♦ **clave de sol** G key.
clavícula clavicle, collarbone. → Human Body
clemência clemency; mercy; forgiveness.
cleptomania kleptomania.
clerical cleric(al).
clérigo clergyman, parson.
clero clergy.
clichê cliché, stereotype; plate.
cliente client; customer.
clientela customers.
clima climate, weather, atmosphere.
climático climatic.
climatização air conditioning.
clímax climax.
clínica clinic.
clínico doctor, physician. • clinical.
cloro chlorine.
clorofila chlorophyll.
clorofórmio chloroform.
close close-up.
clube association, club.
coação coaction, coercion; constraint; filtration.
coadjuvante supporting actor.
coado filtered.
coador percolator, strainer; filter.
coagente coercive.
coagido constrained, forced.
coagir coerce; constrain; force; oblige.
coagulação coagulation.
coagular coagulate.
coágulo coagulum, clot.
coala koala. → Animal Kingdom
coalhada curd.
coalhado curdled.
coalhar curdle, clot.
coalho curd.
coalizão coalition.
coar percolate, strain; filter.
coautor coauthor, collaborator; accomplice.
coaxar croak.
cobaia guinea pig.
coberto covered; protected; sheltered; coated.
cobertor blanket.
cobertura cover, coverage. ♦ **dar cobertura** protect.
cobiça greed.
cobiçado sought-after, desired.
cobiçar covet, lust after; desire.
cobra snake, serpent. ♦ **dizer cobras e lagartos de alguém** defame, speak ill of. **picada de cobra** snakebite. → Animal Kingdom
cobrador money collector. → Professions
cobrança charge; exaction (of taxes).
cobrar charge; collect; exact. ♦ **cobrar ingressos** charge admissions.
cobre copper.
cobrir cover; hide, conceal; protect, defend. ♦ **cobrir com glacê** ice. **cobrir com sapê** thatch.
cocaína cocaine.
coçar scratch; itch.
cócegas tickle, tickling. ♦ **ter cócegas na língua** have a mind to speak.
coceira itching, itch.
cocheira stable.
cochichar whisper, murmur.
cochicho whispering, whisper, buzz.
cochilar nap, doze, snooze.
cochilo nap, doze, snooze.
coco coconut. → Fruit
cocô poop, droppings, excrement.
codificado encoded.
codificar codify; encode.
código code. ♦ **código de barras** bar code. **código penal** penal code. **código de endereçamento postal (CEP)** zip code. **código de acesso** access code. **código de área** area code, dialing code.
codorna quail. → Animal Kingdom
coedição co-edition.
coeditar co-edit.
coeditor co-editor.
coeficiente coefficient; quotient.
coelhinho bunny. → Animal Kingdom
coelho rabbit. → Animal Kingdom
coerção coercion; repression.
coercivo coercive.
coerência coherence; consistency; harmony.

C

coerente coherent; consistent, cohesive.
coesão cohesion; harmony; alignment.
coeso cohesive, united.
coexistência coexistence.
coexistir coexist, exist together.
cofre safe, vault, money box.
cogitação cogitation; reflection, thought. ♦ **Isto está fora de cogitação.** This is out of the question.
cogitar cogitate; ponder; consider, reflect.
cognato cognate. • cognate; paronymimous.
cognitivo cognitive.
cogumelo mushroom. → Vegetables
coibir halt, stop; repress; restrict.
coice kick.
coincidência coincidence.
coincidir coincide (with).
coiote coyote, prairie wolf. → Animal Kingdom
coisa thing, object; matter. ♦ **Aí é que está a coisa.** That's the point. **coisa secundária** nonessential matter. **coisa sem valor** trash. **Do jeito que as coisas andam...** As things stand... **Foi pouca coisa.** It was not much. **Isto é outra coisa.** That's quite different.
coitado underdog. • poor, pitiful. ♦ **Coitado de mim!** Poor me!
coito coitus, copulation, coupling, intercourse.
cola glue, gum, paste; adhesive. → Classroom
colaboração collaboration, contribution; help.
colaborador collaborator, contributor.
colaborar collaborate; cooperate; contribute.
colante clinging, adhesive, sticky.
colapso collapse; breakdown. ♦ **Ele teve um colapso nervoso.** He had a nervous breakdown.
colar necklace. • glue; gum, stick; paste. ♦ **colar de pérolas** string of pearls. → Deceptive Cognates
colarinho collar.
colcha blanket, quilt. ♦ **colcha de retalhos** patchwork quilt.
colchão mattress. ♦ **colchão de água** waterbed. **colchão de espuma** plastic-foam mattress. **colchão de molas** spring mattress.
colchete hook, clasp. ***colchetes*** brackets.
coldre holster.
coleção collection; assortment; set.
colecionador collector.
colecionar collect; gather. → Leisure
colega colleague; co-worker; schoolmate; comrade; chum, pal, fellow.
colégio high school. → Deceptive Cognates
coleguismo solidarity; companionship.
coleira collar, leash.
cólera anger; wrath, rage; cholera.
colérico choleric; furious.
colesterol cholesterol.
coletar collect, gather.
colete waistcoat, vest. ♦ **colete salva-vidas** life jacket. → Clothing
coletividade collectivity; team; community.
coletivo collective noun. • collective; general.
coletor collector; gatherer.
colhedeira harvester.
colheita harvest; crop.
colher harvest, reap, crop, gather, pluck.
colher spoon. ♦ **colher de chá** teaspoon. **colher de sopa** tablespoon.
colherada spoonful.
colibri hummingbird. → Animal Kingdom
cólica colic; cramps.
colidir collide; crash, clash, bump into.
coligação coalition; alliance.
coligar ally with, unite.
colina hill.
colírio collyrium, eye-drops; eyewash.
colisão collision; crash, clash.
colmeia beehive, hive.
colo neck; bosom, breast. → Human Body
colocação placement; rank.

colocar place; dispose; put; set.
Colômbia Colombia. → Countries & Nationalities
colombiano Colombian. → Countries & Nationalities
cólon colon.
colônia colony; cologne.
colonial colonial.
colonização colonization; settlement.
colonizador colonizer, pioneer, settler.
colonizar colonize, settle.
colono colonist, settler.
colorido colorful, colored.
colorir color, paint.
colossal colossal; huge.
coluna column; section (of a newspaper). ♦ **coluna social** gossip column. **coluna vertebral** spine. → Human Body
colunista columnist.
com with. ♦ **com isto** herewith.
coma coma.
comadre the godmother of one's child; godmother.
comandante captain (merchant ship); commander. • commanding. ♦ **comandante supremo** commander-in-chief.
comandar command; order; control.
comando command; authority; commando. ♦ **assumir o comando** take control.
combate combat, fight, battle.
combatente combatant, fighter; warrior.
combater combat; fight. ♦ **combate corpo a corpo** close quarters combat.
combinação combination, arrangement; agreement; association; coalition; slip, vest.
combinar combine; connect; arrange; agree; match. ♦ **combinar com** go with, match, suit. **Eles combinam muito bem.** They suit each other well., They are a good match.
comboio convoy.
combustão combustion; ignition.
combustível fuel.
começar begin, start; initiate. ♦ **começar a trabalhar** start work(ing). **começar bem** get off to a good start. **começar um negócio** start a business. **Ele começou do nada.** He started from scratch.
começo beginning; start. ♦ **do começo ao fim** from start to finish. **no começo da noite** early in the evening.
comédia comedy; sitcom; sketch.
comediante comedian.
comedido moderate, modest, sober.
comemoração commemoration; celebration.
comemorar commemorate; celebrate.
comentar comment; remark; explain.
comentário commentary, comment; note; critical analysis.
comentarista commentator. → Professions
comer eat. ♦ **comer à vontade** eat one's fill. **comer com vontade** tuck in. **comer demais** overeat.
comercial TV ad. • commercial, trading. ♦ **nome comercial** trade name.
comercializar commercialize, trade.
comerciante merchant, trader, tradesman, businessman. ♦ **comerciante de atacado** wholesaler. → Professions
comércio commerce, trade; trading. ♦ **comércio a varejo** retail trade. **comércio clandestino** black market. **comércio eletrônico** e-commerce.
comestível comestible(s), edible(s), food. • eatable, edible.
cometa comet. ♦ **cauda de cometa** tail of a comet.
cometer commit, practice, perform. ♦ **cometer uma gafe** drop a brick; blunder.
comichão itching; desire, longing.
comício meeting, rally; assembly; demonstration.
cômico comedian. • comic(al), funny; humorous.
comida food; meal. ♦ **comida caseira** homemade food. **comida simples** plain diet.

comigo with me. ♦ **Isso não é comigo.** That's none of my business.
comilão a heavy eater, glutton.
cominho cumin.
comissão commission, committee.
comissária stewardess. ♦ **comissária de bordo** air hostess, flight attendant. ➔ Professions
comissário commissioner; police officer; steward. ➔ Professions
comitê committee; commission.
como how; to what degree; for what reason. • as, because, why. ♦ **Como?** How?, Why? **como abreviatura** for short. **Como assim?** How come? **Como disse?** I beg your pardon? **como se** as if, as though. **como também** as well as. **como último recurso** as a last resort. **como um raio** like a shot. **Como vai?** How do you do?, How are you?
comoção commotion; agitation; riot.
cômoda dresser. ➔ Furniture & Appliances
comodidade convenience, comfort, coziness; ease. ➔ Deceptive Cognates
comodista selfish, self-indulgent.
cômodo room, accommodation. • comfortable, cozy.
comovente moving, touching.
comover move; impress, touch.
comovido shaken, thrilled, touched.
compacto compact, solid.
compadre the godfather of one's child.
compaixão pity; compassion, mercy.
companheiro companion, friend, fellow; colleague, pal, buddy, mate; spouse. ♦ **companheiro de quarto** roommate.
companhia companionship, company; association, firm, corporation. ♦ **Companhia de Jesus** Society of Jesus. **Ela vai fazer-lhe companhia.** She'll keep you company.
comparação comparison. ♦ **em comparação com** in comparison with. **sem comparação** beyond comparison.
comparar compare; contrast; liken.
comparativo comparative degree. • comparative.
comparável comparable.
comparecer attend; be present; appear; show up.
comparecimento attendance; appearance; presence.
comparsa crony, accomplice.
compartilhar share. ♦ **compartilhamento de tempo** time sharing.
compartimento compartment, bay.
compasso compass; measure, beat; pace, time; rhythm.
compatibilidade compatibility.
compatível compatible.
compatriota compatriot, countryman.
compêndio textbook; manual.
compensação compensation; remuneration.
compensado veneer, plywood. • balanced.
compensar compensate; recompense; even; equalize; balance. ♦ **compensar a perda** offset a loss.
competência competence; ability; aptitude, proficiency. ♦ **Isto é de sua competência.** This is within your scope. **por falta de competência** for lack of ability.
competente competent; capable, able, apt; efficient, proficient.
competição competition, contest, tournament.
competidor competitor, contestant, player.
competir compete; rival; contest; dispute. ♦ **compete a ele** he is in charge of.
compilação compilation.
compilar compile, glean.
complacência complacency; compliance.
complacente compliant; yielding, acquiescent; pleasing.
compleição complexion.
complementar complementary, supplementary. • complement, complete.

complemento complement.
completamente completely, fully, thoroughly.
completar complete; accomplish, fulfill; finish, conclude.
completo complete; entire; finished, concluded, done. ♦ **por completo** entirely.
complexidade complexity.
complexo compound. • complex; elaborate, complicated. ♦ **complexo de inferioridade** inferiority complex.
complicação complication; difficulty; entanglement, trickiness.
complicado complicated; tricky.
complicar complicate; confuse; make things difficult.
componente component; ingredient; part.
compor compose; arrange; put together.
comporta floodgate, sluicegate.
comportamento conduct; behavior; demeanor, manner.
comportar hold; contain. ***comportar-se*** behave, act. ♦ **comportar-se bem** behave. **comportar-se mal** misbehave.
composição composition; compound, make-up.
compositor composer; songwriter.
composto mixture; composite; compound. • compound; composite.
compostura decency; soberness. ♦ **Ele manteve a compostura.** He kept his countenance.
compota compote, fruit preserve.
compra purchase; acquisition; shopping. ♦ **compra a prestações** hire purchase. **ir às compras** go shopping.
comprador buyer, shopper, customer, purchaser.
comprar purchase, buy; acquire; bribe, corrupt. ♦ **comprar a crédito** buy in installments. **comprar à vista** buy in cash.
compreender comprise, include; contain, hold; embrace; consist of; understand, realize, see.
compreendido included; comprised; understood.
compreensão comprehension; sympathy; understanding, realization.
compreensível comprehensible, intelligible, understandable.
compreensivo understanding, sensible. → Deceptive Cognates
compressão compression; pressure.
comprido long, lengthy.
comprimento length; extent. ♦ **comprimento de onda** wavelength.
comprimido tablet, pill. • compressed, tight, squeezed.
comprimir compress; squeeze; condense; compact.
comprobatório supporting (evidence).
comprometer compromise; commit, pledge; undertake, involve, implicate. ♦ **Ele comprometeu-se a...** He pledged himself to...
comprometido under obligation, committed; engaged.
comprometimento commitment.
compromisso liability, obligation; promise, pledge; undertaking, engagement; commitment; appointment. ♦ **sem compromisso** no strings attached. → Deceptive Cognates
comprovação proof, evidence.
comprovante voucher, receipt.
comprovar prove; confirm.
compulsão compulsion.
compulsório compulsory, mandatory, obligatory; forced.
computação computation; calculation; computer science. ♦ **computação gráfica** computer graphics.
computador computer. ♦ **computador de grande porte** mainframe. **computador portátil** laptop. **pirata de computador** hacker. **rede de computadores** computer network. **computador de bolso** palmtop.
computar compute; calculate, reckon.
comum common; usual, ordinary, regular, plain; customary; vulgar,

cheap. ♦ **fora do comum** unusual, uncommon, exceptional.
comumente commonly.
comunhão communion.
comunicação communication; message, notification.
comunicado official notice; release.
comunicar communicate; tell; notify, announce; report; reveal, spread, diffuse.
comunicativo communicative; sociable.
comunidade community; society.
comunismo communism.
côncavo concave.
conceber conceive; think; imagine; give birth to.
concebível conceivable; imaginable.
conceder concede, grant; confer; permit, allow. ♦ **conceder a palavra a alguém** allow a person to speak.
conceito idea; notion, concept. ♦ **gozar de bom conceito** enjoy a good reputation.
conceituado esteemed, respected, worthy. ♦ **bem-conceituado** renowned, reputable.
conceituar judge; appraise; evaluate.
concentração concentration.
concentrado concentrate, essence. • concentrated; accumulated.
concentrar concentrate; centralize; focus. ***concentrar-se*** fix one's attention on, ponder, keep one's mind on.
concepção conception; notion.
concerto concert, concerto.
concessão concession.
concha shell; scoop, ladle.
conciliação conciliation; compromise; agreement; adjustment.
conciliar conciliate; harmonize; adjust.
conciliatório conciliatory.
concílio council.
concisão briefness, brevity; conciseness.
conciso concise; short, brief.
concluído concluded; finished.
concluir conclude; end; decide, resolve; close, complete. ♦ **concluir um acordo** come to an agreement. **conclui-se que...** it follows that...
conclusão conclusion; end; decision.
conclusivo conclusive.
concomitante concomitant.
concordância agreement; conformity.
concordar agree; go along with; accede.
concorrência competition. ♦ **concorrência acirrada** fierce competition.
concorrente competitor; rival.
concorrer compete; rival. ♦ **Eles concorreram à vaga.** They applied for the position.
concorrido full, crowded.
concreto concrete. • concrete; factual; real, material. ♦ **concreto armado** reinforced concrete.
concurso contest; competition; examination, test; public selection.
→ Deceptive Cognates
concussão concussion; impact.
conde count, earl.
condecorar award; reward; distinguish.
condenação condemnation; conviction.
condenado convict; felon, criminal. • condemned.
condenar condemn, convict; doom; sentence; disapprove.
condensar condense; compact; abridge.
condessa countess.
condição condition; circumstance; clause. ♦ **condição social** social standing. **condições** terms. **sob a condição de...** on condition that...
condicionador conditioning, conditioner.
condicional conditional, depending upon.
condicionar stipulate; condition.
condimentado spiced, spicy, savory; seasoned.
condimentar season, spice; flavor.
condimento seasoning; spice.
condizente suitable.
condizer suit, fit; agree, match; correspond.

condolência condolence; sympathy.
condução conduction; transportation; driving.
conduta conduct; behavior.
conduzir conduct; lead; direct; drive; lead to.
conectado connected; online.
conectar connect, link, tie.
conexão connection; link; relation. ♦ **conexão ou ligação por satélite** satellite link.
confecção making, production.
confeccionar make; manufacture, tailor.
confederação confederation, alliance.
confeitaria candy store, sweetshop.
conferência conference; convention; lecture, address; speech.
conferencista lecturer.
conferir check, control; verify, audit. ♦ **Confira!** See for yourself!, Check it out!
confessar confess; declare; reveal. ***confessar-se*** tell one's sins. ♦ **O assassino confessou o crime.** The murderer confessed to the crime.
confiabilidade reliability, trustiness.
confiado trustworthy; confident.
confiança confidence, trust; reliance. ♦ **de confiança** reliable. **digno de confiança** trustworthy. **Temos confiança em Deus.** In God we trust.
confiante confident; sure; assured, secure, reliant.
confiantemente confidently.
confiar trust; believe in; rely on.
confiável reliable; trustful, trustworthy.
confidencial confidential; classified, private.
confidencialmente confidentially, in confidence; off the record.
confidente confidant; inside man.
configuração configuration; form, shape; aspect; setup. ♦ **configuração/formato de página** page layout.
configurar configure; set up.
confinar limit; confine.
confirmação confirmation; homologation.
confirmar confirm, sustain, validate, uphold, bear out.
confiscar confiscate; sequestrate; seize.
confisco confiscation.
confissão confession.
conflito conflict; disagreement, strife. ♦ **conflito de gerações** generation gap.
confluência confluence.
conformado resigned.
conformar form; adapt, suit; conform; agree with. ***conformar-se*** reconcile.
conforme correspondent; in conformity with. • according to.
conformidade conformity; accordance; consonance; agreement.
confortar comfort; soothe.
confortável comfortable, cozy.
confortavelmente comfortably.
conforto comfort, well-being; ease; coziness.
confraternização celebration.
confrontação confrontation.
confrontar confront; face.
confronto confrontation, showdown.
confundir perplex; amaze, confound, puzzle. ***confundir-se*** be puzzled or perplexed.
confusão confusion; mistake; perplexity; bewilderment; chaos; mess; trouble.
confuso confusing, confused, woolly; helter-skelter.
congelador freezer. → Furniture & Appliances
congelamento freezing (of prices, wages).
congelar freeze; ice.
congênito congenital.
congestão congestion. ♦ **congestão cerebral** brain congestion.
congestionado congested; crowded, jammed. ♦ **trânsito congestionado** traffic jam.
congestionar crowd, jam.
conglomerado conglomerate.

congratular congratulate; compliment.
congregação congregation; reunion, assembly; fraternity.
congregar congregate; assemble; join.
congressista Congressman.
congresso Congress; convention; conference; assembly.
congruente congruent.
conhecedor connoisseur; expert; pundit.
conhecer know; meet; be acquainted with; understand. ♦ **conhecer alguém de nome** know somebody by name. **conhecer alguém de vista** know somebody by sight.
conhecido known, well-known, notorious.
conhecimento knowledge; acquaintance, understanding. ♦ **base de conhecimento** knowledge base. **É de conhecimento geral.** It is common ground. **levar ao conhecimento de alguém** bring to someone's notice.
cônico conic(al).
conífera conifer.
conivência connivance.
conivente conniving.
conjugação conjugation; conjunction.
conjugado joint.
conjugal conjugal, matrimonial.
conjugar conjugate; inflect (a verb); coordinate (efforts).
cônjuge wife, husband; partner. *cônjuges* married couple.
conjunção conjunction; union.
conjunto whole; set, kit; team; band.
conosco with us.
conquista conquest.
conquistador conqueror.
conquistar conquer; acquire; win.
consagração consecration; dedication.
consagrar consecrate; sanctify.
consanguíneo consanguineous.
consciência conscience; awareness; scruple. ♦ **com a consciência tranquila** with a clear conscience. **ter consciência** be scrupulous. **uma questão de consciência** a matter of conscience.
consciente conscious; aware.
consecutivo consecutive, running, in a row.
conseguir obtain, achieve, get; succeed; manage. ♦ **conseguir um aumento** get a raise. **Você conseguiu!** You've made it!
conselheiro counselor; counsel.
conselho council; advice, counsel; warning. ♦ **um bom conselho** good advice.
consenso consensus; agreement.
consentimento consent; approval. ♦ **com o consentimento de todos** by common consent.
consentir consent; permit; agree.
consequência consequence; result; outcome; aftermath; implication. ♦ **como consequência** in the aftermath.
consequente consequent, resultant, following.
consequentemente consequently.
consertar repair; mend, fix.
conserto repair, mending, restoration.
conserva preserve.
conservação conservation; maintenance. ♦ **em bom estado de conservação** in good order or shape.
conservador retrograde, conservative.
conservante preservative.
conservar maintain, preserve; keep.
consideração consideration, appreciation; respect, regard.
considerado considered; reputed, known to be.
considerar consider; take into consideration, take into account; ponder, regard, reckon.
considerável considerable, substantial; respectable.
consideravelmente considerably, substantially.
consigo with him/her/it/himself/herself/itself/themselves.
consistência consistency.
consistente consistent, solid.
consistir consist (in/of).

consoante consonant. • according to.
consolação consolation; relief; comfort.
consolador comforting.
consolar comfort, relieve.
consolidação consolidation; solidification.
consolidar consolidate; solidify.
consórcio consortium; partnership, fellowship.
consorte spouse, husband, wife.
conspiração conspiracy; plot.
conspirar conspire; plot.
constância constancy; faithfulness; steadiness.
constante constant; invariable; stable, steady.
constantemente always, constantly, often.
constar be part of; be on record.
constatar verify; find out.
constelação constellation.
constitucional constitutional.
constituição constitution; organization.
constituinte representative; voter; constituent.
constituir constitute; form, establish.
constranger constrain; embarrass; oblige; coerce. ***constranger-se*** feel embarrassed.
constrangido vexed, upset, uncomfortable, self-conscious.
construção construction, building; structure; making of.
construir build; frame; assemble. ♦ **densamente construído** built-up. **construído especialmente** purpose-built.
construtivo constructive; creative, imaginative.
construtor constructor, builder.
cônsul consul.
consulado consulate.
consulta consultation; appointment.
consultar consult, look up, refer. ♦ **consultar um médico** see a doctor. **consultar alguém sobre** ask somebody's opinion about.
consultor consultant, counselor, adviser. → Professions
consultório doctor's office.
consumado accomplished, consummate, confirmed.
consumar terminate, finish; complete.
consumidor consumer.
consumir consume; spend.
consumo consumption; use; intake.
conta account; calculation; sum, total; check, bill. ♦ **abrir uma conta** open an account. **afinal de contas** after all. **ajustar contas** even the score. **conta bancária** bank account. **conta conjunta** joint account. **conta de colar** bead. **conta poupança** savings account. **dar conta de** manage; account for. **fazer de conta** pretend. **Isto não é da sua conta.** This is none of your business. **levar em conta** take into account. **por minha conta** on me.
contabilidade accountancy; accounting department.
contador bookkeeper; accountant. → Professions
contagem count; score. ♦ **contagem regressiva** countdown.
contagiar infect, contaminate.
contágio infection, contagion.
contagioso infectious, contagious, catching.
conta-gotas dropper.
contaminação contamination; infection.
contaminar contaminate, infect.
contanto que as long as, so long as.
contar count; calculate, number, score; tell; rely on, depend on. ♦ **a contar de...** from... on. **contar até três** count to three. **contar vantagem** talk big, brag. **Não conte comigo!** Count me out! **Você pode contar comigo.** You can count on me.
contatar get in touch with, get in contact with, make contact with.
contato contact; proximity; influence.
contemplação contemplation; pondering.

contemplar contemplate; ponder; observe, gaze upon.
contemporâneo contemporary.
contenção contention; self-restraint.
contentamento contentment; joy.
contentar content, satisfy; please.
contente contented; cheerful; joyful, happy, pleased.
conter contain; enclose; comprise; refrain; repress. ***conter-se*** refrain from.
conterrâneo fellow citizen, (fellow) countryman, compatriot.
contestação contestation; plea, challenge.
contestar contest, refute; object; dispute.
contestável contestable; disputable.
conteúdo content.
contexto context; setting. → Deceptive Cognates
contido restrained.
contigo with you, in your company.
contíguo contiguous; adjacent; next (to).
continência continence; contingency.
continente continent; mainland. ♦ **fora do continente** offshore.
contingente contingent; uncertain.
continuamente continuously.
continuar continue; stay; extend; go on; keep on; proceed.
continuidade continuity.
contínuo ceaseless, continuous; ongoing.
conto narrative; (short) story, tale; fable. ♦ **conto de fadas** fairy tale. **conto do vigário** confidence trick, swindle.
contorcer contort; twist. ***contorcer-se*** squirm, writhe.
contornar get around, turn round; bypass.
contornável avoidable.
contorno contour; outline; form, shape.
contra adversely. • against, contrary to, versus. ♦ **contra a corrente** upstream. **contra a lei** against the law. **contra-ataque** counterattack. **contrarregra** stage manager. **contrassenso** nonsense, absurdity.
contrabaixo bass guitar, upright bass. → Musical Instruments
contrabalançar counterbalance; counterweigh.
contrabandista smuggler.
contrabando smuggling.
contração contraction; shrinking.
contradição contradiction.
contraditório contradictory; conflicting.
contradizer contradict, contest; deny.
contragosto dislike, aversion, antipathy.
contraído contracted; tight.
contrair contract; tighten, compress; reduce. ***contrair-se*** shrink.
contraparte counterpart.
contrapeso counterweight.
contraponto counterpoint.
contrapor compare; oppose; differ.
contraproducente counterproductive.
contrariado vexed, annoyed, upset.
contrariar oppose; contest; refute, go against, spite.
contrariedade opposition, resistance; setback; annoyance.
contrário contrary; opposing; opposite; opposed; adverse. ♦ **ao contrário, pelo contrário** on the contrary. **caso contrário** otherwise.
contrastar contrast; oppose; compare.
contraste contrast; foil; opposition.
contratar contract; hire, engage, charter.
contratempo mishap; accident; setback.
contrato contract; charter; covenant; agreement. ♦ **contrato de trabalho** labor contract.
contravenção contravention; infraction.
contribuição contribution; input.
contribuinte contributor; taxpayer. • contributory.
contribuir contribute; pay taxes; cooperate, chip in. ♦ **contribuir para algo** have a hand in (something).

controlar control; supervise; check; rule; keep down. ***controlar-se*** keep one's temper.
controle control; rule; command. ♦ **estar/ficar fora de controle** be/get out of control.
controvérsia controversy; dispute.
contudo yet, though, although, however, nevertheless.
contundir injure.
conturbado disturbed, troubled.
conturbar disturb; stir up.
convalescença convalescence.
convalescente convalescent.
convalescer recover; regain health; be on the mend.
convenção convention; agreement.
convencer convince; persuade; talk around.
convencido convinced; satisfied; conceited, vain, smug.
convencional conventional; usual; customary.
convencionar stipulate; establish.
conveniência convenience, propriety, suitability.
conveniente convenient; suitable; useful.
convênio covenant.
convento convent, monastery; nunnery.
conversa conversation; talk. ♦ **conversa fiada** or **conversa mole** small talk. **conversa franca** heart-to-heart, straight talk. **levar na conversa** swindle.
conversação conversation.
conversão conversion.
conversar chat, talk. ♦ **Preciso conversar com você.** I must have a word with you.
conversível convertible; exchangeable.
converter convert; transform.
convertido converted.
convés deck.
convicção conviction; belief. ♦ **Eles têm as mesmas convicções.** They are like-minded.
convicto convinced, sure. → Deceptive Cognates
convidado guest, visitor.
convidar invite.
convidativo inviting.
convincente convincing; persuasive; cogent.
convir suit; agree to, be suitable; fit. ♦ **convém notar** it is worth noting. **Ele sabe o que lhe convém.** He knows what suits him best.
convite invitation.
convivência acquaintance; cohabitation.
conviver live together. ♦ **conviver com** rub shoulders with.
convocar call, convene, convoke, summon. ♦ **convocar uma greve** call a strike.
convosco with you.
convulsão convulsion, fit.
convulsivo convulsive.
cooperação cooperation.
cooperar cooperate; work together.
cooperativa cooperative; collective.
cooperativo cooperative.
coordenação coordination.
coordenadas bearings; coordinates.
coordenador coordinator • coordinating.
coordenar coordinate; organize; arrange.
copa scullery (in a house); top (of a tree). ♦ **copas** hearts (cards). **Copa do Mundo** World Cup.
cópia copy; reproduction, print, duplication, facsimile. ♦ **cópia em papel-carbono** carbon copy.
copiadora copier.
copiar copy, reproduce; duplicate.
copidesque copy editor.
copo cup; glass. ♦ **tempestade num copo-d'água** storm in a teacup.
cópula coupling.
copular copulate; have sexual intercourse.
coqueiro coconut palm.
coqueluche whooping cough, pertussis.
coquetel cocktail.
cor color. ♦ **cor de laranja** orange. **cor-de-rosa** pink. **cores berrantes** flashy colors, glaring colors. **ficar sem cor** or **perder a cor** turn pale.
cor heart. ♦ **saber de cor** know by heart.

coração heart. ♦ **de coração** sincerely. ➔ Human Body
corado red-faced; ashamed; flushed, ruddy.
coragem courage, daring; fearlessness; guts; grit; boldness, bravery, nerve. ♦ **com a cara e a coragem** bold facedly. **Coragem!** Have courage!, Pluck up the courage! **Não perca a coragem!** Don't be discouraged! **sem coragem** yellow.
corajoso courageous, daring; bold.
coral coral; choir. ♦ **recife de coral** coral reef. ➔ Animal Kingdom
corante dye, pigment. • coloring.
corar blush, flush.
corcova hump.
corcunda humpback, hunchback. • humped.
corda rope, line; string. ♦ **dar corda a alguém** incite someone to talk. **instrumentos de corda** string instruments. **na corda bamba** on the tight rope.
cordão string, thread; lace; strap. ♦ **cordão de isolamento** cordon. **cordão de sapato** shoelace; shoestring.
cordeiro lamb. ➔ Animal Kingdom
cordial cordial; sincere; kind; cheery, hearty.
cordialidade cordiality, kindness; heartiness.
cordilheira mountain range.
Coreia do Norte North Korea. ➔ Countries & Nationalities
Coreia do Sul South Korea. ➔ Countries & Nationalities
coreografia choreography.
coriza runny nose.
corja mob; scum.
córnea cornea.
corneta cornet, bugle, horn.
corno horn. *cornos* antlers.
cornudo horned.
coro choir; chorus.
coroa crown. ♦ **Cara ou coroa?** Heads or tails?
coroação crowning, coronation.
coroar crown, enthrone, wreathe.
coroinha altar boy.
corolário corollary.
coronária coronary artery. ➔ Human Body
coronel colonel.
coronha butt, stock.
corpo body; frame; shape; organism. ♦ **corpo a corpo** hand-to-hand. **corpo celeste** heavenly body. **corpo de bombeiros** fire brigade. **corpo de delito** proof, evidence. **corpo humano** human body. **de corpo e alma** with body/heart and soul.
corporação corporation; association, fraternity.
corporal bodily, corporal, physical.
corporativismo corporatism.
corporativo corporate.
corpulento corpulent; stout, burly.
corpúsculo corpuscle.
correção correction; correctness.
corre-corre rush.
corredor corridor, aisle, hallway; runner, jogger; racer.

corridor

runner

racer

córrego brook.
correia strap; belt; leash.
correio mail, post, postal service. ♦ **caixa de correio** mailbox. **correio de voz** voice mail. **correio aéreo** airmail.
correlação correlation.
correlacionar correlate.
correligionário coreligionist.
corrente chain; cable; stream; flow. • current; common; prevailing. ♦ **água corrente** running water. **A opinião corrente é...** The current opinion is... **contra a corrente** upstream. **corrente alternada** alternating current. **corrente de ar** draft. **corrente principal** mainstream. **corrente de segurança** safety chain.
correnteza current; stream, watercourse; flow; rapids.
correr run; hurry. ♦ **Corra!** Hurry up! **Corre um boato que...** Rumor has it that... **correr atrás de** run after. **correr o risco** take the risk, take one's chances. **Deixe o barco correr!** Let things slide! **no correr dos séculos** throughout the centuries.
correria rush, haste.
correspondência correspondence; mail; letter.
correspondente correspondent; pen friend, pen pal. • corresponding.
corresponder correspond; reply. ♦ **corresponder às exigências** meet the requirements. **corresponder às expectativas** meet the expectations. **Não posso corresponder ao seu pedido.** I cannot comply with your request.
corretagem brokerage.
corretamente rightly, correctly.
correto correct; right; true, exact, righteous. ♦ **um homem correto** an upright man. **politicamente correto** politically correct.
corretor broker; agent; broker-dealer. ♦ **corretor de ações** stockbroker. **corretor de imóveis** estate agent, realtor. → Professions
corrida race, racing; jogging. ♦ **corrida de cavalos** horse race. **pista de corrida** speedway. → Sports
corrigir correct; amend; set right.
corrimão handrail; balustrade.
corriqueiro ordinary; trivial; vulgar; commonplace.
corroer erode; destroy slowly; eat away.
corromper corrupt; spoil, pervert; taint.
corrompido corrupt(ed); deviant.
corrosão corrosion, erosion.
corrupção corruption, graft.
corrupto corrupt; depraved.
corsário corsair, pirate.
cortador cutter. ♦ **cortador de grama** lawn mower. **cortador de papel** paper knife, paper cutter.
cortante cutting; sharp-edged, keen.
cortar cut; chop, slice; trim; shut off (water). ♦ **cortar as asas** clip the wings. **cortar o coração** break someone's heart. **cortar o cigarro** cut out the cigarette. **cortar o mal pela raiz** nip the evil in the bud. **cortar em cubos** dice.
corte court; courtship.
corte cut; incision; section; felling (of trees). ♦ **corte de cabelo** haircut, hairstyle. **corte de energia** power failure, power outage, power cut. **corte transversal** cross-section. **gado de corte** beef cattle. **sem corte (cego)** blunt.
cortejar court; flirt with, woo.
cortejo procession.
cortês polite, courteous, kind.
cortesia courtesy, politeness, gallantry, kindness.
cortiça cork.
cortina curtain; screen; drapes, hangings. ♦ **cortina de fumaça** smoke screen. → Furniture & Appliances
coruja owl. ♦ **mãe coruja** proud mother. → Animal Kingdom
corvo raven, crow. → Animal Kingdom
coser sew.

cosmético cosmetic. • cosmetics.
cósmico cosmic.
cosmologia cosmology.
cosmopolita cosmopolitan.
costa coast, seashore, seaside. ***costas*** back. ♦ **cair de costas** fall on one's back. **dar as costas a alguém** run away; turn one's back on somebody. **pelas costas** from behind; behind one's back. → Human Body
costear coast.
costeiro coastal.
costela rib. → Human Body
costeleta chop; cutlet. ***costeletas (suíças)*** sideburns. → Human Body

chop

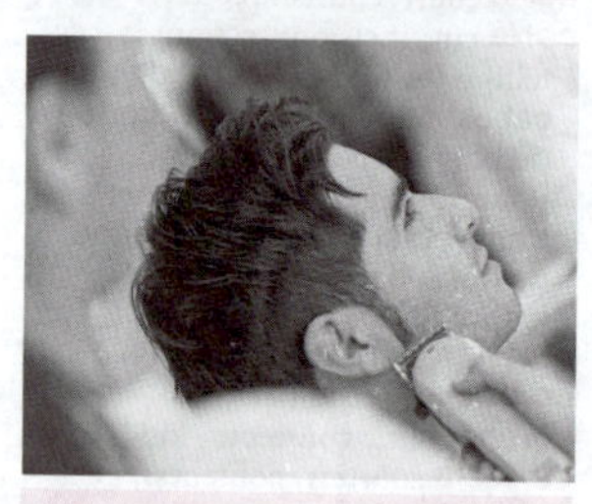
sideburn

costumar be used to.
costume custom; habit, practice. ***costumes*** manners, morals. ♦ **como de costume** as usual. → Deceptive Cognates
costura sewing, stitching; seam. ♦ **máquina de costura** sewing machine.
costurar sew; seam.
costureira seamstress. → Professions
cota share, portion, part, quota.
cotação assessment; valuation; prestige. ♦ **cotação do câmbio** exchange rate.
cotado well-reputed, esteemed.
cotar valuate, estimate.
cotejo comparison.
cotidiano daily; everyday, day-to-day.
cotovelada nudge, dig.
cotovelo elbow. ♦ **dor de cotovelo** jealousy; envy. → Human Body
couro leather. ♦ **couro cabeludo** scalp.
couve kale. ♦ **couve-de-bruxelas** Brussels sprouts. **couve-flor** cauliflower. → Vegetables
cova hole, hollow, cavity, pit; den; grave. ♦ **estar com os pés na cova** be on the brink of the grave.
covarde coward; chicken, pussy (*inf.*).
covardia cowardliness, cowardice.
coveiro grave-digger.
covinha dimple.
coxa thigh. → Human Body
coxo limping, halting.
cozer cook; boil.
cozido casserole, stew. • cooked, boiled. ♦ **cozido demais** overdone.
cozinha kitchen; cuisine; cookery; cooking.
cozinhar cook. ♦ **cozinhar demais** overdo.
cozinheiro cook. → Professions
crack crack.
craniano cranial.
crânio skull; the brains (clever head). → Human Body
crase crasis, contraction of two vowels; the accent indicating a crasis.
crasso crass; gross, big.
cratera crater.
cravar thrust in; set; fix; fasten.
cravo horseshoe nail; blackhead (skin); carnation; clove; harpsichord.

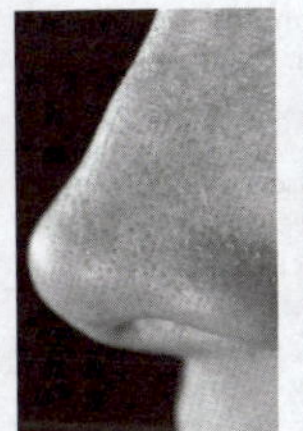
blackhead

carnation

clove

harpsichord

creche (day) nursery, daycare center.
credenciais credentials.
crediário credit system.
crédito credit; trust; good reputation. ***créditos*** credits. ♦ **carta de crédito** letter of credit. **cartão de crédito** credit card. **comprar a crédito** buy on credit. **pagar com cartão de crédito** charge/pay on a credit card.
credo credo; creed.
credor creditor; bill collector.
credulidade credulity.
crédulo credulous, simple-minded, naive.
cremação cremation; incineration.
cremar cremate; incinerate.
crematório crematorium.
creme cream; custard. • cream-colored. ♦ **creme chantili** whipped cream. **creme de leite** single cream. **creme dental** toothpaste.
cremoso creamy.
crença belief, creed; conviction.
crendice superstition.
crente believer. • believing.
crepúsculo dusk, twilight; decadence, decline.
crer believe; trust. ♦ **Creio que sim.** I think so. **Ver para crer.** Seeing is believing.
crescente crescent, increasing. ♦ **quarto-crescente (da lua)** first quarter, half-moon, crescent.
crescer grow, grow up; increase; enlarge, develop.
crescimento growth; increase; development; enlargement.
crespo rugged, craggy; frizzy, crisp, curly (hair); crinkly.
cretino idiot, imbecile, stupid, twit, asshole.
criação creation; invention; breeding, upbringing, nurture. ♦ **criação de gado** cattle breeding.
criado servant, domestic. • bred, raised. ♦ **bem-criado** well-bred, well-educated. **criado-mudo** nightstand, bedside table.
criador creator, the Creator, God. ♦ **criador de gado** cattle breeder.
criança child, infant. ***crianças*** rug rats. ♦ **criança abandonada** waif. **criança recém-nascida** newborn baby.
criançada children, kids.
criancice childishness.
criar create; generate, produce, originate; invent; raise; foster,

educate. ♦ **criar bolor** grow moldy. **criar coragem** take heart.
criativo creative.
criatura creature; being; thing.
crime crime, felony, delinquency.
criminal criminal.
criminalidade criminality.
criminoso criminal, felon, offender, delinquent. • criminal.
crina horsehair, mane.
cripta crypt; vault.
criptografia cryptography.
criptograma cryptogram.
críquete cricket. → Sports
crise crisis.
crisma chrism.
crista crest; comb; peak. ♦ **abaixar a crista** get off one's high horse.
cristal crystal. ***cristais*** crystalware. ♦ **cristal de rocha** rock crystal. **cristal lapidado** cut-glass crystal.
cristalino crystalline; crystal clear; lens.
cristalização crystallization.
cristalizar crystallize.
cristandade Christianity.
cristão Christian.
Cristo Christ, Jesus. ♦ **Cristo Redentor** Christ, the Redeemer. **bancar o Cristo, ser o Cristo** be made the scapegoat.
critério criterion; rule; reason. ♦ **deixar algo a critério de alguém** leave something to one's discretion.
criterioso discerning; clear-sighted.
crítica criticism; censure; appreciation. ♦ **fazer a crítica de** review, comment upon.
criticar criticize, review, judge; censure.
crítico reviewer. • critical; crucial, dangerous.
crocante crispy, crunchy.
crocodilo crocodile. → Animal Kingdom
cromado chrome-plated.
cromático chromatic.
crônica chronicle.
crônico chronic.
cronológico chronological.
cronometragem timing.
cronometrar time.
cronômetro chronometer, stopwatch, timer.
croqui sketch.
crosta crust.
cru raw; unprocessed; crude.
crucial crucial; decisive.
crucificação crucifixion.
crucificar crucify.
cruel cruel, fierce, unkind.
crueldade cruelty, ruthlessness.
crustáceo crustacean. • crustaceous.
cruz cross. ♦ **Cruz Vermelha** Red Cross. **entre a cruz e a espada** between the devil and the deep blue sea, between a rock and a hard place. **fazer o sinal da cruz** make the sign of the cross.
cruzamento crossing; intersection, street crossing, crossroads.
cruzar cross; traverse; intersect.
Cuba Cuba. → Countries & Nationalities
cubano Cuban. → Countries & Nationalities
cúbico cubic(al). ♦ **metro cúbico** cubic meter. **raiz cúbica** cube root.
cubículo cubicle; cubby-hole.
cubismo Cubism.
cubo cube.
cuco cuckoo.
cueca underwear, underpants. → Clothing
cuidado care; attention; precaution, caution. ♦ **aos cuidados de (a/c)** care of (c/o). **Cuidado!** Watch out! **Cuidado com o que você diz!** Watch your tongue!, Careful what you say!
cuidadoso careful; cautious; attentive.
cuidar care; consider; take care of, look after; watch over; pay attention. ♦ **Cuide da sua vida.** Mind your own business.
cujo whose.
culatra breech. ♦ **sair (o tiro) pela culatra** backfire; go wrong.
culinária cookery; cooking. → Leisure
culinário culinary.
culminante culminant, culminating.
culpa fault, blame, guilt. ♦ **A culpa é minha.** It's my fault. **pôr a culpa**

em alguém put the blame on someone, blame it on someone. **ter culpa no cartório** have a guilty conscience.
culpabilidade culpability, guilt.
culpado culprit, criminal. • culpable, guilty.
culpar accuse, charge; blame.
culpável culpable.
cultivar cultivate; promote, maintain; farm, grow. ♦ **cultivar um talento** develop a talent.
cultivo cultivation.
culto cult, worship, adoration, veneration. • learned, educated.
cultura culture; education.
cultural cultural.
cume summit, peak, top, hilltop; climax.
cúmplice accomplice; partner, crony.
cumplicidade complicity.
cumprimentar salute, greet.
cumprimento accomplishment, fulfilment; compliment, greeting; congratulation.
cumprir accomplish, execute, fulfill, carry out; perform. ♦ **cumprir a palavra** keep one's word.
cúmulo cumulus; accumulation, heap; summit. ♦ **É o cúmulo!** That's the limit!
cunhada sister-in-law.
cunhado brother-in-law.
cunhar coin; mint.
cupido Cupid.
cupim termite. → Animal Kingdom
cupom coupon, voucher.
cúpula dome.
cura cure; healing, recovery.
curar cure; heal, treat. ***curar-se*** restore one's health. ♦ **curar uma ferida** dress a wound.
curativo curative; medication; dressing. • curative. ♦ **curativo de um ferimento** dressing, bandaging of a wound.
curável curable.
curinga joker.
curiosidade curiosity; rarity.
curioso curious; odd, strange, queer; nosy.
curral corral, stable, pound, farmyard.
currículo curriculum; curriculum vitae, CV, résumé.
cursar course, follow a course (body of water); attend, take a course (study).
curso course. ♦ **em curso** in progress.
curto short, brief; scarce. ♦ **curto-circuito** short circuit. **curto e grosso** short and sweet.
curva curve; bend, turn. ♦ **curva acentuada** sharp curve. **curva fechada** hairpin bend.
curvado curved; bent.
curvar curve, bend. ***curvar-se*** bow, incline.
curvatura curvature, bend, incurvation, flexion, camber.
curvo curved, bent, crooked, arched.
cuspir spit, expectorate; eject, toss. ♦ **cuspir fogo** get angry. **cuspir sangue** spit blood.
custar cost; be worth. ♦ **Custa-me dizer-lhe isto.** It pains me to tell you this. **custar a crer** be hard to believe. **custar a fazer** be hard to do. **Custe o que custar.** At all costs. **Isto custa os olhos da cara!** This costs an arm and a leg! **Não custa nada perguntar.** There's no harm in asking.
custear bear the expense; finance.
custo cost, expense, difficulty. ♦ **custo de vida** cost of living. **custo, seguro e frete** cost, insurance and freight (CIF). **preço de custo** cost price. **cobrir o custo** cover the cost. **custo médio** average cost. **pagar os custos** defray the cost.
cutâneo cutaneous, of or relating to the skin.
cutia agouti. → Animal Kingdom
cutícula cuticle; pellicle.
cutucão dig, poke.
cutucar jog, poke, dig, nudge, prod.

D

D, d the fourth letter of the Portuguese alphabet.
D the second musical note.
dádiva gift. ♦ **dádiva divina** godsend.
dado die; datum, figure. • given; friendly. • in view of, considering that. ♦ **dados (informações)** data. **dados brutos** raw data. **armazenamento de dados** data storage. **banco/base de dados** data bank/database. **compartilhamento de dados** data sharing. **compressão de dados** data compression. **entrada de dados** data entry. **fluxo de dados** data flow. **fonte de dados** data source. **gravação de dados** data recording. **recuperação de dados** data retrieval. → Leisure
daí thence, from there; for that reason, therefore. ♦ **daí em diante** thenceforth, from then onwards.
dali thence, therefrom, from there. ♦ **dali a dois dias** two days hence.
dália dahlia.
dama lady; queen (chess, cards). ♦ **dama de honra** bridesmaid. **jogo de damas** checkers, draughts (*Brit.*). → Leisure
damasco apricot, damask. → Fruit
danado damned; damaged; ruined; angry; smart; naughty.
danar harm, hurt, injure; damage; ruin.
dança dance; dancing, ball. ♦ **dança do ventre** belly dance. **dança folclórica** folk dance.
dançar dance. ♦ **dançar conforme a música** play along. → Leisure
danificar damage, harm, hurt.
daninho damaging, prejudicial, harmful.
dano damage, harm, injury; loss.
danoso damaging, harmful.
daquele from that; of that.
daqui from here, hence, within. ♦ **daqui a pouco** shortly. **daqui em diante** from now on.
daquilo from that; of that.
dar give, offer, present; grant, concede. ♦ **A loja me dava bons lucros.** The store was earning me good profits. **dar a mão à palmatória** admit of being wrong. **dar as boas-vindas a** welcome. **dar cartas** deal cards. **dar certo** work. **dar com a língua nos dentes** blab, tattle. **dar em nada** fail. **dar na vista** strike the eye. **dar o fora** leave. **dar o troco** get one's own back. **dar patada** be rude. **dar-se bem com** get on well with. **dar-se por vencido** give in, yield. **dar uma bronca em alguém** tell someone off. **dar um passeio** take a walk; go for a ride. **Ele não deu um pio.** He did not let out a peep. **Isto me dá nos nervos.** This gets on my nerves. **Eu lhe dei o mesmo nome da avó.** I named her after her grandmother.
dardo spear; javelin; dart. → Leisure
data date. ♦ **pós-data** postdate. **Que esta data se repita.** Many happy returns of the day. **data limite** deadline. → Deceptive Cognates → Numbers
datar date; be from.

datilografar type, typewrite.
datilografia typewriting.
datilógrafo typist.
de of; from; by; to; on; in. ♦ **de carro** by car. **de cima** from above. **de cima a baixo** from top to bottom. **De onde você é?** Where are you from? **de preto** in black. **de propósito** on purpose.
debaixo under, beneath, below. ♦ **de baixo** inferior. **debaixo de** underneath.
debandar flee, disperse.
debate debate, discussion.
debater discuss; debate; contest, argue. ***debater-se*** fight, flounder, struggle, attempt to free oneself.
débil weak; feeble.
debilitar weaken, debilitate.
debitar debit, bill, charge.
débito debt, obligation. ♦ **débito automático** direct debit (*Brit.*).
debochar mock.
deboche mockery.
debruçar stoop, bend forward, lean over; incline. ***debruçar-se*** bend oneself.
década decade. ♦ **a década de 1920 (1930, 1940...)** the twenties (thirties, forties...). **nos primeiros anos da década de 1980** in the early eighties. **nos últimos anos da década de 1980** in the late eighties.
decadência decadence, decline, decay, fall.
decadente decadent, decaying, deteriorating.
decaída decrease, decline, reduction.
decair decay, decline; fall, go.
decalque sticker, tracing, copying, transfer.
decano dean, senior.
decapitar decapitate, behead.
decátlon decathlon. → Sports
decência decency; honesty.
decente decent, proper; honest, fair.
decepar cut off, amputate.
decepção disappointment, disillusion(ment). → Deceptive Cognates
decepcionante disappointing.
decepcionar disappoint; let down.
decidido resolute, decided; bold; determined.
decidir decide; determine. ***decidir-se*** make up one's mind.
decifrar decipher, crack.
decifrável decipherable.
decimal decimal. → Numbers
decímetro decimeter.
décimo tenth; tenth part. • tenth. ♦ **décimo primeiro** eleventh. **décimo segundo** twelfth. **décimo terceiro** thirteenth. **décimo quarto** fourteenth. **décimo quinto** fifteenth. **décimo sexto** sixteenth. **décimo sétimo** seventeenth. **décimo oitavo** eighteenth. **décimo nono** nineteenth. → Numbers
decisão decision; resolution.
decisivo decisive, conclusive; final.
declamar declaim; recite.
declaração declaration, manifest, assertion; statement.
declarar declare, assert, state; announce. ***declarar-se*** pronounce oneself. ♦ **Eu vos declaro marido e mulher.** I now pronounce you husband and wife.
declinar reject, refuse, decline.
declínio decline, decay, decadence; deterioration.
declive declivity, slope. • downhill, sloping, downward.
decodificar decode, decrypt.
decolagem take-off.
decolar take off.
decompor decompose; separate.
decomposição decomposition; disintegration; analysis.
decoração decoration; ornamentation; adornment.
decorar learn by heart; know by heart; decorate; adorn.
decorativo decorative, ornamental.
decoro decency; honor; honesty.
decorrente passing, elapsing; due to.
decorrer elapse, pass; happen, occur; originate from. ♦ **decorrer de** result from. **no decorrer de** in the course of.
decotado low-necked.

decote neckline, cleavage.
decrépito decrepit; old; impaired.
decrescer diminish, decrease; decline.
decretar decree, determine; order.
decreto decree, edict.
decurso succession; duration; passing. ♦ **decurso de prazo** lapse of time.

dedicação devotion, dedication.
dedicado dedicated, devoted.
dedicar dedicate, devote.
dedicatória dedication.
dedilhar finger, pick.
dedo finger. ♦ **dedo anular** or **seu-vizinho** ring finger. **dedo indicador** or **fura-bolo** forefinger, index finger. **dedo médio** or **pai de todos** middle finger. **dedo mínimo** or **mindinho** little finger, pinky. **dedo do pé** toe. → Human Body
dedução deduction, subtraction.
dedutivo deductive, inferential.
deduzir deduce; draw from facts; subtract.
defecar defecate, shit, poop.
defeito defect; fault; malfunction; flaw, imperfection; deficiency; bug. ♦ **Eu conheço os defeitos dela.** I'm acquainted with her flaws.
defeituoso defective, dud (*inf.*), imperfect; incomplete.
defender defend, protect; help, aid; support.
defensiva defensive.
defensor defender, protector; supporter. • defensive, protective.
deferência deference, regard.
deferido granted, conceded, approved.
deferimento grant, concession, approval.
deferir grant, approve.
defesa defense; justification, vindication; guard, protection; backfield. ♦ **defesa civil** civil defense.
deficiência deficiency; lack, need, shortage; imperfection, disability, handicap.
deficiente deficient, defective, imperfect; insufficient; handicapped.
déficit deficit, shortage.
deficitário deficient.
definhar debilitate; waste oneself; languish; pine away.
definição definition, explanation; decision.
definir define; determine, decide. ♦ **definido pelo usuário** user-defined.
definitivamente definitely.
definitivo definitive; conclusive.
deflação deflation.
deflagrar deflagrate; burn.
deformação deformation.
deformar deform, disfigure, warp; lose shape.
deformidade deformity.
defrontar confront, face.
defronte face to face, opposite to, in front of. ♦ **defronte de** in face of, opposite.
defumação smoking.
defumar smoke.
defunto corpse. ♦ dead, deceased.
degelar defrost.
degelo defrosting.
degenerar degenerate; fall off, deteriorate; decline.
degolar behead, decapitate.
degradação degradation; degeneration.
degradar degrade; lower, decline.
degrau stair, step. ♦ **Cuidado com o degrau!** Watch your step!
degustar taste.
deitar lie, lay (down). ***deitar-se*** lie down; go to bed.
deixar leave, quit; abandon; let go. ♦ **deixar cair** drop. **deixar de lado** omit, lay aside; let go. **deixar entrar** let in; admit. **deixar escapar uma oportunidade** miss an opportunity. **deixar um recado** leave a message. **Deixe-me fora disso!** Leave me out of this! **Não deixe por menos.** Don't let it lie. **Pode deixar comigo!** Leave it to me!
dela her, hers, its, of her, from her. ***delas*** their, of them, from them, theirs.
delator informer, sneak.

dele his, its, of him, from him. ***deles*** their, of them, from them, theirs.
delegação delegation; deputation.
delegacia police station.
delegado delegate; police chief, superintendent.
delegar delegate, authorize; assign.
deliberação deliberation.
deliberar deliberate, reflect upon; decide; discuss.
deliberativo deliberative.
delicadeza delicacy; fragility; politeness, courtesy.
delicado delicate; courteous, polite; tender; fine; subtle, gentle.
delícia delight.
deliciar delight, please.
delicioso delicious, delightful, enjoyable.
delimitar delimit.
delinear sketch out, outline; trace.
delinquente delinquent, outlaw, criminal.
delirante delirious, insane, raving mad.
delirar hallucinate.
delírio delirium, insanity.
delito fault, crime, transgression, offense.
delonga delay, postponement.
delta delta. ♦ **asa-delta** hang-glider. → Sports
demagogia demagogy.
demagogo demagogue.
demais too much, excessive. • excessively, more than enough; besides, moreover. ♦ **cheio demais** overcrowded. **comer demais** overeat. **falar demais** talk too much.
demanda demand, request; dispute; discussion; search.
demandar require, call for; demand, claim.
demarcar demarcate, delimit, mark out.
demasia surplus; excess.
demasiado excessive, too much, undue.
demente madman. • demented; insane, mad, crazy, lunatic.
demissão firing; dismissal; resignation; layoff.
demissionário resigned.
demitir dismiss; fire. ***demitir-se*** resign, quit.
democracia democracy.
democrata democrat.
democrático democratic(al).
demolir demolish; destroy.
demoníaco demoniac(al), devilish.
demônio demon, devil.
demonstração demonstration; proof; manifestation; exhibition, show.
demonstrar demonstrate; prove, exemplify, evidence, show; display.
demonstrativo demonstrative.
demora delay, lateness; lingering.
demorar delay; linger. ***demorar-se*** be late, linger, be long. ♦ **Não demore!** Don't be long!
denegrir denigrate, belittle.
dengoso affected, vain.
dengue dengue fever, breakbone fever.
denominação denomination; name; designation.
denominador denominator. • denominative.
denominar denominate, name, call, entitle. ***denominar-se*** be called.
denotar denote; indicate, point out; mean.
densamente thickly.
densidade density, thickness.
denso dense, thick, heavy.
dentada bite.
dentado toothed; serrated.
dentadura denture, false teeth.
dente tooth. ♦ **dente de leite** milk tooth. **dente do siso** wisdom tooth. **dor de dente** toothache. **extrair um dente** pull out a tooth. **obturar um dente** fill a tooth. → Human Body
dentição dentition, teething.
dentifrício dentifrice, tooth paste.
dentista dentist. → Professions
dentre among(st), in the midst of.
dentro inside, within. ♦ **aqui dentro** in here. **dentro de casa** indoors.
dentuço big-toothed, buck-toothed.
denúncia accusation.
denunciante denouncer, accuser. • denouncing.
denunciar denounce, accuse; reveal, snitch, expose.

deparar find, run into.
departamento department, bureau.
depenado plucked.
depenar pluck; strip of money.
dependência dependence; pendency, reliance, subordination.
depender depend on; be based on; rely on.
deplorar deplore, lament; regret.
deplorável deplorable, lamentable, pitiable.
depoimento deposition (law); testimony.
depois after, afterward(s), later on, subsequently, then; besides, moreover. ♦ **deixar para depois** postpone. **depois de amanhã** the day after tomorrow.
depor put down, lay down; depose, discharge; testify, witness.
depositar deposit, lay.
depósito deposit; depot, storehouse, warehouse, storage yard.
depravado depraved, corrupt, wicked, vicious, degenerate.
depreciar depreciate, undervalue, belittle; lessen.
depreciativo depreciatory, derogatory.
depredar depredate, destroy, vandalize.
depreender infer, deduce.
depressa fast, quickly, swiftly.
depressão depression.
deprimente depressing.
deprimir depress; lower, weaken, depreciate.
depuração debugging; purification, cleansing.
depurar purify, clean; debug.
deputado deputy; representative.
deriva drift.
derivar derive; arise from, come from.
derradeiro last, final, ultimate.
derramamento spilling.
derramar shed; spill.
derrame hemorrhage; stroke.
derrapagem skid.
derrapar skid.
derreter melt, dissolve; thaw.
derretimento melting.
derrocada destruction; overthrow, fall, decline.
derrocar demolish, destroy, ruin; overthrow.
derrota defeat, loss.
derrotar defeat, vanquish, beat.
derrubada felling (of trees); overthrow, defeat.
derrubar knock down; overthrow; demolish; cut down, fell (trees).
desabafar uncover, expose; reveal, disclose. ♦ **desabafar com alguém** open one's heart to someone.
desabafo ease, relief; opening of one's heart.
desabar collapse, fall down, tumble.
desabitado uninhabited; deserted.
desabonar discredit.
desabotoar unbutton.
desabrigar deprive of a shelter.
desabrochar bloom, sprout, blossom.
desacatar disrespect; insult.
desacato disrespect, discourtesy; offense.
desacompanhado unaccompanied.
desaconselhável inadvisable.
desacordo disagreement.
desacostumar disaccustom. ***desacostumar-se*** get out of a habit.
desacreditado discredited.
desacreditar discredit, stop believing or trusting.
desafeto adversary, foe, enemy, rival. • disaffected, disloyal.
desafiante challenger. • defiant, challenging, defying; provoking, inciting.
desafiar challenge, defy, provoke; incite.
desafinado out of tune, off-key.
desafinar sing or play out of tune.
desafio challenge, defiance.
desafogar relieve, ease. ***desafogar--se*** relieve oneself; set oneself at ease; make oneself comfortable.
desafogo ease, relief.
desaforado insolent, impertinent; rude.
desaforo insolence, impudence.
desagradar displease, dissatisfy.
desagradável disagreeable, unpleasant; nasty.

desagrado unpleasantness, distaste, displeasure, disfavor.
desagravo revenge, retaliation; redress, reparation.
desajeitado unskillful, awkward, clumsy.
desajuizado unwise, irresponsible.
desajustar disorganize, disarrange.
desajuste disarrangement, conflict.
desalento discouragement; prostration, dismay.
desalinho disorder, disarray, dishevelment, untidiness.
desalmado soulless, inhuman.
desalojar dislodge, evict; remove.
desamarrar untie, cast off, unfasten, loosen.
desamparado abandoned, desolated, helpless.
desamparar abandon, leave; deprive of help.
desamparo abandonment, helplessness.
desanimado discouraged, down, downhearted.
desanimar discourage, depress. ***desanimar-se*** lose heart.
desânimo discouragement, dismay, prostration, depression.
desaparecer disappear, vanish. ♦ **desaparecer de vista** disappear from view.
desaparecimento disappearance.
desapertar loosen; unfasten, untie; unscrew.
desapontamento disappointment.
desapontar disappoint, frustrate, let down.
desaprender unlearn, forget.
desapropriar dispossess, expropriate.
desaprovação disapproval.
desaprovador disapproving.
desaprovar disapprove; dislike; censure, condemn.
desarmamento disarmament.
desarmar disarm, unarm.
desarranjar disarrange, displace.
desarranjo disarrangement, disorder; breakdown; mishap.
desarrumar disarrange, disorder.
desarticular disjoint; disconnect.
desassossego unquietness, uneasiness; restlessness.
desastrado clumsy.
desastre disaster; accident.
desastroso disastrous; hazardous.
desatar unfasten, untie, unbind; disengage, release, unbuckle.
desatento careless, negligent, inattentive.
desatino madness, folly, nonsense.
desativar switch off, turn off, power down; uninstall.
desavisado uninformed, unaware.
desbancar beat, outclass; supplant, debunk.
desbaratar waste; scatter; disorder; defeat.
desbastar thin out; prune.
desbocado big mouth. • unrestrained, foul-mouthed, bigmouthed.
desbotar discolor. ***desbotar-se*** fade.
desbravar tame, domesticate; explore.
descabelado disheveled.
descabido improper, inadequate.
descalçar take or slip off (shoes, stockings, gloves).
descalço barefoot.
descambar fall; degenerate into.
descampado desert, open field.
descansado rested.
descansar rest, relax, pause, unwind. ♦ **Descanse em paz.** Rest in peace.
descanso break, rest, refreshment, relaxation.
descarado shameless, impudent, barefaced.
descaramento shamelessness, barefacedness.
descarga discharge; unloading. ♦ **descarga de privada** toilet flush.
descarregar discharge; unload, unburden.
descarrilamento derailment.
descarrilar derail, jump or get off the rails; run off the track.
descartar discard, reject; dismiss. ***descartar-se de*** get rid of, dispose of.
descartável disposable.
descarte discard; excuse, evasion.
descascar peel, skin.

D

descaso negligence; disregard; carelessness.
descendência descent, ancestry, lineage.
descendente descendant. • descendent; descending. *descendentes* descendants, offspring.
descender descend; be derived from.
descentralizar decentralize; distribute, separate.
descer descend, go down, come down, step down; get off, disembark. ♦ **Motorista, vou descer aqui!** Driver, please drop me here!
descida descent, going or coming down; declivity, hillside.
desclassificar disqualify, disable.
descoberta discovery, invention, finding.
descobrimento discovery, invention.
descobrir discover, uncover, disclose, expose, make visible, show, find out, unveil.
desconcertante disconcerting, disturbing, perplexing, baffling; upsetting.
desconcertar disconcert, disorder; upset; trouble; confuse.
desconectado disconnected; off line.
desconexão disconnection.
desconexo disconnected, unrelated, rambling.
desconfiado suspicious.
desconfiança suspicion.
desconfiar suspect.
desconforto discomfort.
desconhecer ignore.
desconhecido stranger. • unknown, unfamiliar, anonymous, faceless, strange.
desconjuntar disjoin, disarticulate, disconnect; separate.
desconsideração disrespect, disregard.
desconsiderar disrespect, override.
desconsolo desolation, sorrow, distress.
descontar discount; deduct, diminish.
descontentamento discontentment, displeasure; trouble; sorrow.
descontentar discontent, displease, dissatisfy.
descontente discontented, unsatisfied.
desconto discount; deduction.
descontraído relaxed.
descontrolar get out of control. *descontrolar-se* lose control.
desconversar break off a conversation; dissimulate. ♦ **Você está desconversando!** You're changing the subject!
descortês unkind, ill-mannered, impolite.
descortesia discourteousness, impoliteness, incivility.
descortinar pull the curtain, disclose, expose, unveil.
descrença incredulity, faithlessness, disbelief.
descrente unbeliever, infidel; skeptic. • incredulous, unbelieving.
descrever describe, make a description of; portray, explain.
descrição description, report.
descuidado careless, thoughtless, sloppy, slovenly, scruffy.
descuidar neglect, disregard, overlook.
descuido carelessness; lapse; oversight.
desculpa excuse; pardon, apology.
desculpar excuse, pardon, forgive. *desculpar-se* excuse oneself; apologize. ♦ **Desculpe!** Sorry! **Desculpe-me! (Não entendi.)** I beg your pardon., Excuse me?
desde since; from; after. ♦ **desde agora** from now on. **desde já, desde logo** at once, immediately, directly. **Desde quando?** Since when?
desdém disdain, disregard; scorn.
desdenhar disdain, scorn, despise.
desdenhoso disdainful, scornful, contemptuous.
desejar wish, want, desire.

desejável desirable.
desejo desire, wish, will; longing.
desejoso eager, wishful.
desembaraçado unembarrassed, uninhibited.
desembaraçar disembarrass, disentangle, extricate, disengage. ***desembaraçar-se*** free oneself; get rid of.
desembaraço disembarrassment.
desembarcar disembark; land.
desembarque disembarkation.
desembocar flow into (river); run into (street).
desembolsar disburse, spend.
desembrulhar unpack, unwrap.
desempatar decide, resolve.
desempenhar perform, execute, enact, do.
desempenho performance.
desempregado unemployed, jobless.
desemprego unemployment.
desencadear unleash; unchain; set off, break out, trigger off.
desencaixar disjoint, disconnect; displace, dislodge.
desencaixotar unpack, unbox.
desencaminhar misguide, mislead, lead astray. ***desencaminhar-se*** go astray.
desencantar disenchant, disillusion.
desencontrar fail to meet one another.
desencontro failure in meeting; disagreement.
desencorajador disheartening.
desencorajar discourage, dishearten.
desenferrujar remove rust.
desenfreado unruled, ungoverned, unrestrained, uncontrolled; wild.
desenfrear let loose, set free; grow unruly.
desengano disillusion, disappointment.
desengrenar ungear, uncouple.
desenhar design, draw, outline, trace; picture. ***desenhar-se*** take form, take shape, appear. → Leisure
desenhista sketcher, designer. → Professions
desenho design, sketch, drawing; draft, outline. ♦ **desenho animado** cartoon.
desenlace conclusion, outcome, end, ending.
desenrolar unroll, uncurl, unwind. ***desenrolar-se*** unfold itself.
desenroscar untwist; unscrew. ***desenroscar-se*** become disentangled.
desenrugar unwrinkle, smooth out.
desentendimento misunderstanding, disagreement, dissension.
desenterrar unbury, dig up, unearth; discover, bring to light, find out.
desentortar unbend, straighten.
desentupir unblock, unclog; free.
desenvolto agile, light, quick, uninhibited.
desenvoltura agility; ease; confidence.
desenvolver develop; explain. ***desenvolver-se*** grow, ripen, mature.
desenvolvimento development; growth, progress, evolution.
desequilibrar unbalance, throw out of balance. ***desequilibrar-se*** lose one's balance.
desequilíbrio imbalance, instability.
deserção desertion, defection, forsaking.
deserdar disinherit, deprive of an inheritance.
desertar desert, abandon, defect, forsake.
deserto desert. • deserted, uninhabited, wild.
desertor deserter.
desesperado hopeless, desperate.
desesperança despair, hopelessness.
desesperar despair. ***desesperar-se*** lose hope.
desespero despair, hopelessness, desperation; rage.
desestimulante disheartening; discouraging.
desfaçatez impudence, shamelessness, insolence.
desfalcar diminish, lessen, lower; deprive.
desfalecer faint, pass out.
desfalque deprivation; embezzlement, misappropriation.

desfavorável unfavorable, disadvantageous, bad; adverse.
desfavorecer harm, disfavor.
desfavorecidos underdogs.
desfazer undo, unmake; demolish, break, destroy, ruin. ***desfazer-se de*** get rid of. ♦ **desfazer um engano ou erro** clear up a mistake. **desfazer um nó** untie a knot.
desfecho outcome, conclusion, solution, ending.
desfeita affront, insult, outrage.
desfeito undone; dissolved, broken.
desfiar unweave, unknit.
desfigurar disfigure, deface, deform.
desfiladeiro ravine, canyon, gorge, pass.
desfilar parade, march.
desfile march, parade; pageant; procession. ♦ **desfile de moda** fashion show.
desfolhar defoliate. ***desfolhar-se*** shed its leaves.
desforra revenge, retaliation.
desforrar avenge, retaliate.
desfrutar use; enjoy.
desfrute usufruct; enjoyment.
desgastar consume, wear down, waste; erode. ***desgastar-se*** wear oneself out.
desgaste wear, deterioration; erosion.
desgostar displease, dislike.
desgosto disgust; displeasure, sorrow, grief.
desgostoso displeased, dissatisfied, unhappy, sorrowful.
desgovernado guideless, unruled.
desgraça misfortune, misadventure; disaster, catastrophe, calamity; disgrace.
desgrudar unglue, unstick.
desguarnecer strip, disfurnish.
desguarnecido unprotected.
desidratar dehydrate.
designação designation, indication, denotation; assignment.
designar designate, appoint, determine; indicate, call, name; assign.
desigual unequal, unlike, different; uneven.
desiludir disillusion, disenchant.
desilusão disillusionment.
desimpedir disencumber, disengage.
desincumbir-se execute, carry out.
desindexação deindexation.
desindexar deindex.
desinfetante disinfectant. • disinfecting, antiseptic.
desinfetar disinfect; sterilize; cleanse, purify.
desinstalar uninstall.
desintegrar disintegrate, decompose, degrade. ***desintegrar-se*** dissolve, crumble away, break off in pieces, split.
desinteressado uninterested.
desinteresse indifference.
desistência cessation; discontinuance.
desistir give up; stop; renounce; quit; drop out.
desleal disloyal, false, dishonest; treacherous.
desleixado careless, sloppy, negligent, scruffy.
desleixar neglect, disregard, ignore.
desleixo negligence, carelessness, indifference, disregard; sloppiness.
desligado off, turned off; absent-minded.
desligar turn off, switch off, switch out, disconnect.
deslizar slide, skid; slip.
deslize slip, sliding, skid, lapse.
deslocado dislocated; displaced.
deslocar disjoint, displace, transfer. ***deslocar-se*** shift one's place.
deslumbrante dazzling, gorgeous.
deslumbrar dazzle, blind; fascinate, seduce.
desmaiar faint, pass out.
desmaio faint.
desmamar wean.
desmanchar undo, unmake, break up. ♦ **desmancha-prazeres** wet blanket, killjoy, party pooper. **desmanche (de carros)** chop shop.
desmantelar dismantle, demolish, ruin. ***desmantelar-se*** tumble down.
desmarcar cancel.

desmascarar unmask; show, expose, bring to light. ***desmascarar-se*** take off one's mask.
desmatamento deforestation.
desmatar deforest.
desmazelo negligence, carelessness, disarray.
desmedido excessive, immense, undue.
desmembrar separate, break down.
desmemoriado forgetful; deprived of memory.
desmentir contradict; deny. ***desmentir-se*** contradict oneself.
desmerecer deprive of merit, belittle; understate.
desmerecimento understatement.
desmiolado crackbrained, brainless, forgetful.
desmobilizar demobilize, disarm, disband.
desmontar disjoint, disassemble; pull down.
desmoralizar demoralize; pervert, deprave; deprive of energy, dishearten, discourage; disorganize.
desmoronamento collapse; landslide.
desmoronar demolish, destroy; collapse.
desnatado skim.
desnaturado unnatural, monstrous, cruel.
desnecessário unnecessary, useless.
desnortear misguide, mislead; bewilder.
desnutrição malnutrition.
desobedecer disobey, transgress.
desobediência disobedience, insubordination; rebellion.
desobediente disobedient.
desobrigar exempt, release, dispense; free. ***desobrigar-se*** disengage oneself.
desobstruir clear; unblock.
desocupado unoccupied, disengaged; idle, vacant, wanderer.
desocupar vacate, empty; evacuate.
desodorante deodorant.
desodorizar deodorize; disinfect.
desolação desolation.
desolado desolate, lonely; bleak.
desolar desolate; distress.
desonerar exonerate; unburden.
desonestidade dishonesty, crookedness.
desonesto dishonest, crooked.
desonra dishonor, disgrace.
desonrar dishonor, discredit, disgrace.
desonroso dishonorable.
desordeiro rowdy, rioter; troublemaker, hooligan. • turbulent, rowdy, rough.
desordem disorder, confusion, disturbance; riot, turmoil.
desordenar disorder, disarrange, disarray, put out of order.
desorganizar disorganize, disorder.
desorientado disorientated.
desorientar lead astray; bewilder, perplex; confuse. ***desorientar-se*** lose one's way.
desova spawning.
desovar spawn, lay eggs.
despachado settled, resolved; posted, dispatched.
despachante customs agent; forwarding agent. • forwarding, dispatching.
despachar forward, dispatch, send; discharge; clear (goods at the customhouse). ***despachar-se*** conclude one's affairs; make haste.
despacho dispatch, forwarding, shipping, posting, expedition; decision; resolution.
despedaçado ramshackle.
despedaçar tear or cut into pieces; break, crumble; crash; destroy.
despedida farewell; departure.
despedir discharge; dismiss; fire. ***despedir-se*** say goodbye.
despejar spill, pour, dump; empty; remove; evict.
despejo pouring out, dump, spilling, emptying; eviction, removal, clearance. ♦ **quarto de despejo** junk room.
despencar fall down, slump.
despenhadeiro cliff, slope.
despensa pantry, storeroom.
despentear dishevel; mess.
despercebido unnoticed, unseen.
desperdiçar waste, fritter away, squander.

desperdício waste, squandering.
despertador alarm clock. • awakening, arousing.
despertar awakening. • awake.
despesa disbursement, expense. ♦ **despesas gerais** overheads.
despir undress, strip; bare. ***despir-se*** take off one's clothes; undress. ♦ **despir um santo para vestir outro** rob Peter to pay Paul.
despistar mislead, misguide, lead astray.
despojar deprive; divest, dispossess. ***despojar-se*** divest oneself of; renounce.
despojo denudation. ***despojos*** leftovers; remains.
despontar begin, start ♦ **ao despontar do dia** at the break of dawn.
desportista athlete, sportsperson.
desportivo athletic, sportive.
desporto sport; game.
desposar marry, wed.
déspota despot, tyrant, oppressor. • despotic.
despovoado desert, deserted, uninhabited, wilderness.
desprazer displeasure, disgust. • displease, disgust, dissatisfy.
despregar unnail; detach.
desprender loosen; unfasten, untie.
desprendido unfastened, loose.
despreocupado carefree, unconcerned, light-hearted.
despreocupar relax, ease, relieve of worry.
desprestigiar depreciate, discredit.
desprestígio disrepute.
desprevenido unready, unprepared.
desprezar despise, scorn, disdain, look down upon; undervalue; disregard, ignore, override.
desprezível despicable; vile, mean, sordid.
desprezo disdain, disregard.
desproporção disproportion.
desprovido missing, devoid of. ♦ **desprovido de** without, lacking.
desqualificar disqualify; make unfit.
desquitar divorce, separate. ***desquitar-se*** get a divorce.
desquite divorce, separation.
desregrar disorder.
desrespeitar disrespect, disregard; affront.
desrespeito disrespect.
desse(a) from that, of that.
destacar detach (separate); emphasize, highlight. ***destacar-se*** stand out, excel.
destampar take off the lid; open.
destaque prominence, eminence, distinction.
deste(a) of this, from this.
destemido fearless, dreadless, bold.
destilar distil, extract; insinuate.
destilaria distillery.
destinado destined; directed; fated.
destinar destine; allocate, earmark, appoint. ***destinar-se*** devote or dedicate oneself; be meant for; be destined to.
destinatário addressee, receiver, recipient.
destino destiny, fate, fortune, predestination.
destituir dismiss, displace, fire; deprive.
destoar sound out of tune; discord; diverge.
destrancar unlock.
destratar affront, insult.
destravar unlock, unshackle.
destreza ability, skill; craft.
destrinchar resolve; explain; disentangle.
destro right-handed.
destroçar break or cut into pieces; ruin, devastate, wreck.
destroço wreckage, ruins.
destruição destruction, devastation, demolition.
destruir destroy, demolish, crush; devastate, shatter, ruin, wreck.
desumano inhuman, brutal, cruel.
desunir disunite, disjoint, separate, divide, disengage. ***desunir-se*** separate oneself; become detached.
desvairar hallucinate, unhinge. ***desvairar-se*** lose one's mind; behave crazily.
desvalorização depreciation, devaluation.

desvalorizar devaluate, depreciate; undervalue, belittle.
desvantagem disadvantage, drawback; inconvenience; detriment.
desvantajoso disadvantageous.
desvario derangement, raving.
desvencilhar disentangle, disengage, loosen, untie, unfasten.
desvendar unmask, unveil, disclose, uncover, bring to light, resolve.
desventura misadventure, misfortune, unhappiness.
desviar turn aside, deviate, divert, sidetrack, switch. ***desviar-se*** miss one's way; go astray. ♦ **desviar os olhos** look away. **desviar-se do assunto** digress.
desvio diversion; deviation; detour.
desvirtuar pervert, spoil.
detalhado detailed.
detalhar detail, specify; elaborate.
detalhe detail, particularity.
detenção detention, arrest.
deter arrest, hold, withhold, retain, keep; stop. ***deter-se*** linger, delay, stay; stop.
detergente detergent.
deterioração deterioration, decay.
deteriorar damage, spoil; decay, degenerate. ***deteriorar-se*** deteriorate.
determinação determination, resolution, decision.
determinado determined.
determinar determine; order, command, enjoin; establish, fix.
detestar detest, abhor, abominate, hate, dislike, loathe.
detetive detective, private eye, private detective.
detonar detonate, blast; fire (a gun).
detrás after, behind, back.
detrimento detriment, damage, loss, disadvantage.
detrito remains.
deturpar disfigure, distort; falsify.
Deus God; Lord, a god, divinity. ♦ **ao deus-dará** at random. **Deus é quem sabe.** Heaven knows. **Deus nos livre!** God forbid! **Graças a Deus.** Thank God. **Juro por Deus!** Honest to God!, I swear to God!, So help me God! **Meu Deus!** Good Lord!, My Lord! **Pelo amor de Deus!** For God's sake! **Se Deus quiser.** God willing. **Só Deus sabe.** God only knows. **um deus nos acuda** an uproar, a mess.
deusa goddess.
devagar slow. • slowly, softly. ♦ **Devagar!** Steady! Easy! Take it easy!
devanear daydream.
devaneio reverie, daydream.
devassa inquiry.
devassado investigated.
devassar observe; inquire, explore.
devastar devastate, destruct, destroy, ruin, ravage.
devedor debtor. • in debt, owning.
dever obligation, duty, task; business. • owe; must, ought to, shall. ♦ **Eu devo ir.** I must go. **Quem não deve não teme.** Out of debt, out of danger.
deveras indeed, truly, really.
devido due, just, owing. ♦ **devido a** due to. **no devido tempo** in due course.
devoção devotion, adoration, cult; dedication; affection.
devolução restoration; refund, return.
devolver return; give back; restore.
devorar devour.
devotar devote, dedicate. ***devotar-se*** dedicate oneself to, give oneself to.
devoto devotee, cultist. • devoted, religious.
dez ten. ♦ **dez por um** ten to one. **nove em dez** nine out of ten. → Numbers
dezembro December.
dezena ten; a set of ten. ♦ **às dezenas** by tens.
dezenove nineteen. → Numbers
dezesseis sixteen. → Numbers
dezessete seventeen. → Numbers
dezoito eighteen. → Numbers
dia day, daylight, daytime. ♦ **algum dia** someday. **de um dia para outro** overnight; suddenly. **dia a dia** daily, day by day. **dia após dia** day after

day; day in, day out. **dia de Natal** Christmas Day. **dia do Juízo Final** doomsday. **Dia do Trabalho** Labor Day. **dia e noite** round the clock. **dia santo** or **feriado** holiday. **dia livre** day off. **dia sim, dia não** every other day. **dia útil** working day. **hoje em dia** nowadays. **mais dia, menos dia** sooner or later. **Melhores dias virão.** There's a good time coming. **Que dia é hoje?** What day is it?, What day is today? **todo santo dia** every single day. **todos os dias** every day. **um dia** once, sometime. **um desses dias em que tudo dá errado** one of these days when nothing goes right.

diabo devil, demon, Satan. ♦ **Isto deu um trabalho dos diabos.** It was a hell of a job. **Que diabo!** Damn it! **Que diabos você está fazendo aqui?** What on earth are you doing here?, What the hell are you doing here?

diabrura devilry, devilment.

diafragma diaphragm. → Human Body

diagnosticar diagnose, make a diagnosis.

diagnóstico diagnosis. • diagnostic. ♦ **diagnóstico de erro/problema** troubleshooting.

diagonal diagonal.

diagrama diagram, scheme, sketch.

diagramar scheme, diagram, sketch, design.

dialeto dialect.

dialogar dialog, talk.

diálogo dialog, talk, conversation.

diamante diamond.

diâmetro diameter.

diante before, in front. ♦ **daqui em diante** from now on. **diante de** in the presence of, in face of.

dianteira forepart, front; lead. ♦ **tomar a dianteira** get ahead. **tração dianteira** front-wheel drive.

diária daily wages or income; daily expenses or rate (hotel).

diariamente daily.

diário diary. • daily, everyday, quotidian. ♦ **diário de bordo** logbook.

diarreia diarrhea.

dicção diction.

dicionário dictionary.

dieta diet.

difamar defame, slander.

diferença difference, unlikeness; disparity; divergence. ***diferenças*** disagreement; differences.

diferenciação differentiation.

diferenciar differentiate.

diferente different, unlike, unequal; distinct.

diferentemente differently.

diferir differ, disagree.

difícil difficult, hard, uneasy, painful; intricate, tricky. ♦ **bancar o difícil** play hard to get. **difícil de contentar** hard to please. **difícil de lidar** hard to handle. **difícil de apanhar** slippery as an eel.

dificuldade difficulty, hardship; trouble. ♦ **criar dificuldades** cause difficulties. **em dificuldades** in trouble, in dire straits.

dificultar complicate, hamper.

difteria diphtheria.

difundir diffuse; spread, disseminate, divulge, propagate.

difusão diffusion, scattering, dissemination, spread.

digerir digest, assimilate.

digerível digestible.

digestão digestion.

digital digital. ♦ **impressão digital** fingerprint.

digitar type.

dignar-se condescend.

dignidade dignity, nobleness.

digno worthy, deserving, respectable, dignified. ♦ **digno de confiança** trustworthy. **digno de nota** noteworthy.

digressão digression, deviation.

dilacerar lacerate; tear; distress. ***dilacerar-se*** hurt oneself.

dilapidar dilapidate; embezzle.

dilatação dilation.

dilatar dilate; enlarge, widen; stretch, expand.

diligência stagecoach; diligence; inquiry; assiduity; industry; care, attention. ♦ **fazer diligências** search.

diligente diligent; assiduous, hardworking.
diluir dilute, thin, attenuate.
dilúvio deluge; flood.
dimensão measurement; size, dimension.
diminuição diminution, decrease, reduction, abridgement, subtraction.
diminuir diminish, reduce, lessen, decrease.
diminutivo diminutive.
diminuto diminutive, minute, small, tiny.
Dinamarca Denmark. → Countries & Nationalities
dinamarquês Dane; Danish. → Countries & Nationalities
dinâmica dynamics.
dinâmico dynamic; energetic, vigorous, strenuous.
dinamitar dynamite.
dinamite dynamite.
dínamo dynamo, generator.
dinheiro money; cash. ♦ **compra em dinheiro** cash transaction. **dinheiro em caixa** petty cash. **dinheiro falso** fake money. → Numbers
dinossauro dinosaur.
diploma diploma; certificate.
diplomacia diplomacy; tact; skill; diplomatic body.
diplomar grant a diploma. ***diplomar-se*** graduate, receive a diploma.
diplomata diplomat; tactful person.
diplomático diplomatic, tactful.
dique dike, embankment; floodgate, dam.
direção direction; course, route; management, administration. ♦ **em direção a** towards.
direita right side; right wing, the conservative party. ♦ **à direita** on the right. **mantenha-se à direita** keep on the right side. **pessoa direita** an honest person.
direito right; law; jurisprudence; justice. • right, tenure, straight; even, flat; correct, honest, loyal, righteous, true. ***direitos*** due, rights. ♦ **adquirir um direito** acquire a right. **direito de voto** suffrage. **direitos autorais** copyright, royalties. **direitos civis** civil rights.
diretamente directly.
direto direct, straight; nonstop. ♦ **ir direto ao assunto** get straight to the point. **transmissão direta, ao vivo** live (broadcast).
diretor director, headmaster, manager. • managing. ♦ **diretor geral** managing director. → Professions
diretoria direction, administration, management, board.
diretriz guideline.
dirigente director, leader, manager. • head, directing, leading.
dirigir direct, conduct; govern, rule; command; head; control; manage; guide. ***dirigir-se*** address oneself. ♦ **dirigir um carro** drive a car. **dirigir um negócio** run a business.
dirigível airship, blimp, zeppelin. • controllable, dirigible.
discar dial.
disciplina discipline; order; correction; subject.
disciplinar discipline, train, educate, instruct; correct.
discípulo disciple, follower, pupil.
disco disk; record. ♦ **disco rígido** hard disk. **disco voador** flying saucer. **toca-disco** record player. ***drive* de disco** disk drive.
discordância disagreement; divergence, dissent.
discordar disagree.
discórdia disharmony, discord, strife, disagreement.
discoteca record collection.
discrepância discrepancy, divergence, variance.
discreto discreet, unobtrusive, tactful, wise.
discrição discretion.
discriminar discriminate, distinguish, differentiate; select, separate.
discursar discourse, declaim, lecture, give a speech.
discurso discourse, speech, lecture, address. ♦ **discurso de posse** inaugural address/speech.

discussão discussion, debate, argument.
discutir discuss, argue, reason, dispute, debate. ♦ **discutir sobre** talk over.
discutível disputable; doubtful, arguable, questionable.
disenteria dysentery.
disfarçar disguise (oneself); pretend, dissemble; masquerade.
disfarce disguise, mask.
disforme deformed; defaced, hideous.
disparar discharge, fire off, shoot, bolt.
disparate folly, nonsense.
disparo discharge, shot.
dispêndio expense, expenditure.
dispendioso expensive, costly.
dispensar dispense; exempt, excuse, release, free from an obligation.
dispersão dispersion, scattering; diffusion.
dispersar disperse, diffuse, scatter. ***dispersar-se*** scatter, become diffused or spread.
displicência carelessness, negligence.
displicente unpleasant, uneasy, careless.
disponibilidade availability.
disponível available, ready for use.
dispor disposal. • dispose, arrange, adjust, fit; place, put, rank, group. ***dispor-se*** make oneself available. ♦ **Ao seu dispor!** At your service!
disposição disposition; disposal, arrangement, classification, grouping, order; clause of a contract; temper, mood. ♦ **Estou à sua disposição.** I'm at your disposal.
dispositivo gadget, device, appliance; widget (*informática*); apparatus, mechanism.
disposto disposed, ordered; prepared, ready, willing, eager; inclined.
disputa dispute, discussion, controversy, debate.
disputar dispute, debate, discuss, argue; compete.
dissabor disgust, contrariety, annoyance, grief, sorrow.
dissecar dissect, anatomize; analyze.
disseminar disseminate, scatter, spread.
dissertação dissertation, paper.
dissertar dissertate.
dissimulação dissimulation, hypocrisy, disguise, camouflage.
dissimular dissimulate, hide, feign.
dissipar dissipate, scatter; disperse; dispel; waste. ***dissipar-se*** vanish.
disso of that, thereof, about that, there from. • hence. ♦ **acerca disso** in/with regard to that. **além disso** besides, furthermore. **apesar disso** even so, nevertheless. **nada disso** nothing of the sort/kind.
dissolução dissolution; separation, decomposition.
dissolver dissolve, liquefy, melt; put an end to.
dissonância dissonance, disagreement, incongruity.
dissuadir dissuade; discourage.
distância distance, interval.
distanciar distance, separate, set apart.
distante distant: far, faraway, remote, afield; aloof; apart.
distensão distension.
distinção distinction; difference; division, separation; elegance, gentility.
distinguir distinguish; differentiate, discriminate; notice.
distintivo badge.
distinto distinct; distinctive, distinguished, different, diverse; special; refined.
disto of this, of it, at it, hereof, herefrom.
distorcer distort. ♦ **distorcer os fatos** twist the facts.
distração distraction, absent-mindedness; pastime, diversion.
distraído distracted, absorbed, inattentive, absentminded, thoughtless.
distrair distract. ***distrair-se*** amuse oneself, relax.
distribuição distribution, delivery, division; arrangement.
distribuidor distributor. • distributing.
distribuir distribute; divide; deliver.

distrito district, section; region, county, zone.
distúrbio disturbance, disorder, riot; trouble.
ditado dictation; proverb, saying.
ditador dictator, despot, tyrant.
ditadura dictatorship; despotism.
ditar dictate (for another person to write down); impose, command, prescribe.
dito ditto, remark, the same, sentence. • said; stated. ♦ **dar o dito por não dito** cancel an agreement; call off a deal. **dito e feito** no sooner said than done. **não dito** unspoken.
ditongo diphthong.
divã couch.
divagação divagation, rambling, digression.
divagar divagate, wander, ramble.
divergência divergence, disagreement, dissension.
divergir diverge; deviate; disagree; differ.
diversão entertainment, pastime, amusement; diversion.
diversidade diversity, variety.
diversificar diversify, vary, modify.
diverso different, various; unlike. ***diversos*** several; a number of.
divertido funny, amusing.
divertimento diversion; amusement, pastime, entertainment, merrymaking, play.
divertir entertain, amuse, enjoy, divert. ***divertir-se*** have fun, have a good time.
dívida debt; duty, due; obligation. ♦ **contrair dívidas** run into debt. **dívida externa** foreign debt.
dividendo dividend; share, portion, bonus.
dividir divide, share, separate, disjoin, break, slice, split. ♦ **dividir as despesas** go halves with.
divindade divinity.
divino divine; holy.
divisa emblem, symbol; boundary, frontier. ***divisas*** foreign currency, foreign exchange.
divisão division; section, segment; category; compartment, bay; split, sharing, partition.
divisória partition.
divorciar divorce, get divorced.
divórcio divorce.
divulgação disclosure, revelation.
divulgar divulge, make public, publish; let out, disclose, spread.
dizer say, speak, tell, talk; utter; declare. ♦ **como diz o ditado** as the saying goes. **diga-se de passagem** by the way. **dizer adeus** bid farewell, say goodbye. **Diz-me com quem andas e eu te direi quem és.** Birds of a feather flock together. **no que me diz respeito** as far as I am concerned.
dízimo tithe, a tenth, the tenth part.
diz-que rumor, gossip.
dó the first musical note, do; pity, compassion; mercy, sorrow. ♦ **ter dó de** feel sorry for.
doação donation, bounty, gift.
doador donor.
doar donate, give.
dobra fold; pleat.
dobradiça hinge, joint.
dobrado folded; bent; doubled.
dobrar double; bend, fold, fold up; bow. ♦ **dobrar a esquina** turn the corner. **dobrar os joelhos** bend the knees. **Dobre a língua!** Bite your tongue!
dobro double. ♦ **o dobro** twice the sum, twice as much/many.
doca dock.
doce sweet, candy, comfit. • sweet, gentle.
docente teacher, professor, instructor, lecturer. • teaching, educational, scholastic. ♦ **corpo docente** teaching staff, faculty.
dócil docile, sweet-tempered.
documentar document, record for evidence, furnish with proofs.
documento document, paper, record. ***documentos*** dossier.
doçura sweetness.
doença disease, illness, sickness. ♦ **doença contagiosa** infectious disease, communicable disease.
doente patient. • sick, diseased, ill.
doentio sick, unhealthy; morbid.
doer ache, hurt.
dogma dogma, principle; doctrine.

dogmático dogmatic.
doidice madness, foolishness.
doído aching, painful.
doido fool. • mad, crazy, insane, nuts (*inf.*).
dois, duas two; two-spot (cards). ♦ **dois a dois** two by two. **Dois é bom, três é demais.** Two is company, three is a crowd. **Dois e dois são quatro.** Two and two make four. **dois-pontos** colon. **de duas em duas horas** every two hours. **duas vezes** twice. → Numbers
dólar dollar; buck (*inf.*).
dolo fraud.
dolorido painful, aching, sore, bitter.
doloroso grievous, painful.
dom gift, talent, ability, flair. ♦ **o dom da palavra** the gift of speech.
domador tamer. • taming.
domar tame, domesticate; control.
domesticar domesticate, tame; civilize.
doméstico domestic; national.
domicílio home, residence. ♦ **Entregamos em domicílio.** We deliver.
dominação domination, dominance, command.
dominar dominate, rule, command; control, govern; prevail; overcome; master.
domingo Sunday.
domingueiro of or pertaining to Sunday.
dominicano Dominican. → Countries & Nationalities
domínio power, mastery, control; domain. ♦ **domínio público** public domain. **nome de domínio** domain name.
dominó dominoes. → Leisure
dona lady, mistress; owner. ♦ **dona de casa** housewife.
donativo gift, present, donation, handout.
donde where, from where, wherefrom.
doninha weasel. → Animal Kingdom
dono master; keeper; owner, proprietor; landlord.
donzela maid, maiden, damsel; virgin.
dopar dope, drug.
dor ache, pain; grief. ♦ **dor de barriga** bellyache. **dor de cabeça** headache. **dor de cotovelo** jealousy. **dor de estômago** stomachache. **dor de ouvido** earache.
doravante from now on, hereafter, henceforth.
dormente railway sleeper. • sleeping.
dorminhoco sleepy, drowsy, sleepyhead (*inf.*).
dormir sleep, slumber; fall asleep. ♦ **dormir a sesta** or **tirar uma soneca** take a nap. **dormir como uma pedra** sleep like a log. **dormir fora** spend the night out. **dormir no ponto** miss the boat.
dormitório bedroom, dorm(itory).
dorso back; reverse.
dosar dose, portion, administer in doses.
dose dose, quantity, portion, measure; shot. ♦ **dose excessiva** overdose.
dotar endow; furnish with.
dote gift; dowry.
dourado gold, golden, gilt.
dourar gild.
doutor doctor.
doutrina doctrine; principle or body of principles relating to religion, science or politics.
doutrinar indoctrinate.
doze twelve. → Numbers
draga dredger.
dragão dragon.
drama drama, play, tragedy; catastrophe.
dramaticamente dramatically.
dramático dramatic; tragic.
dramatizar dramatize.
drástico drastic.
drenar drain, draw off.
dreno drain (pipe, ditch).
droga drug • bad, of a poor quality. ♦ **viciado em drogas** drug addict, junkie.
drogar drug, dope.
drogaria drugstore, pharmacy.
dúbio dubious, ambiguous.

dublagem dubbing.
dublar dub.
dublê double; stuntman.
duelo duel, showdown.
duende dwarf, elf; goblin.
dueto duet.
duna dune, sand dune, sand hill.
dupla couple, pair, duo.
duplicar double, duplicate; copy; repeat.
duplicata duplicate, copy; bill.
duplicidade duplicity, doubleness.
duplo double, twice as much, dual.
duque(sa) duke (man), duchess (woman).
duração duration.
duradouro lasting, enduring, abiding, stable, durable.
duramente heavily.
durante during, while, in the course of, for. ♦ **durante algum tempo** for some time. **durante a noite** during the night. **durante horas** for hours.
durar last, continue, remain.
durável durable, lasting, stable.
durex® Scotch Tape™; adhesive tape. → Classroom
dureza hardness; consistency, solidity.
duro hard; firm, solid, consistent, compact. ♦ **Água mole em pedra dura tanto bate até que fura.** Constant dropping wears away the stone. **dar duro** work hard. **duro de roer** hard to take; die-hard. **estar duro** be broke. **uma vida dura** a hard life.
dúvida doubt; uncertainty. ♦ **sem dúvida** absolutely, beyond doubt, undoubtedly, without question, without the slightest doubt.
duvidar doubt.
duvidoso dubious, doubtful, uncertain; questionable; ambiguous.
duzentos two hundred. → Numbers
dúzia dozen. ♦ **às dúzias** by the dozen, by dozens. **meia dúzia** half a dozen.

E

A B C D E F G H I J K L M N O P Q R S T U V W X Y Z

E, e the fifth letter of the Portuguese alphabet. • and.
E the third musical note, mi.
ébano ebony.
ébrio drunkard. • drunk(en), inebriated.
ebulição ebullition, boiling.
echarpe scarf. → Clothing
eclesiástico ecclesiastic(al), clerical.
eclético eclectic.
ecletismo eclecticism.
eclipsar eclipse; overshadow, outshine.
eclipse eclipse.
eclosão outbreak, eruption.
eclusa floodgate; dam, sluicegate.
eco echo; repetition.
ecoar echo; resound, reverberate.
ecologia ecology.
economia economy; Economics. *economias* savings.
econômico economic(al); unexpensive, cheap; saving, thrifty. ♦ **caixa econômica** savings bank.
economista economist. → Professions
economizar save, spare; cut corners. ♦ **economizar para uma eventualidade** save for a rainy day.
ecossistema ecosystem.
edição edition, issue, publication. ♦ **edição atualizada** updated edition. **edição de bolso** pocket edition. **edição de imagem** image editing. **edição de texto** text editing. **edição esgotada** sold-out edition. **edição especial** special edition. **edição revista** revised edition. **última edição** latest edition.
edificação construction, building; edification.
edificar construct, build; edify.
edifício building. ♦ **edifício público** hall.
editar edit; publish (books, magazines).
editor publisher; editor. ♦ **editor de imagens** image editor. **editor de textos** text editor. → Professions → Deceptive Cognates
editora publishing house, publishing company.
editoração editorial business, publishing. ♦ **editoração eletrônica** desktop publishing.
editoria section. ♦ **editoria de esportes** sports desk.
educação education, instruction; knowledge; politeness, manners. ♦ **boa educação** good manners. **educação física** physical education. **educação superior** higher education. **sem educação** uneducated, ill-mannered, impolite.
educado educated; well-bred, polite. → Deceptive Cognates
educador educator. → Professions
educando pupil, student.
educar educate, bring up; teach.
efeito effect, result, consequence, impact. ♦ **com efeito** indeed. **efeito estufa** greenhouse effect. **efeitos colaterais** side effects. **efeitos sonoros** sound effects. **fazer efeito** work. **para todos os efeitos** to all intents and purposes. **ter efeito sobre** act on.
efêmero ephemeral, short-lived.

efeminado queer. • effeminate, queerish.
efervescência effervescence.
efervescente effervescent, fizzy.
efervescer fizz.
efetivamente effectively.
efetivar execute, accomplish.
efetivo effective, efficient; permanent.
eficácia efficacy, efficiency.
eficaz efficacious, effective.
eficiência efficiency, efficacy.
eficiente efficient, efficacious, effectual, operational.
eficientemente efficiently.
efusão effusion.
efusivo effusive, gushing; expressive.
egípcio Egyptian. → Countries & Nationalities
Egito Egypt. → Countries & Nationalities
egocêntrico egocentric, self-centered.
egoísmo egoism, selfishness.
egoísta egoist, self-seeker. • egoistic(al), selfish, self-seeking.
égua mare. → Animal Kingdom
eis here is, this is, here are, these are, here it is, there you are.
eixo axis. ♦ **andar fora dos eixos** lead a disorderly life. **eixo Rio-São Paulo** the Rio-São Paulo circuit. **entrar nos eixos** straighten; get back on the straight and narrow.
ejacular ejaculate.
ejetar eject.
ela she, it; her. ***elas*** they; them. ♦ **ela mesma** herself, itself. **elas mesmas** themselves. **elas por elas** tit for tat.
elaboração elaboration, making, preparation.
elaborado sophisticated.
elaborar elaborate, organize, prepare.
elasticidade elasticity, resilience; flexibility.
elástico elastic, elastic band, rubber band. • elastic; flexible; springy, stretchy.
ele he, it; him. ***eles*** they; them. ♦ **ele mesmo** himself, itself. **eles mesmos** themselves.
elefante elephant. → Animal Kingdom
elegância elegance, grace, smartness.
elegante elegant, smart, graceful; handsome, stylish.
eleger elect.
elegível eligible.
eleição choice; election, poll.
eleito elect(ed), chosen.
eleitor elector, voter.
eleitorado electorate.
eleitoral electoral.
elementar elementary.
elemento element, component, ingredient.
elenco cast.
eletricidade electricity.
eletricista electrician. → Professions
elétrico electric(al). ♦ **cadeira elétrica** electric chair. **central elétrica** power station.
eletrizar electrify, energize.
eletrocardiograma electrocardiogram.
eletrocutar electrocute.
elétron electron.
eletrônica electronics.
eletrônico electronic.
elevação elevation, increase, rise.
elevado elevated; high.
elevador elevator, lift. ♦ **poço de elevador** elevator shaft, hoistway.
elevar elevate, raise, lift (up). ***elevar-se*** rise. ♦ **elevar ao quadrado** square. **elevar à terceira potência** raise to the third power.
eliminação elimination, deletion. ♦ **eliminação de arquivos** file deletion.
eliminar eliminate, delete, remove.
eliminatório eliminatory, eliminating.
elipse ellipsis; ellipse.
elite elite.
elixir elixir; panacea.
elo link. ♦ **elo perdido** missing link.
elogiar praise, compliment.
elogio praise, compliment, eulogy; commendation.
eloquência eloquence; oratory.
eloquente eloquent; expressive.
elucidação elucidation, explanation.

elucidar elucidate, explain.
elucidativo elucidative, elucidating.
em in, into, up, at, on, upon, during, within, by, to. ♦ **em atenção a** taking into consideration. **em boa hora** at a good time, opportunely. **em boas mãos** in good hands. **em breve** soon. **em casa** at home. **em cima** above; upstairs. **em forma** fit. **em frente de** opposite, in front of. **em geral** generally. **em liberdade** at liberty. **em lugar de** in place of, instead of. **em nome de** in the name of; on behalf of. **em ponto** exactly, sharp, on the dot. **em situação difícil** in straitened circumstances. **em tempo** in time. **em vão** in vain. **em vez de** instead of.
ema rhea. → Animal Kingdom
emagrecer lose weight, grow thin, reduce, slim.
emagrecimento reduction, slimming.
emancipação emancipation; liberation (slavery).
emancipar emancipate; liberate.
emaranhado entanglement, tangle. • knotty, tangled.
embaçar dim, dull; fog (up), mist, steam (up).
embaixada embassy.
embaixador ambassador.
embaixatriz ambassadress.
embaixo below, beneath; downstairs. ♦ **embaixo de** under, underneath.
embalagem package, packaging; sleeve; wrapping. ♦ **embalagem não retornável** nonreturnable packaging.
embalar rock (a child); wrap up, pack (up).
embalsamar embalm.
embananar(-se) fumble; get in trouble.
embaraçar embarrass, distress.
embaraço embarrassment.
embaraçoso embarrassing; troublesome; puzzling.
embaralhar shuffle (cards); mix (up), confuse; disturb. ***embaralhar-se*** become confused or embarrassed.
embarcação vessel, ship, craft, boat.
embarcadouro landing place, landing stage, platform, pier.
embarcar embark, get on board.
embargar embargo; detain, seize.
embargo embargo; restraint, impediment.
embarque boarding, embarkment, shipping. ♦ **cartão de embarque** boarding pass, boarding card.
embasbacar-se gape.
embebedar-se booze, get drunk.
embeber soak, drench; immerse.
embebido soaked, drenched.
embelezamento embellishment.
embelezar embellish, beautify.
emblema emblem, badge; sign; symbol.
embocadura mouth; estuary.
embolorar become moldy or musty.
embolsar pocket; pay.
embonecar doll up, dress up.
embora though, although, even though, albeit, however. ♦ **Vá embora!** Begone!, Go away!, Get lost!, Beat it!
emboscada ambush.
embranquecer whiten.
embreagem clutch. ♦ **pedal de embreagem** clutch pedal.
embriagado drunk(en).
embriagar inebriate, intoxicate. ***embriagar-se*** drink to excess, get drunk.
embriaguez drunkenness.
embrião embryo; germ.
embriologia embryology.
embrionário embryonic.
embrulhada confusion, disorder.
embrulhado wrapped (up); entangled.
embrulhar wrap (up), pack (up).
embrulho parcel, package.
emburrado moody, annoyed, angry.
emburrar sulk.
embuste lie, falsehood.
embutido inlaid, embedded, inserted, built-in. ♦ **armário embutido** built-in closet.
embutir inlay, embed, incrust.
emendar correct, amend, emend; improve; repair, mend. ***emendar-se*** repent; reform; regenerate.

emergência emergency.
emergente emergent, emerging.
emergir emerge.
emigrar emigrate; migrate.
eminência eminence.
eminente eminent; high.
emirado emirate.
emissão emission.
emissário emissary, envoy.
emissor sender, emitter; transmitter.
emissora broadcasting station.
emitente issuer. • issuing.
emitir emit, issue; discharge; put out, send out.
emoção emotion, thrill, feeling.
emocionado thrilled; touched.
emocional emotional.
emocionante exciting, thrilling; moving.
emocionar thrill; move.
emoldurar frame.
emoticon smiley, emoticon.
emotivo emotive, emotional.
empacotamento wrapping, packaging.
empacotar pack, wrap.
empada pie, pot pie.
empalhar pack in straw (fruit, etc.); stuff with straw (animals).
empalidecer pale.
empanar darken, dim; breading.
empanturrado stuffed, full (with food).
empanturrar stuff, glut, cram (with food). ***empanturrar-se*** gorge, cram oneself.
emparedar wall in, cloister.
emparelhado paired, coupled; in pairs; matched.
emparelhar pair, couple; match.
empastar paste, plaster.
empastelar pie (types, in typography); cause confusion, mess.
empatar make equal, equalize (votes); tie.
empate draw, tie, dead heat, deuce (tennis).
empecilho difficulty, obstruction; drawback, hitch, snag.
empedrar pave; become stony; harden.
empelotar become lumpy.
empenar cover or become covered with feathers or plumes; warp.
empenhado indebted; pledged, engaged, commited; industrious, hard-working.
empenhar pawn, mortgage. ***empenhar-se*** run into debts; strive.
empenho pawning, mortgaging; pledge; obligation; interest; effort, endeavor.
emperrar jam, get jammed, stick.
empestar infect (with plague), contaminate.
empilhar heap, pile, stack.
empinar raise, lift; straighten, rear. ♦ **empinar pipa** fly a kite.
emplacar supply with a plate or a plaque; license (car); succeed.
emplastro plaster.
emplumado feathery, feathered, plumed.
emplumar fledge, plume, feather.
empobrecer impoverish.
empobrecimento impoverishment.
empoeirar dust.
empolgação excitement; verve.
empolgante thrilling, exciting.
empolgar thrill, excite.
empossar give possession to, put in possession of. ***empossar-se*** take possession of.
empreendedor entrepreneur.
empreender undertake, attempt; venture.
empreendimento undertaking, enterprise.
empregada maid. → Professions
empregado servant, employee. • employed.
empregador employer.
empregar employ, give a job. ***empregar-se*** get a job.
emprego employment; job, work; use.
empreitada contract job, undertaking.
empreitar hire on a contract basis.
empreiteiro contractor, undertaker.
empresa enterprise; business; company, firm, organization.
empresário entrepreneur, businessman; impresario; manager. → Professions

emprestado lent, loaned; borrowed. ♦ **pegar emprestado** borrow.
emprestar lend, loan.
empréstimo loan, lending; borrowing.
empunhar grasp, grip; brandish. ♦ **empunhar a espada** lay hold of the sword.
empurrão push, shove, thrust.
empurrar push, thrust; shove, hustle.
emudecer silence, still. ***emudecer--se*** become silent, become speechless.
enaltecer exalt, praise.
enamorado infatuated, in love.
enamorar enchant, charm, fascinate. ***enamorar-se*** fall in love.
encabeçar head, lead, direct.
encabulado bashful, shy, timid, sheepish.
encabular abash, disconcert; shame.
encadeamento chaining, linkage; series.
encadear enchain, fetter; join in a series; link, connect; unite. ***encadear-se*** form a chain.
encadernação bookbinding; binding.
encadernado bound.
encadernador bookbinder.
encadernar bind.
encaixar box, case; insert.
encaixotar box, pack in boxes.
encalço pursuit, chase; track, trail. ♦ **no encalço de** on the trails of, on one's heels.
encalhado aground, stranded.
encalhar run aground; strike on a sandbank; stagnate.
encaminhamento directing, guiding, leading.
encaminhar conduct, lead, guide, direct, orient; forward (an e-mail). ***encaminhar-se*** go to, go towards, take one's way, turn to, set out for.
encanado canalized, piped. ♦ **ar encanado** current of air.
encanador plumber. → Professions
encanamento plumbing, piping; drainage (house).
encanar channel; convey in pipes.
encantado delighted; enchanted, enraptured.
encantar enchant, charm, delight. ***encantar-se*** become charmed.
encanto enchantment, charm, delight; wonder; witchery, spell.
encapar put a cover; wrap.
encaracolar curl.
encarar stare; face.
encarceramento imprisonment.
encarcerar imprison.
encardido dirty, filthy, grimy.
encardir grime.
encarecer raise the prices; endear, grow dear.
encarecimento raise (in prices).
encargo responsibility, duty, mission, charge. ♦ **ter o encargo de** be in charge of.
encarnação incarnation.
encarnado incarnate; reddish.
encarnar incarnate, embody.
encaroçar become lumpy; break out in pustules.
encarregado person in charge; manager. • in charge, entrusted with.
encarregar charge, entrust; put in charge of. ***encarregar-se*** take upon oneself; take charge of, take care of.
encéfalo encephalon. → Human Body
encenação staging.
encenar stage; show; exhibit.
encerado oilcloth, tarpaulin. • waxed.
encerar wax, polish.
encerramento closing, closure; finishing, conclusion; end.
encerrar enclose, end; contain, hold; conclude, close, shut down.
encestar put in baskets; score (basketball).
encharcado flooded; soaked.
encharcar flood; soak, drench.
enchente flood, inundation. → Weather
encher fill; stuff, load; crowd; saturate. ♦ **encher alguém de presentes** shower somebody with

presents. **encher um pneu** pump up a tire.
enchimento filling, stuffing.
enchova anchovy, bluefish. → Animal Kingdom
encíclica encyclical.
enciclopédia encyclopedia.
enciumar-se become jealous.
enclausurar cloister, confine, seclude. ***enclausurar-se*** lead a secluded life; shut oneself up in a convent.
ênclise enclisis.
encoberto covered; hidden.
encobrir cover; hide.
encolerizado angry, furious, enraged.
encolerizar infuriate, irritate, enrage.
encolher shrink, contract, reduce, shorten. ♦ **encolher na lavagem** shrink in the wash (clothes). **encolher os ombros** shrug.
encolhido shrunken.
encolhimento shrinkage.
encomenda order. ♦ **feito sob encomenda** made to order, custom-made. **vir de encomenda** come just at the right time.
encomendado ordered.
encomendar order, ask for.
encontrar meet, encounter; find, discover; come across, stumble upon. ♦ **encontrar alguém por acaso** come across someone, run into someone.
encontro meeting, appointment, rendezvous; date; encounter; impact. ♦ **ir de encontro a** go against, run contrary to; run into. **ir ao encontro de** meet, fulfill. **marcar um encontro** make/set an appointment. **Tenho um encontro hoje.** I have a date today.
encorajamento encouragement.
encorajar encourage, foster, hearten.
encorpado corpulent; thick, dense; close-woven (cloth).
encorpar thicken; grow.
encosta hillside, slope.
encostado close, nearby; leaning on.
encostar lean; place against. ***encostar-se*** lean back, recline, rest; lie down. ♦ **encostar o carro** pull over.
encosto strut; back (of a chair).
encouraçado battleship.
encravar nail; set (gems), embed.
encrenca trouble, obstacle, difficulty; complication; disorder.
encrencar complicate; break down, seize up. ***encrencar-se*** get into trouble.
encrenqueiro troublemaker.
encrespado curled, frizzed.
encrespar curl, frizzle.
encruzilhada intersection, junction, crossroad, crossway.
encubar incubate.
encurralar corner, drive into a corner.
encurtar shorten, diminish, abbreviate.
encurvar curve, bend, flex.
endereçar address.
endereço address.
endeusamento deification, divinization.
endeusar deify, divinize.
endiabrado devilish, mischievous; demoniac.
endinheirado moneyed, rich.
endireitar straighten; set something right; rectify. ***endireitar-se*** straighten; mend one's ways.
endividado in debt, indebted.
endividar indebt; lay under obligation. ***endividar-se*** run into debt.
endógeno endogenous.
endoidecer become insane, go crazy, get mad.
endoscopia endoscopy.
endoscópio endoscope.
endossante endorser. • endorsing.
endossar endorse.
endosso endorsement.
endurecer harden, toughen; stiffen.
endurecido hardened, stiff.
endurecimento hardening.
enegrecer blacken.
energia energy; power, strength. ♦ **consumo de energia** power consumption. **energia atômica**

atomic energy. **energia cinética** kinetic energy. **energia nuclear** nuclear power, nuclear energy.
enérgico energetic; vigorous, active; resolute. ♦ **ser enérgico (com alguém)** be hard (on somebody).
enervante annoying, nerve-racking.
enervar annoy, get on someone's nerves.
enevoar fog, haze, mist, blur.
enfadar tire, weary; bore, annoy. ***enfadar-se*** get tired/bored/annoyed.
enfado weariness, dullness, annoyance, dreariness.
enfadonho tiresome, boring; annoying, dreary.
enfaixar swathe, bind, swaddle, bandage, strap up.
enfarte heart attack.
ênfase emphasis; stress, accent.
enfastiar tire, weary; bore, annoy. ***enfastiar-se*** get tired, get bored.
enfático emphatic.
enfatizar emphasize, stress, highlight.
enfeitar adorn, decorate, ornament, embellish. ***enfeitar-se*** dress up.
enfeite ornament, decoration, adornment. ***enfeites*** fripperies.
enfeitiçado enchanted, bewitched.
enfeitiçar enchant; bewitch.
enfermaria infirmary, ward.
enfermeiro nurse. → Professions
enfermidade disease, sickness, illness.
enfermo patient, a sick person. • sick, ill.
enferrujar rust. ***enferrujar-se*** become rusty.
enfezado angry, furious.
enfezar become irritated or annoyed.
enfiar thread (a needle); string (pearls, beads, etc.); stick.
enfileirar align, set in a row, form a line; rank. ***enfileirar-se*** get into line.
enfim at last, finally, after all, ultimately. ♦ **Até que enfim ele chegou!** He finally arrived after all!
enfocar focus.
enforcar hang.
enformar put in a mold; shape.
enfornar put in the oven (as bread).
enfraquecer weaken, debilitate. ***enfraquecer-se*** grow weak or feeble.
enfraquecimento impairment, deterioration, decay, debility.
enfrentar face, meet; confront; brave; defy; stand up to.
enfumaçado smoky.
enfumaçar fill or cover with smoke.
enfurecer infuriate, enrage, exasperate, irritate. ***enfurecer-se*** become furious, lose one's temper.
enfurecido furious, enraged, angry.
engajamento commitment, involvement.
engajar engage. ***engajar-se*** commit oneself, get involved.
enganado wrong, mistaken; deceived; betrayed.
enganador deceiving, misleading; false, illusory.
enganar deceive, mislead; cheat, trick; fool. ***enganar-se*** be wrong, make a mistake, be mistaken. ♦ **As aparências enganam.** Looks can be deceiving. **enganar o estômago** curb the hunger. **Enganei-me redondamente.** I was greatly mistaken. **se não me engano** if I'm not mistaken.
enganchar hook. ***enganchar-se*** hook into.
engano mistake, error, fault; swindle, fraud; deceit; cheat.
enganoso deceiving, deceitful, deceptive.
engarrafamento bottling; traffic jam.
engarrafar bottle; jam, block.
engasgar choke. ***engasgar-se*** choke; suffocate; break down in one's speech.
engatar clamp; gear.
engate clamp; coupling gear.
engatilhar cock, trigger; prepare.
engatinhar creep, crawl.
engavetamento pileup.
engavetar put into a drawer; postpone, put off.
engendrar engender, create; generate; invent.
engenharia engineering.

engenheiro engineer.
→ Professions
engenho ingeniousness, ingenuity, inventiveness, wit; ability, skill; mill.
engenhoca contraption, gimmick.
engenhoso ingenious, resourceful, witty, clever.
engessar plaster. ♦ **estar engessado** be in plaster.
englobar embody; encompass.
engodo allure, decoy.
engolir swallow, ingest; devour. ♦ **engolir sapo** swallow the insult.
engorda fattening (of animals).
engordar fatten, grow fat, put on weight.
engordurar oil, grease, smear.
engraçado funny, amusing, comic; witty.
engradado crate, packing box.
engrandecer increase, raise (in power, rank, riches, wealth). ***engrandecer-se*** become greater.
engrandecimento enlargement, increase, rise.
engravidar get pregnant, conceive.
engraxar shine, polish (shoes); smear (with grease).
engraxate shoeshiner, bootblack.
→ Professions
engrenagem gear.
engrossamento thickening, coarsening.
engrossar thicken, coarsen.
enguia eel. → Animal Kingdom
enguiçado out of order, broken down.
enguiçar break down.
enguiço breakdown.
enigma enigma; riddle; puzzle; mystery.
enigmático enigmatic; obscure; puzzling.
enjaular cage; jail, imprison.
enjeitado foundling. • abandoned; rejected.
enjeitar despise, reject; abandon.
enjoado nauseated, sick, queasy, seasick.
enjoar nauseate, feel sick or queasy, get seasick. ♦ **enjoar de** become tired of.
enjoativo nauseating.
enjoo nausea, sickness.
enlaçar entwine, interlace. ***enlaçar--se*** become entangled.
enlace interlacement; union; marriage.
enlameado muddy.
enlamear dirty; cover with mud.
enlatado canned food. • canned, tinned.
enlatar tin, can.
enlevo enchantment; rapture.
enlouquecer go crazy, get mad. ♦ **enlouquecer alguém** drive somebody crazy.
enluarado moonlit.
enlutado mournful, bereaved.
enlutar put on mourning; mourn.
enojado nauseated; disgusted; fed up.
enojar nauseate. ***enojar-se*** feel nausea; disgust.
enorme enormous, huge, jumbo.
enormidade enormity, hugeness.
enquadramento framing.
enquadrar frame.
enquanto while; as long as; during the time that; whereas. ♦ **por enquanto** for the time being. **enquanto isso** meanwhile.
enraivecer enrage, irritate.
enraivecido enraged, irritated, angry.
enraizado rooted.
enraizar root, take root.
enrascada trouble, difficulty, scrape, tight corner.
enrascar catch in a trap; deceive; complicate. ***enrascar-se*** get into trouble; become entangled or complicated.
enredar complicate, entangle. ***enredar-se*** intertwine; become entangled.
enredo plot.
enriquecer enrich, make rich or richer; embellish, adorn; increase, enlarge. ***enriquecer-se*** get rich.
enriquecido enriched; improved.
enriquecimento enrichment.
enrolado rolled up; wound up; confused; curled, twirled.
enrolar roll (up), wind up, curl, twirl. → Deceptive Cognates

enroscado twisted, entangled.
enroscar twine, twist.
enrubescer redden, blush.
enrugado wrinkled.
enrugar wrinkle.
ensaboado soapy.
ensaboar soap, lather.
ensacar bag, sack.
ensaiar test; rehearse.
ensaio rehearsal; test, essay. ♦ **ensaio geral** dress rehearsal.
ensanguentado bloody.
ensanguentar stain or soak with blood.
enseada inlet, small bay.
ensebar grease, smear or soil with grease; stain.
ensejo opportunity, occasion, chance.
ensinado instructed, trained.
ensinamento teaching, training; doctrine.
ensinar teach, instruct, educate; train, coach. ♦ **ensinar o pai--nosso ao vigário** teach one's grandmother to suck eggs.
ensino teaching, instruction, education. ♦ **Ensino Médio** high school.
ensolarado sunny.
ensopado stew. • soaked to the skin, dripping wet, soggy, wringing wet.
ensopar soak, drench.
ensurdecedor deafening.
ensurdecer deafen.
entabular prepare, arrange, dispose; open, start (conversation).
entalado pressed; put between splints; stuck; in a difficult situation.
entalar splint, put between splints; get stuck; get into trouble.
entalhar carve (in wood); engrave.
entalhe incision, notch, cut.
entanto in the meantime, meanwhile. ♦ **no entanto** nevertheless, notwithstanding, however, still, yet.
então then; at that time; on that occasion, in that case; after that; so. ♦ **até então** till then. **desde então** since that time, ever since. **E então?** What then?, So what?
entardecer late afternoon, nightfall, dusk. • grow dark.
ente being, living creature; person.
enteada stepdaughter.
enteado stepson.
entediado bored.
entediar bore, tire. ***entediar-se*** get bored or weary, have enough of something.
entendedor connoisseur, expert. ♦ **Para bom entendedor, meia palavra basta.** A word to the wise is enough/sufficient.
entender understanding; opinion. • understand, apprehend; figure out. ♦ **Agora entendi.** Now I got it. **dar a entender** insinuate, hint, imply. **Ele entende deste assunto.** He is well acquainted with this subject. **entender errado** misunderstand. **entender--se (com)** get along (with), get on (with). **Entendo.** I see. **Não consigo entender isto!** I can't figure this out! **no meu entender** in my opinion. → Deceptive Cognates
entendido expert. • understood; agreed.
entendimento understanding; agreement.
enterrar bury.
enterro burial, funeral.
entidade entity; corporation, society.
entoar sing, chant, tune.
entocar burrow, hide in a cave or hole.
entonação intonation.
entornar spill, pour, shed.
entorpecente narcotic, drug. • narcotic.
entorpecer dope, drug; numb.
entorpecido torpid, numb.
entorpecimento torpor, numbness.
entorse sprain.
entortar crook, curve, bend, bow, twist.
entrada entrance; entry; opening, inlet, gate, portal, passage; access, admission; ticket; receding hairline; deposit, down payment; input. ♦ **entrada franca** or **entrada**

gratuita free access, free admission. **entrada proibida** no entrance, no entry, no admittance. **meia--entrada** half-price ticket.

ticket

receding hairline

deposit

entranhar pierce, insert.
entrar enter, come or go in (or into), get into. ♦ **deixar entrar** let one/something in. **Deixe-me entrar, por favor!** Please let me in! **Ele entrou para o exército.** He joined the army. **entrar com o pé direito** have a good start. **entrar em cena** come in. **entrar em contato** get in touch. **entrar em detalhes** go into details. **entrar em greve** strike, come out on strike. **entrar em pânico** panic. **entrar em vigor** come into effect, take effect. **entrar para a história** make history. **entrar por um ouvido e sair pelo outro** go in one ear and out the other. **entrar sem permissão** trespass. **Entre!** Come in!
entravar obstruct, block.
entrave impediment, obstacle.
entre between; among, amongst. ♦ **cá entre nós** just between us. **entre a cruz e a espada** between the devil and the deep blue sea, between a rock and a hard place. **entre nós** among ourselves. **entre outras coisas** among other things.
entreaberto half-open, ajar.
entreabrir open partially; open carefully.
entrecortado intersected; interrupted, cut, disconnected.
entrecortar intersect; interrupt. ***entrecortar-se*** cross each other.
entrega delivery; surrender. ♦ **entrega em domicílio** home delivery. **entrega rápida** express delivery. **prazo de entrega** delivery date. **pronta-entrega** prompt delivery.
entregador deliverer, deliveryman. → Professions
entregar deliver; hand over. ***entregar-se*** give in, surrender. ♦ **Ele entregou os pontos.** He gave up the ship.
entrelaçado interlaced, interlinked, interwoven.
entrelaçamento interlacement.
entrelaçar(-se) interlace; interweave, entwine.
entrelinha space between two lines. ***entrelinhas*** implied meaning. ♦ **ler nas entrelinhas** read between the lines.
entremear intermix, intermingle.
entretanto meantime, meanwhile. • nevertheless, however; notwithstanding.
entretela buckram; interlining.
entretenimento entertainment.
entreter entertain, amuse; distract. ***entreter-se*** amuse oneself; have a good time.
entretido entertained, amused; rapt.
entrevado paralytic, cripple. • paralytic, crippled.
entrevar paralyze.
entrevista interview; meeting. ♦ **entrevista coletiva** press conference.
entrevistar interview.
entrincheirar entrench.
entristecer sadden; upset.
entroncamento intersection, junction.
entroncar converge; join, connect.
entrosamento rapport.

entrosar establish rapport.
entulhar stuff, cram.
entulho rubbish, waste, junk.
entupido obstructed; blocked, clogged. ♦ **nariz entupido** stuffy nose.
entupimento choke; clogging, obstruction.
entupir block, choke; obstruct.
entusiasmado enraptured, full of enthusiasm, excited.
entusiasmar enrapture, fill with enthusiasm, excite.
entusiasmo enthusiasm, excitement; verve.
entusiasta enthusiast.
entusiástico enthusiastic.
enumeração enumeration.
enumerar enumerate, count.
enumerável enumerable, numerable.
enunciado enunciation; instructions (exercise).
enunciar enunciate.
envaidecer make proud or vain. ***envaidecer-se*** become proud/vain.
envelhecer age, grow old. ♦ **Ele está começando a envelhecer.** He is beginning to age.
envelope envelope.
envenenado poisoned.
envenenamento poisoning.
envenenar poison.
envergadura wingspan (of a bird's wing); capacity; size.
envergar bend, curve, crook.
envergonhado ashamed, bashful; shy.
envergonhar shame. ***envergonhar-se*** be ashamed/bashful/shy.
envernizado varnished, polished.
envernizar varnish, polish.
enviado messenger. • sent, dispatched.
enviar send, dispatch; forward. ♦ **enviar pelo correio** mail.
envidraçado glazed, glassed.
envidraçar glaze, fit with glass.
enviesado oblique, diagonal; biased.
enviesar bias, skew.
envio sending, forwarding, remittance, dispatch.
enviuvar widow.
envolto wrapped, covered.
envolvente catching, engaging, enthralling.
envolver involve; wrap, cover; encompass. ***envolver-se*** become involved; take part in.
envolvido wrapped; involved; engaged; impassioned.
envolvimento involvement.
enxada hoe.
enxaguar rinse.
enxame swarm (of bees).
enxaqueca migraine.
enxergar see; discover, discern. ♦ **Ele não se enxerga.** He doesn't know his place.
enxertar graft.
enxerto graft.
enxofre sulphur.
enxotar scare, frighten away, chase away, shoo.
enxovalhar dirty, soil, stain.
enxugamento drying, wiping; downsizing.
enxugar dry, wipe; downsize.
enxurrada torrent.
enxuto dry.
enzima enzyme.
epiceno epicene.
epicentro epicenter.
épico epic.
epidemia epidemic.
epidêmico epidemic.
epilepsia epilepsy.
epílogo epilogue; conclusion.
episódio episode.
época epoch, era, period, age; season, time. ♦ **época de acasalamento** mating season.
equação equation.
Equador Ecuador. → Countries & Nationalities
equador equator.
equatorial equatorial.
equatoriano Ecuadorian. → Countries & Nationalities
equestre equestrian.
equidade equity.
equilibrado balanced; level-headed; stable.
equilibrar equalize, adjust, balance. ***equilibrar-se*** steady.

equilíbrio balance.
equilibrista equilibrist, tightrope artist, acrobat.
equino equine.
equinócio equinox.
equipamento equipment, apparatus.
equipar equip, fit.
equiparação equalization.
equiparar equal(ize), equate; compare.
equipe team; squad; staff. ♦ **espírito de equipe** team spirit.
equitação horsemanship, horseback riding, equitation. → Sports
equivalência equivalence.
equivalente equivalent.
equivaler be equivalent to, amount to.
equivocado wrong, mistaken, incorrect, inaccurate.
equivocar(-se) (make a) mistake.
equívoco mistake, error, misunderstanding. • equivocal; dubious.
era era, epoch, period.
ereção erection.
eremita hermit.
ereto erect, raised (up), upright; straight.
ergonomia ergonomics.
ergonômico ergonomic.
erguer raise, lift; elevate. ***erguer-se*** rise. ♦ **manter a cabeça erguida** keep one's chin up.
eriçar(-se) bristle; ruffle.
erigir erect; raise, lift up, elevate; set up; build, edify; found.
ermo solitary; remote; secluded.
erosão erosion.
erosivo erosive, corrosive.
erótico erotic; sensual.
erotismo eroticism.
erradicação eradication.
erradicar eradicate.
errado mistaken; wrong; false. ♦ **dar errado** go wrong.
errar miss, make a mistake; err.
erro error; fault, mistake; misunderstanding. ♦ **erro de impressão** misprint. **erro de programa** bug. **erro de pronúncia** mispronunciation.
erroneamente wrongly.
errôneo erroneous, false, mistaken.
erudição erudition, learning.
erudito erudite, scholar.
erupção eruption; outbreak; rash.
erva herb; grass. ♦ **erva-cidreira** lemon balm. **erva daninha** weed. **erva-doce** anise, aniseed, fennel.
ervilha pea. → Vegetables
esbaforido hasty; tired.
esbaforir-se pant, puff, gasp.
esbanjador squandering, prodigal, lavish.
esbanjar waste, squander, lavish. ♦ **esbanjar dinheiro** trifle away the money.
esbarrão collision, clash, bump.
esbarrar crash, collide.
esbelto slender, slim.
esboçar sketch, draft, outline.
esboço sketch, draft, outline.
esbofetear slap, strike someone in the face.
esborrachar burst, crush, squash. ***esborrachar-se*** fall sprawling.
esbranquiçado whitish, pale.
esbravejar roar, shout, cry out.
esbugalhado bulging. ♦ **com olhos esbugalhados** pop-eyed, google-eyed.
esbugalhar bulge, pop out (eyes).
esburacado full of holes.
esburacar fill with holes.
escada staircase, stairs; ladder. ♦ **escada de incêndio** fire escape. **escada rolante** escalator. **escada de corda** rope ladder.
escadaria a flight of stairs, stairway, staircase.
escala scale, a series of degrees; stopover. ♦ **escala móvel** sliding scale. **voo sem escalas** nonstop flight, direct flight.
escalada scaling, climbing; escalation.
escalar scale; designate (someone) for a specific purpose, assign; climb.
escaldado scalded, burned.
escaldar scald, burn.
escalonamento grouping.
escalonar group.
escama scale.

escamado scaled.
escamoso scaly, squamous, flaky.
escamotear pilfer, filch.
escancarado wide-open (door); gaping; public, manifest.
escancarar push (a door) wide open; open; show, make public/manifest.
escandalizar scandalize, shock; offend; make a scandal. ***escandalizar-se*** take offense; get shocked.
escândalo scandal; offense. ♦ **fazer um escândalo** make a scene, make a fuss.
escandaloso scandalous; shocking.
escandinavo Scandinavian.
escangalhado out of order, broken; dismantled.
escangalhar break; dismantle.
escanteio corner (kick).
escapada escape, evasion.
escapamento exhaust (pipe).
escapar escape, get out, run away; flee. ♦ **Ele escapou por pouco.** That was a close shave. **escapar por um triz** have a close call. **Nada lhe escapa.** He doesn't miss a thing.
escapatória excuse, pretext; subterfuge, escape.
escape escape, getaway; evasion; leakage (of gas, water).
escaravelho scarab (beetle). ➔ Animal Kingdom
escarcéu shouting, commotion, uproar, hullabaloo, mess, fuss. ♦ **fazer um escarcéu** make great fuss.
escarlate scarlet.
escarlatina scarlatina, scarlet fever.
escárnio mockery.
escarola endive, escarole. ➔ Vegetables
escarpa scarp, slope, cliff.
escassez scarcity, scarceness; privation; lack.
escasso scarce; lean, insufficient; rare; scanty.
escavação excavation, dig, digging.
escavadeira excavator, digging machine, digger.
escavar excavate, dig.
esclarecer clarify, clear; elucidate.
esclarecido clear, clarified, enlightened; evident.
esclarecimento clarity, explanation, elucidation; enlightenment, clarification.
escoamento drainage, flowage; discharge.
escoar(-se) flow off, drain.
escocês Scottish, Scotsman; Scots. • Scottish. ➔ Countries & Nationalities
Escócia Scotland. ➔ Countries & Nationalities
escola school. ♦ **colega de escola** schoolmate. **escola maternal** nursery school. **escola particular** private school. **escola pública** public school. **pré-escola** preschool. **tempo de escola** school days.
escolado experienced.
escolha choice, election, selection; option; preference. ♦ **por escolha** by choice.
escolher choose, make a choice, pick, elect, select. ♦ **a pessoa que escolhi** the person of my choice. **escolher a dedo** cherry pick. **escolher entre** chose among; chose between. **Quem pede não escolhe.** Beggars can't be choosers.
escolhido chosen.
escolta guard, escort.
escoltar escort.
escombros ruins; debris; rubble.
esconde-esconde hide-and-seek.
esconder hide, conceal; hold back.
esconderijo hideout, hiding place.
escondido hidden; concealed. ♦ **às escondidas** secretly, covertly.
escora prop, stay; support.
escorar prop, brace, support, uphold, sustain, make firm. ***escorar-se*** rely upon.
escore score.
escória dross, slag; dregs, scum.
escoriação excoriation, wound.
escoriar excoriate; strip off the skin. ***escoriar-se*** scratch, hurt oneself.
escorpião scorpion. ➔ Animal Kingdom
escorraçar banish.

escorregadio slippery, slick.
escorregão slip, slide.
escorregar slide, slip, skid.
escorrer flow; drain; drop.
escoteiro Boy Scout; scout.
♦ **escoteiros lobinhos** Cub Scouts.
escotilha hatch, hatchway.
escova brush. ♦ **escova de cabelo** hairbrush. **escova de dentes** toothbrush.
escovar brush.
escravidão slavery.
escravização enslavement.
escravizar enslave, make a slave of, reduce to slavery.
escravo slave. • slave; slavish.
escravocrata enslaver, slavocrat, slaveholder.
escrever write. ♦ **Como se escreve isto?** How do you spell this? **escrever à mão** handwrite, write by hand. **escrever por extenso** write in full. **máquina de escrever** typewriter.
escrita writing; handwriting.
escrito writing, text, manuscript. • written. ♦ **Ele é o pai escrito.** He's the spitting image of his father. **escrito à mão** handwritten. **pós-escrito (PS)** postscript (PS).
escritor writer, author. → Professions
escritório office, bureau.
escritura deed, legal document, writ; transfer of ownership.
escrituração bookkeeping.
escriturar keep books, keep account.
escriturário bookkeeper. → Professions
escrivaninha desk, writing desk. → Furniture & Appliances
escrivão clerk, notary (public); copyist. → Professions
escrúpulo scruple, caution, qualm.
escrupuloso scrupulous, careful.
escrutínio scrutiny; ballot.
escudeiro shield-bearer, squire.
escudo shield.
esculpir sculpt, carve; engrave.
escultor sculptor, carver. → Professions
escultura sculpture.
escultural sculptural.
escumadeira skimmer, skimming ladle.
escurecer darken, blacken.
escurecimento darkening, blackening.
escuridão darkness, dark, blackness.
escuro dark, shadowy, black. ♦ **às escuras** in the dark.
escusa excuse, apology.
escusar excuse, pardon. ***escusar-se*** excuse oneself from; apologize for.
escuta listening. ♦ **à escuta** listening out. **escuta telefônica** telephone tapping.
escutar listen, hear. ♦ **Escute!** Listen! **não escutar bem** be hard of hearing.
esfacelar sphacelate, dissolve.
esfaquear stab, knife, wound with a knife.
esfarelar reduce to bran. ***esfarelar-se*** crumble.
esfarrapado torn, tattered, ragged.
esfarrapar tear, reduce to tatters; ruin, destroy.
esfera sphere, globe, ball.
esférico spherical, globular, round.
esfinge sphinx.
esfolar flay, skin, scratch, chafe, graze.
esfomeado hungry, starving, famished.
esforçado diligent, industrious, hard-working.
esforçar make strong; encourage, incite. ***esforçar-se*** try hard, strain, make an effort, strive, exert. ♦ **Ela se esforça muito.** She tries hard.
esforço effort, endeavor; struggle; attempt. ♦ **Não poupe esforços.** Spare no pains. **Sem esforço nada se consegue.** No pain, no gain.
esfrega wipe, rub.
esfregar rub, wipe. ***esfregar-se*** rub oneself; scratch oneself.
esfriamento cooling; refrigeration.
esfriar cool, chill.

esganado gluttonous, greedy, eager.
esganar strangle, suffocate.
esganiçar screech, scream, yell.
esgarçar tear, shred (cloth), fray. ***esgarçar-se*** fade away, wear out.
esgoelar cry out, yell; strangle.
esgotado drained, emptied; exhausted; wasted; finished; out of print; sold out.
esgotamento prostration; debility; fatigue. ♦ **esgotamento nervoso** nervous breakdown.
esgotar drain to the last drop; exhaust. ***esgotar-se*** exhaust oneself; become exhausted.
esgoto drain(age), sewer(age). ♦ **cano de esgoto** discharge pipe. **rede de esgoto** sewerage system.
esgrima fencing. → Sports
esgrimar fence.
esguichar spurt, squirt; spout.
esguicho squirt, jet, nozzle.
esguio slender, slim, lean, long and thin, tall and thin.
eslavo Slav, Slavonian. • Slavic, Slavonic.
esmaecer dim, discolor, fade, turn pale, faint.
esmagador smashing, crushing. ♦ **vitória esmagadora** crushing victory.
esmagar smash, crush; compress, squeeze.
esmaltar enamel.
esmalte enamel. ♦ **esmalte de unhas** nail polish, nail varnish.
esmeralda emerald.
esmerar perform with care; hone, perfect. ***esmerar-se*** try as hard as possible, do one's best.
esmeril emery.
esmerilar rub or polish with emery.
esmero care, diligence.
esmigalhar crumb, crumble, fragment, triturate, shatter.
esmiuçado minute, detailed, precise; scrutinized.
esmiuçar explain minutely or in details; scrutinize.
esmo conjecture, guess; rough calculation. ♦ **a esmo** without direction.
esmola alms, charity. ♦ **pedir esmola** ask for alms, beg.
esmorecer dismay, discourage, die down.
esmurrar beat, punch, slug, pummel.
esnobe snob. • snobbish.
esôfago gullet, esophagus. → Human Body
esotérico esoteric.
espaçar space; set at intervals.
espacial spatial, space. ♦ **nave espacial** spaceship.
espaço space, room, area, place.
espaçoso spacious; wide.
espada sword. ***espadas*** spades (cards).
espádua shoulder, shoulder blade. → Human Body
espaguete spaghetti.
espairecer unwind, relax; amuse, distract.
espaldar back rest; back of a chair.
espalhado dispersed, diffuse, spread.
espalhafatoso fussy; noisy; flashy.
espalhar spread, scatter, disperse; divulge. ♦ **espalhar a notícia** spread the news, spread the word. **espalhar um boato** spread a rumor. **espalhar um segredo** spill the beans.
espanador (feather) duster.
espanar dust.
espancamento spanking, beating.
espancar beat, spank.
Espanha Spain. → Countries & Nationalities
espanhol Spaniard; Spanish. • Spanish. → Countries & Nationalities
espantado frightened; surprised.
espantalho scarecrow.
espantar astonish; frighten, terrify. ***espantar-se*** be frightened; be amazed; wonder.
espanto fright, terror, scare, fear; astonishment, wonder.
espantoso frightful, fearful; extraordinary, uncommon; amazing, astonishing.
esparramado scattered, sprawling, spread.

esparramar scatter, sprawl, spread. ***esparramar-se*** disband, disperse.
esparso sparse.
espasmo spasm.
espasmódico spasmodic, convulsive.
espatifado broken into pieces, smashed.
espatifar shatter, smash, splinter. ***espatifar-se*** crash.
espátula spatula, slice.
especial special, particular; excellent, very good.
especialidade specialty; particularity, peculiarity.
especialista specialist, expert, consultant, pundit.
especialização specialization.
especializado expert, skilled, specialized.
especializar specialize; differentiate.
especialmente especially, specially; particularly.
espécie species; sort, kind, variety; class. ♦ **de toda espécie** of all sorts. **espécie ameaçada de extinção** endangered species.
especificação specification.
especificado specified; detailed.
especificamente specifically.
especificar specify, indicate; particularize, individualize.
específico specific, particular. ♦ **do geral para o específico** top-down.
espécime specimen, example, model.
espectador spectator, onlooker; bystander, viewer; member of the audience.
espectro specter, ghost, spirit.
especulação speculation.
especulador speculator.
especular speculate.
especulativo speculative.
espelhar mirror.
espelho mirror, looking glass. ♦ **espelho retrovisor** rearview mirror. → Furniture & Appliances
espelunca honky-tonk, joint.
espera expectation, wait. ♦ **em espera** on standby, on hold.
esperado expected.
esperança hope, expectation. ♦ **dar esperanças a alguém** raise someone's hopes. **sem esperança** hopeless.
esperançoso hopeful.
esperar hope; wait. ♦ **Assim espero.** I hope so. **esperar ansiosamente** look forward to. **esperar em fila** wait in line. **Espere!** Wait! **Espere um momento.** Wait a moment., Hold on. (telephone). **esperar o melhor.** hope for the best. **fazer alguém esperar** keep someone waiting. **Quem espera sempre alcança.** Everything comes to him who waits.
esperma sperm, semen.
espermatozoide spermatozoid.
espernear flounce.
espertalhão slicker, smart ass.
esperteza briskness, quickness, smartness, cunning. ♦ **com esperteza** quick-wittedly.
esperto brisk, lively, smart, clever, quick-witted. → Deceptive Cognates
espessamente thickly; densely.
espesso thick; dense.
espessura thickness.
espetacular spectacular, splendid, magnificent, fabulous, impressive.
espetáculo spectacle, show, entertainment. ♦ **mundo do espetáculo** show business.
espetar prick, jab, stick.
espeto spit, skewer.
espezinhado trampled, humiliated; scorned.
espezinhar trample, humiliate; scorn.
espiada peek, look, glance.
espião spy, secret agent. → Professions
espiar spy; watch, observe, look at, peek. ♦ **dar uma espiada** have a look.
espichar stretch, extend; prolong; enlarge. ***espichar-se*** stretch oneself out.
espiga ear. ♦ **espiga de milho** corncob. → Vegetables
espinafre spinach. → Vegetables

espingarda rifle, shotgun.
espinha spine, backbone; fishbone; pimple.

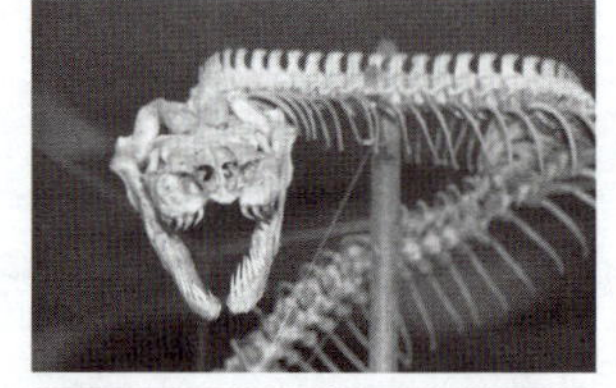
spine

fishbone

pimple

espinho thorn, prickle. ♦ **Não há rosa sem espinhos.** There's no rose without a thorn., No joy without annoy.
espinhoso thorny, prickly.
espionagem espionage, spying.
espionar spy; observe, watch (in secret).
espiral spiral.
espírita spiritualist. • spiritualistic.
espiritismo spiritualism.
espírito spirit, soul; ghost, specter. ♦ **Bem-aventurados os pobres de espírito.** Blessed are the poor in spirit. **espírito de equipe** team spirit. **espírito esportivo** sportsmanship. **Espírito Santo** Holy Ghost, Holy Spirit. **estado de espírito** state of mind. **paz de espírito** peace of mind.
espiritual spiritual.
espiritualidade spirituality.
espiritualismo spiritualism.
espiritualista spiritualist. • spiritualistic.
espirituoso spirituous; alcoholic; witty, spirited, clever.
espirrar sneeze; splash.
espirro sneeze.
esplêndido splendid, brilliant, magnificent, wonderful, superb, glorious, admirable; gorgeous, stunning.
esplendor splendor; pomp; glory.
esplendoroso splendorous; stunning.
espoliação spoliation.
espoliar spoliate, rob, despoil.
esponja sponge.
esponjoso spongy.
espontaneidade spontaneity.
espontâneo spontaneous, voluntary.
espora spur.
esporádico sporadic, occasional.
esporear spur.
esporte sport.
esportista sportsman; sportswoman.
esportivo sportive.
esposar marry.
esposo(a) husband (man); wife (woman).
espreguiçadeira deck chair.
espreguiçar awake, stretch. ***espreguiçar-se*** stretch oneself (after sleep); sprawl, lounge.
espreitar peep, peek; watch, observe attentively; lurk, stalk.
espremedor squeezer. • squeezing. ♦ **espremedor de batatas** potato masher. **espremedor de limão** lemon squeezer.
espremer squeeze, squash, press, compress, crush. ***espremer-se*** strain; crowd.
espremido squeezed, pressed; crowded.

espuma foam. ♦ **espuma de cerveja/café** froth. **espuma de sabão** suds, lather.
espumante sparkling wine. • foaming, bubbly, fizzy.
espumar bubble, foam, froth, fizz, lather; scum.
espumoso sparkling, foaming.
espúrio spurious, illegitimate, bastard; false.
esquadra fleet, squadron; naval fleet.
esquadrão squadron.
esquadrilha squadron.
esquadrinhar investigate, search.
esquadro set square, triangle.
esquálido squalid, filthy, foul; extremely dirty.
esquartejar cut into slices or pieces; shred.
esquecer forget.
esquecido forgotten; forgetful, absent-minded.
esquecimento forgetfulness. ♦ **cair no esquecimento** fall into oblivion.
esqueleto skeleton. ♦ **ser um esqueleto** be just skin and bone. → Human Body
esquema scheme, project, plan. ♦ **esquema de segurança** security operation.
esquematizar schematize.
esquentar heat, warm. ♦ **esquentar a cabeça** get worked up.
esquerda the left side or hand; the left wing (political party). ♦ **à esquerda** on the left. **virar à esquerda** turn left. **políticos de esquerda** left-wing politicians.
esquerdo left. ♦ **do lado esquerdo** leftwards, on the left; from the left.
esqui ski; skiing. ♦ **esqui aquático** waterskiing. → Sports
esquiador skier.
esquiar ski.
esquilo squirrel. → Animal Kingdom
esquina (street) corner. ♦ **Vá ver se eu estou na esquina!** Get lost!
esquisitice extravagance, eccentricity; oddity, strangeness.
esquisito singular; strange, curious, odd. ♦ **modos esquisitos** particular ways. → Deceptive Cognates
esquivar shun, dodge, avoid. ♦ **esquivar-se da responsabilidade** avoid liability.
esquizofrenia schizophrenia.
essa that. ***essas*** those. ♦ **Ainda mais essa!** And now that! **Corta essa!** Cut it out! **Essa é boa!** That's a good one! **Ora essa!** Well now! **por essas e outras** for these and other reasons.
esse that. ***esses*** those.
essência essence; substance; flavoring.
essencial essential, principal, main.
essencialmente essentially.
estabanado clumsy; unquiet.
estabelecer establish, settle, fix, set up; found. ***estabelecer-se*** settle or establish oneself. ♦ **estabelecer um paralelo** draw a parallel.
estabelecido established, stated, settled.
estabelecimento establishment; shop, store.
estabilidade stability, stableness.
estabilização stabilization.
estabilizar stabilize; fix.
estábulo stable, stall.
estaca stake, picket; pile. ♦ **bate-estaca** pile driver. **voltar à estaca zero** go back to square one.
estação station; season. ♦ **baixa estação** off-season. **estação de águas** spa, water resort. **estação de rádio** radio station. **estação de televisão** TV station. **estação de trabalho** workstation.
estacionamento parking, parking lot, car park. ♦ **estacionamento proibido** parking prohibited; no parking.
estacionar park.
estada permanence, stay.
estádio stadium, arena.
estadista statesman; stateswoman.
estado state; condition. ***Estado*** State, nation, country. ♦ **em bom estado** in good condition. **estado civil** marital status. **estado de espírito** state of mind. **estado de sítio** state of siege.
Estados Unidos the United States. → Countries & Nationalities
estadual state. ♦ **controle estadual** state control.

estadunidense American. • American. → Countries & Nationalities
estafa stress, fatigue, nervous exhaustion.
estafante tiring, stressing, exhausting.
estafar stress, tire, weary.
estagiário intern, trainee.
estágio internship, training.
estagnação stagnation.
estagnado stagnant, motionless.
estagnar stagnate.
estalar click, crack, pop, snap, crackle.
estaleiro shipyard, dockyard.
estalo crack, snap.
estampa imprint, print; pattern.
estampado printed; patterned.
estampar print, imprint.
estancar stanch, stop; drain.
estância stay; ranch, country seat.
estandardização standardization.
estandarte standard, banner; flag.
estande stand; booth.
estanho tin.
estante shelf, case, rack; bookshelf, bookcase. → Furniture & Appliances
estar be; remain, stay, lie; exist; be present, attend. ♦ **Como estamos?** How do we stand? **Como está você?** How are you? **Ele está nas últimas.** He is about to die. **Está bem!** All right!, OK. **estar à mão** be at hand. **estar apto a** be up to. **estar à venda** be on the market, be on sale. **estar certo de** be sure of, feel certain. **estar com azar** have a run of bad luck. **estar em boas condições** be in good state. **estar em cartaz** be on show, be playing. **estar em dia** be up-to-date. **estar em pé** stand. **estar no mato sem cachorro** be in a predicament. **estar no mundo da lua** be daydreaming. **estar por um fio** hang by a thread. **estar presente** be present. **estar prestes a fazer algo** be about to do something. **estar sozinho** stand alone. **Estou às suas ordens.** I'm at your services., I'm at your disposal. **Estou de passagem.** I'm passing through. **Estou na minha.** I'm doing my own thing. **sala de estar** living room.
estardalhaço noise, din, bustle, clatter, racket.
estarrecer frighten, strike with fear, terrorize, terrify.
estatelado sprawled, immovable, motionless; stretched out.
estatelar throw down, knock down. ***estatelar-se*** fall flat down.
estático static, standing still, at rest.
estatística statistics.
estatístico statistician. • statistic(al).
estátua statue.
estatura stature, height, size.
estatuto statute, decree, rule, law.
estável stable, firm, fixed; steady.
este(a) this; the latter. ***estes(as)*** these.
esteira matting; conveyor belt. ♦ **na esteira de** in the wake of.
estender extend, stretch out; enlarge, widen, spread, expand, amplify. ♦ **estender a mão** put out one's hand; offer peace; offer help. **estender a roupa** hang out the washing. **estender os braços** reach out.
estenografia stenography, shorthand.
estenógrafo stenographer. → Professions
estepe steppe; spare tire.
estercar manure, dung, fertilize (soil).
esterco dung, manure.
estereofônico stereophonic, stereo.
estereótipo stereotype.
estéril infertile, sterile. ♦ **solo estéril** barren soil.
esterilidade sterility, barrenness; infertility.
esterilização sterilization.
esterilizado sterilized.
esterilizar sterilize.
estética (a)esthetics.
estético (a)esthetic.
estetoscópio stethoscope.
estiagem drought, dryness, dry season.
estiar stop raining, dry up.
esticado stretched.
esticar stretch; extend, prolong, dilate. ♦ **esticar as canelas** die. **esticar o pescoço** crane one's neck.

estigma stigma, mark, spot.
estigmatizar stigmatize; brand.
estilete utility knife; stiletto.
estilhaçar break into small pieces, shatter, splinter.
estilhaço splinter, fragment, chip, sliver; shrapnel.
estilingue slingshot.
estilística stylistics.
estilizar stylize.
estilo style; manner, method.
estima esteem, respect, regard; affection; consideration; appraisal.
estimar esteem, hold in high regard, cherish; regard with respect; estimate.
estimativa estimation, valuation.
estimativo estimate; esteeming.
estimulação stimulation, encouragement; excitement.
estimulante stimulant. • stimulating, exciting.
estimular stimulate; encourage, incite, instigate; excite, arouse.
estímulo stimulus, incentive, impulse, lift.
estipulação stipulation; adjustment, agreement; condition.
estipulado stipulated, agreed.
estipular stipulate, agree.
estirado extended, stretched out; flat.
estirar extend; distend. ***estirar-se*** stretch oneself (out).
estirpe race, origin, lineage, source; family tree; ancestry.
estiva stowage.
estivador docker, stevedore, longshoreman. • stowing. → Professions
estocada jab, stab.
estofado upholstered. ♦ **móveis estofados** upholstered furniture.
estofamento upholstery.
estofar upholster.
estoicismo stoicism; austerity.
estojo case, box. → Classroom
estômago stomach. → Human Body
estonteado dizzy; stunned.
estonteante stunning.
estontear stun, astonish, dazzle; puzzle; make dizzy.
estopa tow, hards, hurds.
estopim trigger, fuse.
estoque stock; reserve.
estornar do a chargeback.
estorno chargeback.
estorvar hinder; embarrass; obstruct.
estorvo hindrance, impediment; nuisance; embarrassment.
estourar (cause to) burst, explode, blow, pop.
estouro burst, crack, pop.
estrábico cross-eyed, cockeyed.
estrabismo squint.
estraçalhar cut, tear, rend to pieces; shred; smash, shatter; mangle.
estrada road, highway. ♦ **estrada de ferro** railway, railroad. **estrada principal** main road, highway.
estrado mattress frame, bedframe; staging, platform.
estragado rotten, spoiled, ruined, tainted.
estragar destroy, spoil, damage, ruin, taint, blemish, screw up.
estrago damage, harm.
estrangeiro foreigner, stranger; foreign countries. • foreign, alien. → Deceptive Cognates
estrangular strangle, throttle, suffocate.
estranhamente oddly.
estranhar find queer, odd or strange. ♦ **Não é de estranhar.** It's not surprising.
estranheza queerness, weirdness, strangeness; surprise.
estranho stranger, outsider, foreigner. • foreign, strange; weird, queer, odd, bizarre, eerie; unfamiliar. ♦ **Isso não me é estranho.** This rings a bell. **por mais estranho que pareça** oddly enough.
estratagema stratagem; cunning, ploy.
estratégia strategy. ♦ **estratégia de recuo** exit strategy.
estratégico strategic.
estratosfera stratosphere.
estrear debut; use for the first time; be the first to use; inaugurate.
estrebaria (horse) stable.
estreia debut; first sale; première; beginning. ♦ **pré-estreia** preview, première.

estreitamento narrowing.
estreitar narrow.
estreiteza narrowness; thinness.
estreito narrow; thin.
estrela star. ♦ **estrela cadente** shooting star. **estrela de cinema** movie star. **estrela-do-mar** starfish. ♦ **Estrela Polar** North Star. → Animal Kingdom
estrelado starry, starred.
estrelar star; adorn with stars.
estrelato stardom.
estremecer tremble, shake, quake, shiver, shudder.
estremecido shocked, startled; scared; shaken.
estremecimento shudder, shiver.
estressado stressed, strained; pressured.
estressar stress, wear (somebody) down, put (somebody) under strain.
estresse stress, strain, pressure.
estria stria, stretch mark.
estriado striated; having stretch marks.
estribeira stirrup. ♦ **perder as estribeiras** lose one's temper.
estribo stirrup, step of a coach.
estridente strident, shrill.
estrilar protest noisily; shout; bawl, squawk.
estritamente strictly.
estrito strict; rigorous, severe, rigid.
estrofe strophe, stanza.
estrondo noise, cracking, boom, blast, bang, crash.
estrondoso noisy, tumultuous, boisterous, loud.
estropiar maim, mutilate, cripple.
estropício damage; wrong.
estrume manure, dung, fertilizer.
estrutura structure; framework, framing. ♦ **estrutura do banco de dados** database structure.
estruturação setup; organization, arrangement.
estrutural structural.
estuário estuary.
estudante student. → Classroom
estudar study.
estúdio studio, atelier.
estudioso scholar; expert. • studious, bookish.
estudo study. ♦ **atrasado nos estudos** behind in one's studies. **bolsa de estudos** scholarship.
estufa hothouse, greenhouse; oven, stove.
estufar braise, stew; put into a hothouse; inflate, blow.
estupefação stupefaction, perplexity; wonder.
estupefato stupefied, thunderstruck.
estupendo stupendous, amazing, smashing.
estupidez stupidity, foolishness, rudeness, silliness.
estúpido stupid, silly; rude.
estuprador raper, rapist.
estuprar rape.
estupro rape.
estuque stucco.
esvaziamento depletion.
esvaziar empty, evacuate; deflate (a tire, a balloon).
esverdeado greenish.
esvoaçar flutter, flit, flicker, fly.
etapa stage.
etéreo ethereal, heavenly, celestial.
eternidade eternity.
eternizar eternalize.
eterno eternal; immortal; timeless; endless, everlasting.
ética ethics.
ético ethic(al), moral.
etílico ethyl, alcoholic.
etimologia etymology.
etiologia etiology.
Etiópia Ethiopia. → Countries & Nationalities
etíope Ethiopian. → Countries & Nationalities
etiqueta label, ticket, tag; etiquette, formality. ♦ **etiqueta adesiva** sticker, stick-on label, adhesive label. **etiqueta para o uso da internet** netiquette.
etiquetar label, tag.
etnografia ethnography.
etologia ethology.
eu I; ego; self-conscious subject; self. • I; me. ♦ **como eu** like me, as I. **eu mesmo** myself. **eu, por exemplo** take me, for example. **se eu fosse você** if I were you. **Sou eu.** It is I., It is me.

eucalipto eucalyptus.
eucarístico Eucharistic.
euforia euphoria, elation, exhilaration.
eunuco eunuch.
euro euro.
europeu European.
eutanásia euthanasia.
evacuação evacuation.
evacuar evacuate; empty.
evadir evade, escape. ***evadir-se*** disappear.
evangelho Gospel, Evangel.
evangelista Evangelist.
evangelizador evangelizer, preacher.
evaporação evaporation.
evaporar evaporate.
evasão escape, evasion.
evasiva pretext, subterfuge, excuse.
evasivo evasive, artful, deceptive.
evento event, occurrence, happening.
eventual occasional, casual.
eventualidade eventuality.
eventualmente occasionally.
→ Deceptive Cognates
evidência evidence.
evidenciar evidence; make evident. ***evidenciar-se*** become evident; show up.
evidente evident, clear, plain.
evidentemente of course.
evitar avert, avoid; prevent.
evitável avoidable; preventable.
evolução evolution.
evoluir develop, unfold, evolve.
evolutivo evolutionary.
exacerbação exacerbation.
exacerbar exacerbate, exasperate. ***exacerbar-se*** get worse, aggravate.
exagerado exaggerated.
exagerar exaggerate, amplify, magnify; overdo; overstate.
exagero exaggeration, hyperbole.
exalar exhale, emit; emanate.
exaltação exaltation, magnification.
exaltado exalted; hotheaded.
exaltar exalt, magnify, glorify. ***exaltar-se*** get angry; exasperate.
exame exam, examination, test. ♦ **exame de sangue** blood count, blood test. **exame geral** check-up.
examinador examiner. • examining.
examinar examine; search, inquire into; scrutinize, investigate; test, try, analyze.
exatamente exactly, precisely, right, just.
exatidão accuracy, exactness, preciseness.
exato exact, accurate, precise.
exaurir exhaust; drain.
exaustivo exhaustive, exhausting, grueling.
exausto exhausted, drained, emptied.
exceção exception. ♦ **A exceção faz a regra.** The exception proves the rule. **à exceção de** except for. **com exceção de** with the exception of, except for.
excedente excess, surplus. • exceeding; spare.
exceder exceed; overstep. ***exceder-se*** go too far.
excelência excellence.
excelente excellent.
excentricidade eccentricity, peculiarity.
excêntrico eccentric, peculiar, extravagant, cranky.
excepcional exceptional, peculiar, excellent. ♦ **Nada de excepcional.** Nothing to write home about.
excepcionalmente exceptionally, unusually.
excessivo excessive, exceeding.
excesso excess; abuse, outrage. ♦ **excesso de trabalho** overwork. **excesso de velocidade** speeding.
exceto except, save, unless, but.
excetuar except, exclude.
excitação excitation, excitement, heat.
excitado excited. ♦ **sexualmente excitado** aroused.
excitante thrilling, stimulating.
→ Deceptive Cognates
excitar excite, stimulate.
exclamação exclamation. ♦ **ponto de exclamação** exclamation mark.
exclamar exclaim, cry out.
excluir exclude, eliminate. ***excluir-se*** abstain from.
exclusão exclusion. ♦ **exclusão digital** digital divide.
exclusivamente exclusively.
exclusividade exclusiveness.
exclusivista exclusivist.
exclusivo exclusive; restricted.

excomungado excommunicated.
excomungar excommunicate.
excremento excrement, feces, shit, crap, droppings.
excursão excursion, trip, tour.
execrável execrable, accursed.
execução execution; accomplishment; performance.
executar execute; perform.
executivo executive.
executor executor; executioner.
exemplar copy, issue, sample. • exemplary.
exemplificar exemplify, typify.
exemplo example, model; instance. ♦ **por exemplo** for instance, for example.
exercer exercise, practice; exert.
exercício exercise, practice; drill.
exercitar exercise, practice.
exército army, military; troops.
exibição exhibition, exhibit, display.
exibicionismo exhibitionism.
exibir exhibit, show, display. ***exibir-se*** show off.
exigência requirement, request, demand.
exigente picky, choosy; strict; demanding.
exigir demand, require.
exigível demandable, exigible.
exilado outcast. • exiled; displaced.
exilar exile, banish; deport. ***exilar-se*** separate oneself from one's country, go into exile.
exílio exile.
exímio excellent, extraordinary, distinguished.
eximir exempt, free. ***eximir-se de*** refuse to, escape, shun.
existência existence.
existencialismo existentialism.
existente existent, extant.
existir exist, be, live, there to be.
êxito effect, result, outcome, success. ♦ **não ter êxito** fail, be unsuccessful. **ter êxito** succeed, be successful. → Deceptive Cognates
êxodo exodus, departure, migration.
exoneração exoneration.
exonerar exonerate.
exorbitância exorbitance.
exorbitante exorbitant.
exorbitar exceed, overdo.
exorcismo exorcism.
exortar exhort; motivate, stimulate; persuade.
exótico exotic.
expandir expand; enlarge. ***expandir-se*** develop, grow.
expansão expansion.
expansivo expansive; enthusiastic.
expatriado expatriate, exiled, banished.
expatriar expatriate, exile, banish, deport. ***expatriar-se*** leave one's country.
expectador expectant.
expectativa anticipation, expectancy, expectation. ♦ **expectativa de vida** life expectancy.
expectorante expectorant.
expectorar expectorate.
expedição expedition, trek.
expedicionário person who takes part in an expedition. • expeditionary, pertaining to an expedition.
expediente expedient; office hours, working day. ♦ **após o expediente** after hours.
expedir dispatch; remit, send.
expelir expel, force or throw out, eject; reject.
experiência experience; experiment. ♦ **experiência ruim** ordeal.
experiente experienced, skilled, seasoned.
experimentação experimentation, experiment, trial.
experimental experimental, trial; pilot.
experimentar experiment, try.
experimento experiment, trial.
expiar expiate.
expiração expiration.
expirar expire, exhale; die; end, conclude, terminate.
explanação explanation.
explanar explain, elucidate, clarify.
explicação explanation.
explicar explain, elucidate, clarify; account for, teach.
explicável explainable, explicable.
explícito explicit, plain, clear, express, categorical.

explodir explode, blast, blow up, detonate, burst.
exploração exploration; exploitation.
explorador explorer; exploiter. • exploring; exploiting.
explorar explore, search, inquire into; exploit, scan.
explosão explosion, blast, outburst.
explosivo explosive.
expoente exponent.
exponencial exponential.
expor expose. ***expor-se*** expose oneself. ♦ **estar exposto a algo** be exposed to something.
exportação exportation, export.
exportar export.
exposição exposition, exhibition; exposure; explanation.
expositor exhibitor.
exposto exposed, bare, evident.
expressão expression; utterance; countenance, look. ♦ **expressão idiomática** idiom. **expressão maliciosa** leer.
expressar express.
expressivo expressive, significant, meaningful.
expresso express, explicit, plain. ♦ **café expresso** espresso. **não expresso** unspoken.
exprimir express; speak. ***exprimir-se*** express oneself.
expugnar overcome, conquer.
expulsão expulsion, banishment, expelling, ejection.
expulsar expel, drive away, drive out, eject.
expulso expelled, removed.
expurgar purge, expurgate, purify.
êxtase ecstasy, rapture.
extasiar enrapture. ***extasiar-se*** be enchanted; become enraptured.
extensão extension, stretching; extent, length, range, wideness.
extensivo extensive; wide.
extenso extensive, ample, vast, wide. ♦ **por extenso** in full.
exterior exterior, outside; foreign countries. • exterior, external, outer; outside, outdoor.
exteriorizar utter, express.
exterminação extermination.
exterminador exterminator, terminator.
exterminar exterminate, destroy, terminate.
extermínio extermination.
externo external, exterior, outside, outer.
extinção extinction.
extinguir extinguish; put out. ***extinguir-se*** be extinguished, become extinct; die.
extinto extinct, extinguished, dead.
extintor (fire) extinguisher.
extirpar extirpate, eradicate; root out.
extorquir extort, exact; blackmail.
extorsão extortion, exaction; blackmail.
extra extra, additional. ♦ **edição extra** special edition. **extragrande** extra large. **hora extra** overtime.
extração extraction; derivation, origin.
extraditar extradite.
extrair extract; draw out, withdraw, pull out.
extraordinário extraordinary, remarkable; unusual.
extraterrestre extraterrestrial, ET, alien.
extrato extract, excerpt. ♦ **extrato bancário** bank statement.
extravagância extravagance; garishness.
extravagante extravagant; garish; wild; odd, strange.
extravasar flow out, overflow; vent; spill one's guts.
extraviado strayed, lost.
extraviar go astray, mislay, misplace, lose, put out of the way. ***extraviar--se*** be or become lost.
extravio misplacement, deviation.
extremamente extremely, terribly.
extremidade extremity, edge, border, end.
extremo extreme; extremity, end; utmost point. • extreme; last.
Extremo Oriente Far East.
extrovertido extrovert, outgoing.
exuberância exuberance.
exuberante exuberant; rich; effusive.
exultante elated, exultant.
exultar crow, exult.
exumar exhume.

A B C D E F G H I J K L M N O P Q R S T U V W X Y Z

F, f the sixth letter of the Portuguese alphabet; the fourth musical note.
fã admirer, fan.
fábrica factory, plant. ♦ **preço de fábrica** at cost (price).
→ Deceptive Cognates
fabricação manufacture, manufacturing, production, making. ♦ **de fabricação caseira** homemade. **fabricação em série** mass production.
fabricante manufacturer.
fabricar produce, manufacture, make.
fábula fable; tale.
fabuloso fabulous; astonishing; breathtaking.
faca knife. ♦ **entrar na faca** undergo an operation. **faca de dois gumes** double-edged sword. **estar com a faca e o queijo na mão** have the upper hand, have all the aces.
facada stab.
façanha exploit, achievement, deed, feat.
facção wing, part, faction.
face face; side; look, expression; appearance; surface; cheek. ♦ **em face de** in view of. **face a face** face-to-face. **fazer face a** meet, oppose.
faceta facet.
fachada front, facade, frontage; frontispiece.
fácil easy, simple. ♦ **de fácil utilização** user-friendly. **muito fácil** dead easy, too easy, a piece of cake, a picnic.
facilidade easiness, ease, simplicity; readiness; clearness. ***facilidades*** opportunities.
facilitar facilitate, make easy; favor. ♦ **facilitar algo a alguém** provide somebody with something.
facilmente easily.
facínora criminal, villain, ruffian.
fac-símile facsimile, fax.
faculdade faculty, capacity, ability; talent; the departments of learning at an university, establishment of higher education, college.
facultativo facultative, optional.
fada fairy. ♦ **conto de fadas** fairy tale.
fadado predestinate, predestined, fated, destined, doomed.
fadiga fatigue, tiredness.
fagote bassoon. → Musical Instruments
fagulha spark.
faisão pheasant. → Animal Kingdom
faísca spark.
faiscante sparkling, scintillating, flashy.
faiscar spark; sparkle, flash, scintillate, twinkle.
faixa band, banner, strip; bandage; track; belt, ribbon; bandage; lane; zone, area. ♦ **faixa de pedestres** zebra crossing, crosswalk.
fala speech; talk, conversation; discourse; words; voice; style of speech. ♦ **perder a fala** be speechless, lose one's tongue, be struck dumb. **sem fala** speechless.
falador talker, chatterbox.
• talkative, chatty.

falange phalanx. → Human Body
falar talk, speak; say, tell, communicate; enunciate; utter; express; address. ♦ **É mais fácil falar que fazer.** Easier said than done. **falar alto** speak up. **falar a uma plateia** address an audience. **falar da vida alheia** gossip. **falar demais** talk too much. **falar francamente** speak out, speak one's mind. **falar mal (de alguém)** malign, defame. **falar pelos cotovelos** talk nineteen to the dozen. **falar por telefone** talk on the phone. **falar sem rodeios** not mince words. **Fale!** Speak out! **Falou!** Okay! **Não falemos mais nisso.** Forget it., Let's not talk about it. **por falar em** speaking of. **por falar nisso** by the way. **sem falar de** apart from, not to mention.
falatório chit-chat, gossip; babble, gabble.
falcão falcon, hawk. → Animal Kingdom
falcatrua fraud, swindle; deceit, trickery.
falecer decease, die, pass away.
falecimento death, decease, demise, passing.
falência insolvency, bankruptcy; crash, ruin, failure. ♦ **abrir falência** declare bankruptcy. **ir à falência** go bankrupt.
falha crack, fissure; flaw, imperfection, fault; error, mistake, failure. ♦ **falha fatal** fatal flaw.
falhar fail; err, be mistaken, be wrong.
falho defective, faulty, imperfect, flawed.
falido bankrupt, broke.
falir fail; break, go bankrupt, become insolvent, crash.
falível fallible.
falsário forger, falsifier.
falsear falsify, adulterate; deceive, cheat.
falsidade falseness, falsehood.
falsificação falsification, fake, forgery.
falsificar falsify, fake, forge, counterfeit.
falso false, untrue; fraudulent, crooked; fake, bogus, counterfeit; wrong. ♦ **dinheiro falso** counterfeit money, fake money. **falso juramento** perjury. **jurar em falso** perjure.
falta lack, need; absence; privation; outage, shortage, deficiency; failure. ♦ **em falta** lacking. **falta de ar** shortness of breath. **falta de água** water shortage, water scarcity. **falta de luz** power outage, power failure, blackout. **falta de educação/ modos** rudeness. **falta de lisura** unethical. **falta de sorte** bad luck, misfortune, tough luck. **falta de tato** tactless, gaucherie. **na falta de** in the absence of. **sem falta** without fail. **sentir falta** miss.
faltar miss, be absent; lack, run short of; fail. ♦ **Faltam cinco minutos para as doze horas.** It is five minutes to twelve. **faltar à palavra** break one's word. **faltar com a verdade** lie. **faltar com o respeito** disrespect. **Nada me falta.** I have all I need. **Só me faltava essa!** That's all I need!
fama fame, glory; reputation, prestige. ♦ **má fama** bad reputation, bad name, ill fame. **ter fama de** be said to, be famed for, be known as/for.
famigerado famous, renowned, celebrated, notorious.
família family; folk; tribe, clan; race; lineage. ♦ **de boa família** well-born, from a good family. **Isso é de família.** It runs in the family., It is a family trait.
familiar relative. • familiar; domestic, home(like); known. ♦ **círculo familiar** home circle.
familiaridade familiarity, intimacy.
familiarizar familiarize, make or become familiar; get used to, habituate; get acquainted with. ***familiarizar-se*** acquaint oneself.

faminto hungry, starving, famishing; eager for.
famoso famous, famed, renowned, celebrated, well-known. ♦ **mundo dos famosos** stardom.
fanático fanatic; bigot. • fanatic(al).
fanatismo fanaticism; bigotry.
fanfarra fanfare; brass band.
fanfarrão boaster, braggart. • boastful, bragging.
fanhoso snuffling, nasal.
fantasia fantasy; imagination, fancy; illusion; vision; costume. ♦ **rasgar a fantasia** come out.
fantasiar fantasize, fancy; daydream. ***fantasiar-se*** put on a costume; dress up.
fantasma ghost, phantom.
fantasmagórico phantasmagoric(al), ghostly, spooky.
fantástico fantastic; imaginary, unreal.
fantoche puppet, dummy.
faquir fakir.
farda uniform.
fardar uniform, fit out with a uniform. ***fardar-se*** put on an uniform.
fardo bundle, pack, package; burden.
farejar scent, sniff; smell out.
farelento crumbly; branny.
farelo (de trigo) bran; (de pão) crumb.
farináceo farinaceous.
faringe pharynx. → Human Body
farinha flour; meal; breadstuff. ♦ **farinha de arroz** rice flour. **farinha de aveia** oatmeal. **farinha de mandioca** manioc flour. **farinha de milho** corn meal; maize. **farinha de rosca** breadcrumbs. **farinha de trigo** wheat flour. **farinha láctea** infant formula.
farmacêutico pharmacist, apothecary, druggist. • pharmaceutic(al). → Professions
farmácia pharmacy; pharmaceutics; drugstore.
faro smell, scent; nose.
faroeste western.
farol headlight; lighthouse, beacon; warning light; traffic light; light.

headlight

lighthouse

farolete pocket lamp; spot lamp; flash lamp; parking light.
farpa barb; splinter (of wood).
farpado barbed. ♦ **arame farpado** barbed wire.
farra binge, fun, frolic. ♦ **só de farra** just for the fun of it.
farrapo ragamuffin; shred, tatters, rag; worn-out.
farrear go on a spree.
farsa farce, burlesque; buffoonery, masquerade; sham.
farsante buffoon; trickster; impostor.
fartar satiate, saturate, satisfy; annoy; tire, wear out. ***fartar-se*** get enough of; become annoyed, sick of or weary; be sufficient; gorge.
farto satiated, full, satisfied; fed up with; tired, weary, sick (of).
fartura abundance, profusion, plenty, wealth.
fascículo fascicle; instalment (of a book or magazine).

fascinação fascination, enchantment. ♦ **ter fascinação por alguém** be infatuated with somebody.
fascinar fascinate; captivate, dazzle.
fascista fascist.
fase phase, stage, period.
fastidioso tedious, wearisome. → Deceptive Cognates
fastio lack of appetite; disgust, aversion, loathing; boredom.
fatal fatal, deadly, harmful; fateful, inevitable.
fatalidade fatality; destiny, fate; disaster.
fatia slice, chop, chip, wedge, piece; section. ♦ **fatia grossa** slab, hunch. **fatia pequena** collop.
fatídico fatidic(al); fateful.
fatigante fatiguing, tiresome, exhausting; tedious.
fatigar fatigue, tire, wear out, exhaust; bore. ***fatigar-se*** get tired.
fato fact, deed, event, occurrence. ♦ **de fato** in fact, really, actually. **fato consumado** accomplished fact.
fator factor.
fatorial factorial. → Numbers
fatura invoice, bill.
faturamento billing.
faturar invoice, bill. ♦ **faturar alto** rake in.
fauna wildlife, fauna.
fauno Faunus, faun.
fava broad bean. ♦ **São favas contadas.** That is quite sure., Sure thing.
favela slum, shantytown.
favo honeycomb.
favor favor; help; benefit, privilege; attention, courtesy. ♦ **Faça-me o favor.** Do me a favor. **por favor** please. **Posso lhe pedir um favor?** May I ask you a favor?
favorável favorable; suitable, propitious.
favorecer favor; help, aid; support. ***favorecer-se*** take advantage of.
favoritismo favoritism.
favorito favorite; fond.
faxina clean.
faxineiro cleaner. → Professions
fazenda farm, ranch; estate, property; public finances, treasury; cloth. ♦ **fazenda de café** coffee plantation. **ministro da Fazenda** Finance Minister, Secretary of the Treasury.
fazendeiro farmer. → Professions
fazer do, make; build; produce; perform. ♦ **Eu lhe farei companhia.** I'll keep you company. **faça chuva ou faça sol** come rain or shine. **Faça como quiser.** Do as you like. **faça o favor** do you mind. **Faça o que achar melhor.** Do as you wish., Do as you please. **Faz calor.** It is warm. **Faz frio.** It is cold. **faz-tudo** handyman, all-rounder, odd job man. **Faz um ano.** It's been a year. **fazer alguém de bobo** fool someone; make a fool of someone. **fazer as coisas pela metade** do things halfways. **fazer a sua parte** keep one's end up, do one's job. **fazer das tripas coração** do one's damnedest. **fazer de conta** make believe. **fazer faxina** clean. **fazer hora** hang around; kill time. **fazer maravilhas** work wonders. **fazer o que bem entender** be a law unto oneself. **fazer papel de bobo** play the fool. **fazer pouco-caso** belittle. **fazer tempestade em um copo d'água** make a mountain out of a molehill. **fazer uma "vaquinha"** chip in. **fazer uma visita** pay a visit. **fazer um curativo** dress a wound. **Fiz de conta que não vi.** I turned a blind eye at it. **Fiz minha parte.** I've done my share. **Não faz mal.** Never mind. **Que hei de fazer?** What am I to do? **Tanto faz!** Whatever!, That's all the same!
fé faith, creed; belief, conviction. ♦ **de boa-fé** in good faith. **de má-fé** dishonestly. **excesso de boa-fé** overcredulity. **usar de má-fé** act perfidiously.
febre fever, temperature.
febril feverish.
fechado close(d), shut; locked; reserved. ♦ **fechado para reforma** closed for renovation.
fechadura lock. ♦ **buraco da fechadura** keyhole.
fechamento closure; shutdown.

fechar close, shut; lock up; shut down.
fecho bolt, latch, clasp, fastener, clip; closure; conclusion.
fecundação fertilization, fecundation; insemination.
fecundar fecundate, inseminate; fructify; fertilize, develop.
fecundidade fecundity, fertility.
fecundo fertile, conceptive.
feder stink, smell badly.
federação federation, union, alliance.
federal federal.
fedor stink, stench.
fedorento fetid, stinking.
feição feature; aspect, appearance, look; character, trait.
feijão bean. → Vegetables
feio ugly; disagreeable, unpleasing.
feira fair; open-air market. ♦ **feira de artesanato** craft fair. **feira livre** street market.
feirante vendor, stallholder. → Professions
feitiçaria witchcraft, sorcery, magic, wizardry.
feiticeira witch, sorceress.
feiticeiro sorcerer, wizard.
feitiço witchcraft, sorcery; enchantment, charm, spell. ♦ **Virar o feitiço contra o feiticeiro.** Turn the tables on somebody., Taste one's own medicine.
feitio feature, shape, pattern; nature, manner.
feito feat, deed; act, action; undertaking, enterprise; exploit. • made, done, built; finished; ready, prepared. ***feitos*** deeds. ♦ **Bem feito!** It serves you right!, Well done! **dito e feito** sure enough. **Feito!** Agreed!, Deal!, Done! **feito à mão** handmade. **feito criança** like a child. **feito sob medida** tailor-made. **homem-feito** grown man. **Nada feito!** No way!
feiura ugliness.
feixe sheaf, bundle, fagot, bunch, cluster, beam.
felicidade happiness, bliss, contentment. ***felicidades*** congratulations; best wishes.
felicitação congratulation.
felicitar congratulate.
felino feline.
feliz happy, glad, pleased; lucky, fortunate, blessed. ♦ **Viveram felizes para sempre.** They lived happily ever after.
felizardo lucky person.
felpudo hairy, shaggy; fluffy.
feltro felt.
fêmea female.
feminilidade femininity.
feminino female, feminine.
feminista feminist.
fêmur femur, thighbone. → Human Body
fenda crack, fissure; gap; breach, crevice, leak, rift, split.
fender cleave, split; crack, fissure. ***fender-se*** break up.
fenício Phoenician.
fênix phoenix.
feno hay. ♦ **febre do feno** hay fever.
fenol phenol.
fenomenal phenomenal; extraordinary, remarkable; wonderful, admirable, amazing.
fenômeno phenomenon.
fenótipo phenotype.
fera wild animal, beast, beast of prey. ♦ **ficar uma fera** get mad (at somebody).
féria working day; salary, wages; rest, recreation. ***férias*** holidays, vacation. ♦ **férias parlamentares** recess.
feriado holiday. ♦ **feriado bancário** bank holiday.
ferida wound, sore, hurt. ♦ **tocar na ferida** touch a sore spot.
ferido wounded, hurt, injured; casualty.
ferimento injury, wound.
ferir wound, injure, hurt; offend.
fermentação fermentation, leavening.
fermentar ferment; leaven.
fermento ferment; leaven(ing), yeast. ♦ **fermento em pó** yeast powder, baking powder.
ferocidade ferocity, ferociousness.
feroz ferocious, fierce; wild; violent; savage.

ferradura horseshoe.
ferragem hardware, ironware, iron tools or utensils (*Brit.*). ♦ **loja de ferragens** (*Brit.*). hardware store.
ferramenta tool, instrument. ♦ **ferramenta de desenho** drawing tool.
ferrão sting, prickle, spike.
ferreiro smith, blacksmith. → Professions
ferrenho intransigent; relentless, fierce.
férreo ferrous; cruel; intransigent.
ferro iron. ***ferros*** chains; jail, prison; tongs. ♦ **a ferro e fogo** by any means, at all costs. **ferro de passar** iron, pressing iron. **ferro-velho** junkyard, scrapheap.
ferroada sting, prick.
ferroar sting, prickle.
ferrolho bolt, latch, hasp, closing clasp.
ferroso ferrous.
ferrovia railway, railroad.
ferroviário railroader.
ferrugem rust, rustiness.
fértil fertile; fruitful.
fertilidade fertility.
fertilizante fertilizer, manure. • fertilizing.
fertilizar fertilize, fecundate; manure.
ferver boil. ♦ **ferver de raiva** seethe with rage.
fervor boiling; ebullition; heat; devotion, zeal; fervor; warmth.
fervoroso impassioned, devoted, zealous.
fervura ebullition, boil(ing).
festa feast(ing), party. ♦ **Boas festas!** Happy Holidays! **dias de festa** feast days. **fazer a festa** have a ball. **dar uma festa** throw a party. **festa de inauguração** opening party. **no melhor da festa** when least expected, without warning. **tempo de festa** festive time.
festança big party; revelry.
festejar feast, celebrate, commemorate.
festejo feast, festivity, celebration.
festim private feast, party, festive family gathering.
festival festival.
festividade festivity; celebration.
festivo festive, cheerful, joyful.
fetiche fetish.
fétido fetid, stinky.
feto fetus.
feudal feudal(istic), liege. ♦ **regime feudal** feudal system.
feudo feud, fief, feudal estate.
fevereiro February.
fezes feces, excrement.
fiado trusting, trustful; on credit. ♦ **vender fiado** sell on credit.
fiador guarantor, warrantor.
fiambre cured cold meat, cold ham.
fiança bail; security, warrant(y); deposit. ♦ **sob fiança** bail out, on bail.
fiar spin, weave; guarantee; sell on credit. ♦ **fiar-se em** trust.
fiasco fiasco, failure, washout.
fibra fiber, filament, thread; nerve; energy. ♦ **fibra de vidro** fiberglass. **fibra óptica** optical fiber.
fibrilação fibrilation.
fibroso fibrous, fibriform.
ficar remain, stay; stand; be situated or located; become, get; last, endure. ♦ **ficar afastado** stay away. **ficar ao lado** stand by. **ficar à toa** idle, hang about. **ficar à vontade** make oneself at ease. **ficar bom** get well, recover. **ficar com raiva** get angry. **ficar de bem com alguém** make up, make peace. **ficar de pé** stand up. **ficar firme** sit tight; hold on, hang on, hold tight. **ficar para titia** be left on the shelf. **ficar para trás** be left behind. **ficar por aí** stick around. **ficar quieto** be quiet. **Fique fora disso!** Stay out of this! **Você fica bem de azul.** You look good in blue.
ficção fiction. ♦ **ficção científica** science-fiction.
ficha record; card; form.
fichado on file. ♦ **ser fichado na polícia** have/get a criminal record.
fichar register, record, card, file.
fichário card index, card registry; file, filing cabinet.
fictício fictitious, imaginary; unreal; artificial.

fidedigno trustworthy, reliable, credible, dependable.
fidelidade fidelity, faithfulness; loyalty; integrity; accuracy.
fiel follower. • faithful; loyal, reliable. ♦ **ser fiel a** abide by, adhere to.
figa talisman, charm, amulet. ♦ **fazer figa** cross one's fingers.
fígado liver. → Human Body
figo fig. → Fruit
figueira fig tree.
figura figure; form, shape; picture, image. ♦ **Ele é uma figura!** He's a real character. **figura de cera** waxwork.
figurado figurative, figured, allegoric; metaphorical; imitative. ♦ **sentido figurado** figurative.
figurão big shot.
figurinha picture card, card.
figurino costume, suit; model, fashion plate, pattern (for cutting a dress). ♦ **figurinos** pattern book, fashion magazine.
fila line, row, queue. ♦ **em fila** in line. **esperar na fila** stand in line. **primeira fila** front row. **fila indiana** single file. **formar fila** line up, queue up. **pôr em fila** set in a row, queue.
filamento filament; fiber, string.
filantropia philanthropy, goodwill.
filantropo philanthropist.
filar scrounge.
filé filet, tenderloin, steak.
fileira row, rank, line, string; wing.
filete thread, thin thread.
filho(a) son (boy), daughter (girl); child, offspring. ***filhos*** children. ♦ **filho adotivo** foster child. (*vulg.*) **filho da mãe** bastard, son of a bitch.
filhote nestling, cub; puppy (dog); kitten (cat).
filiação filiation; affiliation.
filial branch, branch office; chain store.
filiar adopt; affiliate. ***afiliar-se*** enter, join (a group or a party).
filigrana filigree.
Filipinas Philippines. → Countries & Nationalities
filipino Philippine. → Countries & Nationalities
filmar film, shoot.
filme movie, film; film strip.
filologia philology.
filosofar philosophize.
filosofia philosophy.
filosófico philosophic(al).
filósofo philosopher. → Professions
filtrar filter.
filtro filter, strainer, percolator.
fim end, conclusion, ending, finish; closure; aim, purpose; death. ♦ **a fim de** in order to. **até o fim** till the end, to the last. **estar a fim de** feel like. **fim de mundo** backwater. **fim de semana** weekend. **no fim das contas** after all. **Os fins justificam os meios.** The end justifies the means. **Para que fim?** What for? **por fim** at last, finally. **Que fim ele teve?** What became of him? **sem fim** endless. **ter fim** end. **ter por fim** have in view, aim at.
finado late, deceased, dead, defunct. ♦ **dia de Finados** All Souls' Day.
final conclusion, finish, end; final, ending, finale. • last, final, definitive, ultimate.
finalidade purpose, end, goal.
finalizar finish, end, terminate, conclude.
finalmente at last, finally.
finanças finance(s); fund(s), capital.
financeiro financial.
financiamento financing.
financiar finance, support, fund.
fincar nail in, drive in.
findar finish, conclude, end; die.
fineza slimness, thinness; gracefulness; kindness. ♦ **Faça-me a fineza.** Be so kind.
fingido pretended, insincere, fake, feigned.
fingimento pretense, simulation; hypocrisy.
fingir pretend; disguise, feign. ***fingir-se de*** pretend to be.
finlandês Finn; Finnish. • Finnish. → Countries & Nationalities
Finlândia Finland. → Countries & Nationalities
fino thin, slim, slender; subtle; graceful, elegant; polite, noble; fine, sheer.

finura thinness, slimness; subtleness; courtesy.
fio thread; line; wire; string. ♦ **sem fio** wireless. **de fio a pavio** from beginning to end. **dias a fio** days on end. **estar por um fio** be hung by a thread. **fio de navalha** razor's edge. **fio dental** dental floss. **fio terra** ground wire, earth wire. **perder o fio da meada** lose one's thread, lose the train of thought.
firma firm, company, business. ♦ **firma reconhecida** notarized signature.
firmamento sky, heaven.
firmar firm, fix, set; settle; sign. ***firmar-se*** rely on, lean upon; held firm to, hold on.
firme adamant; firm, steady; fixed, set; strong, stable; settled. ♦ **aguentar firme** hang on.
firmemente tightly, firmly.
firmeza firmness; steadiness.
fiscal inspector; controller. • fiscal. → Professions
fiscalização inspection.
fiscalizar observe, examine; control, supervise; inspect.
fisco public revenue, public treasury.
fisgada stabbing, sharp pain.
fisgar hook, catch.
física physics.
fisicamente physically.
físico constitution, build; physicist. • physical; bodily, material. → Professions
fisiologia physiology.
fisiológico physiologic(al).
fisionomia physiognomy, face, semblance; look, aspect.
fisioterapia physical therapy, physiotherapy.
fissão fission.
fissura split, crack, cleft, fissure.
fístula fistula, sinus; pipe. → Human Body
fita ribbon, band, strip; string; tape. ♦ **fita adesiva** Scotch tape™. **fita isolante** electrical tape, insulating tape. **fita métrica** tape measure. **toca-fitas** tape player. → Classroom
fitar stare, gaze, glance upon.
fivela buckle, clasp.
fixar fasten, attach, stick on; settle, establish; retain in the memory; determine; assign. ***fixar-se*** stay or become permanent. ♦ **fixar residência** settle, establish residency. **fixar uma data** set a date.
fixo fixed, firm, stable; set, settled.
flácido soft; weak, feeble; relaxed; flacid, flabby.
flagelado flagellate. • flagellate; tortured, tormented.
flagelar flagellate; torture.
flagelo scourge.
flagrante instant, moment. • flagrant; evident. ♦ **pego em flagrante** caught in the act.
flamejante flaming, blazing; flashing; fiery.
flamejar flame, blaze; burn, glow; sparkle.
flamengo Flemish (language).
flanco flank, side, wing.
flauta flute, pipe. ♦ **flauta doce** recorder. → Musical Instruments
flautim piccolo. → Musical Instruments
flecha arrow.
flechada arrow shot.
flertar flirt.
flerte flirtation.
fleuma phlegm; apathy.
fleumático phlegmatic(al); apathetic(al).
flexibilidade flexibility.
flexionar flex, bend.
flexível flexible, bendable; versatile; deflective.
fliperama arcade.
floco flake.
flor flower, bloom, blossom. ♦ **a fina flor** the elite, the cream of the crop. **coroa de flores** wreath. **Ele não é flor que se cheire.** He's a bad lot. **em flor** in bloom.
flora flora.
floreio flourish; elegance of expression; adorn.
floreira flowerpot.
florescer blossom, bud; flower; florish.

floresta forest, wood. ♦ **floresta tropical** rainforest.
florido flowery; blossomy.
florir flower, blossom; develop, grow.
florista florist. → Professions
fluência fluency; flow.
fluente flowing, fluent.
fluidez fluidity, flow.
fluido fluid, liquid.
fluir flow, run, stream.
flutuação flotation, float; fluctuation, instability (of prices, conditions).
flutuante floating, buoyant. ♦ **dívida flutuante** floating debt. **doca flutuante** floating dock.
flutuar float; wave, drift; hover (in the air); fluctuate.
fluvial fluvial.
fluxo flow, stream; affluence. • fluent, flowing. ♦ **fluxo monetário** cash flow. **fluxo de trabalho** workflow.
fluxograma flow chart.
fobia phobia, fear; aversion (to).
foca seal. → Animal Kingdom
focalizar focus.
focinho muzzle, snout, nose.
foco focus. ♦ **fora de foco** out of focus, blurred.
fofo soft, smooth; fluffy; cute.
fofoca gossip.
fofoqueiro gossiper.
fogão stove, cooker. → Furniture & Appliances
fogareiro cooker, burner.
fogaréu bonfire.
fogo fire, blaze flame; energy, vigor. ♦ **à prova de fogo** fireproof. **cessar-fogo** cease-fire. **Fogo!** Fire! **fogo cruzado** crossfire. **fogo de palha** nine days' wonder. **fogos de artifício** fireworks. **pegar fogo** catch fire. **pôr a mão no fogo** vouch for. **pôr fogo** set fire.
fogoso hot, burning; ardent, fiery; high-spirited.
fogueira bonfire, fire.
foguete rocket. ♦ **sair como um foguete** run like mad.
foice scythe, sickle.
folclore folklore.
fole bellows, windchest.
fôlego breath, wind, respiration. ♦ **em um só fôlego** without interruption. **falta de fôlego** breathlessness. **perder o fôlego** get out of breath. **tomar fôlego** catch (one's) breath.
folga pause; rest. ♦ **dia de folga** day off. **estar de folga** be off duty.
folgadamente loosely; freely, calmy.
folgado loose, baggy; idle, lazy; easy, comfortable; slack.
folgar be off duty; loosen; rest; be at ease. ♦ **Ela folga aos domingos.** She takes the Sundays off.
folha sheet (of paper); leaf. ♦ **folha de pagamento** payroll. **novo em folha** brand new.

sheet (of paper)

leaf

folhagem foliage.
folheado plated, coated. ♦ **folheado a ouro** gold-plated.
folhear turn over the pages (of a book), browse, skim, flip through (a book).

folheto handout, pamphlet, booklet, brochure, leaflet.
folhinha calendar.
folia entertainment, revelry.
folião carnival reveler.
fome hunger; starvation; famine. ♦ **greve de fome** hunger strike. **morrer de fome** starve, die of starvation. **Na hora da fome, come-se até pedra.** Hunger is the best sauce. **salário de fome** starvation wage. **ter fome** be hungry.
fomentar promote, foment, encourage, stimulate, incite.
fone phone, headset; telephone receiver. ♦ **fones de ouvido** headphones.
fonética phonetics.
fonte font; fountain, spring; origin, source. ♦ **fonte de alimentação** power supply. **fonte de energia** power source. **fonte de renda** source of revenue. **fonte dos desejos** wishing well. **fonte embutida** built-in power supply; embedded source. **fonte vetorial** vector font.
fora rejection, refusal. • out, outside, outdoors, outlying, beyond, abroad, off, away. • except, without; besides. ♦ **fora de área** out of service. **cobrar por fora** charge extra. **dar o fora** leave, get out, take the air. **dar um fora** slip up. **dar um fora (em alguém)** dump. **Ele está fora de si.** He is out of his mind. **estar fora** be away. **ficar de fora** not to join in, be left out. **Fora!** Out!, Get out!, Be off!, Be gone! **fora da lei** outlaw. **fora de dúvida** beyond doubt. **fora de forma** unfit. **fora de moda** old-fashioned. **fora de propósito** irrelevant. **Isto está fora do meu alcance.** This is out of my reach. **jantar fora** eat out. **lá fora** outside. **levar um fora (do namorado)** get dumped.
foragido fugitive, outlaw; refugee.
forasteiro foreigner, stranger, outsider. • foreign, strange.
forca gallows; hangman (game).
força strength, power, force; energy, stamina. ♦ **à força** by main force. **com toda a força** with might and main. **fazer força** strive, try hard. **força aérea** air force. **força de espírito** strong-mindedness. **força de vontade** determination, will-power. **por motivo de força maior** by an act of God, God's will.
forçar force, oblige, compel; enforce; break in, enter forcibly.
forçoso forcible; necessary, inevitable.
forense forensic.
forja forge, smithy.
forjar forge.
forma form; shape; configuration; structure; mold, pattern. ♦ **da mesma forma** likewise. **de forma alguma** not at all; in no case; by no means, no way. **de qualquer forma** at any rate; in any way. **desta forma** this way. **de tal forma que** so that. **Ela está em ótima forma.** She is hale and hearty. **em forma** in good shape. **entrar em forma** get fit. **pública-forma** authenticated copy.
formação formation; development; training, education; constitution.
formal formal, solemn.
formalidade formality. ♦ **sem formalidades** informality.
formalizar formalize.
formalmente formally.
formão chisel.
formar form, shape; train, instruct (students). ***formar-se*** graduate.
formatação format, formatting.
formatar format.
formato format, shape.
formatura graduation.
formidável formidable; splendid, excellent, tremendous, great.
formiga ant. → Animal Kingdom
formigar tingle, prickle, itch.
formigueiro anthill, ants nest, ant colony.
formoso beautiful, handsome.
formosura beauty, handsomeness.
fórmula formula. ♦ **fórmula mágica** magic potion.

formular formulate; prescribe.
formulário form. ♦ **formulário contínuo** continuous form paper.
fornalha furnace.
fornecedor furnisher; supplier. • furnishing, supplying. ♦ **fornecedor de artigos para escritórios** office supply store.
fornecer furnish, supply, provide.
forno oven.
forragem fodder, silage, covering.
forrar cover.
forro lining, covering; ceiling.
fortalecer fortify, strengthen.
fortaleza fortress.
forte fort, fortress. • strong, vigorous; stout; powerful.

fort

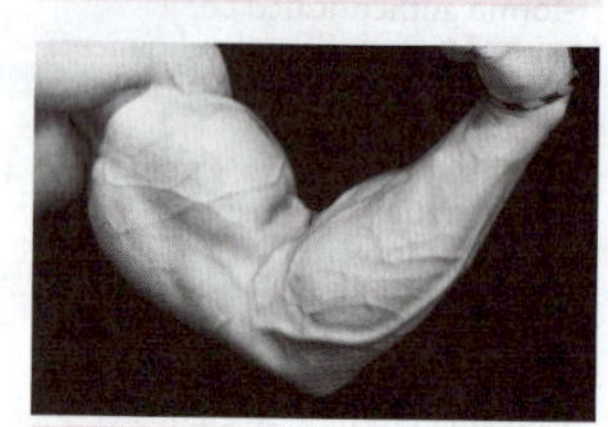
strong

fortemente strongly.
fortificação fortification, fortress.
fortificante restorative, tonic.
fortificar fortify, strengthen.
fortuito fortuitous, random, occasional.
fortuna fortune, good luck, destiny; wealth; prosperity.
fosco dim, dull; opaque. ♦ **vidro fosco** frosted glass.
fosfato phosphate.
fosforescente phosphorescent.
fósforo phosphorus; match.
fossa cesspool, cesspit. ♦ **estar na fossa** be downcast, be blue. **fossa séptica** septic tank.
fóssil fossil.
fotocópia photocopy.
fotogênico photogenic.
fotografar photograph, shoot.
fotografia photography, photo, picture. → Leisure
fotógrafo photographer.
fotolito photolithography, photolitho.
fotômetro photometer, light meter.
foz mouth of a river, estuary.
fração fraction; part, portion. → Numbers
fracassado loser. • unsuccessful, failed, abortive.
fracassar fail, miscarry.
fracasso failure; misfortune, disaster; demise.
fracionar fragment; divide; fraction(ate).
fraco weak, feeble, fragile. ♦ **ter um fraco por** have a fondness for.
frade friar, monk.
fragata frigate.
frágil fragile; weak, flimsy, feeble.
fragilidade fragility, weakness, frailty.
fragmentar fragment; break up, shatter.
fragmento fragment, fraction, scrap, snatch; snippet (of information or conversation).
fragrância fragrance, aroma, perfume, scent.
fragrante fragrant, aromatic.
fralda diaper, nappy.
framboesa raspberry. → Fruit
França France. → Countries & Nationalities
francês French. → Countries & Nationalities
franciscano Franciscan.
franco frank, honest, straightforward, outspoken, direct; duty-free, tax free; free, costless. ♦ **entrada franca** free admission. **franco-atirador** sniper.
frango chicken. • **frango (do goleiro)** blunder, howler.
franja bangs.

franquear exempt, free, frank (from taxes or duties); facilitate; concede.
franqueza frankness; sincerity; straightforwardness. ♦ **falar com franqueza** speak out.
franquia postage, postage stamp; franchise; exemption.
franzino slender, slim; weak.
franzir wrinkle, fold, frown. ♦ **franzir as sobrancelhas/a testa** frown, scowl.
fraque cutaway, tailcoat.
fraquejar weaken, lose one's strength, flag, sag.
fraqueza weakness, debility.
frasco bottle, flask.
frase sentence; period; phrase. ♦ **frase feita** set phrase. **frase de efeito** slogan, catch phrase.
fraternal fraternal.
fraternidade fraternity, brotherhood; friendship.
fraterno fraternal, brotherly.
fratura fracture, break(ing). ♦ **fratura múltipla** compound fracture.
fraturar fracture, break.
fraude fraud, swindle; cheat; trickery.
fraudulento fraudulent, deceitful, bogus.
frear brake; restrain, refrain, curb.
freguês customer, client, shopper; patron.
freguesia clientele, customers.
frei friar, monk.
freio bridle, bit; brake(s). ♦ **freio de mão** handbrake. **sem freios** unbridled.
freira nun, sister.
frenesi frenzy, madness.
frenético frenetic(al), frantic(al), frenzied, wild.
frente front, forefront; face; head, lead. ♦ **bem em frente** straight ahead. **frente a frente** opposite, face to face. **frente fria** cold front. **Para a frente!** Go ahead! **sair da frente** get out of the way. → Weather
frequência frequency, periodicity; attendance. ♦ **com frequência** often, frequently.
frequentar frequent; attend.
frequente frequent, customary.
fresco fresh, new, recent; refreshing; cool.
frescobol beach tennis with paddle racquet. → Sports
frescor freshness, coolness.
fresta slit, opening, breach, gap.
fretar charter; freight.
frete freight; shipping.
friagem cold(ness), chill(iness).
fricção friction, attrition, rub(bing).
friccionar rub, scrub.
frieza coldness, coolness, frost(iness); indifference.
frigideira frying pan.
frigidez frigidity.
frígido frigid; cold, indifferent.
frigir fry, frizzle.
frigorífico freezer. • frigorific(al). ♦ **câmara frigorífica** refrigerating chamber.
frio cold; coldness, iciness; indifference. • cold, cool, icy, chilled; indifferent. ***frios*** cold cuts. ♦ **Estou com frio.** I feel cold. **frio cortante** biting cold. **homem frio** cold-hearted man. **morrer de frio** freeze to death.
friorento sensitive to cold.
frisar curl; emphasize, underline.
friso frieze.
fritar fry.
frito fried. ♦ **estar frito** be in a fix.
fritura fried food, fritter.
frivolidade futility; emptiness, frivolity.
frívolo frivolous, futile, shallow.
fronha pillowcase.
fronte forehead, brow, front.
fronteira frontier, boundary, border. ♦ **sem fronteiras** without borders.
fronteiriço frontier, borderline.
fronteiro bordering; opposite.
frota fleet.
frouxo weak, feeble; loose, slack.
frugalidade frugality.
frustração frustration.
frustrado disappointed, frustrated.
frustrar frustrate; disappoint.
fruta fruit. ♦ **fruta-do-conde** sweetsop. **fruta-pão** breadfruit. → Fruit
fruteira fruit bowl or plate.
fruteiro fruiterer, costermonger.

frutífero fruitful; fertile.
fruto fruit; offspring; result, product; consequence. ♦ **dar frutos** bear fruit.
fubá maize flour, corn meal.
fuçar nose around, snoop.
fuga escape, run, runaway, flee, getaway.
fugaz transitory, ephemeral; fleeting; rapid, swift.
fugida escape, getaway, runaway, flee, evasion.
fugir flee, run away, escape; elope; evade, disappear, vanish. ♦ **Não fuja do assunto.** Stick to the point.
fugitivo fugitive, runaway, evader. • fugitive.
fuinha weasel. → Animal Kingdom
fulano (Mr.) so-and-so, John Doe. ♦ **Fulano, sicrano e beltrano** Tom, Dick and Harry.
fuligem soot.
fulminante fulminating; lethal, fatal, deadly. ♦ **olhar fulminante** withering look.
fulminar fulminate, kill instantaneously, annihilate. ♦ **fulminar com os olhos** glare.
fulo irritated, furious, infuriated. ♦ **fulo de raiva** burning with anger.
fumaça smoke; fume, steam.
fumante smoker. • smoking. ♦ **fumante inveterado** heavy smoker.
fumar smoke. ♦ **fumar sem parar** chain-smoke.
fumo smoke; tobacco.
função function; activity, operation; service, duty; occupation; ceremony, performance.
funcionalismo functionalism; public functionaries (collectively). ♦ **funcionalismo público** civil service.
funcionamento functioning; operation, running, working. ♦ **em funcionamento** operative. **horário de funcionamento** opening hours.
funcionar function, work.
funcionário employee, worker, clerk. ♦ **funcionário público** civil servant.
fundação foundation; establishment.
fundador founder. • founding.
fundamentado well-founded, based, grounded. ♦ **mal fundamentado** groundless.
fundamental fundamental, basic, essential.
fundamentar found, ground; base; prove, justify; confirm, validate.
fundamento basis, foundation; ground; justification. ***fundamentos*** grass roots. ♦ **sem fundamento** without a leg to stand on.
fundar found, establish, build, base, start. ***fundar-se em*** be based on.
fundição foundry; forge, melting.
fundir cast; fuse, melt, liquefy, dissolve; merge; unite, link. ***fundir--se*** melt. ♦ **O motor fundiu-se.** The motor seized up.
fundo bottom; background; ground; foundation; basis. • ***fundos*** capital, finance, funds. • deep; profound; intimate, innermost. ♦ **sem fundo** bottomless. **conhecer a fundo** have a thorough knowledge of. **prato fundo** soup plate. **quintal dos fundos** backyard.
fúnebre funeral, mortuary; mounful.
funeral funeral.
funerário funerary, funeral.
funesto sinister; deadly, fatal, disastrous.
fungar snuff, sniff.
fungicida fungicide. • fungicidal.
fungo fungus.
funil funnel.
furacão hurricane, cyclone, tornado. ♦ **entrar/sair como um furacão** stomp in/out. → Weather
furadeira drill, drilling machine.
furão ferret. → Animal Kingdom
furar bore, pierce, drill, perforate; penetrate; break open. ♦ **fura--greve** strikebreaker. **furar a fila** cut in line/queue. **furar a greve** break the strike. **furar um pneu** puncture a tire.
furgão van. → Means of Transportation
fúria fury, extreme rage. ♦ **num ataque de fúria** in a fit of rage.
furiosamente wildly, madly, furiously.

furioso furious, pissed off.
furna cavern, grotto; hole, pit.
furo hole, bore, perforation, puncture; orifice. ♦ **dar um furo** blunder. **furo de reportagem** scoop.
furor furor, fury, rage; passion.
furta-cor iridescent, changeable.
furtar steal, thieve; rob. ***furtar-se*** escape, sneak away; avoid.
furtivo stealthy, furtive; secret, undercover.
furto theft, stealing.
furúnculo furuncle, boil.
fusão fusion, melting, merger, blend(ing), mixture; union.
fuselagem fuselage.
fusível fuse.
fuso spindle. ♦ **fuso horário** time zone.
futebol soccer, football (*Brit.*). ♦ **futebol de salão** futsal. **futebol americano** football. → Sports
futebolista soccer player.
fútil futile, frivolous, shallow.
futilidade futility, frivolousness.
futuro future; destiny, fate. ♦ **futuro marido** husband-to-be. **O futuro a Deus pertence.** Who knows what the future holds?, Who knows what tomorrow brings?
fuxicar intrigue, gossip.
fuxico intrigue, gossip, plot.
fuxiqueiro gossiper, yenta.
fuzil rifle.
fuzilamento shooting. ♦ **pelotão de fuzilamento** firing squad.
fuzilar shoot.
fuzileiro fusileer, rifleman. ♦ **fuzileiro naval** marine.

G, g the seventh letter of the Portuguese alphabet; the fifth musical note.
gabar praise, flatter. ***gabar-se (de)*** boast (of), brag, show off.
gabarito mold, form, model; gauge; pattern, template; answer key.
gabinete cabinet; chamber, office. → Furniture & Appliances
gado cattle, stock, livestock. ♦ **gado leiteiro** dairy cattle.
gafanhoto grasshopper, locust. → Animal Kingdom
gagá gaga, crazy; decrepit, senile.
gago stutterer, stammerer, falterer. • stuttering, stammering, faltering.
gaguejar stutter, stammer, falter.
gaiola cage; birdcage.
gaita harmonica, mouth organ. ♦ **gaita de foles** bagpipes. → Musical Instruments
gaivota gull, seagull. → Animal Kingdom
galã leading man, leading actor.
gala gala. ♦ **traje de gala** evening clothes, black tie, formalwear.
galante gallant. • dashing, gallant; handsome; gentle, nice; polite, attentive (to ladies).
galanteio gallantry, courtesy; courtship, wooing.
galão gallon.
galego Galician, native of Galicia (Spain); Galician language. • Galician.
galeria gallery; passage; tunnel.
galês Welsh (native or inhabitant of Wales); Welsh language. • Welsh. → Countries and Nationalities
galgar speed up, trot; climb, ascend; jump over, spring; overpass.
galgo greyhound.
galheteiro caster, cruet-stand.
galho branch (of trees), limb, twig. ♦ **Cada macaco no seu galho.** Each one to his trade. **pular de galho em galho** find no rest, be restless. **quebra-galho** troubleshooter; quick fix; handyman. **quebrar o galho** help, do a favor.
galinha hen, chicken, fowl. ♦ **deitar-se com as galinhas** go to bed with the sun. **galinha choca** setting hen, brood hen. **galinha-morta** bargain. → Animal Kingdom
galinheiro henhouse.
galo cock, rooster; swelling, lump, bump. ♦ **ao cantar do galo** at daybreak, at cockcrow. **galo de briga** fighting cock. **missa do galo** midnight mass. **ouvir cantar o galo e não saber onde** not knowing the full story, jump to conclusions. → Animal Kingdom

rooster

lump/swelling

galocha galosh, rubber overshoe. → Clothing

galopar gallop; run by leaps; ride very fast.
galope gallop; leaping gait of a horse.
galpão hangar, shed, haven, warehouse.
galvanizar galvanize; electroplate.
gama gamma, third letter of the Greek alphabet; series, range.
gamão backgammon. → Leisure
gambá opossum, polecat, skunk; boozer (drunkard). → Animal Kingdom
gamo buck. → Animal Kingdom
gana hunger, appetite; craving, desire. ♦ **ter gana de alguém** hate somebody.
ganância greed.
ganancioso greedy, avaricious, grasping.
gancho hook.
gandaia loafing. ♦ **viver na gandaia** loaf; lead a dissolute life.
gangorra seesaw.
gangrena gangrene, necrosis.
gangrenar gangrene, necrose.
ganha-pão livelihood, means of living; breadwinner.
ganhar acquire, earn; get, receive; gain; win, prevail, succeed; overcome; vanquish, master, conquer; profit, benefit. ♦ **ganhar a vida** earn one's living; make a living. **ganhar a vida com dificuldade** struggle hard to get by. **ganhar dinheiro** make or earn money. **ganhar o pão de cada dia** earn one's daily bread. **ganhar tempo** gain time. **ganhar uma batalha** win a battle.
ganho profit, gain, acquisition; advantage; earnings. • gained, acquired. ♦ **ganho inesperado** windfall. **ganhos e perdas** profit and loss.
ganido yelping, yelp, bark.
ganir yelp, bark.
ganso goose, gander. → Animal Kingdom
garagem garage.
garanhão stallion; stud. → Animal Kingdom
garantia guarantee, warranty. ♦ **garantias constitucionais** constitucional rights and privileges.
garantido warranted; secure; assured.
garantir guarantee, warrant; assure; confirm.
garça heron. → Animal Kingdom
garçom waiter, server; bartender. → Professions
garçonete waitress, server; barmaid. → Professions
garfada forkful.
garfo fork. ♦ **Ele é bom de garfo.** He is a great eater.
gargalhada laughter. ♦ **cair na gargalhada** or **dar uma gargalhada** burst out laughing.
gargalo neck (of a bottle).
garganta throat, gorge; voice; abyss; gulf. • boastful. → Human Body
gargarejar gargle, rinse the mouth or throat.
gargarejo gargling, gargle.
gari street sweeper, (street) cleaner. → Professions
garimpar pan; prospect.
garimpeiro prospector; gold digger, gold miner, gold panner. → Professions
garimpo diamond mine; gold field; prospect.
garoa drizzle. → Weather
garota girl; baby, babe (*inf.*). ♦ **garota de capa** cover girl.
garoto boy, lad, kid; baby, babe (*inf.*).
garra claw; courage. ♦ **Ele tem garra.** He's got the guts.
garrafa bottle, flask. ♦ **garrafa térmica** vacuum bottle, vacuum flask.
garrancho tortuous branch; scrawl, scribble.
garupa haunch, hindquarters (of a horse), pillion. ♦ **andar na garupa (de moto)** ride pillion.
gás gas, vapor, fume. ♦ **gás carbônico** carbon dioxide. **gás lacrimogêneo** tear gas.

gasolina gas, gasoline, petrol. ♦ **ficar sem gasolina** run out of gas.
gasosa soda, soda water, fizz.
gasoso gaseous, aerial.
gastar consume, use up; spend, disburse; waste. ***gastar-se*** wear out. ♦ **gastar em excesso** overspend. **gastar palavras** speak in vain. **gastar uma fortuna** squander a fortune, make money fly.
gasto expense, disbursement. • spent, worn-out, used up. ♦ **dar para o gasto** will do, be OK. **gastos imprevistos** incidental expenses. **gastos miúdos** petty charges.
gástrico gastric. ♦ **suco gástrico** gastric juice. **úlcera gástrica** peptic ulcer.
gastrite gastritis.
gatilho trigger. ♦ **puxar o gatilho** pull the trigger.
gatinha a very pretty girl; kitten, pussy. ♦ **andar de gatinhas** go or crawl on all fours.
gato cat. ♦ **comprar gato por lebre** be cheated, buy a pig in a poke. **Gato escaldado tem medo de água fria.** Once burned, twice shy. **gatinho** kitten. **gato macho** tomcat. **meia dúzia de gatos--pingados** a scanty audience; a few people. → Animal Kingdom
gatuno thief, stealer, robber.
gaulês Gaul. • Gaulish.
gaveta drawer.
gavião hawk. → Animal Kingdom
gaze gauze.
gazela gazelle. → Animal Kingdom
gazeta gazette, newspaper.
geada frost. → Weather
gear frost, chill, freeze.
geladeira refrigerator, freezer, icebox, fridge. → Furniture & Appliances
gelado frozen, icy; frosty.
gelar freeze; chill, ice, make cool(er).
gelatina gelatin(e), jelly.
geleia jelly, jam, marmalade.
geleira ice cap, glacier.
gélido very cold, icy, frosty; frozen.
gelo ice; indifference. ♦ **gelo-seco** dry ice.
gema egg yolk; precious stone, gem. ♦ **da gema** genuine.

egg yolk

gem

gemada eggnog.
gêmeo twin. • twin. ♦ **gêmeos idênticos** identical twins. **trigêmeos** triplets. **quadrigêmeos** quadruplets. **quíntuplos** quintuplets.
gemer groan, moan; wail, lament.
gemido groan, moan(ing); wailing, whining.
geminado geminate; double, twofold. ♦ **casa geminada** townhouse, semi-detached house.
gene gene.
general general.
generalidade generality.
generalizar generalize.
genérico generic(al); general, common.
gênero gender; genre; class, order; kind, type, sort, line; genus. ***gêneros*** goods, commodities, articles. ♦ **gênero de primeira necessidade** staple. **gênero humano** humankind, humanity, mankind. **gêneros alimentícios** foodstuff, edibles, groceries.

generosidade generosity.
generoso generous.
genético genetic(al).
gengibre ginger. → Vegetables
gengiva gum. → Human Body
genial ingenious; brilliant, fantastic. → Deceptive Cognates
gênio genie; genius, brains (*inf.*); temper; talent. ♦ **de bom gênio** good-natured. **de mau gênio** bad-tempered. **o gênio das trevas** the prince of darkness. **o gênio do mal** the devil; demon.

genie

genius

genioso ill-natured, ornery.
genital genital. ♦ **órgãos genitais** private parts. → Human Body
genocídio genocide.
genro son-in-law.
gente people, folks; population. ♦ **a gente** we; us. **A gente nunca sabe.** You never know. **gente fina** nice/great person. **gente grande** grown-up. **gente rica** well-off people. **muita gente** lots of people. **Tchau, gente!** Bye, guys!
gentil nice; gentle, noble; pleasant; kind.
gentileza courtesy; kindness. ♦ **por gentileza** please, if you may.
gentinha low people; scum.
gentio pagan; gentile. • pagan, savage.
genuíno genuine, authentic, original; true, pure, honest.
geografia geography.
geográfico geographic(al).
geógrafo geographer. → Professions
geologia geology.
geológico geologic(al).
geólogo geologist. → Professions
geometria geometry.
geométrico geometric(al).
geração creation; offspring, lineage; generation.
gerador generator, producer. • generating, productive.
geral common, generic; general. ♦ **do geral ao detalhe** top-down. **de modo geral** generally speaking, broadly. **em geral** generally, in general, at large. **em termos gerais** generally, by and large. **opinião geral** current opinion.
geralmente commonly, generally, usually.
gerânio geranium.
gerar generate, create, produce; breed, procriate.
gerência management, administration; direction, control, supervision. ♦ **gerenciamento de banco de dados** database management.
gerente manager, administrator; supervisor. → Professions
gergelim sesame.
geriatria geriatrics.
geriátrico geriatric.
gerir manage, administrate; direct, supervise.
germinação germination.
germinar germinate, sprout.
gerúndio gerund.
gesso plaster, cast.
gestação pregnancy.
gestante pregnant woman. • pregnant.
gestão management, administration.
gesticular gesticulate, gesture, sign.
gesto gesture, sign.
gigante giant; titan. • giant, jumbo, enormous.
gigantesco gigantic, enormous, huge.
gim gin.
ginásio gymnasium (gym); secondary school.
ginasta gymnast.
ginástica gymnastics, physical exercises. ♦ **ginástica aeróbica** aerobics. → Sports
ginecologia gynecology.
ginecologista gynecologist. → Professions

gingar sway, swing.
girafa giraffe. → Animal Kingdom
girar go, move, swing or turn around; circle, move in a circle, spin around; rotate, revolve.
girassol sunflower.
gíria slang.
girino tadpole. → Animal Kingdom
giro rotation, spin, revolution; turn; turn over. ♦ **dar um giro** take a stroll, go for a walk, wander around.
giz chalk. → Classroom
glacê icing, frosting.
glacial glacial, icy, freezing, frosty. ♦ **período glacial** ice age.
glamour glamor.
glande glans. → Human Body
glândula gland. → Human Body
glicerina glycerin, glycerol.
glicose glucose, dextrose.
global global; total, spherical; pertaining to or involving the world; all included; integral, all-over. ♦ **aldeia global** global village. **aquecimento global** global warming.
globalização globalization.
globo sphere, ball, globe. ♦ **globo ocular** eyeball. **globo terrestre** Earth, the terrestrial globe.
glóbulo globule. ♦ **contagem de glóbulos** blood count. **glóbulo sanguíneo** blood corpuscle.
glória glory, majesty; praise, honor.
glorificar glorify; praise; honor, worship.
glorioso glorious; splendid, bright.
glossário glossary, vocabulary.
glutão glutton. • voracious.
goela throat, gullet, esophagus. → Human Body
gogó Adam's apple. → Human Body
goiaba guava. → Fruit
goiabada guava jam.
gol goal. ♦ **gol contra** own goal. **marcar um gol** score a goal.
gola collar, shirt-collar, neck.
gole sip, swig, gulp, draft.
goleiro goalkeeper.
golfada outpouring, gush; vomit.
golfe golf. ♦ **campo de golfe** golf course. → Sports
golfinho dolphin. → Animal Kingdom
golfo gulf.
golpe blow, punch, stroke; hit. ♦ **dar o golpe do baú** marry for money, be a gold digger. **de um só golpe** at one stroke. **golpe baixo** low blow; low trick. **golpe de Estado** coup d'état. **golpe de mestre** masterstroke. **golpe de misericórdia** coup de grâce. **golpe de vento** gust of wind. **golpe de vista** quick glance.
golpear strike, beat, hit.
goma gum, latex; glue, dextrin. ♦ **goma de mascar** chewing gum. **goma-laca** shellac.
gôndola gondola, Venetian boat. → Means of Transportation
gondoleiro gondolier. → Professions
gorar miscarry, go wrong, end in failure, abort; frustrate.
gordo fat, chubby, heavy, overweight, plump, obese. ♦ **Nunca o vi mais gordo.** I've never seen him before.
gordura fat, grease; obesity, adiposity.
gorduroso greasy, fatty, oily.
gorila gorilla. → Animal Kingdom
gorjeta tip.
gorro cap, bonnet. → Clothing
gostar enjoy, like; hold dear, care for, fancy. ♦ **gostar mais de** prefer, like better.
gosto taste; flavor. ***gostos*** likes and dislikes. ♦ **a gosto** to taste. **com gosto** willingly. **bom gosto** good taste, tasteful. **de mau gosto** bad taste, distasteful; cheesy, off-color. **Gosto não se discute.** There's no accounting for taste.
gostoso tasty, savory, flavorous; appetizing; tasteful, pleasing.
gota drop, raindrop, dewdrop; gout. ♦ **a última gota** the last straw.
goteira leak; drain.
gotejar drip, drop; dribble, pour.
gótico Gothic.
gotinha droplet.
governador governor. • governing.
governamental governmental, civil.
governanta governess, housekeeper, tutoress. → Professions

governar govern, rule, command. ♦ **governar mal** misrule, misgovern.
governo government, authority, power. ♦ **para o seu governo** for your information.
gozado comical, funny.
gozar derive pleasure from, enjoy, take delight in; have an orgasm, come. ♦ **gozar férias** vacation, be on holiday, go on holiday.
gozo joy, enjoyment; pleasure; satisfaction; sexual pleasure, orgasm.
Grã-Bretanha Great Britain. → Countries & Nationalities
graça favor, grace, goodwill; kindness; charm. ***graças*** thank(s) to. ♦ **de graça** for free. **ficar sem graça** be embarrassed. **Graças a Deus.** Thank God., Thanks to God. **perder a graça** pall, lose its charm. **sem graça** dull, graceless(ly). **ter graça** be funny. **trabalhar de graça** work for peanuts.
gracejar joke, jest.
gracejo joke, jest. ♦ **fazer gracejos** make fun.
gracioso gracious, graceful; cute, lovely.
gradação gradation; gradual increase or diminution.
grade grate, grid; grill.
graduação graduation; gradation scale; hierarchy, rank, grade.
graduado graduate; distinguished; superior.
gradualmente gradually, progressively.
graduar graduate; gauge, grade, mark with degrees. ***graduar-se*** graduate, receive an academic degree.
grafia spelling, orthography.
gráfico graph, chart, plan, diagram. • graphic. ♦ **gráfico cartesiano** x-y graph. **gráfico de barras** bar chart, bar graph. **gráfico de dispersão** scatter diagram.
gralha carrion crow, rook; chatterbox; typo. → Animal Kingdom
grama grass, lawn; gram.
gramado lawn, turf, grass.
gramática grammar; grammar book.
gramatical grammatic(al).
gramático grammarian. • grammatic(al).
grampeador stapler. → Classroom
grampear staple; clip, clamp; bug, wiretap (someone's phone).
grampo staple; clamp, clip, clasp; wiretap. ♦ **grampo para cabelo** hairpin.
grana buck, dough.
granada grenade.
grande big, great, large; bulky; long; tall, high; vast. ♦ **Ela é grande para a sua idade.** She is tall for her age. **um grande livro** a remarkable book.
grandeza largeness, greatness, grandness, bigness; magnitude; majesty; grandeur. ♦ **ter mania de grandeza** have delusions of grandeur.
grandioso grand, great; elevated; magnificent.
granito granite.
granizo hail. → Weather
granja farm. ♦ **granja leiteira** dairy farm.
granjear cultivate, farm; acquire, obtain.
granulação granulation; graining; granulating.
granulado granulated; grainy, granular. ♦ **chocolate granulado** chocolate sprinkles.
grão grain.
grão-de-bico chickpea. → Vegetables
gratidão gratitude, gratefulness, thankfulness.
gratificação gratification; reward; bonus.
gratificar gratify; reward, recompense; tip.
grátis free, costless. → Deceptive Cognates
grato grateful, thankful.
gratuito free, costless.
grau degree, grade; order, class, rank.
graúdo great, distinguished; grown, developed; important.

gravação engraving; recording.
gravador engraver; recorder.
gravar engrave, carve, sculpture; record, tape, burn (a CD); save. ♦ **gravar na memória** stamp on one's mind.
gravata tie. ♦ **dar uma gravata em alguém** stranglehold somebody. **gravata-borboleta** bow tie. → Clothing
grave serious; heavy, weighty; important. → Deceptive Cognates
grávida pregnant.
gravidade gravity, gravitational force; seriousness. ♦ **sem gravidade** weightless.
gravidez pregnancy.
gravitação gravitation.
gravitar gravitate.
gravura engraving, carving, plate; gravure, print, picture.
graxa grease.
Grécia Greece. → Countries & Nationalities
grego Greek. ♦ **agradar a gregos e troianos** please both sides. → Countries & Nationalities
grelha grill.
grelhar grill.
grêmio community, society; fraternity.
greve strike. ♦ **entrar em greve** go on strike. **fura-greve** strikebreaker. **greve de fome** hunger strike.
grevista striker, worker on strike.
grifar underline; emphasize.
grileiro land-grabber, squatter.
grilo cricket. ♦ **Qual é o grilo?** What's the matter? → Animal Kingdom
grinalda garland, wreath.
gringo foreigner.
gripe influenza, flu, cold. ♦ **estar gripado** have a cold. → Deceptive Cognates
grisalho gray, grayish; grizzled, grizzly. ♦ **cabelo grisalho** gray hair.
gritar cry, shout; scream, yell. ♦ **gritar com alguém** shout at somebody.
gritaria crying, shouting; screaming. ♦ **gritaria dos diabos** infernal din.
grito shout, cry, yell, scream. ♦ **dar um grito** cry out. **grito de guerra** war cry.
grogue groggy, dizzy.
groselha currant, gooseberry. ♦ **groselheira-preta** black currant. → Fruit
grosseiro coarse; impolite; rough, rustic, rude.
grosseria roughness, rudeness; impoliteness.
grosso main part, bulk, gross. • bulky, big, great; dense, compact; thick, stout. ♦ **curto e grosso** short and sweet. **falar grosso** boss the show, boss around. **voz grossa** deep voice.
grossura thickness; bulkiness.
grotesco grotesque; bizarre, ridiculous.
grua crane.
grudar glue, paste; stick together.
grude glue, paste.
grudento sticky.
grunhido grunting, grunt.
grunhir grunt; grumble.
grupar group, form groups.
grupo group; team; class; party; clan; bunch, bundle. ♦ **grupo sanguíneo** blood group. **grupo de discussão via internet** newsgroup.
gruta grotto, cavern, cave, den.
guarda guard; officer, cop, security guard; police officer; vigilance; keeper, caretaker; custody; caution. ♦ **anjo da guarda** guardian angel. **guarda costeira** coastguard. **guarda de trânsito** traffic warden. → Professions
guarda-chuva umbrella.
guarda-costas bodyguard. → Professions
guarda-livros bookkeeper, accountant.
guarda-louça cupboard. → Furniture & Appliances
guardanapo napkin.
guarda-noturno night watchman. → Professions
guardar guard, protect; store; defend, shield; watch over; keep. ***guardar-se*** be cautious, be on one's guard. ♦ **guardar a sete**

chaves keep under lock and key. **guardar um segredo** keep a secret.
guarda-roupa wardrobe. → Furniture & Appliances
guarda-sol sunshade, parasol.
guardião guardian, warden, watchdog.
guarita sentry box.
guarnecer provide, supply, furnish, equip; fortify; garnish.
guarnição crew, personnel; post. ♦ **guarnição militar** garrison.
guaxinim raccoon. → Animal Kingdom
guelra gill.
guerra war, warfare, battle; conflict. ♦ **em guerra** at war. **fazer guerra** wage war. **guerra biológica** biological warfare. **guerra mundial** world war.
guerrear war, make or wage war against; fight, combat.
guerreiro warrior, fighter; soldier. • warlike; combative.
guerrilha guerilla; guerrilla warfare.
guerrilheiro guerilla.
gueto ghetto.
guia guide; guidance; guidebook, manual.
guiar guide, lead, conduct, direct; drive; advise, counsel; teach, instruct. ***guiar-se por*** be guided by. ♦ **guiar a toda velocidade** drive at full speed.
guichê sliding window; booking office, ticket-office, counter.
guidão handlebar.
guilhotina guillotine.
guinada deflection; pitching of an airplane; sudden turning, swerve.
guinchar shriek, screech; tow (a car).
guincho squeak, shriek; tow truck.
guindaste crane, hoist.
guisado stew.
guisar stew.
guitarra electric guitar. ♦ **guitarra havaiana** ukelele. → Musical Instruments
guizo small bell; rattle.
gula voracity, gluttony; greed.
gulodice delicacy, dainty; gluttony.
guloseima delicacy, goody, tidbit.
guloso glutton. • gluttonous; greedy.
gume edge. ♦ **faca de dois gumes** double-edged sword, two-edged sword.
gutural guttural, throaty.

H, h the eighth letter of the Portuguese alphabet.
hábil skillful, dexterous, skilled; able; adroit. ♦ **em tempo hábil** in reasonable time.
habilidade aptitude, ability; capacity; skill. ***habilidades*** gymnastics, exercises which develop muscular strength and agility. ♦ **ter habilidade manual** have manual dexterity.
habilidoso skilful, skilled; handy; talented; clever.
habilitação qualification, fitness; competence. ♦ **carteira de habilitação** driver's license.
habilitado qualified, capable, competent; licensed, adept.
habilitar qualify; enable; entitle, authorize, give a right to, license; prepare. ***habilitar-se*** become able, capable or fit for.
habitação housing; house, residence, dwelling.
habitado inhabited.
habitante inhabitant, resident, dweller.
habitar inhabit; live in.
hábitat habitat.
hábito custom; habit. ♦ **abandonar um hábito** break the habit. **tornar-se um hábito** become a habit.
habituado accustomed, be used to.
habitual usual; habitual, customary; common; frequent. ♦ **freguês habitual** regular customer.
habituar habituate; familiarize; accustom. ***habituar-se (a)*** get used to.
hacker hacker.
hálito breath. ♦ **mau hálito** bad breath.
halo halo, aureole.
hambúrguer burger, hamburger.
hamster hamster. ➔ Animal Kingdom
handebol handball. ➔ Sports
hangar shed, hangar.
haras stud farm.
harmonia harmony, conformity; consonance; symmetry; melody.
harmônico harmonic, concordant; coherent; melodic.
harmonioso harmonious; melodious, sweet-sounding.
harmonizar harmonize; adjust; reconciliate; make harmonious; arrange in musical harmony.
harpa harp. ➔ Musical Instruments
haste rod, stick; stem, stalk; pole; shank.
hastear hoist, heave. ♦ **hastear a bandeira** fly the flag.
Havaí Hawaii.
havaiano Hawaiian.
haver credit. • have, possess; get; exist, there to be. ***haveres*** wealth, possessions, riches, fortune. ♦ **há anos** years ago; for years. **há muito tempo** long ago. **Não há de quê.** You're welcome., Don't mention it. **O que há com você?** What's the matter with you?
hebraico Hebrew. • Hebrew, Hebraic(al).
hebreu Hebrew.
hectare hectare.
hélice helix; propeller.

helicóptero helicopter, chopper. → Means of Transportation
hematoma bruise.
hemisfério hemisphere.
hemofilia hemophilia.
hemofílico hemophiliac.
hemoglobina hemoglobin, haemoglobin (*Brit.*).
hemograma blood count.
hemorragia hemorrhage.
hemorroidas hemorrhoids, piles.
hepatite hepatitis.
herança inheritance, heritage; heirloom; legacy. ♦ **por herança** by inheritance.
herbívoro herbivorous.
herdar inherit.
herdeiro heir; inheritor.
hereditariedade heredity.
hereditário hereditary, heritable.
herege heretic, misbeliever. • herectic(al).
heresia heresy.
herético heretic(al); unorthodox.
hermafrodita hermaphrodite.
hermético airtight, hermetic.
herói hero.
heroico heroic(al); valiant, courageous.
heroína heroine; heroin.
heroísmo heroism; courage, intrepidity.
hesitação hesitation; vacillation; faltering.
hesitante hesitant, wavering, hesitating, vacillating.
hesitar hesitate; vacillate.
heterogêneo heterogeneous; assorted; miscellaneous; unlike, dissimilar.
heterossexual heterosexual.
hexágono hexagon.
híbrido hybrid, crossbred.
hidrante hydrant.
hidratação hydration.
hidratado hydrated.
hidráulica hydraulics. ♦ **instalações hidráulicas** waterworks.
hidráulico hydraulic.
hidrelétrico hydroelectric.
hidroavião hydroplane. → Means of Transportation
hidrofobia hydrophobia; rabies.
hidrogênio hydrogen.
hidrômetro hydrometer, water meter.
hidróxido hydroxide.
hiena hyena. → Animal Kingdom
hierarquia hierarchy.
hieróglifo hieroglyph.
hífen hyphen.
higiene hygienics, hygiene. ♦ **higiene mental** mental health.
higiênico hygienic, sanitary. ♦ **papel higiênico** toilet paper.
hilariante hilarious.
hindu Hindu.
hinduísmo Hinduism.
hino hymn; anthem. ♦ **hino nacional** national anthem.
hiper hyper.
hipermercado hypermarket.
hipertensão hypertension, high blood pressure.
hipertexto hypertext.
hip-hop hip-hop (music genre).
hípico equestrian. ♦ **clube hípico** riding club.
hipnose hypnosis, hypnotism.
hipnótico hypnotic.
hipocondríaco hypochondriac.
hipocrisia hypocrisy; falseness.
hipócrita hypocrite. • hypocritic(al); double-faced.
hipodérmico hypodermic, subcutaneous.
hipódromo hippodrome, racetrack.
hipopótamo hippo, hippopotamus. → Animal Kingdom
hipoteca mortgage.
hipotecar mortgage.
hipótese hypothesis; theory, assumption; conjecture, supposition, scenario. ♦ **em hipótese alguma** under no circumstances. **na melhor das hipóteses** at the best, best-case scenario. **na pior das hipóteses** at the worst, worst-case scenario.
hipotético hypothetic(al).
histeria hysteria.
histérico hysteric. • hysteric(al), nervous. ♦ **ataque histérico** hysterics. **ficar histérico** go into hysterics.

H

história history; story, tale. ♦ **cheio de histórias** fussy; lier. **contador de histórias** storyteller. **história da carochinha** old wives' tale. **história em quadrinhos** comic strip. **história natural** natural history. **história para boi dormir** cock-and-bull story. **história universal** universal history. **história de fantasmas** ghost story. **Isso é outra história.** That's a different matter., That's something else. **para encurtar a história** to make a long story short. **Que história é essa?** What's going on?

historiador historian, historiographer.

histórico description, detailed report; anamnesis. • historic(al); true.

hoje today, this day; at the present time. ♦ **ainda hoje** even now, still; later today. **até o dia de hoje** to this very day. **de hoje em diante** from this day on. **de hoje para amanhã** overnight, in one day. **hoje à noite** tonight. **hoje em dia** nowadays, these days. **notícias de hoje** today's news.

Holanda (the) Netherlands, Holland. → Countries & Nationalities

holandês Dutch. → Countries & Nationalities

holocausto holocaust.

holofote spotlight, searchlight, floodlight.

hombridade manliness, virility; honor, nobleness.

homem man; human being; mankind, humanity. ♦ **homem das cavernas** caveman. **homem honesto** honest man. **homem de duas caras** double-faced fellow. **homem de idade** old man. **homem de negócios** businessman. **homem de palavra** man of his word. **homem experiente** man of the world. **o homem certo no lugar certo** the right man in the right place.

homenagear honor, pay tribute to.

homenagem homage, tribute; respect, reverence. ***homenagens*** compliments, respects. ♦ **em homenagem a** in honor of. **prestar homenagem** pay tribute to, pay homage to. **últimas homenagens** last respects.

homeopatia homeopathy.

homicida murderer. • murderous; homicidal.

homicídio homicide, murder, assassination. ♦ **homicídio doloso** murder. **homicídio involuntário** (involuntary) manslaughter.

homogêneo homogeneous, uniform.

homologação homologation, ratification.

homologar homologate, ratify; confirm; agree.

homônimo namesake, homonym. • homonymous.

homossexual homosexual, gay.

homossexualidade homosexuality.

honestidade honesty, uprightness, integrity, fairness.

honesto honest, honorable; frank, sincere, truthful, straight. ♦ **condições honestas** fair conditions.

honorário honorary, honorific. ***honorários*** fee, pay.

honra honor; reputation; esteem. ♦ **em honra de** in honor of. **palavra de honra** word of honor.

honradez honor; righteousness; honesty, integrity; virtuousness.

honrado honorable; righteous; respected; trustworthy.

honrar honor; respect, revere.

honroso honorable; praiseworthy.

hóquei hockey. ♦ **hóquei sobre gelo** ice hockey. → Sports

hora time; hour. ♦ **às 8 horas em ponto** at 8 o'clock sharp, at 8 o'clock on the dot. **chegar na hora** be on time. **de última hora** last-minute. **Está mais do que na hora.** It's high time. **fazer hora** kill time. **fora de hora** ill-timed. **hora da morte** time of death. **hora de dormir** bedtime. **hora do almoço** lunchtime. **hora do jantar** dinnertime. **hora extra** overtime, after hours. **hora marcada**

appointment. **hora oficial** standard time. **meia hora** half an hour. **na hora H** in the nick of time. **na última hora** at the eleventh hour. **Que horas são?** What time is it? **vinte e quatro horas** around the clock. **vinte e quatro horas por dia, sete dias na semana** twenty-four-seven (24/7).

horário timetable, schedule. • hourly. ♦ **horário de funcionamento/expediente** working hours, office hours. **horário de verão** daylight saving time (DST). **horário de visitas** visiting hours. **horário nobre (TV)** prime time. ➔ Classroom

horizontal horizontal.

horizonte horizon. ♦ **linha do horizonte** skyline. **sem horizontes** with no prospects.

hormônio hormone.

horóscopo horoscope.

horripilante horrifying, terrifying, hair-raising, creepy.

horrível horrible, terrible; awful; dreadful.

horror horror, terror. ♦ **Ele está faturando horrores.** He's raking it in., He's making a fortune. **Que horror!** How awful!

horrorizar horrify, terrify, appall.

horroroso horrible, terrible; awful, dreadful.

horta vegetable garden, market garden, kitchen garden.

hortaliça vegetable, greens.

hortelã mint, spearmint.

hortênsia hydrangea, hortensia.

hospedagem lodging, guest house; hospitality.

hospedar house, lodge.

hospedaria inn, lodging house, hotel, hostelry, guest house.

hóspede guest, visitor; lodger.

hospedeiro host.

hospício hospice; mental hospital, asylum, madhouse.

hospital hospital.

hospitaleiro hospitable.

hospitalidade hospitality.

hospitalização hospitalization, medical care.

hospitalizar hospitalize.

hóstia host, holy bread, holy wafer, Eucharist.

hostil hostile; aggressive; unfriendly.

hostilidade hostility, enmity.

hostilizar hostilize, antagonize.

hotel hotel; inn, lodging house.

humanidade humanity, mankind.

humanitário humanitarian.

humanizar humanize.

humano human. ♦ **Errar é humano, perdoar é divino.** To err is human, to forgive is divine.

humildade humbleness, humility; modesty.

humilde humble, modest; poor.

humilhação humiliation; shame.

humilhante humiliating.

humilhar humiliate; embarrass.

humor humor, mood, mental state. ♦ **de bom humor** or **bem--humorado** in a good temper, in high spirits, in a good mood, good-tempered. **de mau humor** or **mal-humorado** moody, in a bad temper, out of humor, in a bad mood, bad-tempered. **humor negro** black humor. **humor sarcástico** dry humor, pungent humor, sardonic humor.

humorismo humorousness.

humorístico humorous, humoristic; funny.

húngaro Hungarian. ➔ Countries & Nationalities

Hungria Hungary. ➔ Countries & Nationalities

hurling hurling. ➔ Sports

H

I, i the ninth letter of the Portuguese alphabet.
iate yacht. ♦ **iate clube** yacht club. **iatismo** yachting. → Sports → Means of Transportation
içar hoist; lift, raise.
ícone icon.
ida departure, going, setting out; leaving. ♦ **na ida** on the way there. **passagem de ida** one-way ticket. **passagem de ida e volta** a round-trip ticket.
idade age. ♦ **de meia-idade** middle-aged. **Ela não aparenta a idade que tem.** She doesn't look her age. **Ele é de idade avançada.** He is (well) advanced in years. **idade adulta** adulthood, manhood. **idade da razão** Age of Reason. **Idade Média** Middle Ages. **na flor da idade** in the prime of life. **pessoa de idade** elderly person. **Qual é a idade dela?** How old is she?
ideal ideal; model, example. • ideal; imaginary.
idealismo idealism.
idealista idealist. • idealistic.
idealizar idealize; imagine.
idealmente ideally.
ideia idea, thought, notion; concept. ♦ **É uma boa ideia.** That's a good idea. **ideia fixa** obsession. **mudar de ideia** change one's mind. **Não faço a mínima ideia.** I haven't got the slightest/faintest idea., I have no idea.
idem ditto, the same.
idêntico identical; equal.
identidade identity; individuality. ♦ **carteira de identidade** ID, ID card, identity card. **identidade falsa** false identity. **roubo de identidade** identity theft.
identificação identification; fingerprinting. ♦ **ficha de identificação** identity card.
identificar identify.
identificável identifiable, recognizable.
ideologia ideology.
idioma language. → Deceptive Cognates
idiota idiot, fool, halfwit. • dumb, idiotic, stupid, foolish, silly. ♦ **não ser nenhum idiota** to be no fool.
idiotice foolishness, stupidity.
idolatrar adore, worship.
idolatria idolatry, worship.
ídolo idol.
idoneidade appropriateness, fitness; competence; decency, honesty. ♦ **idoneidade moral** moral probity.
idôneo apt, competent; fit.
idoso old, aged, advanced in years. • senior citizen, elder(ly).
iglu igloo.
ignição ignition.
ignorado unknown, obscure, ignored.
ignorância ignorance; illiteracy. ♦ **apelar para a ignorância** lose one's rag.
ignorante ignorant; illiterate. • unlearned, unskilled; stupid, silly.
ignorar ignore, disregard.
igreja church. ♦ **igreja matriz** mother church, parish church.

igual equal; even, uniform; identical, alike. ♦ **de igual para igual** between equals. **não há dois iguais** there are no two alike. **sem igual** unequaled, incomparable, matchless.
igualar equalize, equal; match; even, level.
igualdade equality; equity; uniformity. ♦ **estar em pé de igualdade com** (be) on a par with.
igualmente equally.
iguaria delicacy.
ilegal illegal; illicit.
ilegalidade illegality, unlawfulness.
ilegítimo illegitimate, unlawful. ♦ **filho ilegítimo** illegitimate child, bastard.
ilegível illegible.
ileso unhurt, unharmed, uninjured.
iletrado illiterate. • illiterate, unlearned; uncultured.
ilha island, isle.
ilícito illicit, illegal; unlawful.
ilimitado unlimited, limitless.
ilógico illogical, irrational.
iludir deceive; cheat. ***iludir-se*** be deceived, be fooled; be wrong, be mistaken.
iluminação illumination.
iluminado illuminated, lighting.
iluminar illuminate, light up; enlighten.
ilusão illusion. ♦ **ilusão de óptica** a trick of the eye, optical illusion.
ilusório illusory; delusive; deceptive.
ilustração illustration; knowledge; culture; picture, figure.
ilustrado illustrated; erudite, learned; enlightened. ♦ **álbum infantil ilustrado** picture book.
ilustrador illustrator. → Professions
ilustrar illustrate; illuminate.
ilustre learned; honorable, distinguished, eminent, famous. ♦ **de ascendência ilustre** of high birth. **um ilustre desconhecido** a complete stranger.
ímã magnet.
imaculado immaculate, spotless, stainless.
imagem image, picture. ♦ **à imagem de** in someone's likeness, spit and image of someone. **autoimagem** self-image. **imagem reduzida** thumbnail.
imaginação imagination.
imaginar imagine. ♦ **Imagine!** Just imagine! **produto da imaginação** a figment of somebody's imagination.
imaginário imaginary; fantastic.
imaturidade immaturity.
imaturo immature.
imbatível unbeatable.
imbecil feeble-minded, imbecile; silly, dumb, stupid, idiotic.
imberbe beardless.
imediatamente immediately.
imediato immediate, direct; close; near. ♦ **causa imediata** immediate cause. **de imediato** straight away.
imensidão immensity.
imenso immense, huge; unlimited, immeasurable.
imergir immerse, dip, submerge.
imersão immersion, submersion.
imerso immersed, submerged.
imigração immigration.
imigrante immigrant.
imigrar immigrate.
iminente imminent.
imitação imitation, copy; counterfeit.
imitador imitator. • imitating, imitative.
imitar imitate; copy; mimic.
imobiliária real state agency.
imobiliário real estate; housing.
imobilidade immobility.
imobilização immobilization.
imobilizar immobilize; make immovable.
imoral immoral, vicious; depraved, indecent.
imoralidade immorality; vice.
imortal immortal.
imortalidade immortality, eternity.
imortalizar immortalize.
imóvel property, building, real estate. • immovable, motionless, still, immobile. ♦ **corretor de imóveis** real estate agent, real estate broker. → Professions

impaciência impatience; restlessness; anxiety.
impaciente impatient; eager; restless.
impacto impact; shock, hit; crash.
ímpar odd, uneven; unique; unpaired; unrivaled.
imparcial impartial; fair, unbiased.
impasse impasse; predicament, deadlock, stalemate. ♦ **chegar a um impasse** reach a deadlock.
impassível impassible; insensible.
impecável impeccable; flawless, faultless, perfect.
impedido hindered; obstructed; offside (soccer).
impedimento hindrance; obstruction; blockage; offside (soccer).
impedir block, impede, hinder; obstruct; intercept; prevent. ♦ **impedir a entrada** keep out.
impelir impel; thrust; incite.
impenetrável impenetrable; impervious.
impensado thoughtless; unpremeditated.
imperador emperor.
imperar reign, rule; command; govern.
imperativo imperative. • imperative, peremptory.
imperatriz empress.
imperdoável unpardonable, inexcusable; unforgivable.
imperfeição imperfection.
imperfeito imperfect; defective; deficient; incomplete.
imperial imperial; majestic.
imperialismo imperialism.
imperícia unskillfulness, incapacity; incompetence; inadequacy.
império empire.
imperioso imperious; haughty.
impermeabilidade impermeability.
impermeabilizar render impermeable, waterproof.
impermeável raincoat. • impermeable.
impertinência impertinence.
impertinente impertinent; insolent, petulant; peevish.
imperturbável unshakable; calm.
impessoal impersonal; objective.
ímpeto impulse; rashness.
impetrar petition, solicit.
impetuoso impetuous, hasty. ♦ **temperamento impetuoso** hasty.
impiedoso cruel, ruthless, merciless.
implacável implacable, unappeasable; relentless; merciless.
implantar introduce, establish, implement; implant.
implemento implement; accessory.
implicação implication.
implicante fault-finding, captious, picky.
implicar implicate; involve, entangle; imply. ***implicar-se*** get involved. ♦ **implicar com alguém** pick on.
implícito implicit; implied.
implorar implore; beseech, beg. ♦ **implorar perdão** cry for mercy.
imponência portliness, stateliness.
imponente imposing; portly, stately.
impopular unpopular.
impor impose; burden.
importação importation; import(s).
importador importer. • importing.
importância importance; sum; amount. ♦ **dar importância a** give importance to, care for/about. **item/evento mais importante** pièce de résistance. **pessoa sem importância** person of no account. **sem importância** of no consequence, unimportant.
importante important, essential, significant, big.
importar import; care; matter. ♦ **Não importa.** It doesn't matter., Never mind. **Não me importa.** I don't care., Whatever. **Vamos ao que importa.** Let's get down to business.
importunar importune; annoy.
importuno importunate; disturbing; intolerable. ♦ **ser importuno** intrude, be an intruder.
imposição imposition; rule, infliction.
impossibilitar preclude, hinder; prevent.

impossível impossible; unfeasible, unattainable. ♦ **pedir o impossível** ask for the impossible, cry for the moon.
imposto tax, tribute. • forced, enforced. ♦ **imposto de renda** income tax. **imposto territorial** land tax. **isento de imposto** tax-free, tax-exempt.
impostor impostor. • deceptive, deceitful.
impotência impotence, powerlessness.
impotente impotent, powerless.
impraticável impracticable; impossible, unworkable.
imprecisão imprecision, inexactness, inaccuracy.
impreciso inaccurate; vague.
impregnado impregnated, saturated.
impregnar impregnate; permeate, saturate.
imprensa press. ♦ **imprensa sensacionalista** or **imprensa marrom** yellow press, gutter press.
imprescindível vital, necessary; imperative, indispensable, essential.
impressa printed. ♦ **cópia impressa** hard copy.
impressão feeling, idea, impression; printing. ♦ **causar uma boa impressão** make a good impression. **impressão de tela** screenshot, screen capture. **impressão digital** fingerprint. **impressão frente e verso** duplex printing. **fila/ordem de impressão** print queue.
impressionado impressed, shocked. ♦ **ficar bem impressionado** be favorably impressed.
impressionante impressive, breathtaking.
impressionar impress; affect, move.
impresso printed material. • printed.
impressora printer, printing press. ♦ **impressora a jato de tinta** inkjet printer. **impressora a laser** laser printer. **impressora de etiquetas** label printer. **impressora matricial** dot matrix printer.
imprestável useless, worthless; unfit, unsuitable.
imprevisível unforeseeable, unpredictable.
imprevisto unforeseen, unexpected; mishap; unanticipated.
imprimir print.
improcedente unfounded, unjustified.
improdutivo unproductive; barren.
impróprio improper, inappropriate; inadequate, unsuitable. ♦ **impróprio para menores** X-rated.
improvável improbable, unlikely; remotely.
improvisado improvised, impromptu; offhand.
improvisar improvise; rig up.
improviso improvisation. ♦ **de improviso** suddenly, without preparation, offhand. **falar de improviso** speak off the cuff.
imprudência imprudence; heedlessness.
imprudente imprudent; thoughtless; rash, reckless; careless.
impugnar refute; contest.
impulsão impulse, thrust, push; impulsion, propulsion.
impulsionar stimulate; urge; propel; impel.
impulsivo impulsive; hasty, impetuous.
impulso impulse; impelling force, drive, thrust, push; propulsion; urge.
impune unpunished.
impunidade impunity.
impureza impurity, uncleanness.
impuro impure; dirty; contaminated.
imundície uncleanness; filthiness, grubbiness.
imundo dirty, filthy; unclean; foul; grubby.
imune immune; exempt.
imunidade immunity; exemption.
imunização immunization.
imunizar immunize.
inabalável unshakable, unshaken; steady.

inábil unfit; incapable, incompetent; unqualified, unskilled.
inabilidade inability, incapacity, incompetence.
inabitado uninhabited; unoccupied.
inacabado unfinished, uncompleted, incomplete, undone.
inacabável endless, interminable, unending, never-ending.
inaceitável unacceptable; inadmissible.
inacessível inaccessible; unapproachable.
inacreditável incredible, unbelievable; doubtful.
inadequado inadequate; improper, inappropriate; unfit, unsuitable.
inadiável pressing, urgent.
inadmissível inadmissible, unacceptable, objectionable.
inalação inhalation.
inalador inhale.
inalar inhale, breathe in.
inalterado unaltered, unmodified, unaffected, unchanged.
inalterável unchangeable.
inanição inanition, starvation.
inanimado inanimate; lifeless.
inapropriado improper; inappropriate.
inaptidão inaptitude, inability, unfitness.
inatingível unattainable, unachievable, inaccessible.
inativo inactive, inert; passive; idle.
inato innate, inborn; native; organic.
inauguração inauguration, opening.
inaugurar inaugurate; open.
incalculável incalculable; incommensurable; countless.
incandescente incandescent, glowing.
incansável tireless, untiring.
incapacidade inability; incompetence.
incapaz incapable; inapt, unfit; incompetent; unable.
incauto naive; heedless, imprudent, rash.
incendiar ignite; set on fire, burn down. ***incendiar-se*** catch fire, be on fire. ♦ **incendiar algo** set something ablaze.
incendiário incendiary; arsonist.
incêndio fire; blaze, burning. ♦ **escada de incêndio** fire escape. **incêndio criminoso** arson.
incensar incense.
incenso incense.
incentivar motivate, stimulate, encourage.
incentivo incentive, impulse. ♦ **incentivo fiscal** tax incentive.
incerteza uncertainty; hesitation; dubiety. ♦ **ficar na incerteza** be left in the dark.
incerto uncertain; hesitating.
incessante incessant; permanent.
incesto incest.
incestuoso incestuous.
inchação swelling.
inchaço swelling, bump, lump.
inchado swollen, turgid; inflated, puffy.
inchar swell; inflate.
incidência incidence.
incidental incidental.
incidente incident. ♦ **sem incidentes** uneventful.
incidir happen, occur; fall on; coincide.
incinerar incinerate, cremate.
incisão incision, cut.
incisivo incisor. • incisive, cutting; sharp, keen.
incitar incite, stimulate; provoke.
inclinação inclination; bow, nod; bending; vocation; tendency, leaning.
inclinado inclined, leaning; bent, slanting, sloping.
inclinar(-se) incline, lean, tilt, slope, recline; bow.
incluir include, comprise, contain; involve; encompass.
inclusão inclusion, insertion.
inclusive inclusive, including.
inclusivo inclusive.
incluso attached, enclosed, embedded, included.
incoerente incoherent, disjointed; inconsistent.
incolor colorless.
incomodado annoyed.
incomodar trouble, disturb; annoy, bother. ♦ **Não se incomode!** Don't worry!, Don't bother!

incômodo discomfort, trouble, disturbance; bother. • troublesome, bothersome; inconvenient. ♦ **causar incômodo a alguém** put someone to inconvenience.
incomparável unique, incomparable; matchless.
incompatibilizar mismatch.
incompatível incompatible.
incompetência incompetence.
incompetente incompetent.
incompleto incomplete; unfinished.
incompreendido misunderstood.
incompreensão misunderstanding; incomprehension.
incompreensível unintelligible; incomprehensible, inconceivable.
incomum uncommon, unusual.
inconcebível inconceivable, unthinkable.
inconcluso unfinished, uncompleted; inconclusive.
incondicional unconditional, termless; categorical, absolute. ♦ **apoio incondicional** unconditional support. **ser incondicionalmente a favor de** be wholeheartedly in favor of.
inconfidência disloyalty, treachery.
inconfidente disloyal, traitor.
inconformado unconsoled.
inconformista nonconformist; maverick.
inconfundível unmistakable.
incongruência incongruence, incongruity.
incongruente incongruous.
inconsciência unconsciousness; coma.
inconsciente unconscious. • unconscious, unaware, senseless; automatic.
inconscientemente unconsciously; unwittingly.
inconsequente inconsequent(ial); inconsistent; irresponsible.
inconsistente inconsistent, unsubstantial.
inconsolável inconsolable; disconsolate, broken-hearted, heartbroken.
inconstância inconstancy; fickleness.
inconstante inconstant, fickle, unsettled.
inconstitucional unconstitutional.
incontável uncountable, countless.
incontestável incontestable; unquestionable.
incontinência incontinence.
incontornável unavoidable.
incontrolável uncontrollable; unruly; ungovernable, out of hand.
inconveniência inconvenience.
inconveniente inconvenience, embarrassment; trouble, nuisance. • improper, unsuitable; inopportune, inconvenient.
incorporado incorporated; embedded, inbuilt.
incorporar incorporate. ***incorporar-se*** be or become incorporated.
incorreto incorrect; faulty, wrong; false.
incorrigível incorrigible; incurable, hopeless.
incorruptível incorruptible.
incredulidade incredulity, unbelief, skepticism.
incrédulo skeptic, agnostic, misbeliever. • incredulous; skeptical.
incrementar develop; augment, increase.
incremento increment; development; increase.
incriminar incriminate; accuse, blame.
incrível incredible.
incubar incubate, hatch.
inculcar inculcate; implant.
inculto uneducated; uncultured.
incumbência incumbency; task; duty.
incumbir entrust, task; assign a duty to, delegate. ***incumbir-se*** take charge.
incurável incurable, irremediable.
incursão incursion; foray, raid.
incutir infuse, instill; inspire; inculcate.
indagação search; quest, inquiry, investigation.
indagar inquire, investigate; query, quest. ♦ **indagar a si mesmo** ask oneself.

indecência indecency; immorality.
indecente indecent; rude, vulgar; improper.
indecifrável illegible; indecipherable.
indecisão indecision, irresolution; vacillation, hesitation.
indeciso undecided, indecisive; hesitant.
indefensável unsustainable; indefensible, untenable.
indeferido rejected, refused; not dispatched.
indeferimento denial, refusal; rejection.
indefeso defenseless, unprotected.
indefinido indefinite. • indefinite; uncertain; indeterminate. ♦ **por tempo indefinido** indefinitely.
indelével indelible.
indelicadeza indelicacy, discourtesy.
indelicado indelicate; impolite, rude.
indenização indemnity, compensation, damages.
indenizar indemnify; repay, compensate, make amends, reimburse.
independência independence, autonomy, freedom. ♦ **independência financeira** financial independence.
independente independent; autonomous; free.
independentemente independently; irrespective (of), regardless. ♦ **independentemente da minha vontade** beyond my control.
indescritível unspeakable, indescribable.
indesculpável inexcusable; unpardonable.
indesejável undesirable, undesired; unwelcome; unwanted.
indestrutível indestructible.
indeterminado indeterminate.
indevido undue; improper, inappropriate; unjust, unfair.
indexação indexing.
indexado index-linked.
indexar index.
Índia India. ➔ Countries & Nationalities
indiano Indian. ➔ Countries & Nationalities
indicação sign, indication, nomination, designation.
indicado nominee.
indicador indicator; index finger, forefinger. • indicatory, indicative. ➔ Human Body
indicar indicate; denote, show; appoint, nominate.
indicativo mark, sign; indication; indicative mode. • indicative.
índice index; table of contents; rate. ♦ **índice de audiência** rating. **índice/taxa de mortalidade** death rate, mortality rate. **índice/taxa de natalidade** birth rate. **índice pluviométrico** rainfall index.
indiciar indict, denounce, accuse.
indício indication; clue, trace, vestige; symptom; sign, mark, evidence.
indiferença indifference; unconcern; apathy; disregard.
indiferente indifferent, unconcerned.
indigente pauper, beggar. • indigent, poor; needy, wretched.
indigestão indigestion.
indignação indignation.
indignado vexed; indignant; angry; exasperated. ♦ **estar muito indignado** be up in arms.
indignar provoke, offend, revolt.
indigno unworthy, worthless.
índio Indian; Native American.
indireta insinuation, allusion. ♦ **dar uma indireta** drop a hint.
indiretamente indirectly.
indireto indirect; oblique; devious.
indisciplina indiscipline; disorder; unruliness.
indiscreto indiscreet.
indiscrição indiscretion.
indiscriminado indiscriminate.
indiscutível unquestionable; certain; indisputable.
indispensável indispensable, essential, vital.

indisponível unavailable.
indispor indispose; irritate; upset. *indispor-se* fall out, be at odds.
indisposição indisposition; ailment.
indisposto indisposed; unwell, sick.
indissolúvel indissoluble.
individual individual; personal, private; single.
individualidade individuality.
indivíduo person; being, individual, fellow, guy.
indivisível indivisible.
indizível inexpressible, unspeakable.
indócil indocile; unruly, wayward.
índole nature; temper, character. ♦ **boa índole** good nature. **má índole** bad nature.
indolência indolence; laziness.
indolente indolent; apathetic; lazy, shiftless.
indolor painless.
indomável indomitable; fierce; unconquerable; uncontrollable.
Indonésia Indonesia. → Countries & Nationalities
indonésio Indonesian. → Countries & Nationalities
indubitável undoubted; unquestionable.
indulto indult; pardon.
indústria industry.
industrial manufacturer, producer. • industrial; manufacturing.
industrialização industrialization.
industrializar industrialize.
induzir induce; prompt, incite; persuade, instigate; infer.
inebriante inebriant, intoxicating.
inebriar inebriate; make drunk.
inédito unpublished, original. ♦ **música inédita** unreleased song.
ineficaz ineffective; useless; futile.
ineficiência inefficiency.
ineficiente inefficient.
inegável undeniable; evident.
inequívoco unequivocal, unmistakable, clear.
inércia inactivity; laziness; inertia, lethargy.
inerente inherent.
inerte inert, inactive; lazy; indolent.
inescrupuloso unscrupulous.
inesgotável inexhaustible; endless.
inesperadamente suddenly.
inesperado unexpected, unforeseen; sudden, abrupt.
inesquecível unforgettable.
inestimável inestimable; priceless, invaluable.
inevitável unavoidable; inevitable.
inevitavelmente inevitably.
inexato inexact, inaccurate.
inexistente inexistent, nonexistent; absent.
inexorável inexorable; inflexible.
inexperiência inexperience.
inexperiente rookie. • inexperienced; green, raw, unpracticed. ♦ **Ela é inexperiente neste trabalho.** She is new in this work., She's a rookie.
inexplicável inexplicable; incomprehensible.
inexplorado unexplored, untraveled.
inexpressivo inexpressive, expressionless.
inexpugnável inexpugnable; insuperable, invincible.
infalível infallible.
infame infamous, disgraceful; shameful; odious; wicked.
infâmia infamy, disrepute; villainy; disgrace.
infância infancy, childhood. ♦ **primeira infância** early childhood.
infantil infantile; childish (*pej.*).
infantilidade childishness.
infatigável indefatigable; untiring, tireless.
infecção infection, contamination.
infeccionar infect, contaminate.
infeccioso infective, infectious.
infectar infect, contaminate; pollute.
infecto infected, contaminated.
infelicidade misfortune; unhappiness.
infeliz unhappy; unfortunate, unlucky, ill-fated; miserable.

infelizmente unfortunately; unhappily.
inferência inference; conclusion.
inferior subordinate. • inferior; lower.
inferioridade inferiority. ♦ **lutar em condições de inferioridade** fight against all odds.
inferir infer; deduce, conclude, presume.
infernal infernal, hellish.
inferno hell. ♦ **Vá para o inferno!** Piss off!, Go to hell!, Get lost!
infestar infest; attack; plague, overrun.
infidelidade infidelity, disloyalty.
infiel infidel. • unfaithful; disloyal.
infiltrar infiltrate; seep, permeate.
ínfimo lowermost, undermost; inferior.
infindável endless, unending, interminable.
infinidade infinity, infiniteness.
infinitesimal infinitesimal; infinitely small.
infinito infinite, infinity; infinitive mode. • infinite, infinitive; boundless; endless; timeless; eternal.
inflação inflation.
inflacionar inflate.
inflacionário inflationary.
inflamação inflammation.
inflamar inflame; set on fire; set ablaze.
inflamável (in)flammable; combustible.
inflar inflate, blow up, swell with air or gas; puff up.
inflexão inflection; variation; modulation.
inflexível inflexible; rigid; unrelenting, implacable.
infligir inflict; impose.
influência ascendancy; influence. ♦ **sob a influência de** under the influence of.
influenciar influence, affect, sway.
influente influential; powerful.
influir influence; excite, inspire.
informação information. ♦ **pedir informações sobre** ask about, inquire about. **recuperação de informações** information retrieval.
informal informal, casual.
informante informer, informant. • informative.
informar inform; teach; acquaint; tell, mention. ***informar-se*** inquire, find out. ♦ **informar mal** misinform.
informática information science; computing, computer science.
informativo informative.
infortúnio misfortune, misery, adversity.
infovia information superhighway.
infração infraction, infringement; breach; contravention, violation, transgression. ♦ **infração de trânsito** traffic offense.
infrator transgressor, offender.
infringir infringe; violate, transgress.
infrutífero unfruitful, fruitless.
infundado unfounded, groundless, ungrounded. ♦ **argumento infundado** unfounded argument.
infusão infusion.
ingenuidade simplicity; naivety, ingenuousness. → Deceptive Cognates
ingênuo naive, simple; frank; ingenuous; innocent.
ingerir ingest, swallow.
Inglaterra England. → Countries & Nationalities
inglês English. ♦ **só para inglês ver** just for show. → Countries & Nationalities
ingratidão ingratitude, ungratefulness.
ingrato ungrateful; thankless.
ingrediente ingredient, component, element.
ingressar enter, go in, join.
ingresso entry, entrance; admission; ticket. ♦ **Os ingressos estão esgotados.** The tickets are sold out.
inibição inhibition.
inibir inhibit; forbid, prohibit; obstruct.
iniciação initiation; start, introduction.

iniciado initiate, adept. • begun, started.
inicial inaugural; initial. ♦ **pontapé inicial** kickoff.
inicialmente initially.
iniciar initiate; begin, start, commence; boot (computer).
iniciativa initiative; enterprise. ♦ **iniciativa privada** private enterprise. **por sua própria iniciativa** on one's own initiative.
início beginning, start, commencement; origin. ♦ **de início** at first, to begin with. **desde o início** from the start.
inigualável unequaled, unmatchable, unparalleled, unrivalled; unique; inimitable.
inimigo enemy, adversary, foe; opponent; antagonist. • hostile.
inimitável inimitable.
inimizade enmity, hostility.
ininteligível unintelligible, incomprehensible; obscure.
injeção injection; shot. ♦ **injeção eletrônica** electronic fuel injection (EFI).
injetado injected.
injetar inject; force in; insert.
injunção injunction; order.
injúria insult, offense; harm. ➔ Deceptive Cognates
injuriar injure; do harm, hurt.
injustiça injustice; iniquity, unfairness.
injustificável unjustifiable; not defensible.
injusto unfair.
inocência innocence.
inocentar acquit; excuse, pardon. ♦ **inocentar alguém** clear somebody of.
inocente innocent, not guilty; naive; pure; simple.
inocular inoculate; insert.
inócuo innocuous; harmless.
inofensivo inoffensive, harmless.
inoportuno inopportune; untimely; inconvenient.
inovação innovation; change, alteration; novelty; breakthrough.
inovar innovate; renew, renovate.
inoxidável stainless. ♦ **aço inoxidável** stainless steel.
inquebrável unbreakable.
inquérito inquiry, investigation. ♦ **inquérito policial** inquest.
inquietação inquietude; disquiet, unrest; anxiety, uneasiness.
inquietante disturbing, disquieting.
inquietar unsettle; disturb, worry.
inquieto unquiet, disturbed; uneasy; anxious, restless.
inquilinato tenancy, tenantry.
inquilino tenant; lodger, occupant.
inquirir inquire; question, query.
inquisição inquisition.
insaciável insatiable, insatiate; unquenchable; voracious.
insanidade insanity, madness.
insano insane, crazy; mad, nuts.
insatisfação dissatisfaction.
insatisfeito dissatisfied, disgruntled, unhappy.
inscrever inscribe. ***inscrever-se*** enroll.
inscrição inscription; application; registration.

inscription

registration

insegurança insecurity.
inseguro insecure, unsafe.

inseminação insemination. ♦ **inseminação artificial** artificial insemination.
insensatez folly, nonsense, senselessness, mindlessness.
insensato senseless, insensible, irrational, unreasonable; foolish, mindless, unwise.
insensível unfeeling, insensitive, unaffected; hard; soulless, heartless.
inseparável inseparable.
inserir insert; introduce, put in; implant; fill in.
inseticida insecticide.
inseto insect.
insígnia sign, mark; emblem, badge.
insignificante insignificant; trivial.
insinuação hint, insinuation.
insinuante insinuating. ♦ **mulher insinuante** vamp.
insinuar insinuate, suggest; imply.
insípido tasteless, flat, flavorless.
insistência insistence, perseverance; persistence.
insistente insistent; persistent.
insistir insist; persist. ♦ **insistir com** urge, importune. **insistir em** insist on, rub in.
insolação sunstroke.
insolência insolence, impertinence, arrogance.
insolente insolent; arrogant, haughty; offensive.
insólito uncommon, unusual, extraordinary.
insolúvel insoluble, unsolvable.
insolvência insolvency.
insolvente insolvent.
insônia insomnia, wakefulness, sleeplessness.
insosso saltless, unsalted; tasteless; flat, uninteresting, dull, insipid.
inspeção inspection, check.
inspecionar inspect, examine; survey, supervise; review.
inspetor inspector; supervisor, surveyor. → Professions
inspiração inspiration; inhalation; brainwave.
inspirador inspiring, uplifting.
inspirar inspire; inhale.
instabilidade instability; inconstancy.
instalação installation, facilities. ♦ **instalação elétrica** wiring.
instalar install; place in a seat. ***instalar-se*** settle (down).
instância instance. ♦ **em última instância** as a last resort, further appeal. **tribunal de primeira instância** lower court.
instantâneo instantaneous; rapid; immediate.
instante instant, moment. ♦ **a cada instante** every minute, continually. **nesse instante** just a moment ago. **num instante** in an instant, in a jiffy, in a trice. **por um instante** awhile.
instaurar begin, initiate; establish, found, start, set up.
instável unstable, unsteady, unsettled.
instigar instigate, incite; urge, provoke.
instilar instill, pour in by drops, infuse.
instintivo instinctive.
instinto instinct, intuition; flair. ♦ **instinto de sobrevivência** survival instinct. **por instinto** instinctively.
instituição institution; establishment. ♦ **instituição de caridade** charity.
instituir institute, set up, establish; found; constitute, organize.
instituto institute, institution.
instrução instruction; education, schooling; tuition; coaching; briefing. ♦ **sem instrução** illiterate.
instruído learned, educated; informed; wise.
instruir instruct, teach, educate; train.
instrumental instruments. • instrumental.
instrumento instrument, means, agency; tool, implement. ♦ **instrumento de corda** string instrument. **instrumentos de sopro** woodwind. **instrumento de trabalho** tool.
instrutivo instructive, instructional; informative.
instrutor instructor, teacher; trainer, coach; tutor; preceptor. → Professions

insubordinação insubordination; subversion; mutiny, rebellion.
insubstituível irreplaceable.
insucesso failure.
insuficiente insufficient, meager; scanty.
insultante insulting.
insultar insult, offend, outrage; affront.
insulto insult, offense; abuse, affront.
insumo input.
insuperável insuperable; invincible, unbeatable.
insuportável unbearable, intolerable.
insurreição insurrection, insurgency, rising.
insustentável unsustainable.
intacto intact, untouched; unbroken, unchanged.
intangível intangible.
íntegra totality; completeness. ♦ **na íntegra** in full.
integração integration.
integral integral, complete, entire. ♦ **pão integral** whole wheat bread.
integralizar integrate, complete.
integrante member. • constituent, integrant.
integrar integrate; complete, unite, form; combine.
integridade integrity.
íntegro complete, entire; intact; honest; incorruptible; fair, upright.
inteirar complete; integrate. ***inteirar-se*** inquire about something; inform oneself, acquaint oneself.
inteiro whole number, integer. • entire, whole; intact, unbroken; complete, full, total. ♦ **por inteiro** entirely, completely, totally.
intelecto intellect; intelligence.
intelectual intellectual.
inteligência intelligence. ♦ **serviço de inteligência** intelligence service.
inteligente intelligent, clever. ♦ **pouco inteligente** unintelligent.
inteligível intelligible, clear, plain, comprehensible, understandable.
intenção intention; intent, purpose, aim. ♦ **boas intenções** goodwill. **segundas intenções** ulterior motives.
intencionado intentioned. ♦ **bem-intencionado** well-meaning. **mal-intencionado** spiteful.
intencional intentional; intended; deliberate.
intensidade intensity, intenseness.
intensificação intensification; enhancement.
intensificar intensify; enhance; heighten.
intensivo intensive.
intenso intense; heavy.
intento intention, intent; plan, project; aim, purpose.
interação interaction.
interagir interact.
interativo interactive.
intercalar interlay; interpolate.
intercâmbio exchange, interchange. ♦ **aluno de intercâmbio** exchange student. **troca/intercâmbio de tráfego** peering.
interceder intervene, intercede; mediate. ♦ **interceder em favor de** put in a good word for.
interceptação interception; interruption; intervention.
interceptar intercept; interrupt; obstruct, hinder.
intercessão intercession; intervention.
intercomunicação intercommunication.
intercontinental intercontinental.
interditar interdict, seal off; ban, close; forbid.
interessado interested; concerned.
interessante interesting.
interessar interest, concern; affect. ♦ **a quem possa interessar** to whom it may concern. **Vamos ao que interessa.** Let's get to the point.
interesse interest, benefit, advantage; profit; personal concern. ♦ **por interesse (próprio)** for one's own ends.
interesseiro self-seeking, selfish; mercenary.
interestadual interstate.

interferência interference.
interferir interfere; intervene.
ínterim meantime. ♦ **nesse ínterim** in the meantime.
interino temporary.
interior interior; inland, countryside; inward, inside. • inner, inward; internal. ♦ **do interior** inland, upcountry.
interjeição interjection.
interlocutor interlocutor.
intermediário intermediary; broker, commission agent; mediator. • intermediate, intervening.
intermédio intermediary, intermediate; agent, go-between; mediator. • intermediate, intervening, interposed; halfway. ♦ **por intermédio de** through, by means of.
interminável interminable; endless; never-ending.
intermitente intermittent.
intermuscular intermuscular.
internacional international.
internado interned.
internar intern; confine.
internato boarding school.
internauta cybernaut.
interno internee. • internal; interior, inside, inward, inner.
interpelação interpellation; questioning.
interpelar interpellate; question.
interpolar interpolar. • interpolate; insert.
interpor interpose; interrupt; interfere; obstruct.
interpretação interpretation; explanation; version, performance. ♦ **interpretação errônea** misinterpretation.
interpretar interpret; explain, elucidate; play; act.
intérprete interpreter, translator; performer, singer, artist. → Professions
interrogação interrogation, questioning. ♦ **ponto de interrogação** question mark.
interrogar inquire; examine; question. ***interrogar-se*** wonder.
interrogativo interrogative.
interrogatório interrogatory; hearing, trial. • interrogative.
interromper interrupt; suspend; break off.
interrompido interrupted; cut off; broken.
interrupção interruption; cessation; discontinuance, break, intermission.
interruptor switch. • interrupting.
interseção intersection.
interurbano interurban; intercity. ♦ **chamada interurbana** long-distance call.
intervalo interval; space; break; intermission; recess. ♦ **intervalo comercial** commercial break.
intervenção intervention. ♦ **intervenção cirúrgica** operation, surgery.
intervir intervene; interfere.
intestinal intestinal.
intestino intestine, bowel(s), entrails; innards. ♦ **intestino solto** loose bowels; diarrhea. → Human Body
intimação notification; citation; summons.
intimar summon, cite, convoke; notify.
intimidação intimidation, bullying.
intimidade intimacy, privacy, familiarity; friendship. ♦ **ter intimidade com alguém** be close to somebody.
intimidar intimidate; frighten; threaten; discourage.
íntimo intimate; inner, internal; close, innermost, inmost. ♦ **no íntimo** at heart, inwardly, deep inside.
intitulado entitled, called.
intitular entitle, title, name.
intocável untouchable.
intolerância intolerance, bigotry, impatience.
intolerante intolerant, intransigent, impatient.
intolerável intolerable, unbearable.
intoxicação intoxication. ♦ **intoxicação alimentar** food poisoning.
intoxicar poison; intoxicate.

intraduzível untranslatable, inexpressible.
intragável unpalatable, inedible; unacceptable.
intramuscular intramuscular.
intransigente intransigent, uncompromising, inflexible.
intransitável impassable; pathless.
intransitivo intransitive.
intratável intractable, unmanageable; unsociable; contrary, awkward.
intravenoso intravenous.
intrépido intrepid; bold, fearless, daring, brave.
intricado intricate; complicated, entangled.
intriga intrigue, plot, scheme; conspiracy.
intrigante intriguing; interesting, fascinating.
intrigar intrigue; involve, entangle; plot for, puzzle.
intrínseco intrinsic; inherent.
introdução introduction.
introduzir introduce; lead in, bring in.
intrometer introduce, intrude, insert. ***intrometer-se*** interfere, nose into, meddle. ♦ **Não se intrometa.** Mind your own business.
intrometido intruder. • meddlesome, intrusive, interfering.
intromissão intromission, interference.
introspecção introspection.
introvertido introverted, shy.
intrusão intrusion.
intruso intruder, trespasser. • intrusive.
intuição intuition; feeling, insight.
intuitivo intuitive.
intuito intention; plan, aim.
inumerável innumerable, countless.
inúmero numberless, countless.
inundação flood; overflow, abundance.
inundar flood; overflow; submerge, deluge.
inútil worthless person, good-for-nothing. • useless; futile, pointless, unnecessary, hopeless, needless.
inutilidade inutility, uselessness, worthlessness.
inutilizar make useless; nullify.
invadir invade; conquer, encroach. ♦ **invadir ilegalmente** hack (computer).
invalidar invalidate; nullify, annul; discredit, overrule.
invalidez invalidity, infirmity, disability.
inválido invalid. • infirm, disabled; null, without effect.
invariável invariable; constant; unchangeable.
invasão invasion, incursion.
invasor invader.
inveja envy; jealousy; rivalry.
invejar envy.
invejável enviable.
invejoso envious; jealous.
invenção invention; creation.
invencibilidade invincibility.
invencível invincible, insuperable, unbeatable.
inventar invent; create.
inventário inventory; register; stock.
invento invention.
inventor inventor; discoverer; author.
inverdade untruth, untruthfulness, lie.
inverno winter, winter season, winter time. → Weather
inversão inversion; reversal, reversion.
inverso contrary, reverse; converse, inverse. • inverted, inverse.
invertebrado invertebrate (animal).
inverter invert; invest (capital); reverse.
invertido inverted, reversed, upside-down.
invés opposite. ♦ **ao invés** the other way around. **ao invés de** instead of.
investida attack, assault; advance.
investigação investigation; inquiry; research.
investigador investigator, detective, researcher. • investigating. → Professions
investigar investigate; inquire, examine.

investimento investment.
investir attack, assault; invest.
inveterado inveterate.
invicto unvanquished, unconquered, undefeated, unbeaten.
invisível invisible, unseen.
invocar invoke; call for protection; implore. ♦ **invocar com alguém** take a dislike to somebody.
invólucro wrapping; cover, wrapper.
involuntário involuntary, unintentional.
invulgar rare; unusual, uncommon; exceptional, unique.
iodo iodine.
iogurte yogurt.
ir go, move, depart, go away. ***ir-se*** go away, go out; depart, set out, be off; die; be on one's way. ♦ **Como vai?** How are you? **Como vai indo?** How are you getting along? **E lá vou eu!** Here I go! **ir abaixo** go down, fail. **ir ao encontro de** meet; face. **ir ao que importa** come/get to the point. **ir às urnas** go to the polls. **ir até o fim** go the whole hog. **ir bem** do well, be all right. **ir de mal a pior** go from bad to worse. **ir embora** go away, leave; pass away, die. **ir em frente** keep going. **ir longe** go far. **ir mal de saúde** be in poor health. **ir no encalço de** pursue, go after, trace, track. **ir por água abaixo** go by the board. **Vá lá!** Go on! **Vamos!** Let's go!, Come on! **Você vai ver!** You will see!
ira anger, rage; wrath.
Irã Iran. → Countries & Nationalities
irado angry, furious; wrathful.
iraniano Iranian. → Countries & Nationalities
Iraque Iraq. → Countries & Nationalities
iraquiano Iraqi.→ Countries & Nationalities
irar enrage; irritate.
íris iris. → Human Body
Irlanda Ireland. → Countries & Nationalities
Irlanda do Norte Northern Ireland. → Countries & Nationalities
irlandês Irish. → Countries & Nationalities
irmã sister. ♦ **irmã adotiva** foster-sister. **irmã de caridade** sister of mercy. **irmã gêmea** twin sister. **meia-irmã** half-sister.
irmandade brotherhood, sisterhood; fraternity.
irmão brother. • alike, similar; brotherly. ♦ **irmão adotivo** foster-brother. **irmão gêmeo** twin brother. **meio-irmão** half-brother.
ironia irony, mockery; sarcasm.
irônico ironic(al); sarcastic.
irracional irrational; senseless; illogical, unreasonable.
irradiação irradiation.
irradiar irradiate; emit rays; radiate; broadcast.
irreal unreal, unrealistic, illusive, imaginary.
irrealizável unrealizable, unachievable; illusory.
irreconciliável irreconcilable.
irrecuperável irrecoverable; irreclaimable, irretrievable.
irredutível irreducible, inflexible.
irrefutável irrefutable; unquestionable.
irregular irregular; illegal.
irregularidade irregularity.
irremediável incurable, irremediable, hopeless.
irreparável irreparable; beyond remedy or repair.
irrepreensível irreprehensible, blameless, faultless.
irrequieto unquiet, restless, fidgety.
irresistível irresistible; overpowering.
irresponsabilidade irresponsibility.
irresponsável irresponsible.
irrestrito unrestricted, unrestrained.
irreverente irreverent.
irreversível irreversible; permanent.
irrevogável irrevocable; unchangeable.
irrigar irrigate, water.
irritação irritation; anger, enragement; excitement, agitation. ♦ **de forma irritada** crossly.
irritadamente angrily.

irritante irritant. • irritating; provoking, annoying.
irritar irritate; anger, annoy; tease, enrage. ***irritar-se*** become irritated, grow angry.
irritável irritable.
irromper rush in, urge forward; break out; burst; emerge, appear suddenly. ♦ **irromper em aplausos** break into applause. **irromper em lágrimas** burst into tears.
isca bait, lure; allurement.
isenção exemption; freedom. ♦ **isenção de impostos** tax exemption.
isentar exempt, free from; release; excuse.
isento exempt; free; immune; excused. ♦ **isento de taxas** duty-free, tax-free.
Islã Islam.
islâmico Islamic.
isolado isolated; lonely; separated.
isolamento isolation, separation. ♦ **cordão de isolamento** cordon. **isolamento acústico** soundproofing.
isolante isolating, insulating. ♦ **fita isolante** insulation tape.
isolar isolate; detach, separate; segregate. ***isolar-se*** retire from, withdraw; become insulated, immune.
isqueiro lighter.
Israel Israel. → Countries & Nationalities
israelense Israeli. → Countries & Nationalities
israelita Israelite, Hebrew, Jew. • Jewish.
isso that. ♦ **Isso mesmo!** Exactly!, That's just it! **Não por isso.** Don't mention it. **por isso** so, therefore, hence. **Só isso?** Is that all?
isto this. ♦ **isto é** that is, namely; i.e. **O que quer dizer isto?** What does it mean?
Itália Italy. → Countries & Nationalities
italiano Italian. → Countries & Nationalities
item item, article.
iteração iteration, repetition.
itinerante itinerant.
itinerário itinerary; route.

J, j the tenth letter of the Portuguese alphabet.
já now, at once, immediately. • already, once; ever. ♦ **desde já** from now on. **já que** as, since. **Já sei!** I've got it!, I know! **Já vou.** I'm coming.
jabuti red-footed tortoise. ➔ Animal Kingdom
jacarandá jacaranda.
jacaré alligator. ➔ Animal Kingdom
jade jade.
jaguar jaguar. ➔ Animal Kingdom
jaguatirica ocelot. ➔ Animal Kingdom
Jamaica Jamaica. ➔ Countries & Nationalities
jamaicano Jamaican. ➔ Countries & Nationalities
jamais never, ever, at no time. ♦ **ninguém jamais viu** nobody has ever seen.
janeiro January.
janela window. ♦ **janela instantânea** pop-up window.
jangada raft. ➔ Means of Transportation
janta dinner, supper.
jantar dinner. • dine. ♦ **hora do jantar** dinnertime. **jantar fora** dine out. **sala de jantar** dining room.
Japão Japan. ➔ Countries & Nationalities
japonês Japanese. ➔ Countries & Nationalities
jaqueta jacket. ♦ **jaqueta de couro** leather jacket. **jaqueta jeans** denim jacket. ➔ Clothing
jaquetão double-breasted coat. ➔ Clothing
jarda yard (36 inches; 0.9144 m). ➔ Numbers
jardim garden. ♦ **jardim de infância** kindergarten. **jardim zoológico** zoo.
jardinar garden.
jardineiro gardener. ➔ Professions
jargão slang; jargon. ♦ **jargão da moda** buzzword.
jarra pitcher, jar, jug.
jasmim jasmine.
jato jet; gush, outpour, stream. ♦ **a jato** at top speed. **jato de tinta** ink jet.
jaula cage.
javali wild pig, boar. ➔ Animal Kingdom
javanês Javanese.
jazer lie, be stretched out, rest; be dead. ♦ **Aqui jaz...** Here lies...
jazida natural deposit of ores. ♦ **jazida de carvão** coalfield, coal seam.
jazigo grave, tomb.
jeans (*tb.* **calça *jeans***) jeans. ➔ Clothing
jeito way; aptitude; knack, skill. ♦ **com jeito** tactfully. **dar um jeito** find a way, manage somehow. **de jeito nenhum/algum** no way; under no circumstances. **de todo jeito** at all events. **É o jeito.** It's the best way. **Não tem jeito mesmo.** It's hopeless. **sem jeito** awkward, embarrassed.

jeitoso skillful, dexterous; clever; handy, manageable; graceful.
jejuar fast.
jejum fast(ing). ♦ **estar em jejum** be fasting.
jesuíta Jesuit. • Jesuitical.
jiboia boa constrictor. → Animal Kingdom
jipe Jeep™.
joalheiro jeweler. → Professions
joalheria jeweler's shop, jewelry store.
joanete bunion.
joaninha ladybug, ladybird (*Brit.*). → Animal Kingdom
joelho knee. ♦ **de joelhos** kneeling; down on one's knees. **ficar de joelhos** kneel down. → Human Body
jogada play; move, stroke.
jogador player; gambler.
jogar play; gamble. ♦ **jogar fora** throw out, throw away. → Leisure
jogatina gambling.
jogo game, match; play; gamble, bet. ♦ **jogo de azar** game of chance. **jogo de empurra** passing the buck, buck passing. **jogo-da--velha** tic-tac-toe. **jogo de salão** parlor game. **jogo limpo** fair play. **Jogos Olímpicos** Olympic Games. **jogo sujo** foul play. **pôr em jogo** risk, stake.
joia jewel, gem. ***joias*** jewelry.
jóquei jockey. → Professions
jornada journey; trek. ♦ **jornada de trabalho** 9 to 5; office hours.
jornal newspaper. ♦ **banca de jornal** newsstand. **ler o jornal de ponta a ponta** read through the newspaper. → Deceptive Cognates
jornaleiro newsboy; newsagent, newsdealer. → Professions
jornalismo journalism, press.
jornalista journalist, reporter. → Professions
jorrar gush, spurt, spout, pour.
jorro outpour, gush, jet, spurt.
jovem juvenile, youthful, young. • youngster.
jovialidade joviality; merriment, cheerfulness.
jubileu jubilee.
júbilo jubilation, exultation, joy, rejoicing.
jubiloso jubilant, rejoicing, joyful.
judaico Jewish, Judaic(al).
judaísmo Judaism.
judeu Jew. • Jewish.
judiar hurt; mistreat.
judicial judicial.
judô judo. → Sports
jugo servitude, submission; yoke.
juiz judge, magistrate; referee. ♦ **juiz de direito** district judge. **juiz de linha (bandeirinha)** linesman, assistant referee. **juiz de paz** justice of the peace. → Professions
juízo judgment; trial; sense, reason. ♦ **criar juízo** settle down. **dia do juízo final** doomsday. **Juízo!** Behave! **juízo perfeito** sound mind. **perder o juízo** lose one's mind.
julgamento judgment; court session, trial. ♦ **julgamento em público** open trial.
julgar judge, try; consider.
julho July.
jumento donkey, ass. → Animal Kingdom
junção junction; connection, link; joint; union.
junho June.
junta junction, seam; board, committee, union. ♦ **junta administrativa** administrative council.
juntar join, connect; come together; associate.
junto next to, joined, close; together. ♦ **pôr junto a** put next to. **todos juntos** all together.
jura oath, vow. ♦ **jura de amor** pledge of love.
jurado juryman, member of the jury.
juramento oath, vow. ♦ **juramento à bandeira** pledge of allegiance. **falso juramento** perjury. **prestar juramento** take an oath.

jurar swear; vow, pledge. ♦ **Jura?** Really? **jurar falso** perjure.
júri jury.
jurídico juridical, forensic; legal.
jurisdição jurisdiction.
jurisprudência jurisprudence.
jurista jurist, lawyer. ➔ Professions
juro interest (on money). ♦ **emprestar dinheiro a juro** lend money with interest. **juros compostos** compound interest.
jururu dejected, depressed, gloomy.
jus right. ♦ **fazer jus a** have the right to, deserve.
justamente just; justly; exactly, precisely. ♦ **justamente no meio** in the very middle.
justiça justice. ♦ **com justiça** rightly, justly, fairly. **ir à justiça** go to court. **Justiça seja feita.** Let justice be done. **levar à justiça** bring to trial.
justificação justification; excuse; cause, reason.
justificar justify; explain. ♦ **justificar a ausência** explain one's absence.
justificável justifiable; excusable, forgivable.
justo just. • fair, honest, right; tight (clothes). ♦ **uma recompensa justa** a fair reward.
juta jute.
juvenil juvenile, youthful.
juventude youth; young people.

K, k the eleventh letter of the Portuguese alphabet, used in international symbols, names and words borrowed from other languages. Normally substituted by *c* or *qu* in Portuguese.
K kelvin.
kafkiano kafkaesque.
karaoke karaoke.
kart go-kart.
ketchup ketchup.
kg kilogram. ➔ Abbreviations
kick boxing kickboxing. ➔ Sports
kinguio goldfish. ➔ Animal Kingdom
kitesurfe kitesurfing. ➔ Sports
kitsch kitsch, corny.
kiwi kiwi fruit. ➔ Fruit

A B C D E F G H I J K L M N O P Q R S T U V W X Y Z

L, l the twelfth letter of the Portuguese alphabet.

lá la, A, sixth musical note. • there. ♦ **até lá** until then, till then, by then. **lá fora** outside, out there. **lá mesmo** in that very place, right there. **para lá e para cá** back and forth, to and fro. **Sei lá!** Don't ask me!, Beats me!

lã wool. ♦ **lã de aço** steel wool. **lã de camelo** camel hair. **gorro de lã** wooly hat. → Clothing

labareda flame, blaze.

lábia blarney, smooth talk; guile, cunning, astuteness. ♦ **ter lábia** have the gift of the gab.

lábio lip. → Human Body

labirinto labyrinth; maze.

laboratório laboratory, lab.

laca lac; shellac; lacquer.

laçada bowknot; tie, loop.

laçar lace, tie, bind.

laço bowknot; bow, tie. ♦ **apanhar no laço** ensnare. **cair no laço** fall into a trap. **fazer/dar um laço** tie a bow.

lacônico laconic, curt, brief, succinct.

laconismo laconism, conciseness.

lacrar seal.

lacre seal; sealing wax.

lacrimal lachrymal (bone).

lacrimejante tearful, watery.

lacrimogêneo lachrymatory. ♦ **gás lacrimogêneo** tear gas.

lacrosse lacrosse. → Sports

lácteo milky, lacteal.

láctico lactic.

lacuna gap; blank.

ladeira declivity; steep street, hill. ♦ **ladeira abaixo** downhill. **ladeira acima** uphill.

lado side; flank. ♦ **andar de um lado para outro** go back and forth, walk to and fro, move from side to side. **ao lado** close by, next door. **ao lado de** beside. **de lado** aside, to one side. **lado a lado** side by side. **o lado bom** the bright side. **o lado de dentro** the inside. **pôr de lado** set aside. **por outro lado** otherwise, on the other hand.

ladrão thief, burglar, robber, shoplifter.

ladrar bark.

ladrilhar tile.

ladrilho (floor) tile.

lagarta caterpillar. → Animal Kingdom

lagartixa gecko. → Animal Kingdom

lagarto lizard. → Animal Kingdom

lago lake; pool, pond.

lagoa lagoon.

lagosta lobster. → Animal Kingdom

lagostim crayfish. → Animal Kingdom

lágrima tear, teardrop. ♦ **derramar lágrimas** shed tears. **lágrimas de alegria** tears of joy. **lágrimas de crocodilo** crocodile tears. **sem lágrimas** tearless.

laia kind; sort. ♦ **de sua laia** of your kind. **gente da mesma laia** birds of a feather.

lajota small flagstone, paving stone.

lama mud, sludge.

lamaçal slough; swamp; bog.

lamacento muddy, dirty.

lambada blow (with a stick or whip); stroke, lash.

lamber lick.
lambida lick.
lambiscar nibble, eat sparingly.
lambreta scooter. → Means of Transportation
lambuja gain. ♦ **dar lambuja** give advantage.
lambuzar smudge, spatter; smear.
lamentar lament; weep over, pity, regret. ***lamentar-se*** complain; feel sorry; cry (over), weep over.
lamentável lamentable; mournful, grievous; regrettable, deplorable; pitiful.
lamentavelmente sadly.
lamento lament; moan.
lâmina blade, sheet, slat. ♦ **lâmina de barbear** razor blade.
laminação lamination.
laminado laminated, slatted.
laminar laminate.
lâmpada lamp; (light) bulb; light.
lampejo flash; glitter, flare; gleam, glimpse; sudden inspiration.
lamúria lamentation, complaint, whine.
lança lance; spear; javelin.
lança-foguetes rocket launcher.
lançamento cast(ing), throw(ing), pitch, launch, release (movie).
lançar cast, throw, release, launch, pitch; fling, throw violently. ♦ **lançar no mercado** introduce on the market. **lançar por terra** throw down. **lançar suspeitas sobre** cast suspicion on. **lançar um desafio** challenge. **lançar um disco/um filme** release a record or a movie. **lançar um livro** publish a book.
lance throw(ing); cast(ing); bidding (in auctions); flight (of stairs). ♦ **lance livre** free kick (soccer); free throw (basketball). **primeiro lance** first call.
lancha motorboat, speedboat; launch. → Means of Transportation
lanche snack. → Deceptive Cognates
lanchonete snack bar.
lanterna lantern. ♦ **lanterna de bolso** flashlight, torch. **lanterna de papel** Japanese or Chinese lantern.
lanterninha a small lantern; usher (man), usherette (woman).
lapela lapel (of a coat).
lapidação cutting (stone), lapidation; perfecting; refining, polishing.
lapidar lapidate; polish.
lápide gravestone, tombstone.
lápis pencil. ♦ **apontador de lápis** pencil sharpener. **lápis de cor** colored pencil. → Classroom
lapiseira mechanical pencil, propelling pencil. → Classroom
lapso lapse, slip.
laquear tie arteries; lacquer, enamel.
lar home.
laranja orange. ♦ **casca de laranja** orange peel. **laranjada** orangeade. **suco de laranja** orange juice. → Fruit
laranjeira orange tree. ♦ **flor de laranjeira** orange blossom.
lareira fireplace.
largada start; departure. ♦ **dar a largada** make a start.
largar release, let go, free; relax; leave; start. ♦ **largar as rédeas** give (a) free rein to.
largo breadth, width; public square, plaza. • broad, large, wide, ample. • broadly. ♦ **ao largo** at a distance. → Deceptive Cognates
largura breadth, width; wideness.
laringe larynx. → Human Body
larva larva, maggot; worm. → Animal Kingdom
lasca splinter; chip.
lascar splinter; chip.
laser abbreviation of Light Amplification by Stimulated Emission of Radiation, laser. ♦ **raio *laser*** laser beam. → Abbreviations
lástima pity; pain; grief, sorrow; misery.
lastimar lament, regret, grieve. ***lastimar-se*** complain dolefully.
lastimável pitiable, pitiful; lamentable, deplorable.
lata tin; can; canister. ♦ **abridor de lata** can opener, tin opener. **lata de lixo** trash can, dustbin, garbage can.
latão brass. ♦ **latão fundido** cast brass.
latejar pulsate, throb.
latejo throbbing, pulsation.

latente latent; hidden, concealed.
lateral lateral. ♦ **entrada lateral** side entrance. **porta lateral** side door. **vista lateral** side view.
laticínio dairy. ***laticínios*** dairy products.
latido bark, yelp.
latim Latin.
latino Latin.
latir bark, yap, yelp.
latitude latitude.
latrocínio armed robbery; hold-up.
lauda page; sheet of paper.
laudo report.
laureado laureate.
lava lava; torrent.
lavagem wash, cleansing. ♦ **lavagem a seco** dry-cleaning. **lavagem cerebral** brainwash.
lava-louça dishwasher. → Furniture & Appliances
lavanda lavender.
lavanderia laundry.
lavar wash. ***lavar-se*** take a bath, take a shower. ♦ **lavar a louça** do the dishes, wash up. **lavar a seco** dry-clean. **lavar e passar** launder. **máquina de lavar roupa** washing machine. → Furniture & Appliances
lavatório lavatory, washbasin.
lavável washable.
lavoura farming, agriculture.
lavrador farmer; peasant; agricultural worker. → Professions
lavrar cultivate, till; plough, plow. ♦ **lavrar a terra** till the soil. **lavrar em ata** draw up the minutes.
laxante laxative, purgative.
lazer leisure; spare time; recreation. ♦ **momentos de lazer** leisure time, free time.
leal loyal, faithful; devoted; sincere. ♦ **ser leal a** keep faith with; be faithful to, be loyal to.
lealdade loyalty, faithfulness, fidelity, sincerity, honesty.
leão lion. ♦ **a parte do leão** the lion's share (the largest part of something). **leão de chácara** bouncer. **leão-marinho** sea lion. → Animal Kingdom
lebre hare. → Animal Kingdom
lecionar teach, lecture; instruct.
legado legacy; bequest.
legal legal, lawful; nice, very good, cool. ♦ **Está legal.** It's all right., OK. **herdeiro legal** legal heir. **Legal!** Cool!
legalidade legality; lawfulness.
legalização legalization.
legalizar legalize; validate; legitimate; certify; justify.
legenda inscription; caption, subtitle, legend.
legendário legendary; fabulous.
legião legion; a great number, multitude.
legislação legislation.
legislador legislator, lawgiver. • legislating; lawgiving, lawmaking.
legislar legislate. ♦ **legislar em causa própria** be a judge of one's own cause.
legislativo legislative.
legislatura legislature.
legitimação legitimation.
legitimar legitimate.
legitimidade legitimacy.
legítimo legitimate, lawful, legal; rightful. ♦ **legítima defesa** self-defense.
legível legible, readable.
legume legume. ***legumes*** vegetables.
lei law; rule. ♦ **fora da lei** outlaw. **impor a lei** enforce the law. **lei civil** civil law. **lei da oferta e da procura** law of supply and demand. **lei marcial** martial law. **obediente à lei** law-abiding. **por lei** by law. **sem lei** lawless.
leigo layman. • lay; ignorant, inexperienced. ♦ **ser leigo em algo** be no expert at something; be unversed in something.
leilão auction. ♦ **ser vendido em leilão** come under the hammer.
leiloar auction, sell at/by auction.
leiloeiro auctioneer. → Professions
leitão piglet. → Animal Kingdom
leite milk. ♦ **dente de leite** milk tooth. **leite desnatado** skim milk. **leite em pó** dry milk, milk powder. **leite integral** whole milk.
leiteira milk jug, milk pot.
leiteiro milkman.
leiteria dairy, creamery.

leito bed, berth. ♦ **leito de morte** deathbed. **leito de rio** riverbed, bottom.
leitor reader.
leitura read, reading. ♦ **leitura em voz alta** reading aloud. **leitura labial** lipreading. **leitura óptica de caracteres** optical character recognition. → Leisure → Deceptive Cognates
lema motto, slogan, watchword.
lembrança souvenir; remembrance; keepsake; recall; memory. ***lembranças*** regards, compliments.
lembrar recall, remember; remind. ***lembrar-se de*** remember, bear in mind. ♦ **lembrar (alguém) de** remind (someone) of.
lembrete note; reminder.
leme rudder; control, direction.
lenço handkerchief. ♦ **lenço de papel** tissue. **lenço de pescoço** neckerchief.
lençol sheet (bed linen). ♦ **em maus lençóis** in a bad fix, in a pretty mess, in a pickle.
lenda legend, folk tale; myth, fable. ♦ **Isso não passa de lenda.** That's a cock and bull story.
lenha firewood. ♦ **pôr lenha na fogueira** pour oil on the flames, add fuel to the fire.
lenhador woodcutter, lumberman, lumberjack. → Professions
lentamente slowly.
lente lens. • reader. ♦ **lente bifocal** bifocal lens. **lente de aumento** magnifying glass. **lentes de contato** contact lenses.
lentidão slowness; sluggishness, inertness.
lentilha lentil. → Vegetables
lento slow; sluggish.
leoa lioness. → Animal Kingdom
leopardo leopard. → Animal Kingdom
lepra leprosy.
leproso leper, lazar. • leprous.
leque fan. ♦ **leque de opções** range of options.
ler read. ♦ **ler a sorte de** tell the fortune of. **ler nas entrelinhas** read between the lines.
lerdeza slowness, tardiness, sluggishness.
lerdo slow, sluggish, laggard.
lero-lero chit-chat, idle talk, twaddle. ♦ **Chega de lero-lero!** Enough chit-chat!, Cut the chit-chat!
lesado injured, wounded; hurt; damaged.
lesão wound, injury, lesion. ♦ **lesão corporal** bodily harm.
lesar injure, hurt, wound; damage, harm.
lésbica lesbian.
lesma slug, snail. ♦ **ser lento como uma lesma** be sluggish. → Animal Kingdom
leste east, East.
letal lethal, deadly, mortal.
letargia lethargy; torpor.
letivo concerning school or a period of learning. ♦ **ano letivo** school year.
letra letter; character. ***Letras*** Language and Literature. ♦ **letra de câmbio** bill of exchange. **letra de forma** block letter. **letra maiúscula** capital letter, uppercase letter. **letra minúscula** lowercase letter. **com distinção entre letras maiúsculas e minúsculas** case-sensitive (computing). **tomar ao pé da letra** take literally.
léu time; leisure; opportunity; occasion, chance. ♦ **ao léu** aimlessly, at random.
leucemia leukemia.
levado mischievous; undisciplined.
levantamento survey; lifting, raising. ♦ **levantamento de peso** weightlifting. → Sports
levantar lift, raise, elevate. ***levantar-se*** get up, stand up, rise; arise. ♦ **levantar a voz** raise the voice. **levantar dúvidas** raise doubts. **levantar uma questão** put a question. **levantar um brinde a** raise a toast to. **levantar voo** take off.
levar carry, lead, run, take (away), remove. ♦ **deixar-se levar** yield to; be carried away. **levar a cabo** see through, realize. **levar adiante**

carry out. **levar a mal** take (someone or something) wrong, take (something) amiss. **levar ao conhecimento (de)** inform. **levar a pior** get the worst of. **levar a sério** take seriously. **levar bomba** flunk. **levar de volta** take back. **levar embora** carry off. **levar em conta** consider, regard. **levar na brincadeira** take in good part. **levar prejuízo** suffer a loss. **levar vantagem** have an advantage over.

leve light; slight. ♦ **de leve** lightly, gently, softly. **ter sono leve** be a light sleeper. **voar de ultraleve** fly an ultralight.

levedura yeast.

levemente slightly.

leviandade levity, thoughtlessness.

leviano flighty, thoughtless; frivolous, fickle.

levitação levitation.

léxico lexicon; dictionary.

lexicografia lexicography.

lexicógrafo lexicographer; author of a dictionary; compiler of vocabulary. ➔ Professions

lexicologia lexicology.

lhama llama. ➔ Animal Kingdom

lhe him, to him; it, to it; her, to her; you, to you. ***lhes*** for them; to you.

libanês Lebanese. ➔ Countries & Nationalities

Líbano Lebanon. ➔ Countries & Nationalities

libélula dragonfly. ➔ Animal Kingdom

liberação liberation; release, discharge.

liberal liberal(ist). • liberal; broad-minded, generous.

liberalidade liberality; generosity.

liberalizar liberalize; lavish.

liberar discharge; free, release, unleash, liberate.

liberdade liberty, freedom. ***liberdades*** liberties, rights. ♦ **(em) liberdade condicional** (on) probation, (on) parole. **estar em liberdade** be free, be at liberty. **liberdade de expressão** free speech, freedom of speech. **tomar a liberdade de** make bold to, take the liberty of.

libertação liberation, relief, release. ♦ **libertação dos escravos** liberation of slaves.

libertador liberator. • liberating; freeing.

libertar liberate; free; release; set free. ***libertar-se (de)*** get free of, get rid of.

libertinagem libertinism.

libertino libertine, licentious, dissolute.

liberto freeman. • released; free, independent; at liberty, emancipated.

libidinoso libidinous, lustful, lecherous.

libra pound (weight and currency). ♦ **libra esterlina** pound sterling.

lição lesson; example. ♦ **dar uma lição a/em alguém** teach somebody a lesson. **lição de casa** homework. **lição prática** object lesson. **Que isto lhe sirva de lição.** Let this be a lesson to you.

licença license; permission; consent. ♦ **Com licença.** Excuse me. **Dá licença?** May I? **estar de licença** be on leave. **sem licença** unlicensed.

licenciamento licensing; permission.

licenciar license; authorize; give a license to.

lícito licit; lawful, allowed, legal.

licor liqueur. ♦ **licor de cereja** cherry brandy.

lidar struggle, strive, deal; work; make an effort. ♦ **lidar com** handle, manage, deal with.

líder leader; chief, guide, head.

liderança leadership; lead. ♦ **espírito de liderança** leadership spirit. **estar na liderança** be in the lead.

liderar lead, guide.

liga league, alliance; alloy (metal).

ligação joining, binding, connection, junction; bond. ♦ **Caiu a ligação.** I was cut off. **fazer uma ligação** make a call. **ligação amorosa** love connection. **ligação automática** hot link. **ligação internacional** long-distance call, international call.

ligação manual cold link. **ligação telefônica** phone call. **ligação de hipertexto** hypertext link.
ligado joint, connected; tied, intimate. ♦ **estar ligado (atento)** be attentive.
ligamento ligament; bond, tie. ➔ Human Body
ligar tie, bind, link, fasten; attach; turn on, plug in; start; pay attention; mind. ♦ **Eu não ligo.** It doesn't bother me., I don't care. **ligar (telefonar) para alguém** ring somebody up. **Não ligo a mínima.** I couldn't care less.
ligeireza quickness, swiftness, agility.
ligeiro quick, swift, agile, slight, nimble; alert; fast. ♦ **andar ligeiro** speed, walk fast.
lilás lilac.
limão taiti lime. ♦ **limão-siciliano** lemon. ➔ Fruit
limar sand, file; smooth.
limiar threshold; entrance; beginning.
liminar preliminary, introductory.
limitação restriction, limitation. ♦ **limitação física** physical restraint.
limitado limited.
limitar limit, delimit; border; tie down.
limite limit; line of demarcation, border. ***limites*** confines, boundaries. ♦ **passar dos limites** go too far. **sem limites** boundless.
limítrofe adjoining, adjacent, bordering, neighboring.
limoeiro lemon tree.
limpador cleaner. ♦ **limpador de para-brisa** windshield wiper. **limpador de rua** street sweeper, street cleaner.
limpar clarify, clean (up), debug. ***limpar-se*** wash, become clean. ♦ **limpar profundamente** cleanse.
limpeza cleanness; neatness; cleaning. ♦ **limpeza pública** waste collection, sanitation. **limpeza total** clean-up. **produto de limpeza** cleanser.
límpido limpid, clear, transparent; lucid, pure.
limpo clean, neat; trim, tidy; clear; pure. ♦ **estar com a consciência limpa** have a clear conscience. **passar a limpo** make a fair copy, make a clean copy (of). **tirar a limpo** clarify, verify.
limusine limousine. ➔ Means of Transportation
lince lynx. ➔ Animal Kingdom
linchar lynch.
lindo pretty, beautiful, handsome, nice, fine, lovely.
linear linear. ♦ **equação linear** linear equation.
linfático lymphatic.
linfócito lymphocyte.
lingote ingot. ♦ **lingote de ferro** pig iron.
língua language; tongue. ♦ **dar com a língua nos dentes** let the cat out of the bag, blab. **dobrar a língua** retract. **língua materna** mother tongue. **má-língua** slanderer, backbiter. **saber algo na ponta da língua** have something at one's fingertips, have something on the tip of the tongue. ➔ Human Body

language

tongue

linguagem language. ♦ **linguagem erudita** formal language. **linguagem de programação** programming language. **linguagem de sinais** sign language.
linguajar talk, speech; mode of speech.
linguarudo gossipy.
linguiça sausage. ♦ **encher linguiça (esticar o assunto)** waffle on.
linguista linguist.
linguística linguistics.
linha line; thread; string. ♦ **em linhas gerais** on the whole. **linha aérea** airline. **linha cruzada** crosstalk. **linha de montagem** assembly line. **linha de pescar** fishing line. **linha divisória** borderline. **linha férrea** railway. **linha ocupada** busy line. **linha pontilhada** dotted line. **linha principal (ferrovia/metrô)** main line. **perder a linha** lose one's decorum.
linhagem lineage, genealogy; race; pedigree.
linho linen.
lipídio lipid.
liquefazer liquefy; reduce to a liquid. ***liquefazer-se*** become liquid.
liquidação liquidation; sale, clearance. ♦ **em liquidação** on sale.
liquidar liquidate; sell out, clear. ♦ **liquidar alguém** destroy somebody.
liquidez liquidness, liquidity.
liquidificador mixer, blender, liquidizer.
liquidificar liquefy, liquidize.
líquido liquid, fluid; net. ♦ **lucro líquido** net profit.
lírico lyric; sentimental.
lírio lily.
liso broke (with no money at all); plain (cloth); smooth, even. ♦ **cabelo liso** straight hair.
lisonja flattery, cajolery.
lisonjear flatter, court; adulate.
lisonjeiro flattering; pleasing.
lista list, roll, roster. ♦ **lista de candidatos** short list. **lista de casamento** bridal registry. **lista de espera** waiting list, standby list. **lista de mala direta** mailing list. **lista telefônica** telephone directory. **lista de discussão** (electronic) mailing list.
listra stripe.
listrado striped.
listrar stripe, adorn with stripes.
lisura smoothness; softness; sincerity; fairness.
literal literal; exact.
literário literary. ♦ **obra literária** literary work.
literatura literature.
litígio litigation, lawsuit; dispute, contest.
litografia lithography.
litoral coastline, coast, seaboard. • coastal.
litorâneo littoral, coastal. ♦ **cidade litorânea** seaside village, town or city.
litosfera lithosphere.
litro liter.
Lituânia Lithuania. ➔ Countries & Nationalities
lituano Lithuanian. ➔ Countries & Nationalities
liturgia liturgy; ritual.
litúrgico liturgical.
livramento liberation, release.
livrar liberate, release, free. ***livrar-se (de)*** get rid of. ♦ **Deus me livre!** God/Heaven forbid! **livrar a cara de** get somebody out of trouble, get somebody off the hook.
livraria bookstore, bookshop. ➔ Deceptive Cognates
livre free; at liberty; exempt. ♦ **ao ar livre** outdoors, in the fresh air. **livre-arbítrio** free will. **livre--câmbio** free trade. **livre de** free from, free of.
livreiro bookseller.
livremente freely.
livro book. ♦ **Este livro está esgotado.** This book is out of print. **livro de bolso** pocket book. **livro de capa dura** hardcover (book). **livro didático** textbook. **livro-razão** ledger. ➔ Classroom
lixa sandpaper. ♦ **lixa de unha** emery board, nail file.
lixar sand, sandpaper; file.
lixeira garbage can, trash can, waste bin, dustbin.

lixeiro garbage man. → Professions
lixo garbage, trash; waste, rubbish. ♦ **lixo atômico** nuclear waste. **pôr no lixo** throw out. **ser um lixo** be rubbish.
lobisomem werewolf.
lobista lobbyist.
lobo(a) wolf (male), she-wolf (female). ♦ **lobo do mar** old salt. **lobo-marinho** sea lion, sea wolf. → Animal Kingdom
lóbulo lobe, lobule. ♦ **lóbulo da orelha** earlobe. → Human Body
locação location, place; hire, lease, rental.
locador lessor; landlord. ♦ **locadora de vídeo** video rental shop.
local place, spot, site. • local. ♦ **local de descoberta** discovery site. **no local** on the premises.
localidade locality, place; settlement.
localização localization, location, position.
localizar locate; place; settle; spot. ***localizar-se*** be located, be situated; get one's bearings (orientate oneself). ♦ **localizar com precisão** pinpoint.
localmente locally.
locatário tenant, lodger.
locomoção locomotion.
locomotiva locomotive, engine. ♦ **locomotiva a diesel** diesel engine **locomotiva elétrica** electric engine. **locomotiva a vapor** steam engine/locomotive. → Means of Transportation
locomover-se move about, move from place to place.
locução locution; expression, phrase, diction.
locutor speaker, announcer.
lodaçal bog, swamp, slough, mudhole, quagmire.
lodo mud, mire; slime.
lodoso muddy, miry; slimy.
logaritmo logarithm.
lógica logic. ♦ **lógica difusa** fuzzy logic.
lógico logician. • logical; rational. ♦ **É lógico!** Of course! **É lógico que...** It stands to reason that...
logística logistics.
logo immediately, at once. • soon, therefore, hence. ♦ **Até logo!** Bye!, So long! **logo após** soon after. **logo a seguir** right next to. **logo de cara** right away. **logo mais** later. **logo que** as soon as.
logotipo logo.
lograr cheat, trick, deceive; achieve, get, obtain. ♦ **lograr fazer** manage to do.
logro cheat, swindle, fraud, trickery.
loiro(a) blond, blonde. ♦ **loira oxigenada** bleached blonde.
loja shop; store. ♦ **loja de departamentos** department store.
lojista shopkeeper, storekeeper. → Professions
lombada speed bump; rump; spine (book).
lombar lumbar. ♦ **região lombar** lumbar region. → Human Body
lombo loin, reins, back.
lombriga roundworm.
lona canvas. ♦ **lona de freio** brake lining. **lona encerada** tarp.
longe remote, distant, faraway, far-off. • far, far-off, at a great distance. ♦ **ao longe** far off. **ir longe demais** go too far. **longe da vista** out of sight. **longe de** distant from. **Longe de mim!** Far be it from me! **Longe dos olhos, longe do coração.** Out of sight, out of mind. **mais longe** farther, beyond. **para longe** far away. **Tão longe assim?** That far?
longevidade longevity; long-life.
longínquo distant, faraway, far-off.
longitude longitude; distance.
longo long. ♦ **ao longo de** along. **vestido longo** gown.
lontra otter. → Animal Kingdom
lorota lie, fib; idle talk; apple sauce.
losango diamond, lozenge.
lote lot, allotment, portion, share, parcel, batch, plot.
loteamento division of land into lots or parcels.
lotear divide land into lots.
loteria lottery. ♦ **loteria esportiva** football pools.
louça chinaware, dishware, dishes. ♦ **louça de barro** earthenware.

louco maniac, madman. • mad, crazy, insane; nuts. ♦ **louco por algo/alguém** nuts/crazy about something/somebody.
loucura madness, craziness, insanity.
louro laurel; parrot. → Animal Kingdom
lousa blackboard, whiteboard. → Classroom
louva-a-deus (praying) mantis. → Animal Kingdom
louvar praise.
louvável laudable, praiseworthy.
louvor praise; applause; glorification.
lua moon. ♦ **estar de lua** be in a mood. **lua cheia** full moon. **lua crescente** or **quarto crescente** crescent moon, first quarter moon. **lua minguante** or **quarto minguante** waning moon, last quarter moon. **lua nova** new moon. **lua de mel** honeymoon. **ser de lua** be moody. **viver no mundo da lua** have one's head in the clouds.
luar moonlight.
lubrificação lubrication.
lubrificante lubricant. • lubricating.
lubrificar lubricate; grease, oil.
lucidez lucidity; brightness.
lúcido lucid; shining, bright; clear; clear-headed.
lucrar profit, benefit; gain, take advantage of.
lucrativo lucrative, profitable.
lucro profit, gain, earning. ♦ **lucro líquido** net profit. **lucros e perdas** profits and losses. **participação nos lucros** profit sharing.
ludibriar deceive, cheat, dupe.
lufada gust of wind.
lugar place, room, space, spot, site, seat. ♦ **dar lugar a** make way for. **em algum lugar** somewhere. **em lugar de** instead of. **em qualquer lugar** anywhere. **em todo lugar** everywhere. **fora do lugar** in the wrong place, misplaced. **lugar-comum** cliché, commonplace, household word. **lugar de honra** pride of place. **Ponha-se no meu lugar.** Put yourself in my shoes., Put yourself in my position.
lugarejo small village.
luge luge. → Sports
lula squid. → Animal Kingdom
lume flame; light.
luminosidade luminosity.
luminoso luminous; shining, bright.
lunar lunar.
lunático lunatic, madman. • lunatic, mad, crazy, loony.
luneta field glass, spyglass. ♦ **luneta telescópica** telescopic sight.
lupa magnifying glass, hand lens.
lusco-fusco twilight, nightfall.
lusitano Lusitanian.
lustrar polish, shine.
lustre chandelier.
lustro gloss, sheen, shine.
lustroso shining; polished.
luta fight, contest, combat; conflict, war, battle; struggle. ♦ **luta armada** warfare. **luta de boxe** boxing match. **luta livre** wrestling. **luta pela vida** struggle for life. → Sports
lutador fighter; wrestler, boxer; contender. • combative, fighting.
lutar fight, combat; wrestle. ♦ **lutar até o fim** fight it out. **lutar contra** struggle.
luterano Lutheran.
luto mourning; sorrow, grief.
luva glove. ♦ **cair como uma luva** fit like a glove. → Clothing
luxação luxation, dislocation (of joints).
luxar luxate, dislocate (joints).
luxo luxury, splendor, magnificence; sumptuousness. ♦ **dar-se o luxo de** afford. **de luxo** deluxe, luxury.
luxuoso luxurious; sumptuous.
luxúria lust.
luz light; luminosity. ***luzes*** learning; education; progress; information; highlights (hair). ♦ **dar à luz** give birth to. **em plena luz do dia** in broad daylight. **luz das estrelas** starlight. **luz de velas** candlelight. **luz do dia** daylight. **luz solar** sunlight. **sem luz** lightless. **trazer à luz** bring to light.
luzidio bright, glittering, shining, sleek.
luzir shine; gleam, glitter, glisten.

M

M, m thirteenth letter of the Portuguese alphabet.
maçã apple. ♦ **maçã do rosto** cheekbone. → Fruit
maca stretcher.
macabro macabre, ghostly.
macaco monkey; ape; jack (equipment of cars). ♦ **Cada macaco no seu galho.** Each one to his trade. **estar com a macaca** be/wake up in a foul mood. **macaco velho** old hand. → Animal Kingdom

monkey

jack

maçaneta handle, knob, doorknob.
maçante monotonous, dull, weary, boring, tedious.
macarrão macaroni, pasta.
machadinha hatchet.
machado ax.
machão fearless, bossy, macho man.
machista sexist, male chauvinist.
macho male; tough guy. • masculine; virile; manly.
machucar wound, hurt, injure.
macieira apple tree.
maciez softness, smoothness.
macio soft, smooth; tender.
maço bundle (of leaves, bills), bunch (of flowers, fruit, keys); pack (of cigarettes).
maçom Mason, Freemason.
maçonaria Masonry, Freemasonry.
maconha grass, marijuana, marihuana, dope, pot. ♦ **cigarro de maconha** joint.
maçônico masonic.
má-criação ill-breeding, bad manners; rudeness, naughtiness.
macrobiótica macrobiotics. • macrobiotic.
mácula spot, stain; dishonor.
maculado maculate, stained.
macular blemish, stain.
madame madam (often ma'am); lady; mistress.
madeira wood, timber, lumber. ♦ **cortar madeira** log. **madeira de lei** hardwood.
madeiramento framework, framing; woodwork.
madeireiro woodworker; lumberjack; logger.
madeixa tress, lock of hair, strand of hair.

madrasta stepmother.
madre professed nun. ♦ **madre superiora** Mother Superior.
madrinha godmother.
madrugada dawn; early morning.
madrugador early riser.
madrugar get up early in the morning. ♦ **Deus ajuda quem cedo madruga.** The early bird catches the worm.
maduro ripe, mature, seasoned.
mãe mother; mom. ♦ **mãe adotiva** or **mãe de criação** adoptive mother, foster mother. **mãe de família** wife and mother. **mãe de primeira viagem** first-time mother. **mãe solteira** single mother.
maestro maestro; conductor.
magia magic; sorcery, witchcraft; fascination, enchantment, spell. ♦ **magia negra** black magic.
mágica magic, sorcery. ♦ **num passe de mágica** with the wave of a magic wand.
mágico magician. • magic(al). ♦ **olho mágico** peephole.
magistério professorship, mastership; teaching profession.
magistrado magistrate; judge.
magistral magisterial, masterly; perfect, complete.
magistratura magistrature, magistracy.
magnético magnetic.
magnetismo magnetism.
magnetizar magnetize; influence; attract, enchant.
magnífico magnificent, gorgeous, superb, wonderful.
magnitude magnitude; size, extent; importance.
mágoa sore, hurt; sorrow, grief.
magoar hurt, injure, wound; upset, afflict, grieve; sadden; distress.
magreza slenderness, thinness, slimness, skinniness.
magro thin, skinny.
maio May.
maiô bathing suit. ➔ Clothing
maior adult; bigger. ➔ Deceptive Cognates
maioral head; chief, boss, big shot.
maioria majority, the greater number, most.
maioridade majority, adulthood; emancipation. ♦ **atingir a maioridade** come of age.
mais more; surplus; the most. • more; further. • more; also; besides; over; preferentially; further. ♦ **de mais a mais** besides, moreover. **mais distante** farther, further. **mais ou menos** about, just about, roughly, more or less. **mais ou menos no dia 10** around or about the 10th. **mais tarde** later on. **nunca mais** never again. **por mais que** however much. **quanto mais... melhor** the more... the merrier. **sem mais nem menos** without reason. **um pouco mais** a little bit more.
maiúscula capital letter.
majestade majesty.
majestoso majestic, stately; regal.
mal evil, illness; disease; pain; hurt. • bad; ill; evil. • scarcely, hardly; wrongly; badly. • hardly; no sooner. ♦ **de mal a pior** from bad to worse. **estar mal** feel ill, be badly off. **estar mal de saúde** be sick or ill. **fazer mal** damage, do harm; disagree (food). **mal-acabado** badly finished. **mal-acondicionado** badly packed. **mal-aconselhado** ill-advised. **mal-agradecido** ungrateful. **mal-ajeitado** badly disposed, badly arranged. **mal--assombrado** haunted, spooky. **mal-educado** ill-mannered, badly-behaved, rude, insolent, impolite. **malfeito** shoddy. **mal e mal** barely, scarcely. **mal-entendido** misunderstanding, disagreement, dissension; misunderstood. **mal-estar** indisposition, unease, uneasiness, sickness. **mal--humorado**, ill-humored, bad-tempered, ill-tempered, irritable, peevish. **mal-intencionado** evil-minded. **Mal o conheço.** I hardly know him. **Não faz mal.** It doesn't matter., Never mind.
mala bag, handbag, suitcase. ♦ **fazer as malas** pack. **mala direta** mailing.

malabarismo juggling.
malandro hustler, rascal, swindler, crook.
malária malaria.
malcheiroso stinking, stinky.
maldade wickedness; naughtiness.
maldição curse.
maldito cursed, damned.
maldizer curse, slander, defame; speak ill of.
maldoso wicked, bad, nasty.
maleabilidade malleability, ductility.
maleável malleable; soft, adaptable.
malefício harm, misdeed.
maléfico evil, malign; harmful.
maleta small suitcase.
malfadado ill-fated; unlucky.
malfeito badly finished; deformed.
malfeitor malefactor, criminal, villain.
malha mesh; knitting. ♦ **malha/roupa de lã** knitwear. ➔ Clothing
malhado spotted, mottled; toned.
malhar working out. ➔ Leisure
malícia malice, evil intention.
maliciar impute malice to somebody; suspect; interpret maliciously.
malicioso malicious; cunning; artful, crafty.
maligno malign, malignant, pernicious; harmful; bad.
malograr frustrate, fail, spoil; flop.
malte malt.
maltrapilho ragamuffin. • ragged.
maltratado abused; hurt; insulted; ill-treated.
maltratar mishandle; receive badly; insult; damage, spoil; beat; misuse.
maluco crazy, mad, insane, nuts.
maluquice craziness; madness.
malvado mean, wicked; evil, cruel.
malvisto disliked; distrusted, of bad repute.
mama breast. ➔ Human Body
mamadeira nursing bottle, feeding bottle.
mamãe mom, mum (*Brit.*).
mamão papaya. ➔ Fruit
mamar suck; suckle. ♦ **dar de mamar** suckle, nurse, feed, bottle-feed, breastfeed.
mamífero mammal. • mammalian.
mamilo nipple. ➔ Human Body
manada herd.
mancar limp, hobble; cripple; fail; break one's word; deceive; let someone down. ♦ **dar mancada** blunder, make a blunder.
mancha spot, stain.
manchado stained, spotted; mottled.
manchar spot, blot, stain.
manchete headline. ♦ **virar manchete** make the headlines.
manco lame person; cripple. • lame; hobbling.
mandado order, command; court order; mandate. • sent; ordered. ♦ **mandado de prisão** warrant of arrest. **mandado de segurança** court injunction.
mandamento commandment.
mandante commander, boss. • commanding, ordering.
mandão despot; bossy, bully, ruler.
mandar order, command; rule, govern; lead; dominate; send. ♦ **Ela é quem manda nesta casa.** In this house, she wears the breeches/pants. **mandar às favas** or **mandar para o inferno** send to hell. **mandar de lá para cá** send about. **mandar embora** send away.
mandatário mandatory, nation or person holding a mandate; proxy.
mandato mandate; power of attorney; order; charge, injunction.
mandíbula mandible, jaw, jawbone. ➔ Human Body
mandioca cassava, yam. ➔ Vegetables
mando power of ordering; power, authority; command. ♦ **a mando de** by order of.
maneira way, manner, form; fashion. ♦ **à maneira de** after the fashion of, in the way of, like. **de maneira alguma** no way. **de muitas maneiras** in many ways. **de qualquer maneira** anyway. **De que maneira?** How? **de uma maneira ou de outra** one way or the other.
manejar handle, carry out, direct; manage.

manejo management; administration; handling. ♦ **de fácil manejo** handy, easily managed.
manequim model; dummy.
manga mango (fruit); sleeve (clothes). ♦ **arregaçar as mangas** roll your sleeves up. → Fruit

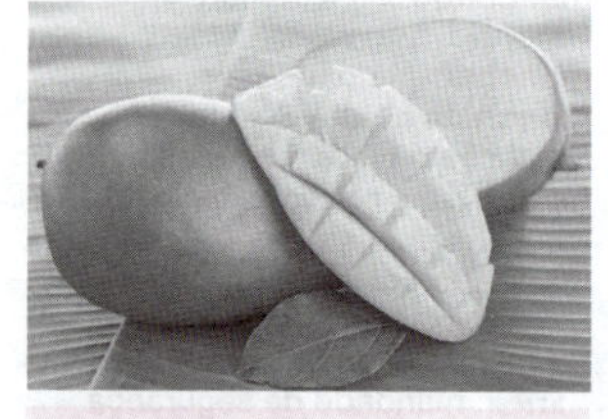
mango

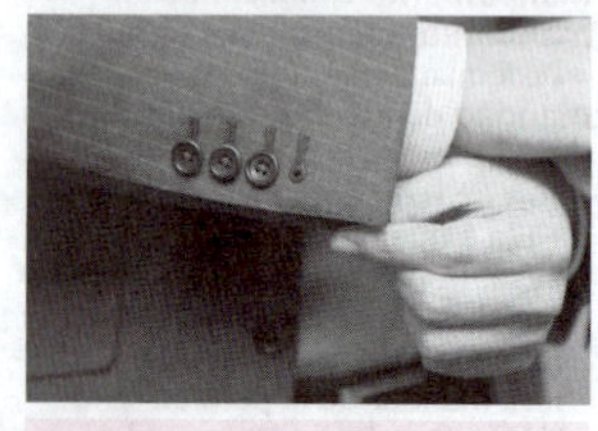
sleeve

mangue swamp, mangrove.
mangueira hose; mango tree.
manhã morning. ♦ **de manhã cedo** early in the morning.
manha slyness, cunningness; crying of kids. ♦ **fazer manha** have a tantrum, be whining.
manhoso cunning, shrewd; smart.
mania mania; fad; eccentricity; obsession; fixed idea. ♦ **mania de grandeza** megalomania. **mania de perseguição** persecution complex.
maníaco maniac.
manicômio asylum, bedlam, psychiatric hospital.
manicure manicure; manicurist.
manifestação manifestation; gathering; meeting. ♦ **manifestação de rua** (street) demonstration.
manifestante demonstrator; manifestant.
manifestar manifest, make public, reveal, disclose, make known, show, exhibit.
manifesto manifest, public declaration or explanation of reasons. • manifest, evident, obvious, clear, plain; public.
manipulação manipulation, handling.
manipulador manipulator, schemer; handler.
manipular manipulate; rig. ♦ **manipular as massas** manipulate the crowds.
manivela handle; crank.
manjericão basil. → Vegetables
manobra maneuver; a skillful move; shady procedure; scheme; stratagem.
manobrar maneuver, perform maneuvers; manipulate; handle; manage.
mansão mansion.
manso tame, domesticated; gentle, docile, meek.
manta blanket.
manteiga butter. ♦ **manteiga de cacau** cocoa butter. **manteiga derretida (chorão)** crybaby.
manter maintain, sustain, support; keep; pay for; conserve, carry on, continue. ♦ **manter a palavra** keep one's word. **manter em vigor** keep in force. **manter um blogue** blogging. → Leisure
manto mantle.
manual manual; handbook. • manual; of or pertaining to the hand; done by hand or referring to a work done by hand. ♦ **trabalho manual** handicraft.
manufatura manufacture; factory, plant.
manufaturado manufactured.
manufaturar manufacture.
manuscrito manuscript; document. • handwritten.
manusear handle, manage.
manuseio handling; usage.
manutenção maintenance; keeping; support.
mão hand; side, each of the directions of the traffic; help, assistance; handful. ♦ **à mão**

armada by force of arms. **aperto de mão** handshake. **com as mãos cruzadas** with clasped hands. **dar de mão beijada** give on a silver platter. **dar uma mão** help; lend a hand (to); give a helping hand (to). **de mãos atadas** helpless, have hands tied. **de mãos dadas** hand in hand, holding hands. **de mãos vazias** empty-handed. **de segunda mão** second-hand. **desenho à mão livre** freehand drawing. **em mãos** in person. **estar à mão** be at hand. **feito à mão** handmade. **ficar na mão** be stood up, in the lurch. **mão-aberta** generous person; spendthrift, squanderer. **mão de obra** labor, manpower, workmanship. **mão de obra especializada** skilled labor. **Mãos ao alto!** Hands up! **palma da mão** palm of the hand. → Human Body

mapa map, atlas, chart, graph. ♦ **mapa-múndi** world map. → Classroom

maquete maquette.

maquiado made up (face).

maquiagem makeup.

maquiar put on makeup.

maquiavélico astute, sly, cunning, Machiavellian.

máquina machine; engine; car, automobile. ♦ **escrito à máquina** typewritten. **máquina de costura** sewing machine. **máquina de lavar roupa** washing machine. **máquina fotográfica** camera.

maquinaria machinery.

maquinista engine driver; operator.

mar sea, ocean. ♦ **em alto-mar** in the open sea, on the high seas. **Mar do Norte** North Sea. **Mar Morto** Dead Sea. **Mar Negro** Black Sea. **Mar Vermelho** Red Sea. **Nem tanto ao mar, nem tanto à terra.** Neither too much, nor too little. **por mar** by sea.

maracujá passion fruit. → Fruit

marasmo marasmus; moral apathy, indifference; melancholy.

maratona marathon. → Sports

maravilha marvel, wonder. ♦ **às mil maravilhas** wonderfully.

maravilhar marvel; amaze.

maravilhosamente beautifully.

maravilhoso wonderful, marvelous, amazing.

marca mark; make, brand, type; seal, stamp, token; signature; limit, demarcation, boundary; sign; logo. ♦ **marca característica** hallmark. **marca registrada** trademark. **marca-passo** pacemaker.

marcador marker, scoreboard; bookmark. • marking; scoring.

marcar mark; brand, seal, label; book; beat time; stain, spot. ♦ **marcar época** make history. **marcar hora** make an appointment.

marceneiro woodworker, joiner. → Professions

marcha march; progress; walk; gear (car, bicycle). ♦ **em marcha a ré** on the reverse gear. **marcha fúnebre** funeral march. **marcha lenta (de veículo)** slow march. **pôr-se em marcha** set off.

marchar march.

marcial martial.

março March.

marco mark, boundary, limit; landmark, demarcation, sign.

maré tide. ♦ **maré alta** high tide, flood tide. **maré baixa** low tide.

mareado seasick.

marechal marshal.

maremoto seaquake, tidal wave.

marfim ivory. • ivory; of or looking like ivory.

margarida daisy.

margarina margarine.

margem margin; border; limit; edge; shore, bank. ♦ **à margem de** alongside. **margem de lucro** profit margin.

marginal delinquent. • marginal.

maricas coward.

maridão husband, hubby.

marido husband, spouse, hubby. ♦ **marido dominado pela mulher** henpecked husband.

marina marina.

marinha navy, marine; naval force; naval service. ♦ **marinha de guerra** navy. **marinha mercante** merchant service, merchant navy.

marinheiro sailor, seaman. ♦ **marinheiro de primeira viagem** beginner.
marinho marine.
marisco shellfish. → Animal Kingdom
marítimo maritime, marine, naval.
marketing marketing.
marmelada marmalade, quince jelly. ♦ **É tudo marmelada!** It's all a fake!, It is all fixed.
marmelo quince. → Fruit
mármore marble.
maroto scoundrel. • malicious, artful; naughty.
marquês marquis.
marquesa marchioness, marquise.
marreco wild duck. → Animal Kingdom
Marrocos Morocco. → Countries & Nationalities
marrom brown, hazel.
marroquino Moroccan. → Countries & Nationalities
marsupial marsupial.
martelar hammer.
martelo hammer.
mártir martyr; sufferer.
martírio martyrdom, suffering, torment, torture.
martirizar martyrize.
marujo sailor, seaman.
marxismo Marxism.
marxista Marxist.
mas but, however, still, yet, even. ♦ **Nem mas nem meio mas.** No ifs, ands or buts.
mascar chew.
máscara mask. ♦ **máscara de oxigênio** oxygen mask. **tirar a máscara** unmask.
mascarado masked; disguised.
mascarar mask; disguise, hide.
masculino masculine; male; manly. ♦ **roupa masculina** men's clothes.
másculo pertaining to the male sex; virile, manly; energetic, strong.
masmorra dungeon, subterraneous prison.
masoquismo masochism.
massa mass; pasta (food). ***massas*** masses. ♦ **comunicação de massa** mass communication. **massa folhada** puff pastry. **produção em massa** mass production.
massacrar massacre, kill cruelly.
massacre massacre, slaughter.
massagem massage.
massudo massive, bulky, compact, thick.
mastigar chew; crunch.
mastim mastiff. → Animal Kingdom
mastodonte mastodon.
mastro mast (ship); flagstaff, flagpole.
masturbação masturbation.
masturbar masturbate.
mata wood(s), forest, jungle.
matador killer, murderer. ♦ **matador de aluguel** hitman, hired assassin.
matagal bush, thicket.
matança killing; massacre; slaughter.
matar kill, murder; slaughter; extinguish, eliminate, destroy. ***matar-se*** commit suicide. ♦ **matar animais para controlar sua população** cull. **Matar dois coelhos com uma só cajadada.** Kill two birds with one stone. **mata-piolho (dedo polegar)** thumb. **matar a sede** quench. **matar de fome** famish.
mate checkmate; mate, maté (Paraguay tea).
matemática mathematics.
matemático mathematician. • mathematical.
matéria matter, substance, stuff, material; subject, topic. ♦ **em matéria de** in the area of, on the subject of. **matéria de jornal** article, story. **matéria-prima** raw material.
material material, stuff, matter, substance. • material, solid.
materialismo materialism.
materialista materialist.
materializar materialize.
maternal maternal, motherly.
maternidade maternity, motherhood; maternity hospital.
materno maternal, motherly. ♦ **avô materno** grandfather from

M

the mother's side. **língua materna** native language, mother tongue.
matilha pack of hounds or wolves.
matinal matutinal, morning.
matinê matinée.
matiz tone; nuance.
mato wood(s), forest, jungle. ♦ **estar num mato sem cachorro** be up the creek without a paddle.
matraca rattle. • talkative. ♦ **falar como uma matraca** talk nineteen to the dozen.
matreiro sly, smart, shrewd, crafty, cunning.
matriarca matriarch.
matrícula registration; enrollment. ♦ **fazer matrícula** enroll. **taxa de matrícula** enrollment fee, tuition fee.
matriculado matriculated, registered, enrolled.
matricular enroll, register.
matrimonial matrimonial, nuptial, conjugal.
matrimônio matrimony, marriage, wedding.
matriz matrix; source; mold. • original, primitive, primordial; main, principal. ♦ **igreja matriz** mother church, parish church.
maturação maturation; ripening.
maturar mature, ripen.
maturidade maturity; ripeness. ♦ **chegar à maturidade** come of age.
mau evil. • bad, evil, harmful; mean, wicked; nasty. ♦ **mau-caráter** bad character. **mau-olhado** evil eye.
mausoléu mausoleum.
maxilar jaw, jawbone. • maxillary; pertaining to the jaw or jawbone. → Human Body
maximizar maximize.
máximo maximum, utmost. ♦ **no máximo** at the latest, at most.
me me, to me, myself, to myself.
mecânica mechanics.
mecânico mechanic. • mechanical. → Professions
mecanismo mechanism, gear, device.
medalha medal. ♦ **medalha de honra** Medal of Honor.
média mean, medium, average. ♦ **em média** as a rule; on (an) average.
mediação mediation, intervention.
mediador mediator, intermediary, go-between. • mediatory, arbitrating.
mediano average, mean, median.
mediante by, by means of, through, against.
mediar halve; mediate; intervene, interpose, intercede.
medicação medical treatment, medication.
medicamento medicine, remedy.
medição measurement.
medicar medicate, treat.
medicina medicine.
medicinal medicinal.
médico physician, doctor, practitioner. • medical, medicinal. ♦ **receita médica** prescription. → Professions
medida measure. ♦ **à medida que** as, while. **feito sob medida** tailor-made; made to order. **medida drástica** clampdown, drastic measure. **na medida em que** insofar as. **passar da medida** overdo. **tomar medidas** take steps.
medieval medieval, pertaining to the Middle Ages.
médio mean, medium, middle, average, intermediate. ♦ **a médio prazo** in the medium term.
medíocre mediocre, ordinary, commonplace, insignificant.
mediocridade mediocrity, commonness.
medir measure, gauge; survey. ♦ **medir alguém dos pés à cabeça** eye somebody up. **Por favor, meça suas palavras.** Please, weigh your words., Please, watch your words. **Quanto você mede?** How tall are you?
meditação meditation, reflection.
meditar meditate, think; ponder.
mediterrâneo Mediterranean. ♦ **Mar Mediterrâneo** Mediterranean Sea.
medo fear, fright. ♦ **estar/ficar com medo** be afraid; get frightened.

medonho awful, frightful, horrible, terrible, dreadful, fearful.
medroso fearful, frightful.
medula medulla, marrow. ♦ **medula espinhal** spinal cord. **medula óssea** bone marrow. → Human Body
medusa jellyfish. → Animal Kingdom
megalomania megalomania.
meia half; stocking(s), sock(s). ♦ **meia-calça** pantyhose. **meia--noite** midnight. → Clothing

half

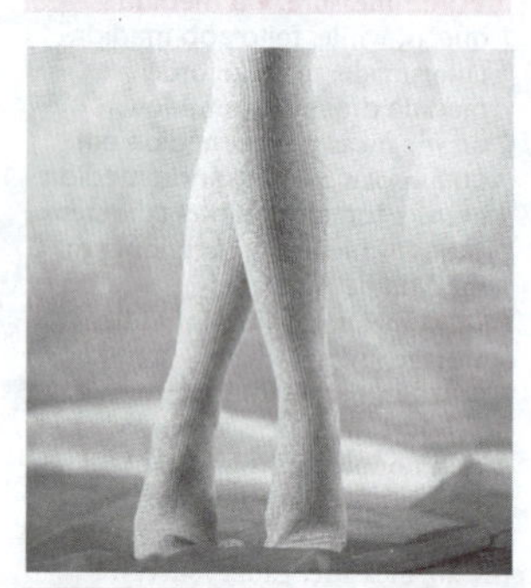

stockings

socks

meigo sweet, tender, gentle, loving, kind, mild, affectionate.
meiguice tenderness, gentleness, sweetness.
meio middle, center, midst; medium, manner, way; environment; moral or social atmosphere; mean. • half, mean, middle, intermediate. • a little, somewhat, a bit, rather, half, not entirely, almost. ***meios*** riches, property, wealth, resources; ways, means. ♦ **meio de comunicação (de massa)** media, mass media. **meios de transporte** means of transportation. **meios de comunicação digitais** digital media. **meio-dia** noon; midday. **meio-termo** compromise. **no meio de, em meio a** in the middle of. **por meio de** through.
mel honey.
melaço molasses.
melancia watermelon. → Fruit
melancolia melancholy; gloom, dismalness.
melancólico melancholic; gloomy.
melão melon. → Fruit
melhor the best. • better, superior, preferable, best. • better, preferably. ♦ **cada vez melhor** better and better. **É o melhor a ser feito.** It's the wise/clever thing to do. **Ele fará o melhor que puder.** He will do his best. **levar a melhor** come off best. **melhor que** better than. **melhor que nunca** better than ever. **para melhor ou para pior** for better or for worse.
melhora improvement. ♦ **Estimo as melhoras.** Get well soon.
melhoramento advance, progress; enrichment; improvement.
melhorar improve; get better. ♦ **melhorar de vida** get ahead in life. **O tempo está melhorando.** The weather is clearing up.
melhoria improvement; advance, progress.
melindrar hurt the feelings of; wound, offend. ***melindrar-se*** feel hurt, take offense.
melindroso delicate; susceptible, resentful, touchy; risky.

melodia melody, tune.
melodioso melodious, harmonious.
meloso sticky, syrupy; sweet.
membrana membrane.
membro member; limb (of the body); fellow; associate; penis.
memorando memorandum; note.
memorável memorable, notable, remarkable.
memória memory; storage; remembrance. ♦ **conservar na memória** keep in mind. **memória intermediária** buffer. **memória rápida** cache.
memorizar memorize.
menção mention, reference, citation.
mencionar mention, refer to.
mendigar beg.
mendigo beggar.
menina girl. ♦ **a menina dos olhos (a queridinha)** the apple of the eye.
meninice childhood, infancy.
menino boy. ♦ **É menino ou menina?** Is it a boy or a girl?
menopausa menopause.
menor person under legal age, minor. • smaller, lesser, younger; minor. ♦ **menor abandonado** abandoned child. **proibido para menores** X-rated; over 18s only.
menos the least; that of the least importance. • less, lesser, least, fewer, minus. • less, least. • but, save, except, less, minus. ♦ **a menos que** except, unless. **ao menos** or **pelo menos** at least. **cada vez menos** less and less. **de menos** too little. **Isso é o de menos.** That's nothing. **por menos** for less. **Todos menos eu.** Everyone except me., Everyone but me. **Tudo menos isso!** Anything but that!
menosprezar despise, disdain.
mensageiro messenger, courier; bellboy.
mensagem message. ♦ **mensagem enviada sem autorização do receptor** spam.
mensal monthly.
mensalidade monthly fee, tuition.
mensalista monthly paid employee.
menstruação period, (the) menses.
menstrual menstrual.
menstruar menstruate.
mental mental.
mentalidade mentality.
mentalmente mentally.
mente mind, intellect. ♦ **ter em mente** bear in mind.
mentir lie, tell a lie; deceive.
mentira lie, fib, untruth, falsehood; deceit. ♦ **de mentira** not for real, fake. **Parece mentira.** It seems unbelievable.
mentiroso liar. • lying, untruthful, false.
meramente merely.
mercado market, market place, fair. ♦ **mercado de trabalho** labor market. **mercado editorial** publishing industry. **mercado negro** black market.
mercadologia marketing.
mercadoria merchandise, goods, commodity.
mercearia grocery (store).
mercenário mercenary. • mercenary, greedy.
mercúrio mercury, quicksilver; Mercury.
merda shit, crap.
merecedor worthy, deserving.
merecer earn, deserve; have a right to; merit, be worthy of.
merecido merited, well-deserved, just. ♦ **castigo merecido** condign/deserved punishment. **recompensa merecida** deserved reward.
merecimento merit, worthiness, worth.
meretriz prostitute, whore, hooker, call girl.
mergulhador diver. • diving.
mergulhar dive; immerse, submerge, dip.
mergulho dive, plunge, dip. ♦ **mergulho com cilindro de ar** scuba diving. **mergulho com *snorkel*** snorkeling. → Sports
meridiano meridian.
meridional meridional, southern.
meritíssimo judge, Your Honor (form of addressing judges). • highly deserving, most worthy, most deserving.

mérito merit, value.
meritório meritorious, praiseworthy, deserving, worthy.
mero mere, sheer, simple, bare; pure.
mês month.
mesa table; desk. ♦ **à mesa** on the table. **mesa de centro** coffee table. **mesa-redonda** round table, panel discussion. **pôr a mesa** set the table. **sentar-se à mesa** sit at the table. **tirar a mesa** clean the table. → Classroom → Furniture & Appliances
mesada monthly allowance, pocket money.
mesclar mix; add, intercalate, blend.
mesmíssimo the very same, exactly the same.
mesmo same, equal, identical. • exactly, precisely, even, yet. • same, identical, like. ♦ **agora mesmo** just now, right now. **ao mesmo tempo** at the same time. **assim mesmo** precisely so. **da mesma maneira** likewise. **Dá no mesmo.** It comes to the same., It's all the same. **É isso mesmo!** That's it! **ele(a) mesmo(a)** he/she himself/herself. **É mesmo!** That's true., That's so. **eu mesmo** I myself. **Isso mesmo.** Quite so. **mesmo assim** even so.
mesquinharia avarice, meanness, stinginess.
mesquinho avaricious, cheap, stingy.
mestiço half-breed; mongrel. • crossbred.
mestre(a) schoolmaster, master, school mistress, expert. • main. ♦ **mestre-cuca** head cook, chef. **mestre de cerimônias** master of ceremonies (MC). → Professions
meta aim, goal, purpose.
metabolismo metabolism.
metade half. ♦ **cara-metade** better half, spouse. **fazer as coisas pela metade** do things by halves, do things halfway.
metafísica metaphysics.
metafísico metaphysical, transcendental.
metal metal. ***metais*** brass instruments.
metálico metal; metallic.
metalurgia metallurgy.
metalúrgico metallurgist, metalworker. • metallurgic. → Professions
meteorito meteorite.
meteoro meteor.
meteorologia meteorology, weather forecast.
meteorológico meteorological.
meter put (in/inside); introduce; place, lay, set. ***meter-se com*** pick a quarrel with, get involved with. ***meter-se em*** get involved in. ♦ **meter na cabeça** take it into one's head, get/put (an idea) into one's head. **meter o nariz em** poke one's nose in, meddle. **meter os pés pelas mãos** put one's foot in one's mouth; be befuddled. **metido a besta** snobbish.
metido nosy; snob.
metódico methodical; orderly.
método method, mode; way; procedure.
metodologia methodology.
metragem length in meters; footage.
metralhadora machine gun.
métrico metric, relating to the meter; relating to versification.
metro meter; meterstick; measure of a verse. ♦ **metro cúbico** cubic meter. **metro quadrado** square meter.
metrô subway, underground. → Means of Transportation
metrópole metropolis; capital (city).
meu my, mine.
mexer move, stir, shuffle, shake. ♦ **Mexa-se!** Move! **mexer com alguém** tease somebody. **mexer os pauzinhos** pull some strings.
mexerica tangerine, mandarin. → Fruit
mexicano Mexican. → Countries & Nationalities
México Mexico. → Countries & Nationalities
mexilhão mussel. → Animal Kingdom

mi mi or E, the third musical note.
miar mew, meow.
mico capuchin monkey. ♦ **pagar mico** make a fool of oneself. → Animal Kingdom
micróbio microbe, microorganism, germ.
microcomputador micro, microcomputer, personal computer.
microcosmo microcosm.
microfilme microfilm.
microfone microphone, mike.
micrométrico micrometrical.
micrômetro micrometer.
micro-onda microwave. ♦ **forno micro-ondas** microwave oven. → Furniture & Appliances
micro-ônibus people carrier. → Means of Transportation
micro-organismo microorganism; microbe.
microscópico microscopic(al).
microscópio microscope.
mídia mass communication (TV, radio, the press), media.
migalha crumb.
migração migration.
migrante migrant.
migrar migrate.
migratório migratory. ♦ **animais migratórios** migratory animals.
mijar piss; have a pee.
mil thousand. ♦ **estar a mil** be buzzing. → Numbers
milagre miracle, wonder, marvel. ♦ **fazer milagres** work miracles. **por milagre** miraculously.
milagroso miraculous, wonderful.
milenário millenarian; millennial.
milésimo millesimal, thousandth. → Numbers
milha mile. → Numbers
milhão million. ♦ **um milhão de vezes** a million times, millions of times. → Numbers
milhar thousand. ♦ **aos milhares** by the thousands. → Numbers
milharal maize field, cornfield.
milho maize, corn. ♦ **espiga de milho** corncob. **farinha de milho** maize flour, cornmeal. → Vegetables
miligrama milligram.
milímetro millimeter.
milionário millionaire.
militante militant.
militar soldier. • fight for a cause. • military.
militarização militarization.
militarizar militarize.
mim me. ♦ **a mim** to me. **de mim** of me, from me. **para mim** for me, to me. **por mim** by me; as to me.
mimar pet, fondle, spoil, pamper. ♦ **criança mimada** spoiled child.
mímica mime; mimic, the art of miming.
mímico mimic, mimicker. • mimic.
mimo gift, offering, present; caress, petting, fondling. ♦ **cheio de mimos** spoiled.
mina mine. ♦ **mina de carvão** coal mine. **mina terrestre (explosivo)** land mine.
minar mine, excavate; undermine.
mindinho pinky, the little finger.
mineiro miner; native or inhabitant of the State of Minas Gerais. • mining; pertaining to Minas Gerais.
mineração mining.
mineral mineral. • mineral, inorganic.
mineralogia mineralogy.
minério ore.
míngua lack, scarcity, want. ♦ **morrer à míngua** die of starvation.
minguante decreasing, waning. ♦ **lua quarto minguante** last quarter.
minguar wane, decrease, diminish.
minha my, mine.
minhoca earthworm. → Animal Kingdom
miniatura miniature.
mínimo minimum, the least; the little finger. • minimal, least, very little. ♦ **não dar a mínima** not give a damn. **no mínimo** at least.
ministério ministry, cabinet, state department. ♦ **Ministério da Fazenda** Treasury Department.
ministrar furnish, give, administer, supply; give medicine.
ministro minister, minister of state; clergyman.
minivan people carrier. → Means of Transportation

minoria minority.
minúcia minute, detail, particularity.
minuciosamente closely.
minucioso minute, detailed, precise.
minúscula small letter.
minúsculo minuscule, tiny, wee.
minuta minute; draft (document); rough sketch.
minuto minute; moment, instant.
miolo brain; the interior of anything; sense.
míope myopic, nearsighted.
miopia myopia; nearsightedness.
miosótis myosotis, forget-me-not.
mira sight; aim, mark, purpose.
miragem optical illusion; mirage.
mirar eye, examine, stare at, look at; see; aim, take aim. ♦ **mirar-se no espelho** look at oneself in the mirror.
miríade myriad; ten thousand.
mirtilo blueberry. → Fruit
miscelânea miscellany; mixture, confusion.
miserável extremely poor, miserable; stingy, cheap.
miséria misery, distress; poverty.
misericórdia mercy, compassion. ♦ **golpe de misericórdia** coup de grâce. **pedir misericórdia** beg/cry for mercy.
misericordioso merciful.
mísero disgraced; miserable.
missa mass. ♦ **celebrar a missa** say mass. **missa campal** field mass. **missa do galo** midnight mass at Christmas. **missa de sétimo dia** seventh-day mass. **não saber da missa a metade** be badly informed, not know half of it.
missão mission, delegation; commission; calling, vocation. ♦ **missão cumprida** mission accomplished; mission completed. **missão diplomática** diplomatic mission.
míssil missile.
missionário missionary.
mistério mystery, enigma, secret, riddle.
misterioso mysterious, eerie, enigmatic, secret.
místico mystic.
mistificação mystification.
mistificador mystifier. • mystifying, deceiving.
mistificar mystify, puzzle.
misto mixed, assorted.
mistura mixture, blend. → Deceptive Cognates
misturado mixed, mingled.
misturador mixer.
misturar mix, blend, mingle.
mito myth.
mitologia mythology.
miudeza minuteness, smallness; detail. ***miudezas*** particularities, details; odds and ends.
miúdo small, minute. ***miúdos*** giblets. ♦ **troco miúdo** small change.
mixo cheap; dull, uninteresting.
mobilete moped. → Means of Transportation
mobília furniture.
mobiliar furnish. ♦ **mobiliar uma casa** fit up a house.
mobilizar mobilize; put in motion. ***mobilizar-se (contra)*** be up in arms (about/over).
moça young woman, girl, miss.
moçada youngsters.
mochila backpack, rucksack. ♦ **mochila escolar** schoolbag, satchel. → Classroom
mochileiro backpacker. ♦ **fazer mochilão** backpacking. → Leisure
mocidade youth; youthfulness.
moço young man. • young, youthful.
moda manner, fashion, fad, vogue, custom, usage; way. ♦ **à moda francesa** after the French fashion/manner/style. **desfile de moda** fashion show. **entrar em moda** come into fashion/manner/style. **estar na moda** be fashionable, be in fashion. **ser/estar fora de moda** be out of fashion, be old-fashioned.
modalidade modality.
modelar model, shape, mold. • exemplary, perfect.
modelo model, mold, pattern, standard; ideal, example. ♦ **servir de modelo** serve as a pattern or an example.

moderação moderation.
moderado moderate, restrained.
moderar moderate; temper; diminish. ***moderar-se*** act with moderation, avoid excesses, keep one's temper, control oneself.
modernizar modernize, revamp.
moderno modern, trendy, new, recent, new-fashioned, up-to-date.
modéstia modesty, humbleness.
modesto modest, unpretentious.
modificação modification, change.
modificar modify, change, alter.
modo mode, manner, fashion, style, custom. ***modos*** manners, behavior. ♦ **de certo modo** in a certain way. **de modo a** so as to. **de modo algum** no way, under no circumstances. **de modo que** so that. **de outro modo** otherwise. **de qualquer modo** anyway. **de um modo ou de outro** by some way or the other, in some way or another. **modo de andar** gait, walk. **modo de vida** way of life. **Tenha modos!** Behave (yourself)!
modular modulate. • modular.
módulo module; modulus, absolute value, coefficient.
moeda coin; currency. ♦ **Casa da Moeda** Mint. **pagar na mesma moeda** give tit for tat. **papel-moeda** paper money.
moedor grinder, pounder. • grinding.
moela gizzard.
moer grind, crush.
mofar mock, scorn; mold.
mofo mold. ♦ **cheiro de mofo** musty smell.
mogno mahogany.
moído ground, crushed.
moinho mill, flour mill, water mill. ♦ **moinho de vento** windmill.
moita bush, thicket.
mola spring. ♦ **colchão de molas** spring mattress. **mola mestra** master spring.
moldado molded.
moldagem molding.
moldar mold; cast; shape, frame, model.
molde mold; pattern. ♦ **molde de vestido** dress pattern.
moldura picture frame. → Furniture & Appliances
mole soft, tender; lazy, sluggish.
molécula molecule.
molecular molecular.
moleque dude, imp.
molestar molest, trouble, bother, annoy.
moléstia disease, sickness, illness.
moletom sweatshirt. ♦ **moletom com capuz** hoody. → Clothing
moleza softness, tenderness; laziness, sluggishness. ♦ **É moleza!** It's a piece of cake!
molhado wet, moist.
molhar wet, dampen, moisten, soak; dip. ***molhar-se*** get wet. ♦ **molhar a garganta** have a drink, wet one's whistle. **molhar a mão de** tip, give a gratuity.
molho sauce, dressing, gravy; bunch, bundle, faggot; handful. ♦ **molho branco** white sauce. **molho inglês** Worcestershire sauce. **molho vinagrete** vinaigrette, French dressing. **de molho** in bed, sick. **em molhos** in bundles. **molho de chaves** bunch of keys.
molinete moulinet; (fishing) reel.
molusco mollusk, shellfish.
momentâneo momentary, instantaneous; transitory, rapid.
momento moment, instant. ♦ **a qualquer momento** at any moment. **a todo momento** constantly. **no momento** at the moment. **no momento oportuno** in due time, at the right moment. **num momento** in a twinkling, in the twinkling of an eye.
Mônaco Monaco. → Countries & Nationalities
monarca monarch, sovereign.
monarquia monarchy; sovereignty.
monastério monastery.
monástico monastic.
monegasco Monacan. → Countries & Nationalities
monetário monetary. ♦ **política monetária** monetary policy. **sistema monetário** monetary system.
monge monk, friar.

monitor monitor.
monja nun.
monogamia monogamy.
monografia monograph.
monolítico monolithic.
monólogo monolog, soliloquy.
monopólio monopoly.
monopolizar monopolize.
monossílabo monosyllable. • monosyllabic.
monotonia monotony, sameness.
monótono monotone; tedious, tiresome, irksome, wearisome.
monstro monster.
monstruoso monstrous, abnormal.
montagem mounting, assembly. ♦ **linha de montagem** assembly line.
montanha mountain. ♦ **cadeia de montanhas** mountain range. **montanha-russa** roller coaster.
montante amount, sum.
montar mount; ride (a horse); erect, set up, assemble. ♦ **montar uma fábrica** set up a factory. **montar uma peça de teatro** stage a play. **montar um espetáculo** put on a show.
montaria riding horse, mount.
monte mount, hill; heap, pile. ♦ **aos montes** in heaps. **por montes e vales** up hill and down dale. **um monte de** a lot of.
monumental monumental, magnificent, extraordinary.
monumento monument; memorial.
morada residence, address; domicile, home, abode.
moradia housing.
morador resident, lodger, inhabitant, tenant.
moral morals, ethics; morality; morale. • moral, ethical.
moralista moralist.
moralizar moralize.
moralmente morally.
morango strawberry. → Fruit
morar live, inhabit, reside.
morbidez morbidness, morbidity, lethargy.
mórbido morbid.
morcego bat. → Animal Kingdom
mordaça muzzle; gag.
mordaz biting, sarcastic.
morder bite, nip.
mordomia fringe benefits, perk.
mordomo butler. → Professions
moreno dark-haired; brown-haired.
morfina morphine.
morfologia morphology.
moribundo moribund. • a dying person.
morno lukewarm, tepid.
morosidade slowness, tardiness.
moroso morose, slow, sluggish.
morrer die, perish, decease, pass away, breathe one's last; fade away (plant). ♦ **lindo de morrer** stunning, to die for. **morrer com (ter de pagar)** cough up, fork out. **morrer de fome** be starving. **morrer de tédio** die from boredom.
morro mount, hill. ♦ **morro abaixo** downhill. **morro acima** uphill.
mortal human being. ***mortais*** humanity. • mortal; lethal, deadly, fatal. ♦ **doença mortal** fatal illness. **restos mortais** mortal remains.
mortalidade mortality. ♦ **índice/taxa de mortalidade** death rate.
mortandade mortality; massacre, slaughter.
morte death, decease, dying. ♦ **ser de morte** be impossible, be a pain in the neck. **estar pela hora da morte** be expensive, be exorbitant in price.
mortífero lethal, mortal, deadly.
morto dead, deceased, killed; faded; extinct, gone, finished; inert, lifeless. ♦ **morto de fome** starving. **morto de inveja** green with envy. **Nem morto!** Not on your life!, No way!
mosaico mosaic.
mosca fly. ♦ **às moscas** not frequented; without clients or spectators; deserted. → Animal Kingdom
mosqueteiro musketeer.
mosquiteiro mosquito net.
mosquito mosquito. → Animal Kingdom
mostarda mustard.
mosteiro convent, monastery.
mostra show, exhibition; display. ♦ **pôr à mostra** exhibit, expose, display.

mostrar show, display; indicate; teach. ***mostrar-se*** show oneself, appear, show off, reveal itself.
mostruário showcase, collection, book or set of samples.
motel motel.
motim mutiny, revolt, insurrection, rebellion, riot.
motivação motivation.
motivador uplifting.
motivar motivate, incite, impel.
motivo motive, ground, cause, reason. ♦ **por motivo de** because of.
motocicleta motorcycle, motorbike. → Means of Transportation
motociclista motorcyclist.
motor motor, engine. • motor, motive, moving.
motorista driver. → Professions
motricidade motility.
mouro Moor; infidel; hard worker. • Moorish.
movediço movable; unstable. ♦ **areia movediça** quicksand, drifting sand.
móvel piece of furniture. • movable, moveable, changeable, variable. ***móveis*** furniture. ♦ **bens móveis** movables, movable property. **móveis estofados** upholstered furniture. **móveis e utensílios** fixtures and fittings. → Furniture & Appliances
mover move, put in motion. ♦ **Não se mova!** Freeze!, Don't move!
movido moved, impelled. ♦ **movido a álcool** alcohol-powered.
movimentação movement.
movimentado lively, active, busy.
movimentar move; stir; animate.
movimento movement; motion, move, moving, changing of position.
muamba stollen/illegal goods.
muambeiro smuggler.
muco mucus, slime; phlegm.
mucoso mucous, slimy.
muçulmano Muslim.
mudança change; alteration; reversal.
mudar change, shift; alter. ***mudar--se*** move (in/out). ♦ **mudar de canal (TV)** switch channels.
mudo mute. • speechless, voiceless, dumb, mute; silent. ♦ **cinema mudo** silent movies. **surdo-mudo** deaf-mute.
muito much, plenty, very, a good deal, a great deal, far. ***muitos*** many, a great many, a good many, too many, a lot of, lots of. • very, most, considerably, badly, greatly, much, too much, very much. ♦ **muito bem** very well. **muito bom** very good. **muito diferente** far different. **muito mais** much more. **muito pouco** too little.
mula mule. → Animal Kingdom
muleta crutch; support.
mulher woman; wife.
mulherengo womanizer, skirt chaser. • fond of women.
multa fine, penalty. ♦ **levar uma multa** be fined. **multa de trânsito** ticket.
multar fine. ♦ **O guarda me multou.** The policeman gave me a ticket.
multicolor multicolored.
multidão multitude; crowd, lots of people.
multiplataforma cross-platform.
multiplicação multiplication; increase in number; reproduction.
multiplicador multiplier.
multiplicar multiply; increase in number. ***multiplicar-se*** propagate; procreate.
multiplicável multipliable.
multiplicidade multiplicity.
múltiplo multiple; numerous.
múmia mummy.
mumificar mummify.
mundano mundane; worldly, earthly.
mundial worldwide, world. ♦ **campeonato mundial de clubes** Club World Championship. **recorde mundial** world record.
mundo world. ♦ **cair no mundo** experience something new. **em todo o mundo** all over the world. **no mundo da lua** absent-minded; living under a rock. **pelo mundo afora** throughout the world. **prometer mundos e fundos** make extraordinary promises, promise the moon/world. **todo mundo** everybody.

munição (am)munition; supplies.
municipal municipal. ♦ **câmara municipal** city hall.
municipalidade municipality; township; city council.
município municipal district.
munir munition; provide, supply. ***munir-se*** provide oneself (with).
muralha wall, rampart. ♦ **A Grande Muralha** The Great Wall.
murar wall, fence in.
murchar wilt, dry up, fade (away), droop; wither.
murcho wilted, faded, drooping, withered.
murmurar murmur, whisper.
muro wall. ♦ **Muro das Lamentações** Wailing Wall.
murro punch, blow. ♦ **dar murro em ponta de faca** knock one's head against a stone wall, bash one's head against a brick wall.
musa muse.
muscular muscular.
musculatura musculature.
músculo muscle; brawn. → Human Body
museu museum.
musgo moss.
música music, song. ♦ **Dançar conforme a música.** When in Rome, do as the Romans do. **música de câmara** chamber music. **música de fundo** background music.
musical musical. • musical.
musicalidade musicality.
músico musician, player, performer. • musical, harmonious. → Professions
mutação mutation; change, alteration.
mutável mutable, changeable; inconstant.
mutilação mutilation, maiming.
mutilado maimed, mutilated.
mutilar mutilate, maim, cripple, cut off.
mútuo mutual, reciprocal.

N

N, n the fourteenth letter of the Portuguese alphabet.
nabo turnip. → Vegetables
nação nation; country, land, state. ♦ **Organização das Nações Unidas (ONU)** United Nations (UN).
nacional national.
nacionalidade nationality.
nacionalismo nationalism.
nacionalista nationalist.
nacionalização nationalization.
nacionalizar naturalize; nationalize.
nacionalmente nationally.
naco large piece, lump, chop, slice, hunk, chunk.
nada nothing, anything; nothingness, nought, naught, nil. • nothing; not at all. ♦ **antes de mais nada** first of all. **De nada.** You're welcome., Don't mention it., Not at all. **Nada de excepcional.** Nothing to write home about. **Nada feito!** Nothing doing! **Nada pessoal.** Nothing personal., Don't take it personal. **nada que ver com** nothing to do with.
nadadeira fin, flipper.
nadador swimmer. • swimming.
nadar swim.
nádega buttock; rump, backside. → Human Body
náilon nylon.
naipe suit; quality.
namorado(a) boyfriend (man), girlfriend (woman), sweetheart.
namorar date, go out with; see someone, go steady.
namoro going out, seeing someone, relationship.
nanotecnologia nanotechnology.
não refusal, denial; no, nope (*inf.*). • no, not. • non. ♦ **ainda não** not yet. **não obstante** in spite of, notwithstanding.
naquele at that, thereat; in that, therein; on that, thereon.
narcisismo narcissism.
narcisista narcissist.
narcótico narcotic, drug. • narcotic.
narcotizar narcotize; dope, drug.
narina nostril. → Human Body
nariz nose. ♦ **meter o nariz onde não é chamado** nose around, poke one's nose into other people's business. **torcer o nariz** turn up one's nose. → Human Body
narração narration, storytelling; narrative.
narrador narrator, storyteller. • narrative, descriptive.
narrar narrate; relate, report, tell.
nasal nasal.
nascença birth; origin, source.
nascente fountain; source; beginning; spring, well, fountainhead; east, orient. • nascent, being born; beginning; rising.
nascer rising, uprising. • be born; come to light. ♦ **ao nascer do dia** at dawn. **ao nascer do sol** at sunrise.
nascido born.
nascimento birth; origin; source.
nata cream; the prime.

natação swimming. → Sports
Natal Christmas, Xmas. ♦ **Feliz Natal!** Merry Christmas!
natal natal, native. ♦ **cidade natal** hometown.
natalidade natality, birth. ♦ **controle de natalidade** birth control. **taxa/índice de natalidade** birth rate.
natimorto stillborn.
nativo native, indigenous (*form.*). • native.
nato born; native; innate.
natural natural; native; spontaneous; genuine. ♦ **em estado natural** crude. **natural de** be a native of, born in.
naturalidade naturalness.
naturalista naturalist.
naturalização naturalization.
naturalizar naturalize; nationalize.
naturalmente naturally.
natureza nature. ♦ **natureza-morta** still life.
naufragar wreck, sink; shipwreck; fail.
naufrágio wreck, shipwreck; failure.
náufrago castaway, shipwrecked person.
náusea nausea; sickness, seasickness; repugnance, repulse.
nauseante nauseating.
nausear nauseate, sicken; repugnate; disgust; feel sick about.
náutica navigation.
náutico sailing; nautical, marine, naval.
naval naval, marine, maritime. ♦ **batalha naval** naval warfare, sea fight.
navalha razor. ♦ **o fio da navalha** the razor's edge.
nave nave (church); craft, spacecraft.
navegação navigation; sailing, shipping. ♦ **companhia de navegação** shipping company.
navegador navigator; browser. • navigating.
navegar navigate, sail. ♦ **navegar na internet** surf the web.
navio ship, vessel; boat. ♦ **ficar a ver navios** be left high and dry. **navio cargueiro** cargo ship. **navio de guerra** warship. → Means of Transportation
nazismo Nazism.
nazista Nazi.
Neandertal Neanderthal.
neblina mist, haze, fog. ♦ **neblina com poluição** smog. → Weather
nebulosidade nebulosity, mistiness, fogginess.
nebuloso misty, foggy, hazy; nebulous.
necessariamente necessarily.
necessário necessary, indispensable.
necessidade necessity, need; poverty. ♦ **em caso de necessidade** in case of need. **gêneros de primeira necessidade** essential commodities.
necessitado in need. ***necessitados*** the needy.
necessitar need; demand.
necropsia necropsy, autopsy.
necrotério mortuary, morgue.
néctar nectar.
nectarina nectarine. → Fruit
nefasto disastrous, disgraceful; fatal.
negação negation; negative; denial, refusal. ♦ **negação de serviço** denial of service (DoS)(computing).
negar deny. ***negar-se*** refuse.
negativa negative; refusal, negation.
negativo negative.
negligência negligence; neglect.
negligenciar neglect, disregard; omit, fail to do.
negligente negligent, neglectful.
negociação negotiation.
negociante merchant; trader, dealer; businessman.
negociar negotiate; trade or deal in; do business.
negociata suspicious business; monkey business.
negociável negotiable, marketable.
negócio business; trade; enterprise; thing. ♦ **a negócios** on business. **homem de negócios** businessman.

negócio da China fine bargain, very profitable deal. **Negócio fechado!** It's a deal!, You got a deal!
negrito bold type, boldface type.
negro black; African-American. • black.
nela in her, on her; in it, on it.
nele in him, on him; in it, on it.
nem neither, nor, not even. ♦ **nem mais nem menos** neither more nor less. **nem sempre** not always. **nem sequer** not even. **nem todos** not all.
nenê baby, newborn.
nenhum null, void; neither, any, no. • none, no one, nobody, not any, neither, either. ♦ **de modo nenhum** by no means. **em nenhuma parte** nowhere. **nenhum de nós** neither of us, none of us.
neologismo neologism.
neon neon.
neozelandês New Zealander. • New Zealand. → Countries & Nationalities
nepotismo nepotism.
nervo nerve.
nervosismo nervousness, nerves.
nervoso nerve; nervous, edgy, on edge; tense; irritable. ♦ **esgotamento nervoso** nervous breakdown. **sistema nervoso** nervous system.
nesse(a) in that, on that. ***nesses(as)*** in those, on those.
neste(a) in this, on this. ***nestes(as)*** in these, on these.
neto(a) grandson (boy), granddaughter (girl), grandchild. ***netos*** grandchildren.
Netuno Neptune.
neurologia neurology.
neurônio neuron. → Human Body
neurose neurosis.
neurótico neurotic.
neutralidade neutrality; impartiality.
neutralizar neutralize; kill; destroy.
neutro neuter. • neuter; neutral; impartial.
nevar snow.
nevasca snowstorm, blizzard. → Weather
neve snow. ♦ **boneco de neve** snowman. **floco de neve** snowflake. **veículo de neve** snowmobile. → Weather → Means of Transportation
névoa mist, fog. → Weather
nevoeiro mist, fog. → Weather
nexo connection, nexus, link, tie.
nicho niche.
nicotina nicotine.
niilismo nihilism.
niilista nihilist. • nihilistic.
nimbo nimbus.
ninar lull to sleep. ♦ **canção de ninar** lullaby.
ninfa nymph.
ninfeta nymphet.
ninfomania nymphomania.
ninguém nobody; no one, no man, no person.
ninharia insignificance, trifle.
ninho nest.
nipônico Japanese.
níquel nickel. ♦ **sem um níquel** penniless.
nisso at that, in that, on that, thereat, therein, thereon, thereby.
nisto at this, in this, on this, hereat, herein, hereon, hereby.
nitidez clearness, distinctness; brightness.
nítido clear; sharp; explicit, clean, neat.
nitrato nitrate.
nitrogênio nitrogen, azote.
nível level, degree. ♦ **nível de vida** standard of living. **nível do mar** sea level. **nível social** social level, social position.
nivelar level, grade, equalize.
nó knot; node; difficulty, problem. ♦ **dar nó** tie a knot. **não dar ponto sem nó** never miss a trick. **nó na garganta** lump in the throat.
nobre noble, nobleman, aristocrat. • noble; generous.
nobreza nobility; aristocracy.
noção notion; concept, idea.

nocaute knockout.
nocivo harmful, bad.
nódoa blot, spot, stain.
nódulo nodule, node.
nogueira walnut tree; walnut wood.
noite night; nighttime, evening. ♦ **ao cair da noite** at dusk. **boa noite** good evening, good night. **passar a noite em claro** have a sleepless night. **todas as noites** nightly.
noivado engagement. ♦ **romper o noivado** break off the engagement.
noivo(a) fiancé, bridegroom (man); fiancée, bride (woman).
nojento nauseating, sickening; repulsive; disgusting.
nojo nausea; disgust, loathing. ♦ **causar/dar nojo** sicken. **sentir/ter nojo de** feel sick about.
nômade nomad. • nomadic. ***nômades*** nomad tribes.
nome name; denomination; noun. ♦ **nome de batismo** baptismal name, Christian name, first name. **nome de família/sobrenome** surname, family name, last name. **nome de solteira** maiden name.
nomeação nomination.
nomeado nominee. • nominated, appointed.
nomear name, denominate; designate, appoint, nominate.
nomenclatura nomenclature.
nominal nominal.
nonagésimo ninetieth. → Numbers
nono ninth. → Numbers
nora daughter-in-law.
nordeste northeast. • northeastern.
nórdico Nordic.
norma norm; principle; rule; pattern.
normal normal, regular, natural.
normalidade normality.
normalizar normalize; adjust; regulate.
normalmente normally, usually.
normativo normative; prescriptive.
noroeste northwest.
norte north. • north; northward; northern.
nortear guide, direct, lead.
norte-coreano North Korean. → Countries & Nationalities
norte-irlandês Northern Irish. → Countries & Nationalities
nortista northerner. • northern.
Noruega Norway. → Countries & Nationalities
norueguês Norwegian. → Countries & Nationalities
nós we; us. ♦ **nós mesmos** ourselves.
nos us.
nosso our, ours.
nostalgia homesickness, nostalgia.
nota note; grade, mark; reminder; bill. ♦ **nota de rodapé** footnote. **nota fiscal** invoice; receipt.

note

grade/mark

notar notice, observe.
notável noteworthy; noticeable; remarkable.
notícia news, information. ♦ **notícia inesperada** bombshell. → Deceptive Cognates
noticiar inform; announce; publish; advertise; report.

noticiário news; newscast.
notificação notification.
notificar notify; inform; announce.
notoriedade notoriety; publicity.
notório notorious, widely known.
noturno nocturnal, nightly.
Nova Iorque New York, the Big Apple.
novamente again, afresh.
novato beginner; apprentice; newcomer, rookie. • inexperienced, raw, green.
Nova Zelândia New Zealand. → Countries & Nationalities
nove nine. → Numbers
novecentos nine hundred. → Numbers
novela soap opera. → Deceptive Cognates
novembro November.
noventa ninety. → Numbers
novidade novelty; news. ♦ **a última novidade** the latest thing. **cheio de novidades** newsy.
novilho(a) bullock (male), heifer (female); steer. → Animal Kingdom
novo young; new, recent, fresh. ♦ **de novo** afresh, again. **novo em folha** brand new. **O que há de novo?** What's new?
noz nut, walnut. ♦ **casca de noz** nutshell. **noz-moscada** nutmeg. → Fruit
nu nude. • nude; bare; naked. ♦ **a olho nu** with the naked eye. **verdade nua e crua** the naked truth.
nuança nuance, shade.
nublado cloudy, overcast; dark, blurred. → Weather
nublar cloud; darken.
nuca nape; scruff. → Human Body
nuclear nucleate. • nuclear.
núcleo nucleus; center, core.
nudez nakedness, nudity.
nulo null, void; none.
numeração numbering.
numeral numeral. • numeral, numeric(al).
numerar number; enumerate.
numérico numeric(al).
número number. ♦ **número atômico** atomic number. **número atrasado (de jornal/revista)** back number. **número ímpar** odd number. **número par** even number. **sem-número** countless. **número de identificação pessoal** personal identification number (PIN).
numeroso numerous, plentiful.
nunca never, at no time; ever. ♦ **Antes tarde do que nunca.** Better late than never. **mais do que nunca** more than ever. **nunca mais** nevermore. **quase nunca** hardly ever.
nupcial nuptial, bridal.
núpcias nuptials, marriage, wedding.
nutrição nutrition, feed (feeding), nourishment.
nutricionista nutritionist. → Professions
nutriente nutrient.
nutrir nourish, feed; maintain, sustain.
nutritivo nutritious, nutrient.
nuvem cloud. ♦ **estar nas nuvens** have one's head in the clouds. **nuvem de fumaça** cloud of smoke. **nuvem de insetos** swarm. → Weather

O, o the fifteenth letter of the Portuguese alphabet; zero, cipher; (minuscule) symbol for degree. • the. • it, him; you.
obcecar blind; obscure, obfuscate; obsess.
obedecer obey; comply with (order, request).
obediência obedience, submission.
obediente obedient. ♦ **cidadão obediente à lei** law-abiding citizen.
obelisco obelisk.
obesidade obesity; fatness.
obeso obese, fat.
óbito death, decease. ♦ **certidão de óbito** death certificate.
obituário obituary.
objeção objection.
objetar object, oppose; refute.
objetivo objective, end, purpose, aim, target. ♦ **não objetivo** subjectively. **sem objetivo** aimless(ly).
objeto object, matter, topic; purpose.
oblíquo oblique.
oboé oboe. → Musical Instruments
obra work. ♦ **canteiro de obras** construction site. **em obras** under repair. **Mãos à obra!** Let's get to work! **obra de arte** artwork, work of art. **obra-prima** masterpiece. **obras públicas** public works.
obrigação obligation.
obrigado obliged, compelled; thankful. ♦ **Muito obrigado.** Many thanks!, Thank you very much!, Thanks a lot! **Obrigado!** Thanks!, Thank you! **Obrigado mesmo assim.** Thanks all the same.
obrigar oblige; force; compel; subject.
obrigatoriedade obligatoriness.
obrigatório obligatory, compulsory, mandatory.
obscenidade obscenity.
obsceno obscene, indecent, filthy.
obscuro obscure, dark, dim; cloudy; enigmatic; unintelligible.
obséquio favor, courtesy.
observação observation; remark. ♦ **posto de observação** observation post; lookout.
observador observer, watcher. • observant, watchful.
observância observance. ♦ **em observância a** in observance of.
observar observe, watch; comply; eye; notice.
observatório observatory.
obsessão obsession; fixed idea.
obsoleto obsolete; out-of-date.
obstáculo obstacle, hindrance.
obstante hindering, obstructive, impeding. ♦ **não obstante** in spite of, despite, however, nevertheless, irrespective of, regardless of.
obstetra obstetrician. → Professions
obstetrícia obstetrics.
obstinação obstinacy, stubbornness.
obstinado obstinate, persistent, stubborn, pertinacious.
obstrução obstruction, blockage.
obstruir obstruct, block.
obtenção obtainment, acquirement.

obter obtain, gain, achieve; get; attain; acquire.
obturação obturation, filling.
obturar obturate, fill, close.
obtuso obtuse.
obviamente obviously.
óbvio obvious, plain, evident; clear.
ocasião occasion, time. ♦ **A ocasião faz o ladrão.** Opportunity makes the thief. **aproveitar a ocasião** take the opportunity.
ocasional occasional, eventual, contingent.
ocasionalmente occasionally.
ocasionar cause.
ocaso sunset; west; decline; end.
oceano ocean, sea; high seas.
oceanografia oceanography.
ocidental occidental; western.
ocidente the Occident; west.
ócio leisure, inactivity, idleness.
ociosidade laziness, idleness.
ocioso lazybones. • lazy; idle.
oclusão occlusion.
oco hollow; empty.
ocorrência occurrence, incident.
ocorrer occur, happen.
octagésimo eightieth. ➔ Numbers
octogonal octagonal.
octógono octagon. • octagonal.
oculista optician. ➔ Professions
óculos spectacles, glasses. ♦ **óculos escuros** shades, sunglasses. ➔ Clothing
ocultar occult, hide; conceal.
ocultismo occultism.
oculto occult, hidden; secret. ♦ **às ocultas** in secret.
ocupação occupation; job.
ocupacional occupational.
ocupante occupant, occupier; tenant.
ocupar occupy; possess; seize, conquer. ***ocupar-se com/de*** deal with something. ♦ **ocupar lugar de destaque** be foremost; rank high. **Ocupem seus lugares!** Take your seats!
odiar hate, detest, dislike; abhor.
ódio hatred, hate.
odioso hateful; loathsome.
odisseia odyssey.
odontologia odontology, dentistry.
odor smell, scent, odor.
oeste west; the Occident. • west, western, westerly.
ofegante panting; puffing, breathless.
ofegar pant, puff.
ofender offend, insult, hurt. ***ofender-se com*** be offended by. ♦ **Eu não quis ofender você.** I meant no offense.
ofendido offended, injured, insulted. ♦ **Eu me sinto ofendido.** I'm offended!, I'm insulted!
ofensa offense, insult.
ofensiva offensive; aggression.
ofensivo offensive; aggressive.
ofensor offender, injurer. • offending.
oferecer offer, give; present with. ***oferecer-se*** offer oneself, volunteer. ♦ **oferecer a outra face** turn the other cheek. **oferecer resistência** stand against, make a stand.
oferta offer; donation, gift; bargain. ♦ **lei da oferta e da procura** law of supply and demand.
ofertar present; offer, proffer.
oficial officer. • official. ♦ **oficial de justiça** bailiff.
oficializar officialize; make official.
oficialmente officially.
oficina workshop, shop. ♦ **oficina mecânica** garage.
ofício profession; craft; occupation. ➔ Deceptive Cognates
ofídio ophidian, snake. ➔ Animal Kingdom
oftalmologista ophthalmologist, eye doctor. ➔ Professions
ofuscante blinding, dazzling, obfuscating.
ofuscar obfuscate, obscure; dazzle; confuse.
oh oh!
oi hello, hi.
oitava octave.
oitavo eighth. ➔ Numbers
oitenta eighty. ♦ **É oito ou oitenta.** It's all or nothing. ➔ Numbers
oito eight. ➔ Numbers
oitocentos eight hundred. ➔ Numbers

olá hello, hi.
óleo oil. ♦ **mancha de óleo** oil slick. **óleo de fígado de bacalhau** cod-liver oil. **óleo de rícino** castor oil. **santos óleos** extreme unction. **reservatório de óleo** oil tank. **tinta a óleo** oil paint.
oleoduto pipeline.
oleoso oily, greasy.
olfato smell, scent.
olhada glimpse; glance. ♦ **dar uma olhada rápida** cast a quick glance at.
olhadela look, glance.
olhar look, glance. • look stare, gaze; view; protect; observe; face; watch. ♦ **Ele me olhou dos pés à cabeça.** He eyed me from top to toe. **Não vou comprar nada, estou só olhando.** I'm not buying anything, I'm just browsing. **olhar com atenção, com curiosidade** gaze at. **olhar com cobiça** leer at. **olhar de cima** look down on. **olhar de relance** glance at. **olhar fixamente** stare at. **olhar furioso** glare. **olhar sonhador** far away look.
olheiras dark circles under the eyes.
olho eye. ♦ **abrir o olho** keep an eye open, be on the alert. **a olhos vistos** visibly, plainly, obviously. **arregalar os olhos** stare, goggle. **baixar os olhos** cast one's eyes down. **fechar os olhos a** connive at. **Fique de olho nele!** Keep an eye on him! **O que os olhos não veem o coração não sente.** Out of sight, out of mind., What you don't know won't hurt you. **não pregar o olho** not sleep a wink. **não ver com bons olhos** frown at/upon, take a dim view of. **num piscar de olhos** in the twinkling of an eye. **Olho por olho, dente por dente.** An eye for an eye and a tooth for a tooth. **pôr no olho da rua** fire. **ver com bons olhos** not take kindly to. → Human Body
Olimpíada Olympic games, Olympiad. ♦ **as Olímpiadas** the Olympics.
olímpico Olympic.
ombro shoulder. ♦ **dar de ombros** shrug one's shoulders. **de ombros largos** square-built (person). **ombro a ombro** side by side. → Human Body
omelete omelet.
omissão omission, neglect, oversight.
omitir omit, overlook, neglect.
omoplata scapula, shoulder blade. → Human Body
onça ounce (unit of weight); jaguar (animal). ♦ **onça-parda** puma. **onça-pintada** jaguar. → Animal Kingdom → Numbers
onda wave; vibration, oscillation; fashion. ♦ **onda de calor** heat wave. **onda de frio** cold wave.
onde where. • wherein, in which. ♦ **onde quer que** wherever. **Por onde (devo ir)?** Which way?
ondulação waving; curling; vibration.
ondulado wavy.
onerar burden, tax; oppress.
oneroso onerous; oppressive.
ônibus bus, coach. ♦ **ônibus de dois andares** double-decker. **ponto de ônibus** bus stop. → Means of Transportation
onipotente omnipotent, almighty, all-powerful.
onipresente omnipresent, ubiquitous.
ontem yesterday.
ontologia ontology.
ônus onus, burden.
onze eleven. → Numbers
opacidade opacity; obscurity.
opaco opaque, dull; obscure.
opção option, choice. ♦ **por opção** by choice. **segunda opção** second choice, second best.
ópera opera.
operação operation. ♦ **as quatro operações** the four basic operations. **mesa de operação** operating table. **submeter-se a uma operação** undergo surgery.
operador operator; surgeon. • operative, operating.
operar produce, work, function; operate; act.
operariado workers, working class.
operário worker, workman, laborer. → Professions

opinar judge, opine, express an opinion (about something).
opinião opinion, point of view, thinking.
ópio opium.
oponente opponent.
opor oppose; refuse, resist; antagonize; object to.
oportunidade opportunity; chance.
oportuno opportune; suitable; timely, handy.
oposição opposition; resistance; antagonism. ♦ **em oposição a** against. **oposicionista** oppositionist, member of the opposition.
oposto opposite, contrary.
opressão oppression; pressure; tyranny, cruelty, persecution.
opressivo oppressive, tyrannical.
opressor oppressor, despot, tyrant. • oppressing, oppressive.
oprimido downtrodden.
oprimir oppress, tyrannize, torment.
optar opt, choose, make a choice; prefer, decide for, select.
óptica optics. ♦ **fibra óptica** optical fiber.
óptico optic(al).
opulência opulence, wealthiness.
opulento opulent; rich, wealthy.
ora now, at present. • but, nevertheless, however. ♦ **Ora!** Well! **ora isto, ora aquilo** now this, then that. **por ora** for the time being.
oração prayer; clause.
oráculo oracle.
orador orator, public speaker.
oral oral; verbal, vocal; spoken.
orar pray; orate; make a speech.
oratório oratory.
órbita orbit; eye socket. → Human Body
orçamentário budgetary.
orçamento budget.
orçar budget, calculate, compute, estimate.
ordem order; disposition, neatness; rule; regulation; discipline; harmony; sequence; sort, kind. ♦ **em ordem** in order. **fora de ordem** untidy; out of order. **ordem alfabética** alphabetical order. **ordem ascendente** ascending order. **ordem de classificação (sequencial)** sort order; collating sequence. **ordem decrescente** descending order. **ordem de despejo** eviction notice. **ordem de pagamento** money order. **ordem de prisão** arrest warrant. **pôr em ordem** set right, put in order.
ordenação ordering; law.
ordenado salary, wage. • in order, orderly.
ordenar order; arrange, organize.
ordenhar milk.
ordinal ordinal.
ordinário ordinary, common, usual.
orégano oregano. → Vegetables
orelha ear. ♦ **ficar de orelha em pé** be on the lookout. **baixar as orelhas** eat humble pie. **estar com a pulga atrás da orelha** smell a rat; be suspicious. **lóbulo da orelha** earlobe. **orelha de um livro** flap. → Human Body

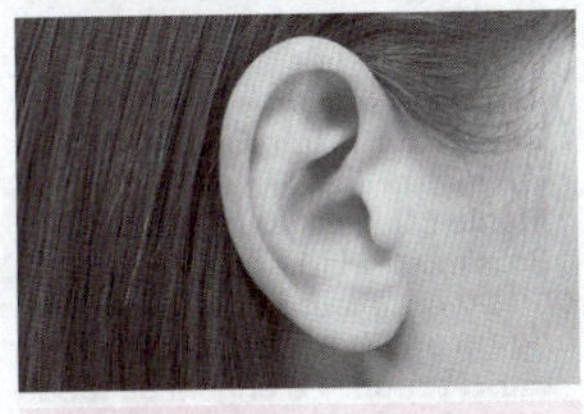
ear

flap

orfanato orphanage, orphan asylum.
órfão orphan. • orphan, fatherless, motherless.
orgânico organic.
organismo organism; body.
organização organization; arrangement; order; organism; institution.

organizado organized. ♦ **de modo organizado** neatly.
organizador organizer. • organizing.
organizar organize; arrange; systematize, establish. ♦ **organizar uma festa** throw a party, promote a party.
organograma organization chart.
órgão organ; pipe organ; agency. → Musical Instruments
orgasmo orgasm.
orgia orgy.
orgulhar make (someone) proud. ***orgulhar-se de*** be proud of, take pride on.
orgulho pride.
orgulhosamente proudly.
orgulhoso proud; conceited, arrogant, haughty.
orientação orientation, guidance. ♦ **orientação educacional** educational guidance.
oriental eastern; oriental.
orientar orient, orientate; direct; guide.
oriente east, orient. ♦ **Extremo Oriente** Far East. **o Oriente** the Orient, the East (Asia). **Oriente Médio** Middle East. **o Oriente Próximo** the Near East.
orifício orifice, opening, hole.
origem origin, source; ancestry; cause, reason. ♦ **a origem de todos os males** the root of all evil. **lugar de origem** birthplace.
original original, model. • original; inventive; primitive; singular. ***originais*** manuscript (of a book). ♦ **pecado original** original sin.
originalidade originality.
originalmente originally.
originar originate; cause, rise, start; produce; bring about; create. ***originar-se*** arise; proceed; result (from); descend, derive (from).
originário derived, arising (from); descended, native, natural (of); originating (in).
orla border; edge; margin. ♦ **orla marítima** seafront, seaside, seashore.
ornamentação ornamentation, decoration, adornment.
ornamental ornamental, decorative, adorning. ♦ **salto ornamental** (fancy) diving. → Sports
ornamentar ornament, adorn.
ornamento ornament, adornment.
ornar adorn, ornament, decorate.
ornitólogo ornithologist. → Professions
ornitorrinco platypus. → Animal Kingdom
orquestra orchestra.
orquídea orchid.
ortodontia orthodontics.
ortodoxo orthodox; Orthodox (of the Eastern Church). ♦ **Igreja Ortodoxa** Eastern Orthodox Church.
ortografia orthography, spelling. ♦ **erro de ortografia** misspelling.
ortopédico orthopedic.
orvalho dew, morning dew. → Weather
os the, them.
oscilação oscillation; vibration; fluctuation.
oscilante oscillating, swinging.
oscilar oscillate, swing, vibrate.
oscilatório oscillatory, oscillating.
osmose osmosis.
ossada carcass; skeleton.
ossatura bones; skeleton.
ósseo osseous, bony.
osso bone. ♦ **osso duro de roer** a hard nut to crack. **ossos do ofício** occupational hazards. **ser pele e ossos** be nothing but skin and bones. → Human Body
ossudo bony, angular.
ostensivo ostensive; exhibiting, demonstrative.
ostentação ostentation; show(ing), vanity.
ostentar exhibit, display, parade, show off.
ostra oyster. → Animal Kingdom
ostracismo ostracism.
otimismo optimism.
otimista optimistic, hopeful, confident.
otimização optimization, improvement.
otimizar optimize, improve, enhance.

ótimo excellent, very good; fine. ♦ **Ótimo!** Fine!, Excellent!, Cool!
ou or, either. ♦ **ou então** or else. **ou melhor/antes** or rather. **ou seja** that is to say, in other words.
ouriço hedgehog. ♦ **ouriço-do-mar** sea urchin. → Animal Kingdom
ouro gold. ***ouros*** diamonds (cards). ♦ **folheado a ouro** gold-filled.
ousadia daring, boldness; courage, audacity; nerve.
ousado bold, audacious, brave.
ousar dare; risk, attempt.
outono autumn; fall. → Weather
outorgar approve, sanction; grant; warrant; consent.
outro other, another. • other, another. ***outros*** others, other people. ♦ **de outra maneira** some other way, otherwise. **outra vez** again. **um ao outro** each other. **uns aos outros** one another.
outrora formerly, long ago.
outubro October.
ouvido ear; hearing. ♦ **chegar aos ouvidos de** reach the ears of. **de ouvido** by ear. **dor de ouvido** earache. **entrar por um ouvido e sair pelo outro** go in one ear and out the other. **fazer ouvidos de mercador** turn a deaf ear. **ferir os ouvidos** grate on the ear. **ser todo ouvidos** be all ears. **tapar os ouvidos** close the ears. → Human Body
ouvinte listener.
ouvir hear, listen (to). ♦ **Eu ouvi dizer que...** I heard it said that... **Não há pior surdo que aquele que não quer ouvir.** There's none so deaf as those who will not hear. **Ouça-me.** Lend me your ears., Listen to me. **ouvir extraoficialmente** hear through the grapevine. **ouvir mal** mishear. **por ouvir dizer** by hearsay.
ovação ovation, applause.
ovacionar acclaim, applaud, clap.
oval oval, egg-shaped.
ovário ovary. → Human Body
ovelha ewe, sheep; member of a spiritual flock. ♦ **a ovelha negra da família** the black sheep of the family. **ovelha desgarrada** stray sheep. → Animal Kingdom
overdose overdose, OD.
ovino ovine, sheeplike.
ovo egg. ♦ **clara de ovo** egg white. **gema de ovo** egg yolk. **batedor de ovos** eggbeater. **ovo de Páscoa** Easter egg. **ovos cozidos** hard-boiled eggs. **ovos fritos** fried eggs. **ovos mexidos** scrambled eggs. **ovos escaldados/*poché*** poached eggs. **ovos moles** soft-boiled eggs. **pisar em ovos** thread/walk on eggshells.
óvulo ovule. → Human Body
oxidação oxidation, rust.
oxidar oxidize; rust.
óxido oxide.
oxigenação oxygenation.
oxigenar oxygenate.
oxigênio oxygen.
ozônio ozone. ♦ **camada de ozônio** ozone layer.

P

P, p the sixteenth letter of the Portuguese alphabet.
pá spade, shovel. ♦ **pôr uma pá de cal sobre algo** settle the dust.
pacato peaceful; quiet; calm; passive.
pachorra phlegm, sluggishness.
paciência patience; solitaire (card game). ♦ **Ele me enche a paciência.** He gets on my nerves. **paciência de Jó** Job's patience. **perder a paciência** lose one's patience. **ter paciência** be patient.
paciente patient. • patient; forbearing.
pacificador pacifist. • pacifying.
pacificar pacify; tranquilize, calm; appease, conciliate.
pacífico pacific; peaceful, calm. ♦ **Oceano Pacífico** Pacific Ocean.
pacifista pacifist. • pacifistic.
pacote package, packet, pack, parcel, bundle. ♦ **pacote turístico** package tour, package holiday.
pacto pact, agreement.
padaria bakery; baker's shop.
padecer suffer; endure pain; bear.
padeiro baker. → Professions
padrão standard; gage; model; pattern; default. ♦ **padrão de fundo de tela** desktop pattern. **padrão de interface** interface standard. **padrão de vida** standard of living. **padrões básicos** default setting.
padrasto stepfather.
padre priest, father, clergyman. ♦ **tornar-se padre** take holy orders.
padrinho godfather, best man; protector. ***padrinhos*** godparents.
padronizar standardize.
pagamento pay; payment; payout; salary. ♦ **balança de pagamento** balance of payment. **condições de pagamento** terms of payment. **dia de pagamento** payday. **folha de pagamentos** payroll. **pagamento adiantado** payment in advance. **pagamento a prazo/em prestações** payment by installments. **pagamento à vista** payment in cash. **pagamento contra entrega** cash on delivery (COD).
pagão pagan, heathen. • pagan.
pagar pay; remunerate, reimburse; compensate. ♦ **Ela me paga!** I'll get even with her! **pagar adiantado** pay in advance, prepay. **pagar à vista/em dinheiro** pay cash. **pagar caro** pay dear. **pagar com cartão de crédito** charge on credit card. **pagar mal** underpay. **pagar na mesma moeda** return like for like. **pagar o bem com o mal** render good for evil. **pagar o pato** be in for it. **Quem vai pagar o almoço?** Who's buying lunch?
pagável payable.
página page. ♦ **páginas opostas** facing pages. **primeira página** front page. **ser página virada** be history. **página na internet** web page. **página inicial** homepage.
pai father. ***pais*** parents (mother and father). ♦ **como um pai** fatherly. **Pai-Nosso** Lord's Prayer. **pai adotivo** foster father. **pai de família** family man. **Tal pai, tal filho.** Like father, like son.

painel panel; picture.
pairar hover; hang (over).
país country; nation, land. ♦ **país-sede** host country.
paisagem landscape; scenery. ♦ **paisagem marinha** seascape.
País de Gales Wales. → Countries & Nationalities
paixão passion; love; infatuation. ♦ **Ela tem paixão por música.** She has a passion for music.
pajear nurse.
pajem pageboy, page.
palacete mansion.
palácio palace. ♦ **Palácio da Justiça** Courthouse.
paladar taste; liking.
palato palate. → Human Body
palavra word; term, expression, vocable. ♦ **a última palavra (resolução irrevogável)** the last word. **a última palavra em (o que há de mais moderno)** state of the art. **Dou-lhe minha palavra.** I give you my word. **em outras palavras** in other words. **em poucas palavras** in a few words. **Estou com a palavra na ponta da língua.** I have the word on the tip of my tongue. **faltar com a palavra** break one's word. **homem de palavra** a man of his word. **jogo de palavras** play upon words, pun. **não dizer uma palavra** be silent about something. **palavra-chave** keyword. **Palavra de honra!** Upon my honor! **palavra por palavra** word for word. **palavras cruzadas** crossword puzzle. **palavras sem nexo** meaningless words. **Para bom entendedor, meia palavra basta.** A word to the wise is sufficient. **sob minha palavra** upon my word. **ter palavra** keep one's promise. **usar da palavra** address a meeting.
palavrão insulting word; filthy language; dirty language; bad word, swear word.
palco stage.
palerma fool, foolish, stupid, blockhead.
palestino Palestinian.
palestra lecture; talk.
paletó jacket, blazer; coat. ♦ **abotoar o paletó (morrer)** meet one's last; kick the bucket. → Clothing
palha straw. ♦ **chapéu de palha** straw hat. **palha de aço** steel wool.
palhaço clown. ♦ **bancar o palhaço** play the giddy goat, play the fool. **Seu palhaço!** You jerk!
palheiro haystack.
paliativo stopgap.
palidez paleness, whiteness.
pálido pale, whitish.
palito stick. ♦ **palito de dentes** toothpick. **palito de fósforo** match.
palma palm. ♦ **bater palmas** clap one's hands, applaud. **conhecer algo como a palma da sua mão** know something like the back of your hand. **palma da mão** palm of the hand. → Human Body
palmada slap.
palmatória ferule. ♦ **dar a mão à palmatória** acknowledge one's mistake.
palmeira palm tree.
palmito heart of palm. → Vegetables
palmo span (of the hand); palm. ♦ **não enxergar um palmo adiante do nariz** be very ignorant; have difficulty in seeing. **palmo a palmo** inch by inch.
palpável palpable, touchable.
pálpebra eyelid. → Human Body
palpitação palpitation, throb.
palpitar palpitate; beat rapidly; throb.
palpite suggestion; opinion; hunch. ♦ **dar palpite** stick your nose in; take a guess.
panaca fool, silly person. • silly.
panaceia panacea; cure-all.
Panamá Panama. → Countries & Nationalities
panamenho Panamanian. → Countries & Nationalities
pan-americano Pan-American.
pancada blow, knock, bang, hit. ♦ **pancada d'água** downpour, cloudburst.
pancadaria beating, spanking.

panda panda. → Animal Kingdom
pandeiro tambourine. → Musical Instruments
pandemônio pandemonium.
pane failure, breakdown.
panela pot, pan, saucepan. ♦ **panela de pressão** pressure cooker.
panelada potful, panful.
pânico panic; terror, alarm. • panicky. ♦ **em pânico** panicky; terrified.
panificadora bakery.
pano cloth; fabric (wool, silk, cotton, linen, etc.). ♦ **dar pano para mangas** set tongues wagging. **pano de prato** dish towel. **panos quentes** mollification, silencing. **por baixo do pano** under the counter.
panorama panorama; view; landscape; scene, scenery; overview.
panqueca pancake.
pântano swamp, marsh, bog.
pantanoso swampy, marshy, boggy.
panteísmo pantheism.
pantera panther, cougar. → Animal Kingdom
pantomima pantomime; fraud, swindle; farce.
pão bread; loaf, roll. ♦ **pão amanhecido** stale bread. **pão caseiro** homemade bread. **pão com manteiga** bread and butter. **Pão de Açúcar** Sugarloaf Mountain. **pão de forma** sliced bread. **pão de ló** sponge cake. **pão-duro** tight-fisted, mean, cheap, Scrooge. **pão integral** whole wheat bread. **pão torrado** toast. **viver a pão e água** live on bread and water.
papa pap, porridge; pope. ♦ **não ter papas na língua** be outspoken. **Sua Santidade, o Papa.** Your Holiness, the Pope.
papagaio parrot; kite. ♦ **falar como um papagaio** chatterbox; talk nineteen to the dozen. → Animal Kingdom

parrot

kite

papai dad, daddy, father. ♦ **Papai Noel** Santa Claus.
papel paper; role. ***papéis*** documents. ♦ **desempenhar um papel** play a part (or a role). **fábrica de papel** paper mill. **fazer papel de bobo** play the fool. **folha de papel** sheet of paper. **papel almaço** foolscap. **papel-alumínio** tinfoil. **papel-carbono** carbon paper. **papel crepom** crepe paper. **papel de carta** letter paper. **papel de presente** wrapping paper. **papel de jornal** newsprint. **papel de parede** wallpaper. **papel de rascunho** scrap paper. **papel de seda** tissue paper. **papel higiênico** toilet paper. **papel machê** papier-mâché. **papel--moeda** paper money, banknote. **papel pautado** ruled paper. **papel sulfite** bond paper. **papel timbrado** letter-headed paper.
papelão cardboard; failure, fiasco.
papelaria stationery.
papiro papyrus.
papo chatter; crop or craw (of birds). ♦ **bate-papo** chat. **bater**

papo chatter, talk, chat. **De grão em grão a galinha enche o papo.** Little strokes fell great oaks. **estar no papo** be a piece of cake. **ficar de papo para o ar** lead an idle life.

crop

chat

papoula poppy.
paquiderme pachyderm.
paquistanês Pakistani. → Countries & Nationalities
Paquistão Pakistan. → Countries & Nationalities
par pair, couple; peer; partner. • equal, like, similar, equivalent; even. ♦ **a par de** informed about. **em pares** in pairs. **colocar alguém a par** let someone know. **dispor em pares** pair up. **Onde está o par deste sapato?** Where is the fellow of this shoe? **par ou ímpar** even or odd. **sem par** peerless.
para for, to, toward, in, into; in order to. ♦ **para baixo** downward(s). **para diante** forward. **para frente e para trás** back and forth. **para lá e para cá** to and fro. **para o meu gosto** to my taste. **Para onde ele foi?** Where did he go? **Para quê?** What for? **para sempre** forever. **para trás** backward(s).
parabéns congratulations. ♦ **dar os parabéns** congratulate. **Parabéns! (pelo aniversário)** Happy birthday!, Many happy returns of the day!
parábola parable; parabola.
para-brisa windshield. ♦ **limpador de para-brisa** windshield wiper.
para-choque bumper.
parada parade; stop; pause, rest; halt; bus stop. ♦ **aguentar a parada** stick it out. **Ela é uma parada!** She is a smasher! **parada cardíaca** heart attack. **parada musical** hit parade.
paradeiro whereabouts.
paradigma paradigm.
paradoxo paradox.
parafina paraffin.
paráfrase paraphrase.
parafusar screw.
parafuso screw; bolt. ♦ **apertar um parafuso** tighten a screw. **chave de parafuso** or **chave de fenda** screwdriver. **Ele tem um parafuso a menos.** He's got a tile loose. **entrar em parafuso** go crazy.
parágrafo paragraph; clause.
Paraguai Paraguay. → Countries & Nationalities
paraguaio Paraguayan. → Countries & Nationalities
paraíso paradise; heaven.
para-lama fender, mudguard.
paralela parallel.
paralelo parallel; confrontation, comparison. • parallel. ♦ **sem paralelo** without parallel.
paralisação stoppage.
paralisador hypnotic.
paralisar paralyze, bring to a standstill.
paralisia paralysis. ♦ **paralisia infantil** poliomyelitis.
paralítico paralytic, handicapped.
paraninfo sponsor, patron.
paranoia paranoia.
parapeito windowsill.
parapente paragliding. → Sports
paraplégico paraplegic, handicapped.
parapsicologia parapsychology.

paraquedas parachute.
paraquedismo parachuting.
→ Sports
paraquedista parachutist.
parar stop, quit; pause, halt; discontinue. ♦ **Pare com isso!** Stop it! **sem parar** without interruption; nonstop; continuously.
para-raios lightning rod.
parasita parasite.
parceiro partner; associate; companion. • similar, like, equal.
parcela parcel, portion; fragment; sector; installment.
parcelar parcel out.
parceria partnership; association.
parcial partial; biased, prejudiced; favoring one side.
parcialidade partiality; unfairness, bias, favoritism.
parco sparing; frugal, thrifty; scanty, poor.
pardal sparrow. → Animal Kingdom
parecer opinion, concept; point of view. • appear, seem, look. ***parecer-se (com)*** resemble; look like. ♦ **ao que parece** apparently.
parecido similar, (a)like, resembling. ♦ **ou coisa parecida** or the like.
parede wall; barrier. ♦ **Cuidado, as paredes têm ouvidos!** Careful, walls have ears! **dar com a cabeça na parede** strike one's head against a wall, butt one's head against a wall. **encostar alguém na parede** drive somebody to the wall; corner somebody. **entre quatro paredes** behind close doors. **falar com as paredes** talk to a brick wall.
parente relation; relative, kinsfolk. ♦ **meus parentes** my folks, my relatives. **parente por parte de mãe** relative from one's mother side. **parente por parte de pai** relative from one's father side. **parente próximo** close relative. **sem parentes** kinless. **parente distante** distant relative.
→ Deceptive Cognates
parentesco kinship; relationship connection.
parêntese parenthesis; bracket. ♦ **pôr entre parênteses, abrir/fechar parênteses** parenthesize.
páreo horse race; running match.
pária pariah; outcast.
paridade parity, equality. ♦ **paridade de câmbio** par of exchange.
parir bring forth, give birth to, have a baby.
parisiense Parisian.
parlamentar parliamentary. • parley, talk, negotiate.
parlamento parliament. ♦ **Parlamento inglês** Houses of Parliament.
parmesão Parmesan, pertaining to Parma. ♦ **queijo parmesão** Parmesan cheese.
pároco parish priest, vicar.
paródia parody.
parodiar parody; mimic, imitate.
paróquia parish; parish church.
paroquial parochial.
parque park; public square, garden. ♦ **parque de diversões** amusement park. **parque industrial** industrial estate. **parque infantil** playground. **parque nacional** forest reserve.
parreira vine, grapevine.
parte part, portion, quota, piece, fraction; spot; particle; side, party; lot, share. ♦ **a maior parte** the great(er) part. **à parte** apart. **dar parte de** report; inform against. **de minha parte** on my part. **de outra parte** elsewhere. **de sua parte** on his part. **em parte** in part, partly. **fazer parte de** be part of. **parte afetada** affected party. **parte dianteira** front end. **parte traseira** rear end. **por toda parte** everywhere. **ter parte com** have dealings with. **tomar parte em** take part, participate. **Vamos por partes.** First things first. **parte interessada** stakeholder.
parteira midwife. → Professions
participação participation; notice, communication; appearance. ♦ **participação nos lucros** profit sharing.
participante player; participant.

participar communicate; report; participate, take part in.
particípio participle. ♦ **particípio passado** past participle.
partícula particle.
particular particular; private, individual; special; specific. ♦ **aula particular** private class. **em particular** in particular; in private.
particularidade characteristic, detail.
particularmente particularly.
partida departure; start; match, game; lot, shipment. ♦ **ponto de partida** starting point.
partido party; faction; side. • broken; fractured. ♦ **bom partido** eligible bachelor, good catch. **tirar partido de** profit from. **tomar partido de** take sides with.
partilha partition; share, allotment.
partilhar partition; share, participate in; divide.
partir break (up), cut, shatter, split; depart, leave, go away. ♦ **a partir de agora** from now on.
parto parturition, childbirth, delivery. ♦ **estar em trabalho de parto** be in labor.
Páscoa Easter. ♦ **ovo de Páscoa** Easter egg.
passado past. • past, gone, bygone; former; old-fashioned; last. ♦ **ano passado** last year. **carne bem passada** well-done meat. **Como tem passado?** How have you been? **malpassado** rare.
passageiro passenger. • passing; transitory, temporary; ephemeral. ♦ **passageiro clandestino** stowaway.
passagem passage(way), alleyway; ticket. ♦ **abrir passagem** make way. **passagem de ida e volta** round-trip ticket. **passagem de nível** level or grade crossing. **passagem só de ida ou só de volta** one-way ticket.
passaporte passport.
passar pass; cross, go (by, over, around, beyond, through); spend; exceed, surpass; leave behind; be accepted; expire, cease. ♦ **deixar passar** let go. **Ele passou no exame.** He was approved in the examination. **Estou passando bem.** I am quite all right. **não passar de ano (na escola)** flunk. **passar adiante** pass on. **passar a ferro** press, iron. **passar (alguém) para trás** cheat someone, deceive someone. **passar a noite fora** stay over. **passar a perna em** outwit. **passar apertado** scrape through. **passar dos limites** exceed. **passar fome** go hungry, starve. **passar mal** be sick. **passou pela minha cabeça** it crossed my mind.
passarela platform; bridge; catwalk. ♦ **passarela de pedestres** footbridge.
passarinho small bird, birdie. → Animal Kingdom
pássaro bird. → Animal Kingdom
passatempo pastime; recreation; hobby.
passe pass; permission. ♦ **fazer algo num passe de mágica** wave a magic wand.
passear walk, stroll, go for a walk, go for a ride. ♦ **mandar alguém passear** send someone about his business.
passeata demonstration, march.
passeio walk, promenade, stroll; trip, excursion. ♦ **dar um passeio** go for a walk. **passeio público** sidewalk, pavement.
passível passible. ♦ **passível de** likely to.
passividade passivity, passiveness.
passivo passive; inactive, inert; indifferent. ♦ **passivos de uma empresa** liabilities.
passo pace, step; walk. ♦ **a cada passo** at every step. **a passos largos** at a great pace. **dar o primeiro passo** take the first step. **passo acelerado** on the double. **passo a passo** step by step. **passo errado** misstep.
pasta paste; portfolio; folder; binder; file; briefcase. ♦ **pasta de dentes** toothpaste. → Deceptive Cognates → Classroom
pastagem pasture.

pastel pastry; pastel (painting).
pasteurizar pasteurize.
pastilha tablet, lozenge; pill.
pastor shepherd; priest, clergyman, vicar. ♦ **pastor-alemão** Alsatian dog, German shepherd.
pastoso pasty, viscous, gummy, sticky.
pata paw; foot; female duck. ♦ **pata dianteira** forefoot. **pata traseira** hindfoot. ➔ Animal Kingdom
patada kick, stamp with the paws.
patente patent. • patent; evident, manifest; clear, obvious. ♦ **altas patentes do exército** high-ranking army officers. **registro de patentes** patent office.
patentear patent (an invention).
paternal paternal, fatherly, fatherlike.
paternidade paternity, fatherhood.
paterno paternal; fatherly. ♦ **figura paterna** father figure.
patético pathetic.
patife rascal, villain, scoundrel. • scoundrel, knavish.
patim roller-skate; ice-skate.
patinação skating; roller skating. ♦ **patinação no gelo** ice skating. **rinque de patinação** skating rink. ➔ Sports
patinador skater.
patinar skate; skid; slide; roller skate.
patinete scooter.
pátio yard; court. ♦ **pátio de escola** playground.
pato duck, drake. ♦ **cair como um pato** be badly fooled. **pagar o pato** be in for it. ➔ Animal Kingdom
patrão master; boss, employer; chief.
pátria native country; homeland, mother country.
patriarca patriarch.
patriarcal patriarchal.
patrimônio inheritance; family estate; property, real estate. ♦ **patrimônio hereditário** hereditary property.
patriota patriot.
patriótico patriotic.
patriotismo patriotism.
patrocinar patronize; sponsor; support.
patrocínio patronage; support, aid; sponsorship. ♦ **sob o patrocínio de** under the auspices of.
patrulha patrol.
patrulhar patrol; go the rounds.
pau stick; wood. ***paus*** clubs (cards). ♦ **levar pau** flunk (an examination). **mostrar com quantos paus se faz uma canoa** teach someone a lesson. **pau a pique** mud wall, stud and mud. **pau-brasil** brazil wood. **pau--d'água** drunkard. **pau para toda obra** jack-of-all-trades.
paulada blow with a stick or club.
pausa pause; stop; interval; interruption; intermission.
pausar pause, stop temporarily; rest.
pauta stave, staff; list, roll; agenda; guideline(s); stave (music).
pautar rule.
pavão peacock. ➔ Animal Kingdom
pavilhão pavilion; flag.
pavimentação paving.
pavimentar pave; floor.
pavimento pavement; floor.
pavio fuse, wick.
pavor fright, dread, terror.
pavoroso dreadful, terrible.
paz peace. ♦ **Deixe-me em paz!** Leave me alone! **fazer as pazes** make it up. **paz de espírito** peace of mind.
pé foot (part of the body); foot (linear measure equivalent to 12 inches); base, foundation, bottom; stalk, stem; a single plant. ♦ **a pé** on foot. **botar o pé no mundo** hit the road. **com o pé atrás** suspiciously, diffidently. **da cabeça aos pés** from head to foot. **dar no pé** run away. **levantar com o pé esquerdo** get off with the wrong foot. **meter os pés pelas mãos** get mixed up, put one's foot in one's mouth. **não arredar pé** not move a single inch. **não chega aos pés de** can't hold a candle to somebody. **não ter pé nem cabeça** make no sense. **pé ante pé** or **na ponta dos pés** on tiptoe. **pé chato** flatfoot. **pé de alface** head of lettuce. **pé**

de cabra crowbar. **pé de galinha** wrinkle. **pé-de-meia** savings. **pé de moleque** peanut brittle. **pé de vento** blast of wind. **pé-direito** ceiling height. **pegar no pé** tease, annoy, bug. **Pé na tábua!** Step on it! **pé-rapado** underdog; very poor person. **ser um pé no saco** be a pain in the ass. **ter os pés no chão** have one's feet on the ground.
➔ Human Body ➔ Numbers

peão farmhand; cowboy; pawn (chess).

peça piece; part; portion; drama, play; musical composition. ♦ **peça sobressalente** spare part. **pregar uma peça em alguém** play a trick on somebody.

pecado sin; misdeed. ♦ **cometer um pecado** commit a sin. **pecado capital** deadly sin. **pecado original** original sin.

pecador sinner, offender.

pecar sin; commit a fault.

pechincha bargain.

pechinchar bargain, haggle.

peçonhento poisonous, venomous.

pecuária cattle breeding, cattle raising.

peculiar peculiar; singular, uncommon; individual, proper.

peculiaridade peculiarity.

pecuniário pecuniary; monetary.

pedaço piece, bit, fragment; fraction, bite, slice; portion; section. ♦ **estar caindo aos pedaços** be falling apart, be falling into pieces. **fazer em pedaços** rend to pieces. **pedaço de mau caminho** evil course.

pedágio toll. ♦ **cabine de pedágio** tollbooth.

pedagogia pedagogy.

pedal pedal.

pedalar pedal.

pedestal pedestal; basis.

pedestre pedestrian.

pediatria pediatrics.

pedicuro podiatrist. ➔ Professions

pedido petition, demand; request; prayer; order (restaurant). ♦ **a pedido** on demand; upon/by request. **conforme pedido** as requested. **talão de pedidos** order book.

pedinte beggar. • mendicant.

pedir ask, beg; claim, appeal; pray; request; order (restaurant). ♦ **Peço desculpas.** I apologize. **pedir alguém em casamento** propose. **pedir esmola** beg for money.

pedra stone; rock; flint. ♦ **Água mole em pedra dura tanto bate até que fura.** Constant dripping hollows out a stone. **dormir como uma pedra** sleep like a log. **Idade da Pedra** Stone Age. **muro de pedra** stonewall. **Não deixaram pedra sobre pedra.** They left no stone standing. **pedra preciosa** precious stone, gem. **pedra-sabão** soapstone. **pedra-ume** potassium alum. **pôr uma pedra em cima de** put an end to, put a stop to. **ser de pedra** be insensible, be stony hearted.

pedregoso stony, full of stones.

pedreira quarry.

pedreiro bricklayer, stonemason.
➔ Professions

pegada footstep, footprint; track, trace.

pegado near to, close to, next to; adjoining, nearby; attached.

pegador catcher.

pegajoso sticky, viscous, clammy.

pegar catch, hold; take; get. ♦ **É pegar ou largar.** Take it or leave it. **O motor não pega.** The engine won't start. **pegar em armas** take up arms. **pegar emprestado** borrow. **pegar fogo** catch fire. **pegar no sono** fall asleep.

peidar fart (*inf.*).

peito breast, chest, bosom. ♦ **amigo do peito** bosom friend. **criança de peito** suckling child. **de peito aberto** sincerely. **homem de peito** a man of courage. **peito do pé** instep. ➔ Human Body

peitoral pectoral.

peixaria fish market, fish store.

peixe fish. ♦ **Filho de peixe, peixinho é.** A chip off the old block. **não ter nada com o peixe** have nothing to do with. **peixe-boi**

manatee. **peixe de água doce** freshwater fish. **peixe-dourado** goldfish. **peixe-elétrico** electric fish. **peixe-espada** swordfish; cutlassfish. **peixe-voador** flying fish. **viveiro de peixes** fishpond. → Animal Kingdom
peixeiro fishmonger. → Professions
pejorativo pejorative, depreciative.
pelado naked; broke (no money).
pele skin; epidermis. ♦ **casaco de pele** fur coat. **Não queria estar na sua pele.** I'm glad I'm not in your shoes. **pele-vermelha** Indian, redskin. **salvar a pele** save one's skin. **ser pele e ossos** be a bag of bones. → Human Body
peleja fight, struggle, battle, combat; quarrel, conflict, contention; discussion.
pelica kid.
pelicano pelican. → Animal Kingdom
pelo hair. → Human Body
pelotão platoon.
pelúcia plush. ♦ **ursinho de pelúcia** teddy bear.
peludo hairy, shaggy, furry.
pena feather, plume; punishment, penalty; pity. ♦ **a duras penas** hardly. **pena de morte** capital punishment. **Que pena!** What a pity!, Too bad! **sentir pena de** feel sorry for. **sob pena de** under penalty of, on pain of. **valer a pena** be worthwhile.
penal penal, punitive. ♦ **código penal** penal code.
penalidade penalty, punishment.
penalizar pain, afflict, distress; torment; punish.
penar pain; suffer.
pendência quarrel, dispute.
pendente pending; undecided; inclined.
pender hang; lean, bend; tend; incline.
pêndulo pendulum.
pendurar hang, suspend. ♦ **pendurar as chuteiras** hang up your boots.
peneira strainer, sieve.
peneirar sift; strain.
penetração penetration.
penetrar penetrate, pierce, enter; break through.
penhasco cliff; crag.
penhor pledge; mortgage. ♦ **casa de penhores** pawnshop.
penhorado pawned, pledged.
penhorar pledge, pawn; warrant.
penicilina penicillin.
península peninsula, spit.
pênis penis. → Human Body
penitência penitence; contrition, penance.
penitenciária penitentiary, prison.
penoso painful; hard.
pensador thinker; philosopher.
pensamento thought; thinking; consideration; ideation.
pensão pension; boarding house. ♦ **pensão alimentícia** alimony.
pensar think; ponder, meditate; imagine; consider. ♦ **Diga o que você pensa.** Speak your mind. **Nem pensar!** No way! **Nunca pensei muito nisso.** I've never given it much thought. **O que você pensa que eu sou?** What do you take me for? **Pensando bem...** Come to think of it... **pensar em voz alta** think aloud. **Só de pensar nisso me dá arrepios.** I shudder at the bare idea of it.
pensativo thoughtful, contemplative.
pensionato boarding school; boarding house.
pente comb.
penteadeira dresser. → Furniture & Appliances
penteado hairdressing, hairdo, coiffure, hairstyle.
pentear comb.
penugem fluff; down.
penúltimo last but one.
penumbra twilight.
penúria extreme poverty; indigence, pauperism, misery.
pepino cucumber. ♦ **pepino-do--mar** sea cucumber. → Vegetables → Animal Kingdom
pepita nugget.
pequenez smallness, littleness.
pequeno small, little, short.
pera pear. → Fruit

P

peralta naughty, mischievous.
perambular meander.
perante in the presence of, before, in front of.
perceber perceive; discern, understand, note; feel, notice, realize, sense.
percentagem percentage.
percepção perception; feeling.
perceptível perceptible, noticeable.
perceptivo perceptive.
percorrer go through; visit, travel. ♦ **Eles percorreram o país.** They roamed the country.
percurso course, route, way; trajectory, journey.
percussão percussion.
perda loss, damage, casualty, waste. ♦ **perdas e danos** losses; damages. **perda total** dead loss.
perdão pardon, forgiveness. ♦ **Foi-lhe concedido perdão.** He was acquitted., He was pardoned. **Perdão!** I am sorry!, Excuse me!
perder lose; miss (bus, train); waste, squander. ***perder-se*** get lost. ♦ **ele perdeu a cabeça** he is off his head, he lost his mind. **perder a coragem** lose heart. **perder a oportunidade** miss the opportunity, miss the chance. **perder as estribeiras** lose one's temper. **perder de vista** lose sight of. **perder os sentidos** faint; lose consciousness. **perder-se em minúcias** split hairs. **perder tempo** fool around, waste time. **Perdi um amigo que morreu de AIDS.** I lost a friend to AIDS. **saber perder** bear a loss.
perdição ruin, destruction; misfortune; disgrace.
perdiz partridge. → Animal Kingdom
perdoar pardon, forgive, excuse; absolve. ♦ **Perdoe-me.** I beg your pardon., Pardon me., I'm so sorry!
perdulário spendthrift, lavisher, squanderer. • wasteful, prodigal.
perdurar last, persist, endure, remain, continue (for a long time).
perecer perish, die, decay; end, finish, terminate.
peregrinação pilgrimage; journey, wandering. ♦ **em peregrinação** on the tramp.
peregrino pilgrim; traveler.
perene perennial, unceasing, continual, permanent, perpetual, eternal, lasting.
perereca tree frog. → Animal Kingdom
perfeição perfection, excellence; completeness.
perfeitamente perfectly.
perfeito perfect; faultless. ♦ **Perfeito!** Great!
perfil profile; outline.
perfumar perfume; aromatize. ***perfumar-se*** put on perfume.
perfumaria perfumery.
perfume perfume; scent, fragrance.
perfuração perforation; drilling.
perfurar perforate, bore, drill; penetrate, pierce.
pergaminho parchment.
pergunta question; inquiry. ♦ **fazer perguntas** ask questions.
perguntar ask, question, inquire. ♦ **perguntar por alguém** ask for someone.
perícia skill, ability, know-how, expertness; mastership, investigation.
periferia outskirts, suburbs.
periférico peripheral (computer). • peripheral.
perigo danger, hazard, jeopardy, peril; risk. ♦ **correr perigo** run the risk. **estar em perigo (com problemas financeiros)** be in dire straits. **estar em perigo** be in danger. **fora de perigo** out of danger. **Não há perigo.** It's safe. **perigo de incêndio** fire risk. **pôr em perigo** put in risk, endanger.
perigoso dangerous, hazardous, risky, dicey.
perímetro perimeter.
periódico periodic(al).
período period; cycle; lapse of time; age, era; term; sentence. ♦ **período de vida** lifetime.
periscópio periscope.
perito expert; specialist; technician. • skillful, expert, proficient, versed; dexterous.

perjurar perjure; forswear; bear false witness.
perjúrio perjury; false oath.
permanecer stay, continue; stand; remain, last.
permanência permanence; stableness; persistence, constancy.
permanente perm (hair). • permanent; lasting, durable, enduring, abiding, constant; continuous; fixed, stable, unchangeable, invariable, unchanging; permed (hair).
permanentemente permanently.
permissão permission, allowance, permit; consent.
permissivo permissive.
permitir permit; allow, consent; authorize; let; admit; tolerate. ♦ **Permita Deus que ele venha!** God grant he may come.
permuta exchange, interchange, barter.
permutar exchange, interchange, barter.
perna leg. ♦ **batata da perna** calf. **de pernas cruzadas** cross-legged. **de pernas para o ar** upside down. **estirar as pernas** stretch one's legs. **passar a perna em** cheat, trick, outwit. **perna torta** bow leg. **perna traseira** hind leg. → Human Body
pernicioso pernicious; malign.
pernilongo mosquito. → Animal Kingdom
pérola pearl.
perpendicular perpendicular.
perpetuar perpetuate; immortalize. ***perpetuar-se*** remain in the memory.
perpétuo perpetual, ceaseless, endless; eternal, immortal, everlasting; unchangeable.
perplexidade perplexity; amazement, astonishment, bewilderment.
perplexo perplexed, amazed, astonished, puzzled. ♦ **Fiquei perplexo.** You could have knocked me down with a feather.
persa Persian.
perseguição persecution; pursuit, chase.
perseguir persecute; pursue, tail; trace, chase, hunt; oppress, worry, annoy.
perseverança perseverance.
perseverante persevering.
perseverar persevere, persist.
persistência persistence, perseverance.
persistente persistent, firm; abiding, lasting.
persistir persist, persevere.
personagem character; personage. ♦ **personagem principal** main character.
personalidade personality.
personalizar personalize.
personificar personify.
perspectiva perspective; view, prospect.
perspicaz keen, sharp; insightful; astute; sagacious; discerning.
persuadir persuade; influence, convince, induce.
persuasão persuasion.
persuasivo persuasive.
pertence appurtenance. ***pertences*** belongings; property.
pertencente pertaining, belonging.
pertencer pertain; be part of, belong to, be owned by.
perto near, close, proximate. • near(by), close; nearly, towardly. ♦ **muito perto** close by.
perturbação commotion, trouble, disturbance; disorder, confusion.
perturbador disturbing.
perturbar disturb, tantalize; unsettle; molest; disarrange; upset. ***perturbar-se*** be troubled or confused; feel uneasy.
Peru Peru. → Countries & Nationalities
peru turkey. → Animal Kingdom
perua station wagon, van, people carrier; turkey hen. → Means of Transportation
peruano Peruvian. → Countries & Nationalities
peruca wig.
perversidade perversity; wickedness.

perverso perverse; wicked, evil.
perverter pervert; distort; corrupt; adulterate.
pervertido perverted, deviant.
pesadamente heavily.
pesadelo nightmare.
pesado weighty, heavy. ♦ **sono pesado** sound sleep. **trabalho pesado** hard work.
pesagem weighing.
pêsames condolences. ♦ **dar pêsames** condole (with).
pesar sorrow, regret, grief; sadness. • weigh; consider, ponder. ♦ **apesar dos pesares** notwithstanding. **pesar as palavras** weigh one's words.
pesca fishing.
pescador fisherman. → Professions
pescar fish. ♦ **pescar em águas turvas** fish in troubled water. **Vamos pescar!** Let's go fishing!
pescaria fishing.
pescoço neck. → Human Body
peso weight; power, influence; burden, load. ♦ **homem de peso** man of importance. **peso bruto** gross weight. **peso-leve (boxe)** lightweight. **peso líquido** net weight. **peso-médio (boxe)** middleweight. **peso-pesado (boxe)** heavyweight. → Numbers
pesquisa research, investigation. ♦ **pesquisa de mercado** market research.
pesquisador researcher. → Professions
pesquisar search, inquire, research.
pêssego peach. → Fruit
pessegueiro peach tree.
pessimismo pessimism.
pessimista pessimist. • pessimistic.
péssimo awful, terrible.
pessoa person; human being. *pessoas* people.
pessoal personnel; people; staff; folks; guys. • personal; private, individual. ♦ **departamento pessoal** personnel department. **pronome pessoal** personal pronoun.
pessoalmente personally.
pestana eyelash. ♦ **queimar as pestanas** hit the books. **tirar uma pestana** nap; take a nap. → Human Body
peste plague; pest; disease. ♦ **Esse menino é uma peste.** This boy is a brat. **pestinha (moleque)** imp.
pesticida pesticide.
pétala petal.
petição petition; request, suit, appeal. ♦ **em petição de miséria** in dire straits.
petisco snack.
petroleiro oil tanker. → Means of Transportation
petróleo petroleum, oil.
pia sink, washbasin. → Furniture & Appliances
piada joke.
pianista pianist; piano player. → Professions
piano piano. ♦ **ao piano** at (on) the piano. **piano de cauda** grand piano. → Musical Instruments
picada sting (bee); bite (insect); prick (needle).
picadeiro circus ring; riding school.
pica-pau woodpecker. → Animal Kingdom
picar sting; bite; prick, pierce, puncture; chop.
picareta pickax.
pichar paint with graffiti.
piche pitch, tar; bitumen, asphalt.
picles pickles.
pico peak, top, summit.
picotar perforate, punch; prick.
pictórico pictorial.
piedade compassion, mercy; pity. ♦ **Por piedade!** For mercy's sake! **sem dó nem piedade** pitilessly. **sem piedade** no quarter.
pigmento pigment.
pigmeu Pygmy. • pygmy.
pijama pajama(s). → Clothing
pilantra rascal, scamp, scoundrel, crook.
pilar pillar, column.
pileque drunkenness. ♦ **tomar um pileque** get drunk.
pilha pile, heap, stack; battery.
pilhagem plunder.
pilhar plunder; pillage. ♦ **pilhar alguém** catch someone in the very act.

pilotar pilot; fly.
piloto pilot; aviator; driver (car). ♦ **piloto de teste** test pilot. → Professions
pílula pill. ♦ **dourar a pílula** sugar-coat.
pimenta pepper. ♦ **pimenta-do--reino** black pepper. **pimenta--malagueta** Spanish pepper, chili.
pimentão pimento; sweet pepper, green pepper, bell pepper. → Vegetables
pinça tweezers.
pincel brush. ♦ **pincel de barba** shaving brush. **pincel atômico** marker.
pincelar paint with a brush.
pingar drip; sprinkle; drizzle; leak.
pingente pendant.
pingo drop; dot. ♦ **nem um pingo** not a particle, not one jot. **pôr os pingos nos is** cross the t's and dot the i's.
pinguim penguin. → Animal Kingdom
pinheiro pine tree.
pinho pinewood.
pino pin, peg, bolt; pivot. ♦ **a pino** upright, perpendicular. **pino de tomada** plug.
pinta spot; mark, look.
pintar paint; picture, portray. → Leisure
pinto chick; penis (*inf.*). ♦ **estar como um pinto molhado** be wet to the skin, be soaking wet. → Animal Kingdom
pintor painter. → Professions
pintura painting; picture; make-up. ♦ **pintura a óleo** oil painting.
piolho louse. → Animal Kingdom
pioneiro pioneer, precursor.
pior worse, worst. ♦ **de mal a pior** from bad to worse. **levar a pior** come off worst, get the worst of something. **na pior das hipóteses** worst case scenario. **numa pior** down and out. **O pior está por vir.** The worst is yet to come.
piorar worsen; aggravate.
pipa kite. ♦ **flying a kite** soltar pipa. → Leisure
pipoca popcorn.
piquenique picnic.
piquete picket.
pirâmide pyramid.
piranha piranha, caribe; whore, hooker (*vulg.*). → Animal Kingdom
pirata pirate, corsair, buccaneer. ♦ **pirata (*informática*)** cracker, hacker.
pirataria piracy; fraud.
pires saucer.
pirilampo firefly. → Animal Kingdom
pirralho brat; kid.
pirulito lollipop.
pisar tread on; step on.
piscadela wink, blink; twinkling.
pisca-pisca flasher; Christmas lights.
piscar wink, blink; twinkle. ♦ **num piscar de olhos** in the wink of an eye.
piscina swimming pool.
piso floor, pavement. ♦ **piso salarial** minimum wage.
pista track; race track; lane; clue. ♦ **pista de corridas** racecourse. **seguir uma pista** follow a trail or a clue. **Você está na pista errada.** You are on the wrong scent.
pistola pistol, gun.
pistoleiro gunfighter; gunslinger.
pitada pinch; small quantity.
píton python. → Animal Kingdom
pitoresco picturesque, pictorial.
pivô pivot; central factor; pin tooth.
pizza pizza.
placa plate; board, card; billboard. ♦ **placa controladora** controller card. **placa de carro** license plate. **placa de circuitos** circuit board. **placa de rede** network interface card. **placa de som** sound card. **placa-mãe** motherboard.
placar placard; scoreboard.
placenta placenta.
plácido placid, quiet, calm.
plagiar plagiarize, crib.
planador glider. → Means of Transportation
planalto plateau.
planar plane, glide, soar.
planejamento planning.

planejar plan; project; scheme; trace, sketch.
planeta planet.
planetário planetarium. • planetary.
planície plain, lowlands.
planilha spreadsheet, worksheet. ♦ **planilha original** source worksheet.
plano plan, blueprint; scheme; project; outline. • plane, even, smooth, flat. ♦ **em primeiro plano** in the foreground. **plano de fundo** background.
planta plant; map; plan, blueprint. ♦ **planta do pé** sole of the foot.
plantação plantation.
plantão duty; shift. ♦ **de plantão** on duty.
plantar plant; sow. ♦ **plantar bananeira** do a handstand.
plasma plasma.
plástica plastic surgery.
plástico plastic. • plastic; pliable; moldable.
plataforma platform. ♦ **plataforma de desembarque** landing stage. **plataforma de exploração de petróleo** oil rig. **plataforma de lançamento de foguetes** launch pad. **multiplataforma** cross-platform.
plateia audience, attendance.
platina platinum.
platônico platonic.
plausível plausible; reasonable.
plebe the common people, mob.
plebiscito referendum.
plenário plenary sitting.
plenitude plenitude, fullness. ♦ **plenitude do poder** absolute power.
pleno full, absolute, plenary; complete. ♦ **em plena luz do dia** in broad daylight. **em pleno andamento** in full swing. **plena ignorância** absolute ignorance.
pluma plume; feather.
plural plural.
pluvial pluvial.
pluviômetro pluviometer, rain gage.
pneu tire. ♦ **pneu furado** flat tire. **pneu sobressalente (estepe)** spare tire.
pneumonia pneumonia.
pó powder; dust. ♦ **aspirador de pó** vacuum cleaner. **leite em pó** milk powder. **levantar pó** raise the dust. **reduzir a pó** reduce to dust. **sabão em pó** soap powder. **tirar o pó de algo** dust something.
pobre poor, needy. ♦ **os pobres** the poor. **Pobre de mim!** Poor me!
pobreza poverty.
poça pool, puddle.
poção potion.
poço well; pit. ♦ **água de poço** well water. **poço artesiano** artesian well. **poço de elevador** elevator shaft. **poço petrolífero** oil well.
poder power; might; strength; authority, influence. • be able to; be allowed to; can, may. ♦ **delegação de poder** empowerment. **Eles se apossaram do poder.** They seized the power. **estar em poder de alguém** be in somebody's hands. **estar no poder** be in power. **Fiz o que pude.** I did my best. **Não podemos ir.** We can't go. **Não posso.** I cannot. **poder aquisitivo.** purchasing power. **Pode ser.** It may be. **Posso entrar?** May I come in? **Pudera!** No wonder!
poderio power, might, force.
poderoso powerful, mighty; influential. ♦ **Deus Todo-Poderoso** God Almighty.
podre rotten.
podridão rottenness; corruption.
poeira dust; powder.
poeirento dusty.
poema poem.
poente the west, occident.
poesia poetry.
poeta poet; bard.
poético poetic(al); inspiring.
poetisa poetess.
pois since, because, whereas, therefore, as, for, so.
polaco Pole. • Polish. → Countries & Nationalities
polar polar. ♦ **círculo polar** polar circle. **estrela polar** pole star, North Star.
polarizar polarize.
polegada inch (2.54 cm). → Numbers

polegar thumb. → Human Body
poleiro roost, perch.
polêmica polemic(s), controversy.
polêmico polemic(al), controversial.
polemizar polemicize.
polícia police. ♦ **polícia marítima** coastguard. **polícia militar** military police. **polícia rodoviária** highway patrol. → Deceptive Cognates
policial officer, policeman, cop. ♦ **cão policial** police dog. **inquérito policial** police investigation. **romance policial** detective story, mystery novel. → Professions
policiar patrol; guard.
policlínica polyclinic.
polidez politeness, courtesy, good manners.
polido polished, varnished; polite.
poligamia polygamy.
polígamo polygamist. • polygamous.
poliglota polyglot.
polígono polygon.
polimento polish, shine.
polinização pollination.
poliomielite poliomyelitis.
polir polish.
polissílabo polysyllable. • polysyllabic.
politécnico polytechnic.
política politics; policy; political science.
politicagem petty politics.
político politician. • politic(al), diplomatic.
polo pole; terminal (pole). ♦ **polo aquático** water polo. **polo magnético** magnetic pole. **Polo Norte** North Pole. **Polo Sul** South Pole.
polonês Pole. • Polish. → Countries & Nationalities
Polônia Poland. → Countries & Nationalities
polpa pulp.
poltrona easy chair, armchair. ♦ **poltrona de ônibus/avião** seat. **poltrona de plateia** stall. → Furniture & Appliances
poluição pollution.
poluído polluted, contaminated.
poluir pollute; dirty; contaminate.
polvo octopus. → Animal Kingdom
pólvora gunpowder.
polvorosa uproar, agitation.
pomada salve, ointment; cream.
pomar orchard.
pombal pigeon house, dovecote.
pombo pigeon, dove. ♦ **pombo-correio** carrier pigeon, homing pigeon. → Animal Kingdom
pomo de adão Adam's apple. → Human Body
pompa pomp; pageantry.
ponderar ponder; weigh; reflect, think; consider.
pônei pony. → Animal Kingdom
ponta point; peak, top, extremity, tip; end; corner. ♦ **aguentar as pontas** hold on. **de ponta a ponta** from end to end. **de ponta-cabeça** upside down. **na ponta da língua** on the tip of the tongue. **na ponta dos pés** on tiptoe. **ponta de cigarro** cigarette butt, cigarette stub. **ponta do dedo** fingertip. **tecnologia de ponta** state-of-the-art technology. **uma ponta de** a touch of.
pontada pang; twinge.
pontapé kick. ♦ **pontapé inicial** kick-off.
pontaria aim, sight; target. ♦ **fazer pontaria** aim. **sem pontaria** aimless.
ponte bridge; dental bridge, bridgework (dentistry). ♦ **ponte aérea** air shuttle. **ponte de safena** bypass surgery. **ponte levadiça** drawbridge. **ponte pênsil** suspension bridge.
ponteiro pointer; indicator. ♦ **ponteiro do relógio** watch hand.
pontiagudo pointed, sharp.
pontífice pontiff, pontifex. ♦ **Sumo Pontífice** Pope.
pontilhado dotted.
pontilhar stipple, dot.
ponto point, dot; mark, full stop, period; spot; stitch; place; matter, question, subject; stop (bus, railway, etc.). *pontos* score (of a game). ♦ **a ponto de partir** ready to depart. **às três horas em ponto** at three o'clock sharp, at three

o'clock on the dot. **até certo ponto** to some extent. **dar uns pontos** stitch up. **dois-pontos (:)** colon. **dormir no ponto** miss an opportunity. **entregar os pontos** give up. **estar a ponto de** be about to. **ponto culminante** culminating point. **ponto de apoio** point of support. **ponto de divergência** point of controversy. **ponto de exclamação (!)** exclamation mark. **ponto de fusão** melting point. **ponto de interrogação (?)** question mark. **ponto de referência** landmark. **ponto de táxi** cabstand. **ponto de vista** point of view. **ponto e vírgula (;)** semicolon. **ponto fraco** weakness. **ponto morto** dead center (car). **pontos cardeais** cardinal points. **pôr um ponto--final** put an end (to).

pontuação punctuation.

pontual punctual; precise.

pontualidade punctuality.

pontuar punctuate.

pontudo pointed, peaked; sharp-pointed; pricked.

população population; inhabitants; people.

populacho populace; crowds.

popular popular; public, common; pop (*inf.*).

popularidade popularity.

popularizar popularize.

pôquer poker game.

por by, for, from, per, to, through; by means of; on behalf of; by/in order of. ♦ **e assim por diante** and so on, and so forth. **por acaso** by chance. **por aí** thereabout. **por algum tempo** for a while. **por assim dizer** so to speak. **por atacado** wholesale. **por baixo** underneath. **por causa de** because of. **por enquanto** for the time being. **por escrito** in writing. **por exemplo** for example; e.g. **por extenso** in full. **por favor** please. **por fim** at last. **por mar** by sea. **por meio de** by means of. **Por nada!** Don't mention it. **por outro lado** on the other hand. **por si** per se, by oneself. **por volta de** around, about.

pôr place, put; lay, set; put on. ♦ **pôr a casa em ordem** tidy up. **pôr a culpa em** blame it on (somebody), put the blame on (somebody). **pôr a mesa** set the table. **pôr à prova** put to the test. **pôr as cartas na mesa** put one's cards on the table. **pôr à venda** put to sale. **pôr de lado** set aside. **pôr do sol** sunset. **pôr em funcionamento** install, put in motion. **pôr em ordem** put in order. **pôr em risco** risk. **pôr fim a** put an end to. **pôr fogo** set fire. **pôr no prego (penhorar)** pawn. **pôr no seguro** insure. **pôr ovos** lay eggs. → Weather

porão cellar, basement.

porca nut; sow. → Animal Kingdom

porção portion, part, piece; snack, bit; slice; share. ♦ **uma porção de** a lot of.

porcaria filthiness, nastiness; dirt, filth, rubbish.

porcelana porcelain; chinaware.

porcentagem percentage.

porco pig, swine. • dirty, filthy; obscene. ♦ **carne de porco** pork. **comer como um porco** pig out. **lançar pérolas aos porcos** cast pearls before swine. **porco-espinho** porcupine, hedgehog. → Animal Kingdom

porém but, yet; notwithstanding, nevertheless; however.

pormenor particularity; detail **pormenores** circumstances.

pornografia pornography.

pornográfico pornographic. ♦ **filme pornográfico** X-rated movie, pornographic movie.

poro pore. ♦ **suar por todos os poros** sweat all over. → Human Body

porosidade porosity.

porque because, since, as.

porquê cause, reason.

por quê why?, for what reason? ♦ **Por que não?** Why not?

porquinho-da-índia guinea pig. → Animal Kingdom

porre binge drinking. ♦ **tomar um porre** get drunk.

porrete club, stick.
porta door; entrance; gateway; access. ♦ **dar com a porta na cara de alguém** slam the door in someone's face. **de porta em porta** from door to door. **porta da rua** street door. **porta de emergência** emergency door. **porta de entrada** front door. **porta deslizante/corrediça** sliding door. **porta giratória** revolving door.
porta-aviões aircraft carrier.
porta-bagagens parcel rack.
portador carrier; messenger; bellboy; bearer.
porta-joias jewel case, jewel box.
portal portal; main door of a building; gate.
porta-luvas glove compartment.
porta-malas trunk, boot.
portanto therefore, hence, thus. • as, insofar as, inasmuch as.
portão gate, gateway; entrance, doorway.
portar carry. ***portar-se*** behave.
porta-retratos picture frame.
portaria entrance; reception desk; a governmental decree, order or regulation.
portátil portable; small.
porta-voz spokesperson.
porte transport fee, amount; carriage; bearing (appearance). ♦ **porte de arma** gun permit. **porte pago** post-paid.
porteiro doorman, doorkeeper; gatekeeper. → Professions → Deceptive Cognates
porto port, harbor. ♦ **porto seguro** haven.
Porto Rico Puerto Rico. → Countries & Nationalities
porto-riquenho Puerto Rican. → Countries & Nationalities
Portugal Portugal. → Countries & Nationalities
português Portuguese. → Countries & Nationalities
porventura by chance; possibly; perhaps.
porvir time to come, future.
pós post, after, behind. • post.
posar pose; sit for (as a model).
pose pose; posture; exposure (photo).
pós-escrito postscript (PS).
pós-graduado postgraduate.
posição position; attitude, posture; rank. ♦ **Ele está numa posição difícil.** He's in a fix. **ficar em posição de sentido** stand at attention. **posição social** standing, status, rank. **posição vantajosa** vantage ground. **tomar posição** take a stand.
positivo positive; evident, clear, definite; affirmative; assertive.
posologia dosage.
possante powerful, potent.
posse ownership. ***posses*** possessions, wealth, riches, property. ♦ **dar posse** invest (in office). **estar de posse de** be in possession of, be in receipt of. **homem de posses** man of means. **posse de um cargo** entrance into office. **tomar posse** take office.
posseiro owner.
possessão possession.
possessivo possessive. ♦ **pronome possessivo** possessive pronoun.
possibilidade possibility; contingency; chance, odds. ♦ **possibilidade remota** off chance.
possibilitar enable; allow.
possível possible; feasible. ♦ **É possível que...** It might be that... **fazer o possível** do one's best. **o mais cedo possível** as soon as possible. **Será possível?!** Is it possible?!
possivelmente possibly.
possuir possess; hold (property); own, have.
postal postcard. • postal. ♦ **caixa postal** PO box.
postar post, mail.
poste stake, post; mast. ♦ **poste de iluminação** lamppost.
pôster poster. → Furniture & Appliances
postergar postpone, put off.
posteridade posterity.
posterior posterior; later (in time); hinder.

postiço false, counterfeit; fake, artificial.
posto post; place, position; station; stand; office. • put; disposed, arranged. ♦ **em seus postos** on your marks. **posto avançado** outpost. **posto de gasolina** gas station. **posto de salvamento** lifeguard tower. **posto de saúde** health center. **posto policial** police station.
póstumo posthumous.
postura posture; attitude.
potável drinkable.
pote pot; vessel.
potência potency; might; power; strength; potence. ♦ **elevar à segunda potência** raise to the second power.
potencial potential. • potential, latent.
potencialmente potentially.
potente potent.
potro foal. → Animal Kingdom
pouca-vergonha shamelessness; immorality.
pouco little. • little, not much. *poucos* few. ♦ **antes pouco do que nada** half a loaf is better than no bread. **dentro de pouco tempo** in a short time, within a short time. **fazer pouco-caso** belittle. **Isso é pouco provável.** That is hardly probable. **nem um pouco** not at all. **Essa foi por pouco!** That was close! **pouca gente** few people. **poucas vezes** seldom, rarely. **pouco a pouco** little by little. **pouco-caso** disregard. **Pouco me importa.** I don't care a pin. **poucos dias depois** a few days later. **pouco tempo atrás** a short time ago. **tão pouco** so little.
poupança economy; savings. ♦ **caderneta de poupança** savings account.
poupar spare, save; preserve. ♦ **Poupe-me!** Spare me! **Poupe seu fôlego.** Save your breath.
pouquinho a little bit, trifle, snatch.
pousada inn, lodge.
pousar stop, stay; lodge; perch, repose; land (plane).
pouso resting place; landing (plane).
povo people; crowd; mob.
povoação settlement, village.
povoado settlement, village, place. • populated, populous.
povoar populate, settle, colonize.
praça square.
praga curse, malediction, damnation; imprecation; plague.
praguejar curse.
praia beach, seashore, coast.
prancha board. ♦ **prancha de surfe** surfboard. **prancha para neve** snowboard.
prancheta drawing board, clipboard.
pranto weep, wail. ♦ **em pranto** in tears.
prata silver. ♦ **bodas de prata** 50th anniversary. **prata de lei** sterling silver.
prataria silverware, silver jewelry.
prateleira shelf, rack.
prática practice; usage, custom; experience, skill. ♦ **pôr em prática** put into practice, apply. **sem prática** unskilled. **melhores práticas** best practices.
praticamente practically.
praticante practitioner, apprentice. • practicing, performing. ♦ **católico praticante** practicing Catholic.
praticar practice; put into practice, execute; exercise; train, drill. ♦ **praticar esporte** play sports. **praticar um crime** commit a crime.
praticável practicable, feasible, workable.
prático practical, down to earth; skilled, experienced. ♦ **não prático** impractical.
prato plate, dish; food, meal; cymbal. ♦ **pôr em pratos limpos** clear up a matter. **prato de entrada** starter. **prato de toca-discos** turntable. **prato fundo** soup plate. **prato raso** dinner plate. → Musical Instruments
praxe habit. ♦ **É de praxe.** It is the rule.
prazer pleasure, joy, satisfaction. ♦ **com prazer** with pleasure.

dar prazer a please. **Prazer em conhecê-lo.** Pleased to meet you.
prazo term, time, stated period; deadline. ♦ **em curto prazo** in the short run. **em longo prazo** in the long run. **a prazo** on account (installment). **comprar a prazo** buy on the installment plan. **prazo de entrega** time of delivery. **prazo de vencimento** term.
precariedade precariousness.
precário precarious, uncertain.
precaução precaution, care.
precavido precautious, wary.
prece prayer.
precedência precedence, priority.
precedente precedent. ♦ **sem precedentes** unexampled, unheard-of.
preceder precede, go before.
preceito precept; principle.
precioso precious, valuable.
precipício precipice, abyss.
precipitação precipitation; rainfall.
precipitar precipitate; hasten.
precisamente precisely.
precisão precision, exactness, accuracy.
precisar need; require. ♦ **precisa--se (de)** needed. **se preciso for** if required.
preciso precise; accurate; necessary.
preço price; cost. ♦ **a preço de banana** dirt cheap. **preço de custo** cost price. **a qualquer preço** at all costs. **congelamento de preços** price freeze. **lista de preços** price list. **pelo preço mais baixo** at the lowest price. **preço de lançamento** launching price.
precoce precocious.
preconceito prejudice. ♦ **preconceito sexual** sexism. **sem preconceito** unprejudiced. **ter preconceito contra alguém** have prejudice against someone.
preconceituoso prejudiced.
precursor forerunner, pioneer. • precursory; preliminary; anticipating.
predador predator.
pré-datar predate.
predatório predatory.
predestinação predestination; predetermination; fate, destiny.
predestinado predestined; fated.
predestinar predestinate; predestine.
predial predial. ♦ **imposto predial** house tax, building tax.
predicado quality, attribute; talent, faculty, aptitude; predicate.
predição prediction, prophecy.
predileto favorite.
prédio building, construction.
predispor predispose; prearrange.
predominância predominance.
predominante predominant.
predominar predominate, prevail.
predomínio predominance.
preencher fulfill, fill in; supply. ♦ **não preenchido** unfilled. **O cargo foi preenchido.** The position has been filled. **preencher um cheque** fill out a check.
pré-escola preschool.
pré-estreia premiere.
pré-fabricado prefabricated.
prefácio preface; foreword.
prefeito mayor.
prefeitura town hall, city hall.
preferência preference; choice, option. ***preferências*** likes and dislikes. ♦ **dar preferência a alguém** give (a) preference to someone. **de preferência** ideally.
preferencial preferential.
preferir prefer; select, opt; would rather. ♦ **Prefiro cerveja a vinho.** I would rather have beer than wine., I prefer beer to wine.
preferível preferable; better.
prefixo prefix. ♦ **prefixo do DDD** area code, dialing code.
pregador preacher; clothespin. • preaching.
pregar nail; fix, fasten, attach; preach. ♦ **Não pude pregar os olhos a noite inteira.** I could not sleep a wink all night. **pregar no deserto** cry out in the desert. **pregar uma peça em alguém** play a trick on someone. **pregar um botão** sew a button. **pregar um quadro na parede** nail a picture to the wall.

prego nail. ♦ **pôr no prego (penhorar)** pawn.
preguiça sluggishness, laziness; indolence; sloth (animal). → Animal Kingdom
preguiçoso lazybones; do-nothing. • lazy, idle, indolent, sluggish, slothful.
pré-histórico prehistoric.
prejudicar damage, jeopardize, hurt, impair, injure; harm.
prejudicial harmful.
prejuízo damage, impairment, harm, loss. ♦ **causar prejuízo** cause damage. **vender com prejuízo** sell to disadvantage. → Deceptive Cognates
preliminar preliminary.
prelo printing press, press.
prematuro premature.
premeditação premeditation.
premeditar premeditate, plan, scheme.
premiar reward; award a prize to.
prêmio reward, prize, award; payout. ♦ **prêmio de consolação** booby prize. **prêmio de seguro** insurance premium.
premissa premise, supposition.
premonição premonition.
prendedor fastener, clip. ♦ **prendedor de gravata** tiepin. **prendedor de roupa** clothes peg, clothespin.
prender fasten, tie, bind, fix; seize, grasp, grip; catch, capture; arrest; captivate, charm; attach; stick. ♦ **prender o ladrão em flagrante** catch the thief in the very act. **prender-se a alguém** be attached to somebody. **Prendi o dedo na porta.** I caught my finger in the door.
prenhe pregnant.
prenome first name; Christian name.
prensar press, compress, crush.
prenúncio presage, foretoken, sign; prediction; prognostic.
pré-nupcial antenuptial, premarital. ♦ **acordo pré-nupcial** prenuptial agreement, prenup (*inf.*).
preocupação concern, care, worry, anxiety.
preocupante worrying.
preocupar concern, bother. ***preocupar-se*** care about, worry.
preparação training; formation; preparation.
preparado prepared, ready; trained.
preparar prepare; make ready, provide, arrange; equip. ♦ **Preparei o caminho para ele.** I paved the way for him.
preparatório preparatory.
preparo preparation; training; education, refinement. ♦ **preparo físico** fitness.
preposição preposition.
prepotência prepotency.
prerrogativa prerogative.
presa prey; fang; tusk (of an elephant).
prescrever prescribe; assign; become void; fall into disuse.
prescrição prescription; precept; rule.
presença presence; appearance; demeanor; stature. ♦ **presença de espírito** presence of mind, wittiness. **ter boa presença** be presentable.
presenciar witness, observe, see.
presente present; present tense; gift. • present; current. ♦ **estar presente** be present. **no tempo presente** at the present time. **Presente!** Here! **presente de aniversário** birthday present. **presente de despedida** going-away present.
presentear present, offer as a gift.
preservar preserve; protect, guard, defend, save; keep, maintain.
preservativo condom. → Deceptive Cognates
presidência presidency; chairmanship. ♦ **ocupar a presidência** be in the chair.
presidencial presidential.
presidente president; chairman; CEO. → Professions
presídio prison; penitentiary, jail.
presidir preside, manage, direct, administer, coordinate.
preso prisoner, captive, jailbird. • captive, imprisoned, confined, arrested. ♦ **estar preso** be under

arrest. **fuga de presos** jailbreak **preso político** prisoner of state, political prisoner.
pressa haste, hurry, rush. ♦ **A pressa é inimiga da perfeição.** Haste makes waste. **às pressas** at full speed; in a hurry. **Estou com pressa.** I am in a hurry. **Não tenha pressa.** Take your time.
presságio presage, omen, augury.
pressão pressure; coercion; stress, strain. ♦ **colchete de pressão** press stud, popper. **exercer pressão sobre alguém** pressure somebody. **grupo de pressão/ interesse** lobby. **panela de pressão** pressure cooker. **pressão sanguínea** blood pressure. **sob pressão** under pressure.
pressentimento presentiment, hunch.
pressentir foresee, anticipate; surmise, suspect.
pressionar press, push, click.
pressupor take for granted; assume.
pressuposto presupposed, assumed. • presupposition.
prestação installment. ♦ **compra a prestação** hire purchase.
prestar render, give, perform; be useful, be good for. ***prestar-se*** be of service, be useful. ♦ **Isto não presta para nada.** It is good-for-nothing. **prestar atenção** pay attention. **prestar auxílio** assist. **prestar contas** account for. **prestar homenagem** pay homage, pay tribute. **prestar juramento** take an oath.
prestativo serviceable, useful, helpful.
presteza quickness; readiness, promptness.
prestidigitação prestidigitation.
prestidigitador prestidigitator, magician.
prestigiar give prestige to, esteem.
prestígio prestige, reputation, prominence.
préstimo utility, usefulness.
presumir presume, suppose, surmise, suspect; assume.
presumível presumable, probable.
presumivelmente presumably.
presunção presumption; guess; pride; self-conceit, arrogance.
presunçoso arrogant, proud, self-conceited.
presunto ham.
pretendente candidate. • claiming. ♦ **pretendente ao trono** pretender to the crown.
pretender claim, demand; aspire, wish; intend. → Deceptive Cognates
pretendido intended.
pretensão pretension.
pretensioso pretentious, arrogant.
pretenso assumed, supposed, alleged, presumed, so-called.
preterir slight, neglect.
pretérito past, the past tense.
pretexto pretext, excuse.
preto black; African-American. • black, dark.
prevalecer prevail, predominate.
prevaricar transgress.
prevenção prevention, precaution; warning.
prevenido advised, forewarned, cautious, wary.
prevenir prevent; forewarn, caution. ***prevenir-se*** be on one's guard. ♦ **É melhor prevenir do que remediar.** A stitch in time saves nine., Prevention is better than cure., Better safe than sorry.
prever foresee.
previamente previously.
previdência providence. ♦ **previdência social** social welfare.
previdente provident.
prévio previous, preceding, prior, former, foregoing, earlier. ♦ **aviso prévio** advance notice.
previsão forecast. ♦ **previsão do tempo** weather forecast.
prezado esteemed, dear. ♦ **prezados senhores** dear sirs; gentlemen.
prezar esteem, value, respect, honor, appreciate, hold dear, prize.
primário primary.
primavera spring, springtime; primrose (flower). → Weather

primeiro first, prime, foremost; main, chief; original; former, earliest. ♦ **à primeira vista** at first sight. **de primeira ordem** first-rate. **em primeiro lugar** first of all. **primeira-dama** first lady. **primeira vez** first time. **Primeiro Ministro** Prime Minister. **primeiro plano** foreground. **primeiro prêmio** first prize. **primeiros socorros** first aid.
primitivo primitive; original, early; simple.
primo cousin. • prime. ♦ **primo-irmão** first cousin.
primogênito first-born.
primordial primordial, original, prime, primitive.
princesa princess.
principal principal, main, essential, leading, chief.
príncipe prince.
principiante beginner, apprentice; rookie. • beginning, initial.
princípio beginning, start; principle. ♦ **em princípio** in principle **estabelecer um princípio** lay down a principle. **o princípio do fim** the beginning of the end. **por princípio** on principle.
prioridade priority, preference. ♦ **ter prioridade sobre** take priority over.
priorizar prioritize.
prisão prison, jail; capture, apprehension, imprisonment, seizure. ♦ **ordem de prisão** warrant of arrest. **prisão de ventre** constipation. **prisão perpétua** life imprisonment.
prisioneiro prisoner, captive.
prisma prism.
privação privation, want. *privações* hardships.
privacidade privacy.
privada toilet.
privadamente privately.
privado private, confidential, personal. ♦ **iniciativa privada** private enterprise.
privar deprive; prohibit, forbid. ♦ **privar-se de** abstain from, abnegate, deprive oneself.
privativo private.
privatizar privatize.
privilegiado privileged, favored.
privilegiar privilege; favor.
privilégio privilege, advantage, prerogative.
pró pro, in favor of. ♦ **prós e contras** pros and cons.
proativo proactive.
probabilidade probability, likelihood; chance. ♦ **contra todas as probabilidades** against all odds.
problema problem, malfunction, trouble.
problemático problematic(al).
procedência origin, source.
procedente proceeding, derived; descended; logical.
proceder proceed; come, arise from; result, originate; execute, implement.
procedimento proceeding, procedure; behavior, conduct. ♦ **mau procedimento** misconduct.
processador processor. ♦ **processador de eventos** event handler. **processador de texto** word processor.
processamento processing. ♦ **processamento de dados** data processing. **processamento de mala direta** mail merge. **processamento em lotes** batch processing. **processamento numérico** number crunching. **unidade central de processamento** Central Processing Unit (CPU).
processar process; sue, prosecute, take action (against).
processo process, legal proceedings, lawsuit; method, procedure; course, cycle. ♦ **processo civil** civil suit. **processo de fabricação** manufacturing process.
procissão procession.
proclamação proclamation.
proclamar proclaim, declare; announce.
procura search, pursuit; demand. ♦ **oferta e procura** supply and demand. **Procura-se!** Wanted!
procuração power of attorney; proxy.
procurado sought-after, wanted.

procurador procurator, attorney, proxy. ♦ **procurador-geral** attorney general.
procurar look for, seek, search; try, attempt; endeavor; quest. ♦ **procurar emprego** look for a job. **procurar sarna para se coçar** look for trouble. → Deceptive Cognates
prodígio prodigy; marvel, wonder.
prodigioso prodigious; wonderful.
pródigo prodigal; lavish, extravagant.
produção production; making of; produce; output. ♦ **linha de produção** assembly line. **produção em série** mass production.
produtivo productive, generative, profitable.
produto product; produce; output, yield. ♦ **produto acabado** or **produto final** end product. **Produto Interno Bruto (PIB)** Gross Domestic Product (GDP). **subproduto** by-product.
produtor producer, manufacturer. • productive.
produzir produce; cause, effect; manufacture; make.
profanar profane.
profano profane; worldly, unholy.
profecia prophecy, prediction.
proferir pronounce, utter, speak, say. ♦ **proferir um discurso** make a speech.
professor teacher, instructor. ♦ **professor catedrático** professor. **professor particular** tutor; private teacher. → Classroom → Professions
professorado professorship, teaching staff, faculty.
profeta prophet.
profético prophetic.
profetizar prophesy, predict, foretell.
proficiência proficiency, skill.
proficiente proficient.
profilaxia prophylaxis.
profissão profession; occupation; career. ♦ **profissão de fé** profession of faith.
profissional professional. ♦ **perspectivas de ascensão profissional** career prospects.
profundidade depth.
profundo deep; intense. ♦ **silêncio profundo** deep silence. **em sono profundo** sound asleep.
prognosticar prognosticate, foretell, predict.
prognóstico omen, presage, prediction; prognosis.
programa program(me), schedule, plan. ♦ **garota de programa** call girl. **programa de computador** software. **programa de computador compartilhado** shareware. **programa de governo** government program. **programa gratuito** freeware. **programa de televisão** telecast, TV show.
programação programming.
programador programmer. → Professions
programar program(me), plan.
progredir progress, proceed, advance; improve. ♦ **progredir na vida** get on in life.
progressão progression; progress, progressing, advance. ♦ **progressão aritmética** arithmetic progression. **progressão geométrica** geometric progression.
progressista progressist, progressionist. • progressive.
progressivo progressive, advancing; gradual.
progresso progress; advancement; improvement; growth, development. ♦ **fazer progresso** make inroads.
proibição prohibition; ban.
proibido prohibited, forbidden.
proibir prohibit, forbid.
projeção projection, plan. ♦ **de grande projeção** prominent. **sala de projeções** projection room.
projetar project; throw, cast; design, scheme, plan; sketch.
projétil projectile, missile, bullet. ♦ **projétil teleguiado** guided missile.
projetista designer. → Professions
projeto project; plan, blueprint, scheme; sketch. ♦ **em projeto** in plan. **fazer um projeto** draw up a plan. **projeto auxiliado por computador** computer-aided

design (CAD). **projeto de banco de dados** database design. **projeto de lei** bill.
projetor projector.
prol advantage, benefit. ♦ **em prol de** in favor of, on behalf of.
prole offspring, progeny.
proletariado proletariat.
proletário proletarian; wage earner.
proliferação proliferation.
proliferar proliferate, reproduce.
prolixo prolix, diffuse; tedious.
prólogo prologue, introduction.
prolongar prolong, lengthen, extend.
promessa promise. ♦ **Promessa é dívida.** A promise is a debt.
prometer promise, pledge. ♦ **Prometo!** You have my word!
prometido promised. ♦ **Terra Prometida** Promised Land.
promíscuo promiscuous, indiscriminate, mixed.
promissor promising.
promoção promotion. ♦ **promoção (de venda)** sales promotion.
promotor promoter, sponsor. • promoting, promotive. ♦ **promotor público** prosecutor, district attorney. → Professions
promover promote; foster.
pronome pronoun.
prontamente promptly.
prontidão promptness, readiness. ♦ **de prontidão** on the alert.
prontificar make ready, prepare. ***prontificar-se*** volunteer, offer oneself.
pronto ready; done, prompt, prepared. ♦ **de pronto** promptly. **estar pronto para** be prepared to, be ready to.
pronto-socorro emergency room.
prontuário dossier, record.
pronúncia pronunciation.
pronunciar pronounce. ♦ **pronunciar errado** mispronounce. **pronunciar uma sentença (julgamento)** render a verdict.
propagação propagation, diffusion.
propaganda advertising, advertisement, ad, publicity. ♦ **fazer propaganda de** advertise. **propaganda política** propaganda.
propagar propagate; diffuse, spread, scatter.
propensão propensity, tendency.
propenso propense, inclined; prone.
propiciar propitiate; promote; provide.
propício propitious, promising; suitable.
propor propose, suggest, recommend.
proporção proportion; rate. ♦ **à proporção que** as.
proporcional proportional, proportionate.
proporcionar provide; supply.
proposição proposition.
proposital deliberate, willful.
propósito purpose; aim. ♦ **a propósito** by the way. **de propósito** on purpose, purposely. **fora de propósito** pointless.
proposta proposal, offer, bid. ♦ **fazer proposta de casamento** propose, pop the question. **fazer uma proposta** make an offer.
propriedade real estate, property. ♦ **direitos de propriedade** property rights. **propriedade coletiva** common land.
proprietário proprietor, owner. ♦ **proprietário de terras** landowner.
próprio proper; peculiar; private, own; suitable; right; self, personal. ♦ **É o próprio.** The one and only.
propulsão propulsion. ♦ **propulsão a jato** jet propulsion.
prorrogar prorogue, postpone, put off.
prorrogável postponable.
prosa prose; talk, chatter.
prosaico prosaic, commonplace.
proscrito outlaw. • outlawed.
prosperar prosper, thrive, flourish; become successful.
prosperidade prosperity, success.
próspero prosperous, successful. ♦ **Um próspero Ano-Novo!** A prosperous New Year!
prosseguimento pursuit.

prosseguir follow, continue, proceed; go on, carry on, pursue, go ahead.
próstata prostate. → Human Body
prostíbulo whore house.
prostituição prostitution.
prostituir prostitute.
prostituta prostitute; whore, hooker (*inf.*).
prostrar prostrate; humiliate; weaken; throw down.
protagonista protagonist.
proteção protection, safeguard; buffer; support; security; safeguard; shelter, cover, care. ♦ **proteção contra gravação** write protection. **proteção por senha** password protection. **sob minha proteção** under my protection.
proteger protect; defend; support, guard, shield; safeguard.
protegido protected, favored, sheltered.
proteína protein.
protelar delay, postpone.
protestante Protestant.
protestar protest; march against; object; contradict.
protesto protest; disapproval; objection. ♦ **protesto por falta de pagamento** protest for nonpayment.
protetor protector, buffer; supporter, guardian. • protective; defensive; shielding.
protocolo protocol; ceremony; register, record. ♦ **quebrar o protocolo** break the rules.
protótipo prototype, model, pattern.
protuberância protuberance, bulge.
prova proof; experiment, trial; test; demonstration; evidence. ♦ **à prova d'água** waterproof. **à prova de fogo** fireproof. **como prova de minha amizade** as a token of my friendship. **pôr à prova** put to the test. **prova escrita** written test. **prova oral** oral test.
provação trial; affliction, hardship.
provar prove; try, experiment; test, check, verify; taste; try on (clothes).
provável probable, likely. ♦ **o mais provável é que** chances are that, odds are that.
provavelmente probably, likely.
provedor provider.
proveito profit, advantage, benefit. ♦ **Bom proveito!** Enjoy it! **em proveito de** for the benefit of. **fazer proveito de** make good use of.
proveitoso profitable, advantageous.
proveniente deriving from, coming from.
prover provide, furnish, supply (with).
provérbio proverb, saying.
providência Providence; God; providence, foresight; precaution; provision, arrangements. ♦ **tomar as providências necessárias** take the necessary steps.
providenciar provide, make arrangements for, take preventive measures; arrange, prepare.
província province; region; district
provisão provision; supply, store; stock.
provisório temporary, transitory.
provocação provocation; affront; challenge.
provocar provoke; affront; defy; challenge.
proximidade proximity; nearness; vicinity; closeness. ***proximidades*** surroundings, neighborhood.
próximo fellow man; neighbor. • next; up coming, impending, forthcoming. • near, close.
prudência prudence; caution.
prudente prudent, careful.
pseudônimo pseudonym.
psicanálise psychoanalysis.
psicanalista psychoanalyst. → Professions
psicodélico psychedelic.
psicologia psychology.
psicológico psychological.
psicólogo psychologist. → Professions
psicopata psychopath. • psychopathic.
psicossomático psychosomatic.
psicoterapia psychotherapy.
psicótico psychotic.
psique psyche, soul, spirit, mind.

psiquiatra psychiatrist.
→ Professions
psiquiatria psychiatry.
psíquico psychic.
puberdade puberty.
publicação publication.
♦ **publicação de mídia digital** podcasting.
publicamente publicly.
publicar publish; announce.
publicidade publicity; advertisement; advertising.
público public; state-owned.
• audience. ♦ **funcionário público** civil servant. **promotor público** prosecutor. **público-alvo** target audience. **tornar público** make known.
pudim pudding.
pudor chastity; shyness. ♦ **atentado ao pudor** indecent assault. **sem pudor** shameless.
pufe pouf pouff. → Furniture & Appliances
pugilismo pugilism, boxing.
→ Sports
pugilista pugilist, boxer.
pular leap, jump; spring. ♦ **pular corda** jump rope. **pular de alegria** jump for joy.
pulga flea. ♦ **estar com a pulga atrás da orelha** smell a rat; be uneasy or suspicious.
→ Animal Kingdom
pulmão lung. → Human Body
pulmonar pulmonary.
pulo jump, leap, skip. ♦ **aos pulos** by leaps. **dar um pulo** take a leap. **levantar-se num pulo** jump to one's feet.
pulsação pulsation; pulse.
pulsar pulsate, pulse.
pulseira bracelet.
pulso pulse; wrist; strength, vigor.
♦ **a pulso** by force. **de pulso (forte)** strong, firm, energetic. **pulso fraco** weak pulse. **tomar o pulso** feel the pulse. → Human Body
pulverizar pulverize; spray; destroy.
puma panther, cougar. → Animal Kingdom
punhado handful; bunch; a few.
punhal dagger.
punhalada stab.
punho fist; wrist; cuff (of a shirt).
♦ **de próprio punho** in one's own handwriting. **punho cerrado** clenched fist. → Human Body
punição punishment; penalty.
punir punish.
pupila pupil. → Human Body
pupilo pupil, ward.
puramente purely.
pureza pureness, purity; innocence.
purgante purgative, laxative.
purgatório purgatory.
purificação purification.
purificar purify, clean; clear.
puritano Puritan. • puritan, prudish.
puro pure; clear; clean; blameless; innocent; genuine. ♦ **pura e simplesmente** just, simply. **uísque puro** straight whiskey.
puro-sangue thoroughbred.
púrpura purple.
pus pus. ♦ **formar pus** suppurate, fester.
putrefação putrefaction, decomposition, corruption.
Puxa! Why!, Now!, Gee!
puxão pull, tug. ♦ **puxão de orelhas** slap on the wrist.
puxar pull, draw, haul, drag, tug.
♦ **Ela puxou ao pai.** She took after her father. **puxar conversa** start a conversation. **puxar o gatilho** pull the trigger. → Deceptive Cognates
puxa-saco cajoler, flatterer; bootlicker.

Q, q the seventeenth letter of the Portuguese alphabet.
quadra square; block; court.

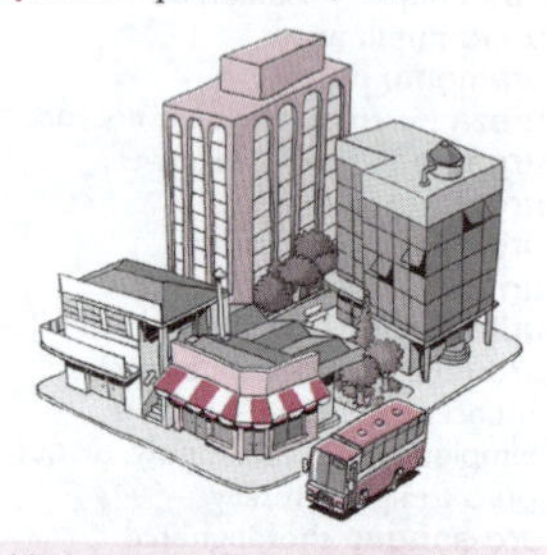

block

court

quadrado square. • square. ♦ **metro quadrado** square meter. **raiz quadrada** square root.
quadragésimo fortieth. → Numbers
quadrante quadrant.
quadratura quadrature.
quadriculado checkered. ♦ **papel quadriculado** graph paper.
quadricular checkered. • divide in squares.
quadril hip. → Human Body
quadrilátero quadrilateral; four-sided polygon. • four-sided.
quadrilha gang, band.
quadro box; picture; painting; portrait; board, panel; list. ♦ **quadro a óleo** oil painting. **quadro branco** whiteboard. **quadro de avisos** noticeboard, bulletin board. **quadro de diálogo** dialog box. **quadro de funcionários** staff, personnel. **quadro-negro** blackboard. → Classroom → Furniture & Appliances
quadrúpede quadruped, four-footed.
qual which, that one, such as, who, whom, that. • how, as. ♦ **cada qual** each one. **Qual deles?** Which of them?, Which one? **Qual nada!** Of course not!, Not at all! **seja qual for** whatever it may be, whichever it may be. **tal e qual** just as, just like.
qualidade quality. ♦ **na qualidade de** in one's capacity as. **de qualidade** of quality.
qualificação qualification.
qualificado qualified, skilled. ♦ **não qualificado** unskilled.
qualificar qualify; classify; consider.
qualitativo qualitative.
qualquer any (person, thing or part), some, a, an, every; either (in two), whatever; certain. • any (person or thing), either (one), each, everyone. ♦ **a qualquer hora** any time. **de qualquer jeito**

anyway. **de qualquer maneira** by any means, at all. **em qualquer lugar** anywhere. **qualquer dia** any day. **qualquer pessoa** anybody. **qualquer que seja** whatever it is, no matter which. **qualquer um** anyone, anybody.
quando when, how soon? • when; at which; as soon as, as; at the time that, while. ♦ **de quando em quando** or **de vez em quando** occasionally, now and then. **Desde quando?** Since when? **quando menos se espera** quite unexpected, when you least expect it.
quantia sum, amount; quantity.
quantidade quantity. ♦ **em quantidade** in heaps. **uma grande quantidade de** a great deal of; a great amount of.
quantitativo quantitative.
quanto how much, all that, as much as, as to. ***quantos*** how many. ♦ **quanto a isso** for that matter. **quanto a mim** as for me. **Quanto mais trabalha, menos ganha.** The more he works, the less he earns. **tanto quanto** as much as. **tudo quanto** everything that, all that.
quão how, as.
quarenta forty. → Numbers
quarentão quadragenarian, a forty-year-old person.
quarentena quarantine. ♦ **de quarentena** quarantined, in quarantine.
quaresma Lent.
quark quark.
quarta-de-final quarterfinal.
quarta-feira Wednesday. ♦ **Quarta--feira de cinzas** Ash Wednesday.
quarteirão block.
quartel barracks. ♦ **quartel-general** (general) headquarters.
quarteto quartet.
quarto the fourth part, a quarter; room. ♦ **quarto crescente** crescent moon, first-quarter moon. **quarto de casal** double bedroom. **quarto de despejo** lumber room. **quarto de hóspedes** guest room. **quarto de solteiro** single room. **quarto e comida** room and board. **quarto minguante** last-quarter moon, waning moon. → Numbers
quartzo quartz.
quase almost, near(ly), closely; hardly. ♦ **quase nada** next to nothing. **quase nunca** almost never, hardly ever. **quase sempre** almost always, nearly always. **quase tão alto** about as high.
quatorze fourteen. → Numbers
quatro four. → Numbers
quatrocentos four hundred. → Numbers
que what? which? • what, how. • that, which, who, whom, what; what? which? • as; for; than; that. ♦ **de maneira que** so that. **O que há de novo?** What's new? **Que é que há?** What's the matter?, What's up? **Que horas são?** What time is it? **Que pena!** What a pity!
quê letter Q; anything, something; difficulty, obstacle. ♦ **Não há de quê.** It's nothing. **Para quê?** What for? **Por quê?** Why? **Quê!** Why! **um certo quê** a certain something.
quebra break(age), breaking; fracture; interruption. ♦ **de quebra** in the bargain. **quebra de página** page break. **quebra-quebra** fight, quarrel, riot.
quebra-cabeça puzzle.
quebradiço fragile; frail, brittle.
quebrado fraction. • broken; out of order; tired; bankrupt. ***quebrados*** small change (money).
quebra-nozes nutcracker.
quebrar break; shatter; violate, transgress; go bankrupt. ***quebrar--se*** break; split, cleave. ♦ **quebrar a palavra** break one's word. **quebrar o recorde** break the record.
quebra-vento windbreak.
queda fall; decadence; downfall; destruction; drop; tendency, inclination, bent. ♦ **Ele tem queda para a música.** He has a bent towards music. **queda-d'água** waterfall. **queda de cabelo** hair loss. **queda de voltagem** brownout. **queda nos preços** drop in prices.

queijo cheese. ♦ **Ele está com a faca e o queijo na mão.** He has the upper hand. **queijo fresco** soft cheese. **queijo parmesão** Parmesan cheese. **queijo ralado** grated cheese.
queima burning; bargain sale. ♦ **à queima-roupa** point-blank, at close range. **queima de fogos** fireworks.
queimada forest fire; dodge ball (game).
queimado burnt.
queimadura burn. ♦ **queimadura de sol** sunburn.
queimar burn, char, damage by fire. ***queimar-se*** injure oneself by fire. ♦ **queimar as pestanas** study hard. **queimar-se pela geada** freeze, be frostbitten.
queixa complaint; formal accusation, charge. ***queixar--se*** complain; lament; protest; grumble. ♦ **prestar queixa de** press charges against.
queixo chin. → Human Body
queixoso complaining, plaintive.
quem who; whom; anybody who. ♦ **como quem diz** meaning. **de quem** whose; of whom, from whom. **há quem diga** it is said, it is reported. **Quem de vocês?** Which of you? **quem quer que seja** whoever it is. **Quem sabe?** Who knows?
Quênia Kenya. → Countries & Nationalities
queniano Kenyan. → Countries & Nationalities
quente hot; warm. ♦ **pôr panos quentes** mollify, pacify, appease.
quentura warmth, heat.
quer or; whether ♦ **o que quer que** whatever. **quer ele queira, quer não** whether he wants it or not. **quer... quer...** either... or... **quer sim, quer não** whether yes or no.
querer wish, will, desire, affection, fondness; intention. • wish (for), want, desire; intend. ♦ **como queira** as you like, as you wish. **Faça como quiser.** Do as you like. **Quando um não quer, dois não brigam.** It takes two to make a quarrel., It takes two to tango. **Queira Deus!** Please God! **Quem tudo quer, tudo perde.** Grasp all, lose all. **Querer é poder.** Where there's a will, there's a way. **sem querer** unintentionally.
querido darling, dear, beloved.
querosene kerosene.
quesito inquiry, query, question.
questão question; inquiry; matter. ♦ **Eis a questão.** That's the point. **fazer questão de** insist on, make a point of. **questão de honra** matter of honor. **questão de opinião** a matter of opinion. **questão de tempo** matter of time. **uma questão de gosto** a matter of taste. **uma questão de hábito** a matter of habit. **uma questão de vida ou morte** a life and death situation.
questionar question; discuss.
questionário questionnaire.
questionável questionable; disputable.
quiabo okra, gumbo. → Vegetables
quiçá perhaps, maybe; possibly.
quieto quiet, still; placid.
quietude quietude; peacefulness, calmness, stillness.
quilate carat.
quilha keel; bottom; hull.
quilo(grama) kilo(gram).
quilometragem a distance measured in kilometers.
quilômetro kilometer.
quilowatt kilowatt.
química chemistry.
químico chemist. • chemical.
quimono kimono.
quina edge (as of a table top), corner; five (cards).
quinhão portion, quota; share.
quinhentos five hundred. ♦ **Isso são outros quinhentos.** This is a whole other story. → Numbers
quinquagésimo fiftieth. → Numbers
quinquilharias gewgaws; trifle.
quinta-feira Thursday. ♦ **Quinta--feira Santa** Maundy Thursday.
quintal yard, backyard.

quinto fifth, quint. • fifth.
➔ Numbers
quíntuplo quintuple, fivefold.
quíntuplos quintuplets.
quinze fifteen. ➔ Numbers
quinzena fortnight.
quinzenal fortnightly, once a fortnight.
quiromante fortune-teller.
quisto cyst, wen.
quitanda greengrocery.
quitandeiro greengrocer.
quitar quits; exempt.
quite quit, free (from obligations), even. ♦ **admitir que as coisas estão quites** cry quits, call it even. **estar quite com alguém** be quits/even with somebody.
quitinete studio (apartment).
quociente quotient. ♦ **quociente de inteligência (QI)** intelligence quotient (IQ).
quórum quorum.

R, r the eighteenth letter of the Portuguese alphabet.
rã frog. → Animal Kingdom
rabanete radish. → Vegetables
rabicó tailless.
rabino rabbi.
rabiscado scrawly.
rabiscar doodle; scribble, scrawl.
rabisco doodle; scribble, scrawl.
rabo tail. ♦ **Falando do diabo aparece o rabo.** Talk of the devil and he is sure to appear. **com o rabo entre as pernas** with one's tail between one's leg. **rabo de cavalo** ponytail.
rabugento morose, ill-humored, sullen, grumpy.
raça race; generation; origin, descent; species; pedigree. ♦ **raça humana** mankind. **de raça** pure-blooded, thoroughbred. **na raça** with might and main.
ração ration; pet food, dog food.
rachado chapped.
rachadura fissure, crack; split, cleaving.
rachar split, cleave. ♦ **Ou vai ou racha.** It's sink or swim.
racial racial. ♦ **preconceito racial** racial prejudice.
raciocínio reasoning; thought; judgment; argumentation. ♦ **raciocínio analítico** analytic(al) reasoning. **raciocínio analógico** analogical reasoning. **raciocínio linear** linear reasoning. **raciocínio sintético** synthetic(al) reasoning.
racional rational; reasonable.
racionalismo rationalism.
racionalizar rationalize; reason.
racionamento rationing.
racionar ration.
racismo racism.
radar radar.
radiação radiation.
radiador radiator. → Furniture & Appliances
radialista broadcaster.
radiante radiant, brilliant, overjoyed. ♦ **radiante de alegria** flushed with joy.
radical radical.
radicalismo radicalism.
radicar radicate, take root; root, settle down.
rádio radium (radioactive element); radio. ♦ **estação de rádio** broadcasting station. **transmissão de rádio** broadcast.
radioatividade radioactivity.
radioativo radioactive.
radiodifusão broadcasting.
radiografar X-ray.
radiologia radiology.
rafting whitewater rafting. → Sports
raia line, frontier, border; ray. ♦ **chegar às raias de** be close to. → Animal Kingdom
raiar break (the day), dawn; stripe, streak. ♦ **raiar do dia** daybreak, peep of dawn.
rainha queen.
raio ray, beam; thunderbolt, lightning; radius (of a circle or a sphere). ♦ **como um raio** like a streak of lightning. **raio de ação** sphere of action. **raio de sol** sunbeam. **Raios o partam!** God damn it!, Damn it!,

raio X X-ray. **raio de esperança** gleam of hope. → Weather

beam/ray

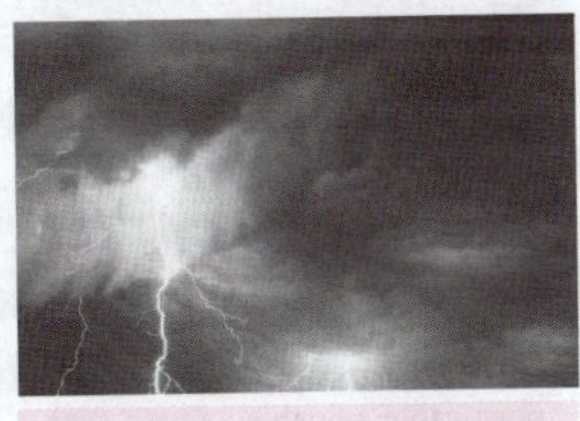
thunderbolt

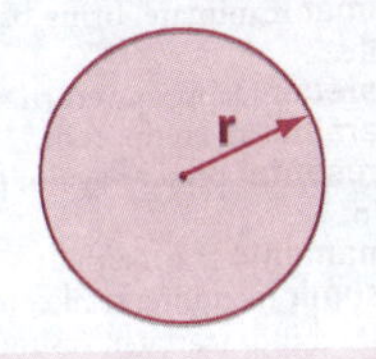

radius

raiva anger, rage, fury; rabies.
raivoso angry, furious, enraged.
raiz root; base; bottom; origin. ♦ **até a raiz dos cabelos** up to the ears. **cortar (o mal) pela raiz** root out. **raiz cúbica** cube root. **raiz forte** horseradish. **raiz quadrada** square root.
rajada gust, squall, blast (of wind). ♦ **rajada de metralhadora** burst of machine gun.
rajado striped, streaked.
ralador grater.
ralar grate, rasp.
ralé rabble; underdog.
ralhar scold, rail.
ramal extension line (telephone).
ramalhete bunch of flowers, bouquet.
ramificação ramification; branch, offshoot.
ramificar divide into branches, ramify; subdivide. ***ramificar-se*** branch off.
raminho twig.
ramo branch; bunch; field, area. ♦ **Domingo de Ramos** Palm Sunday. **ramo de negócio** line of business.
rampa ramp, slope.
rancor resentment. ♦ **sem rancor** unresentful. **ter rancor de** bear someone a grudge.
rancoroso rancorous, resentful.
rançoso rancid; musty.
ranger grind, creak. ♦ **ranger os dentes** grind one's teeth. → Deceptive Cognates
ranhura groove; notch; slot.
ranzinza sullen, sulky; ill-humored.
rapaz boy, guy, lad; young man, fellow, chap.
rapazinho little boy, kid.
rapel rappel. → Sports
rapidamente quickly, rapidly.
rapidez quickness; swiftness.
rápido rapid, quick, swift; speedy.
rapina rapine, robbery. ♦ **ave de rapina** bird of prey.
raposa fox. → Animal Kingdom
raptar abduct; kidnap.
rapto abduction; kidnapping.
raptor abductor, kidnapper. • abducting.
raquete racket.
raramente scarcely, rarely
rarefazer rarefy; make thin, rare or scarce. ***rarefazer-se*** become scarce.
rarefeito rarefied, less dense, tenuous.
raridade rarity; unusualness; singularity.
raro rare, unusual; scarce; small in number.
rasante low ♦ **voo rasante** low flight.
rascunhar sketch, outline.
rascunho draft, sketch; rough copy.

rasgar tear. ♦ **rasgar em pedaços** tear into pieces.
rasgo rip, tear; split; scratch.
raso level; flat, shallow, plain. ♦ **soldado raso** private.
raspa scraping.
raspadeira scraper; rasp.
raspão scratch. ♦ **pegar de raspão** graze.
raspar scrape, scratch.
rasteira trip, the act of tripping a person up.
rasteiro creeping, crawling.
rastejador searching, trailing; tracing.
rastejar trace, track; follow the track, pursue; crawl, creep.
rastrear trace, track; trace down, pursue; investigate.
rastro trace, track, vestige.
rasura erasure.
rasurar erase.
ratear divide proportionally; apportion.
rateio apportionment; share.
ratificação ratification, confirmation.
ratificar ratify; confirm.
rato mouse, rat. ♦ **rato de biblioteca** bookworm. ➔ Animal Kingdom
ratoeira mousetrap.
razão reason, reasoning; justice; rate, proportion. ♦ **à razão de** at the rate of. **com toda razão** with good reason. **Ele tem razão.** He is quite right. **em razão de** on account of. **sem razão** reasonless.
razoável reasonable, sensible.
ré female criminal; re, D, the second musical note. ♦ **marcha à ré** reverse (gear).
reabastecimento replenishment, restocking.
reabertura reopening.
reabilitar rehabilitate. ***reabilitar-se*** become well again, be on the mend; regenerate.
reação reaction. ♦ **reação em cadeia** chain reaction. **reação nuclear** nuclear reaction.
reacionário reactionary.
readmitir readmit, accept again.
readquirir reacquire; recover, regain.
reafirmar reaffirm, reassert.
reagente reagent. • reactive.
reagir react; answer; resist.
reagrupar regroup, reassemble.
reajustar readjust, rearrange.
reajuste readjustment, rearrangement.
real reality, fact. • real, actual, factual; genuine; royal, regal, kingly.
realçar give importance to, enhance, highlight, emphasize.
realce distinction, highlight.
realeza royalty, regality; kingship.
realidade reality, actuality, fact; truth. ♦ **enfrentar a realidade** face reality. **na realidade** as a matter of fact, in fact, actually.
realismo realism.
realista realist. • realistic.
realização accomplishment, fulfillment.
realizar accomplish; consummate; transact. ***realizar-se*** happen, take effect, take place. ➔ Deceptive Cognates
realizável accomplishable, feasible, practicable, possible.
realmente really; royally.
reanimar reanimate, bring back to life.
reaparecer reappear, return.
reaparelhar re-equip, refit.
reapresentar present again, play again.
rearmamento rearmament.
reassumir reacquire; retake, recover.
reatar rebind, reattach; resume. ♦ **reatar um relacionamento** get back together.
reativar reactivate, revive.
reator reactor. • reacting.
reavaliar revalue.
reaver get back; recover; retrieve.
reavivar revive (memories); recall; stimulate.
rebaixamento lowering; reduction; relegation (soccer).
rebaixar lower, degrade; relegate (soccer). ***rebaixar-se*** debase oneself; humiliate oneself.
rebanho flock of sheep, herd of cattle; drove; congregation.
rebater strike again; repel; refute.
rebatida counter-attack (enemy); refutation, disproof.

rebelar rebel, revolt. ***rebelar-se*** stand up against, rise against.
rebelde rebel, insurgent. • rebel, revolutionary.
rebeldia rebellion, insurrection, revolt; opposition; obstinacy.
rebelião rebellion, revolt; mutiny.
rebentação breaking of waves, surf.
rebentar burst, split open; blow up, explode. ♦ **rebentar de riso** burst out laughing.
rebite rivet.
rebocador tug, towboat. • towing; plastering.
rebocar plaster, coat with stucco; tow.
reboco plaster.
rebolado swing; sway. ♦ **perder o rebolado** be disconcerted.
rebolar roll; shake the hips, swing, sway.
reboque tow; plaster, roughcast. ♦ **a reboque** in tow.
rebote rebound.
rebuscar search thoroughly; refine, perfect.
recado message. ♦ **deixar recado** leave a message, leave word. **mandar recado** send word. **menino de recados** bellboy, messenger.
recaída relapse. ♦ **sofrer uma recaída** relapse.
recair fall back; befall; relapse.
recalcado repressed; consolidated (soil).
recalcar repress; consolidate (soil).
recalcular recalculate, recount.
recalque repression; consolidation (soil).
recanto corner; hiding place; retreat.
recapitulação recapitulation.
recapitular recapitulate; repeat, review.
recapturar recapture, recover, reclaim.
recarregar reload, recharge.
recatado modest, demure; moderate.
recauchutar refurbish, retread (tires).
recear fear, be apprehensive.
recebedor receiver; collector. • receiving; collecting.
receber accept, take, get; receive; welcome. ♦ **receber a comunhão** commune. **receber em troca** get in return.
recebimento receiving; reception; receipt; admission. ♦ **acusar o recebimento de** acknowledge receipt of.
receio fear; apprehension. ♦ **sem receio** fearless.
receita income, revenue; recipe; prescription. ♦ **livro de receitas** cookbook. **Receita Federal** Internal Revenue Service (IRS). **receita pública** public revenue.
receitar prescribe (a medicine); advise, counsel.
recém freshly, newly.
recém-casado newly married, newlywed, just married.
recém-chegado newcomer. • newly arrived; fresh.
recém-nascido a newborn baby. • newborn.
recenseador census taker. • registering, polling.
recenseamento census; survey.
recensear take a census, poll; survey, verify.
recente recent; modern.
recentemente newly, recently.
receoso afraid, fearful.
recepção reception; receipt. ♦ **recepção cordial** warm welcome.
recepcionar receive guests, entertain, throw a party.
receptador fence. • receiving; fencing.
receptar receive; conceal (stolen goods).
receptividade receptivity.
receptor receiver; receptor. ♦ **receptor de alta qualidade** high fidelity (hi-fi) receiver.
recessão recession.
recessivo recessive.
recesso recess; corner, niche, retreat.
rechaçar repel, repulse; throw back, fight off; oppose; refute.
recheado stuffed, filled; full, replete.
rechear stuff, fill with seasoning. ♦ **rechear um frango** stuff a chicken.
recheio stuffing; filling.

recibo receipt, voucher. ♦ **dar recibo** give a receipt.
reciclagem recycling. ♦ **reciclagem do lixo** waste recycling.
reciclar recycle.
recife reef. ♦ **recife de coral** coral reef.
recipiente recipient; receiver; vessel. • recipient.
reciprocidade reciprocity.
recíproco reciprocal; mutual.
recital recital, concert.
recitar recite, declaim.
reclamação complaint.
reclamar object; protest, complain.
reclinar lean back, recline. ***reclinar-se*** rest.
recluso recluse, solitary.
recobrar recover, recuperate; regain, retrieve. ***recobrar-se*** be restored to health, cheer up. ♦ **recobrar a saúde** be on the mend, recover, rally. **recobrar as forças** gather strength. **recobrar os sentidos** recover one's senses.
recolher pick up, collect. ***recolher-se*** seek refuge; retire, go to bed.
recolocar put back, restore.
recomeçar restart; resume, continue; start over; reset.
recomeço recommencement, fresh start.
recomendação recommendation; advice, suggestion. ***recomendações*** greetings, compliments, regards. ♦ **carta de recomendação** letter of recommendation or introduction.
recomendar recommend.
recompensa reward.
recompensar reward, indemnify, repair.
recompor recompose; renew, reorganize; reconcile, harmonize.
reconciliação reconciliation, reconcilement.
reconciliar reconcile, make up; establish peace.
reconduzir lead back, return, reconduct.
reconfortante comforting; restorative; reassuring.
reconhecer recognize; acknowledge, admit; distinguish. ♦ **reconhecer a paternidade** acknowledge one's parenthood. **reconhecer o erro** see one's mistake. **reconhecer sua culpa** confess one's fault.
reconhecimento recognition; acknowledgement. ♦ **em reconhecimento a** in recognition of.
reconquista reconquest.
reconquistar reconquer, regain.
reconsideração reconsideration; second thoughts.
reconsiderar reconsider, reassess, rethink.
reconstituir reconstitute; recompose; rebuild.
reconstrução reconstruction, rebuilding, reorganization.
reconstruir reconstruct, rebuild, reorganize.
recontar recount.
recordação remembrance, reminiscence, memory.
recordar remember, recall.
→ Deceptive Cognates
recorde record. ♦ **bater um recorde** break a record. **deter um recorde** hold a record.
recordista record holder. • record-holding.
recorrer go through again; scrutinize; appeal; use. ♦ **recorrer a** resort to. **recorrer da sentença** appeal.
recortar cut out, trim, clip. ♦ **recortar e colar** cut and paste.
recorte newspaper clipping; trim.
recostar recline, lean back; bend.
recreação recreation, entertainment, amusement.
recreativo recreative, entertaining.
recreio recreation, relaxation; interval; recess (at school).
recriminação recrimination; exprobration.
recriminar recriminate; reproach.
recruta recruit.
recrutamento recruitment; enlistment.
recrutar recruit; enlist, draft.
recuar pull or draw back; walk back, move backward; retreat.
recuo retrocession; retreat.
recuperação recuperation, recovery.

recuperar regain, recover. ***recuperar-se*** recuperate; get over, be on the mend.
recuperável recuperable, recoverable; retrievable.
recurso appeal, petition; recourse; resort. ***recursos*** riches, wealth, possessions, resources. ♦ **Ela está sem recursos.** She is resourceless. **em último recurso** in the last resort. **recursos naturais** natural resources. **ter recursos** be well-off.
recusa denial, refusal; rejection.
recusar refuse, deny.
redação redaction, composition; editorship; editorial staff.
redator editor. ***redatores*** editorial staff. ♦ **redator-chefe** editor in chief.
➔ Professions
rede net, network. ♦ **cair na rede** fall into the trap. **Caiu na rede é peixe.** All is fish that comes to the net. **rede de dormir** hammock. **rede de esgoto** sewage system. **rede de pescar** fishing net. **rede de proteção** safety net. **rede mundial de computadores** internet. **rede de comunicação não hierárquica, horizontal, direta** peer-to-peer. **rede local integrada** intranet.

hammock

fishing net

rédea reins, bridle; command. ♦ **tomar as rédeas** take control.
redemoinho whirl, whirlpool; swirl; whirlwind.
redentor redeemer, savior; the Redeemer, Jesus Christ. • redeeming, redemptive. ♦ **Cristo Redentor** Christ the Redeemer.
redescobrir rediscover.
redigir write, compose.
redistribuir redistribute, reshuffle.
redobrar redouble, reduplicate.
redoma glass dome, bell jar.
redondeza surroundings, neighborhood, environs.
redondo round, circular; globular, spherical; cylindrical.
redor circuit; contour, outline. ♦ **ao redor de** round, all round, all about, around; about.
redução reduction; decrease; shortening. ♦ **redução de preço** price reduction; lowering in prices. **redução de salário** cut in pay.
redundância redundancy; pleonasm.
redundante redundant.
reduzir reduce; decrease; restrict, compress; diminish. ♦ **reduzir a marcha** shift into a lower gear. **reduzir a pedaços** grind to pieces. **reduzir a pó** grind to powder. **reduzir a zero** bring to naught.
reedição re-edition.
reeditar re-edit, republish, reprint.
reeleger re-elect.
reeleição re-election.
reeleito re-elected.
reembolsar reimburse; pay back, repay.
reembolso reimbursement, refund. ♦ **reembolso postal** direct mail order.
reencarnação reincarnation.
reencarnar reincarnate.
reengenharia reengineering.
reescrever rewrite.
refazer remake, redo. ***refazer-se*** recover one's forces, rally, gather strength.
refeição meal, repast.
refeitório refectory, dining hall, cafeteria.
refém hostage.
referência reference; indication. ***referências*** references. ♦ **Ela**

tem boas referências. She has good references. **fazer referência a** make reference to, allude to. **ponto/elemento de referência** benchmark.
referente referring to, regarding; relative; concerning.
referir refer; report; concern.
refinado refined, posh.
refinamento refinement.
refinar refine; civilize, cultivate. ***refinar-se*** become pure, purer or more refined; become more cultivated.
refinaria refinery. ♦ **refinaria de petróleo** oil refinery.
refletir reflect; consider, ponder, muse. ♦ **Ele agiu sem refletir.** He acted thoughtlessly. **sem refletir** on impulse.
refletor reflector. • reflecting.
reflexão reflection; meditation; consideration.
reflexivo reflexive, reflective; thoughtful.
reflexo reflex, reflection. • reflected; reflexive. ♦ **reflexos no cabelo** highlights.
reflorestamento reforestation.
reflorestar reforest.
refluxo reflow; refluence.
refogar stew, braise, fry with butter or oil.
reforçar reinforce. ***reforçar-se*** become stronger; acquire more strength.
reforço reinforcement; supply of additional forces; help.
reforma reform, reformation; renovation. ♦ **a Reforma** the Reformation. **reforma agrária** agrarian reform.
reformador reformer, redresser.
reformar reform; reshape; give a new or better form; better, amend, renew, revamp. ♦ **reformar uma roupa** mend clothes.
reformular reformulate.
refração refraction.
refrão chorus.
refratário refractory; intractable; unruly; unsubmissive.
refrear refrain, restrain.
refrescante refreshing, cooling.
refrescar refresh, freshen; cool.
refresco refreshment; fruit drink.
refrigeração refrigeration; cooling, chilling.
refrigerador refrigerator, fridge, freezer, cooler, icebox. → Furniture & Appliances
refrigerante soda, soft drink.
refrigerar refresh, cool; make fresh or cooler; protect from the heat.
refugar reject, refuse.
refugiado refugee. • fugitive.
refugiar-se take refuge, seek shelter.
refúgio refuge; shelter; haven.
refugo garbage; reject, refuse, scrap, rubbish.
refutar refute; contradict, disprove; reject; oppose, object.
regalia regal rights or privileges.
regar water, irrigate; sprinkle; moisten.
regatear haggle over the price, bargain.
regência regency; government.
regeneração regeneration.
regenerar regenerate. ***regenerar-se*** gather strength; mend one's ways.
regente regent, governor, ruler; maestro, conductor; leader. • ruling, governing.
reger govern, rule, reign; conduct. ♦ **reger a orquestra** conduct the orchestra.
região area; country, land, province; region; part (body). ♦ **região metropolitana** metropolitan area. **região montanhosa** highland. **região tropical** tropics.
regime regime; political system; diet. ♦ **fazer regime** go on a diet.
regimento regiment. ♦ **regimento interno** internal rules (of a club), statute, bylaw.
régio royal, regal; kinglike, kingly.
regional regional.
regionalismo regionalism.
regionalista regionalist.
registrar register; record; book. ♦ **registrar uma carta** register a letter.
registro register, record. ♦ **registro de água** gage.

regra rule; norm, standard. ***regras*** menstruation. ♦ **em regra** as a rule. **Não há regra sem exceção.** There's an exception to every rule. **regra de três** rule of three.
regrar rule; control; regulate. ***regrar-se*** guide oneself by; moderate oneself.
regravar record again; overwrite.
regredir retrograde, recede.
regressão regression; retrocession; throwback.
regressar return, go back.
regressivo regressive, retrogressive.
regresso return.
régua ruler. → Classroom
regulador regulator. • regulative, regulatory.
regulamentação regulation; adjustment, settlement.
regulamentar regulate, control; legislate.
regulamento regulation, rule.
regular regular; constant; normal. • calibrate; regulate; adjust.
regularidade regularity; order; harmony.
regularização regularization.
regularizar regularize.
regularmente regularly.
regurgitar regurgitate; overflow.
rei king, monarch; sovereign. ♦ **Dia de Reis** Epiphany. **Rei dos Reis** King of Kings.
reimprimir reprint, republish.
reinado reign. ♦ **durante o reinado de** in/under/during the reign of.
reinar reign, rule, govern.
reincidência recidism.
reincidir relapse; repeat once again; fall back (into crime, vice, etc.).
reiniciar restart, start over; reboot, reset (computing).
reino kingdom; realm.
reintegração reintegration.
reintegrar reintegrate, restore; reinstate, reinstall. ***reintegrar-se*** establish oneself again.
reiteração reiteration.
reiterar reiterate, repeat; reaffirm.
reitor head of a university or college; principal, dean, rector.
reitoria rectorship, dean's office.
reivindicação claim, demand.
reivindicar claim, require; demand.
rejeição rejection, refusal.
rejeitar reject; cast away; refuse; repudiate; repel.
rejuvenescer rejuvenate; make young again; renew. ***rejuvenescer-se*** become youthful again.
rejuvenescimento rejuvenescence.
relação roll, list; relationship; connection. ♦ **com relação a** regarding. **cortar relações com** sever one's connection with. **em relação a** vis-à-vis. **relações de parentesco** kinship. **relações públicas** public relations. **relações sexuais** sexual intercourse. **ter boas (ou más) relações com** be on good (or bad) terms with.
relacionamento relationship.
relacionar relate; list; connect. ***relacionar-se*** link, connect; relate to.
relâmpago lightning, thunderbolt. → Weather
relance glance, glimpse. ♦ **de relance** very quickly.
relapso sloppy; backsliding.
relatar mention; tell, narrate; refer to; explain.
relativamente relatively.
relatividade relativity.
relativo relative, relating to.
relato report, account; narration.
relatório report; account.
relaxado relaxed; sloppy.
relaxamento slackness; relaxation.
relaxante relaxing, soothing. • relaxant.
relaxar relax, unwind; slacken, loosen.
relembrar remember, recall.
reler reread, read again.
reles despicable; poor; worthless.
relevância relevance; prominence; importance; significance; consequence.
relevante important; relevant, prominent; of consequence.
relevar permit, allow.
relevo relief; salience. ♦ **alto-relevo** high relief. **baixo-relevo** low relief. **de relevo** outstanding. **em relevo** raised.

religião religion.
religiosidade religiosity.
religioso religious; pious, devout; spiritual.
relíquia relic. ***relíquias*** relics; antiquities.
relógio watch, clock. ♦ **acertar o relógio** set the clock/watch. **O relógio está adiantado.** The clock/watch is fast. **O relógio está atrasado.** The clock/watch is slow. **relógio de ponto** time clock. **relógio de pulso** wristwatch. **relógio de sol** sundial.
relojoaria watchmaker's shop, clockmaker's shop.
relojoeiro watchmaker, clockmaker.
relutância resistance; reluctance.
relutante reluctant, unwilling.
reluzente brilliant; sparkling, glittering; shining.
reluzir shine brightly; sparkle. ♦ **Nem tudo que reluz é ouro.** All that glitters is not gold.
relva grass; turf, lawn.
remador rower. • rowing, paddling.
remanejamento reshuffle.
remanescente remainder. • remaining, leftover.
remanescer be leftover; remain; survive.
remar row; paddle. ♦ **remar contra a maré** row against the tide.
remarcação repricing.
remarcar rebrand; reprice.
remate end, conclusion; finish.
remediar remedy; relieve, attenuate; amend, repair. ***remediar-se*** heal, cure. ♦ **Mais vale prevenir do que remediar.** Better safe than sorry.
remédio remedy; medicine. ♦ **Não tem remédio.** There's no solution.
rememorar remember; recall.
remendar patch, mend; repair; darn.
remendo patch.
remessa remittance; delivery.
remetente remitter; forwarder; sender. • remitting, sending.
remeter remit, send; forward, ship; mail, post.
remexer stir, mix; shake; rummage.
reminiscência reminiscence; memory.
remissivo remissive.
remo row; rowing; oar, paddle. → Sports
remoção removal; transfer.
remoçar revitalize; rejuvenate. ***remoçar-se*** rejuvenate; reinvigorate.
remodelação remodeling; recasting; transformation.
remodelar remodel; recast; reshape; modify.
remoer grind again; ruminate. ***remoer-se*** suffer; agonize
remorso remorse. ♦ **sem remorsos** remorseless.
remoto distant, remote; out of the way, far-off, long ago, ancient. ♦ **controle remoto** remote control.
removedor remover. ♦ **removedor de manchas** stain remover. **removedor de esmalte** nail polisher remover.
remover remove; transfer; discharge, dismiss.
remuneração remuneration; salary, wage.
remunerado paid. ♦ **não remunerado** unpaid.
remunerar remunerate; pay.
rena reindeer. → Animal Kingdom
renal renal. ♦ **cálculo renal** kidney stone.
renascença renascence; Renaissance.
renascentista scholar of the Renaissance. • renascent.
renascer be reborn; reawaken.
renascido reborn.
renascimento Renaissance; revival; rebirth.
renda lace; lacework; revenue; gains, income. ♦ **imposto de renda** income tax. **renda nacional** national revenue. **renda *per capita*** per capita income.
rendado lacy.
render subject, subjugate; conquer; produce, yield; give. ***render-se*** surrender.
rendição surrender; capitulation.
rendimento revenue, income; profit.

rendoso profitable, lucrative; fruitful, productive; remunerative, yielding.
renegado renegade. • faithless, rejected.
renegar deny; abjure, renounce; betray.
renomado renowned, well-known, famous.
renome reputation; fame, glory; prestige, renown. ♦ **de renome** well-known, renowned.
renovação renovation.
renovador renovator, renewer, reformer. • renovating.
renovar renovate, renew. ***renovar--se*** modernize oneself.
rentável profit-making, profitable.
rente close, near. • closely, even with. ♦ **cortar rente** cut close. **rente ao chão** close to the ground.
renúncia resignation.
renunciante renouncer. • renouncing.
renunciar abdicate, renounce, resign; reject; refuse; desist; relinquish. ♦ **renunciar a** divest oneself of. **renunciar a toda responsabilidade** abdicate every responsibility.
reorganização reorganization, rearrangement.
reorganizador reorganizer. • reorganizing.
reorganizar reorganize.
reparar repair, mend; notice. ♦ **reparar o dano** repair a damage, account for the losses.
reparo repair; restoration; notice; criticism; compensation.
repartição partition; department; division; section. ♦ **repartição pública** government department.
repartir separate, slice, share, split; partition.
repassar repass; read again.
repatriação repatriation.
repatriado repatriate.
repatriar repatriate, send back to the country of origin; remigrate, return home to one's own country.
repelente repellent, repugnant; repulsive; disgusting; shocking. • repellent (for insects).
repelir repel, repulse.
repente suddenness, impulsive act. ♦ **de repente** all of a sudden, suddenly.
repentinamente suddenly.
repentino sudden, abrupt, instantaneous; rapid; unexpected.
repercussão repercussion; reverberation; echo.
repercutir reverberate; rebound; reflect.
repertório repertory; list, index; repertoire.
repetição repetition, replay.
repetido repeated.
repetir repeat; reiterate; replay. ♦ **repetir de ano** fail, flunk the year.
repisar retread; trample; repeat over and over again; hash out.
repleto replete; full; stuffed; crowded.
réplica response, reply; facsimile.
replicar answer, reply; refute, object; retort.
repolho cabbage. → Vegetables
repor replace, put back.
reportagem newspaper/magazine report, article; interview.
repórter reporter, journalist.
reposição replacement, restitution.
repousar rest, repose; calm, quiet.
repouso rest, repose.
repreender reprehend, reprimand.
repreensão reprehension, reproach.
repreensível reprehensible; censurable.
represa dam, dike; reservoir.
represália retaliation; revenge. ♦ **fazer represália** retaliate.
represar dam up, dike; restrain.
representação representation.
representante representative; delegate. • representative.
representar personate, impersonate; represent; play.
representativo representative.
repressão repression.
repressivo repressive.
repressor repressor. • repressing.
reprimenda reprimand, reprehension.
reprimir repress; control.
reprisar replay, repeat, rerun.
reprise rerun.

reprodução reproduction; copy, replica; duplicate.
reprodutivo reproductive.
reprodutor procreator; stud. • reproductive; progenitive.
reproduzir reproduce, replicate.
reprovação disapproval; rejection.
reprovar reprove; disapprove, oppose. ♦ **reprovar um aluno** fail a student, flunk a student.
réptil reptile. • crawling; reptilian.
república republic.
República Dominicana Dominican Republic. → Countries & Nationalities
republicano republican.
republicar republish, re-edit.
República Tcheca Czech Republic. → Countries & Nationalities
repudiar repudiate; reject, repel.
repugnância repugnance; aversion; disgust. ♦ **ter repugnância de** be disgusted with.
repugnante repugnant; repulsive, disgusting.
repulsa repulse, repellence, aversion.
repulsivo repulsive, repugnant.
reputação reputation, renown. ♦ **boa reputação** soundness of character. **Ele tem uma má reputação.** He is ill-famed. **homem de reputação** a man of note, a man of renown.
reputar consider; regard.
requebrado languishing or voluptuous movement; wiggle.
requebrar walk or move one's hips in a languishing manner; waddle.
requeijão cheese spread.
requerente applicant, petitioner. • petitioning, requesting.
requerer request, ask or apply for; petition. ♦ **requerer separação** apply for divorce.
requerimento request; petition. → Deceptive Cognates
requintado delicate, refined.
requinte refinement.
requisição requisition, order.
requisitar requisition; require, order.
requisito requirement; qualification; condition, specification. ♦ **requisitos do sistema** system requirements.
rescaldo cinder.
rescindir rescind; break; dissolve.
rescisão rescission; repeal; annulment, cancelation.
resenha review; summary; essay.
reserva reservation; booking; restriction; stock; reserve.
reservar reserve, set apart. ♦ **reservar um lugar** book a place; book a seat (in a theater, a plane, etc.).
reservatório reservoir, tank.
resfriado cold. • cold, chilly. ♦ **Ele está resfriado.** He has a cold.
resfriamento cooling.
resfriar cool; chill; refrigerate. ***resfriar-se*** catch a cold.
resgatar ransom; rescue.
resgate ransom.
resguardar guard. ***resguardar-se*** protect oneself; safeguard oneself against.
residência residence; home. ♦ **residência permanente** permanent abode. **residência temporária** lodge. **ter residência fixa** be stationary.
residencial residential. ♦ **bairro residencial** residential quarters.
residente resident. • resident, residential, residentiary. ♦ **médico residente** intern.
residir reside; live, dwell.
resíduo remainder, rest, residue.
resignação resignation.
resignar resign; abdicate, quit, renounce.
resistência resistance, endurance; opposition. ♦ **prova de resistência** strength testing. **resistência elétrica** electrical resistance. **resistência física** endurance.
resistente resistant, strong. ♦ **resistente às intempéries** weatherproof.
resistir resist, withstand; oppose; endure, hold out.
resma ream, 500 sheets of paper.
resmungar mumble; grumble.
resmungo mutter, mumble.
resolução resolution.
resoluto resolute; tenacious.

resolver resolve; decide, solve; conclude, determine. ***resolver-se*** make up your mind.
respectivo respective; corresponding.
respeitar respect.
respeito respect. ***respeitos*** compliments. ♦ **a respeito de** regarding. **com o devido respeito** with all due respect. **dizer respeito a** concern. **falta de respeito** disrespect, impoliteness. **no que me diz respeito** as far as I am concerned.
respeitoso respectful; dutiful.
respiração respiration, breathing; breath. ♦ **respiração ofegante** wheeze. **respiração profunda** deep breath.
respirar breathe.
respiratório respiratory.
responder respond, reply, answer.
responsabilidade responsibility.
responsabilizar make or consider responsible; be answerable for.
responsável responsible, accountable. ♦ **ser responsável por** be answerable for, be responsible for.
resposta response; answer, reply. ♦ **resposta malcriada** backchat, back talk. **resposta negativa** refusal. **ter a resposta na ponta da língua** be quick on the draw.
resquício residue, rest; vestige.
ressaca surf; undertow; hangover; volubility.
ressaltar stick out, stand out; highlight.
ressalva reservation; exception.
ressalvar make an exception, except; caution.
ressarcimento indemnification, repayment.
ressarcir indemnify, reimburse; compensate; repair.
ressentimento resentment; offense.
ressentir resent.
ressonância resonance, vibration. ♦ **imagem por ressonância magnética** magnetic resonance imaging (MRI).
ressonante resonant, resounding.
ressonar resound.
ressurgimento resurgence, renascence.
ressurgir resurge, reappear, reemerge, resurface.
ressurreição resurrection.
ressuscitar revive; resuscitate, resurrect.
restabelecer re-establish; restore, reinstate. ***restabelecer-se*** recover one's health.
restabelecimento re-establishment.
restante rest, remainder. • remaining.
restar rest, remain; be leftover.
restauração restoration.
restaurante restaurant.
restaurar recuperate; recapture; repair; restore, reset.
restituição restitution.
restituir restitute; restore, return.
resto rest; remainder. ***restos*** leftovers; remains. ♦ **de resto** as for the rest, besides. **restos mortais** mortal remains.
restrição restriction.
restringir restrict, restringe; narrow; reduce. ***restringir-se*** limit or confine oneself. ♦ **Restrinja-se ao assunto.** Stick to the point.
restrito confined, restricted, limited; private.
resultado result; effect; product. ♦ **dar resultado** pan out well. **sem resultados** inconclusive.
resultar result; proceed. ♦ **resultar em fracasso** result in failure. **resultar em nada** end up in smoke.
resumido abridged.
resumir abbreviate, abridge; reduce, summarize. → Deceptive Cognates
resumo summary, briefing. ♦ **em resumo** in short, in a nutshell. **o resumo dos fatos** a brief of the facts.
reta straight line. ♦ **em linha reta** as the crow flies.
retaguarda back, rear.
retalhar hack, shred; slash; hurt.
retaliação retaliation.
retaliar retaliate.
retangular rectangular.
retângulo rectangle. • rectangular.
retardado retarded; delayed.
retardamento retardation; delay; postponement.

retardar retard; delay. ***retardar-se*** be late.
retardatário latecomer.
retardo retardation; delay.
retenção retention, detention.
retentor retainer. • retaining.
reter keep, retain; hold back.
retesar stretch. ***retesar-se*** become stiff, become hard.
reticência reticence; ellipsis.
reticente reticent.
retidão straightness; honesty; integrity.
retificação rectification.
retificar rectify; straighten; correct.
retilíneo rectilineal, rectilinear.
retina retina. → Human Body
retirada retreat; evacuation; withdrawal. ♦ **bater em retirada** yield the palm, retreat, take to flight. **retirada estratégica** strategic retreat.
retirado removed; secluded. → Deceptive Cognates
retirar draw back, withdraw; remove. ***retirar-se*** depart, leave, go away. ♦ **Retiro o que disse.** I take it back.
retiro solitary place, seclusion; retreat; privacy; exile.
reto rectum. • straight; right, direct; just; righteous. → Human Body
retocar retouch; correct.
retomada retaking, recapturing.
retomar retake; recover.
retoque retouching, finishing touch.
retorcer retwist.
retórica rhetoric; eloquence; oratory; persuasive power. • rhetorical.
retornar return; turn; get back.
retorno return, regress. ♦ **fazer retorno** do a U-turn (car).
retração retraction; shrinkage.
retraído retracted; reserved; shy.
retrair retract; shrink.
retransmitir retransmit.
retratação retraction.
retratar portray, paint; photograph. ***retratar-se (de algo)*** make up for (something).
retrato picture, portrait; photograph. ♦ **retrato falado** facial composite.
retribuição compensation. → Deceptive Cognates
retribuir retribute; reward, repay.
retro behind, back of, verso.
retroação retroaction.
retroagir retroact; react.
retroativo retroactive; retrospective.
retroceder retrocede; go back.
retrocesso retrocession; retrogression.
retrógrado retrograde; old-fashioned; narrow-minded.
retroprojetor overhead projector. → Classroom
retrospectivo retrospective, contemplative.
retrovisor rearview mirror.
retrucar reply; answer.
réu defendant; the accused.
reumático rheumatic.
reumatismo rheumatism, arthritis.
reunião reunion; meeting; gathering; rendezvous. ♦ **marcar uma reunião** call/schedule a meeting. **reunião de cúpula** summit (meeting).
reunir reunite; assemble, congregate, meet. ***reunir-se*** get together with, join; meet.
revalidar revalidate; renew.
revalorização revalorization; restoration of value.
revalorizar revalorize.
revelação revelation, revealment; disclosure; eye-opener. ♦ **revelação de fotos** development.
revelador revealer, discloser; developer, reagent (of pictures). • revealing, disclosing.
revelar unveil, unmask; reveal, bring to light, unearth, disclose; divulge; expose; develop (pictures). ***revelar-se*** turn out to be.
revelia nonappearance, default. ♦ **à revelia** in absence, by default.
revenda resale, second sale.
revender resell, sell again.
rever see again; review.
reverberação reverberation, repercussion.
reverberar reverberate; echo; resound.
reverência reverence; deference. ♦ **fazer uma reverência** bow; curtsey.

reverenciar revere; treat with reverence.
reverendo Reverend. • reverend.
reversão reversion; reversal.
reversível reversible; revertible, changeable.
reverso backside; opposite. • reverse, opposite, contrary.
reverter return, go back; revert.
revés loss, mishap. ♦ **ao revés** inside out. **de revés** obliquely.
revestimento coating, covering.
revestir encase; coat, cover.
revezamento alternation; rotation. ♦ **prova de revezamento** relay race.
revezar alternate; take turns.
revidar retaliate; retort.
revide retaliation; reprisal.
revigorante reinvigorating.
revigorar give new strength or vigor to; reanimate, revive. ***revigorar-se*** grow strong again.
reviravolta turnaround; turn.
revisão revision, overhaul; proofreading. ♦ **revisão de carros** car overhaul.
revisar revise, review, check; overhaul; proofread.
revisor reviewer, reviser; corrector, proofreader.
revista magazine; review; inspection.
revistar examine; search.
revitalização revitalization.
revitalizar revitalize.
reviver revive, revivify; resuscitate.
revogação revocation, annulment, cancelation.
revogar revoke; cancel. ♦ **revogar uma sentença** quash a sentence.
revolta revolt, rebellion; uprising. ♦ **em revolta** up in arms.
revoltado rebel. • revolted.
revoltante revolting, outrageous.
revoltar revolt, rebel. ***revoltar-se*** riot, rebel, mutiny; feel indignation.
revolto excited; recurved. ♦ **mar revolto** boisterous sea.
revoltoso rebel. • revolted.
revolução revolution; rebellion; rotation. ♦ **Revolução Industrial** Industrial Revolution. **revolução científica** scientific revolution.
revolucionar revolutionize.
revolucionário revolutionary.
revólver revolver, gun, pistol.
reza prayer.
rezar pray. ♦ **rezar missa** say mass.
riacho brook, creek.
ribanceira ravine; cliff.
rico rich; wealthy.
ricochetear rebound.
ridicularizar ridicule, make fun of; joke; mock.
ridículo ridiculous; comic. ♦ **fazer papel ridículo** make a fool of oneself.
rifa raffle.
rifar raffle.
rifle rifle.
rigidez rigidity; severity.
rígido rigid; stiff; severe.
rigor rigidity; severity; strictness. ♦ **traje a rigor** formal dress.
rigorosamente strictly.
rigoroso rigorous; inflexible; unbending; severe.
rijo rigid; inflexible; hard.
rim kidney. → Human Body
rima rhyme.
rimar rhyme; versify.
rímel mascara.
ringue ring.
rinoceronte rhinoceros, rhino (*inf.*). → Animal Kingdom
rio river, stream; watercourse. ♦ **Ele ganha rios de dinheiro.** He makes tons of money. **rio abaixo** down the river. **rio acima** up the river.
riqueza wealth, riches. ***riquezas*** resources.
rir laugh; smile. ♦ **morrer de rir** burst out laughing. **Quem ri por último ri melhor.** He laughs best who laughs last. **rir da desgraça alheia** delight in mischief.
risada laughter.
riscar scratch; delete; cancel; cross. ♦ **riscar um fósforo** strike a match.
risco scratch; stroke; danger; hazard, jeopardy, risk. ♦ **colocar em risco** jeopardize. **correr risco** be in danger, run a risk, take a chance. **por sua conta e risco** for your account and risk. **sem riscos** safely.
riso laughter; smile. ♦ **ataque de riso** a fit of laughter.

risonho smiling, cheerful.
ríspido harsh, rough; severe, stern.
ritmado rhythmic(al), cadenced.
rítmico rhythmic(al), cadenced.
ritmo rhythm, cadence, meter.
rito ceremony; rite; cult.
ritual ceremonial; ritual. • ritual.
rival rival.
rivalidade rivalry.
rivalizar rival; compete.
rixa quarrel, dispute.
rizicultor rice grower; rice planter.
rizicultura rice growing, rice planting.
robustecer make robust; strengthen.
robustez robustness.
robusto robust; strong, vigorous.
rocha rock, stone. ♦ **rocha calcária** limestone.
rochedo reef.
rochoso rocky; stony.
roda wheel, circle; circumference; social group. ♦ **alta-roda** high society. **brincar de roda** play ring-a-ring o'roses. **roda-d'água** waterwheel. **roda-gigante** Ferris wheel. **roda-viva** incessant movement; confusion.
rodada round (of drinks, cards), a number of games.
rodapé skirting board, baseboard, footer.
rodar roll; twirl, gyrate, circle, spin. ♦ **Minha cabeça está rodando.** My head is spinning.
rodear surround; circle; rotate.
rodeio circumlocution; rodeo. ♦ **com rodeios** indirectly. **Ele falou sem rodeios.** He used plain language.
rodela slice; ring.
rodízio shift; turn. ♦ **fazer rodízio** take turns. **rodízio de comida em restaurante** rotation.
rodo squeegee. ♦ **a rodo** plentifully.
rodopiar whirl, twirl; spin.
rodopio whirl; rotation; spin.
rodovia highway.
rodoviário of, pertaining to or relative to a highway. ♦ **estação rodoviária** bus station. **polícia rodoviária** highway patrol.
roedor rodent. • rodent.
roer gnaw, nibble; bite, chew; corrode. ♦ **osso duro de roer** hard nut to crack. **roer as unhas** bite one's fingernails.
rogar implore, supplicate; beg. ♦ **rogar pragas** curse; imprecate.
rol roll, list; register; file.
rolamento rolling; bearing. ♦ **rolamento de esferas** ball bearing.
rolante rolling, rotating. ♦ **escada rolante** escalator. **esteira rolante** moving sidewalk.
rolar roll, scroll. ♦ **barra de rolagem** scroll bar. **trava de rolagem** scroll lock.
roldana pulley.
roleta roulette; turnstile.
rolha cork.
roliço round, plump; chubby.
rolo cylinder; roll. ♦ **rolo compressor** steamroller. **rolo de filme** film roll. **rolo para massa** rolling pin.
romã pomegranate. → Fruit
romance novel; love affair, romance.
romancista novelist.
romano Roman.
romântico romantic; dreamy; poetic.
romantismo romanticism.
romaria pilgrimage, peregrination.
rombo hole; gap; rift, split.
romeiro pilgrim, peregrinator.
romper break; destroy; tear. ***romper-se*** break up, burst. ♦ **ao romper do dia** at daybreak, at dawn. **romper em pranto** burst into tears. **Rompi o namoro com ele.** I broke up with him.
rompimento rupture, disruption; split. ♦ **rompimento de relações diplomáticas** rupture of diplomatic relations. **rompimento de contrato** breach of covenant.
roncar snore.
ronco snore.
ronda patrol, rounds.
ronronar purr.
rosa rose. • rosy, rose-colored, pink. ♦ **botão de rosa** rosebud. **Não há rosa sem espinhos.** There's no rose without a thorn. **rosa dos ventos** compass rose. **viver num mar de rosas** live in the seventh heaven of delight.

rosário rosary.
rosbife roast beef.
rosca thread; ring-shaped loaf.
roseira rosebush.
róseo rose, rose-colored.
rosnar snarl, growl.
rosquinha donut.
rosto face. → Human Body
rota direction, route, course, path. ♦ **rota aérea** airway. **rota marítima** sea route.
rotação rotation. ♦ **rotação da Terra** rotation of the Earth. **rotação de culturas** crop rotation.
rotatividade turnover.
rotativo rotative, rotational.
roteiro itinerary, guide; script.
rotina routine; habit, practice. ♦ **cair na rotina** get into a rut.
rotineiro routine, habitual.
roto ragged, shabby.
rótula kneecap, patella. → Human Body
rotular label; mark, designate.
rótulo label; mark.
roubar rob; steal.
roubo robbery, theft, rip-off.
rouco hoarse, raucous, husky.
roupa clothes, clothing; garment. ♦ **à queima-roupa** point-blank. **estender a roupa** hang the wash. **etiqueta de roupa** tab. **roupa de cama e mesa** linen. **roupa de cama** bedclothes. **roupa de malha** tricot, knitwear. **roupa de mesa** table linen. **roupa pronta para vestir** ready-made clothes. **roupa íntima** underwear. **roupa suja** laundry. **Roupa suja se lava em casa.** Wash your dirty linen at home.
roupão dressing gown; bathrobe.
roupeiro wardrobe; seamstress.
rouquidão hoarseness.
rouxinol nightingale. → Animal Kingdom
roxo purple, violet.
rua street; way. ♦ **Rua!** Get out! **rua de mão única** one-way street. **rua de mão dupla** two-way street. **rua lateral** side street. **rua principal** main street. **rua sem saída** cul-de-sac, dead-end street. **ser posto na rua** be dismissed, be fired.
rubéola rubeola, measles.
rubi ruby.
rubor redness; blush.
ruborizar redden, blush.
rubrica rubric; abbreviation of a signature, initials.
rubricar rubricate; countersign.
rubro ruby-red; blushed.
ruço grey; faded.
rude rude; uncultivated; harsh.
rudimentar rudimental. ♦ **noções rudimentares** elements.
rudimento rudiments; basics.
ruga wrinkle.
rúgbi rugby. → Sports
rugido roar.
rugir roar.
ruído noise, sound, din; hubbub; uproar. ♦ **fazer ruído** make noise.
ruidosamente noisily.
ruidoso noisy.
ruim bad.
ruína ruin, wreck; collapse, downfall. ***ruínas*** ruins, remains.
ruindade wickedness.
ruir collapse; fall into ruins.
ruivo redhead. • red-haired.
rum rum.
rumar steer to, head for.
ruminante ruminant.
ruminar ruminate; chew the cud.
rumo route, course; direction. ♦ **rumo a** toward, in the direction of, bound for. **sem rumo** adrift, afloat. **tomar outro rumo** go off on a new tack
rumor rumor; murmur; gossip.
rumoroso noisy, loud.
ruptura breakage; rupture; breach; disruption.
rural rural; rustic. ♦ **zona rural** rural area.
rusga noise; confusion.
Rússia Russia. → Countries & Nationalities
russo Russian. → Countries & Nationalities
rústico rustic, rural; rough.

S

A
B
C
D
E
F
G
H
I
J
K
L
M
N
O
P
Q
R
S
T
U
V
W
X
Y
Z

S

S, s the nineteenth letter of the Portuguese alphabet.
sábado Saturday. ♦ **Sábado de Aleluia** Holy Saturday.
sabão soap. ♦ **sabão de coco** coconut soap. **sabão em pedra** soap bar. **sabão em pó** soap powder, detergent.
sabedoria wisdom, knowledge.
saber knowledge, learning; wisdom. • know; be aware (of). ♦ **a saber** namely. **como se sabe** as it is well-known. **Ela sabe o que faz.** She knows what she is doing. **Não que eu saiba.** Not that I know., Not that I've heard of. **saber de cor** know by heart. **Sei lá!** I don't have the slightest idea., How should I know? **Você é quem sabe.** You know best.
sabichão smarty, smarty-pants, smart aleck, wise guy; egghead. • clever, learned.
sábio wise.
sabonete toilet soap.
saboneteira soap dish, soap bowl, soap holder.
sabor taste; flavor.
saborear taste, savor.
saboroso savory, tasty, delicious.
sabotagem sabotage.
sabotar sabotage.
sacada balcony, terrace.
sacana sleazy. • scoundrel.
sacar draw (out), pull out, extract, drag; draw (a gun); withdraw (money); understand.
sacarina saccharin.
saca-rolhas corkscrew.
sacerdócio priesthood.
sacerdotal priestly.
sacerdote priest, clergyman.
sacerdotisa priestess.
saciar satiate, appease, satisfy. ♦ **saciar a fome** appease one's hunger. **saciar a sede** quench/slake one's thirst.
saco sack, bag; ball. ♦ **estar de saco cheio** be fed up, have had enough. **meter a viola no saco** hold one's tongue. **saco de dormir** sleeping bag.
sacola knapsack; bag.
sacrificar sacrifice.
sacrifício sacrifice; self-denial, self-sacrifice.
sacrilégio sacrilege; profanation.
sacristão sacristan, sexton.
sacro sacrum. • holy, sacred; venerable.
sacudida shake, shaking; toss, jolt.
sacudir shake; jolt (in a train); waggle.
sádico sadist. • sadistic.
sadio healthy, healthful, sound.
sadismo sadism.
safado naughty, salacious.
safar get away. ***safar-se*** escape; get rid of.
safári safari.
safira sapphire.
safra crop, harvest.
saga saga, epic.
sagrado sacred, holy.
saguão entrance hall, lobby.
saia skirt. ➔ Clothing
saia-calça culottes. ➔ Clothing

saída departure; output; exit; check out. ♦ **beco sem saída** dead end. **saída de emergência** emergency exit.
sair go, come or step out; leave, quit; withdraw. ♦ **sair às pressas** hurry out. **sair de fininho** or **sair à francesa** go on tiptoe. **sair de moda** go out of fashion. **sair do sistema** log off, log out. **sair ileso** get out unhurt. **sair-se bem** succeed. **sair-se mal** fail.
sal salt. ♦ **sal-gema** rock salt. **sal marinho** sea salt. **sem sal** salt-free (food). **sem-sal** lackluster (person).
sala room. ♦ **fazer sala (a)** entertain guests. **sala de aula** classroom. **sala de espera** waiting room. **sala de estar** living room, sitting room. **sala de jantar** dining room.
salada salad; mess, confusion. ♦ **salada de frutas** fruit salad. **saladeira** salad bowl. **tempero para salada** salad dressing.
salão saloon; salon. ♦ **salão de baile/de dança** ballroom. **salão de barbeiro** barbershop. **salão de beleza** beauty parlor, beauty salon.
salário salary, wages. ♦ **congelamento de salário** wage freeze. **salário atrasado** back pay. **salário mínimo** minimum wage.
saldar liquidate, pay.
saldo balance, remainder. ♦ **Qual é o saldo da minha conta?** What is the balance of my account? **saldo devedor** balance due. **saldo bancário** bank balance. **saldo negativo** debit balance. **saldo positivo** credit balance. **saldo negativo** overdraft.
saleiro saltcellar, saltshaker.
saleta anteroom; sitting room.
salgadinhos appetizers, snacks.
salgado salted, salty.
salgar salt.
saliência salience, prominence.
salientar point out, emphasize, accentuate. ***salientar-se*** stand out; distinguish oneself.
saliente salient, prominent.
salinidade saltiness, salinity.
salitre saltpeter.
saliva saliva, spit.
salmão salmon. → Animal Kingdom
salmo psalm.
salpicado sprinkled (with flour, salt, dots, etc.).
salpicar besprinkle, sprinkle; splash.
salsa parsley. → Vegetables
salsão celery. → Vegetables
salsicha sausage.
salsinha parsley. → Vegetables
saltar leap, jump, skip, spring. ♦ **saltar aos olhos** strike the eye. **saltar de paraquedas** parachute, go skydiving. **saltar para dentro de** jump into.
salteado attacked; surprised; sauté.
saltitante hopping, tripping, prancing, springing.
saltitar hop, prance.
salto heel, leap, jump. ♦ **salto com vara** pole vaulting. **salto em altura** high jump. **salto em distância** long jump, broad jump. **salto-mortal** somersault. **salto ornamental** fancy diving.

heel

jump

salvação salvation.
salvador savior, rescuer; redeemer. • saving.
salvaguarda safeguard; protection; precaution.
salvaguardar safeguard, protect.
salvamento salvation; rescue.
salvar save; rescue. ***salvar-se*** take refuge; flee. ♦ **Salve-se quem puder!** It is every man for himself!
salva-vidas lifesaver. ♦ **bote salva-vidas** lifeboat. **colete salva-vidas** life jacket.
sálvia sage.
salvo safe, unhurt; secure. • save, except, unless, but. ♦ **a salvo** safe. **são e salvo** safe and sound.
samambaia fern.
samaritano Samaritan. ♦ **um bom samaritano** a good Samaritan.
sanar heal, cure.
sanatório sanatorium, sanitarium.
sanção sanction, ratification.
sancionar sanction; confirm.
sandália sandal. → Clothing
sândalo sandalwood.
sanduíche sandwich.
saneamento sanitation.
sanear sanitize.
sangrar bleed.
sangrento bloody.
sangria sangria.
sangue blood. ♦ **a sangue-frio** in cold blood. **banco de sangue** blood bank. **doador de sangue** blood donor. **esvair-se em sangue** bleed to death. **exame de sangue** blood test. **sangue azul** royal blood. **transfusão de sangue** blood transfusion.
sanguessuga leech, bloodsucking worm. → Animal Kingdom
sanguinário sanguinary.
sanguíneo sanguine; sanguineous. ♦ **grupo sanguíneo** blood type. **pressão sanguínea** blood pressure.
sanidade sanity.
sanitário toilet. • sanitary, medical.
santidade holiness, sanctity. ♦ **Sua Santidade** His Holiness.
santificar sanctify, hallow, glorify.
santo saint. ♦ **Dia de Todos os Santos** All Saints' Day. **Santa Ceia** Last Supper. **Santo Deus!** Good Heavens!, Good gracious! **ter santo forte** have God on one's side. **todo santo dia** day in, day out.
santuário sanctuary; temple; refuge; shrine.
são sound; healthy, sane, robust; undamaged.
sapatão lesbian, dyke (*vulg.*).
sapataria shoe store; shoemaking.
sapateado tap dancing, tap dance.
sapatear tap dance.
sapateira shoe closet.
sapateiro shoemaker. → Professions
sapato shoe. ♦ **calçar os sapatos** put on one's shoes. **descalçar os sapatos** take off one's shoes. **sapato de salto alto** high-heeled shoe. **sapatos de pelica** kid shoes. → Clothing
sapinho candida infection, thrush.
sapo toad. → Animal Kingdom
saque draw(ing); service, serve; robbery, pillage.
saqueador plunderer, pillager, looter.
saquear sack, plunder, pillage, loot.
sarampo measles.
sarar heal; cure; recover.
sarcasmo sarcasm.
sarcástico sarcastic, ironical. ♦ **observação sarcástica** cutting remark.
sarcófago sarcophagus.
sarda freckle.
sardento freckled, freckly.
sardinha sardine. → Animal Kingdom
sargento sergeant.
sarjeta gutter.
sarna scabies. ♦ **procurar sarna para se coçar** look for trouble. **ser uma sarna** be a bore.
sarnento itchy, scabious.
satã Satan, devil, Lucifer.
satanás Satan, devil.
satânico satanic.
satélite satellite.
sátira satire, sarcasm.
satírico satirical.
satirizar satirize, lampoon.
satisfação satisfaction; pleasure, pride; explanation. ♦ **dar uma satisfação** offer an explanation or an apology.

satisfatório satisfactory; satisfying.
satisfazer satisfy; please; satiate.
♦ **satisfazer um desejo** satisfy/fulfill a wish; make a dream come true.
satisfeito satisfied; pleased.
saturação saturation.
saturado saturated; tired, fed up.
saturar saturate; soak, impregnate.
Saturno Saturn.
saudação salutation; greeting, welcome. ***saudações*** greetings, compliments.
saudade longing, yearning; homesickness, nostalgia. ♦ **ter saudade de** miss, long for.
saudar salute; greet.
saudável sound, healthy, wholesome.
saúde health. ♦ **Saúde!** Your health!, Cheers! **beber à saúde de alguém** drink to one's health, toast to a person. **saúde pública** public health.
saudoso longing, yearning, homesick, nostalgic.
sauna sauna.
savana savannah.
saxão Saxon.
saxofone saxophone. → Musical Instruments
se himself, herself, itself, oneself, yourself, yourselves, themselves; each other. • if, whether, provided, supposing. ♦ **como se** as if. **se ao menos** if only. **se bem que** even though. **se não** if not.
sebo fat, tallow; secondhand bookstore.
seca drought. → Weather
secador dryer. • drying. ♦ **secador de cabelos** hair dryer. **secador de roupas** tumble dryer.
seção section; division; department; part.
secar dry; drain; wipe.
secionar section.
seco dry; arid; rough; droughty.
♦ **secos e molhados** groceries, grocery.
secreção secretion.
secretamente secretly.
secretaria bureau, secretariat.
secretário(a) secretary; Minister of State. ♦ **Secretário de Estado** Secretary of State. **secretário particular** private secretary.
→ Professions
secreto secret, private; hidden.
secular lay; secular; archaic.
século century. ♦ **meados do século XX** mid-20th century.
secundário secondary; side, minor; subordinate.
seda silk. ♦ **bicho-da-seda** silkworm. **papel de seda** tissue paper. **rasgar seda** be excessively courteous. → Animal Kingdom
sedativo sedative.
sede seat; headquarters.
sede thirst. ♦ **estar com sede** be thirsty.
sedentário sedentary.
sedento thirsty.
sedimentar sedimentary.
• sediment, subside.
sedimento sediment.
sedoso silken, silky.
sedução seduction; charm.
seduzir seduce.
segmentar segment.
segmento segment; section, division.
segredo secret; mystery. ♦ **em segredo** in secret. **guardar segredo** keep a secret. **segredo de Estado** state secret. **segredo profissional** professional secret.
segregação segregation, apartheid.
segregar segregate; separate, divide; seclude.
seguinte the next, the following.
• next, following, subsequent.
seguir follow, tail; go after; pursue, chase; watch, observe; accompany; understand. ♦ **Siga em frente.** Go straight ahead. **Siga estas instruções.** Follow these directions.
segunda-feira Monday.
segundo second. • second; next; secondary. • secondly, in the second place. • according to, in conformity to. ♦ **de segunda classe** second-rate. **segundo meu conhecimento** to my knowledge.
seguramente safely; certainly.
segurança security, safety; certainty, assurance; safeguard,

bodyguard, security guard. ♦ **alfinete de segurança** safety pin. **em segurança** safe. **trava de segurança** safety catch. **barreira de segurança** firewall.
→ Professions
segurar secure; guard, shield, support; hold, bind, catch, grasp, seize; insure, guarantee, warrant. ♦ **segurar a vida** insure one's life. **Segure bem!** Hold tight!
seguro insurance. • secure, safe; firm, steady; reliable. ♦ **apólice de seguro** insurance policy. **seguro de vida** life insurance. **seguro-saúde** health insurance.
seio breast, bosom; core.
→ Human Body
seis six. → Numbers
seiscentos six hundred. → Numbers
seita sect; faction; cult.
seiva sap, juice (of a plant).
sela saddle.
selado stamped; sealed.
selar saddle; stamp; seal.
seleção selection.
selecionar select, sort, pick, choose, elect; highlight.
seleto select, selected, chosen.
selim saddle (of a bicycle).
selo seal; stamp.
selva jungle.
selvagem savage; wild, uncivilized, untamed.
selvagemente wildly.
sem without, lacking, wanting, less. ♦ **sem fim** endless. **sem fins lucrativos** nonprofit. **sem modos** ill-mannered, impolite. **sem-par** unique. **sem-vergonha** shameless.
semáforo traffic light, lights.
semana week. ♦ **fim de semana** weekend. **semana que vem, no máximo** next week, the latest. **Semana Santa** Holy Week. **semanas e semanas** week in, week out.
semanal weekly.
semântica semantics.
semântico semantic.
semblante face, look, appearance, visage.
sem-cerimônia informality.
semear sow, plant; spread, disseminate. ♦ **Quem semeia ventos colhe tempestades.** They that sow the wind shall reap the whirlwind.
semelhança likeness, resemblance, similarity. ♦ **à semelhança de** like, similar to; in the likeness of. **ter semelhança com** bear resemblance to.
semelhante fellow creature. • analogous, similar, alike. • like.
semelhantemente similarly.
sêmen semen, sperm.
semente seed; sperm, semen. ♦ **semente de uva** grapestone.
semestre semester, half-year. • semestral.
semi half, partially, somewhat. ♦ **semiaberto** ajar, partly open. **semianalfabeto** partially literate, semiliterate.
seminário seminar, seminary.
seminu half-naked.
semita Semite. • Semitic.
sempre always, ever; constantly. ♦ **como sempre** as always, as usual. **nem sempre** not always. **para sempre** forever. **para todo o sempre** for ever and ever. **quase sempre** nearly always.
senado senate.
senador senator.
senão fault, defect. • except, save, else, otherwise. • but, unless, else, or, except, without. • rather, but.
Senegal Senegal.
→ Countries & Nationalities
senegalês Senegalese.
→ Countries & Nationalities
senha password. ♦ **senha para caixa automático** Personal Identification Number (PIN).
senhor owner, proprietor, possessor, master; gentleman, sir, mister; lord. • lordly, distinguished. • you. ♦ **Nosso Senhor** Our Lord.
→ Deceptive Cognates
senhora lady; wife; housewife. • you. ♦ **Nossa Senhora** Our Lady.
senhorio landlord.
senhorita miss.
senil senile, old.
senilidade senility, old age.

sensação sensation, feeling. ♦ **Tenho uma sensação esquisita.** I feel queer.
sensacional sensational, remarkable, thrilling.
sensatez sensibleness; good sense; logic.
sensato sensible, reasonable.
sensibilidade sensibility. ♦ **ferir a sensibilidade de alguém** hurt someone's feelings.
sensibilizar sensitize, move, touch. ***sensibilizar-se*** be touched, moved.
sensitivo sensitive, sensory.
sensível sensitive, touchy.
→ Deceptive Cognates
senso sense; sagacity; wisdom; reasoning, meaning, signification. ♦ **bom senso** common sense. **senso de humor** sense of humor.
sensor sensor (radar, sonar, etc.).
sensorial sensorial.
sensual sensual, voluptuous.
sensualidade sensuality, voluptuousness.
sentar sit. ***sentar-se*** sit down, take a seat.
sentença sentence; proverb, maxim; verdict, decision, judgment. ♦ **Cada cabeça, uma sentença.** Everyone to his own taste. **cumprir uma sentença** serve a sentence.
sentenciar sentence, judge, convict, doom; give an opinion.
sentido each of the five senses; feeling; meaning; sense; direction. • sorry; sad; hurt. ♦ **fazer sentido** add up, make sense. **ficar sentido por** be hurt at. **Não faz sentido.** It doesn't make sense. **perder os sentidos** swoon, faint. **sem sentido** purposeless, meaningless. **sem sentidos** unconscious. **Sentido!** Attention! **sentido da audição** sense of hearing. **sentido da visão** sense of sight. **sentido do olfato** sense of smell. **sentido do paladar** sense of taste. **sentido do tato** sense of touch. **sentido horário** clockwise. **sentido anti-horário** anticlockwise. **sexto sentido** sixth sense.
sentimental sentimental, emotional; romantic.
sentimento feeling, emotion. ***sentimentos*** condolences. ♦ **sentimento de culpa** guilty feelings.
sentinela sentinel; watchman, guard.
sentir feel; experience; regret; be moved or affected; think. ♦ **sentir vontade de** feel like. **Sinta-se em casa.** Make yourself at home.
senzala slave house.
separação separation; segregation. ♦ **separação de bens** separation of property. **separação parcial de bens** partial community property regime. **separação de corpos** legal separation.
separadamente separately.
separar separate; disconnect. ***separar-se*** divorce; leave. ♦ **separar-se de** part with, break away.
septicemia septicemia.
séptico septic.
septuagésimo seventieth.
→ Numbers
sepultamento burial, funeral.
sepultar bury.
sepultura grave, tomb.
sequência sequence.
sequer not even.
sequestrador kidnapper (of people); hijacker (of a vehicle or a plane).
sequestrar confiscate; kidnap (a person); hijack (a vehicle).
sequestro sequestration; kidnap, kidnapping (a person); hijacking (a vehicle or a plane).
ser being, creature; existence, life. • be; exist; become.
serafim seraph.
serão overtime.
sereia siren, mermaid.
serenata serenade.
serenidade serenity, tranquility, calmness.
sereno dew, mist; a soft rain. • serene, calm, tranquil.
seresta serenade.
serial serial.
seriamente seriously.

série series; row, set; continuation, succession, group; sitcom; grade. ♦ **produção em série** mass production.
seriedade seriousness.
serigrafia silk-screen printing.
seringa syringe. ♦ **seringa descartável** disposable syringe. **seringa hipodérmica** hypodermic syringe.
seringueira rubber tree.
sério serious, grave; reliable, trustworthy; decent. ♦ **levar a sério** take (something) seriously. **Sério?** Really?
sermão telling-off, reprimand; sermon, lecture.
serpente serpent; snake. ♦ **encantador de serpentes** snake charmer. → Animal Kingdom
serra mountain range; saw. ♦ **serra-copo** circular saw. **serra tico-tico** fret saw, scroll saw.

mountain range

saw

serragem sawdust.
serrar saw.
serrilhado jagged.
serrote handsaw.
sertão interior, backcountry, hinterland, outback.
servente servant, attendant, helper. • attendant, serving. ♦ **servente de pedreiro** hodman, mason assistant.
serventia usefulness; utility.
serviço service; work. ♦ **prestar serviço militar** serve military service, bear arms. **serviço de correio** postal service. **serviço doméstico** housework. **serviço militar** military service. **serviço social** social welfare. **serviço de mensagens curtas** short message service (SMS).
servidão servitude; slavery.
servidor servant, server. • attendant, serving. ♦ **servidor público** civil servant. **cliente--servidor** client-server.
servil servile.
servir serve; wait; supply; fit. ***servir--se*** make use of; help oneself (at the table). ♦ **Este serve?** Will this do?, Does it fit? **Para que serve isto?** What is the use of this?, What's it for? **Qualquer coisa serve.** Anything will do.
servo servant; slave.
sessão session; assembly. ♦ **sessão espírita** séance.
sessenta sixty. → Numbers
seta arrow, dart. ♦ **seta de paginação** scroll arrow. **setas de cursor** arrow keys.
sete seven. ♦ **as sete maravilhas do mundo** the seven wonders of the world. **os sete pecados capitais** the seven deadly sins. → Numbers
setecentos seven hundred. → Numbers
setembro September.
setenta seventy. → Numbers
setentrional northern.
sétimo seventh part. • seventh. → Numbers
setor sector. ♦ **setor com defeito** bad sector.
seu his, her, its, your, their; his, hers, its, yours, theirs.
severidade severity; strictness, harshness.

severo severe, austere; rigorous, harsh, strict.
sexagenário sexagenarian.
sexagésimo sixtieth; sexagesimal. → Numbers
sexista sexist.
sexo sex. ♦ **fazer sexo** have sex. **sexo seguro** safe sex.
sexta-feira Friday. ♦ **Sexta-feira Santa** Good Friday.
sexto sixth part. • sixth. → Numbers
sexual sexual. ♦ **relações sexuais** sexual intercourse.
shopping shopping mall.
short shorts. → Clothing
si si, B, the seventh musical note. • himself, herself, itself, oneself, yourself, yourselves, themselves. ♦ **fora de si** out of his wits. **por si só** of his own accord; by oneself. **Ele voltou a si.** He came to himself.
siamês Siamese.
siberiano Siberian.
siciliano Sicilian.
SIDA (Síndrome da Imunodeficiência Adquirida) AIDS (Acquired Immune Deficiency Syndrome). → Abbreviations
sideral sideral.
siderurgia metallurgy, iron and steel industry.
siderúrgico metallurgical.
sidra cider, apple wine.
sifão siphon, syphon.
sífilis syphilis, lues.
sigilo seal, sigil, secret, secrecy.
sigiloso top secret.
sigla abbreviation.
signatário signatory, signer.
significado meaning, sense.
significante significant; important.
significar signify, mean; imply.
significativo significative, meaningful, expressive, suggestive.
signo sign.
sílaba syllable.
silenciar silence; keep silent.
silêncio silence; stillness; calm, quiet. ♦ **Silêncio!** Silence!, Hush!
silencioso silent; speechless; still, quiet; noiseless; voiceless.
silhueta silhouette, profile.
silogismo syllogism.
sim yes, yeah; yea; all right; absolutely; exactly. ♦ **Sim!** Naturally!, Of course! **Creio que sim.** I believe so., I think so.
simbiose symbiosis.
simbólico symbolic(al).
simbolizar symbolize.
símbolo symbol; token, sign.
simetria symmetry; harmony.
simétrico symmetric(al); harmonious.
similar similar.
similaridade similarity; likeness.
símile simile.
simpatia affinity, liking.
simpático friendly; helpful; nice. → Deceptive Cognates
simpatizar like; empathize with, feel inclined towards; agree with.
simples simple; plain; clear; ingenuous.
simplesmente simply, plainly.
simplicidade simplicity.
simplificação simplification; facilitation.
simplificar simplify; facilitate.
simplório simpleton; half-witted; naive.
simpósio symposium.
simulação simulation.
simular simulate; pretend.
simultâneo simultaneous.
sina fate; destiny.
sinagoga synagogue, Jewish temple.
sinal signal; sign; mark, indication; gesture; birthmark. ♦ **fazer sinal com a mão** beckon, wave. **por sinal** in fact; by the way. **sinal da cruz** sign of the cross. **sinal de trânsito** traffic sign.
sinalização signalization; traffic signs or signals; signpost.
sinceramente sincerely, honestly, frankly.
sinceridade sincerity; frankness.
sincero sincere, frank, honest.
síncope syncope; temporary loss of consciousness; omission of one or more letters from the middle of a word.

sincronia synchrony, synchronicity.
sincrônico synchronic.
sincronizar synchronize.
sindicalizar unionize.
sindicância syndication; inquiry, investigation.
sindicato syndicate; labor union.
síndico assignee; build manager; janitor.
sinergia synergy, synergism.
sinfonia symphony.
sinfônico symphonic.
singelo plain, simple; sincere.
singular singular. • individual; single; singular; peculiar; unique.
singularidade singularity; uniqueness; oddity.
sinistro accident, casualty; disaster; damage. • sinister; evil.
sino bell.
sinônimo synonym. • synonymous.
sinopse synopsis; summary, abstract.
sintaxe syntax.
síntese synthesis.
sintético synthetical; resumed, summarized; artificial.
sintetizador synthesizer. → Musical Instruments
sintetizar synthesize, synthetize.
sintoma symptom; indication.
sintomático symptomatic.
sintonizar tune in.
sinuca snooker. ♦ **estar numa sinuca de bico** be snookered, be in a difficult situation, be behind the eight ball. **mesa de sinuca** pool table, snooker table. → Leisure
sinuoso sinuous, winding.
sirene siren, alarm.
siri crab. → Animal Kingdom
Síria Syria. → Countries & Nationalities
sírio Syrian. → Countries & Nationalities
sísmico seismic, cataclysmic. ♦ **abalo sísmico** earthquake.
sismo earthquake, seaquake.
siso judgment; criterion; prudence. ♦ **dente do siso** wisdom tooth. → Human Body
sistema system; scheme, organization; structure. ♦ **sistema aberto** open system. **sistema fechado** turnkey system. **sistemas críticos à missão** mission critical systems.
sistemática systematics.
sistemático systematic.
sistematizar systemize, systematize.
sisudo grave, serious; circumspect, discerning, prudent.
sítio site; siege.
situação situation, scenario; position; location, place; circumstances. ♦ **situação financeira** financial position.
situado situated.
situar place; situate; establish.
skate skateboard; ♦ **andar de *skate*** skateboarding. → Leisure
skatista skateboarder.
slogan slogan.
snowboard snowboarding. → Sports
só alone; unique; single, sole, all by oneself; lone, lonely; solitary, secluded; unassisted, helpless. • solely, solitarily, uniquely, not other than, just. ♦ **Antes só do que mal acompanhado.** Better be alone than in ill company.
soar sound. ♦ **soar bem** sound fine/good. **soar mal** sound bad.
sob under, below, beneath. ♦ **sob juramento** under oath. **sob medida (roupa)** tailored, customized, tailor-made. **sob sua supervisão** under his supervision, under his leadership.
soberania sovereignty, domination, rule.
soberano sovereign.
soberbo superb; proud; splendid, sumptuous; magnificent.
sobra surplus; excess. ***sobras*** leftovers. ♦ **de sobra** spare, extra.
sobrado two-story house.
sobrancelha brow, eyebrow. → Human Body
sobrar exceed; be superfluous; remain, rest.
sobre about, concerning; above, over, over and above; on, onto, upon; super, supra; up.

sobreaviso precaution, forethought; prevention. • warned, cautioned. ♦ **estar de sobreaviso** be on the alert.
sobrecarga overburden, overload.
sobrecarregar overload, overburden; overfreight; overcharge.
sobreloja mezzanine.
sobremaneira excessively; greatly.
sobremesa dessert.
sobrenatural supernatural.
sobrenome last name, surname, family name.
sobrepor put (up) on; superpose, overlap, overlay; add to, increase; superimpose.
sobreposição overlapping, overstriking.
sobressair protrude, project.
sobressalente surplus, overplus; spare part; extra. ♦ **peças sobressalentes** spare parts. **pneu sobressalente** spare tire.
sobressaltado jumpy, apprehensive, anxious.
sobressaltar surprise; frighten, scare.
sobressalto dread, fear; sudden surprise; moral or physical disturbance.
sobretaxa surtax, supercharge.
sobretudo overcoat, coat. • over all, above all; mainly, essentially.
sobrevivência survival.
sobrevivente survivor. • surviving, outliving.
sobreviver survive, outlive; resist.
sobrevoar overfly, fly over.
sobriedade sobriety; temperance.
sobrinho(a) nephew (man); niece (woman).
sóbrio sober; abstinent.
socar strike with the fist; beat, thrash; punch.
sociabilidade sociability.
social social.
socialismo socialism.
socialista socialist.
socialização socialization.
socializar socialize.
sociável sociable; neighborly.
sociedade society; social body, association; corporation, company, partnership; community; club; organization. ♦ **alta sociedade** high society. **sociedade anônima** business corporation.
sócio member, membership, associate, partner; joint owner, shareholder.
sociologia sociology.
soco blow, punch.
socorrer protect, aid, help, assist; relieve; rescue.
socorro relief, aid; assistance. ♦ **primeiros socorros** first aid. **pronto-socorro** emergency room. **Socorro!** Help!
soda soda; fizzy water. ♦ **soda cáustica** sodium hydroxide, caustic soda. **soda limonada** lemon squash.
sódio sodium.
sofá sofa, couch. ♦ **sofá-cama** sofa bed. → Furniture & Appliances
sofisticação sophistication.
sofisticado sophisticated.
sofisticar sophisticate.
sofrer suffer; bear, endure; stand, undergo; support, tolerate; admit, permit. ♦ **sofrer de** be afflicted with.
sofrimento suffering, pain, torment, ordeal, trouble.
sofrível sufferable, endurable, tolerable.
softbol softball. → Sports
software software. ♦ ***software* de domínio público** public domain software. ***software* gratuito** freeware. ***software* livre** open-source software.
sogro(a) father-in-law (man); mother-in-law (woman).
soja soybean, soy. → Vegetables
sol sun; so, G, the fifth musical note. ♦ **de sol a sol** from sun to sun. **nascer do sol** sunrise. **pôr do sol** sunset. **tapar o sol com a peneira** carry water in a sieve.
sola sole-leather; sole of a shoe; sole of a foot.
solar manor-house, mansion. • solar (related to the sun). • play a solo.
solda weld.

soldado soldier; private. • welded; joined. ♦ **soldado raso** foot soldier.
soldar solder, weld, join. ♦ **ferro de soldar** soldering iron.
soleira sill, doorstep.
solene solemn.
solenidade solemnity; celebration.
soletrar spell.
solicitação solicitation.
solicitar ask, request, order.
solidão solitude, loneliness; seclusion.
solidariedade sympathy, solidarity.
solidário sympathetic, solidary. ♦ **ser solidário com** stand by; be sympathetic to, sympathize with.
solidez solidity; firmness.
solidificar solidify; consolidate; strengthen.
sólido solid. ♦ **ter sólidos conhecimentos de** be well-grounded in.
solista soloist.
solitária tapeworm; solitary cell. → Animal Kingdom
solitário solitary; lonely; secluded; unsociable; reclusive.
solo soil, earth, ground, solo.
soltar unfasten, untie, unbind; loosen; release, unleash, free. ***soltar-se*** get loose; be separated from; run freely. ♦ **soltar a língua** loosen one's tongue.
solteirão(ona) bachelor (man); spinster, bachelorette (woman).
solteiro single.
solto slack, loose; released, free.
solução solution.
soluçar hiccup; sob (cry).
solucionar solve.
soluço hiccup; sob (crying).
solúvel soluble; dissolvable.
som sound. ♦ **ao som de** to the sound of. **aparelho de som** stereo. **dizer em alto e bom som** say it loud and clear. **som agudo** shrill sound. **som grave** bass, drone.
soma sum, addition; total; an amount of money.
somar sum up; add; total.
sombra shadow, shade; darkness. ♦ **à sombra** in the shade. **sem sombra de dúvida** without the slightest doubt. **sombra e água fresca** happy-go-lucky.
sombreado the shading of a picture or drawing. • shaded, shadowed, shady.
sombrear shade; shadow; darken.
sombrio shady, shadowy; obscure; dark; sad; dismal; cloudy.
somente only; just.
sonâmbulo sleepwalker. • somnambulistic.
sonata sonata.
sonda probe, catheter; sounding line; oil derrick. ♦ **sonda espacial** space probe.
sondagem sounding investigation; perforation, drilling, exploration, plumbing, probing.
sondar sound; search; probe.
soneca nap, doze.
sonegação defraudation; misappropriation.
sonegar misappropriate; defraud, cheat; not pay (taxes, debts, etc.).
soneto sonnet, a short poem.
sonhador visionary, dreamer.
sonhar dream. ♦ **sonhar acordado** daydream.
sonho dream; donut.
sono sleep, slumber; rest, repose. ♦ **estar com sono** be sleepy. **pegar no sono** fall asleep. **sem sono** sleepless. **sono agitado** restless sleep. **ter sono leve** be a light sleeper. **ter sono pesado** be a heavy sleeper.
sonolência somnolence, sleepiness.
sonolento somnolent, sleepy, drowsy.
sonoridade sonority, loudness.
sonoro sonorous; loud. ♦ **onda sonora** sound wave.
sonso sly, artful, cunning; clever.
sopa soup.
sopeira soup dish.
soporífero soporific.
soprano soprano.
soprar blow (on, up); puff.
sopro puff of air, whiff; exhalation; blowing, blast; breath, breathing; breeze. ♦ **instrumento de sopro** wind instrument. **sopro cardíaco** cardiac murmur.

sórdido dirty, filthy; sordid, sleazy, vile.
soro serum; the whey of milk.
sorridente smiling, radiant.
sorrir smile, grin.
sorriso smile; act of smiling, grin. ♦ **sorriso amarelo** sickly smile, half-hearted smile.
sorte destiny, fate; fortune, chance, luck. ♦ **Arrisque a sorte!** Try your luck!, Take your chances! **A sorte está lançada.** The die is cast. **Boa sorte!** Good luck! **dar sorte** bring good luck. **de sorte que** so that. **má sorte** bad luck. **por sorte** luckily. **tirar a sorte** draw lots; toss a coin.
sortear choose or pick out by lot; cast lots, draw lots; sort; raffle.
sorteio allotment; raffle; lottery.
sorver sip, suck; absorb.
sorvete ice cream.
sorveteria ice-cream parlor.
sósia double, counterpart.
sossegado quiet, calm; tranquil; restful; uneventful.
sossegar calm, quiet; pacify; rest, repose, calm down.
sossego tranquility, calmness.
sótão attic.
sotaque accent.
sovaco axilla; armpit. → Human Body
soviético Soviet.
sovina stingy. • scrooge.
sozinho alone, lonely. • all alone, solely, all by oneself.
squash squash → Sports
sua his, her, its, your, their; his, hers, its, yours, theirs.
suado sweaty.
suar sweat, perspire.
suave agreeable, pleasant; mild, gentle; kind, affable; delicate.
suavemente gently, softly.
suavidade amenity; mildness.
suavizar soothe, soften.
subalterno subaltern, subordinate.
subaquático underwater.
subconsciência semiconsciousness; subconsciousness.
subconsciente subconscious.
subcutâneo subcutaneous.
subdesenvolvido underdeveloped.
subdesenvolvimento underdevelopment.
subdividir subdivide.
subdivisão subdivision.
subentender infer; suppose, presume; admit mentally.
subentendido implied, implicit; latent.
subestimar underestimate.
subida ascension; rise; slope; climb, climbing.
subir ascend, rise, go up; increase; enhance; lift. ♦ **subir a bordo do avião** board the airplane. **subir a escada** climb the stairs. **subir de posição** rise from the ranks; be promoted (in a company).
súbito sudden, unexpected; abrupt. ♦ **de súbito** suddenly.
subjetivo subjective.
subjuntivo subjunctive.
sublime sublime; splendid, glorious; divine.
sublinhar underline, underscore.
submarino submarine. → Means of Transportation
submergir submerge, submerse.
submersão submergence, submersion.
submersível submergible.
submeter submit; subdue, subject. ♦ **submeter-se a uma operação** undergo surgery. **submeter-se a um tratamento** submit oneself to a treatment. **submeter-se totalmente** resign.
submissão submission.
submisso submissive; obedient.
subnutrição underfeeding, undernourishment.
subnutrido underfed, undernourished.
subordinação subordination; obedience, subjection.
subordinado subordinate.
subordinar subordinate, subject.
subornar bribe.
suborno bribery.
subproduto by-product, derivate.
subsidiário subsidiary; collateral.
subsídio subsidy; aid, assistance; help; grant.
subsistência subsistence, livelihood.

subsolo subsoil, substrate; underground; basement.
substância substance; matter; stuff.
substancial essential; nutritive, nourishing; fundamental.
substancialmente substantially.
substantivo noun. • substantive.
substituição substitution.
substituir substitute; replace; overwrite.
substituto substitute; successor, surrogate, proxy; representative; deputy. • substituting. ♦ **atuar como substituto** act as proxy.
subterfúgio subterfuge; excuse.
subterrâneo subterranean, underground cave; basement; underworld. • subterranean.
subtítulo subtitle, subheading.
subtotal subtotal.
subtração subtraction; deduction.
subtrair subtract.
suburbano suburban.
subúrbio suburb. ***subúrbios*** outskirts.
subversão subversion.
subversivo subversive.
subverter subvert; overturn; disturb; disorganize; pervert, corrupt.
sucata scrap(s), scrap iron.
sucção suction, suck.
suceder succeed, happen, occur; act as a substitute; come next.
sucessão succession; sequence, series; progression.
sucessivamente successively. ♦ **e assim sucessivamente** and so on.
sucessivo succeeding; successive. ♦ **três vezes sucessivas** three times in a row.
sucesso outcome; success. ♦ **de sucesso** successful. **Eu lhe desejo todo o sucesso.** I wish you well. **não ter sucesso** fail. **ter sucesso** succeed, be successful. **produto de sucesso arrasador** blockbuster. **sucesso de vendas** bestseller.
sucessor successor; heir. • succeeding, following.
sucinto concise, brief, short.
suco juice.
suçuarana puma. → Animal Kingdom
suculento succulent; juicy.
sucumbir succumb, yield, submit; perish; despair; die, be defeated.
sucuri anaconda, boa constrictor, python. → Animal Kingdom
súdito subject; vassal.
sudoeste southwest. ♦ **do sudoeste** southwestern.
Suécia Sweden. → Countries & Nationalities
sueco Swede. • Swedish. → Countries & Nationalities
suéter sweater. → Clothing
suficiência sufficiency; adequacy.
suficiente sufficient; adequate; enough. ♦ **mais do que suficiente** enough and to spare.
sufixo suffix.
sufocação suffocation; choke.
sufocante suffocating; stifling.
sufocar asphyxiate, suffocate; choke; smother, strangle.
sufrágio suffrage, vote, voting.
sugar suck.
sugerir suggest; insinuate, inspire; prompt, propose; hint.
sugestão suggestion; proposal; hunch; hint.
sugestionar suggest.
sugestivo suggestive.
Suíça Switzerland. → Countries & Nationalities
suicida suicidal.
suicidar-se commit suicide.
suicídio suicide; self-murder.
suíço Swiss. → Countries & Nationalities
suíno swine, pig. • swinish, piggish.
sujar dirty, soil; stain.
sujeira dirt, filth.
sujeitar subject, submit; obligate; dominate. ***sujeitar-se*** submit oneself, yield; surrender; conform to.
sujeito subject; citizen; individual; fellow, chap, guy, bloke. • subject; subordinate; liable, exposed. ♦ **um bom sujeito** a good fellow. **um sujeito esquisito** a queer fellow.
sujo dirty, filthy; sordid, indecorous.
sul south. • south, southern. ♦ **em direção ao sul** southward(s).

sul-africano South African.
→ Countries & Nationalities
sul-americano South American.
sul-coreano South Korean.
→ Countries & Nationalities
sulfúrico sulfuric.
sulista southerner. • southern.
sultão sultan.
suma summary. ♦ **em suma** all told, in short.
sumário summary; contents; abbreviation, abridgement; brief; synopsis. • summary; concise, succinct, brief, condensed.
sumiço disappearance; escape.
sumir disappear, vanish; get lost. ♦ **Suma daqui!** Get out of here!
sumo juice, sap. • high priest.
suntuoso sumptuous; magnificent, luxurious, lavish, splendid; costly.
suor sweat; perspiration.
superar overcome; dominate; surpass; beat. ♦ **superar as expectativas** exceed expectations. **superar em número** outnumber.
supercílio eyebrow. → Human Body → Deceptive Cognates
supercondutor superconductor.
superestimar overestimate.
superficial superficial.
superficialidade superficiality.
superfície surface.
supérfluo superfluous, unnecessary.
superintendente superintendent.
superior superior; higher; excellent.
superioridade superiority. ♦ **tratar com superioridade** look down on.
superlativo superlative.
superlotar overcrowd, overload.
supermercado supermarket.
superpotência superpower.
superprodução overproduction.
supersônico supersonic.
superstição superstition.
supersticioso superstitious.
supervalorização overvaluation.
supervisão supervision.
supervisionar supervise, oversee.
supervisor supervisor, overseer. • supervisory, supervising, overseeing.
suplementar supplement. • supplemental, additional, supplementary.
suplemento supplement, appendix.
suplente substitute. • substitutional.
supor suppose, assume, think, imagine, presume, believe.
suportar support; suffer, endure; stand, bear.
suportável tolerable, bearable.
suporte support.
suposição supposition.
supositório suppository.
suposto supposed, presumed, assumed.
suprassumo top, utmost.
supremacia supremacy.
supremo Supreme Court. • supreme, highest.
suprimento supply; subsidy; aid.
suprimir suppress; abolish, omit.
suprir supply; furnish; help.
surdez deafness. ♦ **aparelho de surdez** hearing aid.
surdo deaf. ♦ **surdo como uma porta** as deaf as a post, stone-deaf. **surdo-mudo** deaf and dumb.
surfar surf.
surfe surfing, surf. → Sports
surfista surfer.
surgir arise, appear, emerge.
surpreendente surprising, astonishing, remarkable, admirable, amazing.
surpreender surprise, astonish.
surpresa surprise. ♦ **de surpresa** by surprise. **festa surpresa** surprise party. **para minha grande surpresa** much to my surprise.
surpreso surprised, amazed.
surra thrashing, spanking, beating.
surrado worn-out; beaten; filthy, dirty.
surrar beat, spank; beat up.
surrealismo surrealism.
surto outbreak; boom.
suscetibilidade susceptibility.
suscetível susceptible; sensitive.
suscitar incite, provoke.
suspeita suspicion. ♦ **acima de qualquer suspeita** above any suspicion. **despertar suspeitas** arouse suspicion. **lançar suspeitas sobre** cast suspicion on.

suspeitar suspect, distrust, mistrust.
suspeito suspect. • suspect; suspicious, dubious.
suspender hang, hang up; winch, lift, suspend; postpone; interrupt, discontinue, cease; dismiss temporarily. ♦ **suspender um aluno** send down a student.
suspensão suspension; interruption; postponement.
suspirar sigh.
suspiro sigh; meringue (candy). ♦ **dar o último suspiro** breathe one's last.
sussurrar whisper.
sussurro whisper.
sustenido sharp.
sustentação sustentation, sustenance; holding.
sustentar sustain; support, hold up; bear the weight of; maintain. ♦ **sustentar uma família** support a family.
susto fright, shock, scare. ♦ **dar um susto em alguém** scare or frighten someone. **levar um susto** be frightened.
sutiã brassiere, bra. → Clothing
sutil subtle; tenuous.
sutileza subtlety.
sutura suture.
suturar suture, join by suture or sewing.

T

T, t the twentieth letter of the Portuguese alphabet.
tabacaria tobacco shop.
tabaco tobacco.
tabagismo tabagism, tobaccoism.
tabela table, chart; list, catalog, schedule. ♦ **por tabela** indirectly. **tabela de citações** table of authorities. **tabela de juros** interest rate. **tabela de pesquisa** look-up table.
tabelamento control of prices; listing.
tabelar put on the official price list, control, regulate.
tabelião notary public.
tablado stage; platform; bleachers.
tablete tablet, bar.
tabloide tabloid.
tabu taboo.
tábua board; plank. ♦ **tábua de passar roupa** ironing board. **tábua de corte** chopping board. **tábua de xadrez** chessboard. **tábua de salvação** last resource, lifeline.
tabuada multiplication table.
tabuleta signboard.
taça cup; glass.
tacha tack. ♦ **tachinha** thumbtack.
tachar brand, stigmatize, criticize.
tácito tacit, implicit, unspoken, implied; silent; reserved.
taciturno taciturn, reserved; moody.
taco billiard cue, golf club, hockey stick, cricket or polo mallet, baseball bat.
tagarela talkative, chatty.
tagarelar chatter, babble.
tagarelice talkativeness; indiscretion.
tailandês Thai. → Countries & Nationalities
Tailândia Thailand. → Countries & Nationalities
tal a certain person, one; important person, big shot. • this, that; such, like, similar, of that kind. • so, thus, accordingly, consequently. ♦ **a tal ponto** such an extent. **de tal maneira** in such a way. **fulano de tal** John Doe, so-and-so. **na rua tal** in such and such a street. **Que tal?** What do you think of it? **Que tal um cafezinho?** What about a coffee? **Tal pai, tal filho.** Like father, like son. **tal qual** just like. **um tal de John** a certain John.
tálamo thalamus.
talão stub. ♦ **talão de cheques** checkbook. **talão de pedidos** order book.
talco talc, talcum powder.
talento talent, ability.
talharim noodles.
talher set of knife, fork and spoon. *talheres* cutlery. ♦ **pôr mais um talher/lugar à mesa** lay one more cover.
talismã talisman, amulet, charm.
talo stalk.
talvez perhaps, maybe, by chance, possibly.
tamanco clog. → Clothing
tamanduá tamandua, anteater. → Animal Kingdom

tamanho size. ♦ **de bom tamanho** good-sized, sizable. **em tamanho natural** life-size.
tâmara date. → Fruit
tamarindo tamarind. → Fruit
também also, so, either, too. ♦ **também não** not… either; neither; nor.
tambor drum. → Musical Instruments
tampa cover(ing), lid; cap. ♦ **sem tampa** lidless. **tampa de panela** potlid.
tampar cover; cap.
tampinha bottle cap.
tampouco neither, nor, either.
tangente tangent. • tangent; touching. ♦ **sair pela tangente** go off on a tangent.
tangerina tangerine. → Fruit
tangível tangible.
tanque tank, reservoir, cistern. ♦ **carro-tanque** tank car. **encher o tanque** fill up the tank. **navio-tanque** tanker. **tanque de gasolina** gas tank. **tanque de lavar roupa** laundry sink.
tanto an indeterminable quantity, amount, sum, extent. • as much, so much; as many, so many; so large; so great. • such a degree, number or extent; thus. ♦ **cento e tantos** hundred and odd. **Para mim, tanto faz.** It's all the same to me. **para tanto** therefore. **Tanto o carro quanto o barco são muito caros.** Both the car and the boat are very expensive. **tanto quanto** or **tanto como** as much as. **tanto quanto possível** as much as possible. **um tanto (quanto)** rather, somewhat.
tão so, much, that, as, so much. ♦ **tão logo** as soon as. **tão longe** that far. **tão pouco** so little. **tão quente que** so hot that.
tapa slap.
tapar close, plug, fill up, shut up; block, cover. ♦ **tapar os olhos** blindfold. **tapar os ouvidos** plug up one's ear. **tapar um buraco** block up a hole.
tapeação deceit, cheat, trickery.
tapear deceive, trick, scam, cheat.
tapeçaria tapestry; upholstery.
tapete carpet, rug, mat. → Furniture & Appliances
tapume hedge, hedgerow screen.
tarado pervert; sex maniac.
tardar delay, postpone, procrastinate. ♦ **o mais tardar** at the latest. **sem tardar** without delay, right away.
tarde afternoon, evening. • late. ♦ **Antes tarde do que nunca.** Better late than never. **até tarde da noite** far into the night. **cedo ou tarde** sooner or later. **tarde demais** too late.
tardinha late afternoon, early evening.
tardio late.
tarefa task; duty; assignment; function, job. ♦ **incumbir alguém de uma tarefa** assign someone a task.
tarifa tariff, rate, fare, charge, tax, fee.
tarraxa screw, screw thread; dowel; wedge; peg.
tartaruga turtle. ♦ **carapaça de tartaruga** tortoiseshell. **tartaruga terrestre** tortoise. → Animal Kingdom
tatear grope; touch, feel.
tática tactics; method.
tático tactical.
tato touch, feeling; tact, sensibility, discretion, diplomacy, prudence. ♦ **falta de tato** gaucherie, tactlessness.
tatu armadillo. → Animal Kingdom
tatuagem tattoo.
tatuar tattoo.
taverna tavern, inn, pub.
taxa tribute, tax, tariff, fee. ♦ **taxa bancária** bank rate. **taxa de câmbio** exchange rate. **taxa de desemprego** unemployment rate. **taxa de inflação** inflation rate. **taxa de juros** interest rate. **taxa de matrícula** enrollment fee. **taxa de mortalidade** death rate, mortality rate. **taxa de natalidade** birth rate.
taxação taxation.
taxar rate; tax, assess, charge; consider.
táxi cab, taxicab, taxi. ♦ **chamar um táxi** call a cab. **ponto de táxi** taxi

stand. **táxi-aéreo** air taxi.
→ Means of Transportation
taxista taxi driver. → Professions
tchau bye, bye-bye.
tcheco Czech. → Countries & Nationalities
te you, to you. ♦ **Eu te vi.** I saw you. **Peço-te.** I ask you.
teatral theatrical.
teatro theater. ♦ **peça de teatro** play. **teatro de marionetes** puppet theater.
tecelagem textile industry.
tecer weave, twist, spin. ♦ **tecer comentários** comment on.
tecido tissue; cloth, fabric. • woven. ♦ **tecido adiposo** adipose (fatty) tissue. **tecido estampado** printed fabric. **tecido xadrez** plaid.
→ Human Body
tecla key. ♦ **bater na mesma tecla** harp on the same string. **definição de teclas** key assignment. **tecla de atalho** shortcut key. **tecla de dois estados** toggle key. **toque nas teclas** keystroke.
teclado keyboard. ♦ **teclado ergonômico** ergonomic keyboard. **teclado numérico** numeric keypad. → Musical Instruments
técnica technic, technique, know-how.
técnico technician. • technical. ♦ **técnico de futebol** coach.
→ Professions
tecnologia technology. ♦ **alta tecnologia** high-tech.
tédio boredom, dullness.
tedioso tedious, wearisome; dull, boring.
teia cloth, textile; plot, intrigue, scheme. ♦ **teia de aranha** spiderweb, cobweb.
teimar insist, persist, persevere.
teimosia obstinacy, stubbornness.
teimoso obstinate, stubborn.
tela canvas; screen. ♦ **tela plana** flat screen. **tela sensível a toque** touch screen.
telecomunicações telecommunications.
teleconferência teleconference.
telefonar call, phone, telephone, ring (someone) up. ♦ **telefonar a cobrar** make a collect call.
telefone telephone. ♦ **atender o telefone** answer the phone. **desligar o telefone** hang up. **O telefone está fora do gancho.** The telephone is off the hook. **telefone celular** cell phone. **telefone fixo** landline. **telefone público** pay phone.
telefonema telephone call. ♦ **dar um telefonema** make a phone call. **telefonema interurbano** long-distance call.
telefônico telephonic. ♦ **cabine telefônica** (tele)phone booth, telephone box. **lista telefônica** (tele)phone directory, yellow pages.
telefonista operator. → Professions
telegrafar telegraph, cable, wire.
telegráfico telegraphic.
telégrafo telegraph.
telegrama telegram, cable, wire. ♦ **passar um telegrama** send a telegram. **por telegrama** by telegram.
telejornal TV news.
telenovela soap opera.
teleobjetiva telephoto lens.
telepatia telepathy.
teleprocessamento teleprocessing.
telescópio telescope.
televisão television, telly, TV, TV set. ♦ **televisão em cores** color television. → Furniture & Appliances
telex telex.
telha tile.
telhado roof. ♦ **Quem tem telhado de vidro não atira pedras no do vizinho.** People who live in glass houses shouldn't throw stones.
tema theme; topic; subject, subject matter; motive.
temático thematic.
temer fear, dread; doubt. ♦ **temente a Deus** God-fearing.
temeroso fearful, dreadful, affraid.
temido feared.
temível appalling, fearful, dreadful.
temor dread, fear; fright.
temperado temperate; seasoned, spiced.

temperamental temperamental.
temperamento temperament, mentality, mood.
temperar season, flavor, spice; soften, moderate, calm.
temperatura temperature. ♦ **medir a temperatura** take the temperature.
tempero seasoning, spice, condiment.
tempestade storm, rainstorm, thunderstorm; tempest. ♦ **fazer tempestade em copo-d'água** make a mountain out of a molehill. **tempestade de areia** sandstorm, dust storm. **tempestade de granizo** hailstorm. → Weather
tempestuoso stormy.
templo temple.
tempo time; period, era; season; weather; tense; hour; half. ♦ **ao mesmo tempo** at the same time. **dar tempo ao tempo** wait and see. **de tempo em tempo** from time to time. **Ele chegou lá a tempo.** He got there in time. **em seu devido tempo** in due course. **É tempo de cerejas.** Cherries are in season now. **Há quanto tempo você está no Brasil?** How long have you been in Brazil? **matar o tempo** kill time. **muito tempo atrás** a long time ago. **nesse meio-tempo** in the meantime. **passar o tempo** quiddle. **perda de tempo** waste of time. **por muito tempo** for long. **previsão do tempo** weather forecast. **primeiro/segundo tempo (de jogo)** first/second half. **se o tempo permitir** weather permitting. **tempo bom (clima)** fine. **tempo compartilhado** time-sharing. **Tempo é dinheiro.** Time is money. **tempo integral** full-time. **Vai fechar o tempo.** There is trouble ahead. → Weather
temporada season.
temporal tempest, rainstorm. • secular, mundane.
temporariamente temporarily.
temporário temporary; provisory.
tenacidade tenacity; obstinacy.
tenaz tenacious; stubborn; persistent, obstinate.
tencionar intend, plan.
tenda tent.
tendão tendon, sinew. ♦ **tendão da perna** hamstring. → Human Body
tendência tendency; inclination, trend.
tendencioso tendentious, partial, biased.
tender incline; tend, tend towards.
tenebroso frightful.
tenente lieutenant. → Deceptive Cognates
tênis tennis; tennis shoe, sneakers. ♦ **quadra de tênis** tennis court. **tênis de mesa** table tennis. → Sports → Clothing
tenor tenor.
tenro tender; mild, soft.
tensão tension, stress, strain. ♦ **alta tensão** high tension. **tensão pré-menstrual (TPM)** premenstrual syndrome (PMS).
tenso tense, taut, on edge.
tentação temptation, incitement.
tentáculo tentacle.
tentador tempting, seductive.
tentar try, experiment; attempt; tempt. ♦ **Tente a sorte !** Give it a try!, Take a chance! **tentar novamente** try again.
tentativa trial, attempt, effort, endeavor. ♦ **tentativa de assassinato** attempted murder. **tentativa de roubo** attempted robbery. **tentativa de suborno** attempted bribery. **tentativa de suicídio** suicide attempt. **tentativa fracassada** abortive attempt.
tênue fine, fragile, weak, feeble.
teologia theology.
teológico theological.
teoria theory.
teórico theoretical, abstract.
ter have, possess, own; hold, keep. ♦ **Ele tem cada uma!** He is full of tricks. **Tenha paciência!** Be patient!, Take it easy! **ter aversão a** dislike. **ter boa fama** be well spoken of. **ter cara de** look like. **ter em mente** have in mind, bear in mind. **ter que ver com** have to do with. **ter**

razão be right. **ter saudade de** long for, miss.
terapeuta therapist, counselor, psychotherapist. → Professions
terapêutico therapeutic.
terapia therapy. ♦ **terapia ocupacional** occupational therapy. **unidade de terapia intensiva** intensive care/treatment unit.
terça-feira Tuesday. ♦ **terça-feira gorda** Shrove Tuesday.
terceirização outsourcing. ♦ **terceirização no exterior** offshoring.
terceiro third; third part; mediator. • third. ♦ **seguro contra terceiros** third-party insurance. **Terceiro Mundo** Third World, Developing Countries. → Numbers
terço third part of anything; chaplet, rosary. ♦ **rezar o terço** tell one's beads.
terçol eyesore, sty.
terebintina turpentine.
térmico thermal, thermic.
terminal terminal. • terminal, terminating. ♦ **terminal burro** (*informática*) dumb terminal. **terminal inteligente** smart terminal. **terminal rodoviário** terminal station.
terminar end, finish, close, complete; expire. ♦ **terminar com algo** put an end to something. **terminar em** end in. **terminar por** end up.
término conclusion, ending; expiration.
terminologia terminology.
termo term, expression; boundary, landmark ♦ **em termos** within limits. **em termos gerais** all in all. **termo técnico** technical term.
termodinâmica thermodynamics.
termômetro thermometer.
termonuclear thermonuclear.
termostato thermostat.
terno suit. • tender, gentle, delicate, mild. → Clothing
ternura tenderness, kindness.
terra earth, world, globe; land, ground, soil; country, nation. ♦ **debaixo da terra** underground. **proprietário de terras** landowner. **terra natal** mother country, motherland. **Terra Prometida** Promised Land. **Terra Santa** Holy Land.
terraço terrace.
terraplenagem earthwork, embankment, levelling of the ground.
terraplenar embank, level (ground).
terremoto earthquake. → Weather
terreno land. • terrestrial, worldly, earthy. ♦ **ceder terreno** give way. **ganhar terreno** gain ground. **preparar terreno** clear the ground. **terreno baldio** empty lot.
térreo ground, ground floor, ground level. ♦ **casa térrea** one-story house.
terrestre terrestrial, worldly, earthly.
territorial territorial.
território territory; land, country.
terrível terrible, awful, dreadful.
terror terror, horror, fright.
terrorismo terrorism.
terrorista terrorist.
tese thesis; proposition; theory; dissertation. ♦ **em tese** in theory.
tesoura scissors, a pair of scissors, shears. → Classroom
tesouraria treasury.
tesoureiro treasurer. → Professions
tesouro treasure, riches; wealth; treasury.
testa forehead. ♦ **estar à testa de** be at the head of. **testa de ferro** dummy, figurehead. → Human Body
testamento will, last will, testament. ♦ **abertura de um testamento** reading of a will.
testar test, try.
teste test, examination, trial. ♦ **teste de hipóteses** what-if analysis.
testemunha witness; testimony. ♦ **banco das testemunhas** witness stand. **testemunha ocular** eyewitness.
testemunhar bear witness, testify, attest, confirm.

testemunho testimony, evidence.
testículo testicle; ball (*inf.*). → Human Body
teta teat; breast, tit (*gír.*). → Human Body
tétano lockjaw.
teto ceiling, roof; shelter, cover. ♦ **sem-teto** homeless.
tétrico sad; gloomy, mournful.
teu your; yours.
têxtil textile.
texto text.
textual textual; literal.
texugo badger. → Animal Kingdom
tez complexion, skin, cutis, epidermis. → Human Body
ti you, yourself. ♦ **a ti, de ti, para ti** you, from you, for you.
tíbia tibia, shinbone. → Human Body
tiete groupie.
tifo typhoid fever.
tigela bowl.
tigre tiger. → Animal Kingdom
tijolo brick.
tilintar clink, tinkle.
timão tiller.
timbre timbre; letterhead, emblem, stamp.
time team.
timidez shyness.
tímido timid, shy; demure.
tímpano tympanum, eardrum; kettledrum. → Human Body
tingir dye, stain, color.
tino discernment, judgment; tact; intelligence; prudence.
tinta paint, ink. ♦ **rolo de passar tinta** paint roller. **tinta a óleo** oil paint. **tinta fresca** wet paint.

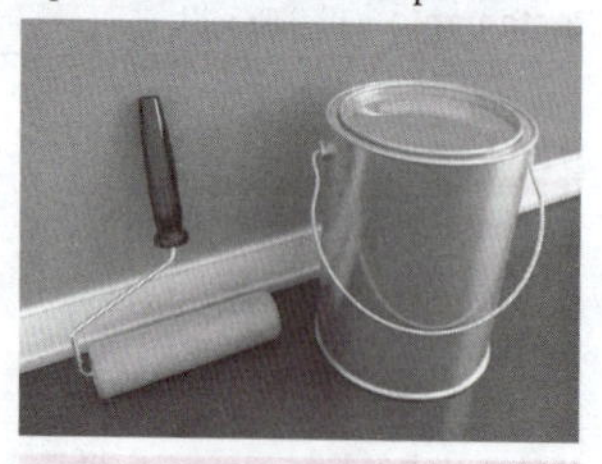

paint

ink

tinteiro inkpot, inkwell.
tinto dyed, colored; red (wine or grapes).
tintura dyeing; dye, color.
tio(a) uncle (man), aunt (woman).
tipicamente typically.
típico typical, characteristic.
tipo type, kind, sort, variety. ♦ **Que tipo esquisito!** What a queer fellow!
tipografia typography.
tipógrafo typographer. → Professions
tipologia typology.
tira band, ribbon; strip; policeman, cop; comic strip.
tiracolo shoulder belt. → Clothing
tiragem circulation, issue; printing, edition.
tirania tyranny, despotism.
tirano tyrant, despot, oppressor, autocrat. • tyrannical, despotic.
tirar draw, pull; remove, extract; deprive; exclude; take, take out, take away. ♦ **sem tirar nem pôr** exactly. **tirar a roupa** undress. **tirar férias** take a vacation. **tirar partido de** exploit; take advantage of. **tirar proveito** benefit. **tirar sangue** draw blood. **tirar satisfação** demand satisfaction.
tireoide thyroid gland. → Human Body
tiro shot, gunshot, bang. ♦ **levar um tiro** be shot. **tiro ao alvo** target practice. **tiro de misericórdia** coup de grâce, death blow. **trocar tiros** shootout.
tiroteio shooting, firing.

titular holder; office holder
• title; entitle. ♦ **titular de cartão** cardholder.
título title, heading, caption; denomination; label, inscription, lettering; voucher; bond.
♦ **a título de** in terms of, as a matter of. **título de propriedade** title deed.
toalete toilet, restroom. ♦ **fazer a toalete** have a wash.
toalha towel. ♦ **toalha de banho** bath towel. **toalha de mesa** tablecloth. **toalha de rosto** face towel.

towel

tablecloth

toalheiro towel rack.
toca burrow, den.
toca-discos record player.
toca-fitas tape deck.
tocaia ambush, trap.
tocar touch, feel, contact; play (an instrument), perform; ring (bells); affect, move. ♦ **tocar de ouvido** play by ear. **tocar na ferida** touch a sore spot. **tocar no assunto** bring something up. **tocar adiante** drive ahead, keep moving. **tocar violão** play the guitar. → Leisure
tocha torch.
todavia but, yet, still, however, nevertheless, though.
• notwithstanding.
todo the whole, completeness, totality. ***todos*** each and every, one and all, everyone. • all, whole, complete, entire. • every.
♦ **ao todo** altogether, all in all. **como um todo** as a whole. **em todo o país** all over the country. **seguro contra todos os riscos** all in one insurance. **toda a gente** everybody. **todo-poderoso** almighty. **todos nós** all of us. **todos os dias** every day.
toldo marquee, sunblind.
tolerância tolerance; endurance.
tolerante tolerant; enduring, indulgent; broad-minded.
tolerar tolerate, endure, bear; stand, abide; allow.
tolher hinder, hamper; prevent, restrain; stop; disable.
tolice foolishness, silliness, nonsense.
tolo foolish, silly, half-witted.
tom tone, pitch, key; intonation, accent; shade, dye; tension, inflection. ♦ **dar o tom** set the tone. **de bom-tom** appropriate. **tom azulado** a touch of blue.
tomar take; seize, catch, capture; grasp; conquer, win; eat, drink; take away. ♦ **Pelo que você me toma?** What do you take me for? **tomar a iniciativa** take the lead. **tomar fôlego** catch one's breath. **tomar muito tempo** take too much time. **tomar providências** take measures. **tomar umas e outras** have a couple of drinks.
tomate tomato. → Fruit
tombar stumble, fall, overthrow.
tombo tumble, fall. ♦ **levar um tombo** fall down.
tona surface. ♦ **à tona** up. **manter-se à tona (na água)** afloat, above water. **vir à tona** come to the surface, come to light.

tonel vat, cask.
tonelada ton, tonne (weight of 1,000 kg). → Numbers
tônico tonic. • tonic; restorative; stressed. ♦ **acento tônico** stress.
tonto dizzy, dazed; stupid, silly.
topada stumbling, tripping.
topázio topaz.
topete topknot; forelock.
tópico topic; subject, theme; heading, matter, text; argument. • topical; of local application.
topo summit, top, peak, acme, highest point.
topografia topography.
toque touch, contact; feeling; keystroke; ringing (of a bell).
toranja grapefruit. → Fruit
tórax thorax. → Human Body
torção torsion, twisting.
torcedor supporter; fan. • inciting, cheering.
torcer twist, turn, wrench; distort; support; misinterpret. ♦ **torcer por algo/alguém** keep one's fingers crossed. **torcer por um time** cheer, support.
torcida fans, supporters. ♦ **animadora de torcida** cheerleader.
tormenta tempest.
tormento torment, affliction, distress; agony, suffering.
tornado tornado (storm). → Weather
tornar return; go/turn/come back/again; give back, send back, repay; answer; render, change.
torneado rounded, roundish; shapely.
tornear turn; turn round; turn on a lathe; shape, mold.
torneio tournament, tourney, cup, championship.
torneira tap, faucet. ♦ **fechar a torneira** turn off the tap.
tornozelo ankle. → Human Body
toró downpour.
torpedo torpedo; SMS, (text) message.
torrada toast.
torradeira toaster.
torrado toasted, roasted.
torrar toast, roast.
torre tower; castle, rook (chess). ♦ **torre de controle** control tower, watch tower. **torre de igreja** steeple.
torrefação torrefaction.
torrente torrent, stream, flood.
tórrido torrid, very hot, burning.
torta tart, pie. ♦ **torta de queijo** cheesecake.
torto twisted, crooked, bent; distorted, deformed.
tortura torture; pain, anguish.
torturar torture, torment.
tosse cough, coughing. ♦ **tosse comprida** whooping cough. **tosse seca** dry cough.
tossir cough.
tostar toast, char.
total total, totality, sum. • total, whole, entire. ♦ **eclipse total** total eclipse. **no total** in the gross. **perda total** total loss.
totalidade totality, entirety.
totalitário totalitarian.
totalizar total, totalize, add up.
totalmente totally.
touca bonnet, cap. → Clothing
toucinho bacon.
toupeira mole; numbskull, idiot. → Animal Kingdom
tourada bullfight, bullfighting.
toureiro bullfighter.
touro bull. → Animal Kingdom
toxemia blood poisoning, toxemia.
toxicidade toxicity.
tóxico toxin, poison. • toxic.
trabalhador worker, laborer, employee. • laborious, diligent, hard-working; busy.
trabalhar work, labor. ♦ **trabalhar por conta própria** be self-employed.
trabalho work; job, service. ♦ **É trabalho demais.** It is too much trouble. **trabalho artesanal** handiwork, handicraft. **trabalho de campo** fieldwork. **trabalho de equipe** teamwork. **trabalho doméstico** housework. **trabalho enfadonho** drudgery. **trabalho forçado** hard labor.
trabalhoso hard, arduous, difficult, burdensome.

traça moth. → Animal Kingdom
traçado trace, tracing, plan. • drawn, traced, designed, delineated.
tração traction, tension, pulling. ♦ **animal de tração** draft animal.
traçar trace, draw, delineate; plan, map; project; rule; frame.
tracinho dash, hyphen.
traço trace, line; stroke of a pen, pencil or brush; trait, feature, aspect; trail, track; vestige, sign; footprint, mark.
tradição tradition.
tradicional traditional, of or pertaining to tradition.
tradução translation. ♦ **tradução livre** free translation.
tradutor translator; interpreter. • translating. ♦ **tradutor juramentado** sworn translator.
traduzir translate; express.
trafegar transit, pass through, traffic; negotiate.
tráfego traffic; transit, transport. ♦ **tráfego aéreo** air traffic. **tráfego engarrafado** traffic jam.
traficar traffic, trade, negotiate; deal, swindle, trick.
tráfico traffic, smuggling, black market. ♦ **tráfico de drogas** drug dealing.
tragar swallow. ♦ **tragar fumaça** inhale.
tragédia tragedy; calamity, disaster.
trágico tragic, sad.
traição treason, treachery, betrayal.
traiçoeiro treacherous.
traidor traitor, betrayer. • treacherous.
trailer trailer. → Means of Transportation
trair betray, cheat on.
trajar wear, put on, dress.
traje dress, cloth(es), costume. ♦ **traje de gala** full dress, formal dress. **trajes menores** underclothes.
trajeto stretch, distance; course.
trajetória trajectory.
trama plot, scheme; woof.
tramar plot; weave. ♦ **O que você está tramando?** What are you up to?
trâmites ways or channels, formalities.
trampolim springboard, diving board.
tranca bar, crossbar; hindrance, obstacle.
trancar fasten, latch, lock.
trançar braid, plait; interlace, weave.
tranco collision, push, bump. ♦ **aos trancos e barrancos** by fits and starts.
tranquilamente leisurely.
tranquilidade tranquility, peace.
tranquilizar tranquilize, calm down; pacify.
tranquilo calm, peaceful, easygoing.
transar have sex.
transatlântico transatlantic.
transbordante overflowing.
transbordar overflow.
transcender transcend, overpass.
transcorrer elapse, go by, pass (time).
transcrever transcribe, copy.
transcrição transcription.
transcrito transcript. • transcribed, copied.
transferência transference.
transferir transfer; remove, convey, transport; postpone; pass; download.
transformação transformation, alteration, modification.
transformador transformer. ♦ **transformador de corrente** current transformer. **transformador de voltagem** voltage transformer.
transformar transform, alter, change, modify.
transfusão transfusion.
transgredir transgress, infringe. ♦ **transgredir a lei** break the law.
transgressão transgression, law-breaking.
transgressor transgressor, lawbreaker.
transição transition.

transigente condescending, yielding.
transigir compromise, agree; condescend.
transitar transit, pass. ♦ **transitar por** go along.
transitivo transitive.
trânsito transit, traffic, flow. ♦ **trânsito intenso** heavy traffic.
transitório transitory, ephemeral, brief.
translúcido translucent; limpid, clear.
transmissão transmission. ♦ **transmissão ao vivo** live broadcast.
transmissível communicable; transmissible.
transmitir transmit, pass on, communicate, convey; broadcast.
transparecer become visible, be evident. ♦ **deixar transparecer** imply, hint, insinuate.
transparência transparency.
transparente transparent, see-through; limpid, clear; obvious.
transpiração perspiration, sweating.
transpirar sweat, perspire; become known, leak out.
transplantar transplant.
transpor transpose; cross over; overrun.
transportador carrier.
transportar transport, carry.
transporte transport, transportation; vehicle. ♦ **despesas de transporte** transport charges. **meios de transporte** means of transportation. **transporte aéreo** air transport. **transporte de mercadorias** cargo transport. **transporte fluvial/marítimo** water carriage. **transporte rodoviário** land carriage.
transtornar overturn; disturb, perturb, unsettle; change, alter. ***transtornar-se*** become perturbed.
transtorno upset, disturbance, inconvenience.
transversal transversal, transverse, oblique.
trapaça fraud, deceit, trick, cheat, swindle, rip-off.
trapacear cheat, swindle, deceive.
trapaceiro trickster, swindler, crook, con man. • deceitful, fraudulent, swindling, tricky.
trapalhada confusion, disorder; entanglement, complication, mess, misunderstanding. ♦ **Que trapalhada!** What a mess!
trapézio trapezium; trapeze; trapezoid.
trapo rag.
traqueia trachea, windpipe. → Human Body
trás behind, after, back. ♦ **de trás** from behind. **ir para trás** go backwards. **para trás** back, backwards. **por trás** behind.
traseira rear, hinder part, back.
traseiro bum, butt, buttocks; posterior. • back, hindmost, rear. → Human Body
traslado transfer, removal.
tratado treaty, agreement.
tratamento treatment. ♦ **fazer um tratamento** start a treatment. **sob tratamento** under/in treatment. **tratamento médico** medical care.
tratar treat; deal with, handle; attend. ***tratar-se*** take care of oneself. ♦ **tratar alguém como um cachorro** treat someone like dirt. **tratar alguém friamente** give the cold shoulder to someone. **tratar com luvas de pelica** handle with kid gloves. **tratar do mesmo modo** treat the same way.
trato deal; agreement, contract. ♦ **dar tratos à bola** rack one's brains. **pessoa de fino trato** person of refined manners.
trator tractor.
trauma trauma.
trava lock.
travar restrain; lock; block; stop. ♦ **travar amizade** become friends. **travar conhecimento/relações** come to know.
trave crossbar; goalpost.
travessa beam, crossbar; bystreet, side street; crossroad; platter.

side street

platter

travessão dash.
travesseiro pillow. → Furniture & Appliances
travessia crossing.
trazer bring; carry; introduce; convey. ♦ **trazer à baila** bring to discussion.
trecho period; space, distance, section; passage; chapter, extract.
trégua armistice, truce.
treinador trainer, coach.
treinar train, coach; exercise, practice.
treino training, practice.
trela leash, strap (for dogs). ♦ **dar trela a alguém** to chat with somebody. **não dar trela a alguém** to ignore somebody.
trem train. → Means of Transportation
tremedeira trembling, shaking, shivering.
tremer tremble, quake, shake, quiver; shiver; vibrate, oscillate. ♦ **tremer como vara verde** tremble like a leaf. **tremer de raiva** tremble with rage.
tremor tremor, shake. ♦ **tremor de terra** earthquake.
tremulante waving, shaking.
tremular tremble; wave; flicker, twinkle; vacillate, hesitate; quaver, thrill.
trêmulo trembling; fearful, hesitant.
trena tape measure.
trepar climb; ascend; rise.
trepidação vibration.
trepidar shake, vibrate.
três three. ♦ **regra de três** rule of three. **três quartos** three-quarters. **três vezes** three times. **três vezes mais** three times as much. → Numbers
trevas darkness, obscurity; ignorance.
trevo clover; intersection. ♦ **trevo de quatro folhas** four-leaf clover.
treze thirteen. → Numbers
trezentos three hundred. → Numbers
triangular triangular; three-cornered, trigonal.
triângulo triangle. → Musical Instruments
triátlon triathlon. → Sports
tribo tribe; clan. ♦ **chefe da tribo** head of the tribe.
tribuna tribune.
tribunal court. ♦ **tribunal de contas** Audit Office, Court of Audit. **tribunal de justiça** Law Court, Court of Law
tributação taxation.
tributar assess, tax.
tributário tributary, contributary, contributing; confluent.
tributável taxable.
tributo tribute, duty; tax.
triciclo tricycle. → Means of Transportation
tricô knitting. ♦ **agulha de tricô** knitting needle. → Leisure
tricolor tricolored.
tricotar knit.
trigal wheat field.
trigêmeo triplet.
trigésimo thirtieth part. • thirtieth. → Numbers
trigo wheat. ♦ **farinha de trigo** wheat flour. **separar o joio do**

trigo separate the wheat from the chaff.
trigonometria trigonometry.
trilha track; trail, path. ♦ **seguir a trilha de** follow one's path. **trilha com defeito** bad track. **trilha sonora** soundtrack.
trilho trail, track, rail.
trilogia trilogy.
trimestral trimestrial, every three months.
trimestre quarter, trimester, period of three months.
trincar crush; crack.
trincheira trench.
trinco door latch, latch bolt.
trinta thirty. → Numbers
trio trio; a set of three.
tripa gut, tripe. *tripas* entrails, bowels, guts. ♦ **fazer das tripas coração** bend over backwards, give 110%. → Human Body
tripé tripod; three-legged support.
triplicar triplicate, triple.
triplo triple, triplex. • triple, triplex, threefold.
tripulação crew, personnel.
tripulante member of the crew.
tripular man (a ship, an airplane).
triste sad, sorrowful; unhappy; melancholic, depressed. ♦ **estar triste** feel sad. **fazer um papel triste** cut a sorry figure.
tristemente sadly.
tristeza sorrow, sadness, grief, unhappiness; melancholy, depression; mournfulness.
tristonho unhappy, depressed, sad.
trituração grinding.
triturar grind.
triunfante triumphant.
triunfar triumph; win, conquer; rejoice, exult; be successful.
triunfo triumph; victory, conquest, success.
trivial trivial; common, trifling, banal, small.
trivialidade triviality.
troca change; exchange, barter; trade. ♦ **em troca** in exchange, in return.
trocadilho pun.
trocado small change, small cash.
trocar change, turn, alter, substitute; exchange, interchange, convert; barter, trade. ♦ **trocar ideias** exchange views, exchange ideas.
troco change (money); small cash. ♦ **a troco de** in exchange for. **A troco de quê?** What on earth for? **dar o troco** pay back, get even.
troféu trophy.
tromba trunk (of an elephant or tapir). ♦ **tromba-d'água** waterspout.
trombone trombone. → Musical Instruments
trompa horn. → Musical Instruments
trompete trumpet. → Musical Instruments
tronco trunk; torso. → Human Body
trono throne.
tropa troop.
tropeção stumbling, stumble, trip. ♦ **aos tropeções** by fits and starts.
tropeçar stumble, trip.
tropeço stumble; false step.
tropical tropical; pertaining to the tropics. ♦ **doença tropical** tropical disease.
trópico tropic.
trovão thunder. ♦ **voz de trovão** thundering voice. → Weather
trovejar thunder.
trovoada thunderstorm.
trucidar murder, kill; slaughter.
truculência truculence.
truculento truculent, aggressive.
trufa truffle.
truque trick, artifice. ♦ **truque de mágica** sleight of hand.
truta trout. → Animal Kingdom
tu you.
tubarão shark. → Animal Kingdom
tuberculose tuberculosis.
tuberculoso tuberculous.
tubo tube; pipe; duct. ♦ **tubo de ensaio** test tube.
tubulação pipeline.
tudo everything, all, the whole. ♦ **acima de tudo** above all. **além de tudo** to top it all, besides that. **antes de tudo** first of all. **Ele daria tudo para saber disso.** He would give the world to know about this. **Está tudo terminado.** It's all over. **Isso é**

tudo. That's all. **É tudo ou nada.** It's sink or swim. **Tudo bem.** OK. **tudo incluído** all-inclusive. **Tudo, menos isso.** Anything but that.
tufão typhoon, hurricane. → Weather
tufo tuft (of hairs, feathers, grass).
tulipa tulip.
tumba tomb, grave.
tumor tumor. ♦ **tumor benigno** benign tumor. **tumor maligno** malignant tumor.
túmulo tomb, grave.
tumulto tumult, uproar, turbulence, confusion; riot.
tumultuar disturb; riot.
tumultuoso tumultuous; riotous; turbulent.
túnel tunnel. ♦ **atravessar um túnel** pass through a tunnel.
turbante turban.
turbilhão vortex, whirlpool; tornado, whirlwind; tumult, confusion, agitation.
turbina turbine.
turbulência turbulence; disturbance; turmoil.
turbulento turbulent, bumpy.
turco Turk. • Turkish. ♦ **banho turco** Turkish bath. → Countries & Nationalities
turismo touring, tourism.
turista tourist.
turma group; gang; people.
turno turn; shift. ♦ **por turno** on shifts. **turno da noite** night shift.
Turquia Turkey. → Countries & Nationalities
turvar darken, dim; trouble.
turvo muddy, cloudy; darkish, dim; confused; disturbed.
tutano marrow, medulla.
tutela tutelage, guardianship, tutorship, custody.
tutelar tutor, protect, guard. • tutelar(y), protective.
tutor tutor, preceptor, guardian.

U

U, u the twenty-first letter of the Portuguese alphabet.
úbere udder.
ufanar make proud; flatter. ***ufanar-se*** boast, be proud of.
ui ouch.
uísque whisky.
uivar howl.
uivo howl.
úlcera ulcer. ♦ **úlcera gástrica** gastric ulcer.
ulcerado ulcerous; ulcerated.
ultimamente lately. ➔ Deceptive Cognates
ultimar terminate, finish, end.
ultimato ultimatum.
último ultimate, latter; late(st); last, final.
ultraje outrage, affront, offense, insult.
ultrapassado outdated, out of date.
ultrapassar surpass, exceed, pass; leave behind; overtake, be ahead.
ultrassom supersound, ultrasound.
ultravioleta ultraviolet.
um one. • a, an. ***uns*** some. ♦ **era uma vez** once upon a time. **nem um nem outro** neither of them. **ora um, ora outro** by turns. **um ao outro** each other. **um certo** or **um tal** one, a certain. **um de cada vez** one at a time. **um e outro** both, either. **um por um** one by one. ➔ Numbers
umbigo navel, belly button. ➔ Human Body
umbilical umbilical. ♦ **cordão umbilical** umbilical cord.
umedecer moisten, dampen, wet.
umedecido wettish, wet, damp.
umidade humidity, moistness, damp.
úmido moist, humid, damp, clammy. ♦ **tempo úmido** damp weather, rainy weather.
unânime unanimous.
unanimidade unanimity. ♦ **por unanimidade** unanimously, by general agreement.
unha nail, fingernail. ♦ **cortar as unhas** pare/clip/cut/trim the nails, have one's nails cut. **fazer as unhas** have one's nails done. **lutar com unhas e dentes** fight with tooth and nail. **ser unha e carne** be hand and glove. **unha de fome** close-fisted, scrooge. **unha do pé** toenail. **unha encravada** ingrown nail. ➔ Human Body
unhar scratch, claw.
união union; alliance, association; junction. ♦ **A união faz a força.** Union is strength.
único unique, single, alone, sole, only, one, one and only. ♦ **filho único** only child.
unidade unity, oneness; unit; drive. ♦ **unidade central de processamento** central processing unit (CPU). **unidade de CD-ROM** CD-ROM drive. **unidade de disco** disk drive.
unido united; joined; connected.
unificação unification.
unificar unify; gather.
uniforme uniform. • uniform, regular, constant, steady, even, identical, equal.
uniformidade uniformity.
uniformizar make uniform; provide with a uniform; unify.
unilateral unilateral.

unir unite, join, connect, adjoin, associate, link; unify; fasten, attach, bind, tie.
unissono unison.
universal universal.
universalidade universality, totality.
universalizar universalize.
universidade university.
universitário undergraduate student, of or pertaining to a university, academic(al); college, university.
universo universe; the solar system; a whole. • universal.
urânio uranium.
urbanismo urbanism, city planning; urbanization.
urbanizar urbanize.
urbano urban.
ureia urea.
urgência urgency; haste.
urgente urgent, pressing, critical; imperative.
urina urine.
urinar urinate.
urna ballot box; urn; coffin.

ballot box urn

urologia urology.
urso bear. ♦ **urso-branco** or **urso-polar** polar bear. **urso de pelúcia** teddy bear. **urso panda** panda. **urso-pardo** grizzly bear. → Animal Kingdom
urticária urticaria, hives.
urubu vulture. → Animal Kingdom
Uruguai Uruguay. → Countries & Nationalities
uruguaio Uruguayan. → Countries & Nationalities
usado used (up), spent; worn-out, old; second hand.
usar use, employ, apply; make use of, utilize; wear, dress. ♦ **modo de usar** direction for use. **usar como pretexto** give as a pretext, give as an excuse.
usina workshop, works, (manu)factory, mill, plant. ♦ **usina hidrelétrica** hydroelectric powerplant.
uso use; employment; usage; utilization. ♦ **apenas para uso externo** for outward application only. **fazer mau uso** misuse.
usual usual, normal, habitual, customary, commonplace.
usuário user. ♦ **conteúdo gerado por usuários** user-generated content.
usufruir enjoy, make good use of.
usufruto usufruct.
usura usury.
usurpador usurper. • usurping.
usurpar usurp, encroach; assume (without right).
utensílio utensil, tool, implement, appliance, ware.
uterino uterine.
útero uterus, womb. → Human Body
útil useful, practical; handy; helpful. ♦ **dias úteis** workdays. **unir o útil ao agradável** mix business with pleasure.
utilidade utility, use(fulness); convenience.
utilitário utility (SUV, jeep, station wagon, etc.). • practical, useful. → Means of Transportation
utilização utilization, use.
utilizar utilize, make use of, use.
utopia utopia, imagination, fancy.
utópico utopian, fanciful, idealistic, fantastic.
uva grape. ♦ **um cacho de uvas** a bunch of grapes. **uva-passa** raisin. → Fruit
úvula uvula. → Human Body

V

V, v the twenty-second letter of the Portuguese alphabet.
vaca cow; beef. ♦ **ser carne de vaca** be commonplace. **voltar à vaca-fria** go back to square one; go back to the point. ➔ Animal Kingdom
vacilação hesitation, vacillation.
vacilante hesitating, faltering; wavery.
vacilar vacillate, hesitate; waver, falter.
vacina vaccine.
vacinar vaccinate.
vácuo vacuum; hollow, gap, void.
vadiagem idleness, indolence.
vadiar idle, laze, loaf.
vadio idler, vagrant. • vagrant, idle.
vaga vacancy. ♦ **Não há vagas.** No vacancy.
vagabundo vagabond, vagrant; lazybones, idler; tramp, bum. • idle; lazy.
vaga-lume firefly, glowworm. ➔ Animal Kingdom
vagamente faintly, vaguely.
vagão wagon, railway car. ♦ **vagão de trem** flatcar. **vagão-restaurante** dining car.
vagar vacate, become vacant; wander, meander, stroll, rove.
vagareza slowness, sluggishness.
vagaroso slow, sluggish.
vagem green beans. ➔ Vegetables
vagina vagina. ➔ Human Body
vago free, vacant, empty; indefinite, indistinct, vague. ♦ **horas vagas** free time, spare time.
vaia hiss, catcall. ♦ **levar vaia** be hissed at.
vaiar hoot, hiss at, boo.
vaidade vanity.
vaidoso vain, conceited.
vala trench, ditch. ♦ **vala comum** common grave, mass grave.
vale valley, dale; voucher, receipt.
valente valiant, intrepid, bold, brave, daring.
valentia bravery, valiantness.
valer value, be worth; be valuable; cost; be useful/serviceable. ♦ **Ele não vale o que come.** He's not worth his salt. **fazer valer os seus direitos** stake a claim. **Isto não vale um tostão.** This is not worth a plugged nickel. **Isto vale a pena.** It is worth it., It is worthwhile., It pays its way. **Isto vale quanto pesa.** It is as good as it looks. **Mais vale um pássaro na mão que dois voando.** A bird in hand is worth two in the bush. **Valha-me Deus!** So help me God!
valeta ditch, drain.
valia worth, value; price; merit; worthiness.
validade validity, legality. ♦ **data de validade** expiration date.
validar validate, legalize; authenticate, acknowledge.
válido valid, sound; legal.
valioso valuable, worthy, precious, costly; important.
valise valise, portemanteau, small suitcase.
valor value, worth; courage; effort; merit; price. ♦ **de pouco valor** halfpenny, of little worth. **sem valor** useless, worthless. **valor agregado** added value. **valor**

nominal face value, nominal value. **valor nutricional** food value, nutritional value.
valorização valorization.
valorizar valorize, value, prize; increase in value.
valoroso valorous, worthy; valiant.
valsa waltz.
válvula valve. ♦ **válvula de escape** exhaust valve, escape valve; outlet (*inf.*). **válvula de segurança** safety valve.
vampiro vampire.
vandalismo vandalism.
vândalo vandal.
vanguarda vanguard, forefront, cutting edge. ♦ **de vanguarda** avant-garde.
vantagem advantage; benefit; profit; head start. ♦ **as vantagens e desvantagens** the ins and outs. **contar vantagem** talk big, boast, brag. **estar em vantagem** to have the edge on. **Que vantagem eu levo?** Where do I come in? **Temos uma vantagem de seis pontos.** We are up six points., We are six points ahead. **tirar vantagem de** take advantage of.
vantajoso profitable; advantageous.
vão opening; empty space, void, vacuum; interspace. • vain, void, futile, useless; empty. ♦ **Foi tudo em vão.** It was all in vain.
vapor vapor, steam, fume. ♦ **a todo vapor** at full steam. **barco a vapor** steamship, steamer. **cozinhar no vapor** steam. **produzir vapor** get up steam. **vapor-d'água** water vapor, steam.
vaqueiro cowboy.
vara stick, rod, cane; pole. ♦ **vara de condão** (magic) wand. **vara de pesca** fishing rod.
varanda veranda, balcony; porch; terrace.
varão man, male. • masculine.
varar pierce, go beyond; penetrate into. ♦ **varar a noite** stay up all night.
varejeira blowfly. → Animal Kingdom
varejista retailer.
varejo retail.
variabilidade variability.
variação change, modification; variation.
variado varied; diverse; assorted.
variante variant; version, variation, deviation, difference. • variant, alternate; changeable.
variar vary; change, alter; diversify; alternate.
variável variable. • variable, changeable.
varicela chickenpox, varicella.
variedade variety, diversity.
vário different. ***vários*** some, several.
varíola variola, smallpox.
varrer sweep.
vasculhar search, ransack.
vasectomia vasectomy.
vasilhame vessel, casks, bottle; bowl.
vaso vase, flowerpot. ♦ **vaso capilar** capillary. **vaso sanguíneo** blood vessel. **vaso sanitário** toilet. → Human Body
vassoura broom. ♦ **cabo de vassoura** broomstick.
vasto vast, great, huge; ample, wide, extensive.
vazamento leak, leakage.
vazante ebb tide.
vazão flowing out, outflow; emptying. ♦ **dar vazão a** give place to.
vazar leak; empty; pour out; drain.
vazio emptiness, vacuum, vacuity; blank. • empty, unoccupied, vacant, vacuous; void, vain, futile; deserted.
veado deer. → Animal Kingdom
vedação prohibition; impediment, hindrance; stoppage, closing, blocking, barrier.
vedado forbidden, prohibited; blocked, obstructed, closed, sealed.
vedar hinder, prohibit, forbid, interdict; stop, close, shut, seal.
vegetação vegetation. ♦ **vegetação rasteira** underbrush, undergrowth.
vegetal vegetable.
vegetar vegetate.
vegetariano vegetarian, veggie (*inf.*).

vegetativo vegetative.
veia vein; tendency, vocation. ♦ **veia jugular** jugular vein. **veia safena** saphenous vein, saphena.
→ Human Body
veículo vehicle. ♦ **veículo 4x4** SUV.
→ Means of Transportation
vela candle; sail. ♦ **luz de velas** candlelight.

candle

sail

veleiro sailboat. → Means of Transportation
velejar sail.
velharia old stuff, rubbish.
velhice old age, oldness.
velho old man. • old, aged; ancient; obsolete, archaic, old-fashioned, dated; worn, shabby. ***velhos*** the aged.
velocidade velocity, speed, fastness, swiftness, quickness.
velocímetro speedometer.
velório deathwatch, wake.
veloz swift, quick, speedy, fast.
veludo velvet.
vencedor conqueror; winner, champion.
vencer win; succeed, triumph; vanquish, overcome; overdue.
♦ **vencer de três a um** win three to one.
vencimento deadline; expiration date (of a product). ***vencimentos*** wage, salary. ♦ **no vencimento** when due.
venda sale, selling; bandage, blindfold. ♦ **à venda** for sale. **comissão sobre vendas** sales commission. **condições de venda** terms of sale. **preço de venda** sales price. **venda a prazo** sales in installments. **venda a varejo** retail. **venda à vista** cash sale. **venda por atacado** wholesale. **vendido (esgotado)** sold out. **venda via correio** mail order.
vendar blindfold.
vendaval gale, windstorm, whirlwind. → Weather
vendedor salesclerck, salesman, seller, agent; shop assistant.
♦ **vendedor ambulante** hawker, peddler. → Professions
vender sell, vend (*form.*); make sales, deal in. ♦ **vender a preço de banana** knock down for a song. **vender à vista** sell cash.
vendido sold. ♦ **mais vendido** bestseller; best-selling.
veneno poison, venom. ♦ **veneno para ratos** ratsbane.
venenoso poisonous, venomous.
venerar venerate, worship, adore.
venerável venerable; respectable; sacred.
venéreo venereal. ♦ **doenças venéreas** venereal diseases (VD).
veneziana shutter, venetian blind, rollerblind, blind, shade.
Venezuela Venezuela. → Countries & Nationalities
venezuelano Venezuelan.
→ Countries & Nationalities
ventania windstorm, blow, gale.
→ Weather
ventar blow, wind.
ventilação ventilation, airing.
♦ **falta de ventilação** closeness.
ventilador fan. • ventilator.
ventilar air; ventilate.
vento wind. ♦ **aos quatro ventos** in all directions. **ir de vento em popa**

sail under a fair wind. **moinho de vento** windmill. **ventos favoráveis** fair wind. → Weather
ventoso windy.
ventre womb; belly, abdomen. ♦ **prisão de ventre** constipation. → Human Body
ver see; watch, look at; observe. ♦ **a meu ver** in my opinion. **Ela sempre finge que não me vê.** She always shuts her eyes to me. **Não posso nem ver esse homem!** I hate the very sight of that man! **não ter nada que ver com** have nothing to do with. **Vamos ver o que há por trás disso.** Let's see what's underneath. **Ver para crer.** Seeing is believing.
veracidade veracity, veraciousness.
verão summer. ♦ **férias de verão** summer holidays. **horário de verão** daylight saving time (DST). → Weather
verba budget.
verbalizar verbalize.
verbete entry (of a dictionary), headword.
verbo verb. ♦ **rasgar o verbo** bawl out; not mince someone's words.
verdade truth; fact, reality. ♦ **É verdade!** Very true! **na verdade** actually, in fact. **para falar a verdade...** to tell the truth… **Quero a verdade nua e crua.** I want the ugly and naked truth.
verdadeiro true, truthful, veracious, veridical; real, actual, genuine.
verde green.
verdura greens.
verdureiro greengrocer. → Professions
vereador city councilor.
veredicto verdict; judgment, decision.
vergar bend, bow, curve, fold.
vergonha shame. ♦ **não ter vergonha na cara** feel no shame. **perder a vergonha** lose all shame. **Que vergonha!** Shame on you! **sem-vergonha** shameless. **ter vergonha** be ashamed; be shy.
vergonhoso shameful; disreputable.
verídico veracious, veridical, true.
verificação verification.
verificar verify, examine, check, control.
verme worm. → Deceptive Cognates
vermelhidão red, redness.
vermelho red, scarlet. ♦ **estar no vermelho (endividado)** be on the loss; be in the red. **sinal vermelho** red light. **vermelho de raiva** red with anger.
vermicida vermicide, vermifuge. • vermifuge.
vernáculo vernacular; mother tongue. • vernacular, native.
verniz varnish; shellac.
verruga wart.
versado versed, skilled, experienced.
versão version.
versátil versatile.
versatilidade versatility.
verso verse, rhyme; poetry; the other side, back. ♦ **em verso** in verse. **no verso da página** overleaf. **Vide verso.** Please turn over.
vértebra vertebra. → Human Body
vertebrado vertebrate.
verter flow, gush, pour, spout; spill; shed; translate into a foreign language.
vertical vertical, upright.
vertigem vertigo, dizziness.
vertiginoso vertiginous, dizzy.
vesgo cross-eyed.
vesícula vesicle, bladder. ♦ **vesícula biliar** gall bladder. → Human Body
vespa wasp. → Animal Kingdom
véspera eve.
veste garment, clothes.
vestiário dressing room, changing room.
vestíbulo vestibule, anteroom; entrance, hall, lobby.
vestido dress. ♦ **vestido de noite** gown. **vestido de noiva** bridal gown. → Clothing
vestígio vestige, footprint, trail; clue, mark, trace. ♦ **sem vestígio** clueless, without any trace.

vestir dress; wear. ♦ **Se a carapuça serve, ponha-a.** If the cap fits, wear it., If the shoe fits, wear it.
vestuário clothes, clothing; garment.
vetar veto, reject.
veterano veteran, vet. • veteran.
veterinária veterinary.
veterinário veterinarian, vet. → Professions
veto veto, rejection, dismissal.
véu veil(ing), covering.
vexame mortification, shame, blunder.
vez time, turn; occasion, opportunity. ♦ **Agora é minha vez.** Now it's my turn. **às vezes** sometimes, at times. **De quem é a vez?** Who's up? **de uma vez por todas** once and for all. **de vez em quando** every now and then, now and then, once in a while, occasionally. **duas vezes** twice. **em vez de** instead of. **Era uma vez…** Once upon a time… **mais uma vez** once more, one more time. **muitas vezes** time after time. **na maioria das vezes** more often than not. **três vezes seguidas** three times in a row. **uma vez** once. **uma vez que** since. **várias vezes** several times.
via track, path, street, road; route; way; means, manner. ♦ **Via Láctea** Milky Way. **chegar às vias de fato** come to blows. **estar em vias de** be about to. **por via das dúvidas** just in case. **via de regra** usually. **via de mão dupla** two-way street. **via de mão única** one-way street. **via preferencial** arterial road.
viaduto viaduct, overpass.
viagem travel, voyage, journey; tour, trip. ♦ **Boa viagem!** Have a nice trip! **em viagem** bound (for); on the journey, on track.
viajante traveler; voyager. • traveling, itinerant.
viajar travel, journey, tour.
viatura vehicle. ♦ **viatura policial** police car, patrol car.
viável possible, feasible.
víbora viper, adder. → Animal Kingdom
vibração vibration.
vibrador vibrator.
vibrante vibrating.
vibrar vibrate.
vice-rei viceroy.
vice-versa vice versa, contrariwise, conversely.
viciado addicted. • addict. ♦ **ar viciado** stuffy air. **viciado em TV** couch potato. **viciado em drogas** drug addict, junkie.
viciar vitiate; corrupt, pervert. ***viciar-se*** become addicted.
vício vice, addiction.
vicioso vicious, faulty.
vida life; living. ♦ **A vida é assim mesmo.** Such is life., That's life. **com vida** alive, living. **de longa vida** long-lived. **de vida curta** short-lived. **Enquanto há vida, há esperança.** While there's life, there's hope. **Eu aproveitei bem a vida.** I've had my time. **ganhar a vida** make a living. **levar uma vida de cão** live a dog's life. **lutar pela vida** struggle for life. **Puxa vida!** Oh my! **seguro de vida** life insurance. **uma questão de vida ou morte** a matter of life and death. **vencer na vida** get ahead in life. **vida noturna** nightlife. **vida particular** private life.
vidente visionary, prophet, clairvoyant.
vídeo video, videocassette. ♦ **videocassete** VCR (videocassete recorder). **locadora de vídeo** video rental store.
vidraça windowpane.
vidro glass; bottle, flask. ♦ **fibra de vidro** fiberglass. **vidro fosco** frosted glass. **vidro fumê** tinted glass. **vidro inquebrável** safety glass. **vidro temperado** tempered glass.
viela lane, alley, byway.
Vietnã Vietnam. → Countries & Nationalities
vietnamita Vietnamese. → Countries & Nationalities
viga beam; girder.
vigário vicar. ♦ **cair no conto do vigário** be cheated. **conto do**

vigário confidence game, swindle, fraud, scam, trick.
vigarista swindler, trickster, con man.
vigência legality, validity.
vigente valid, effective, current.
vigésimo twentieth. → Numbers
vigia watch; watchman, guard; sentinel.
vigiar watch; guard; oversee; be on one's guard.
vigilância surveillance, vigilance, guard, alertness.
vigilante watcher. • vigilant, watchful, observant.
vigília night watch.
vigor vigor, strength. ♦ **em vigor** in force. **entrar em vigor** come into effect.
vigoroso vigorous; strong, energetic.
vil vile; worthless; despicable.
vila villa, small town.
vilão villain, rascal, scoundrel.
vinagre vinegar.
vincular bond, link; bind, tie.
vínculo bond, link.
vinda coming, arrival. ♦ **dar as boas-vindas** welcome.
vindouro coming, future, next, forthcoming.
vingador avenger, revenger. • avenging, vindicative, retaliatory.
vingança vengeance, revenge, avengement, retaliation. ♦ **por vingança** in revenge.
vingar avenge, revenge; retaliate; punish. ***vingar-se*** take revenge.
vingativo vindictive, revengeful.
vinha vine; vineyard.
vinho wine. ♦ **adega de vinho** wine cellar, vault. **barril de vinho** wine cask. **vinho branco** white wine. **vinho de mesa** table wine. **vinho seco** dry wine. **vinho tinto** red wine.
vinícola winery.
vinil vinyl.
vinte twenty. ♦ **vinte e um** blackjack (game). → Numbers
viola viola. → Musical Instruments
violação violation; rape.
violador violator; transgressor; rapist.
violão guitar. → Musical Instruments
violar violate; transgress; rape.
violência violence; fierceness, ferocity.
violentar violate, force, coerce; rape.
violento raging, violent.
violeta violet. • violet. ♦ **raios ultravioleta** ultraviolet radiation, UV rays.
violinista violinist, fiddler.
violino violin, fiddle. → Musical Instruments
violoncelista cellist, violoncellist.
violoncelo violoncello, cello. → Musical Instruments
violonista guitarist.
vir come; arrive; come from, proceed. ♦ **Dias melhores virão.** Better days will come. **Isso não vem ao caso.** That's not the point., That's beside the point. **vir abaixo** tumble down. **vir à luz** become known. **vir a ser** turn out to be.
vira-lata street dog, mutt, mongrel.
virar turn, reverse, invert; change (mind, sides); rotate, revolve; become; return; capsize. ♦ **virar as costas para alguém** turn the back on someone. **virar as páginas** turn the pages. **virar a casaca** be a traitor. **virar para cima** upturn. **virar para fora** turn out.
virgem virgin, virginal, innocent, pure; untouched; spotless. ♦ **a Virgem Maria** the Virgin, Virgin Mary. **cal virgem** quicklime.
virgindade virginity.
vírgula comma.
viril virile, manly; vigorous, energetic.
virilha crotch, groin. → Human Body
virilidade virility.
virtual virtual. ♦ **realidade virtual** virtual reality. **comunidade virtual** virtual community.
virtualmente virtually.
virtude virtue; morality. ♦ **em virtude de** owing to, because of.
virtuoso virtuoso, artist. • virtuous, honest; honorable; pure.
vírus virus.

visão vision; sight, eyesight; view; ghost.
visar aim (at/for), seek, look for; take aim; sight, look at.
visibilidade visibility.
visita visit; visiting; visitation; inspection; a visitant, a visitor, a caller. ♦ **cartão de visita** business card. **fazer uma visita** call on, drop by.
visitante visitant, visitor, caller. • visiting, visitant.
visitar visit, call on, see, pay a visit.
visível visible; perceptible; manifest; apparent; public, notorious; outward.
vislumbre glimpse, notion.
visor visor, viewfinder (camera); spyhole.
vista view; sight, eyesight, vision; glimpse. ♦ **à primeira vista** at first sight. **de vista** from sight. **em vista de** in view of. **fazer vista grossa a** turn a blind eye to. **Isso está dando na vista.** This is striking the eye. **ponto de vista** point of view. **ter em vista** have in mind. **vista aérea** aerial view.

view

eyesight/vision

visto visa. • accepted, acknowledged; seen. ♦ **não visto** unseen. **visto que** respecting; for; inasmuch as; for as much.
vistoria inspection, survey(ing).
vistoriar inspect, examine; search.
visual visual. ♦ **campo visual** visual field. **memória visual** photographic memory.
visualizar visualize.
vitalício for life, lifelong.
vitalidade vitality, vigor.
vitalizar vitalize, (re)animate.
vitamina vitamin.
vítima victim; prey.
vitimar victimize; injure; kill, slay.
vitória victory; triumph, conquest, success. ♦ **o "v" da vitória** the "v" sign, the "v" for victory.
vitorioso victorious, triumphant.
vítreo vitreous, vitric, glassy.
vitrine window, display window, store window.
viuvez widowhood.
viúvo(a) widower (man); widow (woman).
vivacidade vivacity.
viver live, be alive, exist, be. ♦ **Quem viver verá.** Time will show. **viver ao deus-dará** live from hand to mouth. **viver como cão e gato** live like cat and dog. **viver de** live on. **Viveram felizes para sempre.** They lived happily ever after.
vivo alive, living; lively, smart; quick, alert. ♦ **ao vivo** live.
vizinhança neighborhood, vicinity. ♦ **política da boa vizinhança** good neighborhood policy.
vizinho neighbor.
voador flying • flyer. ♦ **disco voador** flying saucer. **peixe-voador** flying fish.
voar fly, soar. ♦ **fazer voar pelos ares** blast. **voar alto** fly high.
voar de asa-delta hang gliding. → Sports
vocabulário vocabulary.
vocábulo word, vocable, term, name.
vocação vocation.
vocacional vocational.

vocal vocal; oral. ♦ **pregas vocais** vocal folds. → Human Body
vocalizar vocalize.
você you. ♦ **de você** your. **você mesmo** yourself.
vociferante vociferous.
vogal vowel.
volante wheel; leaflet; lottery ticket; defensive midfielder (soccer).
voleibol volleyball. → Sports
volt volt.
volta return, regress(ion); curve; drive, spin; change; surplus of money; turn(ing). ♦ **bilhete de ida e volta** round-trip ticket. **dar uma volta** go for a walk, take a walk. **de volta** back. **estar às voltas com** be involved with. **meia-volta** U-turn; turn around. **no caminho de volta** on the way back. **por volta de** around, about.
voltagem voltage, tension.
voltar return; come or go back, regress. ♦ **Ela voltou a si.** She came to herself. **voltar as costas para** turn one's back on (someone). **Voltou-me à memória.** It came back to me.
volume volume; capacity, content; book; pack, packet, bundle. ♦ **aumentar o volume do rádio/da TV** turn the volume up.
volumoso voluminous; bulky, large, ample, big.
voluntário volunteer. • voluntary; spontaneous; gratuitous.
voluntarioso willful, whimsical.
volúpia voluptuousness; sensuality.
voluptuoso voluptuous, sensual.
volúvel fickle, inconstant.
vomitar vomit, throw up, puke (*inf.*); regurgitate.
vômito vomit, puke (*inf.*). ♦ **ter ânsia de vômito** feel sick, be nauseous.
vontade will; volition; wish, desire; mind, intention, purpose; resolution, determination; fancy. ♦ **à sua vontade** at your convenience, at your discretion. **à vontade** relaxed, at ease, at large, at will; freely. **boa vontade** good will. **contra a minha vontade** against my will. **de livre e espontânea vontade** on one's own free will. **estar à vontade** feel comfortable. **Fique à vontade.** Make yourself at home. **fazer a vontade de alguém** humor somebody. **força de vontade** willpower. **má vontade** ill will, unwillingness. **pôr-se à vontade** relax. **sem vontade** unwillingly. **ter vontade de** feel like. **vontade própria** volition.
voo flight. ♦ **levantar voo** take off. **voo cego** instrument flying. **voo da imaginação** flight of fancy.
voraz voracious; avid.
vós you.
vosso your, yours.
votação voting, poll(ing). ♦ **votação secreta** ballot.
votar vote, elect, poll, ballot.
voto vote; promise, vow; ballot. ♦ **direito de voto** voting right, suffrage. **voto de castidade** vow of chastity. **voto de confiança** vote of confidence. **voto de Minerva** swing vote, casting vote.
vovó grandma, granny (*inf.*).
vovô grandpa.
voz voice. ♦ **dar voz de prisão** arrest. **Ele tem voz ativa.** He has a voice. **em voz alta** aloud. **em voz baixa** in a low voice. **É voz corrente que você se divorciou.** It's common report that you're divorced now. **reconhecimento de voz** voice recognition. **levantar a voz** raise one's voice. **voz de taquara rachada** rasping voice. **voz de trovão** strong voice. **voz sobre IP** voice over IP, VoIP.
vulcão volcano.
vulgar vulgar, common; coarse.
vulgaridade vulgarity; coarseness.
vulgarizar vulgarize.
vulnerável vulnerable. ♦ **ponto vulnerável** sore spot.
vulto shadow, shape, figure.
vultoso bulky, substantial.

W

A B C D E F G H I J K L M N O P Q R S T U V W X Y Z

W, w the twenty-third letter of the Portuguese alphabet, used in international symbols, names and words borrowed from other languages.
waffle waffle.
wakeboard wakeboarding. → Sports
walkie-talkie walkie-talkie, walky-talky.
walkman walkman, Walkman™.
watt watt.
WC water closet, restroom, bathroom. → Abbreviations
web internet, web. ♦ **administrador web** webmaster. **adaptação à web** web-enabling.
winchester hard disk.
windsurfe windsurfing. → Sports
windsurfista windsurfer.
workshop workshop, seminar.
www World Wide Web. → Abbreviations

X, x the twenty-fourth letter of the Portuguese alphabet; symbol for the Roman numeral 10. ♦ **o "x" da questão** the heart of the matter.
xá Shah (title of the ex-ruler of Iran).
xadrez chess; checkered pattern; prison, slammer (*inf.*). → Leisure
xale shawl. → Clothing
xampu shampoo. ♦ **xampu anticaspa** antidandruff shampoo.
xará namesake, homonym.
xarope syrup. ♦ **xarope para tosse** cough syrup.
xenofobia xenophobia.
xeque check; sheik. ♦ **pôr em xeque** question, doubt. **xeque--mate** mate, checkmate.
xereta snoopy, nosy, prying.
xeretar snoop, poke one's nose into.
xerife sheriff.
xerocar photocopy.
xícara cup. ♦ **meia xícara** half a cup.
xilofone xylophone. → Musical Instruments
xilografia xylography, woodcut.
xingamento calling names, swearing, swear-word.
xingar swear, curse, call names, cuss. ♦ **Ela me xingou.** She called me names.
xixi pee, piss, tinkle, urine. ♦ **fazer xixi** pee, piss, tinkle; take a leak (*inf.*).

Y, y the twenty-fifth letter of the Portuguese alphabet, used in international symbols, names and words borrowed from other languages.

yakisoba yakisoba (Japanese/ Chinese dish).

yang yang.

yen yen (Japanese currency).

yin yin.

Yom Kippur Yom Kippur (Jewish holiday).

yuppie yuppie, young urban well-paid professional.

Z

Z, z the twenty-sixth and last letter of the Portuguese alphabet.
zagueiro back, fullback, backfield, defender. ♦ **zagueiro central** center back.
zangado angry, mad, vexed, annoyed.
zangão drone. ➔ Animal Kingdom
zangar annoy, make angry, get on someone's nerves; irritate. ***zangar-se*** become angry, irritated.
zapear zap.
zarpar sail (away); escape, run away.
zebra zebra. ♦ **dar zebra** go wrong, have an unexpected result. ➔ Animal Kingdom
zelador janitor, caretaker. ➔ Professions
zelar watch over; administer, manage, oversee; care (for), look after.
zelo zeal(ousness), devotion, diligence.
zeloso zealous, careful, watchful, diligent.
zênite zenith.
zero zero, oh, love, nil, nothing; nought. ♦ **acima/abaixo de zero** above/below zero. **carro zero-quilômetro** brand-new car. **zero à esquerda** nobody, nothing. **zero a zero** nill all. ➔ Numbers
zigoto zygote.
zigue-zague zigzag.
ziguezaguear zigzag.
zinco zinc.
zíper zipper, slide fastener.
zodíaco zodiac.
zombar mock, ridicule, scoff; make jokes of, make fun of.
zombaria mockery, sarcasm, ridicule.
zona zone, area, region; mess, racket. ♦ **zona franca** free-trade zone.
zonzo dizzy; stunned.
zoologia zoology.
zoológico zoological. ♦ **jardim zoológico** zoological garden, zoo.
zumbi zombie.
zumbido humming, buzzing.
zumbir hum, buzz.

Apêndices

Deceptives cognates	Falsos cognatos
actually (adv) na realidade, na verdade	**atualmente** nowadays, today
adept (n, adj) habilidoso	**adepto** follower
admiral (n) almirante	**admirar** to admire; to amaze
alias (n) codinome	**aliás** by the way; nevertheless
amass (v) acumular, juntar	**amassar** crush
application (n) registro; uso; programa de computador	**aplicação** investment
appointment (n) consulta com hora marcada, compromisso	**apontamento** note
appreciation (n) gratidão; reconhecimento	**apreciação** judgement
attend (v) assistir; participar de	**atender** to help; to answer; to see; to examine
barracks (n) quartel	**barraca** tent, hut
carton (n) caixa de papelão	**cartão** card
casualty (n) baixas (mortes)	**casualidade** chance
chat (n) bate-papo	**chato** boring
cigar (n) charuto	**cigarro** cigarette
collar (n) gola; colarinho; coleira	**colar** necklace
college (n) faculdade, ensino de 3º grau	**colégio** high school
commodity (n) artigo; mercadoria	**comodidade** comfort
comprehensive (adj) abrangente, amplo; completo	**compreensivo** understanding
compromise (v) entrar em acordo; conceder	**compromisso** appointment

concourse (n) ajuntamento; saguão	**concurso** contest; test
contest (n) competição; concurso	**contexto** context
convict (n) condenado	**convicto** convinced, sure
costume (n) fantasia (roupa)	**costume** custom, habit
data (n) dados (números; informações)	**data** date
deception (n) fraude, logro	**decepção** disappointment, frustration
editor (n) redator	**editor** publisher
educated (adj) instruído; estudado	**educado** well-mannered, polite
enroll (v) inscrever-se; registrar-se	**enrolar** to roll; to wind; to curl
estrange (v) alienar	**estranhar** find queer, odd or strange
eventually (adv) finalmente, no final	**eventualmente** occasionally
exciting (adj) empolgante	**excitante** thrilling
exit (n, v) saída; sair	**êxito** success
expert (n) especialista, perito	**esperto** smart, clever
exquisite (adj) belo; refinado	**esquisito** strange, odd, weird
fabric (n) tecido	**fábrica** plant, factory
fastidious (adj) caprichoso, meticuloso	**fastidioso** tedious, wearisome
fervent (adj) ardente, apaixonado	**fervente** boiling
genial (adj) amável, agradável	**genial** brilliant
gratuity (n) gratificação, gorjeta	**gratuidade** free, free of charge
grave (n) cova	**grave** serious, heavy; deep

grip (v) agarrar firme	**gripe** cold, flu, influenza
hazard (n, v) risco; arriscar	**azar** bad luck
idiom (n) expressão idiomática	**idioma** language
ingenuity (n) engenhosidade	**ingenuidade** naivety
injury (n) ferimento	**injúria** insult, offense
intend (v) pretender, ter a intenção	**entender** understand
journal (n) periódico; revista especializada	**jornal** newspaper
large (adj) grande; espaçoso	**largo** wide, broad
lecture (n) palestra	**leitura** reading
library (n) biblioteca	**livraria** bookstore, bookshop
lunch (n) almoço	**lanche** snack
mayor (n) prefeito	**maior** bigger, larger
moisture (n) umidade	**mistura** mix, mixture, blend
notice (n, v) aviso; notar	**notícia** news
novel (n) romance	**novela** soap opera
office (n) escritório	**ofício** profession; craft
parents (n) pais	**parentes** relatives
pasta (n) massa (macarrão)	**pasta** briefcase; folder; paste
policy (n) política	**polícia** police
porter (n) carregador	**porteiro** doorman
prejudice (n) preconceito	**prejuízo** damage, loss

preservative (n) conservante	**preservativo** condom
pretend (v) fingir	**pretender** to intend; to plan
procure (v) conseguir; adquirir	**procurar** to look for, to search
push (v) empurrar; apertar, pressionar	**puxar** to pull
range (n, v) cordilheira; variação; alcance; variar; cobrir	**ranger** to creak, to grind
realize (v) notar; perceber	**realizar** to accomplish; to do
record (n, v) gravação, registro; gravar	**recordar** to remember, to recall
requirement (n) requisito	**requerimento** request; petition
resume (v) retomar; reiniciar	**resumir** to summarize
retired (adj) aposentado	**retirado** removed; secluded
retribution (n) punição; vingança	**retribuição** compensation
senior (n) mais velho; idoso	**senhor** gentleman, sir
sensible (adj) sensato	**sensível** sensitive
stranger (n) desconhecido	**estrangeiro** foreigner
supercilious (adj) orgulhoso, arrogante	**supercílio** eyebrow
sympathetic (adj) solidário, compreensivo	**simpático** friendly, nice
tenant (n) inquilino	**tenente** lieutenant
tentative (adj) experimental	**tentativa** attempt, trial
ultimately (adv) finalmente	**ultimamente** lately
vermin (n) gentalha; parasitas	**verme** worm

Vocabulary differences

American English	British English
apartment	flat
billion	thousand million
candy	sweet
cell phone	mobile phone
chips	crisps
condom	rubber
cookie	biscuit
corn	maize
eggplant	aubergine
elevator	lift
eraser	rubber
fall	autumn
faucet	tap
French fries	chips
gas	petrol
gear shift	gear lever
hood	bonnet
jumper	pinafore dress
movie theater	cinema
muffler	silencer
pants	trousers
line	queue
rise	raise
sidewalk	pavement
store	shop
sweater	jumper
trash	rubbish
truck	lorry
trunk	boot
undershirt	vest
vacation	holiday

Spelling differences

American English	British English
aging	ageing
aluminum	aluminium
analyze	analyse
anemia	anaemia
canceling	cancelling
catalog, catalogue	catalogue
center	centre
check	cheque
color	colour
colorful	colourful
cozy	cosy
defense	defence
dialog, dialogue	dialogue
favor	favour
fiber	fibre
gray	grey
jail	jail, gaol
jewelry	jewellery
labor	labour
license	licence
maneuver	manoeuvre
math	maths
mold	mould
neighbor	neighbour
pajamas	pyjamas
plow	plough
practice	practise
program	programme
realize	realise, realize
skeptical	sceptical

vest	waistcoat
yard	garden
zucchini	courgette

theater	theatre
tire	tyre
traveled	travelled

Grammar differences

American English	British English
the company has	the company have
our team has	our team have
I just finished.	I've just finished.
Did you finish yet?	Have you finished yet?
I already finished.	I've already finished.
I don't have any.	I haven't got any.
Do you have the time?	Have you got the time?
They have gotten a tan.	They have got a tan.
stay home	stay at home
Monday through Friday	Monday to Friday
on the weekend	at the weekend
on Bridge Street	in Bridge Street
ten after ten	ten past ten
write me	write to me
burned	burned, burnt
dreamed	dreamed, dreamt
learned	learned, learnt
smelled	smelled, smelt
spilled	spilled, spilt
wetted	wet

@	at
2	to; two; too
2day	today
2moro	tomorrow
2nite	tonight
4	for
4eva	forever
4ne	phone
AFAIC	as far as I'm concerned
AFAIK	as far as I know
afk	away from keyboard
aka	also known as
ASAP	as soon as possible
atm	at the moment
aykm	are you kidding me?
b	be
b&w	black and white
b4	before
b4n	bye for now
b-day	birthday
bbb	bye bye baby
bcnu	be seeing you
bf	boyfriend
bff	best friends forever
bfn	bye for now
bhag	big hairy audacious goal
bka	better known as
bmg	be my guest
brb	be right back

btw	by the way
clm	career limiting move
cn	can
cu	see you
cud	could
cul8r	see you later
cya	see you
d8	date
dbeyr	don't believe everything you read
dd	due diligence
diy	do it yourself
drib	don't read if busy
e1	everyone
eod	end of day; end of discussion
eom	end of message
eot	end of thread
eso	equipment smarter than operator
ez	easy
f2f	face-to-face
f9	fine
fud	fear, uncertainty, and disinformation
fwiw	for what it's worth
fyi	for your information
g2b	going to bed
gal	get a life
gd	good
gf	girlfriend

gmta	great minds think alike
gr8	great
iac	in any case
iaits	it's all in the subject
idk	I don't know
ily	I love you
imho	in my humble opinion
iow	in other words
irl	in real life
iso	in search of
jic	just in case
jk	just kidding
kiss	keep it simple, stupid
kit	keep in touch
l8	late
l8r	later
lmk	let me know
lol	laughing out loud; lots of love
lopsod	long on promises, short on delivery
luvu	love you
me2	me too
mhoty	my hat's off to you
motd	message of the day
msg	message
mtfbwy	may the force be with you
myob	mind your own business
n	and
ne1	anyone

neway	anyway
nimby	not in my back yard
no1	no one; number one
np	no problem
nrn	no reply necessary; not right now
nsfw	not safe for work
nub	none of your business
nwr	not work related
oic	oh, I see
omg	oh my god
oom	out of money
ot	off topic
otoh	on the other hand
otp	on the phone
p&c	private & confidential
paw	parents are watching
pebcak	problem exists between chair and keyboard
pls	please
pos	parent over shoulder
pov	point of view
ppl	people
qq	quick question
rbtl	read between the lines
rfd	request for discussion
rfp	request for proposal
rt	real time
rtm	read the manual

ruok	Are you OK?
s2us	speak to you soon
sbug	small bald unaudacious goal
sitd	still in the dark
sme	subject matter expert
sn	soon
sos	same old stuff
std	seal the deal
swak	sealed with a kiss
tba	to be announced
tbd	to be determined
thx	thanks
tia	thanks in advance
tlc	tender loving care
tmi	too much information
ttyl	talk to you later
twimc	to whom it may concern
txt	text
tyvm	thank you very much
u	you

ur	you are
vbg	very big grin
w/	with
w/o	without
w8	wait
way	What about you?; Where are you?; Who are you?
weg	wicked evil grin
wiifm	what's in it for me
wit	whatever it takes
wombat	waste of money, brains and time
wtg	way to go
wu	What's up?
wywh	wish you were here
xoxo	hugs and kisses
yoyo	you're on your own
yr	year; your
yw	you're welcome
zzz	sleeping

Numbers

Números

Cardinal numbers		Ordinal numbers	
1	one	1st	first
2	two	2nd	second
3	three	3rd	third
4	four	4th	fourth
5	five	5th	fifth
6	six	6th	sixth
7	seven	7th	seventh
8	eight	8th	eighth
9	nine	9th	ninth
10	ten	10th	tenth
11	eleven	11th	eleventh
12	twelve	12th	twelfth
13	thirteen	13th	thirteenth
14	fourteen	14th	fourteenth
15	fifteen	15th	fifteenth
16	sixteen	16th	sixteenth
17	seventeen	17th	seventeenth
18	eighteen	18th	eighteenth
19	nineteen	19th	nineteenth
20	twenty	20th	twentieth
21	twenty-one	21st	twenty-first
22	twenty-two	22nd	twenty-second
23	twenty-three	23rd	twenty-third
24	twenty-four	24th	twenty-fourth
25	twenty-five	25th	twenty-fifth

26	twenty-six	26th	twenty-sixth
27	twenty-seven	27th	twenty-seventh
28	twenty-eight	28th	twenty-eighth
29	twenty-nine	29th	twenty-ninth
30	thirty	30th	thirtieth
40	forty	40th	fortieth
50	fifty	50th	fiftieth
60	sixty	60th	sixtieth
70	seventy	70th	seventieth
80	eighty	80th	eightieth
90	ninety	90th	ninetieth
100	one hundred	100th	hundredth
101	one hundred and one	101st	hundred and first
1,000	one thousand	1,000th	thousandth
100,000	one hundred thousand	100,000th	hundred thousandth
1,000,000	one million	1,000,000th	millionth

O zero (0) pode ser lido como "zero", "oh" (em número de telefone e endereço) ou "nought" (Brit.).

Decimals	
0.1	zero point one
0.37	zero point three seven/zero point thirty-seven
1.482	one point four eight two/one point four hundred eighty-two
27.886	twenty-seven point eight eight six/twenty-seven point eight hundred eighty-six

Fractions	
1/2	a half
1/3	a/one third
1/4	a/one quarter, one fourth
3/4	three quarters
1/10	a/one tenth
1/100	a/one hundredth
1/1000	a/one thousandth
1 ½	one and a half
2 ¾	two and three quarters

Math expressions	
+	plus
–	minus or negative
× or *	times
±	plus/minus
÷ or /	divided by
∫	the integral of
Σ	sigma sign/sum symbol
^	raised to the power of
!	factorial
√	the square root of
%	percent
:	is to
[ ]	brackets
( )	parentheses
=	equals

Math expressions	
$\neq$	is not equal to
$<$	is less than
$\leq$	is less than or equal to
$>$	is greater than
$\geq$	is greater than or equal to
$\therefore$	therefore or it follows that
$^{\circ}$	degree
π	pi
‰	per mil

Length		
1 inch (in.)		= 2.54 centimeters (cm)
1 foot (ft.)	= 12 in.	= 30.48 cm
1 yard (yd.)	= 3 ft.	= 0.91 meters (m)
1 mile (mi.)	= 1,760 yd.	= 1.61 kilometers (km)

Weight		
1 ounce (oz.)		= 28.35 grams
1 pound (lb.)	= 16 oz.	= 0.45 kilograms (kg)
1 ton (t.)	= 2,000 lbs.	= 0.91 metric tons

Capacity		
1 fluid ounce (fl. oz.)		= 29.57 milliliters (ml)
1 quart (qt.)	= 32 fl. oz.	= 0.946 liters (l)
1 gallon	= 4 qt.	= 3.785 l
1 teaspoon (t. or tsp.)	= 1/6 fl. oz.	= 4.93 ml
1 tablespoon (tbs. or tbsp.)	= 1/2 fl. oz.	= 14.78 ml
1 cup (c.)	= 8 fl. oz.	= 236.56 ml

Area		
1 square inch (sq. in.)		= 6.45 square centimeters
1 square foot (sq. ft.)	= 144 sq. in.	= 929.03 square centimeters
1 square yard (sq. yd.)	= 9 sq. ft.	= 0.84 square meters
1 acre (a. or ac.)	= 4,840 sq. yd.	= 0.40 hectares
1 square mile	= 640 acres	= 2.59 square kilometers

Dates	
2/14/98	February fourteenth, nineteen ninety-eight
April 3(rd), 2009	April third, two thousand and nine

Time	
1:00	one o'clock
2:10	two ten/ten after two/ten past two
5:15	five fifteen/(a) quarter after five/(a) quarter past five
6:30	six thirty/half past six
7:35	seven thirty-five/twenty-five to eight
11:45	eleven forty five/(a) quarter to twelve

Phone numbers	
123-456-7890	one two three, four five six, seven eight nine oh
421-224-1882	four two one, double two four, one double eight two

Money		
1¢	a cent	a penny
5¢	five cents	a nickel
10¢	ten cents	a dime
25¢	twenty-five cents	a quarter
$1	a dollar	a buck

AAA American Automobile Association
ABC American Broadcasting Company
AC alternating current
A.D. anno Domini – in the year of the Lord
AI Artificial Intelligence
AIDS Acquired Immunity Deficiency Syndrome
a.m. ante meridiem – before noon
ASCAP American Society of Composers, Authors and Publishers
ASPCA American Society for the Prevention of Cruelty to Animals
ATM Automatic Teller Machine
Av. or Ave. Avenue
AVI Audio Video Interleave
a.w. atomic weight
BA Bachelor of Arts
B&B Bed and Breakfast
BBC British Broadcasting Corporation
BBS Bulletin Board System
B.C. before Christ
bpi bits per inch
bps bits per second
BR British Rail
C centigrade; Celsius
c circa – about
CAD Computer-Aided Design
CBS Columbia Broadcasting System
CD Compact Disc
CD-R Compact Disc-Recordable
CD-ROM Compact Disc Read-Only Memory
CD-RW Compact Disc-Rewritable
CEO Chief Executive Officer
CFO Chief Financial Officer
CIA Central Intelligence Agency
CIO Chief Information Officer
c/o care of
config configuration
COO Chief Operating Officer
CPU Central Processing Unit
DA District Attorney
DAT Digital Audio tape
DC direct current; District of Columbia
DJ Disc Jockey
DNA deoxyribonucleic acid
DOS Disc-Operating System
doz. dozen, dozens
Dr. Doctor; Drive
DST Daylight Saving Time
DVD Digital Video Disc
DVD-ROM Digital Video Disc Read-Only Memory
E East
e.g. exempli gratia – for example
e-mail electronic mail
et al et alii – and others
ETA estimated time of arrival
etc. et cetera – and so forth
ETD estimated time of departure
e-zine electronic magazine
F Fahrenheit
FAO Food and Agricultural Organization
FAQ Frequently Asked Questions
FBI Federal Bureau of Investigation
FDA Food and Drug Administration
FF Fast Forward
FIFA Fédération Internationale de Football Association
FIFO first-in, first-out
ft foot, feet
GB Great Britain
Gen. General
GI Government Issue
GIF Graphics Interchange Format
GMT Greenwich Mean Time

GNP Gross National Product

GPS Global Positioning System

GSM Global System for Mobile Communications

H hydrogen

HD Hard Disc

HIV Human Immunodeficiency Virus

HMS Her/His Majesty's Service; Her/His Majesty's Ship

Hon. Honorable

HTML Hypertext Markup Language

HTTP Hypertext Transfer Protocol

ICBM Intercontinental Ballistic Missile

ICJ International Court of Justice

ICR Intelligent Character Recognition

ID Identification Document

i.e. id est – that is

in. inches

I/O Input/Output

IP Internet Protocol

IQ Intelligence Quotient

IRA Irish Republican Army

IRS Internal Revenue Service

ISP Internet Service Provider

IT Information Technology

Jr. Junior

kg kilogram

KO knock out

LA Los Angeles

LAN Local Area Network

LASER Light Amplification by Stimulated Emission of Radiation

lb pound (weight)

LIFO last-in, first-out

LSD lysergic acid diethylamide

Ltd. Limited

m meter

MA Master of Arts

MD Doctor of Medicine

MIDI Musical Instrument Digital Interface

MIT Massachusetts Institute of Technology

mpg miles per gallon

mph miles per hour

MSc Master of Science

N North

NASA National Aeronautics and Space Administration

NATO North Atlantic Treaty Organization

NBC National Broadcasting Company

Net Internet

NYC New York City

OAS Organization of American States

OS Operating System

oz. ounces

PC personal computer; police constable; politically correct

PD Police Department

PDA Personal Digital Assistant

PDF Portable Document Format

P.E. Physical Education

Ph.D. Doctor of Philosophy

PIN Personal Identification Number

p.m. post meridiem – after noon

POW Prisoner Of War

Prof. Professor

PTA Parent-Teacher Association

RAM Random-Access Memory

Rd. Road

REM Rapid Eye Movement

rep representative

rev revolution

Rev. Reverend

RIP rest in peace

RNA ribonucleic acid

ROM Read-Only Memory

rpm revolutions per minute

RSVP répondez, s'il vous plaît – please reply

S South

sci-fi science fiction

scuba self-contained underwater breathing apparatus

Sen. Senator

Sgt. Sergeant

SMS Short Message Service

SOS save our souls; save our ship

Sr. Senior

St. Saint; Street

TV television

UCLA University of California, Los Angeles

UFO Unidentified flying object

UK United Kingdom

URL Uniform Resource Locator

US United States

USA United States of America

VAT Value-Added Tax

VCR video cassette recorder

VGA Video Graphics Array

VJ video jockey; veejay

vs versus

W West

WC water closet

www World Wide Web

Xmas Christmas

English-Portuguese

A

ABC curve curva ABC
ABC inventory control system sistema ABC de gestão de estoque
ability habilidade
acceptance aceitação
account conta (bancária ou contábil)
account book livro contábil
accountable responsável
accountancy contabilidade
accountant contador
account for prestar contas; responder por; ser responsável por
accounting contabilidade
accounting entry lançamento (contábil)
accounts payable contas a pagar
accounts receivable contas a receber; recebíveis
accumulated dividend dividendo acumulado
acid test ratio índice de liquidez seca
acquiree empresa comprada por outra
acquirer empresa compradora
acquisition aquisição, compra de uma empresa por outra
action plan plano de ação
actuary atuário
ad anúncio
adaptive expectation expectativa adaptativa, projeção econômica com base em fatos passados
a day's work jornada de trabalho
added value valor agregado
administration administração
advance adiantamento; vale
advantageous vantajoso
adventurer especulador
advertise anunciar
advertisement anúncio
advertiser anunciante
advertising publicidade
advertising campaign campanha publicitária
advisor assessor
affected party parte interessada
affiliate afiliada; subsidiária
after-hours depois do expediente
aftermath resultado, consequência
agency agência
agent agente
agreement acordo
aim alvo, meta, objetivo
alimony pensão por desquite ou divórcio
all-in cost custo total
allowance cota; verba
amicable settlement acordo amigável
amortization amortização
amount montante; quantia
angels investidor informal, fornecedores de capital de risco
annuity pensão
antitrust laws leis antitruste (anticartel)
applicant candidato
apply for a job candidatar-se a um emprego
appointment entrevista
appraisal avaliação
appraise avaliar
appreciation valorização
arbitrage arbitragem; arbitragem de câmbio
assembly line linha de montagem
assessment avaliação; tributação
assets ativo(s); bens
assign atribuir; delegar
assignment atribuição; tarefa
ATM cash card cartão magnético
attached anexo (*adj.*)

attachment anexo (*subst.*); arresto (de bens)
auction leilão
audit auditoria
audit trail trilha de auditoria
autarchy autarquia, autocracia
Automatic Teller Machine (ATM) caixa automático; caixa eletrônico
aval aval
avalizor avalista
average custar em média; média
average cost custo médio

B2B (*abrev.* de *business to business*) tratar diretamente com os clientes, via internet
backlog pedidos em carteira
bad debt dívida duvidosa
bad faith má-fé
balance balanço; saldo
balance of payments balanço de pagamentos
balance sheet balanço patrimonial
bank account conta bancária
bank account number número de conta bancária
bank deposit depósito bancário
banker's check cheque administrativo
bankruptcy bancarrota; falência
bankruptcy estate massa falida
bank statement extrato bancário
bank teller caixa de banco
bar chart gráfico de barras
bargain barganha
barter troca
basis regime; base
batch lote
bear market tendência baixista de mercado
bearer portador
bearer security título ao portador
be broke estar sem dinheiro
be cash-strapped não ter dinheiro suficiente
be fired ser demitido
be heavily in debt estar altamente endividado
be in charge of estar encarregado de
benchmark modelo ideal, ponto de referência; o melhor
beneficiary favorecido
benefits benefícios; vantagens
be sacked ser demitido
be saddled with debts estar altamente endividado
be short of money estar sem dinheiro
bet aposta; apostar
be under warranty estar na garantia
bid lance, oferta
bill cobrar; conta
billing faturamento
bill of exchange letra de câmbio
bill of lading guia de embarque
black cash caixa dois
black economy mercado negro, transações econômicas conduzidas fora da lei
black market mercado negro (paralelo)
blank check cheque em branco
blue chip ação de primeira linha
board of directors diretoria
Board of Trade Junta Comercial (EUA)
Bo Derek stock ação de alto nível ou qualidade
bond debênture; nota promissória
bonus bonificação, bônus, gratificação
borrower mutuário; tomador de empréstimo
borrow from emprestar de
borrowing financiamento
bounced check cheque sem fundos

boycott boicotar; boicote
branch filial; sucursal
branch of store departamento de loja
branch out diversificar
brand marca (genérica)
brand new product produto "novinho em folha"
branded product produto de marca (de grife)
branding *branding*, marca
break quebrar; quebra
breakeven point ponto de equilíbrio
broker corretor
brokerage corretagem
bubble bolha; fraude
budget orçamento
bulletin board quadro de avisos
bull market tendência altista de mercado
buoyant economy economia aquecida
burden encargo
business negócio(s)
business cycle ciclo de negócios
business community meio empresarial
businessperson empresário(a); homem/mulher de negócios
buy comprar; compra
buydown rebaixa
buyer comprador
by-product subproduto; derivado; produto secundário

C

call for bid edital de concorrência
call for tender edital de concorrência
call on visitar
cap juros máximos
capital assets bens de capital
capital flight evasão de capital
capital goods bens de capital
capital-labor ratio relação capital-trabalho
carte blanche carta branca
cartel cartel, prática ilegal entre empresas do mesmo ramo que fecham um acordo para a fixação de preços e de quotas de produção e distribuição, visando reduzir e/ou eliminar a concorrência
cascading em cascata
cash dinheiro; à vista; caixa
cash cow "vaca leiteira", fornecedor estável de dividendos
cash flow fluxo de caixa
cashier caixa (funcionário)
cash in descontar (um cheque)
cash in hand dinheiro em caixa
cash on delivery (COD) pagamento contra entrega
cash outflow saída de caixa
cash sale venda à vista
caveat advertência
certified check cheque visado
chairman executivo principal; presidente da empresa
chance oportunidade
change mudança; troco
change management gestão da mudança
charge cobrar; encargo
charge admission(s) cobrar ingressos
chart gráfico; tabela
charter carta patente
chartering fretamento
chattels bens móveis
check cheque
check book talão de cheques
Chief Executive Officer (CEO) executivo principal; presidente da empresa
Chief Information Officer (CIO) executivo-chefe de informática
CIF (cost, insurance and freight) custo, seguro e frete

client cliente
client-driven company empresa voltada para o cliente
clientele clientela
clock card cartão de ponto
close down activities/business encerrar atividades
collateral garantia
collection cobrança
collective labor agreement dissídio coletivo
commerce comércio
Commercial Registry Junta Comercial (Reino Unido)
commission comissão
committee comitê
commodity *commodity*, artigo/produto em estado bruto produzido em larga escala, como café, soja, minério de ferro e ouro
Commodity Exchange Bolsa de Mercadorias
common stock ação ordinária
company companhia; firma; empresa
company name razão social
compensating balance saldo vinculado
competence competência
competition concorrência
compulsory loan empréstimo compulsório
computerized system sistema informatizado
conflict management gestão de conflitos
consensus consenso
consortium consórcio
consultant assessor; consultor
consumer consumidor
consumer confidence confiança do consumidor
consumer durables bens de consumo duráveis
consumer goods bens de consumo
consumption consumo
controlling interest participação majoritária
core business negócio central
corporate body pessoa jurídica
corporation empresa de grande porte; sociedade anônima (S.A.); sociedade por ações
cost custo
cost-benefit custo-benefício
cost-benefit ratio relação custo--benefício
cost efficiency eficiência em custos
costing custeio
cost of living allowance ajuda de custo
cost of sales custo de vendas
cost-volume-profit relationship relação custo-volume-lucro
coupon cupom
counter check cheque avulso
Court of Audit Tribunal de Contas
crash falência; quebra
credit balance saldo credor
credit card cartão de crédito
creditor credor
credit sale venda a prazo
critical success factors (CSF) fatores críticos de sucesso (FCS)
crossed check cheque cruzado
currency moeda
currency devaluation desvalorização de moeda
current assets ativo circulante
current liability passivo circulante
customer cliente
customer-driven company empresa voltada para o cliente
Customs alfândega
cutback in working hours diminuição da jornada de trabalho
cycle ciclo; giro

D

damage indenização; perda
deadline data final; prazo final
deal negociar
dealer concessionário; corretor
dealer cost preço de revenda
dearth escassez, carência
debit balance saldo devedor
debt débito; dívida
debtor devedor
decrease diminuir
deed escritura
default inadimplência, calote
defer adiar
deferment adiamento
deficit déficit
deflation deflação
delinquent mau pagador
deliver entregar
delivery entrega
delivery note aviso de entrega
demand demanda
demand loan empréstimo à vista
demographics demografia
department departamento
deposit depósito, depositar
depreciation desvalorização
deregulation desregulamentação; privatização
derivatives derivativos (financeiros)
devaluation desvalorização
develop desenvolver
developed desenvolvido
developing country país emergente
development desenvolvimento
dicey business negócio arriscado
dictate impor
diminish diminuir
disability benefit pensão por invalidez
disburse desembolsar; gastar
disbursement desembolso; gasto; saída de caixa
discount desconto; descontar
dismiss demitir; destituir; dispensar
dispatch despachar
distribute distribuir; ratear
distribution distribuição; rateio
diversify diversificar
dividend dividendo
division divisão
dollarization dolarização
domestic trade comércio interno
dormant account conta inativa
down payment adiantamento; entrada; sinal
downsize reduzir (em tamanho)
downsizing redução (em tamanho)
draft saque
draw a check emitir um cheque
drawee sacado
drawer sacador
due date data de vencimento
dummy cópia, rascunho; testa de ferro
dumping *dumping*, venda de produtos a um preço inferior ao do mercado (especialmente no mercado internacional)
duration prazo; vigência
duty-free isento de taxas ou tarifas
duty-free zone zona franca

earning ganho, lucro
earning per share (EPS) lucro por ação
economic lot size lote econômico
economic value added (EVA) valor econômico adicionado (medida específica de criação de valor)

economics economia
effect vigência
effective eficaz
effectiveness eficácia
effects bens
eligibility idoneidade
embargo embargo
embezzlement desfalque; fraude
emerging country país emergente
emerging market mercado emergente
employee empregado; funcionário
employer empregador
employment emprego
enclosed anexo (*adj.*)
enclosure anexo (*subst.*)
endogenous endógeno
endorse endossar
endorsement endosso
end product produto final
enterprise companhia; empreendimento; empresa; negócio; iniciativa
entrepreneur empreendedor
entrepreneurship empreendedorismo
equity participação; patrimônio líquido
equity capital capital próprio
equity fund fundo de ações
erasure rasura
evaluate avaliar
even nivelar
exceeding excedente
exchange cambiar, permutar, trocar; câmbio, permuta, troca
exchange rate taxa de câmbio
exec. (informal) executivo
executive executivo
exempt isento; isentar
exogenous exógeno
expectation expectativa
expedite despachar
expenditure despesa; gasto; dispêndio
expense despesa
expert especialista; perito
expertise especialização
expiration date data de vencimento
export exportação
exposure exposição
external debt dívida externa

F

facilities instalações
factors of production fatores de produção
factory fábrica
fair market value valor justo de mercado
fair play jogo limpo
fair trade price preço justo
fare tarifa
fault defeito; deficiência
feasibility viabilidade
feasibility study estudo de viabilidade
Federal Reserve Bank (FED) Banco Central norte-americano (EUA)
fee honorário; taxa
fierce competition concorrência acirrada
figures cifras
file arquivo
financial instruments instrumentos financeiros (valores e títulos)
financial leverage alavancagem financeira
financial statements demonstrações financeiras
financial support apoio financeiro
financing financiamento
fine multar; multa
fine tuning *fine tuning*, sintonia fina, regulagem precisa entre a política monetária e a fiscal, por exemplo
fire demitir; destituir; dispensar

firm firma
fiscal policy política fiscal
fiscal year ano contábil (fiscal); exercício fiscal
fit encaixe
fixed assets ativo fixo; itens de um balanço
fixed cost custo fixo
fixed-income security título de renda fixa
flaw defeito
fleet frota
float flutuação, tempo em que os recursos permanecem à disposição de alguém (banqueiro) sem remuneração
floor juros mínimos; preços baixos
flotation lançamento de ações, processo de mudança de uma empresa de privada para pública, por meio da emissão de ações/títulos que são vendidos ao público em geral
flow chart fluxograma
fly decolar (fazer sucesso)
follow-up *follow-up*, acompanhamento
forecast previsão; prognóstico
foreign capital capital estrangeiro
foreign trade comércio exterior
foresee prever
forgery falsificação
for life vitalício
form formulário
for sale à venda
franchise franquia
fraud fraude
free enterprise livre iniciativa
free of charge isento de débitos ou encargos
free sample amostra grátis
free-trade zone zona de livre comércio
freight frete
fringe benefits benefícios (adicionais ao salário)
full employment pleno emprego (desemprego zero)
fund fundo
fungible fungível
furnish suprir

gain ganho
game theory teoria dos jogos, estudo de tomada de decisões estratégicas
general spending gastos gerais
General Taxpayers' Register (GTR) Cadastro Geral de Contribuintes (CGC/CNPJ)
globalization globalização
glutted market mercado saturado
goal meta; objetivo
go-between intermediário
go bust falir
go downscale massificar (popularizar) um produto
go public abrir o capital
going rate preço (valor) de mercado
good standing idoneidade
goods mercadorias
goodwill ágio
government agency entidade governamental
government security título do governo
grace period período de carência
grant verba
graph gráfico
gratuity bonificação; gratificação
greenback papel-moeda
gross bruto, integral
Gross Domestic Product (GDP) Produto Interno Bruto (PIB)
gross income receita bruta
gross profit lucro bruto

gross revenue receita bruta
gross weight peso bruto
group grupo
grow crescer
growth crescimento
guarantee garantia; aval; garantir
guarantor fiador
guideline diretriz

handling manuseio; tratamento
hard currency moeda forte
head count número de funcionários
headhunter caçador de talentos; recrutador
head office escritório central; sede
head of the class topo da categoria
headquarters matriz
hedge cobertura, proteção contra variações de preços
hedge fund fundo de cobertura, investimento de altíssimo risco
hierarchical ladder escada hierárquica
hierarchy hierarquia
high risk operation operação de alto risco
hire admitir pessoal; contratar; empregar
holdover pendência; remanescente
hot money dinheiro quente, deslocamento de capital visando ganhos rápidos
hourly paid worker horista
hours expediente
HR (*abrev.* de *Human Resources*) Recursos Humanos (RH)
human capital capital humano, recursos humanos
Human Resources (HR) Recursos Humanos (RH)
hyperinflation hiperinflação

idle capacity capacidade ociosa
idle facilities instalações ociosas
imbalance desequilíbrio
implicit interest juros embutidos
improve aperfeiçoar (melhorar)
improvement aperfeiçoamento (melhoria)
in arrears em atraso
in bulk a granel
incentive incentivo
income lucro; receita, renda
income tax imposto de renda
income tax return declaração do imposto de renda
increase aumentar
increasing crescente
increasingly gradativamente
indebtedness endividamento
indemnity indenização
index índice
individual pessoa física
industry indústria; setor
in effect em vigor; vigente
ineffective ineficaz
inefficient ineficiente
inflation inflação
inflation pressure pressão inflacionária
inflation rate taxa de inflação
inflation target metas de inflação
Information Technology (IT) Tecnologia de Informação (TI)
infringement infração; violação
inheritance herança
innovation inovação
input insumo
inside information informação confidencial

installed capacity capacidade instalada
installment parcela; prestação
insurance seguro
insurance cover cobertura de seguros
intangible assets ativos intangíveis
interest juros
interest on arrears juros de mora
interest rate taxa de juros
intermediary intermediário
intermediation intermediação
International Monetary Fund (IMF) Fundo Monetário Internacional (FMI)
interpersonal relationships relações interpessoais
interview entrevista
in the long term/run a longo prazo
in the short term/run a curto prazo
inventory estoque
invest investir
investment portfolio carteira de investimentos
invoice fatura (nota fiscal)
invoicing faturamento
I Owe You (IOU) vale (adiantamento)

J

job emprego; serviço; tarefa
job analysis análise de cargo
job description descrição de cargo
jobless desempregado
job-hopping pular de emprego para emprego
job rotation rodízio de funções
joint (check) account conta-corrente conjunta
joint-stock company sociedade por ações
jumbo loan empréstimo que ultrapassa os limites convencionais de crédito
junior clerk auxiliar de escritório
junk lixo; refugo
junk bond moeda podre; título podre

key money luvas

label etiqueta; rótulo
Labor Court of Appeals Tribunal de Justiça do Trabalho
Labor Day Dia do Trabalho
labor force força de trabalho; mão de obra
Labor Party Partido Trabalhista
late payment pagamento atrasado
launching lançamento (de um produto)
layman leigo
layoff demissão coletiva; dispensa de empregados
leader líder
leadership liderança
leading-edge technology tecnologia de ponta
leak vazar (informação); desvalorizar
lease arrendar
leaseholder arrendatário
leasing arrendamento
legacy legado, herança
legal entity pessoa jurídica
legal tender moeda corrente
lender credor
lending financiamento
lend to emprestar a
length of service tempo de serviço
lessor locador; arrendador
letter of credit carta de crédito
letter of intent carta de intenções

level nivelar; nível
leverage alavancagem
liabilities passivo
liability obrigação; dívida; responsabilidade
life annuity pensão vitalícia
limited liability company Sociedade Limitada
link vínculo; vincular
liquidity liquidez
list price preço de tabela
litigation litígio
loan empréstimo
loan shark agiota
lobbyist lobista
lockout greve patronal
long-term liability passivo exigível a longo prazo
loss perda; prejuízo
lot lote
lower diminuir

macroeconomics macroeconomia
mail order compra pelo correio
majority maioria
majority interest participação majoritária
make fazer; fabricar; produzir; marca (de automóvel)
mala fide má-fé
malfunctioning defeito; mau funcionamento
malpractice imperícia
management administração; gerência
management reports relatórios gerenciais
manager gerente
managerial gerencial
mandatory obrigatório
man-hour homem-hora
manpower mão de obra
manufacture fabricar; fazer; produzir
manufacturer fabricante
manufacturing fabricação
manufacturing overhead gastos gerais de fabricação
marginal marginal, extra
market forces tendências do mercado
market research estudo do mercado
market share fatia de mercado
market value valor de mercado
marketing *marketing* (estudo do mercado e propaganda)
markup margem de lucro
Master of Business Administration (MBA) Mestrado em Administração de Empresas
maturity vencimento
measures medidas
media meios
medium meio
mercantilism mercantilismo; protecionismo
merchandise mercadorias
merge unir
merger fusão; incorporação
microeconomics microeconomia
middleman intermediário
middle management gerência intermediária
minimum wage salário mínimo
minority interest participação minoritária
mint Casa da Moeda
minute ata
minute book livro de atas
misappropriation desvio de dinheiro, desfalque
miscellaneous expenses despesas diversas
mission missão
mission statement declaração do escopo da missão

misuse uso inadequado
mobility volubilidade, mobilidade
monetarism monetarismo, política financeira que visa manter forte a moeda do país
monitor rastrear; monitorar
monkey business falcatrua, negócio ilegal
monopoly monopólio
morale disposição; moral
moratorium moratória
mortgage hipotecar; hipoteca
motivation motivação

natural person pessoa física
needs necessidades
Negotiable Certificate of Deposit (CD) Certificado de Depósito Bancário (CDB)
negotiate negociar
negotiation negociação
negotiator negociador
net assets ativo líquido; patrimônio líquido
net equity patrimônio líquido
net income receita líquida
net profit lucro líquido
net weight peso líquido
networking *networking*, rede de relacionamentos
newsletter boletim informativo
nominal value valor nominal
no money down sem entrada (entrada zero)
non compliance descumprimento
non durable goods bens não duráveis
norm regra
notary tabelião
notary public tabelião
notary's office cartório
note título
null nulo

objective objetivo
obligation obrigação
occupational disease doença profissional
office escritório
office supplies material de escritório
offshore fora do país
off-the-record extraoficial
oligopoly oligopólio
on bail sob fiança
on consignment em consignação
on delivery contra entrega
on sale em liquidação
on-the-job training treinamento no local de trabalho
on-the-side job trabalho extra (alternativo)
open a bank account abrir uma conta bancária
open market mercado aberto, operação de compra e venda de títulos
operating leverage alavancagem operacional
operating license licença; alvará de funcionamento; carta patente
operator telefonista
opinion poll pesquisa de opinião
opportunity cost custo de oportunidade
option opção, tipo de derivativo
order pedido
organizational chart organograma
outcome resultado
outflow escoar; escoamento; fluxo
outlet ponto de venda
outlet price preço de fábrica
outlook perspectiva

out of em falta

output produção

outsider intruso

outsource terceirizar

outsourcing terceirização; subcontratação

outstanding opportunity oportunidade única

overhead gastos gerais

overload sobrecarga

overprice sobrepreço; preço abusivo

overtime hora(s) extra(s)

ownership participação; posse

P

packing embalagem

paper money papel-moeda

part parte

partner sócio

partnership sociedade

parts peças

part-time job trabalho de meio período

patent patente

pattern padrão

pay desembolsar; pagar; ordenado; remuneração

payback retorno (do investimento)

payment pagamento; remuneração

payment in arrears pagamento atrasado

pay off compensar; quitar

payroll folha de pagamento

peddle espalhar um boato

pension aposentadoria; pensão

performance appraisal avaliação de desempenho

permit alvará; licença

personnel pessoal (funcionários)

phase out afastamento (desligamento); afastar (desligar)

piecework empreitada

place of delivery local de entrega

planning planejamento

plant fábrica

pledge garantia

plunge in prices queda de preços

point of sale ponto de venda

point of view ponto de vista

policy política

poll pesquisa

portfolio portfólio

possession posse

postpone adiar

poverty trap qualquer mecanismo que visa fazer as pessoas permanecerem pobres

powerhouse potência

pre-cleared check cheque visado

predated check cheque pré-datado

predatory predatório

preferred capital stock ação ou capital preferencial

prepaid pré-pago

press conference entrevista coletiva

pretax income lucro antes do imposto de renda

prevailing vigente

price increase aumento de preço

price level nível de preços

price war guerra de preços

prior notice aviso prévio

private equity *private equity*, tipo de investimento que visa alavancar o desenvolvimento de empresas que não são listadas na Bolsa de Valores

private sector setor privado

privatization privatização

probe the market sondar o mercado

procedural step trâmite

produce fabricar; fazer; produzir

Producers Price Index (PPI) Índice de Preços ao Produtor (IPP)

product produto

production produção

production line linha de produção

professional care zelo profissional

profit ganho; lucro

profitable lucrativo

profiteer aproveitador

profit margin margem de lucros

profit sharing participação nos lucros

programming programação

prompt delivery pronta entrega

property bens imóveis

prorate ratear

proration rateio

prosper prosperar

protectionism protecionismo

provide suprir

proxy procuração

public bond título da dívida pública

public relations (PR) relações públicas (RP)

public sector setor público

public tender licitação pública

public works obras públicas

purchase comprar; compra

purchaser comprador

purchasing power poder aquisitivo

Q

qualified labor mão de obra qualificada

quit pedir demissão

quota parcela; cota

raise aumento; aumento de salário; aumentar

rate alíquota; tarifa

rate of return taxa de retorno

ratings avaliações, classificações

ratio índice; quociente; relação

raw material matéria-prima

R&D (*abrev.* de *Research and Development*) Pesquisa e Desenvolvimento (P&D)

reach a goal atingir um objetivo

real estate imóvel, bens imóveis

rebate abatimento; desconto

receipt recibo

recession recessão

record registro

recover recuperar(-se)

recovery recuperação

recruit recrutar

redeem resgatar (títulos)

redemption resgate (de títulos)

red tape burocracia

reduction baixa

reengineering reengenharia

reference file cadastro

refund reembolso

register cadastro

relation relação

relationship relação

remittance remessa

remittance advice aviso de remessa

remittance slip guia de remessa

remuneration remuneração

report prestar contas; relatar; relatório

representative representante

resale price preço de revenda

research pesquisa

resign pedir demissão

resource meio; recurso

responsible responsável

restatement correção, retificação

restrict vincular, restringir, limitar

restricted balance saldo vinculado

restructuring reestruturação

result resultado

retail varejo

retailer varejista

retail price preço de varejo ou para varejo

retained earnings lucros acumulados

retaliation represália, retaliação

retirement aposentadoria

retool reaparelhar; reorganizar

Return On Investment (ROI) retorno sobre o investimento (ROI)

returns rendimento

revenue receita

reverse estornar

reversing entry estorno

reward gratificar

rise aumento; elevação

risk risco

risk assessment avaliação de risco

risk aversion aversão ao risco

risk management gerenciamento de risco

roll off the production line ser produzido

rotation giro; rodízio

rule regra

run an enterprise administrar uma empresa ou negócio

runaway inflation inflação galopante

safe-deposit box cofre particular (em banco ou hotel)

safety segurança

salary ordenado; salário

sale venda

sales report relatório de vendas

salesman vendedor

sample amostra

sample book mostruário

savings economias; poupança

savings account conta poupança

savings account book caderneta de poupança

savings deposit depósito em poupança

scarcity escassez

schedule programação, cronograma

scrap refugo; sobras

sealed lacrado

security título mobiliário

seed money capital inicial

self-made man/woman pessoa que obteve sucesso na vida por esforço próprio

sell vender

send remeter

senior executive alto executivo

seniority tempo de casa; tempo de serviço

senior management alta administração

senior partner sócio principal

services rendered serviços prestados

settlement acordo

set up for oneself estabelecer-se por conta própria

severance indenização

shadow economy economia informal

share ação; parte; quinhão

shareholder acionista

share premium ágio

shift turno

shipment embarque

shortage escassez; falta; deficiência

shortfall saldo devedor

showcase mostruário

signature plates cartão de assinaturas

skill competência

skilled labor/manpower mão de obra qualificada

skyrocket aumentar exageradamente, disparar

slash prices cortar preços

slowdown recessão; desaceleração

smooth nivelar
social capital capital social, recursos humanos
social welfare bem-estar social
sold out esgotado
sole agent agente (representante) exclusivo
sole proprietorship propriedade individual
sole representative agente (representante) exclusivo
solvency solvência
source fonte
spare-time job trabalho que se faz no horário livre
specialist especialista
speculation especulação
speculator especulador
spend desembolsar
spending desembolso; dispêndio; gasto
spokesman porta-voz
sponsor patrocinador; fiador; fiar
sponsorship patrocínio
spot price preço do dia
staff pessoal (funcionários)
stake aposta; parte; quinhão
stakeholder acionista (o mesmo que *shareholder*)
standard padrão
standardization padronização
start-up início das atividades; empresa iniciante de tecnologia
stated value valor declarado
state-of-the-art product produto de última geração (de ponta)
state-of-the-art technology tecnologia de ponta
state-owned company empresa estatal
state-run company empresa estatal
sticker price preço de tabela
stock ação
stock company Sociedade Anônima (S.A.); sociedade por ações
Stock Exchange Bolsa de Valores
stockholder acionista
stock room almoxarifado
strategic estratégico
strategic planning planejamento estratégico
strategy estratégia
strike greve
strike a deal fechar um negócio
subordinate subordinado
subparagraph inciso
subsidiary afiliada, subsidiária
subsidy subsídio
substitute suplente, substituto; substituir
sue acionar, processar
sum montante; quantia; soma
supplier fornecedor
supply suprir, fornecer
supply and demand oferta e procura
surplus excedente; superávit
surplus earnings lucros acumulados
surtax sobretaxa
survey levantamento; pesquisa
sustain losses arcar com os prejuízos
sustainable growth crescimento sustentável
sustainability sustentabilidade
swap *swap*, permuta; permutar; trocar
system sistema

tag etiqueta
takeover incorporação, aquisição (de uma empresa por outra)
take to court processar
target alvo; meta
tariff tarifa
task tarefa
task force força-tarefa

tax imposto; tributo
taxable income lucro real
taxation tributação
tax avoidance uso legal da legislação para evitar o pagamento de impostos, isenção fiscal
tax burden carga tributária
tax evader sonegador
tax evasion evasão fiscal; sonegação de impostos
tax exemption isenção de impostos
tax haven paraíso fiscal
taxpayer contribuinte
tax payment form guia de recolhimento
team grupo
teamwork trabalho em equipe
technology tecnologia
tenant locatário
term prazo; termo
term loan empréstimo a prazo
terms condições
thrive prosperar
time horário; tempo
time card cartão de ponto
time limit termo, prazo
time sharing uso compartilhado do tempo (de equipamentos ou instalações)
timetable cronograma; quadro de horário
to-do list lista de tarefas
toll pedágio
trace rastrear; rastro
track rastrear
trade comércio
trade balance balança comercial
trade balance surplus superávit da balança comercial
trade barriers barreiras comerciais
trademark marca registrada
trademarks and patents marcas e patentes
trade note duplicata
training treinamento
traveler's check cheque de viagem
treasury bond título da dívida pública
treaty tratado
trend tendência
trial balance balancete
turbulence turbulência
turn giro
turnover giro; rotatividade
tycoon magnata

uncollectible incobrável
underdeveloped subdesenvolvido
underdevelopment subdesenvolvimento
underemployment subemprego
underwriting subscrição; concessão de crédito
undue indevido
unemployed desempregado
unemployment desemprego
unemployment rate taxa de desemprego
unfair competition concorrência desleal
union(s) aliança(s); sindicato(s)
unit unidade
unite unir
unskilled labor/manpower mão de obra não especializada
updated value valor atualizado
useful útil
user usuário
usury agiotagem, usura; exploração

vacant vago
vacation férias
validate validar

validity validade
valuables objetos de valor
valuation avaliação; valorização
value valor
value-added valor agregado
variable cost custo variável
vendor fornecedor
venture capital capital de risco
violation violação
vision visão
void nulo
volatile volátil

wage salário
wage earner assalariado
warehouse almoxarifado; armazém
warrant abonar; garantir
warranty garantia
waste desperdício; lixo; refugo
watchdog fiscalização exercida pelas autoridades governamentais; fiscal; organismo fiscalizador
welfare Previdência Social
welfare state estado de bem-estar social
well-known renomado
wholesale atacado
wholesale price preço de atacado ou para atacado
wholesaler atacadista
windfall profit ganho inesperado
withdrawal saque
workday jornada de trabalho
workflow fluxo de trabalho
workforce mão de obra
workgroup grupo de trabalho
working capital capital de giro
working day dia útil; jornada de trabalho
working hours horário de trabalho
workshop oficina; *workshop*, seminário
work status situação de trabalho
work team grupo de trabalho
world fair trade organization (WFTO) organização mundial de comércio justo

yield rendimento
yo-yo stock ação de alta volatilidade

zeal zelo

Portuguese-English

abatimento rebate
ABC Ver sistema ABC de gestão de estoque.
abonar warrant
abrir o capital go public
abrir uma conta bancária open a bank account
ação share; stock
ação de alta volatilidade yo-yo stock
ação de alto nível ou qualidade Bo Derek stock
ação de primeira linha blue chip
ação ordinária common stock
ação preferencial preferred capital stock
aceitação acceptance
acionar (processar) sue; take to Court
acionista shareholder; stockholder
acordo agreement; settlement
acordo amigável amicable settlement
a curto prazo in the short term/run
adiamento deferment
adiantamento advance; down payment
adiar defer; postpone
administração administration; management
administrar uma empresa run an enterprise
admitir pessoal hire
advertência caveat
afastamento (desligamento) phase out
afiliada affiliate; subsidiary
agência agency
agente agent
agente (representante) exclusivo sole agent; sole representative
ágio goodwill; share premium
agiota loan shark
agiotagem usury
a granel in bulk
ajuda de custo cost of living allowance
alavancagem leverage
alavancagem financeira financial leverage
alavancagem operacional operating leverage
alfândega Customs
aliança(s) alliance(s)
alíquota rate
almoxarifado stock room; warehouse
a longo prazo in the long term/run
alta administração senior management
alto executivo senior executive
alvará permit
alvará de funcionamento operating license
alvo target, aim
amortização amortization
amostra sample
amostra grátis free sample
análise de cargo job analysis
anexo attached; attachment; enclosed; enclosure
ano contábil (fiscal) fiscal year
anunciante advertiser
anunciar advertise
anúncio ad, advertisement
aperfeiçoamento (melhoria) improvement
aperfeiçoar (melhorar) improve
apoio financeiro financial support
aposentadoria pension; retirement
aposta bet, stake
aproveitador profiteer
aquisição acquisition
arbitragem arbitrage
arcar com os prejuízos sustain losses
arquivo file
arrendamento leasing
arrendar lease
arrendatário leaseholder
assalariado wage earner
assessor advisor; consultant
ata minute

atacadista wholesaler
atacado wholesale
atingir um objetivo reach a goal
ativo asset
ativo circulante current assets
ativo fixo fixed assets
ativo líquido net assets
ativos intangíveis intangible assets
atribuição assignment
atribuir funções assign
atuário actuary
auditoria audit
aumentar increase
aumentar exageradamente skyrocket
aumento de preço price increase
aumento de salário raise
autarquia autarchy
auxiliar de escritório junior clerk
aval aval
avaliação appraisal; assessment; valuation; rating(s)
avaliação de desempenho performance appraisal
avaliação de risco risk assessment
avaliar appraise; evaluate
avalista avalizor
à venda for sale
aversão ao risco risk aversion
aviso de entrega delivery advice
aviso de remessa remittance advice
aviso prévio prior notice
à vista in cash

B

balança comercial trade balance
balancete trial balance
balanço de pagamentos balance of payments
balanço patrimonial balance sheet
bancarrota bankruptcy
Banco Central (EUA) Federal Reserve Bank (FED)
barganha bargain
barreiras comerciais trade barriers
bem-estar social social welfare
benefícios benefits
benefícios (adicionais ao salário) fringe benefits
bens assets; effects
bens de capital capital goods, capital assets
bens de consumo consumer goods
bens de consumo duráveis consumer durables
bens imóveis property
bens móveis chattels
bens não duráveis non-durable goods
boicotar (boicote) boycott
boletim informativo newsletter
bolha bubble
Bolsa de Mercadorias Commodity Exchange
Bolsa de Valores Stock Exchange
bonificação bonus; gratuity
bruto gross
burocracia red tape

caçador de talentos headhunter
cadastro reference file; register
Cadastro Geral de Contribuintes (CGC/CNPJ) General Taxpayers' Register (GTR)
caderneta de poupança savings account
caixa cash; cashier
caixa automático Automatic Teller Machine (ATM)
caixa de banco bank teller
caixa dois black cash
câmbio exchange
campanha publicitária advertising campaign
candidatar-se a um emprego apply for a job
candidato applicant
capacidade instalada installed capacity
capacidade ociosa idle capacity

capital de giro working capital
capital de risco venture capital
capital estrangeiro foreign capital
capital humano human capital
capital inicial seed money
capital próprio equity capital
capital social social capital
carga tributária tax burden
carta branca carte blanche
carta de crédito letter of credit
carta de intenções letter of intent
carta patente charter, operating license
cartão de assinaturas signature plate
cartão de crédito credit card
cartão de ponto clock card; time card
cartão magnético ATM cash card
carteira de investimentos investment portfolio
cartel cartel
cartório notary's office
Casa da Moeda mint
CEO Ver executivo principal e presidente da empresa.
Certificado de Depósito Bancário (CDB) Negotiable Certificate of Deposit (CD)
cheque check
cheque administrativo banker's check
cheque avulso counter check
cheque cruzado crossed check
cheque de viagem traveler's check
cheque em branco blank check
cheque pré-datado predated check
cheque sem fundos bounced check
cheque visado certified check; pre-cleared check
ciclo da pobreza poverty trap
ciclo de negócios business cycle
CIF Ver custo, seguro e frete.
cifras figures
CIO Ver executivo-chefe de informática.
classificação rating(s)
cliente client; custumer
clientela clientele
cobertura hedge
cobertura de seguros insurance cover
cobrança collection
cobrar bill; charge
cobrar ingresso(s) charge admission(s)
COD Ver pagamento contra entrega.
cofre (particular em banco ou hotel) safe deposit box
comércio commerce; trade
comércio exterior foreign trade
comércio interno domestic trade
comissão commission
comitê committee
commodity commodity
companhia company; enterprise
compensar pay off
competência competence; skill
compra(r) buy; purchase
comprador buyer; purchaser
concessionário dealer
concorrência competition
concorrência acirrada fierce competition
concorrência desleal unfair competition
condições terms
confiança do consumidor consumer confidence
consenso consensus
consórcio consortium
consultor consultant
consumidor consumer
consumo consumption
conta account
conta bancária bank account
contabilidade accountancy; accounting
conta-corrente conjunta joint (check) account
contador accountant
conta inativa dormant account
contas a pagar accounts payable
contas a receber accounts receivable
contra entrega on delivery
contribuinte taxpayer
correção restatement
corretagem brokerage

corretor broker; dealer
cortar preços slash prices
credor creditor; lender
crescente increasing
crescer grow
crescimento growth
crescimento sustentável sustainable growth
cronograma schedule, timetable
cupom coupon
curva ABC ABC curve
custar em média cost on average
custeio costing
custo cost
custo-benefício cost-benefit
custo de oportunidade opportunity cost
custo de vendas cost of sales
custo fixo fixed cost
custo médio average cost
custo, seguro e frete cost, insurance and freight (CIF)
custo total all-in cost, full cost
custo variável variable cost

D

data de vencimento due date; expiration date
data final deadline
debênture bond
débito charge; debt
declaração do escopo da missão mission statement
declaração do imposto de renda income tax return
decolar (fazer sucesso) fly
defeito fault; flaw; malfunctioning
deficiência fault; shortage
déficit deficit
deflação deflation
demanda demand
demissão coletiva layoff
demitir dismiss, fire
demografia demographics
demonstrações financeiras financial statements
departamento department
departamento de loja branch (of store)
depois do expediente after-hours
depositar deposit
depósito bancário bank deposit
depósito em poupança savings deposit
derivativos derivatives
descontar discount
descontar um cheque cash in
desconto discount
descrição de cargo job description
descumprimento non compliance
desembolsar disburse; pay; spend
desembolso disbursement; spending
desempregado jobless; unemployed
desemprego unemployment
desenvolver develop
desenvolvido developed
desenvolvimento development
desequilíbrio imbalance
desfalque embezzlement; misappropriation
desligar (afastar) phase out
despachar dispatch; expedite
desperdício waste
despesa expense; expenditure
despesas diversas miscellaneous expenses
desregulamentação deregulation
desvalorização devaluation; depreciation
desvalorização de moeda currency devaluation
devedor debtor
Dia do Trabalho Labor Day
dia útil working day
diminuição da jornada de trabalho cutback in working hours
diminuir decrease; diminish; lower
dinheiro em caixa cash on hand
dinheiro quente hot money
diretoria board of directors
diretriz guideline

dispêndio expenditure; spending
dispensa de empregados layoff
disposição morale
dissídio coletivo collective labor agreement
diversificar branch out; diversify
dívida debt
dívida duvidosa bad debt
dívida externa external debt
dividendo dividend
dividendo acumulado accumulated dividend
divisão division
doença profissional occupational disease
dolarização dollarization
dumping dumping
duplicata trade note

E

economia economics
economia aquecida buoyant economy
economia informal shadow economy
edital de concorrência call for bid, call for tender
eficácia effectiveness
eficaz effective
eficiência em custos cost efficiency
em atraso in arrears
embalagem packing
embargo embargo
embarque shipment
em cascata cascading
em consignação on consignment
em falta out of
em liquidação on sale
emitir um cheque draw a check
empreendedor entrepreneur
empreendedorismo entrepreneurship
empreendimento enterprise
empregado (funcionário) employee
empregador employer
empregar (contratar) hire
emprego employment; job
empreitada piecework
empresa comprada por outra acquiree
empresa compradora acquirer
empresa estatal state-owned company; state-run company
empresário(a) businessperson
empresa voltada para o cliente client-driven company; customer-driven company
emprestar a lend to
emprestar de borrow from
empréstimo loan
empréstimo a prazo term loan
empréstimo à vista demand loan
empréstimo compulsório compulsory loan
em vigor in effect
encaixe fit
encargo burden; charge
encerrar atividades close down activities; close down business
endividamento indebtedness
endógeno endogenous
endossar endorse
endosso endorsement
entidade governamental government agency
entrada (sinal) down payment
entrega delivery
entregar deliver
entrevista appointment; interview
entrevista coletiva press conference
escada hierárquica hierarchical ladder
escassez dearth; shortage; scarcity
escoar (escoamento) outflow
escritório office
escritório central head-office; headquarters
escritura deed
esgotado sold out
espalhar um boato peddle
especialista expert; specialist
especialização expertise
especulação speculation
especulador adventurer; speculator

estabelecer-se por conta própria set up for oneself
estar altamente endividado be heavily in debt; be saddled with debts
estar encarregado de be in charge of
estar na garantia be under warranty
estar sem dinheiro be cash strapped; be short of money; be broke
estoque inventory
estornar reverse
estorno reversing entry
estratégia strategy
estratégico strategic
estudo de viabilidade feasibility study
estudo do mercado market research; marketing
etiqueta label; tag
evasão fiscal tax evasion
excedente exceeding; surplus
executivo executive; exec. (informal)
executivo-chefe de informática Chief Information Officer (CIO)
executivo principal (presidente da empresa) Chief Executive Officer (CEO); chairman
exercício fiscal fiscal year
exógeno exogenous
expectativa expectation
expectativa adaptativa adaptive expectation
expediente office hours
exportação export
exposição exposure
extrato bancário bank statement
extraoficial off-the-record

F

fábrica factory; plant
fabricação manufacturing
fabricante manufacturer
fabricar make; manufacture
falcatrua monkey business
falência bankruptcy; crash
falir go bankrupt; go bust
falsificação forgery
fatia de mercado market share
fatores críticos de sucesso (FCS) critical success factors (CSF)
fatores de produção factors of production
fatura (nota fiscal) invoice
faturamento billing; invoicing
favorecido beneficiary
fechar um negócio strike (cut) a deal
férias vacation
ferramenta tool
fiador guarantor; sponsor
filial branch
financiamento borrowing; financing; lending
fine tuning fine tuning
firma company; firm
fiscal watchdog
flutuação float
fluxo de caixa cash flow
fluxo de trabalho work flow
fluxograma flow chart
folha de pagamento payroll
follow-up follow-up
fonte source
força de trabalho labor force; work force
força-tarefa task force
formulário form
fornecedor supplier; vendor
fornecedores de capital de risco angels
franquia franchise
fraude embezzlement; fraud
fretamento chartering
frete freight
frota fleet
fuga de capitais capital flight
fundo fund
fundo de ações equity fund
Fundo Monetário Internacional (FMI) International Monetary Fund (IMF)
fundos de cobertura hedge funds
fungível fungible
fusão merger. Ver incorporação.

G

ganho earning; gain; profit
ganho inesperado windfall profit
garantia collateral; guarantee; pledge; warranty
gasto disbursement; spending
gastos gerais general spending; overhead
gastos gerais de fabricação manufacturing overhead
gerência management
gerência intermediária middle management
gerencial managerial
gerenciamento de risco risk management
gerente manager
gestão da mudança change management
gestão de conflitos conflict management
giro cycle; rotation; turn; turnover
globalização globalization
gradativamente increasingly
gráfico chart; graph
gráfico de barras bar chart
gratificação bonus; gratuity
gratificar reward
greve strike
greve patronal lockout
grupo group; team
grupo de trabalho workgroup; work team
guerra de preços price war
guia de embarque bill of lading
guia de recolhimento tax payment form
guia de remessa remittance slip

H

habilidade ability
herança inheritance; legacy
hierarquia hierarchy
hiperinflação hyperinflation
hipoteca(r) mortgage
homem/mulher de negócios businessperson
homem-hora man-hour
honorário fee
horário time
horário de trabalho working hours
horas extras overtime
horista hourly-paid worker

idoneidade eligibility; good standing
imóvel real estate
imperícia malpractice
imposto tax
imposto de renda income tax
inadimplência default
incentivo incentive
inciso subparagraph
incobrável uncollectible
incorporação merger; takeover
indenização indemnity; severance
indevido undue
índice index; ratio
índice de liquidez seca acid test ratio
ineficaz ineffective
ineficiente inefficient
inflação inflation
inflação galopante runaway inflation
informação confidencial inside information
infração infringement
início das atividades start-up
inovação innovation
instalações facilities
instalações ociosas idle facilities
instrumentos financeiros (valores e títulos) financial instruments
insumo input
intermediação intermediation
intermediário go-between; intermediary; middleman
intruso outsider

investir invest
isenção de impostos tax exemption
isenção fiscal tax avoidance
isento exempt
isento de débitos ou encargos free of charge
isento de taxas ou tarifas duty-free

jogo limpo fair play
jornada de trabalho a day's work; workday; working day
Junta Comercial Board of Trade (USA); Commercial Registry (UK)
juros interest
juros de mora interest on arrears
juros embutidos implicit interest
juros máximos cap
juros mínimos floor

lacrado sealed
lançamento (contábil) accounting entry
lançamento (de um produto) launching
lançamento de ações flotation
lance bid
leigo layman
leilão auction
leis antitruste antitrust laws
letra de câmbio bill of exchange
levantamento survey
licitação pública public tender
líder leader
liderança leadership
linha de montagem assembly line
linha de produção production line
liquidez liquidity
lista de tarefas to-do list
litígio litigation
livre iniciativa free enterprise
livro de atas minute book
livros contábeis account books
lobista lobbyist
locador lessor
local de entrega place of delivery
locatário tenant
lote batch; lot
lote econômico economic lot size
lucrativo profitable
lucro income; profit
lucro antes do imposto de renda pretax income
lucro bruto gross profit
lucro líquido net profit
lucro por ação earning per share (EPS)
lucro real taxable income
lucros acumulados retained earnings; surplus earnings
luvas key money

macroeconomia macroeconomics
má-fé bad faith; mala fide
maioria majority
mais-valia appreciation
malversação misappropriation
manuseio handling
mão de obra labor force; manpower; workforce
mão de obra não especializada unskilled labor; unskilled manpower
mão de obra qualificada qualified labor; skilled labor; skilled manpower
marca (de automóvel) make
marca (genérica) brand; branding
marca registrada trademark
marcas e patentes trademarks and patents
margem de lucro markup, profit margin
marginal marginal
massa falida bankrupt estate
massificar um produto go downscale
material de escritório office supplies
matéria-prima raw material

matriz headquarters
mau funcionamento malfunctioning
mau pagador delinquent
MBA Ver mestrado em administração de empresas.
média average
medidas measures
meio medium; resource
meio empresarial business community
meios media; resources
mercado aberto open market
mercado emergente emerging market
mercado negro black economy
mercado paralelo black market
mercadorias goods; merchandise
mercado saturado glutted market
mercantilismo mercantilism
mestrado em administração de empresas Master of Business Administration (MBA)
meta goal; target
metas de inflação inflation target
microeconomia microeconomics
missão mission
mobilidade mobility
moeda currency
moeda corrente legal tender
moeda forte hard currency
moeda podre Ver título podre.
monetarismo monetarism
monopólio monopoly
montante amount; sum
moratória moratorium
mostruário sample book; showcase
motivação motivation
mudança change
multa(r) fine
mutuário borrower

necessidades needs
negociação negotiation
negociador negotiator
negociar deal; negotiate
negócio(s) business; enterprise
negócio arriscado dicey business
negócio central core business
networking networking
nível de preços price level
nivelar even; level; smooth
nulo null; void
número de conta bank account number
número de funcionários head count

objetivo goal; objective; aim
objetos de valor valuables
obras públicas public works
obrigação liability; obligation
obrigatório mandatory
oferta e procura supply and demand
oficina workshop
oligopólio oligopoly
opção option
operação de alto risco high risk operation
oportunidade chance; opportunity
oportunidade única outstanding opportunity
orçamento budget
ordenado salary; pay
organização mundial de comércio justo world trade fair organization (WTFO)
organograma organizational chart

padrão pattern; standard
padronização standardization
pagamento payment
pagamento atrasado late payment; payment in arrears
pagamento contra entrega cash on delivery (COD)
país emergente developing country; emerging country

papel-moeda greenback; paper money
paraíso fiscal tax haven
parcela installment; quota
parte part; stake; share
parte interessada affected party
participação equity; ownership
participação majoritária controlling interest; majority interest
participação minoritária minority interest
participação nos lucros profit sharing
Partido Trabalhista Labor Party
passivo liabilities
passível exigível a curto prazo short-term liability
passível exigível a longo prazo long-term liability
patente patent
patrimônio líquido net assets; net equity
patrocinar sponsor
patrocínio sponsorship
peças parts
pedágio toll
pedido order
pedidos em carteira backlog
pedir demissão quit; resign
pendência holdover
pensão annuity; pension
pensão por desquite ou divórcio alimony
pensão por invalidez disability benefit
pensão vitalícia life annuity
perda damage; loss
período de carência grace period
perito expert
permutar exchange; swap
perspectiva outlook
peso bruto gross weight
peso líquido net weight
pesquisa poll; research; survey
pesquisa de opinião opinion poll
pessoa física individual; natural person
pessoa jurídica legal entity; corporate body
pessoa que obteve sucesso na vida por esforço próprio self-made man/woman
pessoal personnel; staff
PIB Ver produto interno bruto.
planejamento planning
planejamento estratégico strategic planning
plano de ação action plan
pleno emprego full employment
poder aquisitivo purchasing power
política policy
política fiscal fiscal policy
ponto de equilíbrio breakeven point
ponto de venda outlet; point of sale
portador bearer
porta-voz spokesman
portfólio porfolio
posse ownership; possession
potência powerhouse
poupança savings; savings account
prazo duration; term; time limit
preço de atacado wholesale price
preço de fábrica outlet price
preço (valor) de mercado going rate; market value
preço de revenda dealer price; resale price
preço de tabela list price; sticker price
preço de varejo retail price
preço do dia spot price
preço para atacado wholesale price
preço para varejo retail price
preço justo fair trade price
predatório predatory
prejuízo loss
pré-pago prepaid
presidente da empresa chief executive officer (CEO); chairman
pressão inflacionária inflation pressure
prestação installment
prestar contas account for; report
prever foresee
Previdência Social welfare
previsão forecast
private equity private equity
privatização privatization, deregulation

procuração proxy
produção output; production
produto product
produto de marca branded product
produto de última geração state-of-the-art product
produto final end product
Produto Interno Bruto (PIB) Gross Domestic Product (GDP)
produto "novinho em folha" brand new product
produto secundário/derivado by-product
produzir make; manufacture; produce
prognóstico forecast
programação programming; schedule
pronta entrega prompt delivery
propriedade individual sole proprietorship
prosperar prosper; thrive
protecionismo protectionism
publicidade advertising
pular de emprego para emprego job-hopping

quadro de avisos bulletin board
quadro de pessoal personnel, staff
quantia amount
quebra break; crash
queda de preços plunge in prices
quinhão share; stake
quociente ratio
quota allowance; quota

ramo industry
rastrear monitor; trace; track
rasura erasure
ratear distribute; prorate
rateio distribution; proration
razão social company name
reaparelhar retool
reaver recover
rebaixa buydown
receita income; revenue
receita bruta gross income; gross revenue
receita líquida net income
recessão slowdown; recession
recibo receipt
recrutar recruit
recuperação recovery
recurso resource
recursos humanos (RH) human resources (HR)
redução (tamanho) downsizing
reduzir (tamanho) downsize
reembolso refund
reengenharia reengineering
reestruturação restructuring
refugo junk; scrap; waste
regime basis
registro record
regra norm; rule
relação ratio; relation; relationship
relação capital-trabalho capital-labor ratio
relação custo-benefício cost-benefit ratio
relação custo-volume-lucro cost-volume-profit relationship
relações interpessoais interpersonal relationships
relações públicas (RP) public relations (PR)
relatório report
relatório de vendas sales report
relatórios gerenciais management reports
remessa remittance
remeter send
remuneração pay; payment; remuneration
renda income
rendimento yield; returns
renomado well-known
represália retaliation

representante representative
resgatar (títulos) redeem
resgate (de títulos) redemption
responsabilidade liability
responsável accountable; responsible
resultado aftermath; outcome; result
retorno payback
retorno sobre o investimento Return On Investment (ROI)
RH Ver recursos humanos.
risco risk
rodízio rotation
rodízio de funções job rotation
rótulo label
RP Ver relações públicas.

S.A. Ver sociedade anônima.
sacado drawee
sacador drawer
saída de caixa disbursement; cash outflow
salário salary; wage
salário mínimo minimum wage
saldo balance
saldo credor credit balance
saldo devedor debit balance, shortfall
saldo vinculado compensating balance; restricted balance
saque draft; withdrawal
segurança safety
seguro insurance
sem entrada no money down
ser demitido be fired, be sacked
ser produzido roll off the production line
ser responsável por account for
serviços prestados services rendered
setor privado private sector
setor público public sector
sinal down payment
sindicato union
sistema system
sistema ABC de gestão de estoque ABC inventory control system
sistema informatizado computerized system
situação de trabalho work status
sob fiança on bail
sobras garbage; scrap
sobrecarga overload
sobrepreço overprice
sobretaxa surtax
sociedade partnership
sociedade anônima (S.A.) corporation; stock company
sociedade limitada limited liability company
sociedade por ações corporation; joint-stock company; stock company
sócio partner
sócio principal senior partner
solvência solvency
sondar o mercado probe the market
sonegação de impostos tax evasion
stakeholder stakeholder
subdesenvolvido underdeveloped
subdesenvolvimento underdevelopment
subemprego underemployment
subordinado subordinate
subscrição underwriting
subsidiária subsidiary
subsídio subsidy
sucursal branch
superávit surplus
superávit da balança comercial trade balance surplus
suplente substitute
suprir furnish; provide; supply
sustentabilidade sustainability

tabelião notary; notary public
talão de cheques check book
tarefa assignment; job; task
tarifa fare; rate; tariff
taxa fee

taxa de câmbio exchange rate
taxa de desemprego unemployment rate
taxa de juros interest rate
taxa de retorno rate of return
tecnologia technology
tecnologia de informação (TI) information technology (IT)
tecnologia de ponta cutting-edge technology; state-of-the-art technology
telefonista operator
tempo de serviço seniority, length of service
tendência trend
tendência altista de mercado bull market
tendência baixista de mercado bear market
tendências do mercado market forces
teoria dos jogos game theory
terceirização outsourcing
terceirizar outsource
termo term; time limit
título bond; note; security
título ao portador bearer security
título da dívida pública public bond; treasury bond
título de renda fixa fixed-income security
título do governo government security
título mobiliário security
título podre junk bond
tomador de empréstimo borrower
topo da categoria head of the class
trabalho de meio período part-time job
trabalho em equipe teamwork
trabalho extra (alternativo) on-the-side job
trabalho que se faz no horário livre spare-time job
trâmite procedural step
tratado treaty
treinamento training
treinamento no local de trabalho on-the-job training
Tribunal da Justiça do Trabalho Labor Court of Appeals
Tribunal de Contas Court of Audit
tributação assessment; taxation
tributo tax
trilha de auditoria audit trail
troca barter
troco change
turbulência turbulence
turno shift

unidade unit
unir merge; unite
uso conjunto (de equipamentos ou instalações) sharing
uso inadequado misuse
usuário user
útil useful

vaca leiteira cash cow
vago vacant
vale in advance; I Owe You (IOU)
validade validity
validar validate
valor value
valor agregado added value, value-added
valor atualizado updated value
valor declarado stated value
valor de mercado market value
valor econômico adicionado economic value added (EVA)
valor justo de mercado fair market value
valor nominal nominal value
valorização appreciation; valuation
vantagens benefits
vantajoso advantageous
varejista retailer
varejo retail
vazar (informação) leak
vencimento maturity
venda sale
venda a prazo credit sale

venda à vista cash sale
venda pelo correio mail order
venda por atacado wholesale
vendedor salesperson
vender sell
verba allowance; grant
viabilidade feasibility
vigência duration; effect
vigente in effect; prevailing
vincular link; restrict
violação infringement; violation
visão point of view; vision
vitalício for life
volátil volatile
volubilidade mobility

zelo zeal
zelo profissional professional care
zona de livre comércio free-trade zone
zona franca duty-free zone

Sorry, I don't speak English very well.

The basics

Bom dia/boa tarde/boa noite!	Good morning/afternoon/evening!
Olá!	Hello!
Sou brasileiro(a).	I'm Brazilian.
O número do meu passaporte é...	My passport number is...
Eu gostaria de...	I'd like to...
Eu preciso (de)...	I need (to)...
Desculpe-me, não falo inglês muito bem.	Sorry, I don't speak English very well.
Um minuto, por favor.	Just a moment, please.

Você/O senhor/A senhora fala português ou espanhol?	Do you speak Portuguese or Spanish?
Até logo!/Tchau!/Adeus!	Goodbye!
Obrigado!/Muito obrigado!	Thank you!/Thank you very much!
Quais documentos são necessários para conseguir um visto de turista para os Estados Unidos?	What documents do I need to get a tourist visa for the United States?
Quanto tempo leva para conseguir um visto de turista para os Estados Unidos?	How long will it take to get the American tourist visa?
Onde fica o consulado brasileiro nos Estados Unidos?	Where is the Brazilian consulate in the United States?

My luggage is lost!

Arriving in a foreign country

Estou viajando sozinho(a).	I'm traveling alone.
Estamos viajando juntos(as).	We're traveling together.
Estou viajando com um(a) amigo(a).	I'm traveling with a friend.
Aqui está o meu passaporte.	Here is my passport.
Somos quatro pessoas.	We're four.
A alfândega é logo ali.	The Customs is right there.
Estou aqui a negócios/a lazer.	I'm here on business/for pleasure.

Só tenho objetos pessoais em minha mala.	I only have personal belongings in my suitcase.
Eu mesmo(a) fiz e fechei minha mala.	I packed and locked my suitcase myself.
Não tenho artigos a declarar.	I have nothing to declare.
Tenho alguns artigos a declarar.	I have some goods to declare.
Esta é toda a bagagem que tenho.	This is all my luggage.
Com licença, por favor.	Excuse me, please.
Minha bagagem não chegou.	My luggage is lost!
Quanto tempo leva para eu recuperar a bagagem?	How long does it take to have my luggage back?
Meu voo era o VV970.	My flight was VV970.
Onde fica o balcão de informações para turistas?	Where is the information desk?
Onde posso comprar um guia de viagens?	Where can I buy/get a travel guide?
Onde fica o banheiro, por favor?	Where is the restroom, please?
Onde posso pegar um táxi?	Where can I get a taxi/cab?
Onde posso reservar um hotel?	Where can I book a hotel room?
Este é o transporte do aeroporto para o hotel?	Is this the hotel shuttle?
Qual é o preço para cada volume de bagagem?	What's the price for each piece of luggage?

Isso não pertence a mim.	This is not mine.
Qual a cotação do dólar/euro?	What is the exchange rate for the dollar/euro?
Eu gostaria de alugar um carro.	I'd like to rent a car.
Quanto lhe devo?	How much do I owe you?
Desculpe-me, não entendi.	Sorry, I don't understand.
Vou ficar no Universal Hotel.	I'm staying at the Universal Hotel.
Por favor, deixe-me no Universal Hotel.	Please, drop me off at the Universal Hotel.
Você pode levar minhas bagagens, por favor?	Can you carry my luggage, please?
Por favor, leve-me até a Times Square.	Please, take me to Times Square.
Qual é a gorjeta normal por aqui?	What's the usual tip around here?

I'd like a room facing the sea.

At the hotel

Olá, eu tenho uma reserva.	Hi, I have a reservation.
Está em nome de Hollaender.	It's under the name of Hollaender.
O café da manhã está incluído na diária?	Is breakfast included?
Gostaria de um quarto com vista para o mar.	I'd like a room facing the sea.
A que horas tenho de deixar o quarto?	What time is the check out?
Vocês têm TV a cabo no quarto?	Does the room have cable TV?
Como faço para telefonar do quarto?	How do I get an outside line?

Quero deixar meus objetos de valor no cofre.	I want to leave my valuables in the safe.
Existe Wi-Fi gratuito aqui?	Is there free Wi-Fi here?
Quais são as melhores atrações locais?	Can you give me some information on the best local attractions?
É seguro andar a pé por aqui?	Is it safe to take a walk around?
Onde fica o ponto de ônibus mais próximo?	Where is the nearest bus stop?
Onde fica a estação de metrô mais próxima?	Where is the nearest subway station?
Onde posso comprar ingressos para o teatro?	Where can I buy tickets for the theater?
Há bares ou danceterias por aqui?	Are there any good nightclubs nearby?
Dá para ir de ônibus para lá?	Can I get there by bus?
Existe algum ônibus de turismo que circule pela cidade?	Is there any tour bus in this town?
Onde posso pegar o ônibus para ir ao centro da cidade?	Where can I get the bus to go downtown?
Quanto custa a passagem de ônibus?	How much is the bus fare?
Aqui é do quarto 68. Tenho um problema.	This is room 68. I have a problem.
Não tem água quente.	There's no hot water.
O ralo da pia/do chuveiro está entupido.	The sink/shower drain is clogged.
A TV/O ar-condicionado/O aquecedor não está funcionando.	The TV/air conditioning/heating is not working.

Tem algum recado para mim?	Are there any messages for me?
Eu quero fechar a conta, por favor.	I'd like to check out, please.
Vocês aceitam cartões de crédito/ cheques de viagem?	Do you accept credit cards/ traveler's checks?
Vocês poderiam, por favor, mandar alguém buscar minha bagagem?	Could you send someone for my luggage, please?
Você poderia chamar um táxi para mim, por favor?	Could you get me a taxi/cab, please?

I have a terrible headache.

Health

Você não parece estar bem.	You don't look very well.
O que você tem?	What's the matter?
Como você está se sentindo?	How are you feeling?
Não estou me sentindo muito bem.	I'm not feeling/I don't feel very well.
Estou com uma dor de cabeça terrível.	I have a terrible headache.
Estou com dor de estômago.	I have a stomachache.
Minha garganta está inflamada.	I have a sore throat.

Meus olhos estão irritados/inchados.	My eyes are irritated/swollen.
Acho que peguei um resfriado.	I think I caught a cold.
Meus pés estão doendo.	My feet hurt.
Preciso descansar.	I need to rest.
Estou gripado.	I have the flu.
Onde fica a farmácia mais próxima?	Where is the nearest drugstore?
Onde posso comprar remédios?	Where can I buy some medicine?
Vocês têm analgésicos?	Do you have any painkillers?
Vocês têm agulhas/seringas descartáveis?	Do you have disposable needles/syringes?
Quais são os telefones de emergência?	What are the emergency numbers here?
Como faço para chamar uma ambulância?	How can I call an ambulance?
O hospital mais próximo é muito longe?	How far is the nearest hospital?
Há algum médico de plantão?	Is there a doctor on duty?
Você tem o telefone de algum médico?	Do you know a doctor I could call?
Socorro! Ele teve um ataque cardíaco.	Help! He's had a heart attack.
Vocês têm um *kit* de primeiros socorros?	Do you have a first-aid kit?
Vocês podem aviar-me esta receita?	Can you prepare this prescription for me?
Vocês têm alguma coisa para picadas de insetos?	Do you have anything for insect bites?
Vocês têm protetor solar?	Do you have any sunscreen?

Do you have this item in different colors?

Shopping

Estou só olhando, obrigado(a).	I'm just browsing, thank you.
Isto está em promoção?	Is this on sale?
Isto não é o que está na vitrine.	This is not what you're showing in the window.
Por favor, você poderia mostrar-me aquela peça?	Could you please show me that item?
Vocês têm esta peça em outras cores?	Do you have this item in different colors?
Vocês têm esta peça em tamanhos diversos?	Do you have this item in different sizes?
Onde fica o setor de CDs e DVDs?	Where is the CD and DVD department?

Posso enviar isto para o Brasil?	Can I have this sent to Brazil?
Isto é isento de impostos?	Is this tax-free?
É para presente./Você poderia embrulhar para presente?	It's a gift./Can I have it gift-wrapped?
Este é o preço justo para esta mercadoria?	Is this the fair price for this item?
Você vai me dar um desconto?	Can you give me a discount?
Qual é o horário de funcionamento desta loja?	What are the store opening hours?
Vocês abrem no fim de semana/ domingo?	Do you open on weekends/ Sundays?
Vou ficar com este vestido/esta camisa.	I'll take this dress/shirt.
As gravatas/meias estão muito baratas.	The ties/socks are a bargain/ really cheap.
Vocês trocam mercadorias?	What is your exchange policy?
Por favor, onde pago?	Where do I pay, please?
Preciso de uma nota/recibo, por favor.	I need a receipt, please.
Onde é a seção de achados e perdidos?	Where is the lost and found section?
Acho que esqueci minha bolsa aqui hoje cedo.	I think I forgot my purse here this morning.
Você sabe se alguém a encontrou?	Do you happen to know if anybody has found it?
Por favor, onde é a saída?	Could you please show me the exit?

Is there a wait?

At a restaurant

Mesa para dois, não fumantes, por favor.	Table for two, nonsmoking, please.
Vamos ter de esperar?	Is there a wait?
Gostaria de uma mesa perto da janela/de frente para a rua.	I would like a table close to the window/facing the street.
Posso ver o cardápio, por favor?	Can I see the menu, please?
Vou pedir frango/carne/massa.	I'll have chicken/steak/pasta.
Por favor, poderia trazer-me mais um garfo/uma faca/uma colher/um guardanapo?	Could you please bring me another fork/knife/spoon/napkin?

Duas cervejas, por favor.	Two beers, please.
Posso ver a carta de vinhos?	Can I see your wine list?
De sobremesa, vou querer sorvete/ frutas.	I'll have ice cream/fruit for dessert.
Estava tudo delicioso, obrigado(a)!	Everything was great, thank you!
Poderia trazer-me a conta, por favor?	Can I have the check, please?
Aqui está, fique com o troco.	Here you are, keep the change.

Ortografia

O passado dos verbos regulares é normalmente formado com o acréscimo de ***-ed***.

act	act***ed***
miss	miss***ed***
need	need***ed***

O passado dos verbos que terminam em ***e*** é formado com o acréscimo de ***-d***.

abus***e***	abuse***d***
chang***e***	change***d***
mov***e***	move***d***

Quando o verbo no infinitivo termina em consoante + ***y***, tira-se o ***y*** e acrescenta-se ***-ied***.

accompan***y***	accompan***ied***
tr***y***	tr***ied***
worr***y***	worr***ied***

Quando o verbo no infinitivo termina em sílaba tônica na forma consoante + vogal + consoante, dobra-se a última consoante e acrescenta-se ***-ed***.

admit	admi***tted***
skip	ski***pped***
rob	ro***bbed***

Pronúncia

Quando o verbo no infinitivo termina com som de consoante surda (ex.: ***f***, ***k***, ***p***, ***ch***, ***sh***, ***s***, ***x***), a pronúncia do sufixo ***-ed*** é /***t***/.

look	looked	/lʊk***t***/
miss	missed	/mɪs***t***/
push	pushed	/pʊʃ***t***/

Quando o verbo no infinitivo termina com som de vogal ou consoante sonora (ex.: ***l***, ***n***, ***m***, ***r***, ***b***, ***v***, ***g***, ***w***, ***y***, ***z***), a pronúncia do sufixo ***-ed*** é /***d***/.

cry	cried	/kraɪ***d***/
live	lived	/lɪv***d***/
perform	performed	/pərf'ɔːrm***d***/

Quando o verbo no infinitivo termina com som de ***d*** ou ***t***, a pronúncia do sufixo ***-ed*** é /***Id***/.

Nota: somente nesses casos há acréscimo de mais uma sílaba.

add	added	/æd***Id***/
count	counted	/kaʊnt***Id***/
end	ended	/end***Id***/

abandon abandonar

abide[1] aguentar; conformar-se

absorb absorver; amortecer

abuse abusar; maltratar; insultar, ofender

accept aceitar; concordar; reconhecer; aprovar, admitir; acolher

accommodate acomodar; hospedar; adaptar, ajustar

accompany acompanhar

account explicar; prestar contas

accuse acusar; denunciar

achieve realizar; conseguir; alcançar

acknowledge admitir; reconhecer; acusar o recebimento de

acquire adquirir; alcançar; obter; comprar; contrair (hábito)

act agir; interpretar (personagem); comportar-se

adapt adaptar(-se); ajustar

add adicionar; juntar

address discursar; abordar; endereçar; dirigir(-se) a alguém

adjust ajustar; regular

admire admirar; apreciar

admit admitir; aceitar

adopt adotar

advance avançar; progredir

advertise anunciar; noticiar; publicar; fazer propaganda

advise aconselhar; advertir; avisar

affect afetar; influenciar; contaminar

afford dispor; poder gastar; permitir-se o luxo de

agree concordar

aid ajudar; auxiliar

aim apontar; visar; almejar

alarm alarmar

allow permitir; conceder

ally aliar(-se)

alter alterar(-se), modificar

amaze pasmar; assombrar

amount equivaler; totalizar, somar, atingir

amuse divertir; entreter

announce anunciar; proclamar; declarar

annoy aborrecer; molestar; ofender

answer responder, replicar, retrucar, contestar

anticipate antecipar; prever; anteceder

appeal atrair; apelar à instância superior; requerer; fazer petição

appear aparecer; surgir; parecer; apresentar(-se); comparecer

apply aplicar(-se); empregar; solicitar; candidatar-se

appoint designar, nomear; decidir; marcar

appreciate apreciar, estimar; ficar grato por

approach aproximar-se; abordar

approve aprovar; apoiar; consentir, autorizar

argue discutir; debater; contestar; argumentar

arm armar(-se); preparar(-se) para a guerra

arrange arrumar; organizar; providenciar

arrest prender, deter, aprisionar

arrive chegar

ask perguntar, indagar; pedir

assert afirmar; impor-se

assess avaliar; calcular; tributar

assist assistir; socorrer; ajudar; auxiliar

associate associar(-se), ligar(-se)

assume assumir; supor; adotar

assure assegurar; garantir

attach atar; juntar; anexar

attack atacar; agredir; ofender

attempt tentar; atentar contra

attend assistir; comparecer; frequentar

attract atrair; encantar, conquistar

attribute atribuir

avoid evitar; eximir-se

award premiar, recompensar

bake assar; cozer (no forno)

balance pesar; equilibrar(-se)

ban proibir; banir

bandage atar, enfaixar

base fundamentar, basear; servir de base a

behave comportar-se

believe acreditar; crer

belong pertencer

benefit beneficiar(-se); favorecer

blame culpar; acusar

block bloquear; paralisar

board embarcar; hospedar(-se)

boil ferver; ficar nervoso

bomb bombardear

book contratar; reservar; fichar

bore furar; chatear; aborrecer

borrow pedir emprestado

bother preocupar(-se); aborrecer, incomodar

breathe respirar; tomar fôlego

brush escovar; limpar, remover

burn[1] queimar; arder; bronzear; incinerar

bury enterrar; sepultar

calculate calcular; computar; orçar

call chamar; gritar; visitar; telefonar

calm acalmar, tranquilizar

camp acampar

cancel cancelar; anular

capture capturar; aprisionar; apreender

care importar-se; preocupar-se

carry levar; conduzir; trazer; carregar

cause causar; motivar

cease cessar; parar

celebrate celebrar; festejar

chain acorrentar

challenge desafiar; contestar

change mudar; alterar; variar; substituir

charge carregar; acusar; cobrar; debitar

chart mapear; criar tabela ou gráfico; planejar

chase perseguir; caçar; gravar; entalhar

chat tagarelar; bater papo

cheat enganar; trair; trapacear

check inspecionar; conferir; marcar

chew mastigar; mascar; ruminar; ponderar

chop cortar; picar

cite citar; referir-se a

claim reivindicar; alegar; requerer

clap aplaudir; bater palmas

clean limpar

clear clarear; retirar; limpar; desobstruir; explicar; compensar (cheque)

click clicar; pressionar

climb escalar; subir

close fechar; confinar; tampar; encerrar

collapse cair; ruir; desmoronar

collect coletar, compilar, colecionar; cobrar, arrecadar

color pintar, tingir, colorir; enrubescer; distorcer, alterar

combine combinar; unir-se; associar-se

comfort confortar

command comandar; mandar

comment comentar; fazer observações

commission comissionar; encarregar

commit cometer; comprometer(-se)

communicate transferir; transmitir; comunicar(-se)

compare comparar(-se), igualar-se

compete competir, concorrer

complain queixar-se; lamentar; fazer uma reclamação

complete completar

complicate complicar

comply consentir; cumprir

compose compor; acalmar-se

comprise incluir, conter

concentrate concentrar(-se)

concern preocupar; interessar

conclude concluir; deduzir; terminar

condemn culpar; condenar; censurar; sentenciar

conduct dirigir; reger (uma orquestra); guiar; conduzir (eletricidade, calor, etc.)

confine limitar, confinar; encarcerar

confirm confirmar; verificar

conflict lutar; discordar

confront confrontar; enfrentar; defrontar

confuse confundir; embaraçar; envergonhar

connect conectar(-se), juntar(-se), unir(-se); relacionar(-se)

consider considerar; refletir

consist consistir; compreender

constitute constituir

construct construir

consult consultar

contact contatar

contain conter

continue continuar; prosseguir; perdurar

contract contrair(-se); abreviar; reduzir; contratar

contrast contrastar(-se); diferenciar

contribute contribuir

control dirigir; comandar; reprimir; controlar

convert converter

convey transportar; conduzir; expressar, transmitir

convince convencer

cook cozinhar

cope lidar, enfrentar

copy copiar

correct corrigir

cough tossir

count contar; somar; computar

cover cobrir; tampar; envolver, revestir; esconder; abrigar; percorrer

crack rachar; quebrar; estalar; estourar

crash estalar; colidir; espatifar-se; arruinar-se, falir

create criar; produzir; inventar

cross marcar com cruz; cruzar; atravessar

crush esmagar; triturar

cry chorar; gritar

curb restringir, refrear, pôr freio em

cure curar; medicar; defumar

curl enrolar; torcer; espiralar

curve curvar(-se); arquear

cycle andar de bicicleta ou de triciclo; passar por um ciclo

damage estragar; prejudicar

dance dançar; bailar

dare ousar; atrever-se; desafiar; afrontar; ter coragem

date datar; sair com alguém; namorar

decay decair; deteriorar

decide decidir; solucionar

declare declarar; depor; expressar

decline declinar, recusar; baixar, diminuir

decorate decorar, ornamentar

decrease decrescer, diminuir

defeat derrotar, frustrar

defend defender; proteger, amparar

define limitar; definir

delay demorar; atrasar(-se)

delight deleitar, encantar, ter prazer

deliver entregar; libertar

demand exigir

demonstrate demonstrar

deny negar; desmentir

depend depender de; contar com, confiar em

deposit depositar

depress deprimir; humilhar; desvalorizar

derive derivar; originar(-se)

describe descrever

desert desertar

deserve merecer

design projetar; desenhar

desire desejar

destroy destruir; aniquilar

detect descobrir; identificar

determine determinar

develop desenvolver

devise imaginar, inventar, criar

devote devotar, dedicar

die morrer

differ diferir

direct dirigir; indicar; endereçar

disagree discordar

disappear desaparecer

disappoint desapontar

discover descobrir

discuss discutir, debater

disgust repugnar

dislike antipatizar; desgostar

dismiss dispensar, despedir, demitir; repudiar; rejeitar

display exibir, expor

dissolve dissolver

distinguish distinguir, discernir

distribute distribuir, repartir

disturb perturbar, incomodar; transtornar; interromper

dive[1] mergulhar

divide dividir, repartir

divorce divorciar-se

dominate dominar; tiranizar

doubt duvidar

draft traçar; delinear

drag arrastar(-se); mover(-se) lentamente ou com dificuldade

dream[1] sonhar

dress vestir

drift amontoar-se; acumular; desgarrar; ir à deriva

drop pingar; deixar cair; cair

dry secar; enxugar

dump esvaziar; descarregar lixo

dust espanar

dwell[1] habitar, morar

earn ganhar; lucrar

ease aliviar; atenuar; consolar, reconfortar

educate educar; ensinar; instruir; adestrar

elect eleger; escolher

eliminate eliminar

e-mail enviar um *e-mail*

embarrass embaraçar; estorvar; atrapalhar; complicar

emerge emergir; surgir

emphasize enfatizar

employ empregar; dar serviço; usar

enable habilitar, capacitar, tornar apto, possibilitar

encounter encontrar casualmente; deparar(-se) com alguém

encourage encorajar

end acabar, concluir, terminar; finalizar, parar

enforce forçar; obrigar

engage empenhar(-se); comprometer--se; ficar noivo

enhance aumentar; realçar

enjoy aproveitar, desfrutar; gostar

ensure assegurar; resguardar, proteger

enter entrar; digitar; introduzir; associar-se

entertain entreter, divertir, distrair; receber visita

entitle intitular, denominar; dar (um direito)

equal igualar; equiparar

escape escapar; vazar

establish estabelecer; fundar; instituir; determinar

estimate estimar, avaliar, calcular, orçar

evaluate avaliar; estimar o valor, calcular

exaggerate exagerar

examine examinar; averiguar; investigar; inspecionar

exchange trocar; cambiar; permutar

excite excitar; estimular; incitar; provocar

exclude excluir; eliminar; afastar

excuse desculpar; perdoar

exercise exercitar

exhibit exibir

exist existir; viver

expand expandir; dilatar; ampliar; desenvolver

expect esperar; aguardar

experience sentir, experienciar; conhecer

experiment experimentar, tentar, fazer experiências

explain explicar

explode explodir; detonar

explore explorar, investigar

export exportar

expose expor; exibir

express despachar como encomenda; expressar, manifestar

extend estender; prolongar; prorrogar (prazo)

face encarar; enfrentar

fail falhar; desapontar; fracassar; ser reprovado (em exame); falir

fasten fixar; atar; prender; apertar

fear temer; recear

feature caracterizar; destacar; ter a participação de

fetch ir buscar; trazer; mandar vir

figure figurar; simbolizar; imaginar; computar

fill encher; acumular; obturar; preencher

film filmar

finance financiar

finish acabar; concluir

fire incendiar; disparar, atirar; demitir

fish pescar

fix fixar; pregar; consertar

flash flamejar; lançar chamas; reluzir

flavor temperar; condimentar

float flutuar; boiar

flood inundar

flow fluir; escorrer; jorrar

focus focar; focalizar

fold dobrar; entrelaçar; embrulhar

follow seguir; acompanhar; perseguir; observar

force forçar; arrombar; coagir

form formar; produzir; imaginar

found fundar; construir; basear(-se)

frame moldar; imaginar; construir; planejar; enquadrar; emoldurar

frighten amedrontar

fry fritar

function funcionar

fund financiar

gain ganhar; obter; alcançar

gamble jogar (jogos de azar); arriscar; especular; apostar

gather juntar; reunir; coletar; apanhar (frutas)

generate gerar; produzir; procriar

glance lançar um olhar rápido

glue colar, grudar

govern governar, dirigir, administrar, controlar

grab agarrar; pegar; apanhar

grade classificar; mudar gradativamente; dar nota, corrigir

grant conceder; admitir; permitir

greet cumprimentar; saudar

grin sorrir de modo malicioso ou afetado

guarantee garantir; afiançar

guard vigiar; defender; proteger

guess adivinhar; imaginar; achar

guide guiar; governar

hand dar; conduzir

handle manobrar; lidar com; manejar; manusear; suportar

hang[1] pendurar; enforcar

happen acontecer; suceder

harm prejudicar; ofender; causar dano

hate odiar

head encabeçar, liderar

heal curar

heat aquecer; excitar

heave[1] levantar; suspirar

help auxiliar; ajudar

hesitate hesitar, vacilar, estar indeciso

highlight ressaltar, realçar, destacar, chamar a atenção para, assinalar

hire alugar, arrendar; contratar

hope esperar, desejar, ter esperança

host receber (pessoas), hospedar; sediar

house abrigar, alojar, guardar

hunt caçar; perseguir; procurar

hurry apressar(-se), precipitar(-se)

identify identificar(-se)

ignore ignorar

illustrate ilustrar; esclarecer

imagine imaginar

implement executar; efetuar; levar a cabo

imply conter; encerrar; implicar; concluir; significar; insinuar, sugerir

import importar

impose impor; obrigar

impress impressionar; comover; afetar; gravar

improve melhorar

include incluir; abranger

incorporate incorporar; unir; reunir

increase aumentar; crescer; ampliar; reforçar

indicate indicar; designar; aludir; mostrar

induce induzir; levar a

infect infectar; contaminar; infeccionar

influence influenciar

inform informar

injure prejudicar; ferir; magoar

insert inserir

insist insistir, persistir

install instalar; colocar; empossar; estabelecer

insult insultar

integrate integrar; completar

intend pretender

interest interessar

interpret explicar; interpretar

interrupt interromper

interview entrevistar

introduce trazer; inserir; introduzir; apresentar

invent inventar

invest investir; dar posse

investigate investigar; pesquisar

invite convidar; solicitar

involve envolver; embrulhar; acarretar; implicar; incluir

iron passar a ferro

irritate irritar; provocar

issue emitir; lançar; pôr em circulação; divulgar; publicar

join ligar, juntar(-se), unir(-se)

joke brincar

judge julgar; sentenciar; decidir; concluir; avaliar

jump saltar; pular

justify justificar; absolver; perdoar; desculpar; alinhar as margens de um texto

kick dar pontapés; chutar

kill matar; abater; assassinar

kiss beijar

knit[1] tricotar

knock bater em; dar pancadas em; derrubar

label rotular; etiquetar

lack faltar; carecer de

land desembarcar; ancorar; aterrissar; pousar

last durar

laugh rir; gargalhar

launch lançar

lean[1] inclinar(-se); debruçar(-se); encostar(-se)

learn[1] aprender; estudar; instruir(-se); ter conhecimento; ser informado

lie mentir

lift erguer; suspender; içar

like gostar

limit limitar; restringir; demarcar

link encadear; unir

list registrar; enumerar, listar

live viver; morar

load carregar

locate colocar ou situar em determinado local; fixar residência

lock trancar; travar

look parecer; olhar; contemplar; considerar; examinar

love amar; gostar

mail postar; expedir pelo correio; remeter

maintain manter; preservar; sustentar

manage administrar, dirigir, conduzir; conseguir

manufacture fabricar; produzir

march marchar

mark marcar; assinalar; distinguir; indicar; designar; dar notas; prestar atenção

marry casar(-se)

match igualar; combinar; casar; unir(-se)

mate casar, acasalar

matter importar, significar

measure medir; comparar; avaliar

melt fundir; derreter

mention mencionar

mind importar-se; cuidar

miss falhar; errar; não alcançar; não obter; sentir falta de; ter saudade de

mix misturar; combinar; unir

modify modificar; mudar; alterar

monitor controlar; observar; monitorar; rastrear

mount subir; montar; organizar, equipar

move mover; deslocar; mudar; comover(-se)

multiply multiplicar

murder assassinar; matar

mutter resmungar

name nomear; mencionar; citar

need necessitar

negotiate negociar

nest aninhar

nod acenar com a cabeça

note anotar; tomar nota; observar

notice notar; perceber; reparar; notificar

obey obedecer; acatar

object objetar; alegar; desaprovar

oblige obrigar

observe observar; perceber; notar

obtain obter; alcançar

occupy ocupar

occur ocorrer; acontecer

offend ofender

offer ofertar; presentear; oferecer

operate funcionar; operar

oppose opor(-se); resistir

order ordenar; encomendar; receitar; arranjar; arrumar; mandar

organize organizar

outline esboçar; delinear

overlook olhar sem atenção; deixar passar

owe dever, ter dívidas

own possuir, ter

pack empacotar; arrumar as malas; acondicionar; abarrotar; despachar

paint pintar; colorir

park estacionar (veículos)

pass passar; transpor; atravessar; percorrer

pause pausar; fazer um intervalo; hesitar

perform realizar; efetuar

permit permitir; consentir; autorizar

persuade persuadir; convencer

phone telefonar

photocopy fotocopiar

pick colher; selecionar

pile empilhar; amontoar

pin prender com alfinetes, fixar; segurar

place colocar

plan planejar; projetar; esboçar; delinear; tencionar

plant plantar; cultivar; implantar

play tocar; jogar; brincar; representar

please agradar; contentar; satisfazer

plot conspirar

point apontar, indicar, mostrar, evidenciar

poison envenenar

polish polir; lustrar; engraxar; pintar (unhas)

pop estourar

pose posar; representar

possess possuir, ter

post afixar cartazes; divulgar; colocar no correio; postar

pour despejar; entornar; chover torrencialmente

praise louvar; elogiar

pray rezar, orar; rogar, suplicar

precede preceder

predict predizer; prognosticar; prever

prefer preferir

prepare preparar

present apresentar; introduzir

preserve conservar; preservar; proteger

press apertar; empurrar; forçar; imprimir

pretend fingir

prevent impedir

print estampar; cunhar; gravar; publicar; imprimir; marcar

proceed proceder

process processar

produce produzir; exibir

program programar; planejar

progress progredir; avançar; prosseguir

project projetar

promise prometer

promote promover

prompt incitar; induzir; impelir

pronounce pronunciar

propose propor; pedir em casamento

protect proteger; defender

protest protestar

prove provar

provide prover; abastecer; suprir

publish publicar

pull puxar, arrastar; tirar, remover; remar

punch esmurrar

punish punir; castigar

purchase comprar; adquirir

pursue procurar; seguir; perseguir; ocupar-se com

push empurrar; impulsionar; pressionar, apertar

qualify qualificar; classificar; habilitar; capacitar

question questionar, indagar, duvidar, desconfiar

quit[1] deixar, abandonar, renunciar, desistir

quote citar

race competir; correr

rain chover

raise levantar; aumentar; criar; cultivar; educar; ressuscitar; erguer; angariar

range percorrer; enfileirar; classificar; alcançar; variar

rank enfileirar; classificar; graduar; ordenar

rate avaliar; taxar; fixar preço ou taxa; classificar

reach alcançar; chegar; estender; tocar; influenciar

react reagir

realize perceber; notar

recall recordar; recolher

receive receber

reckon contar; calcular; pensar; supor

recognize reconhecer; confessar; admitir

recommend recomendar; aconselhar

record registrar; anotar; protocolar; arquivar; gravar

recover recuperar(-se)

reduce reduzir; abreviar; rebaixar; emagrecer

refer referir; encaminhar

reflect refletir; meditar

reform reformar; melhorar; corrigir

refuse recusar; rejeitar

regard considerar; respeitar

register registrar; inscrever-se; matricular-se

regret lamentar, lastimar; arrepender-se

reject rejeitar, recusar

relate relatar, narrar; referir(-se), dizer respeito; relacionar(-se)

relax relaxar; descansar; afrouxar

release soltar, libertar, livrar; ceder, permitir; divulgar, lançar

rely confiar em, contar com

remain sobrar; permanecer; persistir

remark observar; reparar; mencionar

remember lembrar(-se); recordar(-se); ter em mente

remind lembrar, trazer à memória

remove remover; transferir; retirar; afastar; demitir; eliminar

rend[1] rasgar; despedaçar

render prestar; traduzir, verter; interpretar

rent alugar

repair consertar

repeat repetir; reiterar

replace repor; substituir

reply responder

report relatar; noticiar

represent simbolizar; retratar; encenar

reproduce reproduzir; multiplicar

request requerer; solicitar

require requerer; exigir

rescue livrar; salvar; socorrer

reserve reservar; guardar

resign renunciar; demitir-se

resist resistir

resolve resolver; decidir

respect respeitar

respond responder; reagir

rest descansar; apoiar-se

restore restaurar; restituir; restabelecer

restrict restringir; limitar

result resultar

retain reter; conservar; manter; segurar

retire aposentar-se; recolher-se; recuar

return voltar, regressar; devolver; retribuir; lucrar

reveal revelar

reverse inverter; revogar

review rever; recapitular; revisar; escrever críticas ou resenhas; passar em revista (tropas)

revise revisar; corrigir

reward recompensar; premiar

risk arriscar(-se)

rob assaltar; roubar

roll rolar; enrolar(-se); girar; embrulhar(-se); ressoar; fluir; alisar ou abrir com rolo

rub esfregar; friccionar

ruin arruinar

rule ordenar; decretar; regulamentar; governar; administrar; traçar

rush impelir; empurrar; apressar

sack ensacar; demitir; saquear

sail velejar

satisfy satisfazer

save salvar; guardar; proteger; poupar; economizar

scare assustar; amedrontar

schedule tabelar; programar; agendar

score marcar pontos; registrar; anotar; ganhar

scratch arranhar; riscar; coçar

scream berrar, gritar

screw atarraxar; parafusar; torcer; rosquear; obrigar; copular

seal autenticar; lacrar; selar

search procurar; buscar; investigar; explorar

secure segurar, guardar, proteger, defender

seem parecer; dar a impressão de

select selecionar; escolher

sense sentir, perceber; compreender, entender

separate apartar; separar

serve servir; trabalhar para; servir à mesa; servir o exército; suprir; fornecer; ajudar; cumprir; sacar (tênis)

settle assentar, estabelecer(-se), fixar residência; colonizar; determinar; fixar; pôr em ordem; pagar, liquidar; casar; acalmar(-se)

shape dar forma; moldar; modelar; adaptar

share compartilhar; dividir; repartir

shave barbear(-se)

shelter abrigar

shift mudar; variar; transferir

shine[1] brilhar

shock chocar; escandalizar(-se)

shop fazer compras

shout gritar, berrar

show[1] mostrar; expor; exibir; demonstrar; aparecer

sign assinar; contratar; fazer sinal ou gestos; rubricar

signal sinalizar; fazer sinal

slice fatiar

slip escorregar; escapar; deslizar; cometer um lapso; luxar (osso)

slope estar inclinado; inclinar; fugir, escapar

slow reduzir a velocidade; diminuir

smash quebrar, esmagar, estraçalhar, despedaçar, arruinar

smell[1] cheirar; farejar

smile sorrir

smoke fumar

sneak[1] esgueirar-se

snow nevar

solve resolver

sort classificar

sound soar; tocar

specify especificar; detalhar; particularizar

speed[1] correr

spoil[1] estragar; arruinar; danificar; mimar

spot avistar, enxergar, ver, reconhecer

spray aspergir, borrifar

squeeze comprimir; apertar; espremer

stamp estampar; gravar; cunhar; selar; pisar; bater o pé

star estrelar

stare fitar; encarar

start partir; sair de viagem, começar, iniciar; pôr em movimento; dar partida (motor); fundar (negócio)

state declarar; afirmar

stay permanecer; ficar; morar; parar

steer guiar; pilotar; dirigir; conduzir; manobrar

step andar; caminhar; pisar

stimulate estimular; encorajar

stir mover; mexer; misturar; agitar; comover; inflamar

stop parar; interromper; obstruir; tapar; deter; abolir

store abastecer, suprir; armazenar, estocar

stress exercer pressão sobre; enfatizar, salientar; acentuar

stretch esticar, estender, alongar

strip despir, desnudar

strive[1] esforçar-se

stroke acariciar, afagar

struggle esforçar(-se); lutar; debater(-se)

study estudar; investigar; considerar

submit submeter(-se); render-se a; sujeitar(-se)

substitute substituir

succeed ter êxito; conseguir

suck sugar; chupar; aspirar; ser uma droga

suffer sofrer; vivenciar; padecer; suportar, tolerar

suggest sugerir; insinuar; aconselhar

suit adaptar, ajustar

supply fornecer; abastecer

support sustentar; ajudar; apoiar; defender; torcer por

suppose supor

surprise espantar; surpreender

surround cercar; rodear

survey inspecionar; pesquisar; examinar; estudar

survive sobreviver

suspect imaginar; suspeitar; desconfiar

swallow engolir; tragar

sweat[1] suar; transpirar

switch ligar ou desligar; trocar; mudar

tackle manejar, enfrentar (um problema); desarmar o oponente (no jogo)

talk falar; conversar; dizer; discutir

tap bater de leve; interceptar, grampear (telefone)

taste experimentar; provar; saborear

tax taxar, tributar; acusar; sobrecarregar, esforçar

telephone telefonar

tend tender a; cuidar de

test examinar, provar, testar; analisar

thank agradecer

threaten ameaçar

thrive[1] prosperar; florescer

tie ligar, juntar, amarrar, dar nó, dar laço; fixar

tip colocar ponta em; dar gorjeta; informar; aconselhar

touch tocar; apalpar; esbarrar; estar em contato; bater levemente; comover

tour viajar; excursionar

trace rastrear; investigar; observar; determinar; traçar; desenhar

trade comercializar; negociar; trocar, permutar; pechinchar

train treinar; educar, ensinar; adestrar

transfer transferir; transportar; remover; baldear

transform transformar

translate traduzir

transport transportar; conduzir; levar

trap prender; aprisionar

travel viajar

treat tratar

trick enganar; trapacear

trip tropeçar; cambalear

trust confiar; ter fé, esperar, acreditar

try tentar; experimentar, provar; julgar; investigar

tune soar; cantar; compor; estar em harmonia; afinar; sintonizar

turn girar; rodar; virar(-se); retornar; desviar; inverter; mudar de posição; mudar de assunto; transformar(-se), alterar

twist torcer; trançar; tecer; enrolar; rodear; virar; desfigurar; mudar

type datilografar; digitar

undermine minar; abalar; corroer; solapar; sabotar

unite unir(-se), juntar(-se), reunir(-se)

unload descarregar

urge apressar; persuadir; incitar; obrigar

use usar; consumir

value avaliar; estimar; valorizar

vary variar; modificar; alterar; diversificar

venture aventurar(-se); arriscar(-se); ousar

view ver, observar, enxergar, examinar, averiguar; julgar, considerar

visit visitar

vote votar; eleger

wait esperar

walk caminhar; andar a pé

wander passear, perambular, vagar

want necessitar, precisar de; desejar, querer; exigir

warn advertir, prevenir, chamar a atenção, avisar

wash lavar

waste desperdiçar, gastar

watch assistir a; estar atento, vigiar, guardar; espreitar

wave mover-se (como ondas); acenar; flutuar

weigh pesar

welcome dar as boas-vindas a; recepcionar

wet[1] molhar; umedecer

whisper sussurrar; cochichar

whistle apitar; assobiar

wish desejar

witness testemunhar

wonder perguntar(-se); admirar-se; surpreender-se

work trabalhar; funcionar

worry preocupar(-se)

worship adorar, venerar

wound ferir, machucar

wrap[1] enrolar; envolver; cobrir; embrulhar; agasalhar; concluir

yawn bocejar

yield render; produzir

[1] **Alguns verbos podem ser regulares e irregulares simultaneamente.**

Irregular verbs

Verbos irregulares

Infinitive	Simple Past	Past Participle	Translation
to abide	abided/abode	abided/abode	aguentar; conformar-se
to arise	arose	arisen	levantar-se
to awake	awaked/awoke	awaked/awoken	acordar
to be	was/were	been	ser; estar
to bear	bore	borne/born	suportar; aguentar
to beat	beat	beat/beaten	bater; derrotar
to become	became	become	tornar-se
to begin	began	begun	começar
to bend	bent	bent	dobrar; curvar
to bet	bet	bet	apostar
to bid	bid/bade	bid/bidden	fazer um lance (leilão)
to bind	bound	bound	atar; amarrar
to bite	bit	bit/bitten	morder
to bleed	bled	bled	sangrar; drenar
to blow	blew	blown	soprar; ventar
to break	broke	broken	quebrar
to breed	bred	bred	reproduzir-se; procriar
to bring	brought	brought	trazer
to build	built	built	construir
to burn	burned/burnt	burned/burnt	queimar
to burst	burst	burst	estourar; explodir
to buy	bought	bought	comprar
to cast	cast	cast	arremessar; lançar
to catch	caught	caught	pegar; apanhar
to choose	chose	chosen	escolher
to cling	clung	clung	agarrar-se; apegar-se
to come	came	come	vir
to cost	cost	cost	custar

Infinitive	Simple Past	Past Participle	Translation
to creep	crept	crept	rastejar; engatinhar
to cut	cut	cut	cortar
to deal	dealt	dealt	lidar; tratar; negociar
to dig	dug	dug	cavar
to dive	dived/dove	dived	mergulhar
to do	did	done	fazer
to draw	drew	drawn	desenhar; atrair
to dream	dreamed/dreamt	dreamed/dreamt	sonhar
to drink	drank	drunk/drunken	beber
to drive	drove	driven	dirigir
to dwell	dwelled/dwelt	dwelled/dwelt	habitar; morar
to eat	ate	eaten	comer
to fall	fell	fallen	cair
to feed	fed	fed	alimentar
to feel	felt	felt	sentir
to fight	fought	fought	lutar, brigar; combater
to find	found	found	encontrar; descobrir
to flee	fled	fled	fugir, escapar
to fling	flung	flung	arremessar; lançar
to fly	flew	flown	voar; pilotar ou viajar de (avião)
to forbid	forbade/forbad	forbidden/forbid	proibir
to forget	forgot	forgot/forgotten	esquecer(-se)
to forgive	forgave	forgiven	perdoar
to forsake	forsook	forsaken	renunciar; abandonar
to freeze	froze	frozen	congelar
to get	got	got/gotten	pegar; ganhar
to gild	gilt	gilt	dourar
to give	gave	given	dar

Infinitive	Simple Past	Past Participle	Translation
to go	went	gone	ir
to grind	ground	ground	moer; triturar
to grow	grew	grown	crescer
to hang	hung	hung	pendurar; enforcar
to have	had	had	ter; possuir
to hear	heard	heard	ouvir
to hide	hid	hid/hidden	esconder
to hit	hit	hit	bater; golpear
to hold	held	held	segurar; manter
to hurt	hurt	hurt	ferir; machucar; magoar
to keep	kept	kept	guardar; manter
to kneel	knelt	knelt	ajoelhar-se
to knit	knit/knitted	knit/knitted	tricotar
to know	knew	known	saber; conhecer
to lay	laid	laid	pôr; colocar; deitar
to lead	led	led	conduzir; liderar
to lean	leaned/leant	leaned/leant	apoiar-se
to leap	leaped/leapt	leaped/leapt	pular, lançar-se
to learn	learned/learnt	learned/learnt	aprender
to leave	left	left	partir; abandonar
to lend	lent	lent	emprestar (a alguém)
to let	let	let	deixar; permitir
to lie	lay	lain	jazer; deitar; situar-se
to light	lighted/lit	lighted/lit	acender
to lose	lost	lost	perder
to make	made	made	fazer
to mean	meant	meant	significar; tencionar; querer dizer
to meet	met	met	encontrar-se; reunir-se

Infinitive	Simple Past	Past Participle	Translation
to pay	paid	paid	pagar
to plead	pleaded/pled	pleaded/pled	pleitear; defender
to put	put	put	pôr; colocar
to quit	quitted/quit	quitted/quit	desistir; parar (de); demitir-se
to read	read	read	ler
to rend	rended/rent	rended/rent	rasgar; despedaçar
to ride	rode	ridden	andar (a cavalo, de bicicleta)
to ring	rang	rung	soar; tocar (campainha)
to rise	rose	risen	levantar-se; erguer-se
to run	ran	run	correr
to saw	sawed	sawed/sawn	serrar
to say	said	said	dizer
to see	saw	seen	ver
to seek	sought	sought	procurar; tentar
to sell	sold	sold	vender
to send	sent	sent	mandar; enviar
to set	set	set	pôr; estabelecer
to sew	sewed	sewed/sewn	costurar
to shake	shook	shaken	sacudir; balançar
to shed	shed	shed	derramar
to shine	shined/shone	shined/shone	brilhar
to shoe	shoed/shod	shoed/shod	calçar
to shoot	shot	shot	atirar (dar tiros)
to show	showed	showed/shown	mostrar
to shred	shredded/shred	shredded/shred	retalhar
to shrink	shrunk/shrank	shrunk/shrunken	encolher
to shut	shut	shut	fechar
to sing	sang	sung	cantar

Infinitive	Simple Past	Past Participle	Translation
to sink	sank	sunk	afundar
to sit	sat	sat	sentar-se
to slay	slew	slain	matar
to sleep	slept	slept	dormir
to slide	slid	slid/slidden	escorregar
to slit	slit	slit	fender; cortar
to smell	smelled/smelt	smelled/smelt	cheirar
to smite	smote	smote/smitten	golpear; bater
to sneak	sneaked/snuck	sneaked/snuck	esgueirar-se
to sow	sowed	sowed/sown	semear
to speak	spoke	spoken	falar
to speed	speeded/sped	speeded/sped	correr
to spend	spent	spent	gastar; passar (tempo)
to spin	spun/span	spun	girar; rodar
to spit	spit/spat	spit/spat	cuspir
to split	split	split	rachar; partir; separar
to spoil	spoiled/spoilt	spoiled/spoilt	estragar; mimar
to spread	spread	spread	espalhar; difundir
to spring	sprang/sprung	sprung	saltar
to stand	stood	stood	estar em pé; aguentar
to steal	stole	stolen	furtar; roubar
to stick	stuck	stuck	grudar
to sting	stung	stung	picar
to stink	stank/stunk	stunk	feder
to strew	strewed	strewn	espalhar
to stride	strode	stridden	andar a passos largos
to strike	struck	struck/stricken	bater; golpear
to string	strung	strung	amarrar

Infinitive	Simple Past	Past Participle	Translation
to strive	strived/strove	strived/striven	esforçar-se
to swear	swore	sworn	jurar
to sweat	sweated/sweat	sweated/sweat	suar
to sweep	swept	swept	varrer
to swell	swelled	swollen/swelled	inchar; alargar-se
to swim	swam	swum	nadar
to swing	swung	swung	balançar
to take	took	taken	pegar; tomar; levar
to teach	taught	taught	ensinar
to tear	tore	torn	rasgar
to tell	told	told	contar; relatar
to think	thought	thought	pensar; achar
to thrive	thrived/throve	thrived/thriven	prosperar; florescer
to throw	threw	thrown	arremessar; lançar
to thrust	thrust	thrust	empurrar
to tread	trod	trod/trodden	andar; pisar
to understand	understood	understood	entender
to upset	upset	upset	aborrecer; chatear
to wear	wore	worn	vestir; trajar
to weave	wove	woven	tecer
to wed	wedded	wedded/wed	casar-se
to weep	wept	wept	chorar; lamentar
to wet	wetted/wet	wetted/wet	molhar; umedecer
to win	won	won	ganhar; vencer
to wind	wound	wound	enrolar; girar; rodar
to wring	wrung	wrung	torcer(-se); distender
to write	wrote	written	escrever

Crédito das fotos

p. 345: © Zé Paiva/Pulsar Imagens; © happydancing/Shutterstock; © Vladitto/Shutterstock; © Donald R. Swartz/Shutterstock; © Iakov Kalinin/Shutterstock; © s_oleg/Shutterstock. p. 346: © Aspen Photo/Shutterstock; © muzsy/Shutterstock; © Alexandra Lande/Shutterstock; © Pavel L Photo and Video/Shutterstock; © Krzysztof Odziomek/Shutterstock; © Tumar/Shutterstock. p. 347: © EpicStockMedia/Shutterstock; © Corepics VOF/Shutterstock; © IM_photo/Shutterstock; © Nick Stubbs/Shutterstock; © Ammit Jack/Shutterstock; © Eileen Langsley Olympic Images/Alamy. p. 348: © Tyler Olson/Shutterstock; © Silvestre Machado/Opção Brasil Imagens; © absolutimages/Shutterstock; © Diego Cervo/Shutterstock; © AHMAD FAIZAL YAHYA/Shutterstock; © My Good Images/Shutterstock. p. 349: © stephen/Shutterstock; © aodaodaodaod/Shutterstock; © Peter Macdiarmid/Getty Images; © Maria Dryfhout/Shutterstock; © Aaron Amat/Shutterstock; © Tony Taylor stock/Shutterstock. p. 350: © wavebreakmedia/Shutterstock; © BestPhotoStudio/Shutterstock; © prochasson frederic/Shutterstock; © Dusaleev Viatcheslav/Shutterstock; © MJTH/Shutterstock; © Alexeysun/Shutterstock. p. 351: © Edyta Pawlowska/Shutterstock; © Goodluz/Shutterstock; © prudkov/Shutterstock; © wrangler/Shutterstock; © Africa Studio/Shutterstock; © GSPhotography/Shutterstock. p. 352: © Olinchuk/Shutterstock; © PeJo/Shutterstock; © Doru Cristache/Shutterstock; © tristan tan/Shutterstock; © sevenke/Shutterstock; © hxdbzxy/Shutterstock. p. 353: © Diego Cervo/Shutterstock; © Andresr/Shutterstock; © Hiya Images/Corbis/Glowimages; © CandyBox Images/Shutterstock; © Rubberball/Diomedia; © AVAVA/Shutterstock. p. 354: © Annto/Shutterstock; © Repina Valeriya/Shutterstock; © TonyV3112/Shutterstock; © Matteo Gabrieli/Shutterstock; © MO_SES/Shutterstock; © Sascha Burkard/Shutterstock. p. 355: © BlueOrange Studio/Shutterstock; © Horiyan/Shutterstock; © Jodie Johnson/Shutterstock; © anekoho/Shutterstock; © Elnur/Shutterstock; © Scott Leman/Shutterstock. p. 356: © sergioboccardo/Shutterstock; © Zadiraka Evgenii/Shutterstock; © Patrick Rolands/Shutterstock; © Johan Swanepoel/Shutterstock; © Arthur van der Kooij/Shutterstock; © PWDG Photo/Shutterstock; © Mirek Kijewski/Shutterstock. p. 357: © Christopher Meder/Shutterstock; © Bishmix/Shutterstock; © Anibal Trejo/Shutterstock; © Vittorio Bruno/Shutterstock; © Volodymyr Burdiak/Shutterstock; © Iakov Filimonov/Shutterstock. p. 358: © mkantcom/Shutterstock; © Sekar B/Shutterstock; © Artur Synenko/Shutterstock; © Shane Gross/Shutterstock; © Andrea Izzotti/Shutterstock. p. 359: © Kesu/Shutterstock; © Volosina/Shutterstock; © Jag_cz/Shutterstock; © Efired/Shutterstock; © Justyna Kaminska/Shutterstock; © Jag_cz/Shutterstock. p. 360: © NatBarth/Shutterstock; © Christopher Elwell/Shutterstock; © Tanawat Pontchour/Shutterstock; © B. and E. Dudzinscy/Shutterstock; © Angela Andrews/Shutterstock; © Leptospira/Shutterstock. p. 375: © Lu Huanfeng/Shutterstock; © Alysta/Shutterstock. p. 382: © Kiev.Victor/Shutterstock; © Dmitry Kalinovsky/Shutterstock. p. 391: © Anaken2012/Shutterstock. p. 392 © Ina Pandora/Shutterstock; © Andrei Nekrassov/Shutterstock; © Bitt24/Shutterstock. p. 393: © Pavel L Photo and Video/Shutterstock; © Kongsak/Shutterstock; © EurngKwan/Shutterstock. p. 398: © Stoonn/Shutterstock; © Evgeny Tomeev/Shutterstock. p. 399: © D. Kucharski K. Kucharska/Shutterstock; © Patrick Foto/Shutterstock; © Sergey Kamshylin/Shutterstock; © Kaman985shu/Shutterstock. p. 400: © JohnKwan/Shutterstock; © Luckypic/Shutterstock. p. 403: © PathomP/Shutterstock; © Gajic Dragan/Shutterstock. p. 405: © Horiyan/Shutterstock; © Dmitry Kalinovsky/Shutterstock. p. 408: © BlueOrange Studio/Shutterstock; © Aldorado/Shutterstock. p. 417: © Severija/Shutterstock. p. 430: © Lissandra Melo/Shutterstock; © Pete Saloutos/Shutterstock; © David Acosta Allely/Shutterstock. p. 432: © Andresr/Shutterstock; © Matthew Bechelli/Shutterstock p. 433: © Nathalie Speliers Ufermann/Shutterstock; © Bhumi/Shutterstock; © NinaM/Shutterstock; © Art Images Archive/Glow Images. p. 463: © Goodluz/Shutterstock. p. 470: © Aaron Kohr/Shutterstock; © Lakov Filimonov/Shutterstock. p. 480: © Peter Gudella/Shutterstock; © Maksud/Shutterstock. p. 486: © Dancestrokes/Shutterstock; © Cartela/Shutterstock. p. 488: © Aleksandar Todorovic/Shutterstock; © Leoks/Shutterstock. p. 494: © Urbanlight/Shutterstock; © Marko Poplasen/Shutterstock. p. 495: © Time & Life Pictures/Getty Images. p. 533: © Peera_stockfoto/Shutterstock; © Tina Rencelj/Shutterstock. p. 536: © Margouillat Photo/Shutterstock; Insago/Shutterstock. p. 540: © Aleksandra Duda/Shutterstock; © Alexander Tihonov/Shutterstock; © Africa Studio/Shutterstock. p. 557: © Ninell/Shutterstock. p. 562: © Panu Ruangjan/Shutterstock; © EmiliaUngur/Shutterstock. p. 586: © 29september/Shutterstock. p. 591: © Molodec/Shutterstock; © Mihai Simonia/Shutterstock. p. 595: © Ekkachai/Shutterstock; © Ditty_about_summer/Shutterstock. p. 607: © NinaMalyna/Shutterstock; © T-Design/Shutterstock. p. 612: © Vaclav Volrab/Shutterstock; © Chepko Danil Vitalevich/Shutterstock. p. 626: © Jiri Hera/Shutterstock; © Balein/Shutterstock. p. 627: © K. Miri Photography/Shutterstock; © Discpicture/Shutterstock. p. 631: © 1000 Words/Shutterstock; © Thinkstock/Getty Images. p. 635: © Corgarashu/Shutterstock; © Danilobiancalana/Shutterstock. p. 638: © Microstock Man/Shutterstock; © De Visu/Shutterstock. p. 642: © JLR Photography/Shutterstock.